Canada
2000-2001

3e édition

Directrice de la production
Pascale Couture

Correcteurs
Pierre Corbeil
Pierre Daveluy

Chargée de projet
Anne Joyce

Collaborateurs à la mise à jour
Nathalie Boucher
Clayton Anderson

Illustratrices
Lorette Pierson
Myriam Gagné
Jenny Jasper

Metteurs en pages
Élyse Leconte
Anne Joyce
Raphaël Corbeil
Julie Brodeur
Alexandra Gilbert
Caroline Béliveau

Cartographes
André Duchesne
Patrick Thivierge
Yanik Landreville

Infographiste
Stéphanie Routhier

Directeur artistique
Patrick Farei (Atoll)

Photographes
Page couverture
Tibor Bognár
Pages intérieures
Guy Dagenais
Jacqueline Grekin
Megapress Images: K. Cooke, E. Dugas, J. Pharand, P. Quittemellé
Roger Michel
Reflexion: Walter Bibikow, Tibor Bognár, Anne Gardon, Paul Jensen, Jerg Kroener, Mauritius-Rosing, Sean O'Neill, Troy & Mary Parlee, B. Terry, Y. Tessier
P. Renaud

Recherche et rédaction : Provinces Atlantiques (Benoit Prieur), Québec (François Rémillard, Gabriel Audet, Caroline Béliveau, Daniel Desjardins, Stéphane G. Marceau, Judith Lefebvre, Claude Morneau, Yves Ouellet, Joël Pomerleau, Yves Séguin), Ontario (Pascale Couture), Toronto (Jennifer McMorran, Alain Rondeau et Jill Borra), Manitoba (Paul Karr et Stéphanie Heidenreich, traduit par Pierre Corbeil), Saskatchewan (Paul Karr et Stéphanie Heindenreich, traduit par Pierre Corbeil), Alberta (Jennifer McMorran et Alexis De Gheldere), Rocheuses (Lorette Pierson et Alexis De Gheldere), Colombie-Britannique (Pierre Longnus, P.-É. Dumontier, François Rémillard et Alexis De Gheldere), Yukon (François Brodeur et Pierre Longnus), Territoires du Nord-Ouest (Lorette Pierson), Nunavut (Jacqueline Grekin), Portrait (François Brodeur et Benoit Prieur; *collaboration* Nathalie Garneau).

Distribution

Canada : Distribution Ulysse, 4176, St-Denis, Montréal (Québec) H2W 2M5, ☎(514) 843-9882, poste 2232, ☎800-748-9171, fax : (514) 843-9448, www.guidesulysse.com, info@ulysse.ca

États-Unis : Distribooks, 8120 N. Ridgeway, Skokie, IL 60076-2911, ☎(847) 676-1596, fax : (847) 676-1195

Belgique-Luxembourg : Vander, 321, avenue des Volontaires, B-1150 Bruxelles, ☎(02) 762 98 04, fax : (02) 762 06 62

France : Inter Forum, 3, allée de la Seine, 94854 Ivry-sur-Seine Cedex, ☎01 49 59 10 10, fax : 01 49 59 10 72

Espagne : Altaïr, Balmes 69, E-08007 Barcelona, ☎(3) 323-3062, fax : (3) 451-2559

Italie : Centro cartografico Del Riccio, Via di Soffiano 164/A, 50143 Firenze, ☎(055) 71 33 33, fax : (055) 71 63 50

Suisse : Diffusion Payot SA, p.a. OLF S.A., Case postale 1061, CH-1701 Fribourg, ☎(26) 467 51 11, fax : (26) 467 54 66

Pour tout autre pays, contactez Distribution Ulysse (Montréal).
Données de catalogage avant publication (Canada). (Voir p 8)

Bibliothèque nationale du Québec
Dépôt légal - Deuxième trimestre 2000
ISBN 2-89464-298-9

«Le monde, c'est tout l'espace et tout le temps.
On peut rentrer chez soi par le jardin ou par la rue;
mais on peut aussi venir de l'été et des autres saisons.
Parcourir le monde, c'est réinventer l'histoire.»

Antonine Maillet
Par derrière chez mon père

SOMMAIRE

SYMBOLES DES CARTES

?	Information touristique	▲	Montagne
	Traversier (ferry)		Glacier
	Traversier (navette)		Plage
	Gare routière		Station de ski alpin
	Gare ferroviaire		Église
	Aéroport		Poste frontalier
	Station de métro (Montréal)		Funiculaire

LISTE DES CARTES

CATALOGAGE

Données de catalogage avant publication (Canada)

Vedette principale au titre:

Canada

(Guide de voyage Ulysse)
Comprend un index.
ISSN 1486-1925

ISBN 2-89464-298-9

1. Canada - Guides. I. Titre. II. Collection.

FC38.C2314 917.104'648 C99-301058-7
F1009.C2314

ÉCRIVEZ-NOUS

Tous les moyens possibles ont été pris pour que les renseignements contenus dans ce guide soient exacts au moment de mettre sous presse. Toutefois, des erreurs peuvent toujours se glisser, des omissions sont toujours possibles, des adresses peuvent disparaître, etc.; la responsabilité de l'éditeur ou des auteurs ne pourrait s'engager en cas de perte ou de dommage qui serait causé par une erreur ou une omission.

Nous apprécions au plus haut point vos commentaires, précisions et suggestions, qui permettent l'amélioration constante de nos publications. Il nous fera plaisir d'offrir un de nos guides aux auteurs des meilleures contributions. Écrivez-nous à l'adresse qui suit, et indiquez le titre qu'il vous plairait de recevoir (voir la liste à la fin du présent ouvrage).

Les Guides de voyage Ulysse
4176, rue Saint-Denis
Montréal (Québec)
Canada H2W 2M5
www.guidesulysse.com
texte@ulysse.ca

TABLEAU DES SYMBOLES

≡	Air conditionné
	Animaux de compagnie admis
⊛	Baignoire à remous
⊖	Centre de conditionnement physique
	Coup de cœur Ulysse pour les qualités particulières d'un établissement
C	Cuisinette
♿	Établissement équipé pour recevoir les personnes à mobilité réduite
pc	Pension complète
pdj	Petit déjeuner inclus dans le prix de la chambre
≈	Piscine
ℝ	Réfrigérateur
✪	Relais de santé
ℜ	Restaurant
bc	Salle de bain commune
bp	Salle de bain privée (installations sanitaires complètes dans la chambre)
⌂	Sauna
⇄	Télécopieur
☎	Téléphone
tv	Téléviseur
tlj	Tous les jours
⊗	Ventilateur

Classification des attraits

★	Intéressant
★★	Vaut le détour
★★★	À ne pas manquer

Classification de l'hébergement

Les tarifs mentionnés dans ce guide s'appliquent, sauf indication contraire, à une chambre standard pour deux personnes en haute saison.

Classification des restaurants

Les tarifs mentionnés dans ce guide s'appliquent, sauf indication contraire, à un dîner pour une personne, excluant le service et les boissons.

$	moins de 10$
$$	de 10$ à 20$
$$$	de 20$ à 30$
$$$$	plus de 30$

Tous les prix mentionnés dans ce guide sont en dollars canadiens.

«Les Guides de voyage Ulysse reconnaissent l'aide financière du gouvernement du Canada par l'entremise du Programme d'Aide au Développement de l'Industrie de l'Édition (PADIÉ) pour ses activités d'édition.»

Les Guides de voyage Ulysse tiennent également à remercier la SODEC pour son soutien financier.

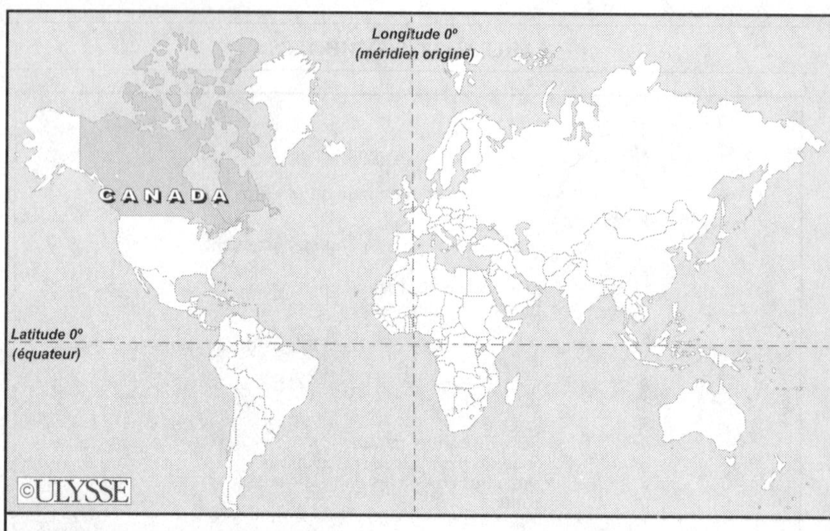

Situation géographique dans le monde

Le Canada
Capitale : Ottawa
Population : 30 560 000 hab.
Monnaie : dollar canadien
Superficie : 9 970 610 km²

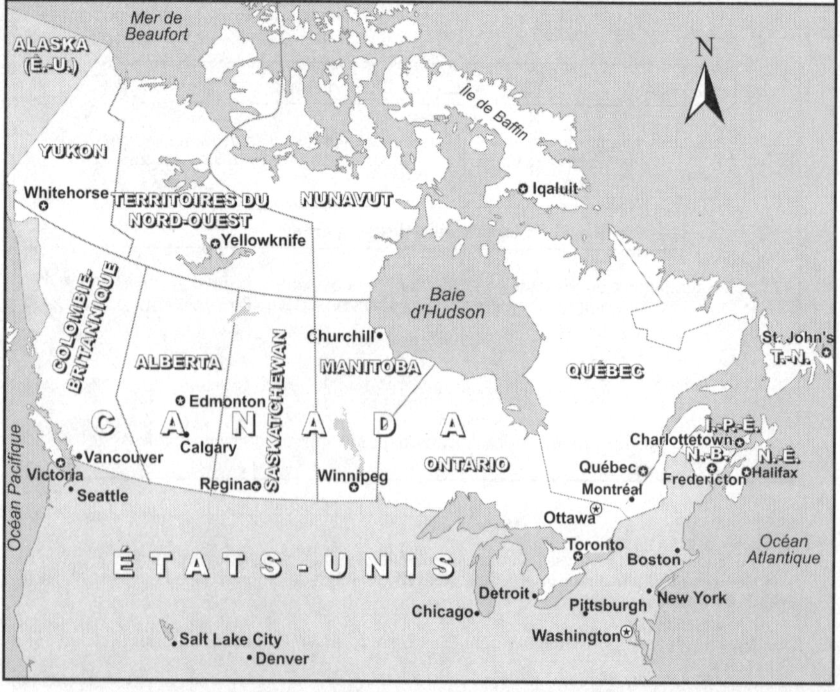

Mer de Beaufort
ALASKA (É.-U.)
N
Île de Baffin
YUKON
Whitehorse
TERRITOIRES DU NORD-OUEST
NUNAVUT
Iqaluit
Yellowknife
COLOMBIE-BRITANNIQUE
Baie d'Hudson
Churchill
St. John's
T.-N.
ALBERTA
SASKATCHEWAN
MANITOBA
QUÉBEC
Edmonton
C A N A D A
Î.-P.-É.
Charlottetown
Calgary
Vancouver
ONTARIO
N.-B.
N.-É.
Québec
Fredericton
Halifax
Victoria
Regina
Winnipeg
Seattle
Montréal
Océan Pacifique
Ottawa
Toronto
Océan Atlantique
ÉTATS-UNIS
Boston
Detroit
New York
Pittsburgh
Chicago
Washington
Salt Lake City
Denver

Portrait

Dire ce qu'est le Canada est un exercice ambitieux. C'est tout simplement un territoire trop vaste pour être embrassé dans un seul cliché, hormis peut-être celui sur l'hiver.

Les Canadiens eux-mêmes divisent commodément le pays en cinq grandes zones : les provinces de l'Atlantique, le Québec, l'Ontario, les provinces des Prairies et la Colombie-Britannique. Pour être exact, il conviendrait d'ajouter une sixième région, celle formée par le Yukon, les Territoires du Nord-Ouest et le Nunavut. Chacune de ces zones a une histoire, une économie et une démographie qui lui sont propres. Le temps a en effet manqué pour leur forger une identité commune. C'est que le cadre constitutionnel canadien n'a été posé qu'en 1867, et ses frontières actuelles n'ont même pas 50 ans.

Il n'est donc pas étonnant que les Canadiens rencontrent des difficultés lorsqu'ils essaient de se définir collectivement. Le plus souvent, ils le feront en se différenciant. Ils vous diront qu'ils ne sont pas des Étasuniens puisqu'ils vivent dans une société où l'on prête à l'État un rôle social important, comme en Europe. D'autre part, le modèle canadien n'est pas celui du *melting pot* valorisé aux États-Unis; le multiculturalisme est devenu l'un des dogmes sur lesquels se bâtit la société canadienne. Les villes des États-Unis sont également beaucoup moins sûres que leurs vis-à-vis canadiennes. Mais qu'ils soient francophones ou anglophones, les Canadiens travaillent, bâtissent et consomment comme on le fait un peu partout en Amérique du Nord.

Quelles que puissent être les réponses que les Canadiens apporteront à leurs questions existentielles, il est presque certain qu'ils continueront à vivre librement et pacifiquement au sein d'une démocratie. Comment pourrait-il en être autrement? Le sous-sol canadien est riche, sa terre est fertile, et le climat est juste assez rigoureux pour rappeler qu'il est stupide de perdre son énergie à autre chose qu'à vivre en paix. Bien plus, il reste au Canada encore beaucoup de ce qu'il manque ailleurs pour donner vie à une idée, construire un avenir différent ou simplement admirer la nature : de l'espace.

Géographie

Un peu plus grand que celui des États-Unis d'Amérique, le territoire canadien pourrait contenir 13 fois ceux de la France et du Royaume-Uni. Il occupe toute la partie septentrionale de l'Amérique du Nord, exception faite de l'Alaska, et s'étend sur cinq fuseaux horaires et demi. Au nord, le Canada a pour seule frontière l'océan Arctique. Au nord-est se trouve le Groenland. À l'est, l'Atlantique met le Canada à bonne distance de tout voisin, si ce n'est des minuscules îles françaises Saint-Pierre et Miquelon, situées entre Terre-Neuve et la Nouvelle-Écosse. Les eaux de l'océan Pacifique baignent le littoral ouest. Enfin, toutes les frontières terrestres du Canada le séparent des États-Unis d'Amérique. Fait à noter, il s'agit de la plus longue frontière ouverte du monde.

Ce qui frappe le plus lorsqu'on regarde la carte du Canada, c'est l'omniprésence de l'eau. Une bonne partie de l'eau douce du monde y coule ou y est stockée sous forme de glaces. Des plans d'eau gigantesques s'y démarquent : le Grand Lac des Esclaves, celui de l'Ours, les lacs Supérieur, Érié, Huron et Ontario, les réservoirs du Moyen-Nord québécois. Qui plus est, les fleuves et les rivières abondent.

Le relief canadien est beaucoup plus accidenté dans la partie ouest du pays, où trois chaînes de montagnes se bousculent dans l'axe nord-sud. On y trouve le plus haut sommet du Canada, le mont Logan, dont la cime culmine à 6 054 m d'altitude. À l'est de ces montagnes, une vaste plaine s'étend jusqu'au Bouclier canadien sur l'Alberta, la Saskatchewan et le Manitoba, ainsi que sur la partie continentale des Territoires du Nord-Ouest et du Nunavut. Ces terres aux horizons plats portent successivement du nord au sud la toundra, la forêt boréale puis des prairies consacrées principalement aux cultures céréalières. Ces prairies ont d'ailleurs la réputation d'être le grenier du Canada.

Le nord de l'Ontario et du Québec appartient à la même formation géologique, le Bouclier canadien. Il présente un relief plus vallonné, dernier vestige de ce qui fut, au précambrien, un imposant massif montagneux. On y trouve des gisements très importants de métaux. Toundra et forêt boréale y dominent également. Le relief de la péninsule québécoise s'accentue à l'approche de l'Atlantique et du golfe du Saint-Laurent. La côte est une succession de fjords et de falaises, parfois très impressionnants. Le sud de l'Ontario borde les Grands Lacs. C'est la région la plus peuplée de tout le Canada, particulièrement dans le secteur de Toronto, métropole canadienne et quatrième ville d'Amérique du Nord par sa population.

Les Grands Lacs donnent naissance au fleuve Saint-Laurent, qui entre bientôt en terre québécoise, fait de Montréal une île et passe sous les murs de Québec avant de devenir estuaire puis golfe. Le Saint-Laurent est une des portes d'entrée principales du continent nord-américain et demeure l'axe principal de l'histoire, du peuplement et de l'économie du Québec. À la fin des années cinquante, de grands travaux d'aménagement ont ajouté au fleuve les chenaux et les écluses qui ont ouvert les Grands Lacs au trafic océanique, à des milliers de kilomètres de la mer. Le Sud ontarien et la vallée du Saint-Laurent offrent des terres riches et un climat un peu plus clément qui ont favorisé les activités agricoles. Longeant la côte Atlantique depuis le sud des États-Unis, la chaîne des Appalaches marque le paysage du sud du Québec.

À l'est, derrière les Appalaches, le Nouveau-Brunswick, l'Île-du-Prince-Édouard et la Nouvelle-Écosse forment, avec Terre-Neuve, le groupe des provinces Atlantiques. La pêche, le trafic maritime, l'agriculture et la sylviculture en ont longtemps caractérisé les économies. Les eaux avoisinantes, peu profondes, ont constitué pendant des siècles un habitat idéal pour les poissons de fond. Des flottes de pêche du monde entier y ont pris la morue jusqu'à ce que le stock s'effondre au début des années quatre-vingt-dix. Cette soudaine diminution des prises est peut-être la pire catastrophe écologique jamais survenue au Canada. On se perd encore en conjectures sur ce qu'il est advenu des grands bancs.

Enfin, tout au nord, de grandes îles forment un archipel triangulaire, paradis pour explorateurs arctiques en mal de défis. Le pôle Nord magnétique s'y trouve et, par voie de conséquence, le père Noël aussi. Cet auguste invité n'a guère de voisin si ce n'est une base militaire qui «occupe» le territoire.

Le climat canadien est de plus en plus hostile au fur et à mesure que l'on s'éloigne des zones tempérées du Sud. Du point de vue climatique, l'est du pays ressemble assez à la Scandinavie sauf pour les régions les plus au sud, où le climat est assez similaire à celui de la Pologne ou de la Slovaquie. La côte Pacifique jouit des températures les plus clémentes, tout à fait comparables à celles qui prévalent en Angleterre, et avec autant de pluies.

Le climat est la première loi de l'agriculture qui, à son tour, conditionne le peuplement d'un territoire. On ne sera donc pas surpris d'apprendre que la grande majorité des 30 560 000 Canadiens vit à moins de 300 km de la frontière sud du pays. Des microclimats, l'implantation d'Autochtones, l'exploitation des ressources naturelles ou des efforts concertés de colonisation ont toutefois entraîné la création de poches de population sur des terres plus septentrionales.

Des provinces et des territoires

Le Canada est une fédération découpée en 10 provinces, sauf pour les grands espaces nordiques que l'on retrouve au nord du 60e parallèle. Le Grand Nord canadien se divise en effets en deux territoires placés sous la tutelle législative du gouvernement fédéral. Le Yukon et les Territoires du Nord-Ouest est un territoire sous l'administration des Autochtones. Malheureusement, aucun de ces territoires n'est doté d'un aéroport international, ce qui en complique l'accès.

La dernière province à joindre les rangs canadiens est **Terre-Neuve**. La plus grande partie des 552 000 habitants de cette province vit sur le pourtour d'une grande île située dans le golfe du Saint-Laurent, qui s'appelle également Terre-Neuve. La capitale, Saint John's, y a été bâtie face à l'Atlantique. Le territoire provincial se prolonge sur la péninsule québécoise, dont toute la côte est, le Labrador, lui a été attribuée après un long procès opposant les deux colonies britanniques. Terre-Neuve est depuis bien longtemps la plus pauvre des provinces canadiennes, l'essentiel de ses ressources lui venant de la mer. La découverte de très importantes nappes de pétrole au large des côtes lui apporte toutefois l'espoir de jours meilleurs. Pour les exploiter, un consortium a d'ailleurs mis en exploitation la plus grande plateforme de forage au monde, Hibernia.

La plus petite province canadienne est une île située dans le golfe du Saint-Laurent, entre le Québec, le Nouveau-Brunswick et la Nouvelle-Écosse. C'est l'**Île-du-Prince-Édouard**, où ne vivent que 137 000 insulaires. La capitale en est Charlottetown. L'île est depuis toujours consacrée à la pêche, à l'agriculture (principalement la pomme de terre) et au tourisme. Il faut dire que les plages qui l'encerclent sont parmi les plus belles au Canada. L'année 1997 fut particulièrement importante pour l'île puisqu'un pont a enfin été ouvert pour la relier au continent.

La **Nouvelle-Écosse** n'est reliée au continent que par une étroite langue de terre, l'isthme de Chignecto. Ses côtes baignent dans le golfe du Saint-Laurent, dans l'Atlantique et dans la baie de Fundy. Au nord de la presqu'île, l'île du Cap-Breton s'ajoute au territoire de la province. La région reçut les premiers Européens à s'installer en Amérique du Nord. Il s'agissait de Français, qui baptisèrent l'endroit «Acadie». Par la suite, les Anglais prirent leur place et les déportèrent. Ils s'y installèrent ensuite et bâtirent leur capitale, Halifax, qui demeure un des principaux ports canadiens. Certains Acadiens sont néanmoins demeurés en Nouvelle-Écosse ou y sont revenus. Ils forment aujourd'hui une communauté très minoritaire dans une population totale de 941 000 personnes. La mer est le prolongement naturel de la Nouvelle-Écosse. On y exploite également la terre et la forêt, ainsi que des mines de charbon.

Plus de 761 000 personnes vivent au **Nouveau-Brunswick**, dont un tiers de francophones. Ces francophones se distinguent pour la plupart des Québécois et autres Canadiens francophones en ce qu'ils sont des Acadiens. Ceux-ci ont leur accent, leur drapeau et leur histoire distincte de celle du peuplement français dans le reste du Canada. La mer, l'agriculture et la forêt ont longtemps été les mamelles qui ont nourri le Nouveau-Brunswick, assez chichement toutefois. La province a donc été l'une des principales bénéficiaires, avec Terre-Neuve, de la redistribution des richesses effectuée par le gouvernement fédéral. C'est cependant une situation en voie de changement, le gouvernement local, situé dans la capitale Fredericton, ayant pris le ferme parti de redresser les finances publiques longtemps avant que cela ne devienne un *moto* partout au Canada. Par ailleurs, l'État provincial a mené une campagne agressive pour y attirer des entreprises de pointe, particulièrement dans le secteur des télécommunications.

Le **Québec** est sans doute le territoire le plus singulier de ceux qui se retrouvent aujourd'hui dans l'ensemble canadien. Son immense territoire équivaut à trois fois celui de la France. Sa population n'est toutefois que de 7 420 000 habitants. Il s'agit en grande majorité de francophones, ce qui distingue le peuple québécois non seulement au Canada, mais dans toute l'Amérique du Nord. L'usage du français y fait l'objet d'une protection législative destinée à contrer l'assimilation qui a presque conduit à l'extinction les communautés francophones ailleurs au Canada. Cette protection oriente également les nouveaux arrivants vers leur inclusion dans le groupe francophone. Des anglophones se sont toutefois établis depuis bien longtemps, particulièrement dans le Sud-Ouest québécois et dans l'ouest de l'île de Montréal. Ils voient évidemment d'un très mauvais œil la législation linguistique locale. On note toutefois que leur développement démographique stagne depuis qu'on remet sérieusement en question l'appartenance du Québec à l'ensemble canadien. Montréal et sa région immédiate concentrent près de la moitié de toute la population québécoise, et presque tous les nouveaux arrivants qui choisissent de s'établir au Québec. C'est pour eux un choix normal puisque l'activité industrielle et les entreprises de services s'y concentrent. C'est toutefois la ville de Québec qui joue le rôle de capitale.

Tout comme celui de l'Ontario, le sous-sol québécois est riche en minéraux. La vallée du Saint-Laurent se prête par ailleurs très bien à l'activité agricole, alors que la forêt plus au nord a déjà fait du Québec le premier producteur mondial de papier. L'est de la province, plus directement tributaire des ressources naturelles, ne jouit pas de la même vigueur économique que les régions plus industrialisées. Le Nord québécois, faiblement peuplé, a connu un essor particulier depuis que l'on a décidé d'exploiter le potentiel hydroélectrique des nombreuses rivières qui coulent soit vers la baie James, soit vers l'estuaire et le golfe du Saint-Laurent.

L'**Ontario** est la seconde province du Canada par sa superficie, mais la première par sa population de 11 407 000 habitants. C'est aussi la province la plus riche, puisque 40% du produit national brut du Canada est imputable à son activité. Il y a en Ontario énormément de ressources minières et forestières. L'industrie lourde, notamment l'industrie automobile, a préféré cette province à toute autre. Enfin, Toronto, la capitale ontarienne et la métropole du Canada, concentre la majeure partie des grands sièges sociaux présents au Canada. C'est une grande ville cosmopolite comme l'Amérique se plaît à les susciter. Pour ne rien gâter, la partie la plus méridionale de la province est à proximité immédiate des grands marchés américains. La ville canadienne de Windsor, par exemple, est située juste au nord de Détroit. Le climat généreux qui prévaut dans ce secteur a permis l'implantation de cultures fruitières impossibles ailleurs au Canada, sauf dans le sud de la Colombie-Britannique. Pour mémoire, signalons que les vins blancs du sud de la province, particulièrement les *ice wines*, se sont acquis une réputation internationale. Sur une bonne partie de son tracé, la frontière entre la province de l'Ontario et le Québec suit la rivière des Outaouais. C'est sur les berges de cette rivière, du côté ontarien, qu'Ottawa est située. La capitale fédérale et sa région immédiate, dont la ville de Hull, au Québec, jouissent d'un traitement privilégié visant à en faire une vitrine culturelle, politique et touristique digne d'une capitale occidentale. La fonction publique et les industries de haute technologie y sont prédominantes.

Il faut parcourir quelques centaines de kilomètres au **Manitoba** avant de voir le paysage onduler quelque peu. Capitale et métropole de cette province, Winnipeg a été bâtie au sud du lac du même nom, aux abords de la rivière Rouge. L'économie locale y a longtemps été dominée par la culture du blé, jusqu'à ce que les progrès agraires permettent une diversification, notamment par l'exploitation de mines de nickel. Toute la partie nord-est de la province s'ouvre sur la baie d'Hudson et, par elle, sur l'Atlantique. La nécessité d'acheminer le grain vers l'est a donc mené à la construction d'un port de mer important, Churchill. La province a longtemps été le fief d'une majorité francophone, mais la colonisation par de nouveaux arrivants anglophones a mis les Franco-Manitobains en minorité. Dès lors, les anglophones majoritaires ont banni l'usage officiel du français, et il aura fallu, quelques décennies plus tard, une décision judiciaire pour que soient reconnus les droits de ce qui était devenu entre-temps une communauté opiniâtre, mais très minoritaire au sein d'une population totale de 1 139 000 âmes.

Les frontières rectilignes de la **Saskatchewan** en disent long sur son relief. Il s'agit d'un vaste territoire plat où l'on a privilégié les cultures céréalières depuis sa colonisation, notamment par une vague d'immigrants ukrainiens. Ces cultures sont étroitement encadrées par le gouvernement fédéral, qui voit également à la vente et au transport des récoltes de blé. Plus de 1 023 000 personnes vivent en Saskatchewan. Les deux principales villes y sont Saskatoon, capitale mondiale de la potasse, et Regina, qui se contente du titre de capitale provinciale. C'est en Saskatchewan qu'ont été implantés d'abord certains des fleurons du filet de sécurité sociale, notamment l'assurance-maladie. En fait, le panorama politique canadien ne serait vraisemblablement pas ce qu'il est sans l'esprit d'initiative et de coopération qui s'est développé dans les plaines du Manitoba, de la Saskatchewan et de l'Alberta. C'est en Saskatchewan qu'on a élu le tout premier gouvernement socialiste en Amérique du Nord. On ne réussira jamais à rééditer l'exploit sur la scène fédérale, mais le choc politique a été suffisant pour contraindre les autres formations politiques à récupérer une partie du programme mis de l'avant par les socialistes.

La voisine immédiate à l'ouest de la Saskatchewan est l'**Alberta**. Ces deux provinces sont incidemment les seules à ne pas avoir un débouché direct sur la mer. Le territoire albertain se divise en zones montagneuses (les Rocheuses offrent des panoramas à couper le souffle), en forêts boréales, en champs de blé, en pâturages et même en déserts. Edmonton est la capitale provinciale. L'Alberta, c'est le refuge des cow-boys qui ont marqué l'imaginaire de tant d'enfants. Les bottes pointues et le chapeau typique se portent encore beaucoup au centre-ville de Calgary, et le rodéo annuel le *Stampede* y est le festival le plus couru. Mais ce qui plaît le plus en Alberta, c'est encore le pétrole qu'on y pompe. La prospérité amenée par l'or noir a fait grimper la population albertaine à 2 847 000 âmes, lui a permis d'assainir ses finances publiques et a fait de Calgary l'un des centres d'affaires les plus importants du Canada. Politiquement parlant, l'Alberta constitue aussi le foyer le mieux établi de la droite canadienne. On y a mené ces dernières années des réformes administratives qui auraient été jugées impensables ailleurs au Canada.

La **Colombie-Britannique** occupe 950 000 km^2. Son littoral sur le Pacifique va de l'Alaska jusqu'à l'État de Washington. Le relief de la province est ce qui frappe le plus le visiteur. Les trois quarts du territoire sont en effet situés à plus de 930 m d'altitude, et une chaîne montagneuse atteignant les 3 000 m, la Coast Range, barre l'horizon dès la côte. Le littoral est très découpé, et des centaines d'îles parent les eaux avoisinantes. La plus importante d'entre elles est l'île de Vancouver, de la grandeur des Pays-Bas. Victoria, capitale de la province, y est construite. Mais Vancouver, c'est aussi le nom de la métropole provinciale qui se trouve sur la côte. Le climat y est beaucoup plus doux en hiver que dans le reste du Canada. La nature y est également prodigue en fruits, en poissons et en bois de construction. Plus de 3 933 000 personnes vivent en Colombie-Britannique, et l'on y remarque de plus en plus la présence d'une communauté asiatique très dynamique.

Le **Yukon** est situé sur les terres montagneuses qui vont de l'Alaska jusqu'aux monts Mackenzie à l'est et jusqu'à la Colombie-Britannique au sud. La ville de Whitehorse remplit le rôle de capitale administrative pour les 31 500 habitants du territoire. Mais la plus célèbre localité du Yukon demeure Dawson. Non loin de cette petite ville coule en effet une petite rivière dont le nom reste associé à la plus célèbre ruée vers l'or des annales de l'Ouest : le Klondike.

La frontière occidentale du Yukon et celle orientale du Nunavut enserrent les Territoires du Nord-Ouest. Environ 40 000 personnes y vivent, principalement des Autochtones don't la moitié sont Amérindiens ou Inuit et l'autre moitié anglophone ou francophone vivant dans de petites communautés. Yellowknife est la capitale.

Flore

Vu la différence de climat, la végétation varie sensiblement d'une région à l'autre; alors que, dans le nord du territoire, elle est rabougrie ou inexistante, dans le sud, elle peut être luxuriante. En général, on divise le type de végétation selon quatre strates, allant du nord au sud : la toundra, la forêt subarctique, la forêt boréale et la forêt mixte. Le climat particulier qui prévaut en Colombie- Britannique et dans les montagnes Rocheuses leur a cependant valu des flores uniques.

La toundra est la forme la plus nordique de végétation. On la retrouve là où le gel limite la saison végétative à quelques semaines chaque année. Seule la couche superficielle du sol se libère alors de l'emprise du froid, et il n'y pousse rien d'autre que des arbres miniatures, des mousses et des lichens.

La forêt subarctique, ou forêt de transition, fait suite à la toundra. Il s'agit d'une zone à la végétation très clairsemée où les arbres connaissent une croissance extrêmement lente et réduite. On y trouve plus particulièrement de l'épinette et du mélèze.

La forêt boréale suit. C'est une région forestière très homogène où l'on ne retrouve que des résineux, dont les principales essences sont l'épinette blanche, l'épinette noire, le sapin baumier, le pin gris et le mélèze. On l'exploite pour la pâte à papier et le bois de construction.

La forêt mixte est la plus australe des forêts canadiennes. On la trouve notamment dans la vallée du Saint-Laurent, et elle s'étend jusqu'à la frontière américaine. Elle est constituée de conifères et de feuillus. Elle est riche de nombreuses essences telles que le pin blanc, le pin rouge, la pruche, l'épinette, le merisier, l'érable, le bouleau et le tremble. L'automne y ramène chaque année des paysages très colorés, notamment en raison des feuilles de l'érable à sucre qui peuvent alors tourner au rouge vif.

Feuille d'érable

Le long du littoral de la Colombie-Britannique et sur les îles avoisinantes, 60% du territoire est couvert par une forêt tellement luxuriante qu'on l'a appelée «forêt humide» du Nord, pour faire pendant à la forêt tropicale humide. Le pin de Douglas, le cèdre rouge et l'épinette géante de Sitka y atteignent des dimensions impressionnantes. Par exemple, un pain de Douglas qui a la chance de survivre à l'industrie locale du bois d'œuvre peut atteindre 90 m de haut, et son tronc peut avoir à la base un diamètre de 4,5 m.

On note encore plusieurs écosystèmes particuliers. De l'Alberta jusqu'au Manitoba, les prairies recouvrent le sol et sont bornées au nord par une lisière de trembles. Dans la forêt boréale, il est fréquent qu'une invasion de parasites, de grandes coupes de bois ou des feux de forêt permettent l'implantation d'un bois provisoire qui amorcera la régénération de la forêt originelle. Et, évidemment, un pays aussi humide que le Canada compte de nombreux marais et tourbières qui sont parmi les environnements les plus riches et les plus intéressants à observer.

Faune

L'immense territoire canadien, à la géographie diverse et aux climats variés, s'enorgueillit d'une faune d'une grande richesse. En effet, une multitude d'animaux peuplent ses vastes forêts, plaines et régions septentrionales, alors que ses mers, lacs et rivières regorgent de poissons et d'animaux aquatiques. Voici quelques-uns des principaux mammifères que l'on retrouve au Canada.

Le **caribou** (renne arctique). Ce cervidé de grande taille, au museau velu, au pelage pâle et aux bois aplatis, vit dans la toundra arctique. Son nom vient de l'algonquin. Il peut peser, à maturité, jusqu'à 250 kg. Le climat lui dicte des migrations annuelles au cours desquelles des centaines de milliers de bêtes peuvent franchir des distances considérables.

Le **castor**. Travailleur infatigable, il est l'emblème du Canada. La traite de sa fourrure fut d'ailleurs à l'origine de la colonisation européenne du pays. On le reconnaît à son corps massif, à ses pattes arrière courtes et palmées, ainsi qu'à sa large queue plate et écailleuse lui servant de gouvernail lorsqu'il nage.

Castor

Ses incisives poussent en permanence et lui permettent d'abattre les arbres dont il se sert pour construire sa hutte sur un cours d'eau. Puis il construira un barrage pour créer un étang qui en immergera l'entrée. Dans cet étang, le castor déposera enfin de petits arbres. À la venue de l'hiver, sa hutte sera ainsi impénétrable aux prédateurs et ouverte sur un garde-manger sous-marin protégé par une couche de glace.

Le **chevreuil** (cerf de Virginie). Plus petit cervidé du nord-est de l'Amérique, le chevreuil atteint un poids maximal d'environ 150 kg. On l'identifie à sa robe rousse et à sa queue au dessous blanc. Vivant souvent à la lisière des bois, ce magnifique animal est un des principaux gibiers du Québec. Le grand panache dont est pourvu le mâle tombe chaque hiver et repousse le printemps venu.

Le **loup**. Prédateur vivant en meute, il ressemble fort à un chien gris de type berger allemand, mesure entre 67 et 95 cm, et pèse au plus une cinquantaine de kilos. Il attaque ses proies (souvent des cerfs) à plusieurs, ce qui fait de lui un animal peu apprécié des cœurs tendres. (À une certaine époque, on tenta même de l'éliminer complètement, heureusement sans succès.) L'organisation sociale du loup est complexe puisque chacun des membres de la meute occupe un rang bien déterminé. Le loup dominant porte la queue en l'air, mange le premier et est le seul à disposer du droit de se reproduire. Le loup s'approche rarement de l'être humain.

La **mouffette rayée**. Pourvu d'un pelage noir traversé par une bande blanche allant du museau jusqu'au bout de la queue, ce petit mammifère est surtout connu pour sa technique de défense assez particulière. En cas d'attaque, la mouffette rayée possède deux glandes remplies d'un liquide malodorant dont elle peut asperger ses adversaires. Les premiers Européens arrivés au pays l'ont d'ailleurs surnommée «bête puante». On la retrouve même parfois au cœur des villes. C'est une petite bête sympathique avec laquelle il faut savoir tenir ses distances. À tout hasard, un bain de jus de tomate est la meilleure technique qui soit pour se défaire de l'odeur.

L'**orignal** (élan du Canada). C'est le plus grand cerf du monde. Il se distingue par ses bois aplatis en éventail, par sa tête allongée au nez arrondi et par sa bosse sur le gareau. L'orignal est un des plus puissants représentants de la faune canadienne. Il peut mesurer plus de 2 m et peser jusqu'à 600 kg.

L'**ours noir**. C'est l'ours le plus répandu dans l'est du Canada. Cet animal impressionnant peut atteindre jusqu'à 150 kg à l'âge adulte, quoiqu'il demeure le plus petit ours canadien. Attention, l'ours noir est un animal imprévisible et dangereux qui fera tout pour s'emparer de sa nourriture.

Le **grizzli**. Il est quant à lui non seulement le plus grand des ours, mais aussi le plus grand des prédateurs vivant sur terre. On le rencontre surtout dans les montagnes et sur le littoral du Nord-Ouest canadien. Extrêmement dangereux.

L'**ours polaire**. Très grand ours qui vit loin au nord. C'est un puissant nageur et un grand chasseur de phoques. Tout aussi dangereux que le grizzli, ne serait-ce que parce qu'il y a rarement une cachette disponible sur la banquise...

Le **lynx**. Un gros chat dont les oreilles se terminent par une touffe de poil noir. Grand chasseur de lièvres.

Orignal

Le **raton laveur**. Ce petit mammifère d'une dizaine de kilos est reconnaissable à son masque noir, aux six anneaux de sa queue et à son magnifique pelage. Nocturne et aussi rusé qu'un renard, le raton laveur doit son nom à l'habitude qu'il a de plonger constamment sa nourriture dans l'eau avant de l'ingurgiter.

Le **renard roux**. Fort mignon, ce petit animal possède une magnifique fourrure d'un roux flamboyant. On le retrouve un peu partout dans la forêt. Très rusé, il évite le plus souvent possible les humains; on l'aperçoit donc très rarement. Il chasse les petits mammifères et se nourrit en plus de petits fruits et de noix. Attention, le renard roux qui se laisse approcher est souvent atteint de la rage.

Porc-épic

Le **porc-épic**. Petit mammifère rongeur que l'on retrouve en grand nombre dans les forêts de conifères et de feuillus, le porc-épic est célèbre pour sa façon très singulière de se défendre. En cas d'attaque, il se replie sur lui-même, hérisse ses poils et devient une sorte de pelote d'épingles inattaquable et très douloureuse pour le museau de ses prédateurs. Certains Autochtones le considéraient également comme une réserve alimentaire de secours. Sa viande a en effet cette particularité de pouvoir être mangée crue.

Phoques

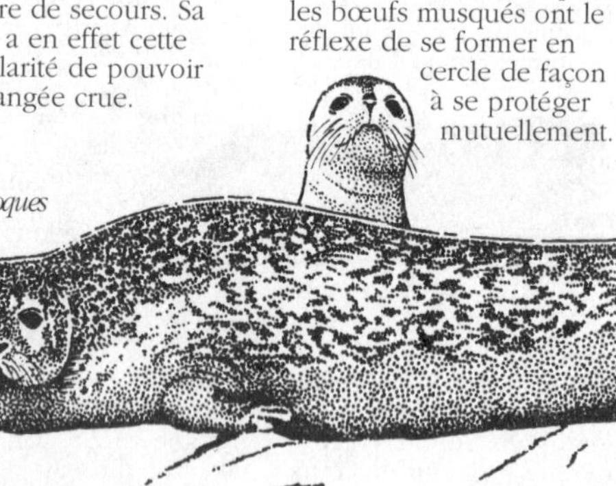

Le **béluga**. Ce mammifère cétacé blanc, d'environ 5 m de long, habite les eaux polaires et l'estuaire du Saint-Laurent, à l'embouchure du Saguenay. C'est la plus petite espèce de baleine à fréquenter les eaux du Saint-Laurent, qui reçoit aussi la visite des plus grandes espèces existentes.

Le **bison** (bison d'Amérique). Plus grand que son cousin européen, le bison d'Amérique a été longtemps le grand seigneur qui régnait sur les plaines du cœur de l'Amérique. Des millions de têtes y vivaient et s'y déplaçaient en longues migrations. Leur viande, leur cuir et leurs tendons satisfaisaient l'essentiel des besoins des Amérindiens nomades. Chassé à outrance, il est passé bien prêt de disparaître. On le retrouve aujourd'hui dans des fermes d'élevage ou dans des parcs nationaux.

Le **bœuf musqué**. Plus petit qu'un bœuf, le bœuf musqué vit en troupeau dans la toundra. Il est facilement reconnaissable à son poil long et laineux, ainsi qu'à ses grosses cornes trapues. En cas d'attaque, les bœufs musqués ont le réflexe de se former en cercle de façon à se protéger mutuellement.

Les eaux, le territoire et le ciel du Canada sont également peuplés d'une multitude d'autres bêtes, dont l'écureuil, la marmotte, le chien de prairie, le renard arctique, le renne des bois, plusieurs espèces de chauve-souris, la chèvre de montagne, le chien de prairie, le tamia, la belette, la musaraigne, la loutre, la baleine, le cachalot, le phoque, le morse, le narval et de nombreuses espèces de poissons et d'oiseaux.

Histoire

Lorsque les Européens découvrent le Nouveau Monde, une mosaïque de peuples indigènes occupe déjà ce vaste continent depuis plusieurs millénaires. Les ancêtres de ces populations autochtones, des nomades originaires de l'Asie septentrionale, avaient franchi le détroit de Béring vers la fin de la période glaciaire, il y a plus de 12 000 ans, pour lentement s'approprier l'ensemble du continent. C'est au cours des millénaires suivants, à la faveur du recul des glaciers, que certains d'entre eux commencent à émigrer vers les terres les plus septentrionales, notamment celles du Canada. Ce mouvement migratoire était encore en cours quand les Européens se sont implantés au Canada. Par exemple, les tribus de la Confédération iroquoise étaient alors en fuite devant de puissants rivaux qui les reléguaient toujours plus au sud, jusqu'au fleuve Saint-Laurent. Plus à l'ouest, le peuplement des Prairies par les Cris, les Assiniboines et les Pieds-Noirs se fera principalement au milieu du XVIIIe siècle. Ils y sont pour la plupart venus en suivant les chevaux sauvages et les bisons. En fait, il n'y a guère que les Inuits, complètement au nord, qui pouvaient jouir en paix de leurs territoires de chasse, et encore.

Au moment où les Européens lancent leurs premières explorations intensives de l'Amérique du Nord, plusieurs nations autochtones, pour la plupart souvent regroupées au sein de familles linguistiques, se partagent ou se disputent une place au Canada. Le Grand Nord appartient aux Inuits qui parlent l'inuktitut. Sur l'île de Terre-Neuve vivent les nations béothuques. La vallée du Saint-Laurent est occupée par des nations iroquoiennes, les Hurons-Wendat, les Pétuns et les Neutres. À peu près tout le Bouclier canadien ainsi que le nord et l'ouest des Prairies hébergent les nations algonquines. On y retrouve, de l'est à l'ouest, les Welustuk (Malécites), les Mi'gmaq (Micmacs), les Innuat (Montagnais), les Outaouais, les Ojibwés, les Ndooheenoo (Cris), les Pieds-Noirs (Blackfoot), les Frères de sang, les Piegans et les Gros-Ventres. Au Manitoba vivent des tribus de la famille des Sioux. Le Yukon et la partie sud des Territoires du Nord-Ouest et du Nunavut sont habités par des nations appartenant à la famille linguistique athapascane. Dans les Rocheuses, au sud, se trouvent les Kootenay et les Salish. Enfin, du nord au sud de la côte ouest, sont réparties les familles tlingit, haïdane, tsimshiane et wakashane. Certaines de ces nations seront exterminées ou repoussées par leur voisine avant même que le continent n'ait pu être exploré. En outre, les guerres entre les colonies européennes amèneront d'autres mouvements de populations autochtones.

Vivant en groupes, les Premières nation de ce vaste pays ont élaboré des sociétés aux coutumes très distinctes les unes des autres. Par exemple, les peuples de la vallée du Saint-Laurent se nourrissent principalement des produits de leurs potagers, y ajoutant du poisson et du gibier, alors que les communautés plus au nord et les nomades des plaines de l'Ouest dépendent essentiellement de la chasse pour survivre. Au fil des siècles, un réseau de communication s'est tissé sur l'ensemble du continent. Beaucoup d'Autochtones utilisent abondamment le canot pour circuler sur les «chemins qui marchent» et entretiennent des relations commerciales très étroites avec les nations voisines. Ces sociétés, bien adaptées aux rigueurs et aux particularités du territoire, seront rapidement marginalisées à partir du XVIe siècle, avec la venue des Européens.

Les premiers contacts

C'est par l'océan Atlantique que les premiers Européens arrivent au Canada, dans ce qu'on appelle aujourd'hui les provinces Atlantiques. Les premiers à tenter l'aventure seront les Vikings, vers l'an 1000. Ils profiteront d'un réchauffement temporaire du climat pour pêcher et tenter de s'établir sur l'île de Terre-Neuve, qu'ils baptiseront d'ailleurs *Vinland*. En 1497, Giovanni Caboto, rebaptisé John Cabot en anglais, quitte Bristol pour Terre-Neuve. Le navigateur cherche alors une route directe pour la Chine. Il ne la trouve pas, mais il rapporte en Angleterre la nouvelle de l'existence d'inépuisables bancs de morues dans le golfe et au large. Dès ce moment, les pêcheurs anglais, français, espagnols et basques viendront sur les grands bancs et feront régulièrement escale à terre pour fumer ou saler leurs prises.

En 1534, François Ier est également intéressé à trouver de l'or et la route mythique qui mettrait les richesses de l'Orient à portée des navires français. Il mandate le navigateur Jacques Cartier, qui effectue trois voyages au Nouveau Monde. Ces voyages marquent une étape importante puisqu'ils constituent les premiers contacts officiels de la France avec les peuples et le territoire de cette partie de l'Amérique. Au cours de ses expéditions, le navigateur breton remonte très loin le fleuve Saint-Laurent, jusqu'aux villages amérindiens de Stadaconé (Québec) et d'Hochelaga (sur l'actuelle île de Montréal). Les découvertes de Cartier reçoivent toutefois peu de considération de la part des autorités françaises qui ne s'intéressent décidément qu'à l'Asie. À la suite de cet échec, la Couronne française oublie cette contrée au climat inhospitalier pendant plusieurs décennies.

L'Acadie

Ce sont la mode grandissante en sol européen de coiffures et de vêtements de fourrure ainsi que les bénéfices que laisse présager ce commerce qui relancent par la suite l'intérêt de la France pour l'Amérique du Nord. Comme la traite des fourrures nécessite des liens étroits et constants avec les fournisseurs locaux, une présence permanente devient alors rapidement indispensable. Jusqu'à la fin du XVIe siècle, plusieurs tentatives sont conduites pour installer des comptoirs sur la côte Atlantique ou à l'intérieur du continent.

Finalement, en 1604, sous le règne du bon roi Henri IV, le Français Pierre de Gua, sieur de Monts, installe avec 80 hommes une première colonie sur une petite île de la baie de Fundy. Il la nomme «Acadie». Le choix du site est malheureux puisque l'hiver coupe complètement l'île du continent, où se trouvent le bois, le gibier et l'eau potable. Près de la moitié des nouveaux colons ne survivront pas à l'hiver. Au printemps, les survivants déménagent de l'autre côté de la baie et fondent l'établissement de Port-Royal. Les Mi'gmaq (Micmacs), qui voient d'un bon œil le commerce avec les Européens, leur font bon accueil et apportent leur aide à la jeune colonie. Mal leur en prit puisque les Européens leur communiqueront des maladies que leurs systèmes immunitaires seront impuissants à combattre. Les neuf dixièmes de la population micmaque en périront.

Henri IV n'étant guère impressionné par les résultats commerciaux de l'aventure, la colonie de Port-Royal sera abandonnée, mais rouverte en 1610 par un compagnon de de Monts qui a fait valoir à de riches catholiques français la possibilité de convertir les Autochtones à leur foi. De fait, les Mi'gmaq se prêteront de bonne grâce à l'exercice, sans vraiment renoncer à leurs croyances antérieures.

Port-Royal n'était cependant pas destinée à connaître la paix. Entre 1613 et 1690, les Britanniques s'empareront par trois fois de la colonie et l'occuperont pendant des périodes variables. Les conclusions des conflits en Europe et les traités de Saint-Germain-en-Laye, de Breda et de Ryswick remettront à chaque fois Port-Royal aux mains des Français. Finalement, en 1710, les Anglais s'emparent à nouveau de l'Acadie. Ils ne la rendront plus et la rebaptiseront «Nouvelle-Écosse».

Cependant les colons français, principalement des Poitevins, ont réussi à fonder plusieurs autres établissements et à devenir autosuffisants. Ils pratiquent l'agriculture, la pêche, la chasse et le commerce.

Les Français

Les efforts de peuplement français ne se sont pas limités à l'Acadie. Dès 1608, Samuel de Champlain répète l'aventure qu'il a partagée avec le sieur de Monts. Il s'aventure sur le fleuve Saint-Laurent et s'installe au pied d'une falaise face à un étranglement du fleuve. Il y construit quelques bâtiments fortifiés. C'est l'Abitation de Québec (en algonquin, Québec signifie «l'endroit où la rivière se rétrécit»). Pour les commerçants qui financent l'opération, l'établissement de Québec est destiné à sécuriser et à faciliter le commerce des peaux sur le Saint-Laurent. Leurs fournisseurs, les Innuat (Montagnais), sont en effet en guerre avec les Iroquois qui entendent bien monopoliser la vente des fourrures aux Français. Champlain, lui, souhaite fonder une vraie colonie de peuplement.

Le premier hiver à Québec est extrêmement pénible. En effet 20 des 28 hommes meurent du scorbut ou de sous-alimentation avant l'arrivée de navires de ravitaillement au printemps de 1609. Quoi qu'il en soit, cette date marque le début d'une présence française permanente en Amérique du Nord. Lorsque meurt Samuel de Champlain, le jour de Noël 1635, la Nouvelle-France compte déjà environ 300 pionniers et les Français ont reconnu tout le fleuve Saint-Laurent et la région des Grands Lacs.

Entre 1627 et 1663, la Compagnie des Cent Associés détient le monopole de l'achat des fourrures et assure un lent peuplement de la Nouvelle-France. Simultanément, la colonie commence à intéresser de plus en plus les milieux religieux français. Les récollets arrivent les premiers, en 1615, avant d'être remplacés par les jésuites à partir de 1632.

En 1642, c'est d'abord la volonté d'évangélisation qui justifie la création d'une petite bourgade, Ville-Marie, qui deviendra plus tard Montréal. Les missionnaires s'installent en Huronie, où on les tolère vraisemblablement en raison des accords commerciaux.

Cinq jésuites périssent lors de la défaite des Hurons-Wendat en 1648 et en 1649 aux mains des Iroquois. Cette guerre fait d'ailleurs partie d'une vaste campagne militaire lancée par la puissante Confédération iroquoise des Cinq Nations, qui anéantit, entre 1645 et 1655, toutes les nations rivales. Comptant chacune au moins 10 000 individus, les nations des Hurons-Wendat, des Pétuns, des Neutres et des Ériés disparaissent presque totalement en l'espace d'une décennie. L'offensive menace même l'existence de la colonie française. En 1660 et en 1661, des guerriers iroquois frappent partout en Nouvelle-France, entraînant la ruine des récoltes et le déclin de la traite des fourrures.

Louis XIV, roi de France, décide alors d'administrer lui-même la colonie. La Nouvelle-France, qui regroupe environ 3 000 habitants, devient dès lors une province française. L'administration royale recrute des travailleurs agricoles et envoie même un régiment complet pour ramener les Iroquois à de meilleures intentions. La solution s'avère efficace, et l'on incite les soldats à demeurer sur place comme colons.

Pour palier une population féminine insuffisante, le roi dote près de 800 volontaires, les Filles du roy, qui viendront contracter mariage en Nouvelle-France. Cette période de l'histoire de la Nouvelle-France est aussi celle de la glorieuse épopée des «coureurs des bois». Délaissant leurs terres pour le commerce des fourrures, ces jeunes gens intrépides pénètrent profondément dans le continent afin de traiter directement avec les trappeurs amérindiens. L'occupation principale de la majorité des colons demeure néanmoins la culture de la terre.

L'organisation sociale gravite autour du système seigneurial; les terres de la Nouvelle-France sont divisées en seigneuries qui, elles-mêmes, sont subdivisées en rotures. Pour permettre l'accès à tous aux cours d'eau, on divise les terres en bandes étroites et profondes. Dans le système seigneurial, un censitaire est tenu de verser une rente annuelle et d'accomplir une série de devoirs pour son seigneur. Comme il y a peu de censitaires et une certaine compétition entre les seigneurs, le censitaire de Nouvelle-France jouit alors de conditions d'existence bien supérieures à celles du paysan français.

Les revendications territoriales françaises en Amérique du Nord s'accroissent rapidement à cette époque, à la faveur des expéditions de «coureurs des bois», de religieux et d'explorateurs, à qui l'on doit la découverte de presque l'ensemble du continent nord-américain. La Nouvelle- France atteint son apogée à l'aube du XVIIIe siècle, au moment où elle monopolise le commerce des fourrures en Amérique du Nord, contrôle le fleuve Saint-Laurent et commence la mise en valeur de la Louisiane. Ses positions lui permettent de contenir l'expansion des colonies anglaises, pourtant beaucoup plus populeuses entre l'océan Atlantique et les Appalaches. Un nouveau vocable est alors apparu pour désigner les colons français qui ont décidé d'appartenir au Nouveau Monde plutôt qu'à l'Ancien : ce sont des Canadiens. Cette appellation prendra beaucoup plus tard le sens qu'on lui connaît aujourd'hui, tout comme le mot «Canada» en viendra à désigner un territoire beaucoup plus vaste que celui qu'il désignait à l'origine.

Déclin de la Nouvelle-France

Mais la France, vaincue en Europe, accepte par le traité d'Utrecht de 1713 de remettre le contrôle de la baie d'Hudson, de Terre-Neuve et de l'Acadie française à l'Angleterre. Ce traité fait perdre à la Nouvelle-France une grande partie du commerce des fourrures et de ses positions militaires stratégiques. Sévèrement affaiblie, elle ne pourra résister très longtemps. Même la construction d'une imposante forteresse, Louisbourg, sur l'île du Cap-Breton, n'y changera rien.

En 1749, 2 500 colons anglais et 2 régiments fondent Halifax, non loin des communautés acadiennes déjà en place. Dès 1755, le colonel britannique Charles Lawrence ordonne ce qu'il conçoit comme une mesure préventive : la déportation des Acadiens qu'il soupçonne d'être demeurés fidèles à la France. Le «Grand Dérangement» entraîne l'exode d'au moins 7 000 Acadiens. Certains d'entre eux mettront des années à revenir chez eux, pour finalement trouver des colons anglais sur les terres acadiennes qu'ils ont défrichées et exploitées depuis plus d'un siècle. Ils s'installeront alors au Nouveau-Brunswick, sur la côte nord-ouest de la Nouvelle-Écosse, au Québec et même à Terre-Neuve, et emporteront le souvenir de leur Acadie avec eux. D'autres Acadiens gagneront la colonie française de Louisiane et deviendront des «Cadiens», puis des «Cajuns».

L'épreuve de force pour le contrôle de l'Amérique du Nord connaît son dénouement quelques années plus tard avec la victoire définitive des troupes britanniques sur les Français. Montréal tombe finalement la dernière, en 1760, mais l'issue du conflit est réglée depuis la prise de Québec, l'année précédente. Les troupes britanniques du général Wolfe, venues sur une flotte de 200 navires, ont en effet vaincu, après un été de siège, celles du général Montcalm. Au moment de la conquête anglaise, la population de la Nouvelle-France s'élève à environ 60 000 habitants, dont 8 967 vivent à Québec et 5 733 à Montréal.

Le Régime anglais

Par le traité de Paris de 1763, la France cède officiellement à l'Angleterre le Canada, ses possessions à l'est du Mississippi et ce qui lui reste de l'Acadie. Pour les anciens sujets de la Couronne française, les premières années de l'administration britannique sont très éprouvantes. D'abord, les dispositions de la Proclamation royale de 1763 instaurent un découpage territorial qui prive la colonie du secteur le plus dynamique de son économie, soit la traite des fourrures. De plus, la mise en place des lois civiles anglaises et le refus de reconnaître l'autorité du pape signifient la destruction des deux piliers sur lesquels reposait jusqu'alors la société coloniale : le système seigneurial et la hiérarchie religieuse. Enfin, on écarte les catholiques des fonctions administratives. Une part importante de l'élite quitte le pays pour la France, tandis que des marchands anglais prennent graduellement les commandes du commerce.

L'Angleterre accepte par la suite d'annuler la Proclamation royale, car, pour mieux pouvoir résister aux poussées indépendantistes de ses 13 colonies du Sud, elle doit rapidement accroître son emprise sur le Canada et gagner la faveur de la population. Ainsi, à partir de 1774, l'Acte de Québec remplace la Proclamation royale et inaugure une politique plus réaliste envers cette colonie anglaise dont la population est catholique et de langue française.

La population canadienne reste presque essentiellement de souche française jusqu'à la fin de la guerre d'Indépendance américaine, qui amène une première vague de colons anglo-saxons. Citoyens des États-Unis désirant rester fidèles à la Couronne britannique, les loyalistes viennent s'installer en Nouvelle-Écosse, mais aussi dans les autres territoires maritimes de la région. Leur arrivée marque la véritable naissance des colonies du Nouveau-Brunswick, de l'île du Prince- Édouard et de l'île du Cap-Breton. Entre 5 000 et 6 000 d'entre eux s'installeront également en amont des Canadiens, principalement aux abords du lac Ontario et plus rarement dans les régions de peuplement français. Des Autochtones qui ont appuyé la cause anglaise contre les révolutionnaires américains obtiendront également des territoires dans la région. Dans ce qui deviendra plus tard le Haut-Canada puis l'Ontario, les loyalistes ont tout l'espace voulu pour s'installer. Si les Français ont reconnu et exploré bien avant le territoire des Grands Lacs, leurs seuls établissements sur place ont été des postes de traite et des forts qui contrôlaient les voies de communication, dont le fort Rouillé, qui deviendra par la suite Toronto.

Mais où qu'il s'établisse et quel que soit le groupe ethnique auquel il appartient, la vie d'un colon n'a rien de facile et ressemble souvent à une course contre l'hiver. Il doit en effet être suffisamment installé pour résister à la saison froide. Cela lui impose de construire rapidement un abri rudimentaire et inconfortable, de défricher au plus tôt les terres qu'il pourra ensuite ensemencer. Et aucune charrue ne peut soulever une terre où il demeure des souches et des pierres...

Il va sans dire que, pour les loyalistes et les colons britanniques qui rejoindront par la suite leurs rangs, l'appartenance à l'Empire est un acquis important. Ils regardent avec suspicion ces Canadiens qui parlent français et reconnaissent au pape une autorité supérieure à celle du roi. Les autorités britanniques veulent par ailleurs permettre aux loyalistes de conserver leur coutume, et elles divisent, en 1791, le Canada en deux provinces. Le

Haut-Canada, situé à l'ouest de la rivière des Outaouais, est principalement peuplé d'Anglo-Saxons, et les lois civiles anglaises y ont désormais cours. Le Bas-Canada, qui comprend le territoire de peuplement à majorité française, demeure régi par la coutume de Paris. D'autre part, l'Acte constitutionnel de 1791 introduit une amorce de parlementarisme au Canada en créant une chambre d'Assemblée dans chacune des deux provinces.

Le terme «Canada», à l'époque, ne concerne pas encore les colonies britanniques de l'Atlantique, qui ont une existence tout à fait séparée. Les loyalistes du Haut-Canada choisissent d'abord Newark pour capitale, mais ils la déplacent bientôt à York (qui deviendra plus tard Toronto) par crainte d'une invasion américaine.

Les événements leur donneront raison puisque, en 1812, les États-Unis profitent des guerres napoléoniennes pour tenter d'envahir les deux Canada... et ils incendieront York. Les militaires américains seront toutefois remarquablement inefficaces, et aucune des colonies britanniques ne tombera complètement en leur pouvoir. Les États-Unis essuieront même des défaites cuisantes, les Anglais étant parvenus à s'emparer d'une partie du Maine, à incendier la Maison-Blanche et à bouter le feu à Buffalo. Au terme du conflit, les belligérants consentent à revenir sur leurs positions précédentes.

Du point de vue économique, le blocus continental de Napoléon, qui pousse l'Angleterre à venir s'approvisionner en bois dans ses colonies américaines, initie une nouvelle vocation pour elles. Cela tombe à point, car la traite des fourrures ne cesse de péricliter. En 1821, l'absorption de la Compagnie du Nord-Ouest, qui regroupe les intérêts montréalais, par la Compagnie de la Baie d'Hudson concrétise le déclin de Montréal en tant que pôle du commerce des fourrures en Amérique du Nord.

D'autre part, l'épuisement des sols et la surpopulation relative causée par le haut taux de natalité des familles canadiennes- françaises débouchent, au cours de cette même période, sur une profonde crise agricole. Le niveau de vie du paysan chute de telle sorte que son régime alimentaire en vient à se composer presque essentiellement de soupe aux pois et de galettes de sarrasin.

Ces difficultés économiques, mais aussi les luttes de pouvoir entre les deux groupes linguistiques du Bas-Canada, seront les éléments catalyseurs des rébellions fomentées par des patriotes canadiens en 1837 et en 1838. La période d'effervescence précédant les événements s'amorce en 1834, avec la publication des *Quatre-Vingt-Douze Résolutions*, un réquisitoire impitoyable contre la politique coloniale de Londres. Ses auteurs, un groupe de parlementaires conduit par Louis-Joseph Papineau, décident de ne plus voter le budget aussi longtemps que l'Angleterre n'accédera pas à leurs demandes.

La métropole réagit en mars 1837 par la voix des *Dix Résolutions* de Lord Russell, refusant catégoriquement tout compromis avec les parlementaires du Bas-Canada. Dès l'automne suivant, de violentes émeutes éclatent à Montréal, opposant les Fils de la Liberté, de jeunes Canadiens, au Doric Club, formé de Britanniques loyaux. Les affrontements se déplacent par la suite dans la vallée du Richelieu et dans le comté de Deux-Montagnes, où de petits groupes d'insurgés tiennent tête pendant un temps à l'armée britannique, avant d'être écrasés dans le sang. L'année suivante, tentant de rallumer la sédition, des patriotes connaissent le même sort à Napierville en affrontant 7 000 soldats de l'armée britannique.

Cette fois-ci, les autorités coloniales entendent donner l'exemple. En 1839, 12 patriotes montent sur l'échafaud, alors que de nombreux autres sont déportés. Entre-temps, Londres a envoyé un émissaire, Lord Durham, afin d'étudier les problèmes de la colonie. S'attendant de découvrir un peuple en révolte contre l'autorité coloniale, Durham constate plutôt qu'il s'agit de deux peuples, l'un canadien, l'autre britannique, en lutte. Dans son rapport, Durham avance une solution radicale afin de résoudre définitivement le problème canadien : il propose aux autorités de la métropole d'assimiler graduellement les Canadiens français.

Dicté par Londres, l'Acte d'Union de 1840 s'inspire dans une large mesure des conclusions du rapport Durham. Dans cet esprit, on instaure un parlement unique composé d'un nombre égal de délégués des deux anciennes colonies, même si le Bas-Canada possède une population bien supérieure à celle du Haut-Canada. On unifie également les finances publiques et, enfin, la langue anglaise devient la seule langue officielle de cette nouvelle union : le Canada-Uni. Comme les soulèvements armés avaient été sans résultat, la classe politique canadienne-française décide alors de s'allier aux anglophones les plus progressistes afin de combattre ces dispositions. La lutte pour l'obtention de la responsabilité ministérielle devient par la suite le principal cheval de bataille de cette coalition.

Par ailleurs, la crise agricole, l'arrivée d'immigrants et le haut taux de natalité entraînent une émigration massive de Canadiens français vers les États-Unis. Entre 1840 et 1850, 40 000 Canadiens français quittent le pays pour aller tenter leur chance dans les usines de la Nouvelle- Angleterre. Pour contrer cette hémorragie, l'Église et le gouvernement lancent un vaste plan de colonisation des régions périphériques, dont celle du Lac-Saint-Jean. La rude vie des colons de ces nouvelles régions de peuplement, agriculteurs en été et bûcherons en hiver, a été dépeinte avec brio par l'auteur français Louis Hémon dans le roman *Maria Chapdelaine*. Mais cette désertion massive ne cesse pas pour autant avant le début du siècle suivant, si bien que, selon les estimations, environ trois quarts de million de Canadiens français auraient émigré entre 1840 et 1930.

De ce point de vue, la colonisation, qui a tout de même permis de doubler la superficie des terres cultivées, se solde par un échec. La dépression démographique sévissant dans le monde rural ne pourra être résorbée que plusieurs décennies plus tard grâce à l'industrialisation.

L'économie des colonies britanniques d'Amérique du Nord reçoit à cette même époque un dur coup, lorsque l'Angleterre abandonne sa politique de mercantilisme et de tarifs préférentiels à l'égard de son empire. Pour amortir les contrecoups du changement de cap de la politique coloniale britannique, le Canada-Uni signe en 1854 un traité permettant la libre entrée de certains de ses produits aux États-Unis. L'économie canadienne reprend timidement son souffle jusqu'à ce que le traité soit répudié en 1866 sous la pression d'industriels américains. C'est pour aider à résoudre ces difficultés économiques que l'on conçoit alors, en 1867, la Confédération canadienne.

La Confédération et l'expansion du Canada

Par la Confédération de 1867, l'ancien Bas-Canada reprend forme sous le nom de «Province de Québec» tandis que le Haut-Canada devient l'Ontario. Trois autres provinces, la Nouvelle-Écosse, le Nouveau-Brunswick et l'Ontario (l'ancien Haut-Canada), adhèrent à ce pacte qui unira par la suite un vaste territoire s'étendant de l'Atlantique au Pacifique.

Pour les Canadiens francophones, ce nouveau système politique confirme le statut de minorité mis en place par l'Acte d'Union de 1840. Un gouvernement central bilingue et des législatures provinciales (bilingues au Québec seulement) se partagent les différentes compétences législatives. Il faudra attendre la seconde moitié du siècle suivant pour que le Nouveau-Brunswick devienne officiellement bilingue, reconnaissant ainsi le rôle de son importante minorité acadienne.

Les autorités locales obtiennent la compétence dans les domaines sensibles de l'éducation, de la culture et des lois civiles, alors que le gouvernement central se voit investi de larges pouvoirs de taxation et de régulation économique. Le pacte qui crée le Canada moderne est nettement favorable à l'Ontario. La population de cette province a en effet dépassé celle du Québec, de sorte que la représentation proportionnelle lui apporte un avantage sur celui-ci.

Le Canada, en 1867, ne dépasse pas l'Ontario à l'ouest. Mais l'Empire britannique possède en Amérique du Nord les vastes territoires qui prolongent le territoire canadien jusqu'aux Rocheuses à l'ouest et jusqu'au pôle au nord. Le Canada les achètera de la Compagnie de la Baie d'Hudson pour assurer son expansion et surtout pour contrer les visées expansionnistes des États-Unis. On commence à arpenter les terres du Manitoba, mais sans tenir en compte du mode d'établissement des Métis, qui n'entendent pas se laisser déposséder par une colonisation ontarienne. Leur chef, Louis Riel, tente d'obtenir la reconnaissance des titres de son peuple. Le gouvernement canadien fait la sourde oreille. Riel se rend alors maître du Manitoba avec ses cavaliers, ce qui oblige Ottawa à négocier. Finalement, on créera la province bilingue du Manitoba en 1870, sur un territoire beaucoup plus restreint que celui que la province occupe actuellement.

Une quinzaine d'années plus tard, les Métis rappelleront leur chef en exil pour faire face à une situation semblable, cette fois en Saskatchewan. Ottawa est cependant en meilleure position et dispose de troupes qui materont la rébellion. Riel sera accusé de trahison en vertu d'une vieille loi britannique, puis pendu. Son procès et sa mise à mort élèveront violemment l'une contre l'autre les opinions publiques de l'Ontario et du Québec, puisque cette dernière le considère comme un compatriote victime des politiques coloniales d'Ottawa.

Le contrôle des territoires récemment acquis par le Canada pose des problèmes pratiques d'envergure en raison de la faible densité de la population. C'est pour régler ces difficultés que l'on crée une «police montée» (*mounted police*) dotée de pouvoirs extraordinaires. Ce corps de police, qui deviendra la Gendarmerie royale du Canada, ressemble beaucoup plus à la gendarmerie française qu'à la police britannique. Les délinquants sont arrêtés par les hommes de troupe et jugés par leurs officiers, ce qui est tout à fait exceptionnel dans la tradition judiciaire britannique. L'ouverture des territoires de l'Ouest à la colonisation est aussi précédée des traités avec les Autochtones et d'un arpentage. C'est probablement ce qui a évité au Canada de vivre les graves guerres entre Blancs et Autochtones qu'ont dû subir les États-Unis.

En 1871, les dernières possessions britanniques en Amérique du Nord qui ne font pas partie du Canada sont Terre-Neuve, l'île du Prince-Édouard (qui y adhérera dès 1873), le Grand Nord et la Colombie-Britannique. Des colonies se sont en effet implantées sur l'île de Vancouver et sur la Côte Ouest, loin des conflits qui ont agité surtout l'est du continent. Elles caressent quelque temps l'idée de devenir une nation indépendante lorsque la ruée vers l'or suscite un boom démographique. Les colonies doivent toutefois bien vite déchanter quand la folie de l'or s'estompe et au moment où sa démographie retombe à des niveaux plus normaux. Londres réunit toutes ses colonies de la Côte Ouest en une seule dans le but avoué de les faire entrer au Canada. Mais le Canada est encore loin, alors que les États-Unis sont à proximité immédiate. Ottawa obtient toutefois l'adhésion de la nouvelle province en lui promettant rien de moins qu'un lien ferroviaire transcontinental. Le chantier prendra fin quelques années plus tard et aura pour conséquence indirecte de hâter la colonisation des Prairies, ce qui a contraint le gouvernement fédéral à agrandir le Manitoba et à créer les provinces de Saskatchewan et de l'Alberta en 1905.

En 1895, Londres remet officiellement au Canada le Grand Nord de l'Amérique. Les contacts entre Inuits et Européens sont constants depuis le XVIe siècle, alors que les eaux nordiques attirent pour la première fois des pêcheurs de baleine.

Du point de vue économique, la Confédération tarde à résoudre les difficultés. En fait, il faut attendre trois décennies ponctuées de fortes fluctuations avant que l'économie canadienne ne connaisse un véritable essor. Ces premières années de la Confédération permettent néanmoins une consolidation de l'industrie locale grâce à la mise en place de tarifs douaniers protecteurs, à la création d'un grand marché unifié et au développement du système ferroviaire sur l'ensemble du territoire.

La révolution industrielle amorcée au milieu du XIXe siècle reprend de la vigueur à partir des années 1880. Si Montréal et les grandes villes ontariennes demeurent les centres incontestés de ce mouvement, cette industrialisation touche aussi de nombreuses autres villes de moindre importance. L'exploitation forestière, qui constitue un moteur économique majeur au cours du XIXe siècle, exporte désormais plus de bois scié que de bois équarri, donnant ainsi naissance à une industrie de transformation. Par ailleurs, l'expansion du système ferroviaire, qui a pour pôle Montréal, permet une spécialisation dans le secteur du matériel fixe des chemins de fer. Les industries du cuir, du vêtement et de l'alimentation connaissent également une croissance notable.

Cette vague d'industrialisation a pour conséquence d'accroître le rythme de l'urbanisation et de créer une importante classe ouvrière aux conditions de vie difficiles. Les mines de charbon de l'Alberta et de la Colombie- Britannique sont alors les plus dangereuses du monde. Des grèves éclatent, mais elles sont bientôt réprimées par les pouvoirs publics.

L'âge d'or du libéralisme économique

Le début du XXe siècle coïncide avec le commencement d'une période de croissance économique prodigieuse devant se prolonger jusqu'à la crise des années trente. Euphorique et optimiste comme bien d'autres Canadiens, le premier ministre de l'époque, Wilfrid Laurier, prédit alors que le XXe siècle sera celui du Canada. Cette croissance profite au secteur manufacturier. Grâce à la mise au point de nouvelles technologies et à l'émergence de certains marchés, ce sont les richesses naturelles du territoire qui deviennent le principal facteur de localisation dans cette seconde vague d'industrialisation. L'électricité joue un rôle de pivot. En quelques années, grâce au grand nombre de rivières à fort débit et à leur dénivellation, le Québec devient l'un des plus importants producteurs d'hydroélectricité. Le secteur des pâtes et papiers trouve de fabuleux débouchés aux États-Unis, avec l'épuisement des forêts américaines et l'essor de la grande presse.

Cette nouvelle vague d'industrialisation diffère de la première à bien des égards. Ayant lieu à l'extérieur des grands centres, elle accentue l'urbanisation des régions périphériques et crée, dans certains cas, des villes en quelques années. L'exploitation des richesses naturelles se distingue également du secteur manufacturier par la nécessité d'une main- d'œuvre plus qualifiée, mais surtout par le besoin d'imposants capitaux dont la finance locale est presque complètement dépourvue. Les Britanniques, jusque-là principaux pourvoyeurs de capitaux, cèdent cette fois devant l'ascension triomphante du capitalisme américain.

La société du Canada central est alors en pleine transformation. La population devient à moitié urbaine à partir de 1921. Au Québec, toutefois, l'Église catholique encadre fortement tous les aspects de la vie civile. Rassemblant 85% de la population du Québec et virtuellement tous les Canadiens français, l'Église catholique s'élève alors au rang d'acteur politique majeur au Québec. Grâce au contrôle qu'elle exerce sur les domaines de l'éducation, des soins hospitaliers et de l'assistance sociale, son autorité est incontournable. L'Église catholique n'hésite d'ailleurs pas à intervenir dans les débats politiques, combattant tout particulièrement les politiciens jugés trop libéraux. Son action aura au moins une conséquence positive puisque c'est au travers de leur foi que les Canadiens français assureront leur survie comme communauté. L'Église les incitera en effet à se multiplier et à entretenir un système scolaire séparé.

En 1914, lorsque la Première Guerre mondiale éclate en Europe, le gouvernement canadien s'engage sans réticence au côté de la Grande-Bretagne. Un bon nombre de Canadiens s'enrôlent volontairement dans l'armée, surtout des anglophones. Le manque d'enthousiasme des francophones s'explique par les sentiments plutôt mitigés qu'ils entretiennent envers la Grande-Bretagne. Bientôt, le gouvernement canadien fixe l'objectif de mobiliser 500 000 hommes et, comme les volontaires ne sont plus suffisants, il ordonne la conscription obligatoire en 1917. Au Québec, la colère gronde : émeutes, bagarres, dynamitages. La population réagit furieusement. La conscription se solde finalement par un échec puisqu'on ne parvient toujours pas à enrôler un nombre appréciable de Canadiens français. Mais surtout, elle a pour conséquence de river les deux groupes linguistiques du Canada l'un contre l'autre. Par ailleurs, la guerre elle-même demeure le conflit qui a le plus éprouvé la population canadienne.

Les deux guerres auront au moins une conséquence positive au Canada. Le départ d'un si grand nombre d'hommes valides aura obligé les entreprises à les remplacer par des femmes. Elles n'oublieront jamais qu'elles sont tout à fait aptes à remplir les mêmes tâches que leurs maris. Elles revendiqueront et obtiendront par la suite le droit de vote.

La Grande Dépression

Entre 1929 et 1945, deux événements d'envergure internationale, la crise économique et la Seconde Guerre mondiale, perturbent considérablement la vie politique, économique et sociale du pays. La Grande Dépression des années trente, que l'on perçoit d'abord comme une crise cyclique et temporaire, se prolonge en un long cauchemar d'une décennie et brise l'essor économique du Canada.

La chute des échanges internationaux frappe durement l'économie canadienne, fortement dépendante des marchés extérieurs. La crise frappe toutefois de façon inégale. Les industries exportatrices reçoivent les coups les plus durs. Les industries du textile et de l'alimentation écoulant leur production sur le marché canadien résistent mieux dans les premières années, mais finissent aussi par éprouver de graves difficultés. Comme elle peut nourrir sa population, la campagne devient alors un refuge, apportant un répit au mouvement séculaire d'urbanisation. La misère ne cesse de se généraliser, et le chômage frappe, touchant jusqu'à 27% de la population en 1933. Les gouvernements ne savent que faire devant une crise que l'on pensait d'abord passagère. On doit prendre des mesures extrêmes pour secourir les chômeurs.

Certains réagiront à la crise en remettant en cause le système économique qui les opprime. C'est alors que naissent des partis politiques de gauche ainsi qu'une étrange créature politique, le Crédit social, qui prône tout bonnement la guerre au pouvoir bancaire et l'impression de devises pour satisfaire aux besoins de la population.

La crise incite également le gouvernement fédéral à remettre en cause certains dogmes du libéralisme économique et à redéfinir le rôle de l'État. La mise sur pied de la Banque du Canada en 1935 va dans ce sens en permettant un meilleur contrôle du système monétaire et financier. C'est toutefois au cours des années de guerre que seront lancées les mesures qui conduiront par la suite à la naissance de l'État providence canadien. Entre-temps, la crise qui secoue le libéralisme continue à faire naître des idéologies. Au Québec par exemple, le nationalisme traditionnel accapare une place de choix, encensant les valeurs traditionnelles que sont le monde rural, la famille, la religion et la langue.

La Seconde Guerre mondiale

La guerre éclate en 1939, et le Canada s'y engage officiellement dès le 10 septembre de la même année. La nécessité de moderniser le matériel militaire canadien et les besoins logistiques des Alliés permettent une relance de l'économie du pays. De plus, ses relations privilégiées avec la Grande-Bretagne et les États-Unis accordent au Canada un rôle diplomatique appréciable, comme en témoigneront les conférences de Québec en 1943 et en 1944.

Très rapidement, la polémique entourant la conscription obligatoire refait surface. Le gouvernement fédéral s'est engagé à ne pas y recourir, ce qui fait hurler l'opposition anglophone du pays. Ottawa finit par organiser un plébiscite afin de se dégager de sa promesse. Les résultats démontrent sans équivoque le clivage existant entre les deux groupes linguistiques : les Canadiens anglais votent à 80% en faveur de la conscription, alors que les Québécois francophones s'y opposent dans une même proportion. Des sentiments mitigés à l'égard de la France et de la Grande-Bretagne font en sorte que les Québécois se sentent très peu enclins à s'engager dans ce conflit. Ils doivent néanmoins se plier à la décision de la majorité. L'engagement total du Canada s'élève à 600 000 personnes, dont 42 000 trouveront la mort.

La guerre a pour effet de modifier en profondeur l'industrie canadienne. L'économie en sort davantage diversifiée et beaucoup plus puissante. L'intervention massive du gouvernement fédéral au cours de la guerre devient le prélude à l'accroissement de son rôle dans l'économie et à la marginalisation relative des gouvernements provinciaux. D'autre part, le contact de milliers de Canadiens avec le monde européen tout comme le travail des femmes dans les usines transforment les attentes de chacun. Un vent de changement souffle.

L'après-guerre

C'est en 1949 que le Canada entrera dans ses frontières actuelles, Terre-Neuve ayant décidé de joindre les rangs de la Confédération pour corriger sa situation financière désastreuse.

La fin du second conflit mondial initie une période exaltante de croissance économique, où les désirs de consommation réprimés par la crise et le rationnement du temps de guerre peuvent enfin être assouvis. Jusqu'en 1957, malgré quelques fluctuations, l'économie réussit à relever le test de sa démilitarisation et fonctionne à merveille. De plus en plus, il devient évident que le véritable marché canadien est situé au sud de sa frontière. Les échanges s'intensifient au point que le Canada et les États-Unis deviennent rapidement les deux partenaires économiques qui commercent le plus entre eux. Par ailleurs, le Canada a besoin de capitaux pour assurer son développement, et il ne peut plus compter sur l'appui des prêteurs anglais. Les Américains prendront la relève, le plus souvent en qualité d'actionnaires majoritaires de la grande industrie qui s'établit.

On creuse la voie maritime du Saint-Laurent, qui ouvrira les Grands Lacs à la navigation atlantique. Du coup, Montréal cesse d'être l'escale obligée du trafic maritime. La ville, qui jouait le rôle de métropole canadienne depuis la conquête britannique, cède sa place à Toronto.

Cette richesse touche néanmoins inégalement les divers groupes sociaux et ethniques. Les communautés francophones accusent un retard de plus en plus grand sur la majorité anglophone. La mainmise des anglophones sur l'économie leur assure des revenus supérieurs et de meilleures chances de progrès. Au Québec, la croissance économique permet tout de même à Maurice Duplessis, un premier ministre à la fois conservateur, capitaliste et nationaliste, de se maintenir en poste et de maintenir avec lui le carcan qui empêche l'émergence d'institutions modernes et laïques. Des grèves qui feront date dans l'histoire industrielle du Québec éclatent bientôt. Elles seront dûrement réprimées. Le duplessisme ne peut s'expliquer que par la collaboration tacite d'une grande partie des élites traditionnelles et du monde des affaires tant francophone qu'anglophone. Le clergé, qui, en apparence, vit ses heures les plus glorieuses, ressent un affaiblissement de son autorité, ce qui le pousse à soutenir à fond le régime duplessiste.

Malgré la prédominance du discours duplessiste, cette période donne néanmoins lieu à l'émergence d'importants foyers de contestation où sera formée une bonne partie des chefs politiques québécois et canadiens qui marqueront ensuite l'histoire contemporaine. L'opposition est alors surtout extra-parlementaire. Certains artistes et écrivains témoignent de leur impatience en publiant le *Refus global*, un réquisitoire terrible contre l'atmosphère étouffante du Québec d'alors. Mais l'opposition organisée émane surtout de groupes d'intellectuels, de syndicalistes et de journalistes. Si tous s'entendent sur la nécessité d'un État providence moderne et fort, on ne s'entend pas sur lequel il convient de choisir. Certains, comme Pierre Trudeau, soutiennent que la modernisation du Québec passe par un fédéralisme centralisateur. D'autres, les néo-nationalistes, souscrivent plutôt à un accroissement des pouvoirs du gouvernement du Québec.

En 1960, le gouvernement change enfin au Québec et conduit dans les six années suivantes ce qu'on appellera la «Révolution tranquille». C'est une véritable course à la modernisation. Mouvement accéléré de rattrapage, la Révolution tranquille réussit en quelques années à mettre le Québec à «l'heure de la planète». L'État accroît son rôle en prenant à sa charge les domaines de l'éducation, de la santé et des services sociaux. L'Église, dépouillée ainsi de ses principales sphères d'influence, perd alors de son autorité et plonge dans une douloureuse remise en question accentuée par la désaffection massive de ses fidèles. La religion des francophones cesse donc d'être le trait d'union qui les unissait. Dorénavant, leur langue sera leur identité.

La démarche de l'État québécois fera souvent école ailleurs au Canada, notamment en ce qui concerne les puissants leviers économiques mis en place. Ceux-ci permettent à Québec d'intervenir massivement et de consolider l'emprise des francophones dans le monde des affaires. Le dynamisme de la société québécoise se traduit encore par la tenue à Montréal d'événements internationaux d'envergure tels que l'Exposition universelle, en 1967, et les Jeux olympiques, en 1976.

Dérives politiques et crise constitutionnelle

Cette société en pleine effervescence engendre un pluralisme idéologique, cependant marqué par la prédominance des mouvements de gauche. On assiste à des débordements à partir de 1963, alors que le Front de libération du Québec (FLQ), un groupuscule d'extrémistes désirant accélérer la «décolonisation» du Québec, lance une première vague d'attentats à Montréal. Puis en octobre 1970, le FLQ récidive en commettant l'enlèvement d'un diplomate britannique et d'un ministre provincial. Ces incidents déclenchent une crise politique au pays. Le premier ministre canadien de l'époque, Pierre Elliott Trudeau, prétexte un soulèvement appréhendé et promulgue la Loi des mesures de guerre. L'armée envahit Montréal et Québec; on effectue des milliers de perquisitions et l'on emprisonne des centaines de personnes innocentes. Tout au long de cette crise, et par la suite, le premier ministre Trudeau sera critiqué sévèrement pour avoir eu recours à des mesures aussi extrêmes. On l'accusera d'avoir ainsi tenté par ce coup de force de briser le mouvement autonomiste québécois.

Le phénomène politique le plus marquant entre 1960 et 1980 demeure cependant l'ascension rapide du nationalisme modéré des Québécois, qui deviendra le principal sujet politique canadien. Depuis la Révolution tranquille, les gouvernements québécois successifs se considèrent tous comme porte-parole d'une nation distincte, réclamant un statut particulier pour le Québec et un accroissement de leurs pouvoirs au détriment du gouvernement canadien. Pour les Québécois, le Canada est d'abord le projet de deux peuples fondateurs, dont l'un, francophone, réside principalement au Québec. C'est donc un devoir presque historique pour les premiers ministres québécois que de s'opposer à ce que ce peuple devienne une simple composante minoritaire diluée dans un ensemble canadien de plus en plus intégré.

Le gouvernement fédéral de Pierre Trudeau résiste avec énergie. À la fois anglophone et francophone, Trudeau est aussi un nationaliste ardent. Son allégeance va cependant à un État canadien uni et fort où il n'y aurait qu'un seul peuple. Pour battre en brèche la théorie des peuples fondateurs, le Canada devient multiculturel. Enfin, pour empêcher Québec de jouer le rôle d'un foyer national, le gouvernement central se lancera dans sa propre bilinguisation et se fera le défenseur des minorités de langues officielles.

Le nationalisme de Trudeau l'incite à vouloir couper certains des liens symboliques qui unissent le Canada à Londres. L'objectif est de rapatrier les textes constitutionnels et, avec eux, le pouvoir d'amender la Constitution canadienne. Londres y est disposée, mais il semble évident à tous que l'assentiment des provinces est requis avant que la métropole britannique n'abdique définitivement sa responsabilité envers ses anciennes colonies.

Le Québec, craignant un Canada encore plus centralisé où il n'obtiendrait pas la reconnaissance voulue, s'est opposé à toutes les tentatives de rapatrier la Constitution. Ce n'était d'ailleurs pas la seule province que les projets d'Ottawa inquiétaient.

Le néo-nationalisme qui se fait jour au Québec dans les années soixante devient le promoteur d'un État québécois fort, ouvert et moderne. Il préconise un accroissement des pouvoirs du gouvernement québécois et, ultimement, l'indépendance politique. Les forces nationalistes se regroupent rapidement autour de René Lévesque, qui, huit ans après la fondation du Parti québécois, remporte une victoire qui surprend tout le monde, à commencer par les Canadiens anglophones.

S'étant fixé comme mandat de négocier la souveraineté du Québec, le Parti québécois organise en 1980 un référendum pour obtenir l'assentiment populaire. Dès le début, la campagne référendaire met au jour la division des Québécois entre souverainistes et fédéralistes. La lutte demeure vive et mobilise l'ensemble de la population jusqu'aux derniers moments. Mais finalement, après une campagne axée sur des promesses de réaménager le fédéralisme, les tenants du «Non» remportent la victoire avec près de 60% des voix. Malgré l'amertume que suscite cette défaite, les souverainistes se consolent néanmoins en constatant que le soutien à leur cause a fait un bond de géant en l'espace de quelques années. Mouvement marginal dans les années soixante, le nationalisme s'affirme désormais comme un phénomène incontournable de la politique québécoise. Le soir de la défaite, René Lévesque, déçu mais toujours aussi charismatique, prédit que ce serait pour «*la prochaine fois*».

Le mouvement amorcé par la Révolution tranquille connaît une rupture avec la défaite souverainiste au référendum et, pour plusieurs Québécois, les années quatre-vingt s'amorcent avec ce que l'on a appelé la «déprime post-référendaire». Le gouvernement fédéral en profite pour faire connaître son projet de réaménagement constitutionnel. Il s'agit de rapatrier la Constitution en y incluant une charte des droits et libertés individuelles, et une formule d'amendement qui permettrait de changer l'équilibre des pouvoirs sans l'assentiment de toutes les provinces. Ottawa donne suite à son projet, avec l'accord de neuf provinces et malgré l'opposition unanime des députés de l'Assemblée nationale québécoise, autant les souverainistes que les fédéralistes. Ce faisant, le gouvernement fédéral a lui-même plongé le Canada dans une crise constitutionnelle qui monopolise depuis une bonne partie des efforts de sa classe politique.

Les années 80 et 90

En 1981 et en 1982 l'économie canadienne traverse sa pire récession depuis les années trente. Plus tard, bien qu'il y ait une lente relance de l'économie, le taux de chômage demeurera très élevé, et les finances publiques accumuleront des déficits vertigineux. À l'instar de plusieurs autres gouvernements occidentaux, les gouvernements provinciaux et fédéral doivent remettrent en question leurs choix passés.

La décennie des années quatre-vingt et le début des années quatre-vingt-dix sont donc marqués du sceau de la rationalisation, mais aussi de la globalisation des marchés et de la consolidation de grands blocs économiques. Dans cet esprit, le Canada et les États-Unis concluent un accord de libre-échange en 1989, élargi au Mexique à partir de 1994.

L'année 1984 amènera un nouveau gouvernement sur la scène fédérale, celui du conservateur Brian Mulroney. En matière constitutionnelle, il se donnera la mission de réparer les pots cassés en 1982 par son prédécesseur. Le contexte s'y prête d'autant plus que le gouvernement souverainiste du Québec a lui même cédé sa place. Tous les premiers ministres se réunissent au lac Meech en 1987 et en viennent à un accord. Robert Bourassa, premier ministre québécois de l'époque, est disposé à passer l'éponge si cinq conditions sont satisfaites, dont la reconnaissance du Québec en tant que société distincte. Il faut dire qu'aucun premier ministre québécois n'avait jamais présenté de demandes aussi modestes.

L'accord devait cependant être ratifié devant les Assemblées législatives des 10 provinces avant le 24 juin 1990 pour entrer en vigueur. Cette opération, de prime abord très simple, échoue lorsque certains premiers ministres provinciaux sont défaits et remplacés par des opposants à l'accord, que le premier ministre de Terre-Neuve renie sa signature et que l'opinion publique canadienne-anglaise se mobilise pour combattre l'idée que le Québec puisse être distinct.

Pourtant fédéraliste, Robert Bourassa doit alors se résoudre à lancer un ultimatum au gouvernement fédéral. Il annonce qu'un référendum se tiendra au Québec avant le 26 octobre 1992, portant soit sur des offres fédérales acceptables, soit sur une proposition de souveraineté du Québec. Jusqu'à la toute fin de ce délai, Bourassa espère que les autres provinces et le gouvernement fédéral proposeront une entente susceptible de répondre aux revendications d'une majorité de Québécois. Il consent toutefois à retourner négocier un peu avant l'expiration du délai. Une entente de principe est bâclée en quelques jours pour régler non seulement le problème québécois, mais aussi les problèmes des autres provinces et des Premières nations. Le référendum du 26 octobre portera sur ce projet, mais sera tenu dans tout le Canada. Pour les Québécois, il s'agit d'un recul inacceptable par rapport à l'entente antérieure. Ils refusent donc de l'entériner. Le reste du Canada dit également non, estimant que l'offre est encore trop généreuse pour le Québec.

Épuisés par les discours stériles sur leur place au sein du Canada, beaucoup de Québécois attendent avec impatience, depuis l'échec de l'«entente du Lac Meech», l'occasion d'exprimer leur désir de changement. Cette occasion se présente d'abord lors des élections fédérales de 1993. Pour la première fois, les Québécois ont alors l'opportunité de voter en faveur d'un parti souverainiste bien structuré, le Bloc québécois, qui irait les représenter au sein même du Parlement canadien. Le Bloc québécois raflera finalement plus des deux tiers des comtés en jeu au Québec et formera l'opposition officielle à Ottawa. L'année suivante, la population québécoise est appelée à élire un nouveau gouvernement à la tête du Québec. Son choix se porte sur le Parti québécois, principal porte-étendard de la cause souverainiste québécoise au cours du dernier quart de siècle.

Quinze ans après le référendum de 1980, fédéralistes et souverainistes s'engagent dans une nouvelle campagne référendaire. Personne alors n'aurait pu prédire un résultat final aussi serré. Au soir du référendum, il faut attendre le dépouillement des toutes dernières boîtes de scrutins pour enfin connaître le verdict de la population. À 49,4% les Québécois ont alors voté «Oui» au projet de souveraineté, tandis que 50,6% ont voté «Non»! Les deux options n'étaient séparées que de quelques dizaines de milliers de votes seulement; le Québec était littéralement coupé en deux. Le lendemain du référendum, Jacques Parizeau offre sa démission comme chef du Parti québécois et premier ministre du Québec. Il sera remplacé par Lucien Bouchard, jusque-là chef du Bloc québécois à Ottawa, qui est encore premier ministre qu Québec aujourd'hui.

Vers le XXIe siècle

Les résultats serrés du référendum de 1995 ont durement secoué les fédéralistes qui s'étaient toujours crus à l'abri d'un éventuel vote majoritaire des Québécois en faveur de la souveraineté. Le réveil a été brutal. Le gouvernement fédéral semble bien résolu à empêcher les souverainistes québécois de donner suite à leur projet, sans rien avancer qui puisse satisfaire les revendications québécoises. Les stratégies mises de l'avant visent à dissuader les nationalistes québécois en les menaçant d'une scission éventuelle de leur territoire, en vantant les mérites du Canada et même en discutant de la légalité d'une éventuelle sécession. La cours suprême du pays a d'ailleurs rendu un verdict à ce sujet en 1999.

En 1997, le premier ministre fédéral Jean Chrétien veut profiter de la conjoncture économique favorable et déclenche des élections anticipées. Les Canadiens reconduiront bien le mandat des libéraux, mais avec une majorité nettement amoindrie. En fait, le partage des sièges à la Chambre des communes entre cinq formations (une première dans les annales canadiennes) ne laisse aucun doute sur la division qui règne au pays. Le gouvernement doit sa majorité à l'appui des Ontariens. Le Québec a continué d'envoyer des députés souverainistes à Ottawa. Les provinces de l'Ouest ont quant à elles choisi un parti de droite, le Reform Party, pour porter leurs griefs au Canada central.

Le Québec n'est en effet pas la seule région qui discute sa place au sein de l'ensemble canadien. Le XXe siècle a fait des gouvernements des acteurs beaucoup plus présents que ce qu'avaient prévu les pères de la Confédération canadienne. Ottawa n'a cessé d'accroître son propre rôle, souvent en rognant les compétences législatives des provinces. De confédération, le Canada est donc lentement devenu une fédération beaucoup plus centralisée. Cette centralisation est généralement à l'avantage des provinces les plus pauvres ou les plus faibles. Elles tirent d'abord partie d'une redistribution de la richesse nationale. Ensuite, elles n'ont pas à assumer toutes les obligations d'un gouvernement moderne. Le système avantage aussi l'Ontario, qui profite de son poids démographique pour orienter les politiques nationales.

Une certaine insatisfaction voit le jour ailleurs. L'exemple albertain est à cet égard révélateur. Avec la hausse vertigineuse du prix du pétrole au cours des années soixante-dix, l'Alberta a cru que son poids économique pourrait enfin lui assurer ce que l'insuffisance de sa population lui avait refusé. La province s'est bien enrichie de l'exploitation de ses puits, mais beaucoup moins qu'elle ne l'avait escompté. Le gouvernement fédéral a en effet contrôlé le prix du brut puisé, de façon à faire bénéficier l'ensemble du pays d'un pétrole moins cher que celui qu'on trouvait sur le marché international. Les Albertains y ont vu le pillage de leurs ressources naturelles, pillage qui profitait principalement au Canada central, objet premier de leur ressentiment. Ils ont donc tourné le dos au gouvernement libéral, puis au gouvernement conservateur, qui avait voulu réparer les pots cassés avec le Québec. Enfin, ils ont accordé leur préférence au Reform Party.

Une autre pomme de discorde entre les provinces et Ottawa vient de ce que le gouvernement fédéral dispose d'un pouvoir de taxation illimité (ce qui n'est pas le cas des provinces) et de la faculté de dépenser cet argent dans les domaines de son choix. Le gouvernement fédéral se sert de ces pouvoirs pour imposer des normes nationales dans des secteurs qui ressortent clairement de la compétence provinciale. Ces normes n'ont pas valeur de loi, mais la province qui néglige de les respecter peut se voir priver d'un financement important. Le joug est d'autant plus lourd pour les provinces que le contexte économique a amené l'État fédéral à réduire l'ampleur de ce qu'il paie.

Faut-il s'inquiéter de toutes ces tensions? Probablement pas. Les luttes politiques qui ont occupé le Canada au cours des dernières années sont simplement révélatrices d'un rééquilibrage en cours. Les questions au cœur du débat datent souvent de la conquête anglaise. Il y a donc gros à parier qu'elles ne sont pas à la veille de trouver une réponse définitive. L'une des grandes forces de la démocratie canadienne est cependant de les aborder pacifiquement et dans le respect des règles démocratiques. Et rien n'indique que cette attitude soit à la veille de changer.

Démographie

Le peuple du Canada, tout comme celui du reste de l'Amérique d'ailleurs, est constitué d'une population aux origines diverses. Aux Autochtones, se sont joints, à partir du XVIe siècle, des colons d'origine française, dont les descendants forment aujourd'hui la plus importante minorité nationale. Puis, au cours des deux derniers siècles, le Canada s'est tour à tour enrichi d'immigrants des îles Britanniques et des États-Unis, puis d'Europe et ensuite d'un peu partout à travers le monde. Cet apport de sang neuf n'est pas à la veille de prendre fin puisque la population canadienne se fait vieillissante, surtout au Québec.

Les Inuits et les Amérindiens

Premiers conquérants du territoire canadien, les Inuits et les Amérindiens ne représentent plus, numériquement, qu'une fraction marginale de la population totale. Les Autochtones vivent disséminés un peu partout au Canada et sont encore placés sous la tutelle maladroite du gouvernement fédéral. Quoique plusieurs puissent encore jouir de territoires de chasse et de pêche, leur mode de vie traditionnel a été, dans une large mesure, anéanti.

Femme inuite

Mal adaptés à la société moderne, souffrant de déculturation, les peuples amérindiens et inuit sont actuellement piégés par d'importants problèmes sociaux. Depuis quelques décennies, ils se sont toutefois donné des structures politiques plus efficaces pour faire valoir leurs revendications. Les résultats n'ont pas tardé puisqu'il est désormais impossible au Canada de faire abstraction de la dynamique autochtone lorsque vient le temps de planifier l'aménagement du territoire, l'exploitation des ressources naturelles ou le développement régional.

Le lobby autochtone demeure un puissant levier moral sur le gouvernement canadien. Depuis ces dernières années, les Amérindiens sont ainsi parvenus à attirer l'attention des médias et de la population. En 1992, un premier pas important était accompli alors qu'on abordait le principe de l'autonomie des gouvernements autochtones lors d'une conférence constitutionnelle. Puis en 1999, de longues années de négociations débouchaient sur la signature de deux accords majeurs.

Le premier entraîna, le 1er avril, la création d'un tout nouveau territoire au nord du pays sous tutelle fédérale mais administré par un gouvernement autonome élu par sa population à 85% inuite. Le deuxième accord important concerne le peuple Nisga'a de la Colombie-Britannique auquel on a accordé l'intendance sur ses terres ancestrales.

Malgré le fait que les années 90 aient été marquées par certaines crises soulignant des relations tendues, ces accords laissent présager d'autres changements positifs dans les négociations entre les Autochtones et les divers paliers de gouvernement.

La population francophone

La population francophone forme la majorité au Québec et une minorité importante au Nouveau-Brunswick. Partout ailleurs au Canada, sa pérennité ne peut être considérée comme un acquis, malgré ses propres efforts et le soutien du gouvernement fédéral.

Les Québécois francophones sont les descendants, dans une écrasante majorité, des colons d'origine française arrivés au pays entre 1608 et 1759. Migration et croissance naturelle firent en sorte qu'ils étaient 60 000 lorsque la Nouvelle-France est passé aux mains des Anglais. Ils provenaient pour la plupart des régions de la côte ouest de la France. Ces 60 000 Canadiens ont légué, après un peu plus de 2 siècles, un impressionnant héritage démographique de plusieurs millions d'individus, dont environ 7 millions vivent toujours au Canada. Des démographes ont établi des comparaisons très étonnantes à ce sujet : entre 1760 et 1960, la population mondiale s'est multipliée par 3, et la population de souche européenne par 5, alors que la population française du Canada se multipliait par 24. C'est encore plus surprenant si l'on considère que très peu de mariages mixtes ont enrichi cette communauté et que l'immigration a presque totalement profité à la communauté anglophone. De plus, entre 1840 et 1930, environ 900 000 Québécois, dont une grande majorité de francophones, quittèrent le pays pour les États-Unis. Cette croissance phénoménale de la population francophone du Canada tient donc, essentiellement, à un taux d'accroissement naturel remarquable. Ainsi, pendant longtemps, les femmes canadiennes-françaises engendraient en moyenne 8 enfants; les familles de 15 ou de 20 enfants étaient monnaie courante. Ce phénomène s'explique en partie par les pressions qu'exerçait le puissant clergé catholique, désireux de combattre la progression du protestantisme au Canada. Situation plutôt paradoxale, les francophones du Québec partagent aujourd'hui, avec des pays comme l'Allemagne, un des taux d'accroissement naturel les moins élevés du monde.

Majoritaires au Québec, les francophones ont toutefois longtemps été dépourvus du contrôle de leur économie. On estime qu'en 1960 la moyenne de revenu des Québécois francophones correspondait à environ 65% de celle des Anglo-Québécois. Alors que le rattrapage économique s'amorçait avec la Révolution tranquille, on assista parallèlement à une ascension de l'affirmation nationale des francophones, qui, dès lors, cessèrent de se considérer comme Canadiens français et se définirent plutôt comme Québécois. Les francophones, qui intègrent maintenant de plus en plus d'immigrants, représentent actuellement un peu moins de 82% de la population totale du Québec. Malheureusement, les communautés francophones à l'extérieur du Québec, particulièrement à l'ouest, s'étiolent de plus en plus.

La population anglophone

Les premiers anglophones arrivés au Canada, surtout des marchands, n'ont représenté qu'une fraction infime de la population, même plus de 20 ans après la conquête de 1759. Le territoire progressivement arraché à la Nouvelle-France avait permis l'établissement de différents comptoirs et postes de traite, notamment à l'ouest et sur la baie d'Hudson. À cette époque, des colonies de peuplement prospéraient déjà dans les Provinces maritimes, en partie sur les terres dont on avait chassé les Acadiens.

La Révolution américaine allait donner son véritable envol au peuplement britannique des territoires aujourd'hui regroupés au sein du Canada. Qu'ils aient envie de nouvelles terres ou de demeurer fidèles à l'Angleterre, les loyalistes quittent les États-Unis pour le Canada entre 1783 et le début du XIXe siècle. Partout où ils s'installent, ces loyalistes tiennent à manifester leur attachement aux lois, aux coutumes et aux religions que leurs ancêtres ont amenées de Grande-Bretagne. Plus agriculteurs que commerçants, ils ne fraient pas beaucoup avec les communautés anglophones qui contrôlent les affaires à Québec et à Montréal.

Ces colons s'installent dans les colonies de Nouvelle-Écosse, de l'île du Prince-Édouard et du Nouveau-Brunswick. Dans cette dernière colonie, ils deviennent rapidement majoritaires. Plus à l'ouest, dans le Canada de l'époque, ils s'établiront dans le sud-ouest de ce qui est aujourd'hui le territoire québécois et, surtout, au nord des Grands Lacs, dans ce qui devait devenir l'Ontario. Ils y prospéreront et peupleront les plaines qui s'étendent depuis l'Ontario jusqu'aux Rocheuses, au fur et à mesure que le chemin de fer ouvrira ces territoires à la colonisation. Enfin, de l'autre côté de ces montagnes, deux autres colonies britanniques s'installent, l'une sur l'île de Vancouver, l'autre sur le rivage. Elles se réuniront plus tard pour donner naissance à la Colombie-Britannique.

D'autres sujets du Royaume-Uni immigrent

ensuite, souvent plus par nécessité que par choix. C'est ainsi qu'arrivent des Écossais et des Irlandais, bon nombre de ceux-ci ayant été chassés de chez eux par la famine. La diminution de l'immigration britannique, dès la fin du XIXe siècle, fut compensée par l'intégration d'arrivants d'autres souches.

Les autres communautés culturelles

L'immigration autre que française, américaine ou britannique n'a réellement commencé qu'à la fin du XIXe siècle. Jusqu'à ce que la crise économique des années trente et le second conflit mondial imposent une halte aux mouvements migratoires vers le Canada, cette immigration se constituait surtout de Juifs d'Europe centrale, d'Ukrainiens et d'Italiens. Avec la prospérité de l'après-guerre, l'arrivée d'immigrants reprit de plus belle, venant très majoritairement d'Europe du Sud et de l'Est. Puis à partir des années soixante, le Canada accueillit une immigration en provenance de tous les continents, dont notamment beaucoup d'Indochinois, d'Antillais et de Chinois fuyant Hong-Kong avant son rattachement à la Chine de Pékin ainsi que des Latinos-Américains.

Évidemment, ces nouveaux arrivants, même s'ils tendent souvent à préserver leurs attaches culturelles, finissent par adopter le français ou l'anglais comme langue d'échange et par s'intégrer à l'une ou l'autre des deux communautés. À cet égard, la tendance naturelle des nouveaux arrivants est de s'intégrer à la communauté anglophone puisque c'est souvent l'une des langues parlées dans leur pays d'origine et parce que l'anglais est perçu comme le langage de l'Amérique du Nord, voire comme la langue qui assure une meilleure réussite.

Économie

Le Canada est sorti des années quatre-vingt avec une dette publique énorme, contractée par tous ses gouvernements pour soutenir et générer l'activité économique. Il n'y a guère que l'Alberta et le Nouveau-Brunswick qui s'en soient sortis un peu mieux. La première le doit à ses richesses pétrolières, la seconde à sa clairvoyance et à de lourds sacrifices. Un gouffre s'est donc ouvert dans le Trésor public. En 1990, le quart ou plus des recettes fiscales ne servaient ni à financer les activités de l'État ni à rembourser la dette accumulée. Cet argent payait seulement les intérêts exigibles sur la dette accumulée. La marge de manœuvre des gouvernements s'est donc singulièrement rétrécie, et les politiciens ont dû inscrire la lutte au déficit sur la liste des priorités. Les coupes effectuées dans les dépenses du gouvernement fédéral ont donc permis le dégagement de surplus budgétaires.

Les déficits provinciaux sont cependant plus complexes à combattre parce que les transferts fédéraux fondent comme neige au soleil et que chacune des compressions affecte directement les électeurs. Certains gouvernements plus à droite, notamment ceux de l'Ontario et de l'Alberta, ont pris des mesures drastiques pour solutionner leur déficit, compromettant du même coup la paix sociale. D'autres gouvernements ont fixé des objectifs de compression et ont laissé de la marge pour les atteindre. Partout cependant, on est en bonne voie de sortir d'une spirale amorcée dans les années soixante-dix. La plupart des gouvernements provinciaux affichent maintenant un équilibre budgétaire.

La mondialisation des marchés et le libre-échange avec les États-Unis et le Mexique semblent avoir bénéficié au Canada, qui a ainsi pu accroître le volume de ses exportations. En revanche, le taux de chômage se maintient aux alentours de 10% (8,3% en 1998). Phénomène inquiétant, les dernières années ont démontré que les emplois étaient de moins en moins directement liés au volume des investissements.

Tout cela fait en sorte que le clivage entre riches et pauvres s'accentue au Canada, alors que la classe moyenne perd de sa qualité de vie parce qu'elle est plus lourdement taxée et moins bien desservie. Lutter contre la concentration des richesses semble de moins en moins possible dans un monde où capitaux et biens peuvent à tout moment préférer un pays plus compréhensif pour leurs propriétaires.

Cela dit, la situation canadienne n'a rien de désespéré. Il s'agit encore de l'un des pays qui offre un très bon niveau de vie à ses citoyens, fait d'ailleurs souligné par l'ONU depuis 99 années. Des industries canadiennes de pointe, notamment en matière de transport, de communication, d'électronique, de génie, de services et de biotechnologies, dominent leur secteur sur le marché mondial. En outre, les dernières années ont mis du baume à la croissance de l'économie canadienne. De nouveaux modèles émergent pour soutenir l'«entrepreneurship». On voit même des syndicats obtenir des dégrèvements fiscaux pour mettre sur pied des fonds d'investissements destinés à soutenir l'entreprise privée.

Politique

Le document constitutionnel à la base de la Confédération canadienne de 1867, l'Acte de l'Amérique du Nord britannique, a créé une division des pouvoirs entre deux paliers de gouvernements. Ainsi, en plus du gouvernement central, situé à Ottawa, les 10 provinces canadiennes possèdent chacune leur gouvernement qui a compétence pour légiférer dans certains domaines. La question de savoir quel gouvernement a compétence pour faire quoi est d'ailleurs le principal sujet de conflit entre l'État fédéral et les législatures, notamment l'Assemblée nationale québécoise.

Le Canada est une monarchie constitutionnelle. Le chef de l'État est la reine du Canada, Elisabeth II d'Angleterre. Les prérogatives royales sont normalement déléguées à un gouverneur général nommé pour cinq ans par la reine sur recommandation du premier ministre. Si les pouvoirs dévolus au gouverneur sont en théorie sans limites, c'est parce qu'il ne les exerce pas, la tradition parlementaire britannique exigeant de lui la plus stricte réserve et sa collaboration avec les représentants élus de la population. Dans chacune des provinces, un lieutenant-gouverneur remplit des charges analogues à celles du gouverneur général.

Au Canada comme dans toutes les démocraties occidentales, les pouvoirs législatifs, exécutifs et judiciaires ne reposent pas entre les mêmes mains. Techniquement parlant, le plus important de ces pouvoirs est le pouvoir législatif, qui, à Ottawa, est exercé par le Parlement, indépendant du gouvernement. Celui-ci se divise en deux assemblées, selon le modèle anglais des chambres haute et basse. Le Sénat est la Chambre haute. Les sénateurs sont nommés sur recommandation du premier ministre, et leur tâche est d'examiner les projets de loi dans le but de les bonifier. Comme il ne s'agit pas de représentants élus, ils n'ont aucune légitimité pour faire obstruction aux volontés exprimées par les votes des députés. La Chambre des communes, ou Chambre basse, est celle où siègent tous les députés, un par circonscription. Ils y ont tous été élus pour un mandat de quatre ou cinq ans. Pour être élu, un député doit être le candidat qui récolte le plus de voix lors d'un unique tour de vote, peu importe qu'il dispose ou non de la majorité. La logique de ce type de suffrage conduit à un affrontement ne laissant généralement place qu'à deux formations politiques d'envergure. En contrepartie, ce système électoral offre l'avantage de garantir une grande stabilité entre chaque élection, tout en permettant d'identifier chaque député à une circonscription. Les députés d'une même formation votent généralement tous dans le même sens après avoir adopté leur position en caucus. La Chambre des communes vote les lois, mais surveille aussi les activités du gouvernement, que les députés peuvent questionner sur n'importe quel sujet. En outre, le vérificateur général, le directeur des élections et, dans certaines législatures, le protecteur du citoyen dépendent directement de l'assemblée des députés. Dans chaque province, une assemblée législative fonctionne selon les mêmes règles, à cette différence près que presque toutes ces législatures ont aboli leur Sénat.

Le chef de la formation qui remporte le plus de sièges est invité par le gouverneur à occuper la place de premier ministre et à choisir les autres ministres qui formeront avec lui le cabinet. Il doit normalement le faire parmi les députés, puisqu'un ministre doit pouvoir répondre aux questions du Parlement. La tradition exige que le gouvernement démissionne si les députés votent contre lui en majorité. C'est très rare puisque le premier ministre dispose habituellement d'une majorité de députés aux Communes. Le cabinet est responsable de l'application des lois, du Trésor public et du gouvernement. C'est le véritable siège du pouvoir au Canada.

Enfin, le pouvoir judiciaire est exercé par des juges. Ceux-ci sont choisis par le ministre fédéral de la Justice s'il s'agit d'un tribunal général, et par ses homologues provinciaux dans les autres cas. Les juges sont tenus à un devoir de réserve très strict. Leur indépendance et leur impartialité, notamment à l'égard du gouvernement, sont garanties par leur inamovibilité ainsi que par une rémunération généreuse.

Au niveau fédéral, deux formations politiques, le Parti libéral et le Parti conservateur, ont gouverné tour à tour le Canada depuis le début de la Confédération en 1867. Les Québécois, et généralement les Canadiens de langue française, ont jusqu'au début des années quatre-vingt voté pour le Parti libéral du Canada, plus ouvert à leur égard. Le Nouveau Parti démocratique, plus à gauche, a longtemps été le seul tiers parti digne de ce nom aux Communes. Les deux dernières élections générales ont cependant fait émerger de nouvelles formations, le Reform Party et le Bloc québécois. Ces deux formations ont cependant un caractère régional.

À l'heure actuelle, le gouvernement canadien est formé par le parti libéral dirigé par Jean Chrétien pour un second mandat.

Activité diplomatique

Sur la scène internationale, le Canada occupe une place enviable. Il siège à la table des sept pays les plus industrialisés ainsi qu'à l'Organisation de coopération et de développement économique (OCDE). Il est membre de l'Organisation des Nations Unies (ONU) et l'un de ses plus farouches partisans. C'est à un premier ministre canadien, Lester B. Pearson, que l'on doit la création des Casques bleus. Les forces armées du Canada y ont servi bien plus souvent qu'à leur tour. Il faut dire que la médiation diplomatique du Canada est souvent recherchée parce que ce pays appartient à la fois au groupe des anciennes colonies et à celui des puissances industrielles. Depuis octobre 1998, le Canada siège d'ailleurs au conseil de sécurité des Nations Unies.

Le Canada notamment est membre du Commonwealth et de la Francophonie. Sur le plan commercial, il est membre de l'Organisation mondiale du commerce (OMC). Ses échanges en Amérique du Nord sont au surplus régis par l'Accord de libre-échange nord-américain (Alena). Enfin, militairement, le Canada est membre de l'Organisation du traité de l'Atlantique Nord (Otan). En outre, le Canada a conclu une alliance particulière avec les États-Unis pour assurer la défense continentale. Cette alliance, le Commandement de la défense aérienne de l'Amérique du Nord, est mieux connue sous le sigle NORAD.

Arts

L'art autochtone

Il reste malheureusement peu de chose de l'art autochtone ancien. Les matériaux des œuvres et les conditions de conservation n'ont pas permis leur survie jusqu'à notre époque. D'autre part, les missionnaires regardaient comme suspectes ces œuvres qui puisaient le plus souvent dans les croyances amérindiennes et inuites ancestrales.

Les premières expressions artistiques amérindiennes répertoriées sont les pétroglyphes, qu'il est notamment possible d'observer dans les parcs nationaux Superior et Petroglyph, en Ontario. Les Inuits ont également développé depuis des temps immémoriaux l'art de la sculpture. Mais la forme la plus spectaculaire de l'art autochtone vient du Pacifique. Il s'agit du totem, grand tronc sculpté et peint que les Amérindiens de la Côte Ouest dressaient en groupe à l'orée de leurs villages.

Des artistes autochtones contemporains méritent également une mention spéciale. C'est le cas de l'Ojibway Benjamin Chee-Chee, dont les œuvres sont des compositions abstraites aux motifs géométriques. C'est aussi le cas de Norval Morrisseau, qui peint dans son propre style, dit «pictographique», des thèmes tirés de légendes autochtones.

Les arts au Québec

Le monde des arts sert souvent de véhicule privilégié aux peuples pour exprimer leurs préoccupations et leurs aspirations. Au Canada francophone, l'expression artistique a pendant longtemps été à l'image d'une société constamment sur la défensive, tourmentée par la médiocrité de son présent et par des doutes quant à son avenir. Mais depuis les années d'après-guerre et surtout avec la Révolution tranquille, la culture québécoise a bien évolué et s'est affirmée. Ouverte aux influences extérieures, souvent très innovatrice, elle est maintenant d'une remarquable vitalité.

Lettres québécoises

L'essentiel des débuts de la littérature de langue française en Amérique du Nord se constitue d'écrits des premiers explorateurs (dont ceux de Jacques Cartier) et des communautés religieuses. Sous forme de récits, ces textes relatent différentes observations destinées principalement à faire connaître le pays aux autorités de la métropole, Paris. Le mode de vie des Autochtones, la géographie du pays et les débuts de la colonisation française figurent parmi les principaux thèmes abordés par des auteurs comme le père Sagard (*Le grand voyage au pays des Hurons*, 1632) ou par le baron de La Hontan (*Nouveaux voyages en Amérique septentrionale*, 1703).

La tradition orale domine la vie littéraire durant tout le XVIIIe siècle et le début du XIXe siècle. Les légendes issues de cette tradition (revenants, feux follets, loups-garous, chasse-galerie) sont par la suite consignées par écrit. Plusieurs années s'écoulent donc avant que le mouvement littéraire ne prenne un véritable envol, qui aura lieu à la fin du XIXe siècle. La majorité des créations d'alors, fortement teintées de la rhétorique de la «survivance», encensent les valeurs nationales, religieuses et conservatrices. L'éloge de la vie à la campagne, loin de la ville et de ses tentations, devient l'un des thèmes centraux de la littérature de l'époque. Les romans d'Antoine Gérin-Lajoie (*Jean Rivard le défricheur*, 1862, et *Jean Rivard, économiste*, 1864) offrent l'exemple type de cette tendance à une apologie du monde rural frisant la propagande. La glorification du passé, particulièrement du Régime français, inspire également de nombreux romanciers. Mis à part quelques écrits tels que *Angéline de Montbrun* (1884) de Laure Conan, peu de romans de cette période présentent davantage qu'un intérêt strictement socio-historique. L'influence de l'idéologie traditionnelle domine également dans la poésie. Néanmoins, le poète Louis-Honoré Fréchette a su s'en démarquer.

Jusqu'en 1930, le traditionalisme continue de marquer profondément la création littéraire, quoique soient perceptibles certains mouvements innovateurs. En poésie, l'École littéraire de Montréal, plus particulièrement Émile Nelligan, qui a été le premier à s'inspirer des œuvres de Baudelaire, de Rimbaud, de Verlaine et de Rodenbach, fait contrepoids quelque temps au courant dominant. Encore aujourd'hui une figure mythique, Nelligan a écrit sa poésie très jeune, avant de sombrer dans la folie.

Dans le roman québécois de cette époque, le monde rural reste toujours le principal thème que l'on aborde, bien que certains auteurs commencent à le traiter d'une manière différente. Louis Hémon, un Français qui s'est inspiré de son séjour au Québec pour écrire *Maria Chapdelaine* (1916), présente avec une plus grande vraisemblance la vie paysanne, alors qu'Albert Laberge (*La scouine*, 1918) en décrit la médiocrité.

C'est au cours des années de la crise économique et de la guerre que la création littéraire initie un début de modernisation. Dans le roman du terroir, qui domine toujours, on voit graduellement apparaître le thème de l'aliénation des individus. On sent enfin qu'un pas majeur a été franchi lorsque la ville, où en réalité une majorité de la population réside, devient le cadre de romans comme *Au pied de la pente douce* (1945) de Roger Lemelin et *Bonheur d'occasion* (1945) de la Franco-Manitobaine Gabrielle Roy.

Le modernisme s'affirme franchement à partir de la fin de la guerre, et ce, malgré le régime politique de Maurice Duplessis. En ce qui a trait au roman, deux courants dominent : le roman urbain tel que *Au pied de la pente douce* (1945) de Roger Lemelin ou *Les Vivants, les morts et les autres* (1959) de Pierre Gélinas, et le roman psychologique comme *La Fin des songes* (1950) de Robert Élie ou *Le Gouffre a toujours soif* (1953) d'André Giroux. Un peu en marge de ces deux courants, Yves Thériault, auteur très prolifique, publie, de 1944 à 1962, contes et romans (*Agaguk* en 1958, *Ashini* en 1960) qui marqueront toute une génération de Québécois.

La poésie connaît une période d'or grâce à une multitude d'auteurs, entre autres Gaston Miron, Alain Grandbois, Anne Hébert, Rina Lasnier et Claude Gauvreau. On assiste également à la véritable naissance du théâtre québécois grâce à la pièce Tit-Coq de Gratien Gélinas, qui sera suivie d'œuvres variées, dont celles de Marcel Dubé et de Jacques Ferron. Pour ce qui est des essais, le *Refus global* (1948), signé par un groupe de peintres automatistes, fut sans contredit le plus incisif des nombreux réquisitoires contre le régime duplessiste.

La Révolution tranquille, dont l'effervescence politique et sociale marque la création littéraire des années soixante, «démarginalise» les auteurs. Une multitude d'essais, tel *Nègres blancs d'Amérique* (1968) de Pierre Vallières, témoignent de cette période de remise en question, de contestation et de bouillonnement culturel. Au cours de cette époque, véritable âge d'or du roman, de nouveaux noms, entre autres Marie-Claire Blais (*Une saison dans la vie d'Emmanuel*, 1965), Hubert Aquin (*Prochain épisode*, 1965) et Réjean Ducharme (*L'avalée des avalés*, 1966), s'ajoutent aux écrivains de la période précédente. La poésie triomphe, alors que le théâtre, marqué particulièrement par l'œuvre de Marcel Dubé et par l'ascension de nouveaux dramaturges comme Michel Tremblay, s'affirme avec éclat. Pendant quelque temps, plusieurs romanciers, poètes et dramaturges font usage dans leurs œuvres de la langue populaire, le «joual».

La création littéraire contemporaine s'est diversifiée et enrichie. De nouvelles figures sont venues se joindre aux auteurs de la période antérieure, com-me Victor-Lévy Beaulieu, Jacques Godbout, Alice Parizeau, Roch Carrier, Jacques Poulin, Louis Caron, Yves Beauchemin, Suzanne Jacob et, encore plus récemment, Louis Hamelin, Robert Lalonde, Gaetan Soucy, Christian Mistral, Dany Laferrière, Ying Chen, Sergio Kokis, Denise Bombardier et Arlette Cousture.

Par ailleurs, le théâtre se distingue au cours des années quatre-vingt par un foisonnement de productions d'une remarquable qualité, dont plusieurs intègrent d'autres formes d'expression artistique (danse, chant, vidéo). Un engouement pour le théâtre se fit sentir à Montréal, alors que se multipliaient les petites salles. Parmi les plus brillants représentants du théâtre québécois d'aujourd'hui, notons la troupe Carbone 14, les metteurs en scène André Brassard, Dominic Champagne, Robert Lepage, Lorraine Pintal, René-Richard Cyr, Alexis Martin et les auteurs Normand Chaurette, Marie Laberge, René-Daniel Dubois, Michel-Marc Bouchard, Jean-Pierre Ronfard et Wajdi Mouhawad.

Enfin, il nous faut mentionner une forme assez particulière d'expression artistique, qui bénéficie d'une longue tradition et qui emprunte certains éléments au théâtre, celle des «humoristes». L'humour a en effet toujours tenu une place importante dans la vie culturelle québécoise. Ainsi, dans les années soixante, le groupe humoristique Les Cyniques, par sa critique mordante du clergé et des institutions politiques, participa à sa façon à la Révolution tranquille. Puis au cours des années soixante-dix, Yvon Deschamps reprendra le personnage du Canadien français, exploité mais sympathique, de ses aînés (Olivier Guimond entre autres) pour forcer une prise de conscience chez son public. Les années qui ont suivi le référendum de 1980 ont vu naître une impressionnante vague de comédiens dont l'humour tient davantage de l'absurde et de l'autodérision (Ding et Dong, Rock et Belles Oreilles, Daniel Lemire), témoignant sans doute de la désillusion de toute une génération.

Musique et chanson

En ce qui a trait à la musique, il faut attendre les années d'après-guerre pour que le modernisme puisse commencer à s'afficher au Québec. Cette tendance s'affirme résolument à partir des années soixante, alors qu'on tient pour la première fois, en 1961, une Semaine internationale de la musique actuelle. Les grands orchestres, notamment l'Orchestre symphonique de Montréal (OSM), commencent dès lors à intéresser un plus vaste public. Dirigé depuis 1978 par Charles Dutoit, l'OSM multiplie les enregistrements et les tournées internationales. L'intérêt pour la musique s'est également propagé en région, où l'on tient notamment un grand festival d'été dans la région de Lanaudière et un festival de musique actuelle à Victoriaville.

La chanson, qui a toujours été un élément important du folklore québécois, connaît un nouvel essor dans l'entre-deux-guerres, avec la généralisation de la radio et l'amélioration de la qualité des enregistrements. Des artistes comme Ovila Légaré s'illustrent, mais le plus grand succès de l'époque appartient incontestablement à la Bolduc (Marie Travers), qui, grâce à des chansons originales en langue populaire, connaît la gloire pendant de longues années. Au cours de la guerre, le Soldat Lebrun occupe aussi une place appréciable dans le monde de la chanson locale. Puis, durant les années cinquante, la mode de l'adaptation de succès américains ou de l'interprétation de chansons françaises éclipse le travail de chansonniers tels que Raymond Lévesque et Félix Leclerc, qui ne seront reconnus qu'au cours de la décennie suivante.

Avec la Révolution tranquille, la chanson dite québécoise s'affiche avec éclat. Des chansonniers comme Claude Léveillé, Jean-Pierre Ferland, Gilles Vigneault et Claude Gauthier font vibrer les «boîtes à chansons» du Québec par des textes fortement teintés d'affirmation nationale et culturelle. Un événement d'une grande portée survient en 1968, lorsque Robert Charlebois lance le premier album rock en français. La chanson québécoise connaît par la suite des succès retentissants. Pour la Saint-Jean-Baptiste, fête nationale des Québécois, des artistes parviennent à rassembler des centaines de milliers de personnes lors de grands spectacles extérieurs se transformant en véritables *happenings*. La chanson québécoise remporte également de forts succès à l'étranger, particulièrement en Europe francophone.

Aux figures déjà connues que sont notamment Plume Latraverse, Michel Rivard, Diane Dufresne, Pauline Julien, Ginette Reno, Claude Dubois, Richard Séguin, Paul Piché et Marjo, se sont joints récemment des artistes aussi différents que Jean Leloup, Richard Desjardins, Daniel Bélanger, Luc de la Rochelière et Kevin Parent, Isabelle Boulay et Lara Fabian. La figure la plus connue à l'étranger est toutefois Céline Dion, une interprète qui chante tant en français qu'en anglais. Sa voix remarquable lui a permis de se hisser parmi les étoiles de la musique populaire les plus connues du monde. On se doit également de souligner le succès remporté par le parolier Luc Plamondon, entre autres avec les opéras-rock *Starmania* et *Notre-Dame-de-Paris*, ainsi que par la Bottine souriante, qui joue une musique inspirée de la tradition québécoise. Enfin, certains artistes non francophones, comme Leonard Cohen et Corey Hart, jouissent d'une solide réputation internationale.

Les arts visuels

Ayant pour toile de fond idéologique le clérico-nationalisme, les œuvres d'art québécoises du XIXe siècle s'illustrent par leur attachement à un esthétisme désuet. Néanmoins encouragés par de grands collectionneurs montréalais, des peintres locaux adhèrent à des courants quelque peu novateurs à la fin du XIXe siècle et au début du XXe siècle. Il y a d'abord la vogue des paysagistes qui, comme Lucius R. O'Brien, font l'éloge de la beauté du pays. La peinture à la manière de l'École de Barbizon, s'appliquant à représenter le mode de vie pastoral, bénéficie également d'une certaine reconnaissance. Puis, inspirés par l'École de La Haye, des peintres comme Edmund Morris introduisent timidement le subjectivisme dans leurs œuvres.

Les peintures d'Ozias Leduc, s'inscrivant dans le courant symboliste, démontrent aussi une tendance à l'interprétation subjective de la réalité, tout comme les sculptures d'Alfred Laliberté réalisées au début du XXe siècle. Quelques créations de l'époque laissent entrevoir une certaine perméabilité aux courants européens, comme c'est le cas des tableaux de Suzor-Côté. Mais c'est dans la peinture de James Wilson Morrice, inspirée de Matisse, que l'on peut le mieux sentir l'empreinte des écoles européennes. Mort en 1924, Morrice est perçu par plusieurs comme le précurseur de l'art moderne au Québec. Il faudra néanmoins attendre plusieurs années, marquées notamment par les peintures très attrayantes de Marc-Aurèle Fortin, paysagiste mais aussi peintre urbain, avant que l'art visuel québécois ne se place au diapason des courants contemporains.

L'art moderne québécois commence d'abord à s'affirmer au cours de la guerre grâce aux chefs de file que sont Alfred Pellan et Paul-Émile Borduas. Dans les années cinquante, il est possible de distinguer deux courants majeurs. Le plus important est le non-figuratif, que l'on peut diviser en deux tendances : l'expressionnisme abstrait, dont se réclament Marcelle Ferron, Marcel Barbeau, Pierre Gauvreau et surtout Jean-Paul Riopelle, et l'abstraction géométrique, où s'illustrent particulièrement Jean-Paul Jérôme, Fernand Toupin, Louis Belzile et Redolphe de Repentigny. Le deuxième courant d'envergure de l'après-guerre, le nouveau figuratif, comprend des peintres tels que Jean Dallaire et surtout Jean-Paul Lemieux.

Les tendances de l'après-guerre s'imposent toujours dans les années soixante, quoique l'arrivée de nouveaux créateurs comme Guido Molinari, Claude Tousignant et Yves Gaucher accroisse la place de l'abstraction géométrique. Par ailleurs, le domaine de la gravure et de l'estampe connaît un essor certain, les happenings se popularisent, et l'on commence à mettre les artistes à contribution dans l'aménagement des lieux publics. La diversification des procédés et des écoles devient réelle à partir du début des années soixante-dix, jusqu'à présenter aujourd'hui une image très éclatée de l'art visuel.

Le cinéma

Bien que certains longs métrages aient été réalisés auparavant, il faut attendre l'après-guerre pour que naisse un authentique cinéma québécois. Entre 1947 et 1953, des producteurs privés portent à l'écran des œuvres ayant connu le succès dans d'autres médias, comme *Un homme et son péché* (1948), *Séraphin* (1949), *La petite Aurore l'enfant martyre* (1951) et *Tit-Coq* (1952). Mais l'avènement de la télévision, au début des années cinquante, lui porte un dur coup, si bien que la création cinématographique québécoise stagne par la suite pendant une décennie complète.

Sa renaissance, au cours des années soixante, est largement tributaire du soutien de l'Office national du film (ONF). Par l'intermédiaire de documentaires ayant recours au cinéma «direct», la critique de la société québécoise constitue alors le thème principal abordé par les cinéastes. Des nombreuses créations de l'époque, le film de Pierre Perreault et de Michel Brault, *Pour la suite du monde* (1963), fut sans doute le plus marquant par son caractère innovateur.

Par la suite, le long métrage de fiction devient un genre dominant, et certains cinéastes y connaissent le succès : Claude Jutra (*Mon oncle Antoine*, 1971), Jean-Claude Lord (*Les Colombes*, 1972), Gilles Carle (*La vraie nature de Bernadette*, 1972), Michel Brault (*Les ordres*, 1974), Jean Beaudin (*J.A. Martin photographe*, 1977) et Francis Mankiewicz (*Les bons débarras*, 1979). Comme peu de films sont rentables, le financement, même avec l'apport de producteurs privés, repose en grande partie sur l'appui des gouvernements.

Parmi les films des dernières années, il convient de mentionner ceux de Denys Arcand (*Le déclin de l'empire américain*, 1986, et *Jésus de Montréal*, 1989), de Jean-Claude Lauzon (*Un zoo la nuit*, 1987, et *Léolo*, 1992), de Léa Pool (*À corps perdu*, 1988), de Pierre Falardeau (*Le party*, 1990), de Jean Beaudin (*Being at home with Claude*, 1992), de Robert Lepage (*Le confessionnal*, 1995), de François Girard (*Le violon rouge*, 1998) de Roch Demers, qui s'est spécialisé dans les films pour enfants, et de Frédérick Back, qui s'est distingué grâce à un film d'animation, *L'homme qui plantait des arbres*, gagnant d'un Oscar en 1988.

Les arts en Acadie

Depuis les 40 dernières années, l'Acadie a connu une activité culturelle sans précédent qui s'est exprimée dans les domaines de la chanson et de la littérature, mais aussi dans les arts visuels et le cinéma. L'expression artistique sous toutes ces formes est, depuis les années soixante, la meilleure ambassadrice de l'Acadie à l'étranger. Parmi les artistes qui se sont le plus fait connaître, il y a Donat Lacroix, Calixte Duguay, Édith Butler, Angèle Arseneault et le groupe 1755. On doit encore ajouter à cette liste le nom de Roch Voisine, bien que sa communauté d'origine ne se définisse pas comme acadienne. Du côté des lettres, Antonine Maillet demeure l'auteure la plus connue de l'Acadie. Elle a notamment gagné le prix Goncourt pour son roman *Pélagie-la-Charette*. Les sculptures de Marie- Hélène Allain lui ont également valu une grande réputation. Au cinéma, on remarque les œuvres de Phil Comeau et d'Herménégilde Chiasson. Ce dernier est également connu pour son œuvre théâtrale, romanesque et poétique, ainsi que pour sa peinture.

Les arts au Canada anglais

Que ce soit en peinture, en littérature, en musique ou en cinéma, les artistes canadiens ont cherché depuis longtemps à créer des œuvres qui leur soient propres. L'influence des mouvements artistiques britannique et américain y est incontestable, mais il est aussi impossible de faire abstraction de cette volonté d'être différent. De tout temps, les Canadiens ont également entretenu un rapport d'amour-haine avec la culture de masse étasunienne, omniprésente sur les écrans et les présentoirs. Il faut dire que, de tout temps, les éditeurs et producteurs des États-Unis ont considéré le Canada, aussi bien anglophone que francophone, comme une partie de leur marché domestique.

La réaction canadienne a été d'encourager la production locale par un soutien à l'édition et à la production artistique. On a donc créé des organismes comme le Conseil des arts et l'Office national du film. En matière de télédiffusion, une télévision nationale a été mise sur pied, la Société Radio-Canada (Canadian Broadcasting

Communication). Enfin, le Conseil de radiotélédiffusion du Canada est intervenu de façon très directive pour imposer aux diffuseurs de respecter un contenu canadien.

La littérature

Au Canada anglais, les premiers écrits dignes de ce nom apparaissent vers 1820. Poètes pour la plupart, les premiers écrivains s'emploient à décrire la nature sauvage qui les entoure. Littérature réaliste s'il en est une, ce premier mouvement est représentatif des préoccupations de la société canadienne de ce siècle, aux prises avec le défi de son installation sur de nouveaux territoires. Quelques œuvres ont marqué ces premiers moments de la littérature canadienne-anglaise, comme les ouvrages de William Kirby et d'Alexander McLachlan.

Peu à peu se développe le désir de créer une littérature empreinte de romantisme, mais aux accents plus canadiens. Dans l'est du pays, Lucy Maud Montgomery signe ce qui est peut être le récit le plus connu de la littérature canadienne : *Ann of Green Gables* (Anne, la maison aux pignons verts). L'urbanisation de la population entraîne également celle de la littérature, et l'on voit apparaître, particulièrement sous les plumes d'Archibald Lampman et de Duncan Campbell Scott, des œuvres qui dénoncent les dangers de la ville.

La Première Guerre mondiale a des conséquences profondes sur la pensée canadienne. Plusieurs commencent à ressentir la nécessité pour le Canada de s'affirmer face à l'Empire britannique et d'y obtenir un statut plus égal. Ce mouvement rejoint des écrivains, et l'on commence à revendiquer la mise en valeur d'une culture canadienne, loin de la tutelle culturelle britannique. Aux États-Unis, des auteurs comme Henry Miller réussissent déjà à s'affirmer, non comme des écrivains de langue anglaise mais bien comme des écrivains américains. Cette émancipation fait des envieux au Canada anglais, et l'on recherche activement de nouveaux styles. En revanche, certains auteurs, comme Mazo de la Roche, se feront les promoteurs de liens solides avec l'Empire.

Ce mouvement va tout de même prendre de l'ampleur et permettre à la littérature canadienne-anglaise de se moderniser et de mieux se définir. Ainsi Hugh McLellan, dans *Two Solitudes*, raconte les relations entre anglohones et francophones, cherchant ainsi à développer une thématique canadienne.

L'industrialisation et les bouleversements sociaux qu'elle génère serviront aussi de toile de fond à une littérature plus engagée. Les problèmes sociaux font naître le désir d'une société plus juste. Plusieurs auteurs canadiens lui prêteront leur voix. Morley Callaghan dépeint la dure vie citadine et prône un engagement social. Stephen Leacock critique ironiquement la société canadienne. Raymond Souster se fait connaître par son engagement politique. L'auteure la plus célèbre de cette vague demeure toutefois Margaret Atwood, féministe et nationaliste.

Le théâtre ontarien doit beaucoup à ses auteurs, notamment Robertson Davies. Sa vigueur s'exprime aussi dans l'interprétation. Le festival Shakespeare, tenu à Stratford depuis 1953, et le festival Bernard Shaw de Niagara-on-the-Lake en témoignent éloquemment.

Autour des années soixante-dix, des mouvements modernes apparaissent, comme Open Letter de Toronto, qui cherche à apporter de nouvelles contributions à des idées anciennes. Des auteurs se démarquent. C'est le cas de John Saul, époux de la gouverneur général du pays, qui signe un essai remarquable, *Les bâtards de Voltaire*. Michel Ondaatje, Torontois d'origine sri-lankaise, a obtenu en 1993 le prestigieux prix londonien Booker Prize pour le roman *The English Patient* (L'homme flambé) porté à l'écran depuis. L'œuvre de Timothy Findley lui a également valu une reconnaissance particulière, la distinction de Chevalier des arts et des lettres que décerne le gouvernement français.

Dans l'ouest du pays, plusieurs auteurs se démarquent. Venu du Yukon, Pierre Berton signe des romans inspirés de l'histoire canadienne. Sur la Côte Ouest, l'artiste peintre Emily Carr se met à écrire à 70 ans ce qu'elle a vu toute sa vie. En Colombie-Britannique, il faut encore mentionner les œuvres de Jane Rule, de Patrick Lane et du dernier auteur-vedette, Donald Coupland (*Generation X*, *Microserfs*).

En Alberta, Robert Kroetch (*Out West*, *Alberta*, *Seed Catalogue*) et Rudy Wiebe (*The Temptations of Big Bear*) s'imposent, le premier comme un remarquable conteur et le second en raison de la vision morale qu'il doit à son éducation mennonite.

En 1945, la Franco-Manitobaine Gabrielle Roy fera publier l'un des grands classiques de la littérature canadienne-française : *Bonheur d'occasion*. Calgary produira aussi une excellente écrivaine anglophone qui publiera en français, Nancy Huston (*Cantique des Plaines*, *Tombeau de Romain Gary*).

La musique

L'Ontario et l'ouest du Canada ne manquent ni d'orchestres ni de talents. On trouve même à Winnipeg une compagnie de ballet réputée internationalement.

Par ailleurs, beaucoup d'artistes canadiens-anglais ont marqué la scène musicale mondiale dans les genres les plus divers. En musique classique, Glenn Gould a marqué son époque par ses interprétations uniques de la musique de Bach. Dans tous les genres de musique populaire, on remarque entre autres Bruce Cockburn, le groupe Rush, le crooner Paul Anka, les Barenaked Ladies, Alanis Morissette, Shania Twain, Wilf Carter, Loreena McKennit, Sarah McLachlan, k.d. Lang et Bryan Adams.

La peinture

Dès les premiers temps de la colonisation ontarienne, des peintres de talent émergent. Ils s'inspirent des maîtres européens et vivent des commandes de l'Église et de la bourgeoisie. L'art religieux et le portrait occupent donc toute la place. À partir de 1840, quelques artistes commencent à se distinguer et composent des toiles qui font l'éloge du territoire : immensité d'une terre quasi inhabitée, scènes pastorales et paysages typiques. Encouragés par des collectionneurs locaux, quelques artistes vont alors développer peu à peu un style bien à eux. C'est notamment le cas de Cornelius Krieghoff, d'origine hollandaise, dont les toiles évoquent la vie rustique des nouveaux habitants, et de Robert R. Whale, peintre paysagiste.

Au début du XXe siècle, le Canadian Art Club, dont la vocation est de promouvoir la peinture canadienne, organise une série d'expositions entre 1907 et 1915. Plusieurs artistes canadiens se sont déjà expatriés vers l'Europe. Le plus célèbre, James Wilson Morrice, a passé une bonne partie de sa vie en France. Il y a signé des œuvres où l'on sent bien l'empreinte des impressionnistes et de Matisse. De grands peintres paysagistes ontariens créent de leur côté un art véritablement canadien. Tom Thomson est à l'origine de ce mouvement. Ses œuvres proposent une représentation bien particulière des paysages uniques du Bouclier canadien. Il meurt cependant prématurément en 1917.

Thomson influencera d'une manière indéniable le plus célèbre groupe de peintres ontariens, baptisé le Groupe des Sept. Franklin Carmichael, Lawren S. Harris, Frank H. Johnson, Arthur Lismer, J.E.H. MacDonald, Alexander Young Jackson et Frederick Varley sont tous des paysagistes. Leur première exposition est tenue à Toronto en 1920. Bien qu'ils collaborent étroitement, chacun va développer son propre langage pictural. Ils se démarquent par l'emploi de couleurs vives dans la composition de paysages typiques du Canada. L'influence du Groupe des Sept est déterminante en Ontario, et seuls quelques artistes ontariens parviennent à y échapper, entre autres David Milne Brown. La technique de ce dernier s'inspire plutôt du fauvisme et de l'impressionnisme.

Peu à peu, les artistes exploitent des thèmes plus sociaux. C'est le cas de Peraskeva Clark, dont les tableaux évoquent les difficiles années de la crise de 1929. Carl Schaefer reproduit quant à lui des scènes rurales où l'on ressent également les conséquences de la crise.

À la suite des peintres québécois, certains Ontariens s'intéresseront également à l'art abstrait, notamment Lawren Harris. En 1954 est créé le Groupe des Onze, qui se voue à cette forme de peinture.

Impossible de faire le survol de la peinture canadienne sans traiter de l'œuvre d'Emily Carr, qui rend en vert et en bleu toute la beauté des paysages de la Colombie-Britannique et révèle un peu de l'esprit amérindien. Jack Shadbolt et Gordon Smith porteront eux aussi cette vision particulière qu'ont les habitants de la Côte Ouest pour les paysages qui les entourent.

À l'autre bout du pays, dans la lumière blanche de l'Atlantique, Alex Colville peint. Son style hyperréaliste, sa grande maîtrise technique et le regard de ses personnages fascinent.

Le cinéma

Les années soixante-dix sont marquantes pour l'industrie cinématographique canadienne, alors que certains grands films recueillent enfin la faveur d'un public habituellement captif des maisons de production américaines. Si *Goin' Down the Road* de Don Shebib s'est fait remarquer pour son succès commercial, il reste que le cinéma canadien en demeure un de réalisateurs. David Cronenberg (*Rabid, The Fly, Naked Lunch, M. Butterfly, Crash*), Robin Spry (*Floers on a One-Way Street, Obsessed*), Atom Egoyan (*The Adjuster, Family Viewing, Exotica, The Sweet Hereafter*) et Bruce MacDonald (*Road Kill, Highway 61*) ont depuis longtemps démontré que, si l'argent manque toujours au cinéma canadien, le talent, lui, est bien disponible. Grâce à l'Office national du film, plusieurs réalisateurs ont pu développer de nouvelles techniques cinématographiques, surtout dans le domaine du cinéma d'animation. C'est notamment le cas de Norman McLaren (*Neighbors*), de J. Hoedeman (*Sand Castle*) ainsi que de John Weldon et d'Eunice Macaumay (*Special Delivery*).

L'art autochtone

Les œuvres autochtones furent longtemps considérées comme des spécimens anthropologiques et collectionnées presque exclusivement par les musées d'ethnogra-phie. Ce n'est que graduellement au cours du XXe siècle qu'elles se sont vu reconnaître le statut «d'œuvres d'art». Cette art a été l'objet d'un intérêt croissant de la part des Canadiens depuis les années soixante et soixante-dix. Aujourd'hui, plus d'une centaine de musées canadiens possèdent des collections d'art autochtone. Les pratiques artistiques varient énormément selon les régions du pays. L'art amérindien et l'art inuit, surtout, diffèrent de plusieurs façons.

Les années cinquante ont marqué un tournant majeur dans l'art inuit. C'est à cette époque que furent créées les coopératives destinées à promouvoir et à diffuser l'artisanat du Grand Nord. Avant ces années, les œuvres étaient de petite taille : des jouets, des outils, des amulettes sacrées. À la toute fin des années quarante sont apparues les sculptures telles qu'on les connaît aujourd'hui, c'est-à-dire de format pouvant atteindre jusqu'à un mètre de hauteur et d'une grande diversité de formes et de couleurs. Ces sculptures peuvent être réalisées en pierre, en os, en ivoire (l'usage en est aujourd'hui interdit), en andouiller de cervidés et plus rarement en corne ou en bois. Toutefois, la gravure et l'estampe sont des pratiques très récentes qui ont une grande popularité à cause de la simplicité de leurs lignes et de la qualité de leur exécution. Certaines formes d'art inuit sont exclusivement féminines. On compte parmi celles-là la vannerie, les poupées, la couture, les broderies, le perlage ainsi que le travail de la peau et du cuir.

Les Amérindiens pratiquent moins la sculpture que leurs voisins du nord, sauf sur la Côte Ouest, région connue principalement pour son art totémique. Alors que dans l'est et dans le nord du Canada règne l'art de l'infiniment petit – et pour cause, la plupart des Premières Nations étaient nomades – il en est autrement pour les Amérindiens de la côte du Pacifique. Leurs totems, représentant les lignées de différentes tribus, peuvent atteindre de 20 à 25m de hauteur. Leurs motifs proviennent du monde des esprits, du monde animal ainsi que de la mythologie. De façon générale, les œuvres d'art amérindiennes sont faites avec des matériaux comme le bois, le cuir ou la toile. Les artistes amérindiens réalisent beaucoup de travail tridimensionnel (masques, «capteurs de rêves», objets décorés), de sérigraphie et d'œuvres sur papier.

Tableau des distances (km)

Par le chemin le plus court

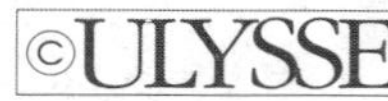

	Winnipeg (Man.)	Whitehorse (Yuk.)	Vancouver (C.-B.)	Toronto (Ont.)	St. John's (T.-N.)	Saskatoon (Sask.)	Regina (Sask.)	Québec (Qué.)	Ottawa (Ont.)	Montréal (Qué.)	Halifax (N.-É.)	Fredericton (N.-B.)	Edmonton (Alb.)	Charlottetown (Î.P.-É.)	Calgary (Alb.)
Calgary (Alb.)															
Charlottetown (Î.P.-É.)															4847
Edmonton (Alb.)														5125	278
Fredericton (N.-B.)													4739	386	4461
Halifax (N.-É.)												469	5209	265	4931
Montréal (Qué.)											1290	820	3921	1207	3643
Ottawa (Ont.)										197	1487	1017	3786	1403	3508
Québec (Qué.)									449	254	1068	598	4173	984	3894
Regina (Sask.)								3139	2753	2888	4176	3706	1036	4092	758
Saskatoon (Sask.)							257	3427	3041	3176	4464	3994	523	4380	825
St. John's (T.-N.)						5275	4987	1879	2296	2101	1020	1281	6020	957	5742
Toronto (Ont.)					2642	2961	2673	795	402	542	1831	1361	3706	1747	3427
Vancouver (C.-B.)				4387	6709	1792	1725	4861	4475	4610	5898	5428	1245	5814	967
Whitehorse (Yuk.)			1919	5758	8072	2579	3088	6224	5838	5973	7261	6791	2051	7177	2330
Winnipeg (Man.)		3659	2296	2098	4412	862	574	2565	2179	2314	3601	3131	1607	3518	1329
Yellowknife (T.N-O.)	3062	2685	2700	5161	7475	1979	2491	5627	5241	5376	6664	6194	1454	6580	1733

Exemple : la distance entre Montréal et Toronto est de 542 km.

Renseignements généraux

Le présent chapitre a pour but de vous aider à planifier votre voyage, aussi bien avant votre départ qu'une fois sur place.

Ainsi, il renferme une foule de renseignements précieux pour les visiteurs venant de l'extérieur quant aux procédures d'entrée au pays et aux autres formalités. Il renferme aussi plusieurs indications générales qui pourront vous être utiles lors de vos déplacements. Finalement, on y spécifie la façon dont ce guide se présente, ce qui aidera autant les voyageurs à en retirer le plus de renseignements possible. Cela dit, nous vous souhaitons un excellent voyage au Canada!

Formalités d'entrée

Généralités

Pour la plupart des citoyens des pays de l'Europe de l'Ouest, un passeport valide suffit, et aucun visa n'est requis pour un séjour de moins de trois mois. Il est possible de demander une prolongation de trois mois. Un billet de retour ainsi qu'une preuve de fonds suffisants pour couvrir le séjour peuvent être demandés.

Précaution : certains pays n'ayant pas de convention avec le Canada en ce qui concerne l'assurance maladie-accident, il est conseillé de se munir d'une telle couverture. Pour information, voir la rubrique «La santé» (p 56).

Prolongation sur place

Il faut adresser sa demande **par écrit** et **avant** l'expiration du visa (date généralement inscrite dans le passeport) à l'un des centres d'Immigration Canada. Votre passeport valide, un billet de retour, une preuve de fonds suffisants pour couvrir le séjour ainsi que 50$ pour les frais de dossier vous seront demandés. Attention, dans certains cas (études, travail), la demande doit obligatoirement être faite **avant** l'arrivée au Canada.

Douane

Si vous apportez des cadeaux à des amis canadiens, n'oubliez pas qu'il existe certaines restrictions. Pour les **fumeurs** (l'âge minimum est de 16 ans), la quantité maximale est de 200 cigarettes, de 50 cigares, de 400 g de tabac ou de 400 bâtonnets de tabac. Pour les **vins ou alcools**, le maximum est de 1,1 litre; en pratique, on tolère deux bouteilles par personne. Pour la bière, il est de 24 canettes ou bouteilles de 355 ml.

Par ailleurs, il existe des règles très strictes concernant l'importation de **plantes**, de **fleurs** ou d'autres **végétaux**; aussi est-il préférable, en raison de la sévérité de la réglementation, de ne pas emporter ce genre de cadeaux. Si toutefois cela s'avère indispensable, il est vivement conseillé de s'adresser au service de Douane-Agriculture de l'ambassade du Canada **avant** de partir.

Si vous décidez de voyager avec votre **chien** ou votre **chat**, il vous sera demandé un certificat de santé (document fourni par votre vétérinaire) ainsi qu'un certificat de vaccination contre la rage. Attention, cette vaccination devra avoir été faite **au moins 30 jours avant** votre départ et ne devra pas être plus ancienne qu'un an.

Enfin, il existe une possibilité de se faire rembourser les **taxes** perçues sur vos achats (voir p 52).

Ambassades et consulats

En Europe

France
Ambassade du Canada
35, av. Montaigne
75008 Paris
Métro Franklin-Roosevelt
☎***01.44.43.29.00***
⇄***01.44.43.29.98***
www.amb-canada.fr

Belgique
Ambassade du Canada
Av. de Tervueren, 2
1040 Bruxelles
Métro Mérode
☎***741.06.11***
⇄***741.06.19***

Espagne
Ambassade du Canada
Edificio Goya
Calle Nuñez de Balboa 35
28 001 Madrid
☎***423.32.50***
⇄***423.32.51***

Italie
Ambassade du Canada
Via Zara 30
00198 Rome
☎***44.59.81***
⇄***44.59.89.12***

Suisse
Ambassade du Canada
Kirchenfeldstrasse 88
3005 Berne
☎***357 32 00***
⇄***357 32 10***

À Montréal

Consulat général de France à Montréal
1, Place Ville-Marie
Bureau 2601, 26e étage
Montréal, H3B 4S3
☎***878-4381***
⇄***878-3981***
www.montreal.consulfrance.org

Consulat général de Belgique
999, bd De Maisonneuve Ouest
Bureau 1250
Montréal, H3A 3C8
☎***(514) 849-7394***
⇄***(514) 844-3170***

Consulat général de Suisse
1572, av. Dr Penfield
Montréal, H3G 1C4
☎***(514) 932-7181***
⇄***(514) 932-9028***

Consulat des États-Unis
Place Félix-Martin
1155, rue St-Alexandre
Montréal
☎***(514) 398-9695***
⇄***(514) 398-9749***

Consulat général de l'Italie
3489 rue Drummond
Montréal, H3G 1X6
☎***(514) 849-8351***
⇄***(514) 499-9471***

Consulat général d'Espagne
1 Westmount Square
Montréal, H3Z 2P9
☎***(514) 935-5235***
⇄***(514) 935-4655***

Ottawa

Ambassade de la Belgique
80 Elgin Street
4e étage
K1P 1B7
☎***(613) 236-7267***
⇄***(613) 236-7882***

Ambassade d'Espagne
74 Stanley Avenue
K1M 1P4
☎***(613) 747-2252***
⇄***(613) 744-1224***

Ambassade de France
42 Sussex Drive
K1M 2C9
☎***(613) 789-1795***
⇄***(613) 562-3704***

Ambassade d'Italie
275 Slater Street
21 étage
K1P 5H9
☎***(613) 232-2401***
⇄***(613) 232-1484***

Ambassade de Suisse
5 Malborough Avenue
K1N 8E6
☎***(613) 235-1837***
⇄***(613) 563-1394***

Toronto

Consulat de la Belgique
2 Bloor Street West
Bureau 2006
N4W 3E2
☎***(416) 924-0106***
⇄***(416) 944-1421***

Consulat d'Espagne
55 Bloor Street West
Bureau 1204
M5R 2A5
☎***(416) 967-0488***
⇄***(416) 968-9547***

Consulat de France
130 Bloor Street West
Bureau 400
M5S 1N5
☎ ***(416) 925 8041***
⇄ ***(416) 925-3076***

Consulat d'Italie
136 Beverley Street
M5T 1Y5
☎ ***(416) 977-1566***
⇄ ***(416) 977-1119***

Consulat de Suisse
154 University Avenue
Bureau 601
M5H 3Y9
☎ ***(416) 593-5371***
⇄ ***(416) 593-5083***

Vancouver

Consulat Honoraire de Belgique
Birks Place
Bureau 570
688 W. Hastings St.
Vancouver, V6B 1P1
☎ ***(604) 684-6838***
⇄ ***(604) 684-0371***

Il n'y a pas de consulat d'Espagne à Vancouver. Au besoin, communiquer avec le bureau de Toronto.

Consulat Général de France
Suite 1100-1130 W. Pender St.
Vancouver, V61 4A4
☎ ***(604) 681-4345***
⇄ ***(604) 681-4287***
www.vancouver. consulfrance-org

Consulat Général d'Italie
1200 Burrard St.
Bureau 705
Vancouver, V6Z 2C7
☎ ***(604) 684-7288***
⇄ ***(604) 685-4263***

Consulat Général de Suisse
World Trade Centre
999 Canada Place
Vancouver, V6C 3E1
☎ ***(604) 684-2231***
⇄ ***(604) 684-2806***

Renseignements touristiques

Chaque province canadienne possède un service de renseignements touristiques où vous pourrez obtenir une mine d'informations ainsi que des brochures gratuites.

Plusieurs éditeurs publient des guides ou cartes pouvant s'avérer fort utiles pour qui veut en connaître davantage sur certains aspects du Canada. Les Éditions Ulysse publient des guides tel celui que vous consultez présentement, mais qui couvrent des régions de manière plus spécifique : les **Provinces Atlantiques du Canada**, **Le Québec**, l'**Ontario** et l'**Ouest canadien**.

Pour avoir les coordonnées des bureaux de renseignements touristiques de la région que vous visitée, référez-vous à la section «Renseignements pratiques», au début de chaque chapitre.

En Europe

France

Ambassade du Canada
Service tourisme
35, av. Montaigne
Paris 75008
Métro Franklin-Roosevelt
lun-ven 10h à 17h
☎ ***01.44.43.29.00***
⇄ ***01.44.43.29.94***

Au ☎ ***01.44.43.25.07***, un système automatisé permet d'obtenir rapidement de l'information touristique 24 heures sur 24.

Sur Minitel : ***3615 Canada.***

Tourisme Québec
tlj 15h à 23h
c/o MPS
Boîte postale 90
67162 Wissembourg Cedex
☎ ***08.00.90.77.77***
www.bonjour-quebec.com
Sur Minitel : ***3615 Québec***

Commission canadienne du tourisme
lun-ven 10h à 17h
35, av. Montaigne
75008 Paris
Métro Franklin-Roosevelt
☎ ***01.44.43.29.00***
⇄ ***01.44.43.29.94***
Au ☎ ***01.44.43.25.07*** un système automatisé permet d'obtenir rapidement de l'information touristique 24 heures.
Sur Minitel : ***3615 Canada***

Délégation générale du Québec
66, rue Pergolèse
75116 Paris
Métro Porte Dauphine
☎ ***01.40.67.85.00***

France-Québec
24, rue Modigliani
75015 Paris
Métro Lourmel
☎ ***01.45.54.35.37***

La librairie du Québec
30, rue Gay Lussac
75005 Paris
☎ ***01.43.54.49.02***
⇄ ***01.43.54.39.15***
À Paris, on peut trouver un grand choix de livres sur le Québec et le Canada, ainsi que toute l'édition du Québec et du Canada francophone, dans tous les domaines.

Belgique

Commission canadienne du tourisme
Rue Américaine, 27
1060 Bruxelles
☎ ***538 57 92***
⇄ ***539 24 33***

Renseignements généraux

Délégation générale du Québec
Av. des Arts, 46, 7e étage
1040 Bruxelles
Métro Art-Loi
☎*512.00.36*

Suisse

Welcome to Canada!
22, Freihofstrasse
8700 Küsnacht
☎*910 90 01*
⇌*910 38 24*
⇌*910 38 24*

Les aéroports

Il existe plusieurs aéroports internationaux au Canada. Pour plus d'information sur chacun d'eux, référez-vous à la section «Pour s'y retrouver sans mal», au début de chaque chapitre.

D'Europe

Il existe deux possibilités : le vol direct sans escale à partir d'une des capitales européennes ou le vol avec escale à Montréal, Toronto ou Calgary. Les vols directs représentent, bien sûr, la formule la plus intéressante, car ils mettent nettement moins de temps à rejoindre Vancouver que ceux avec escale à Montréal ou à Toronto (comptez en moyenne 10 heures 30 min au départ de Paris au lieu de 13 heures pour les vols avec escale). Dans certains cas cependant, surtout si vous disposez de beaucoup de temps, il peut s'avérer intéressant de combiner un vol nolisé pour Montréal ou Toronto avec un des très nombreux vols effectués par les compagnies canadiennes.

Pour plus de renseignements :

Air Canada

D'Europe
☎*800-361-8620*
Du Canada et des États-Unis
☎*888-247-2262*

À Vancouver
☎*(604) 688-5515*

À Toronto
☎*(416) 925-2311*

À Montréal
☎*(514) 393-3333*

À Québec
☎*(418) 692-0720*

France
106, boul. Haussman
75008 Paris
☎*01.20.87.08.71*
⇌*01.42.60.99.99*

55, boul. Vivier-Merle
69429 Lyon Cedex 3
☎*01.20.87.08.71*
⇌*01.37.91.39.99*

Belgique
boul. Anspach 1, bte 4
1000 Bruxelles
☎*212.09.50*
⇌*218.25.21*

Suisse
1-3, rue Chantepoulet
Genève
☎*731.49.80*

Canadian International

À Montréal
☎*(514) 847-2211*
ou 800-665-1177
⇌*(514) 847-2039*

Du Canada

Air Canada vient tout juste de se porter acquéreur de la compagnie Canadian International; toutes les deux sont actuellement administrées comme entités distinctes. Des décisions seront prises sur l'orientation et la centralisation des services au printemps 2000. Avec leurs partenaires locaux respectifs (entre autres Air BC, qui propose des vols à l'intérieur de la Co-lombie-Britannique), ces deux entreprises assurent de nombreuses liaisons régulières vers l'Ouest canadien. Les principales villes sont desservies quotidiennement : Vancouver, Victoria Calgary, Edmonton, Toronto, Montréal. Plusieurs autres destinations sont également disponibles. Les vols partant de l'est du pays doivent souvent faire une escale à Montréal ou à Toronto. Pendant la haute saison, Air Transat, Royal et Canada 3000 proposent des vols en direction de Vancouver, Calgary, Winnipeg, Toronto et Montréal *(charters)*. Ces derniers vols sont sujets à de nombreux changements tant au niveau de la fréquence que des tarifs.

Pour plus de renseignements :

Air Canada
☎*800-222-6596*

Air France
☎*800-667-2747*

American Airlines
☎*800-433-7300*

British Airways
☎*888-334-3448*

Canadian International
☎*800-665-1177*

Continental Airlines
☎*800-231-0856*

Delta Airlines
☎*800-221-1212*

Japan Airlines
☎*800-525-3663*

KLM Royal Dutch
☎*800-361-1887*

Lufthansa German Airlines
☎*800-563-5954*

Northwest Airlines
☎800-225-2525

Quantas Airways
☎800-227-4500

US Airways
☎800-428-4322

Vos déplacements

En voiture

Le bon état général des routes et l'essence moins chère qu'en Europe font de la voiture un moyen idéal pour visiter en toute liberté le Canada. On trouvera d'excellentes cartes routières ainsi que des cartes régionales dans les librairies et dans les centres d'informations touristiques.

Quelques conseils

Permis de conduire : en règle générale, les permis de conduire européens sont valides pour six mois à compter du jour d'arrivée au Canada.

L'hiver : bien que les routes soient en général très bien dégagées, il faut tout de même considérer le danger que représentent les conditions climatiques. Il n'est pas rare de voir la route transformée en véritable patinoire par le verglas! Le vent peut également être de la partie, provoquant de la «poudrerie» et rendant ainsi la visibilité quasi nulle.

Le code de la route : attention, il n'y a pas de priorité à droite. Ce sont les panneaux de signalisation qui indiquent à chaque intersection la priorité. Ces panneaux marqués «Arrêt» ou «Stop» sur fond rouge sont à respecter scrupuleusement! Il faut que vous marquiez l'arrêt complet, même s'il vous semble n'y avoir aucun danger apparent.

Les feux de circulation sont situés le plus souvent de l'autre côté de l'intersection. Faites attention où vous marquez l'arrêt. Lorsqu'un autobus scolaire (de couleur jaune) est à l'arrêt (feux clignotants allumés), il est obligatoire de vous arrêter, quelle que soit votre direction. Le manquement à cette règle est considéré comme une faute grave! Le port de la ceinture de sécurité est obligatoire.

Dans toutes les provinces canadiennes, sauf au Québec, il est permis de tourner à droite sur une feu rouge, lorsque la voie est libre.

Sur les autoroutes, la vitesse est limitée à 100 km/h. Sur les routes principales, la vitesse est de 90 km/h, et de 50 km/h dans les zones urbaines.

Les postes d'essence : le Canada étant un pays producteur de pétrole, l'essence est nettement moins chère qu'en Europe, environ 0,60 $ le litre. À certains postes d'essence (surtout en ville), il se peut qu'après 23h on vous demande de payer d'avance. Cela est fait par souci de sécurité.

Location de voitures

De nombreuses agences de voyage travaillent avec les entreprises les plus connues (Avis, Budget, Hertz et autres) et offrent des promotions avantageuses, souvent accompagnées de primes (par exemple : réductions pour spectacles).

Sur place, vérifiez si : le contrat comprend le kilométrage illimité ou non; l'assurance proposée vous couvre complètement (accident, frais d'hôpitaux, passagers, vol de la voiture et vandalisme).

Attention :

Il faut avoir un minimum de 21 ans et posséder son permis depuis **au moins un an** pour louer une voiture. De plus, si vous avez entre 21 et 25 ans, certaines firmes (ex : Avis, Thrifty, Budget) imposeront une franchise collision de 500$ et parfois un supplément journalier. À partir de l'âge de 25 ans, ces conditions ne s'appliquent plus.

Une carte de crédit est indispensable pour le dépôt de la garantie, si vous ne voulez pas bloquer d'importantes sommes d'argent.

Dans la majorité des cas, les voitures louées sont dotées d'une transmission automatique. Vous pouvez, si vous le préférez, demander une manuelle. Les sièges de sécurité pour enfants sont en supplément dans la location.

Location de roulottes motorisées (autocaravanes ou camping-cars)

Bien qu'assez cher, ce type de déplacement est un moyen très agréable de découvrir la grande nature. Tout comme pour l'automobile, la solution du forfait acheté auprès d'un voyagiste peut être plus avantageuse.

N'oubliez pas cependant que, à cause de la demande et de la durée assez courte de la belle saison il faut absolument réserver très tôt pour avoir un bon choix. Si vous partez pour l'été, il faudra que vous réserviez au plus tard en janvier ou en février.

N'oubliez pas de bien analyser la couverture d'assurance, car ce type de véhicule est très onéreux. Assurez-vous que les ustensiles de cuisine ainsi que la literie soient inclus dans le prix de la location.

Si toutefois vous désirez louer sur place, voici une adresse, en plus des nombreuses entreprises que vous trouverez dans l'annuaire des *Pages Jaunes* (rubrique «Véhicules récréatifs»).

Cruise Canada possède des bureaux à Vancouver, Calgary, Toronto et Montréal. On peut les joindre en composant le ☎888-278-1736. Si vous téléphonez de l'extérieur du Canada, vous devrez faire le ☎(514) 628-7093, ou faxer votre demande au ⇌(514) 628-7103.

Accidents et pannes

Dans plusieurs régions du Canada, en cas d'accident grave, incendie ou autre urgence, vous pouvez composer le **911**. Lorsque ce numéro n'est pas disponible, faitez le **0**.

Si vous vous trouvez sur l'autoroute, rangez-vous sur les bandes d'accotement, et faites fonctionner vos feux de détresse. En cas de location, il faudra avertir au plus vite l'entreprise. N'oubliez jamais de remplir une déclaration d'accident. En cas de désaccord, demandez l'aide de la police.

En autocar

Avec la voiture, l'autocar constitue le meilleur moyen de locomotion pour se déplacer. Bien répartis et peu chers, les autocars couvrent la majeure partie du Canada. Attention cependant, il faut compter trois jours et demi de route pour traverser le pays, de Montréal à Vancouver. Excepté pour les transports urbains, il n'existe pas d'entreprise d'État; plusieurs compagnies d'autocars se partagent le territoire.

Durée des trajets de Montréal :

Ottawa
2 heures 10 minutes

Québec
2 heures 45 minutes

Toronto
6 heures 10 minutes

Vancouver
3 jours et demi

Une façon plus économique de voyager dans les grands espaces canadiens sans se ruiner est l'International Coach Pass, qui permet l'exploration du Canada selon des tarifs forfaitaires s'appliquant sur des séjours variant entre sept jours et deux mois. Les billets peuvent être achetés au Canada, ou encore en Europe :

Belgique
☎(32) 2 512 38 13

Espagne
☎(34) 93 412.59.56

France
☎(01) 44.41.89.89

Sur presque toutes les lignes, il est interdit de fumer. Les animaux ne sont pas admis. En général, les enfants de cinq ans et moins sont transportés gratuitement. Les personnes de 60 ans et plus ont droit à des réductions.

En train

Le train n'est pas toujours le moyen le moins cher pour vos déplacements. Cependant, il peut être intéressant pour les grandes distances, car il procure un bon confort. VIA Rail Canada est la principale société ferroviaire responsable du transport de passagers partout au Canada. VIA Rail assure plusieurs liaisons entre les provinces maritimes, le Québec, l'Ontario, le Manitoba, la Saskatchewan, l'Alberta et la Colombie-Britannique; attention cependant, elle ne couvre pas à l'Île-du-Prince-Édouard, Terre-Neuve, les Territoires du Nord-Ouest et le Yukon.

À vélo

Le vélo au Canada est bien populaire, spécialement dans les grandes villes comme Vancouver, Montréal et Ottawa. Des pistes cyclables sont aménagées, permettant aux cyclistes de se déplacer aisément. La prudence, même sur ces pistes, ainsi que le port du casque protecteur, sont recommandés. Des randonnées cyclistes sont possibles partout au Canada.

En stop

Le «stop» est fréquent, en été surtout, et plus facile en dehors des grands centres. N'oubliez pas qu'il est interdit de «faire du pouce» sur les autoroutes.

Le «stop organisé» par l'intermédiaire de l'association Allo-Stop - fonctionne très bien en toute saison. Cette association efficace met en contact les personnes qui désirent partager leur voiture moyennant une petite rétribution (carte de membre obligatoire : passager 6$ par an, chauffeur 7$ par an). Le chauffeur reçoit une partie (environ 60 %) des frais payés pour le transport. Les destinations couvrent tout le Québec, mais aussi le reste du Canada et les États-Unis.

Attention : les enfants de moins de 5 ans ne peuvent voyager avec cette association à cause d'une réglementation rendant obligatoires les sièges d'enfants à ces âges. En outre, informez-vous afin de savoir si vous pourrez fumer ou non.

Allo-Stop
4317 St-Denis
Montréal
☎(514) 985-3032

La monnaie

L'unité monétaire est le dollar ($), lui-même divisé en cents. Un dollar=100 cents.

Il existe des billets de banque de 5, 10, 20, 50 et 100 dollars, de même que des pièces de 1, 5, 10, 25 cents ainsi que de 1 et 2 dollars.

Il se peut que vous entendiez parler de «piastres» et de «sous»; il s'agit, en fait, respectivement des dollars et des cents.

Change et banques

Change

La plupart des banques changent facilement les devises étrangères, mais presque toutes demandent des **frais de change**. En outre, on peut s'adresser à des bureaux ou comptoirs de change. Certains d'entre eux n'exigent pas de commission et ces bureaux ont souvent des heures d'ouverture plus longues. La règle à retenir : **se renseigner et comparer**.

Chèques de voyage

N'oubliez pas que les dollars canadiens et américains sont différents. Aussi, si vous ne songez pas à vous rendre aux États-Unis lors d'un même voyage, il serait préférable de faire émettre vos chèques en dollars canadiens. Les chèques de voyage sont acceptés en général dans la plupart des grands magasins et dans les hôtels, mais il vous sera plus commode de les changer dans une banque.

Cartes de crédit

La carte de crédit est acceptée un peu partout, tant pour les achats de marchandise, que pour la note d'hôtel ou l'addition au restaurant. Son avantage principal réside surtout dans l'absence de manipulation d'argent, mais également dans le fait qu'elle vous permettra (par exemple lors de la location d'une voiture) de constituer une garantie et d'éviter ainsi un dépôt important d'argent. De plus, le taux de change est généralement plus avantageux. Les plus utilisées sont Visa, MasterCard et American Express.

La carte de crédit représente aussi un bon moyen d'éviter les frais de change. Ainsi, les personnes pour lesquelles il est possible de faire un retrait directement de leur carte de crédit peuvent surpayer leur carte et faire des retraits directement à partir de celle-ci. Cette procédure vous évite de transporter de grandes quantités d'argent liquide ou des chèques de voyage. Les retraits peuvent se faire directement d'un guichet automatique si vous possédez un numéro d'identification personnel pour votre carte.

Banques

Il existe de nombreuses banques, et la plupart des services courants sont rendus aux touristes. Pour ceux et celles qui ont choisi un long séjour, notez qu'une personne **non résidente** ne peut ouvrir un compte bancaire courant. Dans ce cas, pour avoir de l'argent liquide, la meilleure solution demeure encore d'être en possession de chèques de voyage. Le retrait de votre compte à l'étranger constitue une solution coûteuse, car les frais de commission sont élevés. Par contre, plusieurs guichets automatiques accepteront votre carte de banque européenne, et vous pourrez alors retirer de votre compte. L'autre choix que sont les mandats-poste a l'avantage de ne pas comporter de commission, mais l'inconvénient de prendre plus de temps à vous parvenir. Les personnes qui ont obtenu le statut de résident, permanent ou non (immigrants, étudiants), peuvent ouvrir un compte de banque. Il leur suffira, pour ce faire, d'apporter leur passeport ainsi qu'une preuve de leur statut de résident.

Taxes et pourboires

Les taxes

Contrairement à l'Europe, les prix affichés le sont **hors taxes** dans la majorité des cas. Partout au Canada, la TPS (taxe fédérale sur les produits et services) de 7 % s'ajoute. Dans la plupart des provinces, une autre taxe, la taxe provinciale se rajoute; elle varie d'une province à l'autre. Lorsqu'il y a deux taxes, elles sont cumulatives.

Droit de remboursement de la taxe pour les non-résidents

Les non-résidents peuvent récupérer les taxes payées sur leurs achats. Pour cela, il est important de garder ses factures. Le remboursement de ces taxes se fait en remplissant pour chaque type de taxe (fédérale ou provinciale) un formulaire. Attention, les conditions de remboursement de la taxe sont différentes selon qu'il s'agit de la taxe fédérale ou provinciale. Pour information, composez le ☎800-668-4748 (pour la TPS).

Les pourboires

Ils s'appliquent à tous les services rendus à table, c'est-à-dire dans les restaurants ou autres endroits où l'on vous sert à table (la restauration rapide n'entre donc pas dans cette catégorie). Ils sont aussi de rigueur dans les bars, les boîtes de nuit et les taxis.

Selon la qualité du service rendu, il faut compter environ 15 % de pourboire sur le montant avant les taxes. Il n'est pas, comme en Europe, inclus dans l'addition, et le client doit le calculer lui-même et le remettre à la serveuse ou au serveur; service et pourboire sont une même et seule chose en Amérique du Nord.

Horaires et jours fériés

Horaires

Les magasins

La loi sur les heures d'ouverture permet aux magasins les horaires suivants.
Du lundi au mercredi de 8h à 21h; la plupart ouvrent à 10h et ferment à 18h.
Le jeudi et le vendredi de 8h à 21h; la majorité ouvrent à 10h.
Le samedi de 8h à 17h; plusieurs ouvrent à 10h.
Le dimanche de 8h à 17h; la plupart ouvrent à midi.

On trouve également un peu partout au Canada des «dépanneurs» (magasins généraux d'alimentation de quartier) qui sont ouverts plus tard et parfois 24 heures par jour.

Les banques

Elles sont ouvertes du lundi au vendredi de 10h à 15h. La plupart d'entre elles sont ouvertes les jeudis et les vendredis jusqu'à 18h, voire 20h.

Les bureaux de poste

Les grands bureaux de poste sont ouverts de 8h à 17h45. Il existe de nombreux petits bureaux de poste répartis un peu partout au Canada, soit dans les centres commerciaux, soit chez certains «dépanneurs» ou même dans les pharmacies; ces bureaux sont ouverts beaucoup plus tard que les autres.

Jours de fête et jours fériés

Voici la liste des jours fériés au Canada. Notez que la plupart des services administratifs et les banques sont fermés ces jours-là.

Les 1er et 2 janvier
jour de l'An et le lendemain

Le lundi suivant la fête de Pâques

Le 3e lundi de mai
la fête de la Reine

Le 24 juin
la Saint-Jean (fête nationale des Québécois)

Le 1er juillet
la fête du Canada

Le premier lundi d'août
congé civique (sauf au Québec)

Le 1er lundi de septembre
la fête du Travail

Le 2e lundi d'octobre
l'Action de grâces

Le 11 novembre
le jour du Souvenir (seuls les banques et les services gouvernementaux fédéraux sont fermés)

Les 25 et 26 décembre
Noël et le lendemain

Décalage horaire

Il existe plusieurs fuseaux horaires au Canada.

De Halifax à Vancouver, il y a quatre heures de décalage (en moins). Avec l'Europe de l'Ouest, il faut ajouter un décalage de six heures avec le Québec et l'Ontario.

Climat

Le territoire canadien est fort vaste, et selon la province et la saison où l'on voyage, les températures peuvent grandement varier. En hiver, au Québec et en Ontario, le thermomètre peut descendre en deçà de -20 °C. Certaines provinces, notamment les provinces maritimes ainsi que la côte de la Colombie-Britannique (à Vancouver, les températures varient entre 0 °C et 15 °C), sont quelque peu privilégiées, et profitent d'un hiver un peu plus doux. Par contre, les territoires du Nord, le Yukon et les Territoires du Nord-Ouest, connaissent des températures très froides en hiver, et il n'est pas rare de voir le thermomètre tomber à -30 °C. Partout au pays, l'été est une très belle saison, et les températures peuvent monter au-delà de 30 °C. Dans certaines régions côtières, notamment à Terre-Neuve et en Nouvelle-Écosse, la pluie et le brouillard sont fréquents.

La santé

Pour les personnes en provenance d'Europe et des États-Unis, aucun vaccin n'est nécessaire. D'autre part, il est vivement recommandé, surtout pour les séjours de moyen ou long terme, de souscrire à une assurance maladie-accident. Il existe différentes formules, et nous vous conseillons de les comparer. Emportez vos médicaments, surtout ceux qui exigent une prescription. Sauf indication contraire, l'eau est potable partout au Canada.

En hiver, une lotion hydratante sera utile pour les peaux sensibles, de même qu'un baume hydratant pour les lèvres. En cette saison, l'air à l'intérieur est souvent fort sec.

Secours

La majorité des municipalités du Canada sont dotées du service **911**, qui vous permet, en cas d'urgence, de composer seulement ces trois chiffres pour appeler la police, les pompiers ou les ambulanciers. Il est toujours possible de composer le **0** pour joindre un téléphoniste qui vous indiquera quel numéro composer pour obtenir de l'aide.

Sécurité

Comparé aux États-Unis, le Canada est loin d'être une société violente. Une réelle politique de non-violence est prônée au Canada. En prenant les précautions courantes, il n'y a pas lieu d'être inquiet outre mesure pour sa sécurité. Si toutefois la malchance était avec vous, n'oubliez pas que le numéro de secours est le **911**, ou le **0** pour joindre un téléphoniste.

Les aînés

Des réductions très avantageuses pour les transports et les spectacles sont souvent offertes aux personnes aînés. N'hésitez pas à les demander.

Les enfants

Au Canada, les enfants sont rois. Aussi, où que vous vous rendiez, des facilités vous seront offertes, que ce soit pour les transports ou les loisirs. Dans les transports en général, les enfants de 5 ans ou moins ne payent pas. Il existe aussi des réductions pour les 12 ans et moins. Pour les activités ou les spectacles, la même règle s'applique parfois. Renseignez-vous avant d'acheter les billets. Dans la plupart des restaurants, des chaises pour enfants sont disponibles, et certains proposent des menus pour enfants. Quelques grands magasins offrent aussi un service de garderie.

Les télécommunications

Les indicatifs régionaux sont clairement indiqués dans la section «Renseignements pratiques» de chaque chapitre. Vous n'avez pas besoin de composer cet indicatif s'il s'agit d'un appel local. Pour les appels interurbains, faites le 1, suivi de l'indicatif de la région que vous appelez, puis le numéro de l'abonné que vous désirez joindre. Les numéros de téléphone précédés de **800** ou **888** vous permettent de communiquer avec l'abonné sans encourir de frais si vous appelez depuis le Canada et souvent même depuis les États-Unis. Si vous désirez joindre un téléphoniste, faites le **0**.

Beaucoup moins chers à utiliser qu'en Europe, les appareils téléphoniques se trouvent à peu près partout. Il est facile de s'en servir, et certains fonctionnent même avec des cartes de crédit. Pour les appels locaux, la communication coûte 0,25$ pour une durée illimitée. Pour les interurbains, munissez-vous de pièces de 25 cents, ou bien procurez-vous une carte à puce d'une valeur de 10$, 15$ ou 20$ en vente dans les kiosques à journaux. Si vous téléphonez d'une résidence privée, cela vous coûtera moins cher. Il est maintenant possible de payer par carte de crédit, ou en utilisant la carte «Allô» pré-payée, mais sachez que, dans ces cas, le coût des communications est beaucoup plus élevé.

Pour appeler en Belgique, faites le 011-32 puis l'indicatif régional (Anvers 3, Bruxelles 2, Gand 91, Liège 41) et le numéro du correspondant.

Pour appeler en France, faites le 011-33, puis le numéro à 10 chiffres du correspondant en omettant le premier zéro. **France Direct** *(☎800-872-7835)* est un service qui vous permet de communiquer avec un téléphoniste de France et de faire porter les frais à votre compte de téléphone en France.

Pour appeler en Suisse, faites le 011-41, puis l'indicatif régional (Berne 31, Genève 22, Lausanne 21, Zurich 1) et le numéro du correspondant.

Attraits touristiques

Chacun des chapitres de ce guide vous entraîne à travers le Canada. Y sont abordés les principaux attraits touristiques, suivis d'une description historique et culturelle. Les attraits sont classés selon un système d'étoiles vous permettant de faire un choix si le temps vous y oblige.

Intéressant
Vaut le détour
À ne pas manquer

Le nom de chaque attrait est suivi d'une parenthèse qui vous donne ses coordonnées. Le prix qu'on y retrouve est le prix d'entrée pour un adulte. Informez-vous car plusieurs endroits offrent des réductions pour les enfants, les étudiants, les aînés et les familles. Plusieurs de ces attraits sont accessibles seulement pendant la saison touristique, tel qu'indiqué dans cette même parenthèse. Cependant, même hors saison, certains de ces endroits accueillent sur demande, surtout si vous êtes en groupe.

Hébergement

Le choix est grand, et, suivant le genre de tourisme que l'on recherche, on choisira l'une ou l'autre des nombreuses formules proposées. En général, le niveau de confort est élevé, et souvent plusieurs services sont disponibles. Les prix varient selon le type de logement choisi; sachez cependant que, sur les prix affichés, il faut ajouter une taxe de 7 % (la T.P.S.: taxe fédérale sur les produits et les services) et, selon les provinces, la taxe provinciale. Ces taxes sont toutefois remboursables aux non-résidents (voir p 52).

Dans la mesure où vous souhaitez réserver (fortement conseillé en été!), une carte de crédit s'avère indispensable, car, dans plusieurs cas, on vous demandera de payer d'avance la première nuitée.

Dans plusieurs centres de renseignements touristiques, il existe également un service de réservation qui s'occupe gratuitement des réservations de chambres.

Les hôtels

Ils sont nombreux, modestes ou luxueux. Dans la majorité des cas, les chambres sont louées avec salle de bain.

Le logement chez l'habitant

Contrairement aux hôtels, les chambres ne sont pas toujours louées avec salle de bain. Les *bed and breakfasts* sont bien répartis dans la majeure partie du Canada et offrent l'avantage, outre le prix, de faire partager une ambiance familiale. Attention cependant, la carte de crédit n'est pas acceptée partout. Le prix de la chambre inclut le petit déjeuner.

Les motels

On les retrouve en grand nombre. Ils sont relativement peu chers, mais ils manquent souvent de charme. Cette formule convient plutôt lorsqu'on manque de temps.

Les Auberges de Jeunesse

Vous trouverez l'adresse de chacune des Auberges de Jeunesse dans la section «Hébergement» de la ville où elles se trouvent.

Les universités

Cette formule reste assez compliquée à cause des nombreuses restrictions qu'elle implique : elle ne peut s'appliquer qu'en été (de la mi-mai à la mi-août); il faut réserver plusieurs mois à l'avance et de préférence posséder une carte de crédit afin de payer la première nuitée à titre de réservation. Toutefois, ce type de logement reste moins cher que les formules «classiques», et, si l'on s'y prend à temps, cela peut s'avérer agréable. Il faut compter un montant moyen de 20$ plus les taxes pour les personnes qui possèdent une carte d'étudiant (33$ pour les non-étudiants). La literie est comprise dans le prix et, en général, une cafétéria sur place permet de prendre le petit déjeuner (non inclus).

Chez les Autochtones

Les possibilités de loger chez les Autochtones sont limitées mais se développent de plus en plus. N'oubliez pas que les réserves sont administrées par les Autochtones, d'où la nécessité, dans certains cas, d'obtenir une autorisation du Conseil de bande.

Le camping

À moins de se faire inviter, le camping constitue probablement le type d'hébergement le moins cher. Malheureusement, le climat ne rend possible cette activité que sur une courte période de l'année, soit de juin à août, à moins de disposer de l'équipement approprié contre le froid. Les services offerts sur les terrains de camping peuvent varier considérablement. Certains sont publics et d'autres privés. Les prix mentionnés dans ce guide s'appliquent à un emplacement sans raccordements pour une tente. Il variera, cela va sans dire, selon les services ajoutés.

Restaurants

Dans la majorité des cas, les restaurants offrent un «spécial du jour», c'est-à-dire un menu complet à prix avantageux. Servi le midi seulement, il propose bien souvent un choix d'entrées et de plats, un café ou un dessert. Le soir, la table d'hôte (même formule mais légèrement plus chère) est également intéressante.

Les prix mentionnés dans ce guide s'appliquent à un repas pour une personne avant taxes et service (voir «Pourboires», p 52).

$	moins de 10$
$$	de 10$ à 20$
$$$	de 20$ à 30$
$$$$	plus de 30$

C'est généralement selon les prix des tables d'hôte du soir que nous les avons classés, mais souvenez-vous que les repas du midi sont souvent beaucoup moins coûteux.

Bars et discothèques

Dans la plupart des cas, aucuns frais d'entrée (en dehors du vestiaire obligatoire) ne sont demandés. Cependant, attendez-vous à débourser quelques dollars pour avoir accès aux discothèques durant les fins de semaine. Selon la province où l'on se trouve, la vente d'alcool cessera à différentes heures; ainsi au Québec, elle cesse au plus tard à 3h du matin, alors que, dans la plupart des autres provinces, elle se termine à 2h du matin. Certains bars peuvent rester ouverts, mais il faudra, à ce moment, vous contenter de petites limonades! Aussi, les établissements n'ayant qu'un permis de taverne ou brasserie doivent fermer à minuit. Dans les petites villes, les restaurants font souvent aussi office de bar. Si vous désirez vous divertir le soir venu, consultez les sections «Sorties» de chacun des chapitres, mais jetez aussi un coup d'œil sur les sections «Restaurants».

Vins, bières et alcools

Au Canada, on peut se procurer les alcools dans des boutiques spécialisées régis par le gouvernement. Ces *Liquor Stores*, *Beer Stores* ou *Wines Stores* se retrouvent un peu partout au pays. Le Québec pour sa part possède une société d'État, soit la Société des Alcools du Québec (S.A.Q.), qui gère plusieurs succursales. Au Québec, les épiciers ont également l'autorisation de vendre de la bière canadienne et quelques vins, mais le choix y est mince, et la qualité des vins, médiocre.

Il faut avoir au moins 18 ans pour pouvoir acheter des boissons alcoolisées.

La vie gay

En 1977, le Québec a été le deuxième État du monde à inscrire dans sa charte le principe de la non-discrimination pour orientation sexuelle. Par la suite, d'autres provinces canadiennes l'ont également ajouté.

L'attitude des Canadiens envers l'homosexualité est en général ouverte et tolérante. Au fil des années, diverses législations, particulièrement au niveau fédéral, dans la province de l'Ontario et au Québec, modernisent quelque peu les règles de société envers les gays, reflétant en cela une opinion publique favorable, particulièrement au Québec. Quelques administrations, comme les douanes canadiennes, font parfois preuve d'un obscurantisme moyenâgeux, allant jusqu'à bloquer, au Canada anglais, l'importation d'œuvres de Marcel Proust! La librairie Little Sister, à Vancouver, mène un courageux combat juridique contre ces fonctionnaires qui s'approprient le rôle de censeur.

La ville de Montréal constitue l'une des grandes métropoles gays du monde, avec San Francisco et New York. Le **Village**, qui regroupe la plupart des commerces fréquentés par les gays, fait maintenant l'objet d'une promotion touristique spécifique. La ville de Québec comporte aussi un petit secteur gay, sur la rue Saint-Jean, hors les murs.

Au Canada anglais, il n'y a guère qu'à Toronto, Ottawa et Vancouver que l'on retrouve des communautés gays importantes et structurées. À Toronto, les environs des rues Church et Wellesley constituent le cœur du quartier gay. À Vancouver, on retrouve la communauté gay surtout dans le West End.

D'importantes manifestations célébrant la fierté gay ont lieu chaque année à Toronto à la fin de juin, et à Montréal, au cours de la première fin de semaine du mois d'août (Divers-Cité).

Les provinces du Manitoba, de la Saskatchewan et de l'Alberta ne sont malheureusement pas reconnues pour leur ouverture envers les gays.

En général, on peut dire qu'en Ontario la communauté est plus revendicatrice, peut-être parce que l'acceptation ne fait pas partie de la vie de tous les jours, alors qu'au Québec l'ensemble de la société fait montre d'une grande tolérance. Peut-être parce que des artistes et hommes politiques en vue et appréciés ont très tôt parlé de leur homosexualité, comme l'a fait le dramaturge Michel Tremblay dans les années soixante-dix.

Pour plus de renseignements vous trouverez à Montréal, la librairie L'Androgyne, au 3636 boulevard Saint-Laurent, à Toronto, Glad Day Bookshop, au 598a Yonge Street et, à Vancouver, Little Sister Book and Art Emporium, au 1221 Thurlow Street.

Avis aux fumeurs

Tout comme aux États-Unis, la cigarette est considérée au Canada comme un «grand mal» à éliminer. Il est interdit de fumer :

dans les centres commerciaux;
dans les autobus;
dans les bureaux des administrations publiques.

La majorité des lieux publics (restaurants, salons de thé) ont des sections «fumeurs» et «non-fumeurs». Si toutefois vous n'êtes pas trop découragé, sachez que les cigarettes se vendent dans bien des endroits (bars, épiceries, kiosques à journaux).

Achats

Ne vous étonnez pas si vous entendez une personne demander à la vendeuse si tel ou tel article est «en vente». Cela signifie en réalité en solde. Dans la majorité des cas, les prix sont fixes.

Quoi acheter?

Alcools

Plusieurs alcools sont produits au Québec et en Ontario.

Artisanat autochtone

De très belles sculptures amérindiennes et inuits, fabriquées à partir de différentes sortes de pierres et en général assez chères. Assurez-vous du caractère authentique de votre sculpture en réclamant la vignette d'authenticité délivrée par le gouvernement du Canada.

Artisanat local

Peintures, sculptures, travail du bois, céramique, émaux sur cuivre, tissus, etc.

Disques compacts

On trouve au Canada un très grand choix, au tiers du prix pratiqué en Europe, sans oublier plusieurs albums d'artistes québécois qui ne sont pas nécessairement disponibles ailleurs.

Électronique

Un des plus grands manufacturiers au monde de téléphones et d'appareils connexes est installé à Montréal; aussi peut-il être avantageux d'acheter des appareils comme un répondeur, un télécopieur ou un téléphone sans fil. Il faut toutefois prévoir adapter ces appareils au système électrique de son pays. L'importation de ces appareils peut ne pas être autorisée dans certains pays d'Europe.

Fourrure et cuir

Les vêtements faits à partir de ces peaux d'animaux sont de belle qualité, et leur prix est relativement bas. C'est dans ce que l'on nomme le quartier de la fourrure à Montréal que se fabriquent environ 80% des vêtements de fourrure au Canada.

Fêtes et festivals

Le Canada est riche en activités de toutes sortes. Vu le nombre impressionnant de festivals, d'expositions annuelles, de salons, de carnavals, de rassemblements et autres, il nous est impossible de vous en citer ici la liste exhaustive. Nous en avons néanmoins sélectionné quelques-uns qui sont décrits dans la section «Sorties» de chaque chapitre.

Animaux

La tolérance envers les animaux de compagnie varie d'une province à l'autre. Une chose est cependant sûre; partout au Canada, il semblera assez étrange qu'on veuille amener son chien au restaurant.

Poids et mesures

Bien que le système métrique soit en vigueur au Canada depuis 20 ans, il est encore courant de voir les gens utiliser les unités de mesure du système impérial. Voici quelques équivalences :

Mesures de poids
1 livre (lb) = 454 grammes

Mesures de distance
1 pouce (po) =
2,5 centimètres
1 pied (pi) =
30 centimètres
1 mille (mi) =
1,6 kilomètre

Mesures de superficie
1 acre =
0,4 hectare
10 pieds carrés (pi^2) =
1 mètre carré

Mesures de volume
1 gallon américain (gal) =
3,79 litres

Mesures de température
Pour convertir °F en °C : soustraire 32, puis diviser par 9 et multiplier par 5.
Pour convertir °C en °F : multiplier par 9, puis diviser par 5 et ajouter 32.

Divers

Coiffeurs : tout comme au restaurant, en plus de la taxe, il est d'usage de donner un pourboire de 15% avant taxes.

Drogues : absolument interdites (même les drogues dites «douces»).

Électricité : partout au Canada, la tension est de 110 volts. Les fiches d'électricité sont plates, et l'on peut trouver des adaptateurs sur place.

Laveries : on les retrouve à peu près partout dans les centres urbains. Apportez votre savon. Bien qu'on y trouve parfois des changeurs de monnaie, il est préférable d'en avoir une quantité suffisante avec soi.

Marchés : nombreux et couverts en hiver, ils sont intéressants non seulement pour les prix, mais aussi pour l'ambiance qui y règne.

Pharmacies : à côté de la pharmacie classique, il existe de grosses chaînes (sorte de supermarchés des médicaments). Ne soyez pas étonné d'y trouver des chocolats ou de la poudre à lessiver en promotion à côté de boîtes de bonbons pour la toux ou de médicaments pour les maux de tête.

Toilettes : il y en a dans la plupart des centres commerciaux. N'hésitez pas cependant, si vous n'en trouvez pas, à entrer dans un bar, un casse-croûte ou un restaurant

M.d. Pierson

Plein air

Le Canada dispose de vastes étendues encore sauvages, protégées par des parcs nationaux ou provinciaux, que vous pourrez parcourir en voiture, à pied, à vélo, à cheval, en skis ou en motoneige.

Vous y découvrirez des côtes baignées par les eaux de l'océan Pacifique ou Atlantique, de vastes forêts humides dont les arbres sont plusieurs fois centenaires, des montagnes majestueuses qui forment l'épine dorsale du continent américain, des plaines, des forêts de conifères, etc. Dans ces parcs naturels, vous pourrez vous adonner à une multitude d'activités de plein air. Vous trouverez ci-dessous la description des plus pratiquées.

Parcs

Il existe des parcs nationaux, administrés par le gouvernement fédéral, et des parcs provinciaux, dont la responsabilité incombe au gouvernement de chacune des provinces. La majorité des parcs nationaux proposent des installations et services tels que bureaux de renseignements, plans des parcs, programmes d'interprétation de la nature, guides accompagnateurs et lieux d'hébergement (hôtels, gîtes, auberges, campings, camping sauvage) ou de restauration. Ces services n'étant pas systématiquement disponibles dans tous les parcs (ils varient aussi selon les saisons), il est préférable de se renseigner auprès des responsables du parc avant de s'y rendre. Les parcs provinciaux sont, quant à eux, généralement de plus petite taille, comptant moins de services, mais bénéficiant néanmoins d'un site agréable.

Dans plusieurs parcs, des pistes sillonnant le territoire et s'étendant sur plusieurs kilomètres sont balisées, permettant aux amateurs de s'adonner à des activités comme la randonnée pédestre, le vélo, la motoneige et le ski de fond. Le long de certains de ces trajets, des sites de camping sauvage ou des refuges ont été aménagés. Certains sites de camping sauvage se révèlent très rudimentaires et, parfois, ne sont même pas pourvus d'eau; il est alors essentiel d'être adéquatement équipé. Il est toutefois à noter que, dans les parcs nationaux des Rocheuses, le camping sauvage est strictement interdit en raison de la présence d'ours et d'autres grands mammifères dangereux. Comme les circuits s'enfoncent dans les forêts, loin de toute habitation, il est impératif de respecter le balisage des sentiers. En faisant cela, vous contribuerez également à la préservation de la flore. Des cartes très utiles, indiquant les circuits ainsi que les sites de camping et les refuges, sont disponibles pour la plupart des parcs.

Les parcs provinciaux et nationaux sont des régions naturelles dangereuses. Il importe de bien prendre conscience des dangers avant de s'aventurer en milieu sauvage. N'oubliez pas que vous êtes responsable de votre sécurité. Pour cela, sachez reconnaître et éviter les avalanches et les éboulements, les risques d'hypothermie, les changements brusques de température (particulièrement en région montagneuse), l'eau non potable, les crevasses des glaciers recouvertes d'une fine couche de neige ainsi que les vagues et les marées fortes au bord de la mer.

Ne vous arrêtez jamais dans une zone désignée comme étant sujette à des avalanches ou à des éboulements. Les skieurs de fond et les randonneurs doivent être particulièrement vigilants lorsqu'ils doivent traverser ce type de zone. Il est toujours plus prudent de s'informer auprès des bureaux du parc de l'état de stabilité du manteau neigeux avant de s'aventurer.

L'hypothermie commence lorsque la température interne du corps tombe au-dessous de 36°C, alors que la production de chaleur de l'organisme ne suffit plus à couvrir les pertes calorifiques. Le frissonnement est le premier signe d'un refroidissement. On croit souvent que le froid est un facteur négligeable lors d'une randonnée en été. Pourtant, en montagne, la pluie, l'altitude et le vent contribuent à faire baisser considérablement la température. Il importe donc de toujours prévoir un rechange de vêtements chauds ainsi qu'un bon coupe-vent. Il est préférable, en randonnée et en skis de fond, de vous habiller de plusieurs couches plutôt que de porter des vêtements trop lourds, qui s'avèreront trop chauds lorsque vous serez en plein exercice, mais insuffisants une fois au repos. Ne jamais rester dans des vêtements mouillés est une consigne de base.

L'eau se trouve en grande quantité dans les parcs canadiens, mais prenez garde, car elle n'est pas toujours propre à la consommation. Apportez avec vous l'eau dont vous aurez besoin pour une courte randonnée, sinon faites bouillir l'eau que vous trouverez pendant environ 10 min.

Les visiteurs qui pénètrent dans les parcs provinciaux ou nationaux s'exposent à rencontrer des animaux sauvages, imprévisibles et dangereux. Il est irresponsable et illégal de nourrir, de piéger ou de perturber les animaux sauvages d'un parc national. Les grands mammifères, tels les ours, les wapitis, les orignaux, les cerfs et les bisons, peuvent se sentir agressés et devenir dangereux si vous cherchez à vous en approcher. Tenez-vous à plus de 30 m des grands mammifères et à plus de 50 m des ours et des bisons.

Les loisirs d'été

Les vastes territoires canadiens offrent la possibilité de pratiquer une foule d'activités de plein air dont nous donnons la liste ci-dessous. Toutefois, selon la saison, l'habillement variera. Par ailleurs, il ne faut pas oublier que, sous certaines latitudes, les nuits restent fraîches toute l'année. En été, dans certaines régions, des chemises ou chandails à manches longues seront fort utiles si vous ne désirez pas «vous offrir en repas» aux «maringouins» (moustiques) ou aux mouches noires. Au mois de juin, durant lequel ils sont particulièrement voraces, des insectifuges puissants sont presque indispensables pour les promenades en forêt.

Randonnée pédestre

Activité à la portée de tous, la randonnée pédestre se pratique en maint endroit. Plusieurs parcs proposent des sentiers aux longueurs et aux niveaux de difficulté divers. Certains offrent même des pistes de longue randonnée.

Bison

S'enfonçant dans les étendues sauvages, ces circuits peuvent s'étendre sur des dizaines de kilomètres. En empruntant de tels sentiers, il faut, bien sûr, en respecter le balisage et partir bien équipé. Il existe des cartes indiquant les sentiers ainsi que les sites de camping sauvage et les refuges.

Vélo

Durant l'été, il est très agréable de se balader à vélo, en empruntant soit les routes secondaires généralement tranquilles, soit les chemins sillonnant les parcs. Tout en étant prudent sur les routes, vous utiliserez alors un moyen de transport des plus appropriés pour découvrir le pays. Mais rappelez-vous que le Canada est vaste et que les distances peuvent y être très longues.

Sachez que, si vous désirez emporter votre vélo, il est possible de le transporter sur les autobus en le protégeant dans une boîte appropriée. Vous pouvez également décider d'en louer un sur place. Pour ce faire, consultez les *Pages Jaunes* sous la rubrique «Bicycles-Renting» ou «Bicyclettes-Location». De nombreuses boutiques de vélos offrent un service de location, et vous pouvez aussi vous informer aux bureaux de renseignements touristiques. Avant de louer un vélo, n'oubliez pas qu'il est conseillé de vous munir d'une bonne assurance. Certains établissements incluent une assurance-vol dans le prix de location. Renseignez-vous au moment de la location.

Canot

Le territoire canadien étant pourvu d'une multitude de lacs et rivières, les amateurs de canot seront comblés. Bon nombre de parcs et de réserves fauniques sont le point de départ d'excursions de canot d'une ou de plusieurs journées. Dans ce dernier cas, des sites de camping sauvage sont mis à la disposition des canoteurs. Au bureau d'information du parc, on peut généralement obtenir une carte des circuits canotables et louer des embarcations.

Kayak

Le kayak n'est pas un sport nouveau, mais sa popularité va croissant depuis ces dernières années. De plus en plus de gens découvrent cette activité merveilleuse qui permet de sillonner un cours d'eau dans une embarcation sécuritaire et confortable à un rythme qui convient pour apprécier la nature environnante. En fait, installé dans un kayak, on a l'impression d'être littéralement assis dans l'eau et de faire partie de cette nature. Une expérience aussi dépaysante que fascinante! Il existe trois types de kayaks dont le galbe varie : le kayak de lac, le kayak de rivière et le kayak de mer. Ce dernier, qui peut loger une ou deux personnes selon le modèle, est le plus populaire car plus facilement manœuvrable. Plusieurs entreprises offrent la location de kayaks et organisent des expéditions guidées.

Rafting

Le rafting, ou descente de rivière, est un sport pour le moins riche en émotions fortes. Il consiste à affronter des rapides en canot pneumatique. Ces embarcations, qui accueillent généralement une dizaine de personnes, sont d'une résistance et d'une flexibilité nécessaires pour bien résister aux rapides. Le rafting est particulièrement apprécié au printemps, lorsque les rivières sont en crue, donc avec un courant beaucoup plus impétueux. Il va sans dire qu'il faut avoir une bonne forme physique pour participer à une excursion de ce genre, d'autant plus qu'entre les rapides c'est la force des rameurs qui mène le bateau. Cependant, une excursion bien organisée, en compagnie d'un guide expérimenté, ne présente pas de danger démesuré. Les entreprises qui proposent de telles descentes fournissent généralement l'équipement nécessaire au confort et à la sécurité des participants.

Baignade

Que vous soyez sur la côte Atlantique ou du côté du Pacifique, en forêt sur le bord d'un lac ou d'une rivière tumultueuse, les plans d'eau du Canada s'offrent à vous. Les plages de sable blanc fin, de galets ou de roches sont nombreuses. Vous n'aurez aucune difficulté à en trouver une à votre goût. Bien entendu, ne vous attendez pas aux grandes chaleurs partout, car plus vous irez vers le nord plus les eaux seront froides, surtout celles des rivières. Cela dit, comme les Canadiens, vous trouverez sûrement beaucoup de plaisir à fréquenter, en été, les bords de mer, les lacs et les rivières.

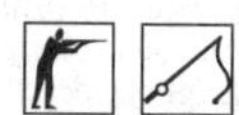

Chasse et pêche

La chasse et la pêche sont réglementées. En raison de la complexité de la législation en la matière, il est souhaitable de se renseigner auprès du ministère des Ressources naturelles ou de l'Environnement et de la Faune de chaque province et de s'y procurer les brochures énonçant l'essentiel des règlements de chasse et de pêche.

En règle générale, sachez cependant que :

Pour pêcher ou chasser, il faut se procurer un permis. Pour chasser les oiseaux migratoires, on doit se munir d'un permis fédéral, en vente dans tous les bureaux de poste. Pour faire la demande d'un tel permis, il faut détenir un certificat de manutention d'armes à feu (ou une attestation émise par la province ou le pays d'origine).

Pour obtenir un permis de pêche, il faut compter environ 20$ (jusqu'à 50$ pour les non-résidents). Pour la chasse, le coût du permis varie selon le type de chasse. Un permis peut coûter jusqu'à 300$ pour les non-résidents. Les permis sont délivrés selon les zones de chasse de même que les saisons, les espèces et les quotas. Il est souhaitable de faire les démarches pour l'obtention du permis à l'avance, car les restrictions sont nombreuses.

Les périodes de chasse et de pêche sont établies par les gouvernements et doivent, en tout temps, être respectées. Durant la chasse, il est nécessaire de porter un dossard orangé fluorescent. Il est de plus interdit de chasser la nuit. Aux fins de conservation, le nombre de prises est limité, et les espèces protégées ne peuvent être chassées. Tout chasseur doit déclarer ses prises à l'un des centres d'enregistrement (qui sont pour la plupart situés sur les routes d'accès des zones de chasse) dans les 48 heures après son départ de la zone de chasse.

Il est possible de chasser et de pêcher dans les réserves fauniques ou les parcs; il faut alors respecter certaines règles spécifiques. En outre, pour accéder aux plans d'eau, il est recommandé de réserver. Pour plus de renseignements, adressez-vous directement au bureau du parc où vous comptez pêcher ou chasser.

Les loisirs d'hiver

En hiver, une partie du pays se recouvre d'un blanc manteau de neige, et c'est alors l'occasion de s'adonner aux sports d'hiver. La plupart des parcs ayant des sentiers de randonnée en été s'adaptent aux nouvelles conditions climatiques et s'ouvrent alors aux skieurs de fond. Il faut, bien sûr, être habillé convenablement, car on ne badine pas avec le froid. Mais l'hiver offre de merveilleuses possibilités d'activités de plein air qui sauront vous réjouir.

Ski alpin

Partout au Canada, on dénombre plusieurs stations de ski alpin de petite ou de grande envergure. Quelques-unes sont mondialement reconnues, particulièrement dans les Rocheuses, qui attirent chaque année de nombreux amateurs de poudreuse qui se font déposer par hélicoptère sur les plus hauts sommets de cette superbe chaîne de montagnes.

Certaines d'entre elles disposent de pistes éclairées qui sont ouvertes en soirée. Près des stations de ski, on trouve souvent des hôtels qui offrent des forfaits économiques incluant la chambre, les repas et les billets de ski; renseignez-vous au moment de réserver votre chambre.

Les billets de ski alpin sont coûteux; aussi, afin de s'adapter à tous les types de skieurs, les stations de ski mettent-elles en vente des billets pour la demi-journée, la journée et la soirée. Plusieurs d'entre elles proposent même des billets à l'heure.

Planche à neige

La planche à neige (*snowboard*, «surf des neiges» ou simplement *snow*) est apparue au tournant des années quatre-vingt-dix. Bien que marginal à ses tout débuts, ce sport ne cessa de prendre de l'ampleur, si bien qu'aujourd'hui les stations de ski de l'Amérique du Nord dénombrent souvent plus de planchistes que de skieurs. Ça se comprend! Avec la planche à neige, les sensations éprouvées dans une descente se quintuplent. Contrairement à ce que plusieurs croient, le «surf des neiges» ne s'adresse pas uniquement aux jeunes; il n'y a pas d'âge pour goûter les plaisirs d'un slalom. Pour les débutants qui désirent tenter l'expérience, il est conseillé de prendre quelques leçons avant de s'engager sur les pistes, une bonne quantité de stations offrant ce service. La majorité d'entre elles font aussi la location d'équipement.

Ski de fond

Les centres et les parcs offrant des pistes de ski de fond sont nombreux. Dans la plupart des centres, il est possible de louer de l'équipement à la journée. Plusieurs disposent de pistes de longue randonnée, le long desquelles on a aménagé des refuges afin d'accommoder les skieurs. Certains centres de ski de fond offrent aux personnes suivant une piste de longue randonnée la possibilité d'aller porter en motoneige la nourriture au refuge.

Motoneige

Voilà un sport très populaire partout au Canada; après tout, n'oublions pas que c'est le Québécois Joseph-Armand Bombardier qui inventa la motoneige, donnant ainsi naissance à ce qui allait devenir un des plus importants groupes industriels du Québec, aujourd'hui impliqué dans la fabrication d'avions et de matériel roulant.

Des circuits traversant diverses régions touristiques mènent les intrépides au cœur de vastes régions sauvages. Il est possible de louer, dans certains centres, les motoneiges et l'équipement requis pour entreprendre de telles expéditions. Sachez que vous devez vous munir d'un permis. Aussi est-il recommandé de prendre une bonne assurance responsabilité civile.

Quelques règles de sécurité doivent être respectées. Ainsi, le port du casque protecteur est obligatoire. On ne peut circuler sur la voie publique en motoneige, sauf lorsque le sentier balisé y passe. Il faut allumer les phares avant et arrière en tout temps. La vitesse limite est de 70 km/h. Il est préférable d'entreprendre une expédition en groupe plutôt que seul. On doit respecter le balisage des sentiers et ne jamais s'en écarter.

Traîneau à chiens

Autrefois utilisé comme moyen de déplacement par les Inuits du Grand Nord, le traîneau à chiens est devenu une activité sportive très prisée. Des compétitions sont d'ailleurs organisées en maints pays nordiques. Chacun peut s'initier aux plaisirs des randonnées en traîneau, car, depuis quelques années, des centres ont commencé à proposer aux visiteurs de tous âges des promenades qui peuvent durer de quelques heures à plusieurs jours. Dans ce dernier cas, le centre veille à offrir l'équipement adéquat et les refuges. En moyenne, il est possible d'envisager de parcourir de 30 à 60 km par jour; aussi faut-il avoir une bonne forme physique pour entreprendre ces longues excursions.

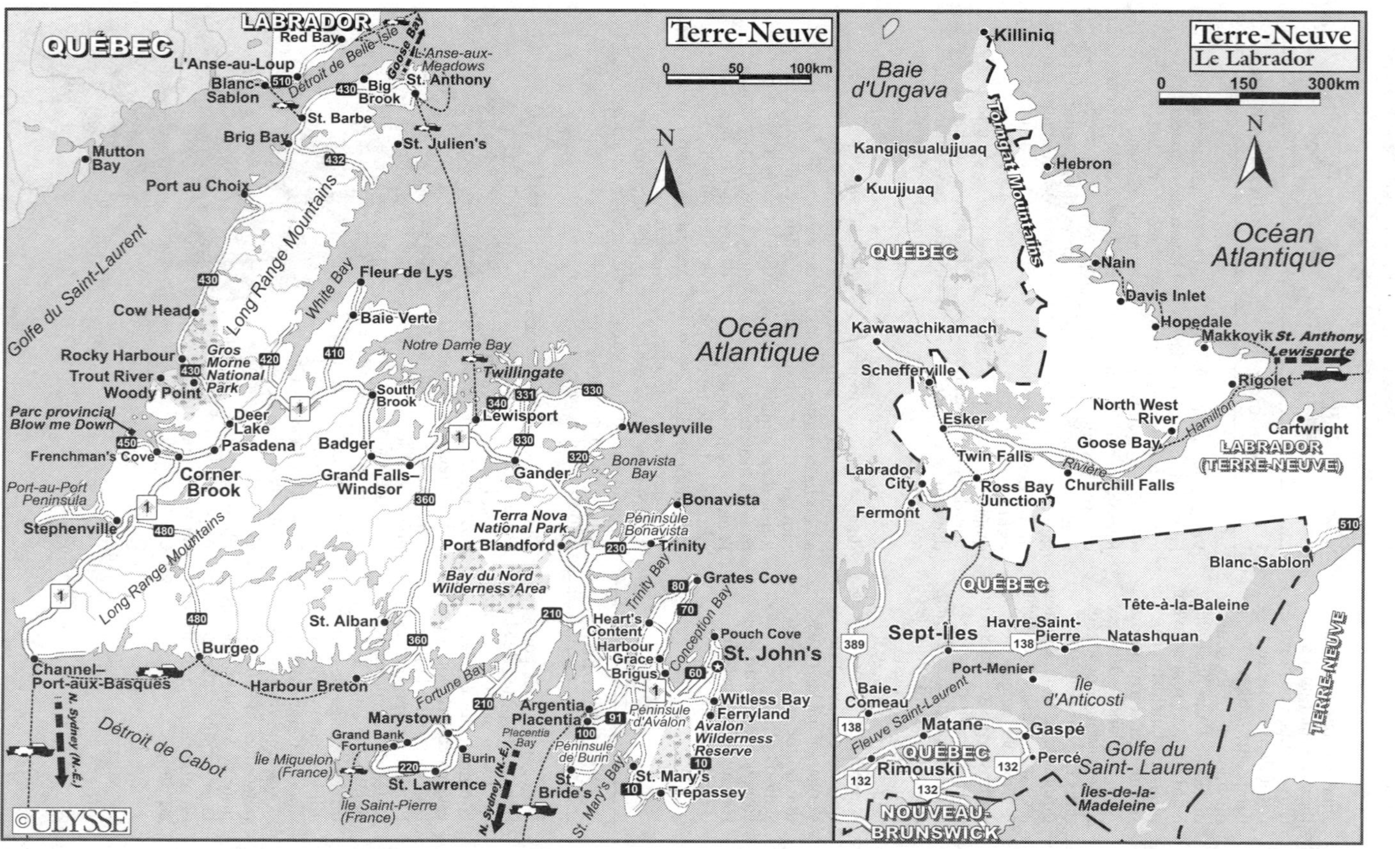

Terre-Neuve
0 50 100km
N
QUÉBEC
LABRADOR
Red Bay
L'Anse-au-Loup
Blanc-Sablon
Détroit de Belle-Isle
Goose Bay
L'Anse-aux-Meadows
St. Anthony
Big Brook
St. Barbe
Brig Bay
St. Julien's
Mutton Bay
Port au Choix
Golfe du Saint-Laurent
Long Range Mountains
White Bay
Fleur de Lys
Baie Verte
Cow Head
Rocky Harbour
Gros Morne National Park
Trout River
Woody Point
Parc provincial Blow me Down
Deer Lake
Pasadena
Frenchman's Cove
Corner Brook
South Brook
Badger
Grand Falls–Windsor
Notre Dame Bay
Twillingate
Lewisport
Wesleyville
Gander
Bonavista Bay
Océan Atlantique
Port-au-Port Peninsula
Stephenville
Terra Nova National Park
Port Blandford
Bonavista
Péninsule Bonavista
Trinity
Trinity Bay
Grates Cove
Bay du Nord Wilderness Area
St. Alban
Heart's Content
Harbour Grace
Conception Bay
Pouch Cove
St. John's
Brigus
Burgeo
Channel–Port-aux-Basques
Harbour Breton
Fortune Bay
N. Sydney (N.-É.)
Détroit de Cabot
Marystown
Grand Bank
Fortune
Île Miquelon (France)
Île Saint-Pierre (France)
Burin
St. Lawrence
Argentia
Placentia
Placentia Bay
Péninsule de Burin
Péninsule d'Avalon
St. Bride's
St. Mary's Bay
Witless Bay
Ferryland
Avalon Wilderness Reserve
St. Mary's
Trepassey
©ULYSSE
Terre-Neuve
Le Labrador
0 150 300km
Killiniq
Baie d'Ungava
Torngat Mountains
Kangiqsualujjuaq
Hebron
Kuujjuaq
QUÉBEC
Nain
Davis Inlet
Océan Atlantique
Kawawachikamach
Hopedale
Makkovik
St. Anthony, Lewisporte
Schefferville
Rigolet
North West River
Esker
Hamilton
Cartwright
Goose Bay
LABRADOR (TERRE-NEUVE)
Labrador City
Twin Falls
Rivière
Ross Bay Junction
Churchill Falls
Fermont
Blanc-Sablon
QUÉBEC
Tête-à-la-Baleine
Havre-Saint-Pierre
Natashquan
Sept-Îles
Port-Menier
Île d'Anticosti
Baie-Comeau
Fleuve Saint-Laurent
Matane
Gaspé
QUÉBEC
Rimouski
Percé
Golfe du Saint-Laurent
Îles-de-la-Madeleine
NOUVEAU-BRUNSWICK
TERRE-NEUVE

Terre-Neuve

Terre-Neuve demeure encore un endroit largement méconnu qui se distingue avec force des autres provinces canadiennes de l'Atlantique, tant par son histoire et sa culture que par ses paysages.

Son isolement, aux confins du nord-est de l'Amérique, contribue à forger cette véritable individualité. «The Rock», comme on la surnomme non sans raison, est une île rocailleuse impropre à l'agriculture, une terre hostile dont les paysages, souvent d'une grande rudesse, ne peuvent laisser indifférents par leurs splendeurs. La partie ouest de l'île est façonnée par la Long Range, une vieille chaîne de montagnes qui constitue l'aboutissement des Appalaches. Le parc national Gros-Morne, un site du patrimoine mondial de l'Unesco, offre une occasion exceptionnelle de découvrir ces montagnes qui, en maint endroit, plongent abruptement dans les eaux limpides de profonds fjords. Plus au nord, en direction de L'Anse aux Meadows, qui fut jadis le site d'un camp viking, la route longe de plats paysages côtiers d'une saisissante désolation. Ailleurs, de hautes falaises, des plages de galets ou de minuscules villages de pêcheurs bordent l'océan et présentent des scènes pittoresques et envoûtantes. La capitale de la province, St. John's, est elle-même érigée sur un site naturel grandiose, en bordure d'une longue rade ceinturée de hautes collines de roc. Outre l'île de Terre-Neuve, cette province comprend également le Labrador, un immense plateau continental recouvert d'une forêt subarctique et de la toundra. Le Labrador, à peine peuplé de quelques milliers d'habitants, s'étend sur près de 300 000 km^2. Tant l'île de Terre-Neuve que le Labrador, loin des circuits touristiques traditionnels, offrent aux amateurs de plein air d'innombrables occasions de découvrir une nature riche et sauvage. Sans trop de mal, on peut aisément observer des caribous ou des orignaux, des colonies de macareux moines ou de fous de Bassan, ou encore, depuis la côte, admirer le va-et-vient des baleines ou la lente dérive d'un iceberg.

Comme en témoignent de nombreux vestiges de peuplements autochtones mis au jour le long de ses côtes, cette province a été habitée presque sans interruption depuis plus de

8 000 ans. Les premiers à s'y établir ont été des Autochtones de la nation dite archaïque maritime et les paléoesquimaux de la culture Dorset. Les Amérindiens que rencontreront sur l'île les explorateurs européens seront toutefois les Béothuks, arrivés à Terre-Neuve vers l'an 200.

L'île de Terre-Neuve, compte tenu de la relative proximité du continent européen, a été l'un des tous premiers endroits du Nouveau Monde à être connu de l'Europe. Selon la tradition, dès la fin du Ve siècle de notre ère, le moine irlandais Brendan le Navigateur, à la recherche de nouvelles terres à christianiser, aurait franchi l'Atlantique et prit pied sur l'île. D'après les preuves que les chercheurs ont accumulées, les premiers Européens à avoir séjourné sur l'île de Terre-Neuve seraient les Vikings, qui, vers l'an 1000, s'en servaient comme base de leur exploration du continent. Au XVe siècle, les pêcheurs basques ont fait connaître à l'Europe l'extraordinaire richesse marine des eaux avoisinant l'île. L'histoire attribue cependant l'honneur d'avoir découvert Terre-Neuve à Giovanni Caboto (John Cabot), en 1497, qui agissait au compte de l'Angleterre.

Dans les siècles qui ont suivi, les Français et les Anglais rivalisèrent pour le contrôle de Terre-Neuve et de l'Amérique du Nord. C'est d'ailleurs à St. John's qu'eut lieu, en 1762, la dernière bataille de la guerre de Sept Ans. Ce n'est qu'en 1949 que Terre-Neuve devint la dixième et dernière province à se joindre au Canada.

Pour s'y retrouver sans mal

En traversier

L'île de Terre-Neuve est accessible par traversier à partir de North Sydney, sur l'île du Cap Breton, en Nouvelle-Écosse. Ces traversiers, administrés par la société Marine Atlantic, permettent de se rendre soit à Port-aux-Basques (dans le sud-ouest de Terre-Neuve), soit à Argentia (sur la péninsule d'Avalon, dans le sud-est de Terre-Neuve). La traversée entre North Sydney et Port-aux-Basques dure normalement cinq heures. Il y a au moins une traversée chaque jour, sauf en de rares exceptions, entre North Sydney et Port-aux-Basques, mais également en sens inverse. On doit compter environ 62$ par voiture et 20 $ par adulte pour l'aller seulement. La traversée entre North Sydney et Argentia dure environ 14 heures. Il y a au moins une traversée les lundi, mercredi et vendredi de chaque semaine entre North Sydney et Argentia, mais également en sens inverse. On doit compter environ 124$ par voiture et 55$ par adulte pour l'aller seulement. Pour réservations : ☎800-341-7981.

En avion

St. John's dispose du principal aéroport civil de la province. Des vols assurent une liaison directe entre St. John's et certaines des grandes villes canadiennes, entre autres Halifax, Montréal et Toronto. Air Canada propose également un vol direct pour St. John's depuis Londres, en Angleterre, alors que Royal Airlines offre un vol direct depuis Dublin, en Irlande. Les deux principales compagnies aériennes à desservir l'île de Terre-Neuve sont Air Canada, avec sa filiale **Air Nova** *(☎800-463-8620)*, et **Canadian Airlines** *(☎800-426-7000)*. L'aéroport de St. John's n'est qu'à 6 km du centre-ville.

Renseignements pratiques

L'indicatif régional est le 709

Renseignements touristiques

Destination Newfoundland and Labrador
P.O. Box 8730
St. John's, Newfoundland
A1B 4K2
☎729-2830 ou 800-563-6353
⇄729-0057

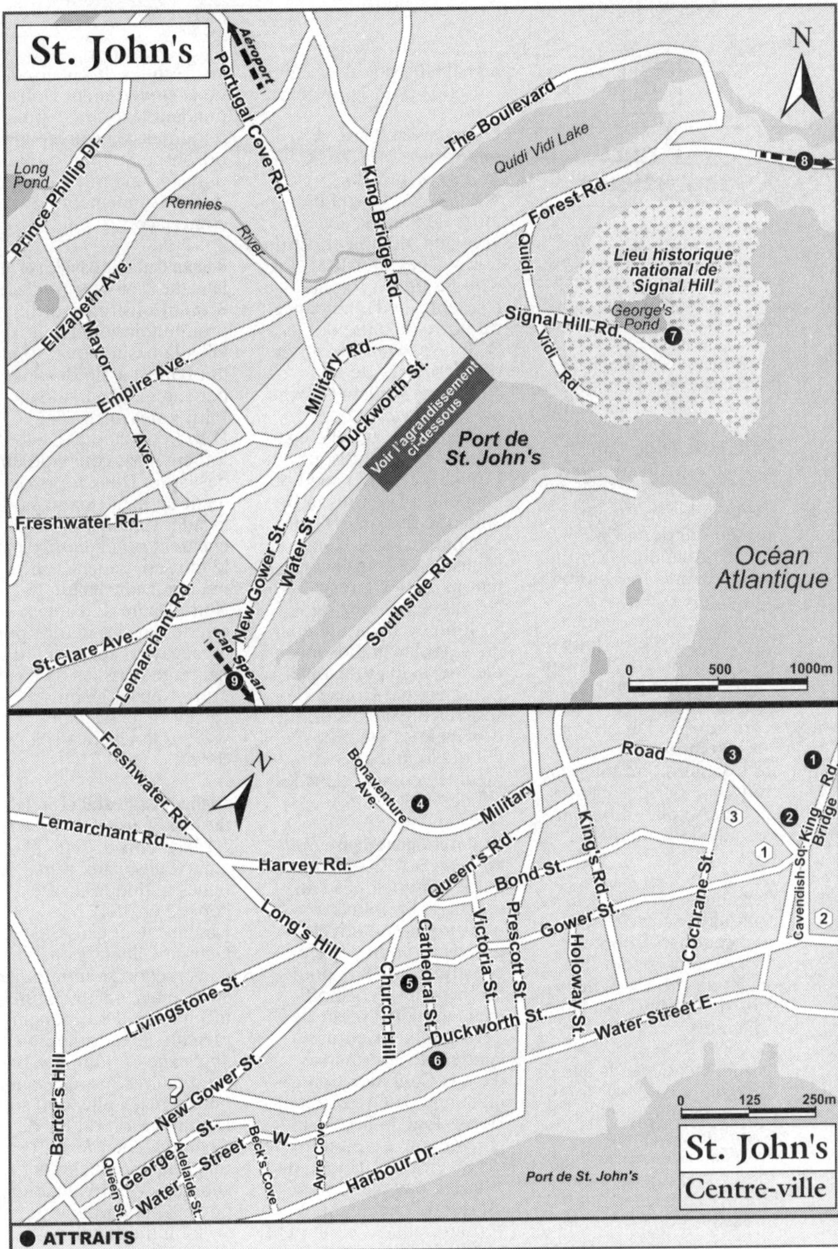

● **ATTRAITS**

1. Commissariat House
2. St. Thomas Anglican Church
3. Government House
4. Roman Catholic Basilica of St. John the Baptist
5. Anglican Cathedral of St. John the Baptist
6. Newfoundland Museum
7. Lieu historique national de Signal Hill
8. Quidi Vidi
9. Lieu historique du Cap-Spear

Attraits touristiques

St. John's

St. John's, capitale de la province, occupe un site spectaculaire sur la péninsule d'Avalon, à l'extrême est de l'île et du Canada. La ville est construite en amphithéâtre aux abords d'une rade fort bien abritée qui donne sur l'océan Atlantique par un étroit chenal, The Narrows; de chaque côté de ce chenal s'élèvent de hauts pitons rocheux. St. John's est, et a toujours été avant tout, une ville portuaire. La rade de St. John's, d'environ 1,6 km de long sur 800 m de large, forme un excellent port intérieur fréquenté par des navires de toutes tailles arborant des pavillons de divers pays.

Derrière ses infrastructures portuaires se cache une ville charmante dont les rues sinueuses sont flanquées de coquettes maisons de bois aux couleurs éclatantes.

Dès le XVe siècle, le site de l'actuelle ville de St. John's était fréquenté par des pêcheurs européens de diverses nationalités. En 1583, Sir Humphrey Gilbert prit officiellement possession de ce port et du reste de l'île de Terre-Neuve au nom de la reine d'Angleterre. Par la suite, la ville a maintes fois été au cœur des rivalités franco-britanniques et, à trois reprises, tomba aux mains des Français. Des travaux de fortification, sur Signal Hill, ont alors été entrepris pour la protéger.

Commissariat House ★ *(entrée libre; juin à sept; King's Bridge Road, ☎729-2460).* Ce joli bâtiment de bois de style géorgien, dont la construction s'acheva en 1821, fut d'abord utilisé comme résidence de l'intendance du poste militaire de St. John's, avant de servir de presbytère de la **St. Thomas Anglican Church** *(Military Road).* Cette église, qu'on appelle également «Old Garnison Church» (1836), a servi de chapelle à la garnison britannique du fort William. La Commissariat House et l'église St. Thomas comptent parmi les rares édifices du centre-ville de St. John's à avoir été épargnés par les grands incendies de 1846 et de 1892. La Commissariat House, désormais un site historique provincial, a été rénovée il y a quelque temps et meublée comme dans les années 1830.

La **Government House** *(Military Road, ☎729-4494)*, un autre des quelques bâtiments de St. John's à n'avoir pas souffert des grands incendies, a été construite en 1831 pour servir de résidence officielle au gouverneur de Terre-Neuve. Depuis l'entrée de la province dans la Confédération canadienne, la Government House loge le lieutenant-gouverneur. Le parterre de la Government House est joliment paysagé; en été, il est quotidiennement ouvert au public. On ne peut toutefois visiter l'intérieur de la résidence que sur réservation. Les fresques qui ornent les plafonds de la Government House ont été exécutées par le peintre polonais Alexander Pindikowski en 1880 et 1881. Pindikowski peignait les fresques des plafonds de la Government House pendant la journée, puis retournait, en soirée, à la prison de St. John's, où il purgeait une peine d'emprisonnement pour contrefaçon.

Roman Catholic Basilica of St. John the Baptist ★ *(Military Road).* Construite sur un promontoire dominant la ville, la basilique St. John the Baptist a été dessinée par l'architecte irlandais John Jones en 1855. D'abord cathédrale, elle fut, en 1955, convertie en basilique. Deux tours de 43 m de haut ornent sa façade. L'intérieur est richement ornementé; dans le transept gauche, on peut voir une statue de Notre-Dame de Fatima offerte par des marins portugais ayant survécu à un naufrage dans les bancs de Terre-Neuve. Depuis l'avant de la basilique, la vue sur la ville est splendide.

Anglican Cathedral of St. John the Baptist *(angle Church Hill et Gower Street).* Cette élégante église, aux pures lignes gothiques, a été conçue en 1847 par l'architecte anglais Sir George Gilbert Scott. Sa construction se termina en 1885, mais, en 1892, un incendie la détruisit complètement. La cathédrale anglicane St. John the Baptist a été reconstruite quelques années plus tard sous la supervision du fils de Sir George Gilbert Scott. On remarquera notamment ses superbes vitraux. Établie en 1699, la paroisse de St. John the Baptist est la plus ancienne paroisse anglicane du Canada.

Le **Newfoundland Museum** ★ *(mar-mer-ven 9h à 17h, jeu 9h à 21h, sam-dim 10h à 18h; 285 Duckworth Street, ☎729-0916)* présente, par ses collections permanentes, un excellent panorama de l'histoire humaine de Terre-Neuve et du Labrador. Les collections portent en outre sur le mode de vie des six nations autochtones résidant ou ayant résidé sur ces territoires : les Archaïques maritimes, dont on a retrouvé les traces du passage notamment au site archéologique de Port au Choix; les Dorset, présents sur les côtes de l'île jusqu'au début de notre ère; les Béothuks, principale nation amérindienne de Terre-Neuve à l'arrivée des Européens, et qui depuis ont été complètement exterminés; les Micmacs, la nation la plus importante des Maritimes; les Inuit, qu'on appelait souvent les Esquimaux, et qui peuplent encore les côtes les plus septentrionales du Labrador; et les Innuat, ou Montagnais, qu'on retrouve au Labrador, le long des rives du golfe du Saint-Laurent. Les collections portent également sur la vie des colons et des pêcheurs au XIXe siècle.

Lieu historique national Signal Hill ★★. De partout à St. John's, on aperçoit cette colline de roc dominée d'une tour qui surplombe l'entrée de la rade de la ville. De son sommet, les **points de vue** ★★ sur l'Atlantique, la rade et la ville sont magnifiques, de jour comme de nuit. En raison de sa localisation avantageuse, Signal Hill a depuis longtemps été utilisée comme poste d'observation et de communication. Déjà en 1704, c'est à partir d'ici qu'on signalait à l'aide de drapeaux l'arrivée de navires aux autorités militaires et aux marchands de St. John's. C'est également sur Signal Hill qu'ont été installées, du XVIIIe siècle à la Seconde Guerre mondiale, les défenses de la ville. On peut d'ailleurs encore y voir certains vestiges des installations militaires du XIXe siècle. Signal Hill a été le théâtre, en 1762, de la dernière bataille de la guerre de Sept Ans en Amérique du Nord. Vaincus à Québec et à Louisbourg quelques années auparavant, les Français parvinrent à prendre St. John's pendant quelques mois, avant d'être défaits par les troupes anglaises du lieutenant-colonel William Amherst. Au cours des mois d'été, on peut assister au **Tatoo** de Signal Hill, une reconstitution d'exercices militaires du XIXe siècle, avec costumes d'époque ainsi que tirs de fusils et de canons.

Au centre d'accueil de Signal Hill, on peut visiter un petit **musée** *(2,50$; mi-juin à début sept 8h30 à 20h, le reste de l'année 8h30 à 16h30; ☎772-5567)* qui présente une exposition sur la pêche et sur l'histoire de la ville et de Terre-Neuve. La **Tour Cabot**, le principal bâtiment de Signal Hill, a été construite en 1897 pour célébrer le 400e anniversaire de l'arrivée de John Cabot en Amérique et le 60e anniversaire du règne de la reine Victoria. La tour a servi de poste de signalisation maritime jusqu'en 1960 et abrite aujourd'hui une exposition sur l'histoire de la signalisation maritime sur cette colline. L'exposition porte également un regard attentif sur la vie de Guglielmo Marconi, qui, le 12 décembre 1901, capta à Signal Hill le premier message d'outre-Atlantique envoyé sans fil. Ce message, un *S* en code morse, avait été envoyé de Cornwall, en Angleterre. Du dernier étage de la Tour Cabot, on bénéficie d'une vue splendide sur l'océan. Pour un point de vue sur la rade, on peut se rendre sur les ruines de la **Batterie de la Reine**. De là, au pied de la falaise, on voit le rocher où, au XVIIIe siècle, on accrochait la chaîne qui servait à fermer la rade; de l'autre côté, on peut apercevoir les ruines du fort Amherst, sur lequel s'élève maintenant un phare. Des sentiers bien aménagés offrent l'occasion d'agréables balades à Signal Hill. Un sentier permet de marcher à partir de Signal Hill jusqu'à St. John's en longeant la rade.

Au pied de Signal Hill, bordée de parois rocheuses, se dresse fièrement **Quidi Vidi** ★, l'un des villages les plus pittoresques de la province. Quidi Vidi est constitué de quelques dizaines de maisons peintes aux couleurs vives, d'une petite chapelle et, bien entendu, d'un port de pêche, actif depuis le XVIIe siècle. À proximité, **Quidi Vidi Lake** est le site des **régates de St. John's**, qui se déroulent chaque année le premier mercredi du mois d'août. Sur un promontoire tout près, on peut visiter les vestiges de la **Batterie de Quidi Vidi** *(entrée libre; mi-juin à début sept, tlj 9h à 17h)*. Construite en 1762 par les Français, qui pendant quelques mois ont été maîtres de St. John's et de sa région, cette batterie a par la suite été utilisée par les Britanniques, et ce jusqu'en 1870.

Lieu historique national du Cap-Spear ★★ *(mi-mai à mi-oct 10h à 18h; à 11 km au sud de St. John's, le long de la route 11, ☎722-5367)*. Le cap Spear est le point le plus à l'est du continent nord-américain. Compte tenu de cette situation géographique, on érige, en 1836, un phare qui devient, après celui du port de St. John's, le premier phare de la province. À l'origine, le phare se présentait comme un bâtiment carré entourant une tour, au sommet de laquelle se trouvent sept miroirs paraboliques qui réfléchissent les rayons lumineux émis par sept lampes. Ce phare sera modernisé au fil des années, puis déménagé, en 1955, dans un nouveau bâtiment construit tout près. On peut désormais visiter l'**ancien phare** *(2,50$; toute l'année, tlj 9h à 17h)*, meublé comme l'était la maison de son gardien en 1839. On peut également observer tout près les vestiges des importantes installations militaires qui avaient été élevées à Cap-Spear lors de la Seconde Guerre mondiale. En outre, Cap-Spear est un endroit agréable pour se balader le long de l'océan. Par beau temps, la vue sur l'océan et les côtes est spectaculaire.

La péninsule d'Avalon

Witless Bay

La **réserve écologique de Witless Bay** ★ (voir p 74) est constituée de trois îles situées au large des villages de Witless Bay et de Bauline. Ces îles servent chaque été de lieux de refuge pour des centaines de milliers d'oiseaux de mer qui viennent y pondre leurs œufs et élever leurs oisillons.

Ferryland

Joli village de pêcheurs à l'ambiance d'une autre époque, Ferryland a été le site, en 1621, de l'une des toutes premières colonies anglaises en Amérique du Nord. George Calvet en a été le promoteur. Il ne demeura toutefois sur les lieux que quelques années, avant de s'installer au Maryland, devenant ainsi le premier Lord Baltimore. Le départ de Calvet ne devait toutefois pas mettre fin à la colonie de Ferryland, qui fut reprise par le navigateur anglais David Kirke. Au **Colony of Avalon Archaeology Site** *(3$; mi-mai à mi-oct, 9h à 19h; route 10, ☎432-3200)*, où se poursuivent des fouilles archéologiques depuis quelques années, on peut maintenant voir les fondations de l'ancienne colonie et visiter les installations de recherche et d'analyse. Pour en connaître davantage sur l'histoire de Ferryland et de sa région, on peut également se rendre au **Historic Ferryland Museum** *(entrée libre; mi-juin à mi-sept, tlj 9h à 17h; route 10, ☎432-2711)*, dont les collections portent notamment sur les tout débuts de la colonie.

L'**Avalon Wilderness Reserve** ★, une réserve faunique de 1 070 km² située dans le sud-est de la péninsule d'Avalon, attire les pêcheurs et les randonneurs. Pour visiter cette réserve, on doit obtenir un permis au parc provincial La Manche (route 10, à 11 km de Cape Broyle). L'Avalon Wilderness Reserve est l'habitat naturel de dizaines de milliers de caribous. Dans la partie la plus au sud de la réserve, on peut très souvent voir des familles de caribous traverser la route 10.

Cape St. Mary's

La **réserve écologique Cape St. Mary's** ★★ *(mai à oct, tlj 9h à 19h; le long de la route 100, ☎729-2424)* (voir p 74) protège la colonie d'oiseaux de mer la plus spectaculaire et la plus aisément accessible de l'Amérique du Nord.

★

Placentia

Ce village pittoresque, en bordure de la baie de Placentia, a très tôt été étroitement associé à la présence européenne sur l'île. Les pêcheurs basques, dès le début du XVIe siècle, s'arrêtaient déjà à cet endroit, dont la plage de galets se prêtait particulièrement bien au séchage de la morue. Par la suite, en 1662, les Français y ont érigé un premier poste permanent, dénommé Plaisance, qui fut jusqu'à la signature du traité d'Utrecht, en 1713, la capitale de la colonie française de Terre-Neuve. Sous le Régime français, le rôle de Plaisance consistait à contenir l'expansion anglaise à Terre-Neuve et à protéger les approches du Canada en temps de guerre et la flotte française de Terre-Neuve. La France ne garda à Plaisance que des effectifs militaires réduits; cela ne devait pas empêcher la petite garnison française de Plaisance d'attaquer à trois reprises St. John's, capitale anglaise de Terre-Neuve, en 1696, en 1705 et en 1709. Seule l'expédition de 1705 ne permit pas aux Français de prendre le fort William, qui surplombait St. John's; la ville fut néanmoins incendiée. Le **lieu historique national Castle Hill** ★ *(entrée libre; mi-juin à début sept tlj 8h30 à 20h, début sept à mi-juin tlj 8h30 à 16h30; le long de la route 100, ☎227-2401)* protège les ruines des fortifications françaises et anglaises des XVIIe et XVIIIe siècles. Pour défendre Plaisance, les Français érigèrent successivement le Vieux fort en 1662, le fort Louis en 1691 et le fort Royal en 1693. Les Anglais, lorsque devenus maîtres de la région, ont quant à eux aménagé le petit fort Frederick en 1721, puis, pendant la guerre de Succession d'Autriche (1740-1748), le New Fort. Castle Hill offre un point de vue exceptionnel sur Placentia et sa baie.

Péninsule de Bonavista

★ Trinity

Village au patrimoine architectural du XIXe siècle particulièrement bien préservé, Trinity occupe un promontoire en bordure d'un excellent port naturel sur la **péninsule de Bonavista ★★**. Son site fut baptisé ainsi par l'explorateur Gaspar Corte Real, qui, le dimanche de la Trinité de l'an 1501, en explora la baie. Les Anglais se sont installés à Trinity en 1558, en faisant ainsi leur premier poste permanent à Terre-Neuve. Grâce aux pêcheries et aux relations commerciales entretenues avec Londres, la métropole, Trinity a par suite vécu dans une certaine prospérité. Par ailleurs, Trinity a été, en 1615, le siège de la première cour maritime de l'histoire du Canada; la cause entendue opposait les pêcheurs locaux aux pêcheurs saisonniers.

Trinity offre aux visiteurs maintes occasions de renouer avec le passé : le **Centre d'interprétation de Trinity** *(2,50$; mi-juin à début sept, tlj 10h à 17h30; route 239, ☎464-2042)* présente une excellente collection de cartes, d'illustrations et de photographies d'époque; la **Green Family Forge** *(2 $; mi-juin à début sept, 10h à 18h; Church Road, ☎464-2244)* raconte, par une exposition de divers objets, l'histoire de cette forgerie qui a ouvert ses portes dans les années 1750; la **Hiscock House** *(2,50$; mi-juin à début sept, 10h à 17h30; route 239, ☎464-2042)* est une maison typique d'un marchand du début du siècle. La façon la plus originale de s'initier à l'histoire de Trinity demeure toutefois le **Trinity Pageant** ★. Dans ce spectacle, les acteurs jouent dans une succession de pièces de théâtre, dans différents lieux de Trinity, pour raconter l'histoire du village. Le spectacle se tient chaque jour en été à partir de 14h.

Les eaux qui bordent Terre-Neuve sont fréquentées du mois de mai au mois d'août par plusieurs espèces de baleines. On peut souvent avoir l'occasion de les observer depuis la côte.

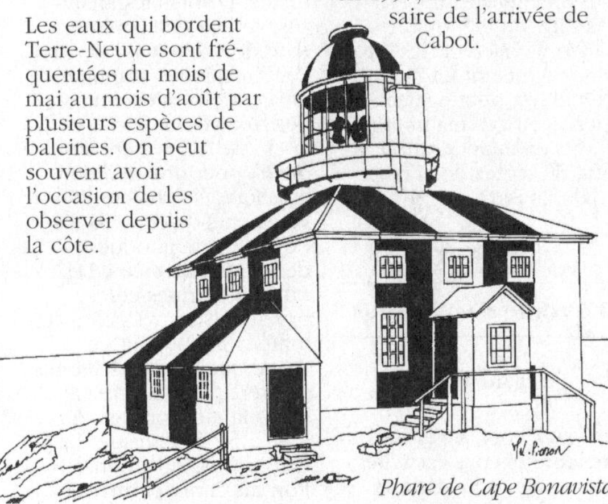

Phare de Cape Bonavista

Pour les voir de plus près, il est conseillé de participer à une excursion en bateau. Trinity constitue un bon point de départ, et plusieurs agences de tourisme proposent de telles excursions.

★ Cape Bonavista

John Cabot a-t-il vraiment ouvert la voie aux grandes découvertes du Canada? Les Terre-Neuviens jurent que oui, et soutiennent que c'est à Cape Bonavista que Cabot et son équipage se sont arrêtés pour la première fois, à l'été 1497, après une traversée de l'Atlantique depuis Bristol, en Angleterre. En réalité, personne ne connaît vraiment le point d'arrivée de John Cabot dans le Nouveau Monde. Cape Bonavista dispute cet honneur à quelques autres sites le long des côtes canadiennes. Quoi qu'il en soit, c'est à Cape Bonavista que les Terre-Neuviens ont célébré en grande pompe, en 1997, le 500e anniversaire de l'arrivée de Cabot.

Le village de Cape Bonavista constitue la plus importante communauté de la péninsule. Ses jolies résidences, vivement colorées, s'entourent de paysages vallonnés qui bordent un port très actif. Cape Bonavista servit aux pêcheurs de toutes nationalités tout au long du XVIe siècle, avant que les Anglais s'y installent vers l'an 1600.

glais s'y installent vers l'an 1600.

Au début du XIXe siècle, le gouvernement de Terre-Neuve a commencé à élever des phares le long des côtes de l'île afin d'y sécuriser la navigation. En 1843, le premier phare le long de la côte nord de l'île a été construit sur la pointe de Cape Bonavista. On peut aujourd'hui visiter l'**ancien phare de Cape Bonavista** *(2,50$; mi-juin à début oct, 10h à 17h30; route 230, ☎468-7444)*, qui a été restauré et meublé comme dans les années 1870. Une exposition sur l'histoire des phares et sur la vie quotidienne de leurs gardiens est présentée. Depuis le site du phare, le **point de vue** ★ est magnifique sur l'océan et les côtes rocheuses. Il n'est pas rare, en été, qu'on puisse y observer des baleines. En étant un peu attentif, on peut également apercevoir ces mammifères géants en maint endroit le long des côtes de la baie de Bonavista.

La route des Vikings

Port au Choix

Port au Choix, où la pêche demeure encore l'activité dominante, a longtemps été un port important pour les pêcheurs basques. Son nom lui vient d'ailleurs de Portuchoa, qui signifie, dans la langue basque, «petit port». Les pêcheurs basques n'ont cependant pas été les premiers à profiter de l'excellente situation géographique de Port au Choix. Le **lieu historique national Port au Choix** ★ *(2,75$; mi-juin à mi-sept, tlj 9h à 17h; ☎861-3522)* présente une exposition de vestiges des peuples ayant vécu dans la région bien avant l'arrivée des Européens. Ces vestiges ont été découverts à l'occasion de fouilles archéologiques. D'abord, dans les années cinquante, on a mis au jour tout près, à Phillip's Gardens, un site qui révèle la présence de paléoesquimaux, soit des Dorset qui auraient vécu à cet endroit entre les années 200 et 600. La culture des Dorset était sophistiquée; on a pu retrouver des sculptures sur des pierres et sur des os d'une grande finesse. Puis en 1967, d'autres fouilles archéologiques importantes ont permis de mettre au jour dans la région un lieu de sépulture de la nation dite archaïque maritime comprenant des ossements humains, des outils et des armes. D'après les analyses, ce lieu de sépulture date de 3 200 à 4 300 ans. Les Archaïques maritimes vivaient essentiellement des fruits de la pêche et de la chasse. Ils avaient su développer une tradition artistique et ornaient leurs vêtements de coquillages, de griffes de phoques et de pendentifs en os. Les outils, les armes et les ornements trouvés dans les tombes permettent de croire que ces Autochtones se préparaient à une vie après la mort qui ressemblait à la vie terrestre. Le lieu historique national Port au Choix permet de découvrir une partie des vestiges de ces cultures trouvés sur place. On y présente en outre un documentaire traitant du mode de vie de ces peuples. Une courte balade à pied permet de se rendre jusqu'au site archéologique de Phillip's Gardens et de découvrir les rudes paysages de la région.

L'Anse aux Meadows

Le **lieu historique national de L'Anse aux Meadows** ★★ *(5$; mi-juin à début sept 9h à 20h; route 436, ☎623-2608)* est le seul endroit où l'on a découvert des vestiges du passage des marins norvégiens, ou Vikings, comme on les appelle parfois en Amérique du Nord. L'Anse aux Meadows a été désignée par l'Unesco comme l'un des sites du patrimoine mondial. Menée par Leif Eriksson, une expédition de marins norvégiens provenant du Groenland a érigé un camp à cet endroit autour de l'an 1000. Ce camp, dénommé «camp de Leif», comprenait huit bâtiments et servait de port d'attache aux Norvégiens dans leurs expéditions le long de la côte atlantique. On estime que de 80 à 100 Norvégiens y habitaient. Les sagas racontent que les expéditions conduites par Leif Eriksson et sa famille, depuis le camp de Leif, les ont amenés à découvrir les côtes du Labrador, de Terre-Neuve et des terres plus au sud le long du golfe du Saint-Laurent. Leif Eriksson désignait ces terres les plus au sud sous le nom de «Vinland», en l'honneur des vignes sauvages qu'on y retrouvait à l'époque. Le site de L'Anse aux Meadows a été découvert en 1960 par Helge Ingstad et Anne Stisne Ingstad. On peut désormais voir les fondations des huit bâtiments mis au jour par les Ingstad et, par la suite, par Parcs Canada. Tout près, on a reconstitué trois bâtiments de cette époque. D'excellentes visites guidées sont offertes sur place. Le centre d'accueil présente une intéressante exposition des vestiges retrouvés sur place. On y projette également un film qui raconte l'histoire captivante des fouilles archéologiques effectuées sur place par Helge Ingstad et Anne Stisne Ingstad puis par Parcs Canada.

★ St. Anthony

En bordure d'un excellent port intérieur, St. Anthony possède la plus importante communauté du nord de la péninsule. Depuis 1922, elle est le siège social de la Mission Grenfell, mise sur pied afin d'offrir des soins médicaux aux populations isolées du nord de Terre-Neuve et du Labrador. La mission a été fondée par le docteur Wilfred Grenfell (1865-1940), qui, à partir de 1894, a développé le premier véritable réseau d'hôpitaux, d'infirmeries et d'orphelinats dans la région. Pour financer ses projets, Wilfred Grenfell créa une entreprise, Grenfell Crafts, qui employait des artisans locaux dans la confection de vêtements d'hiver; les profits étaient versés à la mission. On peut aujourd'hui visiter le **Grenfell House Museum** *(5$; 9h à 20h)*, aménagé dans l'ancienne résidence de la famille Grenfell, et qui présente une collection d'objets rappelant la vie des pêcheurs au tournant du siècle. À la boutique du musée, on peut se procurer de jolis vêtements d'hiver confectionnés sur place et de l'artisanat local. Depuis le centre de St. Anthony, on peut se rendre au parc municipal **Fishing Point**, situé tout près. De cette pointe, la **vue** ★ sur l'océan est splendide. On peut souvent y apercevoir des baleines et des icebergs pendant la saison estivale. On y trouve en outre un bon restaurant.

Parcs

Cette petite communauté est la porte d'entrée du **parc national Terra-Nova** ★ *(☎533-2801)*, qui s'étend sur un peu plus de 400 km^2 et présente des paysages boisés légèrement vallonnés. Il est bordé par le fjord Newman (Newman Sound) et par le fjord Clode (Clode Sound), qui constituent un prolongement de la baie de Bonavista. Ce parc est l'habitat naturel de plusieurs espèces d'animaux, entre autres l'orignal, l'ours noir, la martre, le castor et le lynx. Les eaux des fjords sont fréquentées, en particulier du mois de mai au mois d'août, par différentes espèces de baleines, comme le rorqual à bosse, le petit rorqual et le rorqual commun. **Ocean Watch Tour** *(☎533-6024)* propose des croisières en bateau dans les fjords pour observer les baleines et d'autres espèces marines. Les principales activités proposées aux visiteurs du parc sont le camping, la randonnée pédestre, la pêche, le canot et, en hiver, le ski de fond. La plupart des activités sont organisées à partir de Newman Sound. Un terrain de golf, le Twin Rivers Golf Courses, se trouve à l'entrée sud du parc. Deux belvédères accessibles en voiture permettent de bénéficier de **points de vue** ★ panoramiques sur le parc : le belvédère de la **colline Blue** *(emprunter un chemin latéral de 1,5 km, à 7 km de l'entrée nord)* et le belvédère de la **colline Ochre** *(emprunter un chemin latéral de 3 km, à 23 km de l'entrée nord)*.

De Deer Lake, une excellente route mène jusqu'au **parc national Gros-Morne** ★★★ *(☎458-2417)*. De réputation internationale, ce parc de 1 805 km^2 présente des paysages spectaculaires : des fjords et des lacs, de hauts plateaux, des dunes côtières et des forêts boréales. Le parc est traversé sur toute sa longueur par les montagnes de la Long Range, dont Gros-Morne, le plus haut sommet, atteint 806 m d'altitude. Le parc national Gros-Morne a été désigné, en 1987, site du patrimoine mondial par l'Unesco principalement en raison de sa géologie : en effet, dans le sud du parc, la montagne dénommée «Tablelands», formée par le glissement des plaques tectoniques, offre aux géologues un témoignage éloquent de la dérive des continents. Les paysages du parc ont en outre été largement façonnés par le retrait des glaces à la fin de l'ère glaciaire.

Le parc national Gros-Morne protège plusieurs mammifères sauvages, notamment des ours, des originaux et des caribous. Il n'est pas rare qu'on puisse apercevoir des originaux le long des principales routes du parc. À partir des côtes du parc, on peut également observer plusieurs espèces de baleines pendant la saison estivale. Outre l'observation de la faune et de la flore, les principales activités offertes au parc Gros-Morne sont le camping, la randonnée pédestre (plus de 100 km de sentiers), la baignade, les excursions en bateau, la pêche et, en hiver, le ski de randonnée. On peut loger à Trout River, Woody Point, Rocky Harbour et Cow Head.

Le **secteur sud du parc** vaut la peine d'être exploré à la fois pour la splendeur de ses paysages et pour les particularités de sa géologie. Depuis l'entrée sud du parc, la route 431 traverse des paysages vallonnés avant de longer l'un des bras de **Bonne Bay ★**, un fjord profond entouré de la Long Range. La route se rend jusqu'à **Woody Point**, un joli village de pêcheurs, et continue par la suite jusqu'à l'**étang Trout River ★★**. Ce fjord d'eau douce, de 15 km de long, repose dans une vallée glaciaire à la lisière du plateau Gregory et de la montagne dénommée **Tablelands ★★**, que les forces tectoniques ont fait surgir il y a environ 500 millions d'années. On peut découvrir cette partie du parc grâce à une **excursion en bateau** *(mi-juin à mi-sept; trois départs par jour depuis Trout River; ☎951-2101)* sur l'étang Trout River.

Les paysages du **secteur nord du parc** sont dominés par les montagnes de la Long Range. Sur la route 430, à quelques kilomètres de **Rocky Harbour**, se trouve le centre d'accueil du parc, où il est possible de visionner un excellent documentaire sur la géologie, la faune et la flore du parc Gros-Morne. On peut vous informer des diverses activités à faire dans le parc; on y organise en outre plusieurs séances d'interprétation de la nature. De Rocky Harbour, la route mène jusqu'au phare de **Lobster Cove Head**. L'ancienne maison du gardien du phare renferme désormais une exposition sur l'histoire du peuplement de la côte de cette région. Depuis le phare, un sentier mène jusqu'à une plage rocailleuse. Beaucoup plus au nord du parc, un sentier de 3 km permet de se rendre jusqu'aux abords de l'**étang Western Brook ★★**. Ce fjord intérieur, créé à l'époque glaciaire, a 16 km de long et 165 m de profondeur. Des parois rocheuses qui atteignent jusqu'à 650 m de haut plongent dans ses eaux claires. Une **excursion en bateau** constitue la façon la plus agréable de découvrir la beauté spectaculaire de ce fjord. L'excursion dure environ 2 heures 30 min; pour réserver, il faut s'informer au motel **Ocean View** *(☎458-2730)*, à Rocky Harbour. Bordée de plages et de dunes de sable, la **baie Shallow ★**, à l'extrémité nord du parc, est propice à la baignade.

Activités de plein air

Observation d'oiseaux

Dans la **réserve écologique de Witless Bay ★**, on peut observer principalement le macareux moine, l'oiseau emblématique de la province. Il est possible de voir des colonies d'oiseaux depuis le rivage; on peut toutefois les regarder de bien plus près en prenant part à une excursion en bateau. Plusieurs agences de tourisme organisent des excursions en bateau depuis les villages de la côte, notamment **Bird Island Charters** *(25 $ par personne; ☎753-4850)*.

La **réserve écologique Cape St. Mary's ★★** *(tlj 9h à 17h; le long de la route 100, ☎729-2424)*, cette pointe baignée sur trois côtés par l'océan Atlantique, au sud-ouest de la péninsule d'Avalon, est l'habitat naturel d'environ 60 000 oiseaux de mer. Le lieu d'observation le plus intéressant se trouve le long de Bird Rock, un haut rocher à quelques mètres de la rive où nichent plusieurs espèces. On peut y observer la plus grande colonie de fous de Bassan de Terre-Neuve, la colonie de marmettes de Brünnich la plus méridionale au monde, des aigles et plusieurs autres espèces d'oiseaux. En outre, il est possible d'apercevoir au large, au mois de juillet, des baleines à bosse. Le centre d'accueil offre de précieux renseignements sur le mode de vie des oiseaux de mer.

Hébergement

St. John's

The Roses B & B
60$ pdj
4 chambres
tv, ℂ
9 Military Road, A1C 2C3
☎726-3336
⇌726-3483
Aménagé dans une maison victorienne typique du centre-ville de St. John's, ce logement chez l'habitant est un endroit convivial et fort sympathique. Ses hauts plafonds, ses riches moulures et ses planchers de bois lui confèrent une atmosphère chaleureuse. Les chambres, toujours accueillantes, sont garnies d'un mélange hétéroclite d'antiquités de plus ou moins grande valeur et de meubles plus modernes. Certaines chambres sont dotées d'un foyer. Dans cet accueillant *bed and breakfast*, les jour-

nées commencent toujours très bien, avec un copieux petit déjeuner servi au dernier étage de la maison, d'où s'offre une vue panoramique sur le port.

Compton House
69$ pdj
10 chambres
ℑ, *tv*, ⊛
26 Waterford Bridge Road, A1E 1C6
☎***739-5789***
⇄***739-1770***
Cette majestueuse résidence de style victorien, tranformée en auberge, occupe une vaste propriété joliment paysagée à proximité de la vallée de la rivière Waterford, à une quinzaine de minutes à pied du centre de la ville. On se sent rapidement à l'aise dans cette jolie demeure au charme d'époque qui est à la fois élégante et accueillante. La salle de séjour, à l'avant du bâtiment, est particulièrement agréable; tout comme à l'intérieur de la petite bibliothèque et de la salle à manger, on peut s'y asseoir près d'un feu de foyer. Les chambres sont bien meublées, très confortables et toutes pourvues d'une salle de bain privée. Pour un peu plus de luxe, on peut séjourner dans une suite. Chacune des suites dispose d'un balcon ou d'une terrasse, d'une baignoire à remous et d'un foyer.

Waterford Manor
85$ pdj
7 chambres
⊛, *tv*, ℜ
185 Waterford Bridge Road
A1E 1C7
☎***754-4139***
⇄***754-4155***
Construite à la fin du siècle dernier pour la famille d'un marchand local, cette somptueuse résidence de style Queen Anne est désormais l'une des belles auberges de la province. De récents travaux de rénovation lui ont redonné sa grandeur d'époque et l'ont adaptée aux exigences modernes de confort. Les chambres, toutes différentes l'une de l'autre, sont meublées d'antiquités et décorées avec un grand souci du détail. Elles sont toutes très agréables, mais la plus belle d'entre elles, au dernier étage, dispose d'un foyer et d'une baignoire à remous. Le petit déjeuner peut vous être servi dans votre chambre ou dans la salle à manger du rez-de-chaussée. Le Waterford Manor, niché dans un joli quartier résidentiel en bordure de la vallée de la rivière Waterford, se trouve à une quinzaine de minutes à pied du centre de St. John's.

Quality Hotel by Journey's End
90$
162 chambres
tv, ℜ
2 Hill O'Chips, A1C 6B1
☎***754-7788***
☎***800-228-5151***
⇄***754-5209***
Quality Hotel by Journey's End est toujours une valeur sûre. C'est un établissement accueillant et bien situé, près du centre-ville, et qui présente un bon rapport qualité/prix. Les chambres, confortables, bien tenues et fonctionnelles, manquent toutefois d'un peu d'originalité dans leur aménagement. Le Quality Hotel, construit sur une élévation à proximité du port, offre une vue agréable sur la baie.

Hotel Newfoundland
129$
301 chambres
ℜ, ⊙, ≈
Cavendish Square
P.O. Box 5637, A1C 5W8
☎***726-4980***
☎***800-441-1414***
⇄***726-2025***
L'adresse la plus prestigieuse à St. John's est un établissement moderne de 301 chambres situé au cœur de la ville. L'aménagement intérieur des lieux est réussi, original et séduisant. Depuis le hall d'entrée, on accède au Court Garden, un jardin de plantes en gradins avec chutes d'eau. La chaleur et la luminosité de l'endroit tranchent singulièrement avec le climat frais et pluvieux qui enveloppe assez souvent la ville. Les chambres sont spacieuses, coquettes et confortables; elles sont conçues tant pour plaire aux vacanciers que pour répondre aux besoins des gens d'affaires. La plupart d'entre elles offrent une vue imprenable sur le port, la ville et la baie. L'Hotel Newfoundland appartient à la chaîne du Canadien Pacifique.

La péninsule d'Avalon

Ferryland

Downs Inn
55$
bc, tv
4 chambres
route 10 A0A 2M0
☎***432-2808***
☎***877-432-2808***
⇄***432-2659***
À environ une heure de St. John's, on peut s'arrêter pour la nuit au Downs Inn, un agréable *bed and breakfast* aménagé dans un ancien couvent presbytérien. Construit en 1914, ce bâtiment logeait jusqu'au milieu des années quatre-vingt une quinzaine de religieuses. L'âme de la maison a été bien préservée malgré les travaux de rénovation. Les chambres, spacieuses, propres et confortables, disposent chacune d'un foyer, mais non de salles de bain privée.

Placentia

Rosedale Manor
50$ pdj
4 chambres
Riverside Drive A0B 2Y0
☎227-3613
On se sent rapidement très à l'aise au Rosedale Manor, l'une des bonnes auberges de cette partie de la péninsule. Située au cœur du village, tout juste face à la baie, cette jolie résidence d'époque propose des chambres décorées avec soin, garnies de meubles antiques et dotées de salles de bain privées. La propriétaire est à la fois attentionnée et discrète. Si le cœur vous en dit, elle se fera un plaisir de vous raconter quelques épisodes de la petite histoire de la région.

La péninsule de Bonavista

Trinity

Campbell House
80$ pdj
tv, ℜ
5 chambres
High St.
☎/⇄464-3377
☎877-464-7700
La Campbell House est un *bed and breakfast* aménagé dans une jolie résidence construite dans les années 1840. Le cachet d'antan de cette demeure bourgeoise, qui s'élève au centre du secteur historique de la ville, a été bien préservé grâce à de minutieux travaux de rénovation. Les chambres sont coquettes et joliment décorées. De la Campbell House, on profite d'une vue agréable sur le village et l'océan.

The Village Inn
52$
ℜ, tv
7 chambres
Taverner's Path
☎464-3269
⇄464-3700
The Village Inn est, malgré sa taille relativement modeste, l'établissement hôtelier le plus important de Trinity. Il occupe un bâtiment situé au cœur du village depuis le début du siècle. Les chambres varient grandement en confort et en qualité. The Village Inn possède un bon restaurant familial. On y organise, des excursions d'observation de baleines.

La route des Vikings

Norris Point

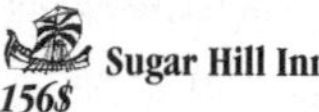

Sugar Hill Inn
156$
7 chambres
tv, ⌂, ℜ
route 431, P.O. Box 100
A0K 3V0
☎458-2147
☎888-299-2147
⇄458-2166
En arrivant à Norris Point, dans la partie sud du parc, vous verrez sur un coteau joliment paysagé le Sugar Hill Inn, l'une des bonnes auberges de l'ouest de l'île. Toutes les chambres proposées sont coquettes et dotées d'une salle de bain privée. Un sauna et un bassin à remous sont mis à la disposition de la clientèle. En outre, la salle à manger du Sugar Hill Inn sert une excellente cuisine.

Rocky Harbour

Ocean View Motel
65 $
44 chambres
ℜ, tv
Main Street
☎458-2730
☎800-563-9887
⇄458-2256
L'Ocean View Motel propose des chambres spacieuses, confortables et propres, mais sans charme particulier. L'endroit est bien tenu et dispose d'un bon restaurant familial.

Cape Onion

Tickle Inn
60$ pdj
4 chambres, ℜ
R.R.1, A0K 4J0
☎452-4321
⇄452-4321
À un peu plus d'une demi-heure de route de L'Anse aux Meadows ou de St. Anthony se trouve le Tickle Inn, une sympathique petite auberge située dans un cadre enchanteur face à l'océan et ceinturé de paysages vallonnés. L'endroit, on s'en doute, est paisible et très propice à de longues balades à pied et à l'observation de baleines et d'icebergs au large. Les chambres sont bien tenues et accueillantes. La salle à manger du Tickle Inn propose l'une des meilleures cuisines de la région.

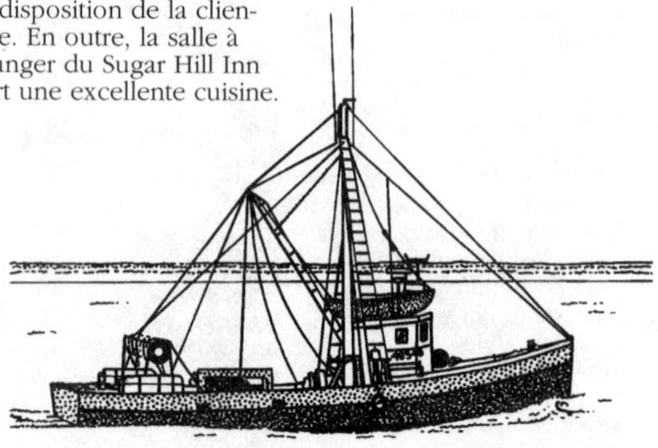

Restaurants

St. John's

Stella's
$
106 Water Street
☎***753-9625***
Le Stella's convient tout à fait pour prendre une petite bouchée ou simplement pour s'arrêter quelques instants pour une tasse de thé. Cet endroit chaleureux et sympathique propose un menu composé de plats de poisson ou de poulet, de plats végétariens, de sandwichs, de salades et de soupes. La «chaudrée de fruits de mer» est particulièrement réconfortante lors des jours de pluie.

Taj Mahal
$$
203 Water Street
☎***576-5500***
Le Taj Mahal, un restaurant à la riche décoration victorienne, prépare une authentique cuisine indienne. Son menu élaboré compte notamment plusieurs spécialités *tandoori*. Le poulet *tikka*, les crevettes *tandoori* et le poisson *malai tikka* sont particulièrement réussis. Le pain *nan* est succulent, tout comme le riz cuit à la vapeur. La plupart des plats principaux coûtent autour de 10 $. Pour moins de 40 $, on peut s'offrir un repas complet pour deux personnes.

Cellar
$$-$$$
Bird's Cove, Water St.
☎***579-8900***
L'un des meilleurs restaurants de la province, le Cellar s'affirme par une cuisine innovatrice qui séduit les sens. Qu'il s'agisse de plats de pâtes, de fruits de mer ou de viande, on est souvent ébloui tant par l'originalité des saveurs et la fraîcheur des aliments que par la qualité de la présentation. L'atmosphère conviviale des lieux et son éclairage tamisé conviennent bien au repas en tête-à-tête.

Stone House
$$$
8 Kenoa's Hill
☎***753-2380***
La Stone House, une magnifique résidence de pierre construite dans les années 1830, compte quatre salles à manger et propose un intéressant menu qui allie à la nouvelle cuisine les traditions culinaires de Terre-Neuve. La carte offre, bien entendu, la langue de morue, en entrée, ainsi qu'une sélection importante de poissons et de fruits de mer comme plats principaux. Le menu affiche en outre un excellent choix de gibiers, comme le caribou, l'orignal, l'oie sauvage et le faisan. La cave à vins est bien garnie et peut être visitée sur demande.

Trepassey

Trepassey Restaurant
$-$$
route 10
☎***438-2934***
Le Trepassey Restaurant, derrière la facade du Trepassey Motel, est l'endroit idéal pour le repas du midi. Les plats proposés, notamment de fruits de mer et de poisson, sont simples mais bien préparés et pas très chers. L'aménagement des lieux est accueillant; on y bénéficie d'une belle vue sur la baie.

Péninsule de Bonavista

Trinity

Eriksson
$$
☎***464-3698***
Le restaurant Eriksson mijote dans l'atmosphère chaleureuse d'une vieille résidence bourgeoise, des plats simples composés principalement de fruits de mer et de poissons.

La route des Vikings

St. Anthony

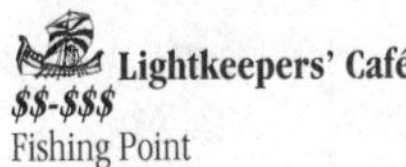

Lightkeepers' Café
$$-$$$
Fishing Point
☎***454-4900***
On ne pouvait trouver meilleur site pour un restaurant. Situé à l'extrémité de Fishing Point, le Lightkeepers' Café offre un point de vue remarquable sur l'océan, un spectacle fascinant ponctué à l'occasion de la lente dérive d'un iceberg ou du va-et-vient d'une baleine. Ce joli panorama s'accompagne avec bonheur de l'excellente cuisine qu'on y sert. Le menu affiche principalement des plats de poisson et de fruits de mer, entre autres un succulent crabe des neiges. En outre, la carte des vins est assez variée. Ceux et celles qui désirent voir le lever du jour sur l'océan pourront s'y pointer dès 7h le matin.

Achats

Corner Brook

Nortique Speciality Gift Shop
Confederation Drive
☎*634-8344*
Cette belle boutique, à proximité du bureau de renseignements touristiques de Corner Brook, propose une gamme intéressantes de souvenirs, d'objets d'artisanat et de beaux vêtements de laine.

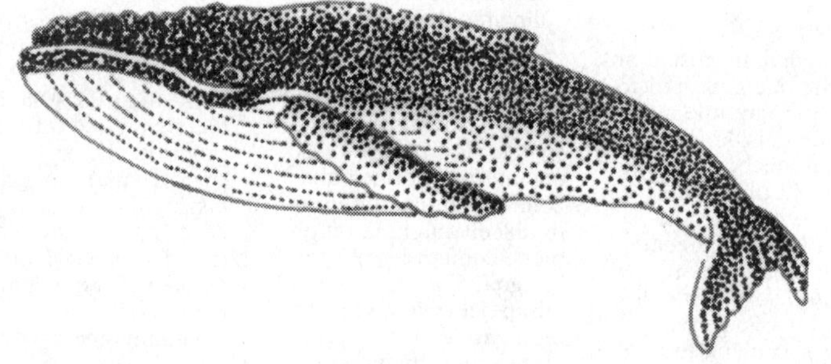

Nouvelle-Écosse

La magnifique province de la Nouvelle-Écosse se présente comme une longue presqu'île rattachée au continent uniquement par l'étroite langue de terre de l'isthme de Chignecto.

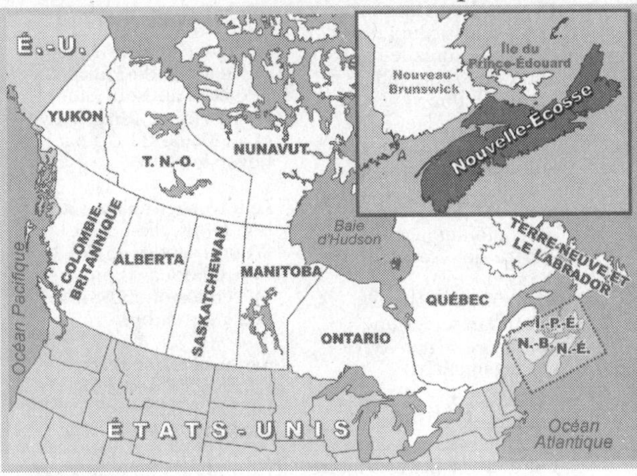

Ici, la mer n'est jamais bien loin. En fait, aucune partie du territoire de la Nouvelle-Écosse n'est à plus de 49 km d'une côte, que ce soit celle de l'océan Atlantique, du détroit de Northumberland ou de la baie de Fundy. Cette proximité de la mer a forgé autant le caractère et la vie de ses gens que de splendides paysages maritimes. Ses côtes, qui s'allongent sur des centaines de kilomètres, sont ponctuées de havres et de baies, près desquels ont grandi des villes et des villages de pêcheurs. Ce qui est frappant en Nouvelle-Écosse, c'est le mariage réussi de son patrimoine architectural et de la beauté des sites naturels. Du plus petit hameau de pêcheurs jusqu'à Halifax, la capitale, rares sont les endroits où l'architecture des maisons et des bâtiments, datant souvent du XIXe siècle, ne se fonde pas à merveille dans les paysages environnants.

Il y a une foule de raisons de visiter la Nouvelle-Écosse et bien des splendeurs à découvrir. Chacun connaît la beauté légendaire de l'île du Cap-Breton, ses paysages montagneux aux impressionnantes falaises surplombant les flots bleus de la mer étant parmi les plus spectaculaires de l'Est canadien. Mais la Nouvelle-Écosse possède également bien d'autres magnifiques régions. Par exemple, la route des phares, qui va d'Halifax à Yarmouth, cache de multiples villages pittoresques et riches d'histoire, comme Peggy's Cove, Mahone Bay et Lunenburg. Plus loin, près de la baie de Fundy, on peut partir à la découverte de l'ancienne Acadie, ces riches terres agricoles qui, de 1605 à 1755, ont été au cœur du territoire acadien. C'est également avec ravissement qu'on visite Halifax, la capitale de la Nouvelle-Écosse, une ville dynamique, belle, animée et la plus grande des provinces maritimes.

Pour s'y retrouver sans mal

En voiture

La Nouvelle-Écosse possède un bon réseau routier. Dans la plupart des cas, vous aurez le choix entre une route pittoresque et une voie rapide. Il faut cependant être prudent si vous conduisez le long des côtes, car le brouillard est fréquent.

En communiquant avec le service de réservation de la province au ☎800-565-0000, vous pourrez réserver une voiture et même votre hébergement.

Halifax

Entrer à Halifax en voiture et atteindre le centre-ville est généralement très facile, la direction étant toujours clairement indiquée. En cas de doute, rappelez-vous toujours qu'Halifax occupe la rive sud-ouest du port (Dartmouth occupant l'autre rive) et que le centre-ville donne directement sur le port. Dans le centre-ville, il est assez simple de s'orienter, la colline de la Citadelle et le port d'Halifax servant de principaux points de repère. La plus importante artère du centre-ville est Barrington Street.

En avion

L'**aéroport international d'Halifax** accueille des avions venus des États-Unis et d'Europe. Les compagnies de transport aérien Air Canada et Canadian Airlines proposant des vols à partir des principales villes canadiennes. Pour plus de renseignements, consultez le chapitre «Renseignements généraux», p 30. Il existe un service de navette entre l'aéroport et les principaux hôtels du centre-ville.

En traversier

La Nouvelle-Écosse est reliée à l'Île-du-Prince-Édouard, au Nouveau-Brunswick, à Terre-Neuve et au Maine (É.-U.) par traversier.

Le traversier reliant Caribou (Nouvelle-Écosse) à Wood Islands (Île-du-Prince-Édouard) propose un service quotidien de mai à décembre.

Northumberland Ferry
P.O. Box 634, Charlottetown
Î.-P.-É., C1A 7L3
☎888-249-7245

De Saint John (Nouveau-Brunswick) à Digby (Nouvelle-Écosse) :

MV Princess of Acadia
Trois départs par jour durant l'été
☎888-249-7245
☎(902) 566-3838

De Portland (Maine) à Yarmouth (Nouvelle-Écosse) :

Prince of Fundy Cruise
Départs tlj mai à oct
P.O. Box 4216, Station A
Portland, ME 04101
☎800-341-7540 du Canada et des États-Unis
www.princeoffundy.com

De Bar Harbor (Maine) à Yarmouth (Nouvelle-Écosse) :

Marine Atlantic
Un départ par jour de mi-mai à mi-sept
☎888-249-7245

En train

Le réseau ferroviaire canadien de **VIA Rail** aboutit à Halifax. La gare se trouve à proximité du centre-ville. Pour connaître l'horaire des trains de passagers : ***☎800-561-3952.***

En autocar

Il est possible de se rendre en divers points de la province, car des autocars vont d'Halifax à Sydney *(Acadian Lines, ☎454-9321)* et d'Halifax à Sherbrooke, Nouvelle-Écosse *(Zinck's Bus Co, ☎468-4342).*

D'Halifax, un car assure une liaison jusqu'à Sydney. Sachez cependant qu'il n'y a pas d'autocar faisant le tour de l'île du Cap-Breton (à l'exception des cars privés proposant des visites touristiques). Hormis autour de Sydney, vous ne pourrez pas vous déplacer aisément. Vous devrez recourir soit à la location d'une voiture ou à vos propres moyens (auto-stop, vélo).

Transit Cap Breton
autour de Sydney
☎539-8124

Renseignements pratiques

L'indicatif régional est le 902

Il existe un bureau de réservations d'hôtels, de *bed and breakfasts,* d'emplacements de camping et de location de voitures, lequel est géré par le gouvernement provincial. On y donne également des renseignements sur les festivals, les

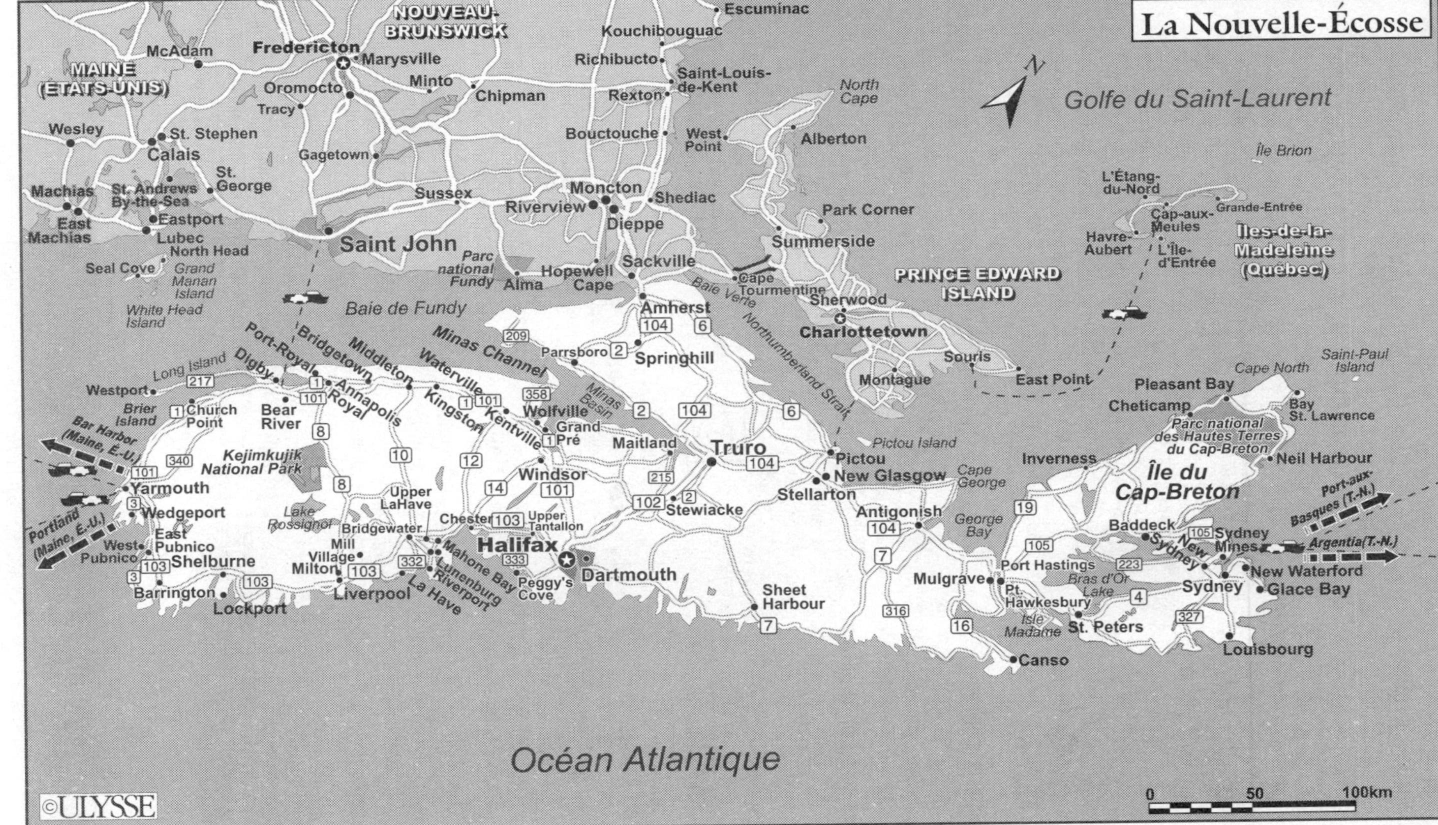
La Nouvelle-Écosse
NOUVEAU-BRUNSWICK
MAINE (ÉTATS-UNIS)
Golfe du Saint-Laurent
Baie de Fundy
Océan Atlantique
PRINCE EDWARD ISLAND
Îles-de-la-Madeleine (Québec)
Île du Cap-Breton
Parc national des Hautes Terres du Cap-Breton
Kejimkujik National Park
Parc national Fundy
Minas Channel
Minas Basin
Northumberland Strait
Baie Verte
Fredericton
Marysville
Minto
Chipman
McAdam
Oromocto
Tracy
Gagetown
Wesley
St. Stephen
Calais
St. George
Machias
East Machias
St. Andrews By-the-Sea
Eastport
Lubec
North Head
Seal Cove
Grand Manan Island
White Head Island
Sussex
Saint John
Moncton
Riverview
Dieppe
Shediac
Alma
Hopewell Cape
Sackville
Escuminac
Kouchibouguac
Richibucto
Saint-Louis-de-Kent
Rexton
Bouctouche
West Point
North Cape
Alberton
Park Corner
Summerside
Cape Tourmentine
Sherwood
Charlottetown
Montague
Souris
East Point
Île Brion
L'Étang-du-Nord
Cap-aux-Meules
Grande-Entrée
Havre-Aubert
L'Île-d'Entrée
Amherst
Springhill
Parrsboro
Long Island
Westport
Brier Island
Church Point
Digby
Port-Royal
Bridgetown
Annapolis Royal
Middleton
Waterville
Kingston
Kentville
Wolfville
Grand Pré
Bear River
Maitland
Truro
Pictou
Pictou Island
New Glasgow
Stellarton
Stewiacke
Windsor
Upper LaHave
Upper Tantallon
Chester
Halifax
Dartmouth
Peggy's Cove
Mahone Bay
Lunenburg
Riverport
La Have
Bridgewater
Lake Rossignol
Mill Village
Milton
Liverpool
Yarmouth
Wedgeport
East Pubnico
West Pubnico
Shelburne
Barrington
Lockport
Bar Harbor (Maine, É.-U.)
Portland (Maine, É.-U.)
Sheet Harbour
Antigonish
Cape George
George Bay
Mulgrave
Canso
Port Hastings
Pt. Hawkesbury
Isle Madame
St. Peters
Bras d'Or Lake
Inverness
Cheticamp
Pleasant Bay
Cape North
Saint-Paul Island
Bay St. Lawrence
Neil Harbour
Baddeck
New Sydney
Sydney Mines
Sydney
New Waterford
Glace Bay
Louisbourg
Port-aux-Basques (T.-N.)
Argentia (T.-N.)
0
50
100km
©ULYSSE

services de traversiers et les prévisions météorologiques. Composez le ☎**425-5781** ou **800-565-0000.**

Informations touristiques

Halifax

Visitor Centre
1595 Barrigton St.
☎**490-5946**
⇌**490-5973**

Historic Properties
Loner Water St.

Il existe également un service de réservation d'hébergement:
☎**425-5781 ou 800-565-0000**

Antigonish

Par écrit :

Antigonish-Eastern Shore Tourist Association
Musquodoboit Harbour
B0J 2L0
☎/⇌ **889-2362**

Truro

Par écrit :

Central Nova Tourist Association
P.O. Box 1761
Truro
B2N 5Z5
☎**893-8782**
⇌**897-6641**

Sur place :

Toute l'année
Autoroute 104, Amherst
À la frontière du Nouveau-Brunswick

Yarmouth

Par écrit :

Yarmouth County Tourist Association
P.O. Box 477
Yarmouth
B5A 4B4
☎**742-5355**
⇌**742-6644**

Sur place :

Annapolis Royal
Mi-mai à mi-oct
Annapolis Tidal Project
Route 1

Digby
Mi-mai à mi-oct
Shore Road
En direction du quai du traversier

Yarmouth
Mai à oct
228 Main Street

Attraits touristiques

Halifax

C'est avec ravissement qu'on découvre Halifax, une ville au riche patrimoine architectural, construite au pied d'une acropole surplombant l'un des plus longs ports naturels du monde. L'excellence de ce site, tant pour la navigation maritime que pour ses avantages militaires, fut déterminante dans l'histoire d'Halifax.

L'endroit, longtemps fréquenté par les Indiens micmacs (Mi'gmaq), a été mis en valeur par les Britanniques à partir de 1749. Cette année-là, 2 500 soldats et colons britanniques sous le commandement du gouverneur Edward Cornwallis s'y installèrent, ayant la mission d'assurer les prétentions britanniques sur le territoire de la Nouvelle-Écosse. À cette époque, la France et ses colonies d'Amérique du Nord représentaient l'ennemi. Puis, dans les décennies suivantes, Halifax servit de château fort aux troupes britanniques lors de la guerre d'Indépendance américaine et de la guerre de 1812 contre les États-Unis. Ce passé militaire est aujourd'hui on ne peut plus évident dans le paysage urbain d'Halifax; son legs le plus éloquent étant, bien entendu, la Citadelle, dont la silhouette domine le centre-ville. Ville militaire, Halifax a aussi toujours été une grande cité commerçante. Son ouverture sur l'Atlantique, son excellent port et, à partir de la fin du XIXe siècle, son rattachement au réseau de chemins de fer canadien y ont favorisé le commerce. Les Historic Properties, ces entrepôts de marchandises construits directement sur les quais, le plus vieil ensemble architectural du genre au pays, témoignent de la longue tradition marchande de la ville.

Halifax forme aujourd'hui le plus grand centre urbain des provinces atlantiques. Son agglomération, incluant sa ville jumelle de Dartmouth, totalise plus de 330 000 habitants. Plus qu'ailleurs dans les provinces atlantiques, elle présente un visage diversifié, même cosmopolite, et possède de superbes musées et une foule d'autres points d'intérêt. On s'y balade avec beaucoup de plaisir, à la découverte de ses restaurants, de ses commerces hétéroclites et de ses rues animées.

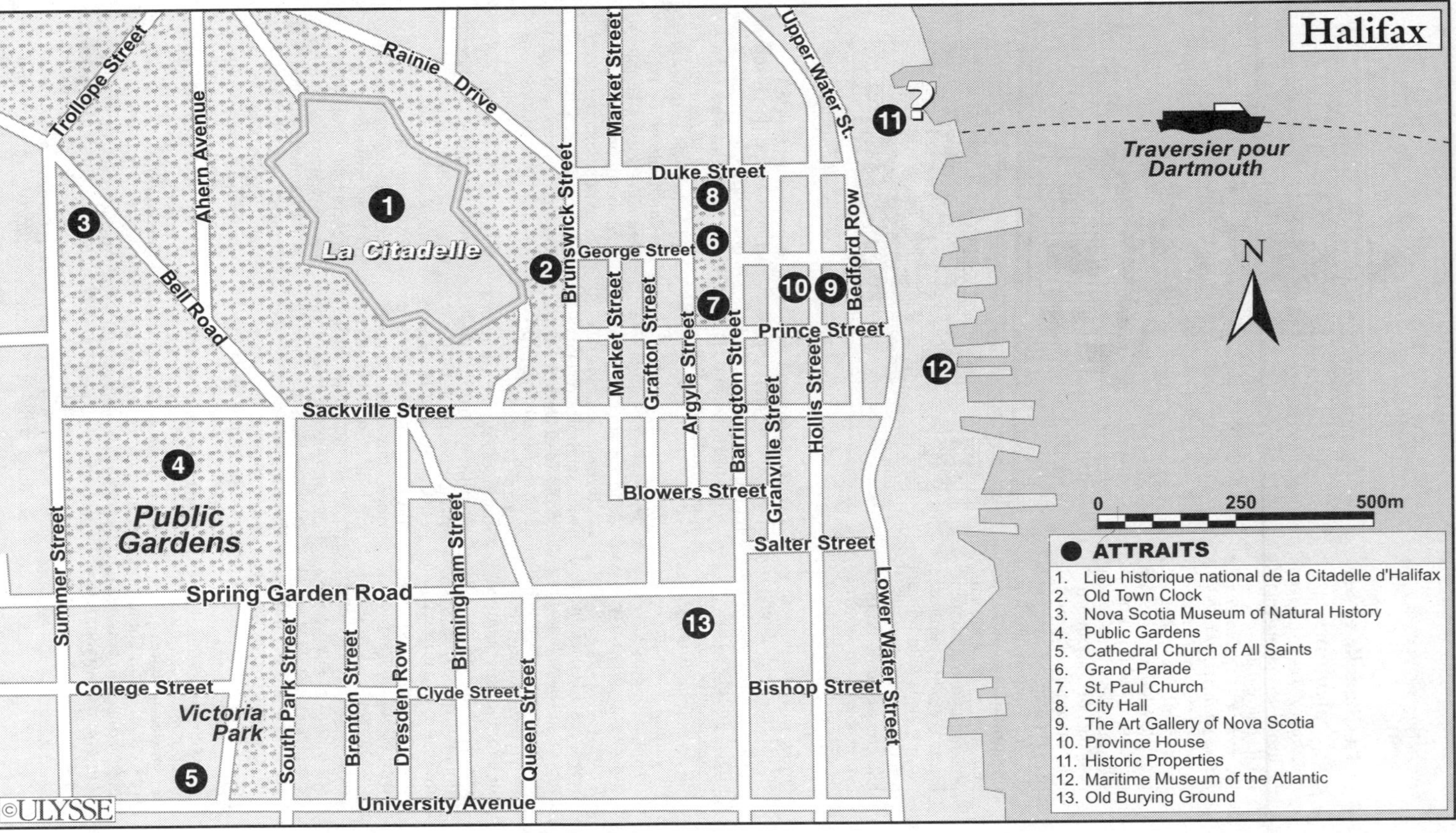
Halifax
Traversier pour Dartmouth
N
0
250
500m
La Citadelle
Public Gardens
Victoria Park
Trollope Street
Rainie Drive
Ahern Avenue
Bell Road
Brunswick Street
Market Street
Duke Street
George Street
Grafton Street
Argyle Street
Barrington Street
Granville Street
Hollis Street
Bedford Row
Upper Water St.
Prince Street
Sackville Street
Blowers Street
Salter Street
Lower Water Street
Summer Street
Spring Garden Road
Birmingham Street
College Street
South Park Street
Brenton Street
Dresden Row
Clyde Street
Queen Street
Bishop Street
University Avenue
ATTRAITS
1. Lieu historique national de la Citadelle d'Halifax
2. Old Town Clock
3. Nova Scotia Museum of Natural History
4. Public Gardens
5. Cathedral Church of All Saints
6. Grand Parade
7. St. Paul Church
8. City Hall
9. The Art Gallery of Nova Scotia
10. Province House
11. Historic Properties
12. Maritime Museum of the Atlantic
13. Old Burying Ground
©ULYSSE

La Citadelle et ses alentours

Le **lieu historique national de la Citadelle d'Halifax** ★★★ *(6$; début mai à fin oct 9h à 17h, juil-août jusqu'à 18h; Citadel Hill, ☎426-5080)* est le legs le plus éloquent de l'histoire militaire d'Halifax, une ville qui, depuis sa fondation en 1749, a joué un rôle stratégique de premier plan dans la défense de la Côte Est. Quatrième fort britannique à avoir vu le jour sur ce site, cette imposante construction en forme d'étoile et en surplomb sur la ville fut construite entre 1828 et 1856. Elle constituait le cœur de l'impressionnant système de défense visant à protéger le port de toute attaque. La citadelle peut être visitée seul ou en suivant un intéressant tour guidé qui relate l'histoire de la construction et des diverses fortifications ayant marqué le paysage d'Halifax depuis 1749 et qui en explique les aspects stratégiques. Les visiteurs ont accès à l'ensemble des pièces qui servaient de baraquement aux militaires et d'entrepôts d'armes et de munitions, et peuvent circuler à travers les corridors menant d'une pièce à une autre et d'un niveau à un autre. Ils peuvent également marcher sur les remparts, d'où l'on bénéficie d'une vue imprenable sur le port et la ville. En été, des étudiants vêtus et armés comme des militaires du 78th Highlanders et de la Royal Artillery font des manœuvres à l'intérieur de l'enceinte. On peut aussi visiter sur le site un **musée militaire** *(☎427-5979)* qui abrite une large collection d'armes et d'uniformes britanniques et néo-écossais.

Old Town Clock

Un très intéressant montage audiovisuel d'une cinquantaine de minutes relatant l'histoire d'Halifax peut également être visionné.

Tout juste devant la Citadelle, en direction du port, s'élève un des plus célèbres symboles d'Halifax : la **Old Town Clock** ★*(Citadel Hill, en face de l'entrée principale de la Citadelle).* Cette horloge à quatre cadrans a été offerte en 1803 par le prince Édouard, fils de George III, roi de Grande-Bretagne, qui agit en tant que commandant en chef de la garnison d'Halifax de 1794 à 1800. Elle témoigne du fait que le prince était très attaché à la notion de ponctualité.

Au nord-ouest de la Citadelle se trouve le **Nova Scotia Museum of Natural History** ★*(3.50$; juin à mi-oct lun mar jeu et ven 9h30 à 17h30 mer 9h30 à 20h dim 13h à 17h30, mi-oct à fin mai mar jeu ven et sam 9h30 à 17h mer 9h30 à 20h dim 13h à 17h; 1747 Summer Street, ☎424-6099)*, qui a pour objectifs de collectionner, de préserver et d'étudier les objets et les spécimens les plus représentatifs de la géologie, de la faune et de la flore, et de l'archéologie de la Nouvelle-Écosse. Le musée comprend, entre autres, des expositions consacrées à la botanique, aux fossiles, aux insectes, aux reptiles et à la vie marine, présentant notamment un squelette de baleine. On peut également visionner un film sur les oiseaux côtiers de la province. L'exposition sur l'archéologie est d'un intérêt tout particulier. On y présente la culture et le mode de vie des peuples ayant habité le territoire de la province au fil des siècles. L'exposition s'intéresse successivement à une peuplade du paléolithique, aux Micmacs, aux Acadiens et aux Britanniques.

Au sud-ouest de la Citadelle s'étendent les jolies aires verdoyantes des **Public Gardens** ★★*(entrée principale sur South Park*

Street), qui se présentent comme un jardin victorien de 7 ha de superficie (initialement un jardin privé, et ce dès 1753, puis acquis en 1836 par la Nova Scotia Horticultural Society). L'actuel aménagement du Public Gardens, achevé en 1875, est l'œuvre de Richard Power. Bel exemple du savoir-faire britannique, les Public Gardens cachent sous leurs grands arbres de jolis parterres de fleurs, de petits lacs où baignent les canards et les cygnes, un pavillon, des fontaines et des statues. L'endroit est tout à fait propice à d'agréables balades, à mille lieues de l'atmosphère parfois turbulente du centre-ville d'Halifax. En été, des concerts s'y tiennent le dimanche après-midi, et des visites guidées sont offertes par l'organisme **Friends of Public Gardens** *(☎422-9407)*.

Au sud des Public Gardens, près du Victoria Park, s'élève la **Cathedral Church of All Saints** ★ *(entrée libre; 1320 Tower rd., ☎424-6002)*, qui étonne par ses remarquables vitraux et ses superbes boiseries. Sa construction se termina en 1910, deux siècles après la première célébration anglicane au Canada. L'église se trouve dans un joli quartier de la ville, aux rues bordées de grands arbres, à proximité de certaines des grandes institutions d'enseignement d'Halifax.

Le centre d'Halifax et son port

Déjà durant la décennie suivant la fondation d'Halifax, **Grand Parade** - *(entre Barrington Street et Argyle Street)* était déjà le lieu d'échange et de rassemblement des résidants de la ville. C'est aujourd'hui un jardin en plein centre-ville, entouré de bâtiments en hauteur. À l'extrémité sud de Grand Parade s'élève la **St. Paul anglican Church** ★ *(entrée libre; juin à sept lun-sam 9h à 16h30, oct à mai lun-ven 9h à 17h; 1749 Argyle St., Grand Parade)*, la plus ancienne église protestante au Canada, construite en 1750 d'après la St. Peter's Church de Londres, en Angleterre. Malgré l'altération et les quelques travaux d'agrandissement, la structure originale a été préservée jusqu'à maintenant. À l'intérieur de l'église, on peut voir une pièce de métal provenant du *Mont Blanc*, l'un des navires qui provoqua une terrible explosion à Halifax en 1917. Du côté nord de Grand Parade, on peut apercevoir le **City Hall** *(entrée libre)*, un élégant bâtiment de style victorien plus que centenaire abritant l'hôtel-de-Ville.

Le **Discovery Centre** *(5$; lun-sam 10h à 17h, dim 13h à 17h; 1593 Barrington St., ☎492-4422)* permet aux jeunes et aux moins jeunes de se familiariser avec différents phénomènes scientifiques. Sur place sont présentées plusieurs expositions interactives ayant pour objet d'assurer l'apprentissage par l'expérimentation.

Aménagée dans le Dominion Building, bel exemple de la richesse du patrimoine bâti de la fin du siècle dernier, **The Art Gallery of Nova Scotia** ★★★ *(5$; mar-ven 10h à 18h, sam-dim 12h à 17h; 1741 Hollis St., en face de Province House, ☎424-7542)* regroupe, sur quatre étages de salles d'exposition moderne, la plus remarquable collection d'œuvres d'art de la Nouvelle-Écosse. La collection permanente de près de 3 000 œuvres est consacrée à la fois à l'art populaire et à l'art contemporain. Les peintres et les sculpteurs de la Nouvelle-Écosse et des autres provinces atlantiques y sont largement représentés, mais la collection inclut aussi les travaux d'artistes d'autres provinces canadiennes, des États-Unis et d'Europe. L'Art Gallery accueille aussi, à l'occasion, des expositions itinérantes. On y retrouve, en outre, une excellente boutique d'artisanat local.

Siège du gouvernement de la Nouvelle-Écosse, la **Province House** ★ *(entrée libre; juil et août lun-ven 9h à 17h sam-dim 10h à 16h, sept à juin lun-ven 9h à 16h; Hollis Street, ☎424-4661)*, un élégant bâtiment de style géorgien datant de 1819, est le plus vieil édifice législatif provincial au Canada.

Government House

Des tours guidés permettent de visiter la Chambre rouge, la bibliothèque et la salle des séances.

Les bâtiments et les vieux entrepôts des quais d'Halifax, les plus anciens du genre au Canada, forment maintenant, après rénovation, un ensemble attrayant et harmonieux appelé les **Historic Properties** ★★★ *(délimité par Duke Street et Lower Water Street, ☎429-0530)*. Plusieurs boutiques, restaurants et cafés y sont installés, de même qu'un excellent bureau de renseignements touristiques provincial. L'endroit se révèle très populaire et agréable. Ses rues étroites mènent à une promenade le long des quais d'Halifax.

C'est ici, souvent durant l'été, qu'est amarré le ***Bluenose II***. Construit en 1963 à Lunenburg, le *Bluenose II* est la réplique du navire le plus chéri de l'histoire canadienne : le *Bluenose*, qui navigua sur les mers de 1921 à 1946 et qui est représenté sur la pièce de monnaie canadienne de 10 cents.

Lorsque le *Bluenose II* est amarré au quai, on y propose des croisières de deux heures dans le port d'Halifax. Une visite de l'impressionnant port d'Halifax, à bord du *Bluenose II* ou à bord d'un autre navire proposant ce type d'excursion, est une merveilleuse façon de visiter et de connaître la ville *(informez-vous auprès du bureau de renseignements touristiques, Historic Properties, ☎424-4247)*.

Le **Maritime Museum of the Atlantic** ★★★ *(6$; juin à mi-oct, lun-sam 9h30à 17h30, mar jusqu'à 20h, mi-oct à mai mer-sam 9h30 à 17h, mar 9h30 à 20h, dim 13h à 17h; 1675 Lower Water Street, près du port, ☎424-7490)*, donnant directement sur le port d'Halifax, présente une superbe exposition qui trace un portrait on ne peut plus complet de l'histoire navale de la ville. Au rez-de-chaussée, on a reconstitué le magasin de William Robertson and Son, qui, pendant un siècle, était un établissement fournissant en matériel les armateurs, constructeurs et capitaines de navire.

Halifax historique

Sur ce même niveau, on peut admirer des objets historiques relatifs à l'arsenal militaire d'Halifax et une collection d'embarcations de toutes sortes, notamment des barques de sauvetage. Le premier étage abrite surtout, quant à lui, la plus extraordinaire collection de répliques de navires, couvrant autant l'âge de la voile que l'âge de la vapeur. Parmi les collections du musée qui retiennent particulièrement l'attention, il ne faudrait pas oublier les vestiges du ***Titanic***, qui sombra au large de Terre-Neuve. Derrière le musée se trouve, amarré au quai des navires, l'***Acadia***, mis à l'eau en 1913 à Newcastle-on-Tyne, en Angleterre, et qu'on peut visiter. Il passa la plupart des 57 années suivantes à la recherche de données permettant de concevoir des cartes marines du littoral atlantique et de la baie d'Hudson. À proximité du musée se trouve, le ***HMCS Sackville***, une escorte de convoi maritime, qui servit lors de la Seconde Guerre mondiale. Il a été converti en un musée à la mémoire des marins ayant servi lors de cette guerre. Au **centre d'interprétation**, situé dans un bâtiment adjacent, on présente un film d'une quinzaine de minutes sur la bataille de l'Atlantique.

Le Canada fut une terre d'asile pour des milliers de personnes. Durant plus de 40 ans, de 1928 à 1971, nombre de ces hommes et femmes venus s'installer au pays se sont arrêtés à Halifax, au **Pier 21** *(6$; 9h à 20h; 1055 Marginal Rd., ☎425-7770)*. Le quai a également accueilli des milliers de réfugiés durant la Seconde Guerre mondiale. Enfin, il fut également le lieu de départ des soldats canadiens partis se battre en terre étrangère. Lieu de transit, ce quai a été transformé depuis lors en un musée à la mémoire de tous ces gens. Des expositions interactives visent à faire revivre aux visiteurs les moments émouvants vécus au Pier 21, et une projection raconte la vie des personnes en transit. On y trouve en outre un café, un centre d'information touristique et un magasin.

Plus au sud, sur Barrington Street, à l'angle de Spring Garden Road, se trouve le **Old Burying Ground** ★ *(entrée libre; juin à sept 9h à 17h; Barrington Street et Spring Garden Road)*, premier cimetière d'Halifax, aujourd'hui considéré comme un lieu historique national. Le cimetière est pourvu de vieilles pierres tombales, dont certaines sont de véritables œuvres d'art. La plus ancienne, celle de John Connor, y a été déposée en 1754. Un plan, avec information sur le cimetière, est disponible à la **St. Paul Church** *(Grand Parade)*.

Lors d'un séjour à Halifax, il ne faut pas rater l'occasion d'aller se balader sur **Spring Garden Road** ★, la plus affairée et la plus sympathique artère commerciale des provinces atlantiques. Spring Garden Road est bordée d'une foule d'intéressants commerces, restaurants et cafés qui lui donnent des airs de Quartier latin. Parallèle à celle-ci, plus au nord, **Blowers Street** est également une rue agréable, aux boutiques et aux commerces un peu plus marginaux.

En périphérie d'Halifax

Le **Point Pleasant Park** ★ *(entrée libre; à l'extrémité de Young Avenue, sur la pointe sud d'Halifax)* couvre une superficie de 75 ha sur la pointe sud d'Halifax. Ce grand parc comprend des kilomètres de sentiers de randonnée pédestre le long de la côte offrant de très beaux points de vue à travers les forêts. En raison de sa localisation, à l'entrée du port d'Halifax, Point Pleasant fut longtemps un lieu de défense stratégique pour la ville. C'est ici qu'en 1796-1797 fut érigée la première tour Martello en Amérique du Nord, aujourd'hui le **lieu historique national de la Tour Prince of Wales** ★ *(entrée libre; juil à début sept 10h à 18h; Point Pleasant Park, ☎424-4661)*. S'inspirant d'une tour en Corse sur la pointe Mortella, réputée imprenable, les Britanniques ont construit ce type de tour à maints endroits le long de leurs propres côtes et de celles de leurs colonies. La Tour Prince of Wales faisait partie de l'important système de défense d'Halifax. De nos jours, elle abrite un musée évoquant son histoire.

McNabs Island, cette île de 4,8 km sur 1,2 km située directement à l'entrée du port d'Halifax, fut elle aussi mise au profit de la défense de la ville. Entre 1888 et 1892, les Britanniques y ont érigé le fort McNab, dont les batteries étaient à cette époque les plus puissantes du système de défense d'Halifax. On peut désormais en visiter les vestiges au **lieu historique national Fort McNab** ★ *(☎426-5080)*, tout en se baladant sur cette île paisible, dotée de jolis paysages et de sentiers de randonnée.

Les bateaux pour McNabs Island partent de Cable Warft. Informez-vous auprès du bureau de renseignements touristiques *(Historic Properties, ☎424-4247)* pour connaître l'horaire des traversiers.

Un peu à l'extérieur de la ville (une dizaine de kilomètres) se trouve un autre attrait digne de mention, le **lieu historique national de la Redoute-York** *(entrée libre; mi-juin à fin oct 9h à la tombée de la nuit; Purcell's Cove Rd., ☎426-5080)*. Cette redoute fut aménagée en 1793, en un lieu d'où l'on pouvait aisément observer le va-et-vient des bateaux dans le port de la ville, leur assurant ainsi une protection adéquate. Elle comprenait une batterie, une tour Martello et une palissade. Elle a servi tout au long du XIXe siècle et fut également utilisée durant la Seconde Guerre mondiale. On peut la visiter et bénéficier d'un point de vue unique sur le port de Halifax.

En poursuivant sa route, on croise le **Sir Sandford Fleming Park**, un vaste jardin de 95 ha, légué à la ville par Sir Fleming. Ce scientifique fut à l'origine de l'élaboration de la notion de fuseaux horaires standardisés, laquelle est aujourd'hui utilisée dans le monde.

Plus loin vers le sud se trouve Sambro, un village de pêcheurs d'où il est possible de prendre un bateau pour l'île Sambro, où se dresse le **Sambro Lighthouse**. Il s'agit du plus vieux phare encore en fonction en Amérique du Nord. Sa construction remonte aux années 1758-1760.

Dartmouth

Du quai donnant sur les Historic Properties, à Halifax, on peut prendre un **traversier** *(adulte environ 1 $)* pour Dartmouth, sur l'autre rive, offrant un excellent point de vue sur le port et sur McNabs Island. La ville de Dartmouth est pourvue d'un joli bord de l'eau, de splendides résidences, de plusieurs commerces et restaurants, et de quelques attraits touristiques, dont **The Historic Quaker House ★** *(entrée libre; début juin à début sept; 57-59 Ochterlaney Street, ☎464-2300)*. Cette maison est la seule qui reste des 22 maisons semblables construites à partir de 1785 par des baleiniers quakers originaires de la Nouvelle-Angleterre et venus s'installer à Dartmouth. Des guides en costume d'époque expliquent aux visiteurs le mode de vie des quakers.

Springhill

Springhill a été fondée en 1790 par des colons loyalistes venus y vivre de l'agriculture. Mais l'endroit ne s'est finalement développé qu'à partir de 1871, alors que fut mise en exploitation la mine de charbon de la Springhill Mining Company. Pendant près d'un siècle par la suite, Springhill a été l'un des grands lieux d'extraction de minerai de charbon en Nouvelle-Écosse. Ce travail pénible et dangereux ne s'est pas fait sans accidents et pertes de vie. En 1891, 125 hommes et garçons sont morts lors d'un accident dans une galerie, puis deux catastrophes survenues en 1956 et en 1958 entraînèrent respectivement la mort de 39 et de 75 hommes. À partir de ce moment, quelques mines sont restées en activité, mais l'extraction de minerai de charbon à grande échelle cessa à Springhill. Comble de malchance, la ville a également vécu deux incendies très dévastateurs dans son histoire, en 1957 et en 1975.

Pour tout savoir sur la chanteuse populaire Anne Murray, originaire de Springhill, rendez-vous au **Anne Murray Centre** *(5,50 $; mi-mai à début oct 9h à 17h; Main Street, ☎597-8614)*. Les fans d'Anne Murray y apprécient l'exhaustivité de la collection d'objets ayant appartenu à la chanteuse ou rappelant les moments forts de sa carrière et de sa vie, la présentation faisant souvent appel à l'audiovisuel. Très peu de détails ont été négligés, l'exposition débutant par un arbre généalogique qui retrace les origines familiales de Murray, il y a plus de deux siècles.

Le **Springhill Miners' Museum ★★** *(4,50 $; mi-mai à début oct 9h à 17h; sur la route 2, prendre Black River Road, ☎597-3449)* offre une excellente occasion de découvrir ce que furent le travail et la vie des mineurs de Springhill. La visite commence par un arrêt au musée, où l'on explique l'évolution des techniques d'extraction du charbon et l'histoire maintes fois dramatique de l'industrie minière de Springhill. Les visiteurs sont par la suite invités à descendre dans une ancienne galerie.

Parrsboro

En bordure du Minas Basin, à l'extrémité est de la baie de Fundy, Parrsboro est une petite communauté qui possède quelques jolis bâtiments datant du siècle dernier. Les paysages marins de sa région, souvent dramatiques, sont façonnés par les marées et cachent des trésors pour les géologues. C'est donc naturellement ici qu'a été construit le **Fundy Geological Museum ★** *(3 $; début juin à mi-oct, tlj 9h30 à 17h30; Two Island Road, tout près du centre de Parrsboro, ☎254-3814)*, un musée provincial consacré à l'histoire géologique de la Nouvelle-Écosse et d'ailleurs. Les expositions présentant divers types de fossiles, de roches et de pierres sont intéressantes et bien animées, démontrant un souci de la vulgarisation. En outre, un vidéo à l'attention des enfants explique de façon amusante la géologie.

Windsor

Au confluent des rivières Avon et Sainte-Croix, le site où s'élève aujourd'hui Windsor fut d'abord longtemps fréquenté par les Indiens micmacs (Mi'gmaq), qui le désignaient sous le nom de Pisiquid, signifiant «lieu de rencontre». Les Acadiens s'y sont installés à partir de 1685, pratiquant l'agriculture grâce à un système de digues qui leur permettait de protéger leurs terres. La présence britannique n'est venue qu'en 1750, lorsque Charles Lawrence y fit ériger le fort Edward. Cette région de l'Acadie était déjà possession britannique depuis 1713 à la suite du traité d'Utrecht. En construisant ce fort, Lawrence désirait toutefois affermir la domination britannique sur ce territoire et se protéger des Acadiens. En 1755, alors que commençait la déportation des Acadiens, au fort Edward ont été rassemblés environ 1 000 Acadiens de la région avant qu'on les déporte. Au cours du XIXe siècle, Windsor a été un important centre de construction de navires et d'exportation de bois et de gypse. Malgré d'importants incendies en 1897 et en 1924, Windsor a su préserver de belles résidences. Elle constitue le point de départ de la «route d'Évangéline».

Le **lieu historique national Fort Edward** ★ *(entrée libre; début juin à début sept, 10h à 18h; au centre de Windsor, ☎542-3631)* ne comprend qu'un blockhaus, la plus ancienne fortification du genre au Canada. C'est là le seul vestige du fort Edward, construit en 1750. Un centre d'interprétation offre des explications sur l'histoire du fort. De ce site, la vue sur la rivière Avon est très belle.

Construite en 1835, la **Haliburton House** ★ *(entrée libre; début juin à mi-oct lun-sam 9h30 à 17h30 dim 13h à 17h30; 414 Clifton Avenue, ☎798-2915)*, connue également sous le nom de **Clifton House**, fut la résidence de Thomas Chandler Haliburton (1796-1865), juge, politicien, homme d'affaires, humoriste et auteur à succès. La maison de bois, d'apparence toute simple, est pourvue de magnifiques meubles victoriens d'époque. Elle est située sur un grand terrain joliment paysagé de 10 ha. Haliburton s'est fait connaître au Canada et ailleurs en tant qu'auteur grâce à un personnage de roman qu'il a créé, soit Sam Slick, un marchand américain venu vendre des horloges en Nouvelle-Écosse.

Chapelle de Grand Pré

Haliburton, à travers le savoureux personnage de Sam Slick, critiquait vivement, et avec humour, le manque d'esprit d'entreprise des Néo-Écossais. Du nombre des expressions que Haliburton faisait dire à son personnage, plusieurs sont aujourd'hui devenues d'usage courant, en anglais comme en français, comme par exemple : *«La vérité dépasse la fiction.»*

Bel exemple de l'architecture de l'époque victorienne, la **Shand House** *(entrée libre; début juin à mi-oct, lun-sam 9h30 à 17h30 dim 13h à 17h30; 389 Avon Street, ☎798-8213)* a été construite en 1890-1891. Les meubles qu'on peut maintenant y voir appartenaient à la famille de Clifford Shand, premier propriétaire de la maison.

Grand Pré

Le **lieu historique national Grand-Pré** ★★ *(2,50$; site en tout temps, église mi-mai à mi-oct 9h à 18h; route 1 ou route 101, sortie 10, ☎542-3631)* commémore le triste événement de la déportation des Acadiens. On y visite l'église Saint-Charles, une réplique de l'ancienne église acadienne qui occupait ce lieu avant la Déportation, et qui abrite un musée. Œuvres particulièrement émouvantes de Robert Picard, six grandes toiles évoquant la vie des colons acadiens et la Déportation sont suspendues aux murs. Les vitraux, conçus par l'artiste d'Halifax T. E. Smith-Lamothe, représentent la déportation des Acadiens à Grand Pré.

Au parterre, on peut voir le buste de Henry Longfellow et une statue d'Évangeline. L'auteur américain Henry Longfellow écrit en 1847 un long poème intitulé *Évangéline*, qui raconte l'histoire de deux amoureux séparés par la Déportation. Le site comprend également une forge ainsi qu'un écriteau expliquant le principe des digues et des aboiteaux élaboré par les Acadiens avant le «Grand Dérangement».

Wolfville

Wolfville est une mignonne petite ville universitaire aux belles rues bordées de grands ormes, derrière lesquels se cachent de somptueuses résidences victoriennes. La ville compte environ 3 500 résidants, alors que l'**Acadia University**, fondée en 1838, accueille environ 4 000 étudiants par année. L'atmosphère victorienne et la beauté de la ville, ses excellents cafés et restaurants, ainsi que ses magnifiques auberges, en font un lieu tout désigné pour séjourner lors d'une visite de la région. Wolfville a été fondée en 1760, quelques années après la déportation des Acadiens, par des Planters de la Nouvelle-Angleterre attirés par la disponibilité d'excellentes terres agricoles. Le lieu fut d'abord connu sous les noms de «Upper Horton» et «Mud Creek» avant d'être désigné Wolfville en 1830 en l'honneur du juge local Eilsha DeWolf. Le long du petit port naturel, on peut contempler, deux fois par jour, l'effet des hautes marées de la baie de Fundy. À proximité, on peut voir des aboiteaux construits par les Acadiens au XVIIe siècle. On ne doit pas manquer l'occasion d'aller s'y promener; aujourd'hui, d'intéressants sentiers pédestres les chevauchent sur plusieurs kilomètres.

Profitez de l'occasion d'une visite du joli campus universitaire pour faire un arrêt à l'**Acadia University Art Gallery** *(entrée libre; juin à août 12h à 17h, sept-mai lun-ven 11h à 17h sam-dim 13h à 16h; Beveridge Art Centre, à l'angle de Main Street et de Highland Avenue, ☎585-1373)*, où sont souvent présentées d'intéressantes expositions d'œuvres contemporaines et de différentes époques.

Le **Randall House Historical Museum** *(entrée libre; mi-juin à mi-sept lun-sam10h à 17h dim 14h à 17h; 171 Main Street, ☎684-3876)* expose des objets, des meubles, des peintures et des photographies de la région de 1760 à nos jours.

La route vers Cape Split

Après avoir traversé de magnifiques paysages vallonnés et de petits villages pittoresques, arrêtez-vous au **Lookoff** ★ *(route 358)*, un belvédère offrant une vue exceptionnelle sur le Minas Basin et sur la vallée d'Annapolis. Rendez-vous à l'extrémité de la route 358. De là, un sentier de 13 km aller-retour mène aux pointes rocheuses de **Cape Split** ★★.

Port-Royal

En 1604, une année après avoir obtenu du roi de France le monopole de la traite des fourrures en Acadie, Pierre du Gua, sieur de Monts, accompagné de Samuel de Champlain et de 80 hommes lance une première tentative de colonisation européenne de l'Amérique au nord de la Floride. Après un hiver difficile sur l'île Sainte-Croix au printemps 1605, de Monts et ses hommes s'installent à l'embouchure d'un cours d'eau qu'on dénomme aujourd'hui la rivière Annapolis, y fondant Port-Royal. De 1605 à 1613, l'établissement de Port-Royal occupait le site actuel du lieu historique national de Port-Royal. Après l'abandon des tentatives de colonisation dans cette région, la capitale de l'Acadie fut transférée pendant quelques années à LaHave, sur la côte Atlantique, puis sur le site actuel d'Annapolis Royal.

Le **lieu historique national Port-Royal** ★★ *(2 $; mi-mai à mi-oct, 9h à 18h; sur la route 1, prendre l'embranchement vers Granville Ferry, ☎532-2898)* est une reconstitution fort bien faite de la petite fortification de bois, dénommée Abitation, telle qu'on pouvait la retrouver en 1605. C'est dans ces lieux que furent établies des relations cordiales et fructueuses entre les Français et les Micmacs. Ce site accueillit également la première représentation du théâtre de Neptune, et l'on y a fondé le premier club social en Amérique du Nord : L'ordre du bon temps. Aujourd'hui, on peut s'y rendre pour revoir l'ensemble des installations qui permettaient aux Français de survivre en Amérique. Des animateurs en costume d'époque nous font revivre ces années d'antan. L'un des guides est d'origine micmaque et peut expliquer la nature des rapports existant entre les Français et les Micmacs, qui furent alliés en tout temps. Les Acadiens peuvent demander à ce qu'on leur montre une carte de la région indiquant où résidait chacune des familles acadiennes vers le milieu du XVIIe siècle.

L'**Annapolis Tidal Project** *(entrée libre; Upper St. Georges St., ☎532-7018)* est un projet expérimental où l'on explique l'utilisation des fortes marées de la baie de Fundy pour produire de l'hydroélectricité. Il comprend également un bureau de renseignements touristiques.

Annapolis Royal

C'est ici, en 1635, que la capitale de l'Acadie, Port-Royal, fut installée. Son avantageuse situation géographique lui permettait d'avoir un contrôle sur la circulation maritime. La ville changea de nom en 1710, lorsque les Britanniques s'emparèrent du site et la baptisèrent «Annapolis Royal» en l'honneur de la reine Anne.

Jusqu'à la fondation d'Halifax, en 1749, Annapolis Royal fut la capitale de la colonie britannique de la Nouvelle-Écosse. Aujourd'hui, Annapolis Royal se présente comme un village paisible à l'architecture riche; on y trouve des résidences datant du début du XVIIIe siècle. Une visite de ses rues est un véritable plaisir. On peut y loger dans de belles résidences.

Le **lieu historique national Fort-Anne ★★** *(2,75$; mi-mai à mi-oct 9h à 18h, le reste de l'année fermeture à 17h; St. George Street, ☎532-2397)* comprend l'ancien fort Anne, au centre duquel trône l'ancien quartier des officiers, converti en musée historique. L'exposition s'attarde à présenter tous les volets de l'histoire de ce fort qui fut d'abord français puis britannique. Les aires verdoyantes, d'où l'on a une très belle vue sur les environs, sont propices à d'agréables promenades.

Il ne faut surtout pas manquer l'occasion d'aller se balader aux **Annapolis Royal Historic Gardens ★★** *(5$; fin mai à mi-oct, 8h à la tombée de la nuit; ☎532-7018)*, des jardins aménagés avec grand soin d'après les traditions horticoles britanniques et acadiennes.

Digby

Mignonne bourgade au pittoresque port de pêche, Digby est située aux abords du bassin d'Annapolis et du détroit de Digby, qui débouche sur la baie de Fundy. Elle est connue pour sa flotte de pêche au pétoncle, la plus importante du genre au monde. Son port est donc un lieu toujours bien animé où l'on peut s'attarder longtemps, fasciné par le va-et-vient des bateaux. De Digby, on peut se rendre à Saint-John, au Nouveau-Brunswick, grâce au traversier *MV Princess of Acadia.*

Fort Anne

Long Island et Brier Island

Véritables havres de paix, Long Island et Brier Island attirent chaque année des milliers de visiteurs, curieux d'apercevoir au large des mammifères marins, notamment des baleines qui viennent se nourrir dans la baie de Fundy pendant la saison estivale. De Westport (Brier Island) et de Tiverton (Long Island) partent, chaque jour d'été, des croisières d'observation de baleines. À Brier Island, plusieurs sentiers pédestres permettent d'agréables balades le long de ses côtes rocheuses et offrent de très beaux points de vue sur la baie.

Pointe-de-l'Église

En continuant sur la côte, vous croiserez un autre petit village acadien, Pointe-de-l'Église (Church Point), dont l'**église Sainte-Marie** ★ est splendide. Construite entre 1903 et 1905, elle est la plus grande et la plus haute église de bois en Amérique du Nord. Son intérieur est très harmonieux. Tout juste à côté s'élève l'**Université Sainte-Anne**, seule université de langue française en Nouvelle-Écosse; elle joue un rôle culturel majeur pour la communauté acadienne de la province. L'université abrite un musée où sont exposés des objets sur l'histoire des Acadiens de la région. Une visite de Pointe-de-l'Église et de sa région ne serait pas complète sans d'abord prendre le temps de manger un pâté de râpure, une recette locale. On peut notamment retrouver ce plat au casse-croûte de l'université.

Yarmouth

Fondée en 1761 par des colons du Massachusetts, Yarmouth a toujours gravité autour de l'intense activité de son port de mer, le plus important de l'ouest de la Nouvelle-Écosse. Comme il s'agit aujourd'hui d'un important port d'entrée pour les visiteurs en provenance des États-Unis, Yarmouth dispose d'un large choix d'établissements hôteliers et de restaurants ainsi que d'un excellent **bureau de renseignements touristiques** *(288 Main Street)*. Deux traversiers relient Yarmouth à l'État du Maine (É.-U.) : le *Bluenose* *(☎800-341-7981)* fait la navette tout au long de l'année entre Yarmouth et Bar Harbour (Maine), alors que le *MS Scotia Prince* *(☎800-341-7540)* relie Yarmouth à Portland (Maine) entre le mois de mai et le mois d'octobre.

Une bonne façon de découvrir l'histoire maritime et le patrimoine de la ville est de se rendre au **Yarmouth Country Museum** ★ *(2,50 $; 22 Collins St., ☎742-5539)*, un petit musée régional situé dans une ancienne église presbytérienne, et qui étonne par la richesse de sa collection. On y trouve une foule d'objets pêle-mêle, entre autres des répliques miniatures de navires, des meubles, de vieilles peintures, de la vaisselle, etc. La pièce maîtresse du musée est cependant l'ancienne lampe octogonale du phare de Cape Fourchu.

Un autre musée étonnant, celui-là consacré aux véhicules de pompiers, le **Firefighters Museum** ★ *(2 $; juin, sept à mi-oct lun-sam 9h à 17h juil-août lun-sam 9h à 21h dim 10h à 17h, mi-oct à juin lun-ven 9h à 16h sam 13h à 16h; 451 Main Street, ☎742-5525)* présente, sur deux étages, une collection d'une vingtaine de voitures de pompiers. La plus ancienne, qui était tirée par des hommes, date du début du XIXe siècle.

Sans doute moins spectaculaire que Peggy's Cove, mais certainement beaucoup plus paisible, le phare de **Cape Fourchu** ★ *(tournez à gauche après l'hôpital, et continuez sur une quinzaine de kilomètres)*, érigé en 1839, occupe un promontoire rocheux. Si vous arrivez au bon moment, vous pourrez voir l'impressionnante flotte de pêche de Yartmouth passer tout près.

Shelburne

Shelburne a été fondée en 1783, l'année de la fin de la guerre d'Indépendance américaine, dès l'arrivée d'une trentaines de navires ayant à bord des milliers de loyalistes. L'année suivante, elle comptait déjà plus de 10 000 personnes, formant une des communautés les plus populeuses d'Amérique du Nord. Aujourd'hui, Shelburne est un paisible village dont la rue qui borde son port naturel, **Dock Street** ★, est flanquée de beaux bâtiments anciens constituant un ensemble harmonieux.

Ce quartier historique de Shelburne comprend, entre autres, la **Ross-Thomson House** ★ *(2$; début juin à mi-oct tlj 9h 30 à 17h 30; 9 Charlotte Line, ☎875-3141)*, une maison abritant un magasin général de la fin du XIXe siècle. On peut y voir un ameublement typique de ce genre de commerce en 1820.

Lorsqu'ils pillaient les villages ou s'attaquaient aux navires ennemis, une partie du butin devait être remise à leur protecteur.

Ross-Thompson House

Dans le même secteur, on peut s'arrêter au **Dory Shop** ★*(2$; mi-juin à sept tlj 9h 30 à 17h 30; Dock Street, ☎875-3219)*, un atelier où étaient construites des embarcations de pêche au siècle dernier.

Également d'un intérêt particulier, le **Shelburne County Museum** *(2$; mi-mai à mi-oct tlj 9h30 à 17h30; Dock Street, ☎875-3219)* présente une collection évoquant, entre autres choses, l'arrivée des loyalistes et l'histoire de la construction de navires dans les environs. Un laisser-passer à 4$ permet de visiter les 3 musées.

Liverpool

Le port de Liverpool était, à la fin du XVIIIe siècle et au début du siècle suivant, un lieu très fréquenté par les corsaires à la solde de la Grande-Bretagne. Les corsaires étaient différents des pirates, parce qu'ils travaillaient pour le compte d'un gouvernement, ce qui leur donnait, en quelque sorte, un statut officiel et une protection.

La **maison Perkins** *(juin à mi-oct lun-sam 9h30 à 17h30 dim 13h à 17h30; 105 Main Street, ☎354-4058)* fut la maison de l'écrivain Simeon Perkins, dont le journal décrivant la vie de la colonie entre 1766 et 1812 le rendit célèbre. La maison Perkins, que l'on peut visiter, est de style Connecticut et a été construite en 1876.

Lunenburg

Lunenburg est certainement l'un des ports de pêche les plus pittoresques des provinces maritimes. Fondé en 1753, ce deuxième établissement britannique de la Nouvelle-Écosse, après Halifax, comptait une population surtout composée de «protestants étrangers» originaires d'Allemagne, du Montbeliard et de Suisse. L'allemand était d'ailleurs d'usage courant à Lunenburg jusqu'à la fin du XIXe siècle, et l'on a préservé certaines traditions culinaires jusqu'à aujourd'hui. Le village occupe un magnifique site sur les flancs escarpés d'une péninsule bordée par un port naturel des deux côtés. Plusieurs de ses maisons et bâtiments colorés datent de la fin du XVIIIe siècle et du XIXe siècle. En fait, en raison de son architecture, Lunenburg a des airs qui rappellent quelque peu le vieux continent. Lunenburg a d'ailleurs été désigné «Site du patrimoine mondial de L'UNESCO» en raison justement de son architecture. Port de pêche très actif, Lunenburg a également une longue tradition de construction navale. C'est ici que fut construit, en 1921, le célèbre *Bluenose*, une goélette remarquable n'ayant jamais subi la défaite lors de compétitions de vitesse, et ce, pendant 18 ans. En été, Lunenburg est fort agréable à visiter. Ses rues sont bordées de multiples commerces et boutiques proposant des produits de qualité. Ses galeries d'art sont particulièrement intéressantes. Le village s'anime de plus d'une foule d'activités, dont les **Nova Scotia Fisheries Exhibition and Fisherman Reunion**, une fête et une exposition célébrant le monde de la pêche qui ont lieu depuis 1916 chaque année à la fin du mois d'août.

Le **Fisheries Museum of the Atlantic** ★★ *(7 $; tlj mi-mai à mi-oct 9h30 à 17h30, mi-oct à mi-mai lun-ven 8h30 à 16h30; bord de l'eau, ☎634-4794)*, aménagé dans une ancienne usine de transformation du poisson, commémore l'héritage des pêcheurs des provinces atlantiques. Le monde de la pêche y est présenté avec exhaustivité sur trois étages comprenant un aquarium, une exposition sur les 400 ans d'histoire de la pêche dans les Grands Bancs de Terre-

Neuve, un atelier où l'on peut voir un artisan construire une barque de pêche, une exposition consacrée à la pêche à la baleine, une exposition sur l'histoire du *Bluenose*, etc. Trois navires sont amarrés au quai derrière le bâtiment du musée, dont la goélette *Theresa E. Connor*, construite en 1938 à Lunenburg, et qui a pêché dans les bancs pendant un quart de siècle. Allouez un minimum de trois heures pour une visite complète du musée.

À proximité de Lunenburg, ne ratez pas l'occasion de vous rendre jusqu'au petit hameau de pêcheurs de **Blue Rock ★**. Paisible et très pittoresque, ce cap rocheux, avec ses quelques maisons, domine l'océan.

Mahone Bay

On reconnaît aisément Mahone Bay à ses trois églises, chacune plus que centenaire, construites l'une à côté de l'autre, et faisant face à la baie.

Des «protestants étrangers», à l'instar de Lunenburg (voir ci-dessus), en ont été les premiers colons en 1754. Comme quelques autres communautés de la côte Atlantique, son port servit de refuge aux corsaires. Ceux-ci pillèrent jusqu'en 1812 les navires et les villages ennemis rétribuant au passage les autorités britanniques pour s'assurer leur protection. Plus tard, jusqu'à la fin du XIXe siècle, Mahone Bay a connu une période de grande prospérité grâce à la pêche et à la construction navale. Les belles grandes maisons anciennes qui bordent les rues du village témoignent aujourd'hui de cette période faste. Mahone Bay est dotée de plusieurs auberges ou *bed and breakfasts* de qualité et d'un joli port de plaisance. On peut également y visiter le **Settlers Museum** *(entrée libre; mi-mai à début sept mar-sam 10h à 17h dim 13h à 17h; 578 Main Street, ☎624-6263)*, aménagé dans une maison de 1850, et qui présente une collection de meubles anciens, de vaisselle et d'autres vieux objets de la région.

Chester

Chester a été fondée dans les années 1760 par des familles provenant de la Nouvelle-Angleterre. Depuis le début du siècle dernier, lorsque fut construit le premier hôtel, Chester est un centre de villégiature très populaire. Plusieurs résidants fortunés d'Halifax y possèdent une maison secondaire, et le village est pourvu de plusieurs hôtels et restaurants de qualité, d'un golf de 18 trous, de trois ports de plaisance, de boutiques d'artisanat et d'une salle de spectacle, le **Chester Playhouse** *(22 Pleasant St.)*. Perchée sur un promontoire dominant la baie Monroe, Chester a fière allure avec ses belles résidences et ses arbres magnifiques.

En prenant la route 12 à partir de Chester, on parvient au **Ross Farm living Museum of Agriculture ★** *(5$; début juin à mi-oct tlj 9h30 à 17h30; New Ross, ☎689-2210)*, une ferme de 23 ha.

Mahone Bay

Ici, cing générations de la famille Ross se sont succédé à partir de 1816. Des guides en costume d'époque animent ce site comprenant une dizaine de bâtiments représentatifs des grandes fermes du XIXe siècle.

Peggy's Cove

L'aspect pittoresque de Peggy's Cove, ce minuscule village côtier, a charmé bien des peintres et des photographes. Son petit port protégé des eaux tumultueuses est bordé de hangars construits sur pilotis. Plus loin, on peut se promener sur des blocs de granit où s'élève le célèbre phare de Peggy's Cove, qui, en été, abrite un bureau de poste. En marchant sur ces blocs de granit, soyez prudent, surtout lorsque l'océan est déchaîné. Malgré l'afflux de touristes, Peggy's Cove a conservé un cachet bien particulier. À la sortie de Peggy's Cove, arrêtez-vous au **William F. deGarthe Memorial Provincial Park ★**, où une sculpture représentant 32 pêcheurs, leur épouse et leurs enfants se trouve dans une paroi de 30 m de long.

Peggy's Cove

William F. deGarthe, qui a consacré cinq ans à concevoir cette sculpture, était fasciné par la beauté de Peggy's Cove, où il résida de 1955 jusqu'à sa mort en 1983, et par la vie et le courage des pêcheurs qui l'habitent.

L'île du Cap-Breton

Hormis ses sites historiques, l'île du Cap-Breton attire chaque année des visiteurs amoureux de la nature venus y profiter d'espaces sauvages exceptionnels, tel le vaste parc national des Hautes Terres du Cap-Breton, où l'on peut bénéficier de sentiers de randonnée et de magnifiques points de vue. Pour pleinement jouir des beautés de cette île, il faut envisager de suivre la Cabot Trail, qui en fait le tour : une route escarpée, bordée d'une dense forêt et ponctuée de coquets villages. Une visite en Nouvelle-Écosse ne saurait être complète sans un arrêt à l'île du Cap-Breton.

Port Hastings

Le petit village de Port Hastings est en quelque sorte la porte d'entrée de l'île du Cap-Breton. Sans grand charme, il est cependant une intersection importante pour le voyageur, car c'est à partir de ce village que vous devrez choisir la route se rendant soit à Baddeck ou à Sydney. Vous y trouverez une foule de services et installations utiles, notamment des restaurants, des stations-service et, surtout, un bureau de renseignements touristiques.

Isle Madame

Cette presqu'île de 42,5 km² est paisible à souhait et comporte d'agréables aires de pique-nique. L'Isle Madame fut colonisée par des Acadiens et, encore aujourd'hui, on y retrouve une présence de ces francophones.

St. Peters

St. Peters est située sur l'étroite bande de terre séparant l'océan Atlantique du lac Bras d'Or. C'est en 1630 qu'une colonie s'installa sur l'actuel site et y créa un fort dénommé «fort Saint-Pierre». Une vingtaine d'années plus tard, Nicolas Denys prit possession du fort et y développa un poste de traite et de pêche. Vous pourrez en connaître plus sur ce pionnier français en visitant le **Musée Nicolas Denys** *(0,50$; juin à sept, tlj 9h à 17h; 46 St. Denys St.).*

Ce poste de traite se développa peu à peu et connut un essor marquant, quand, il y a plus de 140 ans, on décida d'y creuser un canal afin de permettre un accès à la navigation entre le lac Bras d'Or et l'océan. Chaque année, le canal accueille de nombreuses embarcations que l'on peut observer en se rendant au parc aménagé de part et d'autre du canal. Une exposition extérieure explique le fonctionnement de l'écluse.

★

Le lac Bras d'Or

Le lac Bras d'Or est une mer intérieure dont les berges s'allongent sur 960 km. Il s'étire ainsi sur une bonne partie de l'île, qu'il divise en deux parties : les Basses Terres et les Hautes Terres du Cap-Breton. Vaste étendue d'eau salée, le lac attire bon nombre d'espèces animales, notamment le magnifique aigle à tête blanche, que l'on peut observer à l'occasion. De plus, le lac et ses nombreux bras (Channel St. Andrews, Channel St. Patrick) sont riches en poissons, dont la truite et le saumon, pour le plaisir des amateurs de pêche.

Très tôt, les berges de ce lac poissonneux attirèrent les peuplades autochtones, et les tribus micmaques y élurent domicile. Ces tribus possèdent encore des territoires près de ce lac, quatre réserves y ayant été créées : les réserves de Whycocomagh, d'Eskasoni, de Wagmatcook et de Chapel Island. Outre les réserves autochtones, on dénombre plusieurs villages au bord de ce lac. Il est possible de faire le tour du lac en empruntant la **Bras d'Or Scenic Drive** ★ *(suivez les panneaux identifiés par un aigle à tête blanche).*

Sydney

Avec ses 25 000 habitants, Sydney constitue la plus grande ville de la région. J.F.W. DesBarres, un loyaliste venant des États-Unis, fonde la ville en 1785. Quelques années plus tard, des immigrants écossais viennent à leur tour s'y établir. Sydney connaît cependant son développement majeur au début du siècle, alors que des entreprises extrayant le charbon s'y implantent. L'industrie minière est d'ailleurs toujours la principale de Sydney. Sydney dispose de tous les services pour accommoder le visiteur, et elle est une ville adéquate pour se reposer avant d'entreprendre la visite de Louisbourg. Sydney a cependant peu de charme.

La **maison Cossit** *(entrée libre; juin à mi-oct, 9h30 à 17h30; 75 Charlotte Street, ☎539-7973)* serait la plus ancienne de la ville. Maintenant restaurée et décorée de meubles d'époque, elle présente l'aspect qu'elle avait jadis. Des guides en costume d'époque vous font visiter le site et répondent à vos questions.

Non loin de là, toujours sur la rue Charlotte, vous pourrez visiter la **Jost House** *(entrée libre; juil et août lun-sam 9h30 à 17h30 sept-oct lun-sam 19h à 16h; 54 Charlotte Street, ☎539-0366)*, qui fut la demeure d'un riche marchand.

Louisbourg

Si vous désirez en connaître plus sur l'histoire de Sydney, rendez-vous au **St. Patrick's Church Museum** *(87 Esplanade)*. Construite en 1828, cette église catholique est la plus ancienne du Cap-Breton. On y présente une exposition relatant le passé de la ville.

Louisbourg

La ville de Louisbourg attire les visiteurs en raison de la forteresse de Louisbourg, construite non loin, et qui constitue l'attrait majeur de la région. La ville renferme des commerces destinés aux touristes, hôtels, motels et restaurants composant l'essentiel des établissements. En fait, il faut compter une bonne journée pour visiter la forteresse, mais la ville n'offre que de peu d'intérêt.

Le **Lieu historique national Forteresse-de-Louisbourg** ★★★ *(11$, enfant 5,50$; juin et sept 9h30 à 17h, juil et août 9h à 19h; ☎733-2280).*

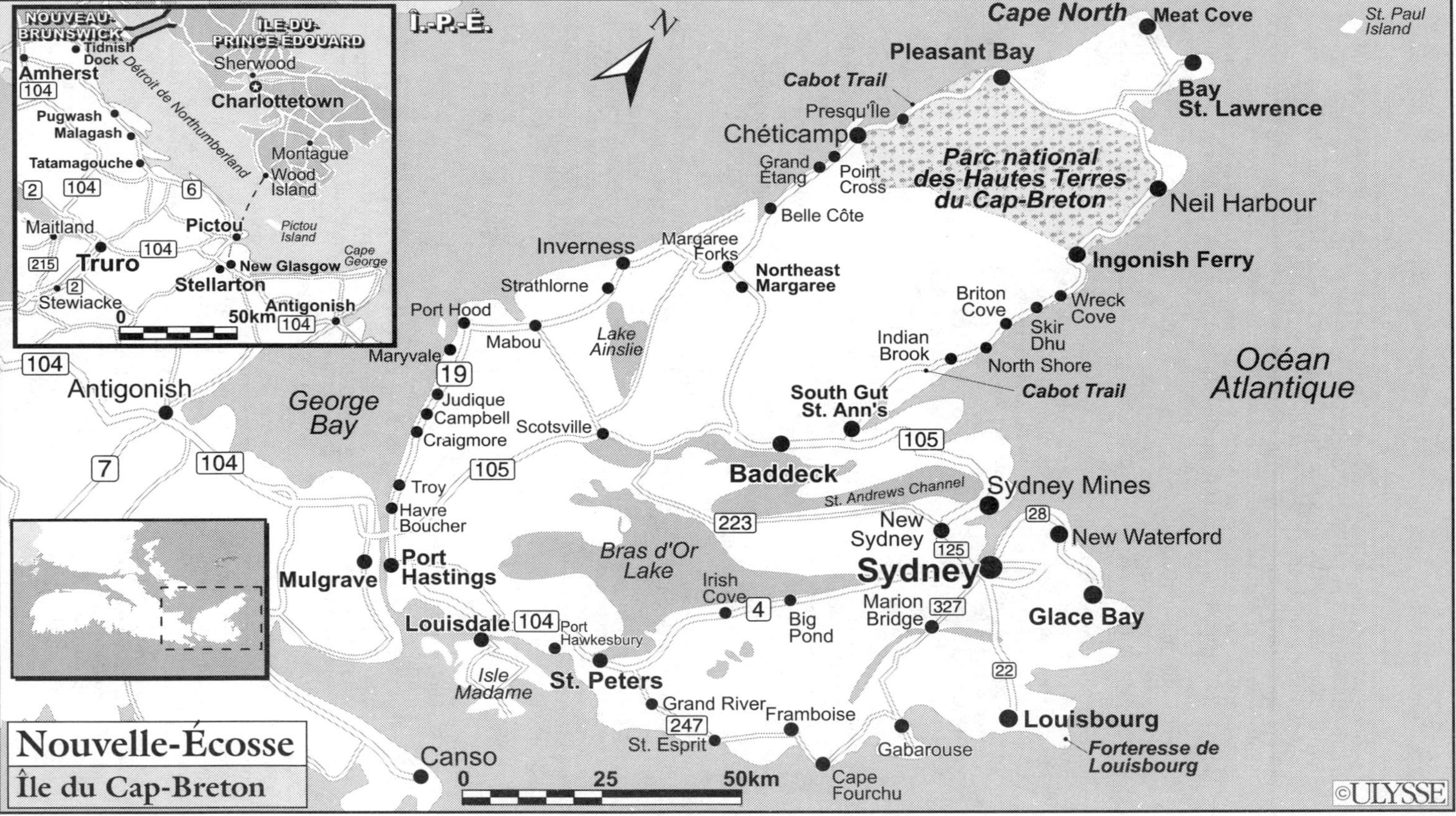
Nouvelle-Écosse
Île du Cap-Breton
Cape North
Meat Cove
St. Paul Island
Pleasant Bay
Bay St. Lawrence
Cabot Trail
Presqu'île
Chéticamp
Grand Étang
Point Cross
Parc national des Hautes Terres du Cap-Breton
Neil Harbour
Belle Côte
Inverness
Margaree Forks
Northeast Margaree
Ingonish Ferry
Strathlorne
Briton Cove
Wreck Cove
Skir Dhu
Indian Brook
North Shore
Cabot Trail
Océan Atlantique
Port Hood
Mabou
Lake Ainslie
Maryvale
Judique
Campbell
Craigmore
Scotsville
South Gut St. Ann's
Baddeck
Antigonish
George Bay
Troy
Havre Boucher
Sydney Mines
St. Andrews Channel
New Sydney
New Waterford
Sydney
Mulgrave
Port Hastings
Bras d'Or Lake
Irish Cove
Big Pond
Marion Bridge
Glace Bay
Louisdale
Port Hawkesbury
Isle Madame
St. Peters
Grand River
Framboise
St. Esprit
Gabarouse
Cape Fourchu
Louisbourg
Forteresse de Louisbourg
Canso
0
25
50km
104
7
19
105
223
125
28
4
327
22
247
Î.-P.-É.
N
NOUVEAU-BRUNSWICK
ÎLE-DU-PRINCE-ÉDOUARD
Tidnish Dock
Amherst
Détroit de Northumberland
Sherwood
Charlottetown
Pugwash
Malagash
Tatamagouche
Montague
Wood Island
2
6
Maitland
Pictou
Pictou Island
Truro
215
New Glasgow
Cape George
Stellarton
Stewiacke
Antigonish
©ULYSSE

La forteresse de Louisbourg fut construite au bord de l'eau, en un point clé d'où l'on voyait venir les éventuels bateaux ennemis et d'où l'on contrait leurs attaques. Ainsi construite à l'extérieur de la ville actuelle, la forteresse bénéficie aujourd'hui d'un site de choix, loin de tout développement moderne, ce qui permet de mieux recréer l'atmosphère qu'on retrouvait en 1744 dans la jeune colonie française. D'ailleurs, les voitures ne sont pas admises près de la forteresse; tout le monde se rend au site en autobus.

Au cours du XVIIIe siècle, la France et l'Angleterre se disputent les terres d'Amérique. C'est pendant ces turbulentes années, en 1719, quelques années après avoir perdu l'Acadie, devenue la Nouvelle-Écosse, que les autorités françaises décident de construire une ville fortifiée sur l'île Royale; la forteresse de Louisbourg commence alors à prendre forme. La construction de la forteresse présente de grands défis, car il s'agit du système de fortifications le plus complexe en Nouvelle-France.

En plus d'avoir une vocation militaire, Louisbourg est un port de pêche et une ville commerçante, si bien que très tôt elle compte pas moins de 2 000 habitants. Tout est conçu pour permettre aux colons et aux soldats de bien s'acclimater à leur nouvel environnement; casernes, maisons, quartiers de la garnison y sont aménagés. Mais les conditions de vie y sont dures, et les colons ont parfois de la difficulté à s'y adapter. La colonie et son commerce sont florissants malgré tout.

La présence française sur l'île Royale irrite toutefois les colonies anglaises postées plus au sud. En 1744, alors que la guerre est déclarée en Europe entre la France et l'Angleterre, la garnison de Louisbourg en profite pour attaquer les villages anglais des alentours et s'empare ainsi d'un avant-poste anglais. La situation dérange à tel point les Anglais postés en Nouvelle-Angleterre qu'en 1745 William Shirley, gouverneur du Massachusetts, décide d'envoyer ses troupes attaquer cet irritant bastion français. C'est ainsi que 4 000 soldats des troupes de la Nouvelle-Angleterre s'approchent de Louisbourg et tentent de s'attaquer à la forteresse, réputée imprenable. Cependant, les troupes françaises, sous-équipées et mal organisées, ne peuvent contrer une telle attaque, qu'ils ne croient pas possible. À la suite d'un siège de six semaines, les autorités de Louisbourg se rendent aux troupes britanniques.

Quelques années plus tard, en 1748, à la suite du traité de paix entre les deux puissances européennes, Louisbourg est rendue à la France. La vie reprend alors dans la forteresse, et, à peine une année plus tard, Louisbourg est aussi active qu'elle l'avait été. Cette seconde prospérité est cependant de courte durée, car en 1758 la forteresse est définitivement conquise par les troupes britanniques, mettant ainsi fin à la présence française dans la région.

À peine 10 ans après cette conquête, la forteresse est laissée à l'abandon, et il faudra attendre longtemps pour qu'elle soit reconstruite. Aujourd'hui, près du quart de la forteresse a été reconstituée, et, durant l'été, elle s'anime à nouveau d'une foule de figurants en costume d'époque. Ils recréent la vie que l'on retrouvait à Louisbourg : le boulanger, le pêcheur et sa famille, les soldats, etc. La reconstitution est fort bien faite, et l'on ne peut qu'être fasciné en se baladant dans les rues de cette cité française d'antan.

Glace Bay

Glace Bay est située au bord de l'Atlantique, dans une région riche en charbon, qui d'ailleurs constitue sa principale industrie. Son nom tire ses origines du français et réfère aux morceaux de glace flottant à la dérive, au large des côtes. Cette petite ville d'une vingtaine de milliers d'habitants compte deux attraits intéressants.

Guglielmo Marconi (1874-1937) s'est fait connaître pour avoir démontré qu'il était possible d'envoyer un message par télégraphie sans fil. À l'âge de 22 ans, il avait déjà élaboré un poste qui permettait d'envoyer un message par télégraphie sans fil sur une courte distance. En 1902, il parvint à envoyer le premier message outre-Atlantique de son poste émetteur installé à Table Head. Au **lieu historique national Marconi ★** *(entrée libre; juin à mi-sept, tlj10h à 18h, Timmerman St. ☎295-2069)*, vous pourrez prendre connaissance de ses découvertes et voir sa table de travail, de même que le poste radio d'où le premier message fut envoyé.

La région de Glace Bay possède une industrie minière qui s'est développée très tôt; déjà en

1720, les soldats français de Louisbourg venaient chercher le charbon à Port Morien. L'essor de cette industrie s'est cependant vraiment fait au début du XXe siècle, alors qu'on créa des mines, notamment à New Waterford. Aujourd'hui, il s'agit de la ville produisant le plus de charbon dans l'est du Canada.

Pour vous familiariser avec cette industrie, rendez-vous au **Miner's Museum** ★★ *(3,50$; début juin à début sept tlj 10h à 18h mar jusqu'à 19h, reste de l'année lun-ven 9h à 16h; 42 Birkley Street, ☎849-4522)*. On y propose des expositions présentant quelques méthodes et divers outils utilisés pour exploiter le charbon. On peut également visiter la reconstitution d'un village minier du début du siècle. Enfin, sans doute la partie la plus fascinante de ce musée : l'exploration d'une mine de charbon commentée par un guide.

★★ Baddeck

Baddeck se présente comme un village coquet où il fait bon prendre le temps de se balader ou de s'attabler sur une petite terrasse pour prendre une bouchée. Que vous décidiez d'y rester quelques jours en profitant des hôtels confortables et de l'agréable paix de ce site, ou d'y arrêter quelques heures avant d'entreprendre le circuit de la Cabot Trail, vous aurez tôt fait de constater que Baddeck est charmant à souhait et possède des attraits qui méritent le détour. On y trouve, entre autres, un site touristique passionnant : la résidence d'été de l'inventeur Alexander Graham Bell.

Au **lieu historique national Alexander-Graham-Bell** ★★ *(4,25$; juin 9h à 18h juil-août 8h30 à 19h30 sept à mi-oct 8h30 à 18h; à la sortie est du village, Chebucto Street, ☎295-2069)*, on présente toute une série d'inventions élaborées par Bell, de même que les instruments lui ayant servi lors de ses recherches. On y relate également la vie de Bell. Ainsi, vous apprendrez qu'ayant longtemps enseigné le langage par signes aux sourds-muets, il en vint à créer une oreille artificielle qui enregistrait les sons et, en poursuivant ses recherches en ce sens, il en vint à créer le téléphone.

★★★ Cabot Trail

La Cabot Trail est une route construite le long de falaises escarpées se jetant dans l'océan Atlantique, et le long de laquelle sont construits des hameaux pittoresques. En partant de Baddeck, vous suivrez une route qui longe la grève, avant de grimper progressivement sur le plateau qui occupe le nord de l'île. Le long de cette route, les points de vue sont nombreux et révèlent tous des panoramas magnifiques; prenez le temps de vous y arrêter pour contempler le tableau de cette nature sauvage où se côtoient une mer agitée, des collines escarpées et une forêt dense, peuplée d'une faune variée.

En partant de Baddeck, vous croiserez d'abord **South Gut St. Ann's**, une minuscule bourgade où se trouve le **Collège gaélique**, dont la vocation est la survie de la culture gaélique en Amérique du Nord. Des cours de langue gaélique, de cornemuse et de chant gaélique y sont également proposés.

La route longe la grève jusqu'à **Ingonish Ferry**, où vous commencerez à gravir le vaste plateau d'une hauteur de 366 m qui occupe le nord de l'île. Les paysages se révèlent alors de plus en plus spectaculaires. Non loin débute le magnifique **parc national des Hautes Terres du Cap-Breton** ★★★, où vous pourrez vous balader à travers la forêt en suivant l'un des nombreux sentiers de randonnée.

Vous arriverez d'abord au charmant village de pêcheurs qu'est **Bay St. Lawrence** ★. Construit au bord de l'eau, il est composé de maisonnettes de bois et d'un port très pittoresque d'où vous aurez le plaisir d'observer les cormorans planant au-dessus des flots. Puis, la route remonte le long des **falaises** ★★, serpentant jusqu'à **Meat Cove**, où vous pourrez pique-niquer tout en surplombant les flots et d'où vous aurez une **superbe vue** ★.

La route se prolonge vers l'ouest, et, depuis Cape North jusqu'à **Pleasant Bay**, vous pourrez contempler le canyon formé par les versants des collines. La **vue** ★★ y est très belle. Le long de la route, Pleasant Bay est un endroit agréable où séjourner.

Près de **Petit Étang**, le plateau se termine; la route redescend alors et longe le golfe du Saint-Laurent, vous menant jusqu'à la région acadienne du Cap-Breton. Vous serez peut-être surpris par les paysages, les forêts et les falaises escarpées qui font place à un plateau dénudé où se succèdent les villages acadiens. Parmi ces villages, **Chéticamp** se présente comme un bourg tranquille composé de simples maisonnettes et d'un port de pêche. De là partent des excursions d'observation de phoques et de baleines. Puis, se succèdent les villages à la toponymie francophone : Grand Étang, Saint-Joseph du Moine, Cap Lemoine et Belle Côte.

À Margaree Harbour prend fin la portion ouest de la Cabot Trail. Vous pourrez alors continuer votre route en traversant les terres pour revenir jusqu'à Baddeck. Si vous optez pour cette route, faites un arrêt à **Northeast Margaree** afin de visiter le **Margaree Salmon Museum** *(0,50 $; mi-juin à mi-août, 9h à 17h; ☎248-2848)*. Vous pourrez y découvrir les divers articles utilisés pour la pêche au saumon.

Ceildish Trail

En continuant votre route le long de la côte ouest, vous parviendrez à Ceildish Trail. Colonisée par des Écossais, cette région est encore empreinte de la culture gaélique. Plus qu'ailleurs à l'île du Cap-Breton, c'est dans les villages ponctuant la Ceildish Trail que l'on peut le mieux découvrir l'héritage écossais. La musique gaélique est d'ailleurs très présente dans cette région qui a donné naissance à certains musiciens désormais connus sur la scène nationale comme à l'étranger. On y trouve, en outre, quelques-unes des belles plages de l'île, caressées par des eaux chaudes, notamment près de **Mabou** ★, de même que de simples hameaux construits au bord du golfe du Saint-Laurent.

Dans cette région, Maboue est l'endroit le plus agréable où loger. Quelques kilomètres passés Mabou, vous pourrez visiter la **distillerie Glenora**, où l'on concocte un whisky *single malt*. Il s'agit également d'une auberge et d'un pub.

Pictou

Pictou a une importance symbolique dans l'histoire de la Nouvelle-Écosse. En effet, c'est ici, en 1773, qu'a jeté l'ancre le *Hector*, un navire ayant à son bord les premiers colons d'origine écossaise à s'installer en Nouvelle-Écosse. Séduits par un climat et une géographie qui leur rappelaient leur pays d'origine, de nombreux Écossais suivront par la suite, colonisant d'autres régions de la côte et le Cap-Breton. Le centre de Pictou a gardé de ces premières années de colonisation écossaise plusieurs jolis bâtiments bordant ses rues animées. De Caribou, en bordure de Pictou, un service de traversier permet de se rendre à Wood Islands, à l'Île-du-Prince-Édouard.

À proximité, le **Caribou Provincial Park** offre une belle plage, idéale pour la baignade.

Le **Hector Heritage Quay** ★★ *(3,50 $; tlj mi-mai à mi-oct 10h à 20h; centre-ville, donnant sur le port, ☎485-6057)* est un centre d'interprétation consacré à l'histoire de la goélette *Hector*, qui amena à Pictou, en 1773, les premiers colons d'origine écossaise. L'exposition présentée est très exhaustive. À l'arrière du bâtiment, on peut observer des artisans à l'œuvre construisant une réplique exacte du *Hector*.

La **McCulloch House** ★ *(1$; début juin à mi-oct lun-sam 9h30 à 17h30 dim 13h30 à 17h30; Old Haliburton Road, ☎485-4563)* est une maison modeste construite en 1806 pour le révérend Thomas McCulloch, un des personnages les plus influents de la région de Pictou à ses tout débuts. Sa maison abrite des meubles d'origine.

Aménagé dans l'ancienne gare ferroviaire, le **Northumberland Fisheries Museum** ★ *(3$; fin juin à début sept tlj 9h30 à 17h30; Front Street)* présente une collection d'objets relatifs à l'histoire de la pêche dans la région, et un authentique baraquement de pêcheurs.

Parcs

De Liverpool, on peut faire une excursion du côté du **parc national Kejimkujik** ★★ *(5 $ pour une journée; mi-juin à mi-oct; C.P. 236, Maitland Bridge, B0T 1B0, ☎682-2772)* en prenant la route 8. Le parc national Kejimjujik s'étend sur 381 km² au centre de la Nouvelle-Écosse. Ce territoire était d'ailleurs autrefois peuplé par les tribus micmaques, qui y avaient établi leur camp de chasse et de pêche, car il est sillonné de rivières tranquilles et poissonneuses. Il constitue d'ailleurs encore aujourd'hui une halte de choix pour les amateurs de canot. On peut également bénéficier de sentiers s'enfonçant dans la forêt et d'une agréable plage, Merrymakedge. Des emplacements de camping y sont aménagés.

Une partie du parc, le **Kejimkujik Seaside Adjuct National Park** ★, s'étend sur 22 km au bord de l'océan près de Port Mouton. Cette portion du parc protège une nature plus tourmentée. Bordé de falaises abruptes sculptées par les glaciers, le parc n'en compte pas moins quelques anses blotties ici et là cachant des plages de sable. Des sentiers permettent de le découvrir et d'observer sa flore et sa faune; parfois, le long du littoral, on peut apercevoir des phoques.

Créé en 1936, le **parc national des Hautes Terres du Cap-Breton** ★★★ protège 950 km² de territoire sauvage où habitent l'aigle à tête blanche et l'orignal. Ce parc, le plus ancien de l'est du Canada, possède mille et une ressources pour plaire aux visiteurs : des points de vue magnifiques, une forêt peuplée d'une faune fascinante, 27 sentiers de randonnée pédestre, des plages, des terrains de camping et même un golf. On peut donc le parcourir en tous sens en s'adonnant à maintes activités.

Plages

On trouve, en plusieurs points de la Nouvelle-Écosse, des plages au sable blanc idéales pour la baignade. Deux régions comptent des plages agréables : sur la côte nord de la Nouvelle-Écosse, le long du détroit de Northumberland, où les plages sont caressées par des eaux chaudes à souhait, et le long de l'océan Atlantique. Plusieurs parcs provinciaux ont été aménagés pour protéger ces sites.

Activités de plein air

Observation de baleines

Au large de la côte sud-ouest évolue une faune marine variée. Phoques, baleines à bosse, macareux moine comptent parmi les espèces qu'il est possible d'observer en prenant part à l'une des excursions en bateau proposées au départ de différentes villes de la région.

Lunenburg Whale Watching Tour
juin à oct
P.O. Box 475
Lunenburg, B0J 2C0
☎***527-7175***

Brier Island Whale & Seabird Cruises
37$
deux à cinq départs par jour
mi-mai à mi-oct
Westport
☎***839-2995***

Pirate's Cove
35 $
trois départs par jour
juin à oct
Tiverton
☎***839-2242***

Île du Cap-Breton

Atlantic Whale Watch
départs 10h, 13h30 et 16h30
Ingonish Beach
☎***285-2320***

Island Whale Watch & Nature Tours
départs 10h15, 13h30 et 16h30
Bay St. Lawrence
☎***383-2379***

Whale and Seal Cruise Pleasant Bay
départs 9h, 13h et 18h
☎***224-1316***

Seaside Whale & Nature Cruises
trois départs par jour
Laurie's Motor Inn
Cheticamp
☎***224-2400***
☎***800-95-WHALE***

Whale Cruisers
juil et août
départs 9h, 13h et 18h
Cheticamp
☎***224-3376***

Pêche en haute mer

Des entreprises organisent des excursions de pêche en haute mer. Elles vous fournissent le matériel et les conseils.

Whale Island
adulte 25 $
Ingonish
☎***285-2338 ou 800-565-3808***
⇄***285-2338***

Deep Sea Fishing Chéticamp
P.O. Box 221
Chéticamp, B0E 1H0
☎***224-3606***

Hébergement

Halifax

Halifax Heritage House Hostel
membre 18$
non-membre 22$
15 chambres; ℂ
1253 Barrington Street, B3J 1Y3
☎422-3863
⇌422-3863
Situé à quelques centaines de mètres de la gare et à une quinzaine de minutes à pied des principales attractions de la ville, la Halifax Heritage House Hostel fait partie du réseau de l'Association internationale des auberges de jeunesse. Elle occupe un joli bâtiment historique, peut accueillir environ 50 personnes et dispose d'une cuisinette.

Citadel Inn Halifax
125$
270 chambres
tv, ℜ, ≈
1960 Brunswick Street, B3J 2G7
☎422-1391 ou 800-565-7162
⇌429-6672
Sans charme particulier mais confortable, le Citadel Inn Halifax occupe un bel emplacement à quelques pas de la citadelle. On y trouve une piscine intérieure, un gymnase ainsi qu'une salle à manger et un bar. Aussi, le stationnement est gratuit, ce qui représente un grand avantage à Halifax.

Waverley Inn
79$ pdj
32 chambres, tv, ℜ
1266 Barrington Street, B3J 1Y5
☎423-9346
⇌425-0167
Le Waverley Inn peut s'enorgueillir d'une riche tradition d'hospitalité plus que centenaire! Cette belle maison bourgeoise, construite en 1865-1866 pour Edward W. Chipman, fut la résidence personnelle de ce riche marchand d'Halifax jusqu'en 1870, avant qu'il ne vive un revers de fortune qui devait le conduire à la faillite. Après quelques années, la maison fut rachetée par les sœurs Sarah et Jane Romans pour la somme de 14 200 $. En octobre 1876, le Waverley Inn ouvrit ses portes et, pendant plusieurs décennies, a été considéré comme le plus prestigieux hôtel de la ville. Plusieurs personnages célèbres l'ont d'ailleurs fréquenté, entre autres le poète anglais Oscar Wilde, qui y séjourna en 1882. Malgré les années qui passent, le Waverley Inn a su préserver en bonne partie sa grandeur d'antan. Bien sûr, il est moins luxueux, ses chambres à la décoration un peu lourde offrant un confort aujourd'hui dépassé. Mais il présente un intérêt certain pour qui veut découvrir l'atmosphère victorienne dans sa plus pure manifestation. Le prix de la chambre comprend le petit déjeuner et un goûter en soirée. Le Waverley Inn est près de la gare, à une quinzaine de minutes de marche des principaux attraits d'Halifax.

Halliburton House Inn
120 $ pdj
30 chambres
tv, ℜ
5184 Morris Street, B3J 1B3
☎420-0658
⇌423-2324
Sur une rue paisible d'un quartier résidentiel, près de la gare, et peu éloigné des principaux attraits d'Halifax, se cache le charmant Halliburton House Inn. Sympathique et élégante, cette auberge propose une approche intéressante par rapport aux grands hôtels du centre-ville. Quant au confort, le Halliburton House Inn n'a pas grand chose à se reprocher. Les chambres ont beaucoup de cachet, étant agréables, bien décorées et garnies de meubles d'époque. L'auberge est également pourvue de quelques belles pièces communes, entre autres un petit salon, du côté gauche de l'entrée, une bibliothèque ainsi qu'une élégante salle à manger (voir p 107) où l'on sert une excellente cuisine. Les trois bâtiments de l'auberge donnent quant à eux sur un joli jardin fleuri, très calme, où l'on peut s'attabler sous un parasol. Le Halliburton House Inn, construit en 1809, fut d'abord la demeure de Sir Brenton Halliburton, juge en chef de la Cour suprême de la Nouvelle-Écosse.

Château Halifax
135 $
300 chambres
tv, ℜ, ≈, ⌂, ⊛
1990 Barrington Street, B3J 1P2
☎425-6700 ou 800-268-1133
⇌425-6214
Le Château Halifax proposant des chambres spacieuses, sobres et meublées très confortablement. Son bar, le Sam Slick's Lounge, est un endroit sympathique et chaleureux, idéal pour prendre un verre entre amis ou pour tenir des réunions informelles. Le Château dispose d'une piscine intérieure et de multiples installations sportives. Il donne accès à une galerie marchande où l'on trouve boutiques et restaurants, et est situé à quelques minutes des principaux centres d'intérêt de la ville et du World Trade and Convention Centre.

Sheraton Halifax
139 $
353 chambres
tv, ℜ, ⌂, ≈
1919 Upper Water Street, B3J 3J5
☎***421-1700 ou 800-325-3535***
⇄***422-5805***
Des hôtels de grand luxe, Halifax en compte un bon nombre. Mais aucun de ceux-ci ne dispose d'un site aussi spectaculaire et enchanteur que le Sheraton Halifax, situé directement sur les quais, tout juste à côté des Historic Properties. Par ailleurs, une attention particulière a été apportée à la construction du Sheraton afin de préserver l'harmonie de ce quartier d'Halifax, le plus ancien de la ville. Les chambres du Sheraton sont spacieuses, bien décorées et chaleureuses. L'hôtel compte deux restaurants, des salles de conférences, une piscine intérieure et plusieurs autres installations sportives. Cela sans oublier que le Sheraton possède le seul casino d'Halifax, un endroit très fréquenté pendant les soirs de fin de semaine.

Wolfville

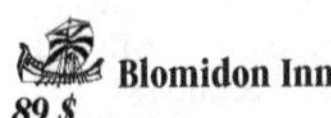
Blomidon Inn
89 $
26 chambres
ℜ, *tv*
127 Main Street, B0P 1X0
☎***542-2291 ou 800-565-2291***
⇄***542-7461***
Un somptueux manoir construit en 1877 abrite aujourd'hui le très élégant Blomidon Inn. À l'époque, de riches matériaux avaient été utilisés pour embellir la demeure, aussi y retrouve-t-on encore des cheminées de marbre et un superbe escalier en bois sculpté. Rien ne manque pour faire de l'endroit un lieu d'hébergement de qualité supérieure : splendide salle à manger (voir p 107) à la cuisine raffinée, service impeccable et sympathique, salons richement meublés. Ce majestueux bâtiment trône au centre d'une propriété bordée de grands ormes. En fait, le Blomidon Inn est l'un des symboles de l'hospitalité néo-écossaise. Toutes les chambres sont garnies de meubles anciens et disposent d'une salle de bain privée.

Tattingstone Inn
89 $
10 chambres
≈, ⌂, *tv*, ℜ
434 Main Street, B0P 1X0
☎***542-7696 ou 800-565-7696***
⇄***542-4427***
Le superbe Tattingstone Inn propose des chambres décorées avec goût, certaines renfermant des meubles du XVIIIe siècle. Ici, l'accent est mis sur le confort et l'élégance. Deux bâtiments abritent les chambres, les plus luxueuses se trouvant dans la maison principale.

Annapolis Royal

The Garrison House Inn
90$
avr à déc
7 chambres
ℜ, *bp*, *bc*
350 George Street, B0S 1A0
☎***532-5730***
⇄***532-5501***
Avoir le plaisir de séjourner au cœur d'Annapolis Royal, dans une des plus anciennes villes en Amérique du Nord, est possible grâce à ses quelques *bed and breakfasts* et à ses excellentes auberges. Parmi celles-ci, The Garrison House Inn est située au cœur d'Annapolis Royal, tout juste en face du fort Anne. Ses chambres, meublées d'antiquités, sont tout simplement magnifiques. Celle du dernier étage est certainement la plus étonnante, avec ses grandes fenêtres et ses multiples puits de lumière; il faut souvent réserver à l'avance pour avoir la chance d'y loger. Des pièces communes très accueillantes, dont une bibliothèque fort mignonne, ainsi qu'un excellent restaurant au rez-de-chaussée contribuent au plaisir d'un séjour au Garrison House Inn.

Digby

Pines Resort Hotel
140$
87 chambres
⊙, ≈, ℂ, ℜ, *tv*
Shore Road, B0V 1A0
☎***245-2511 ou 800-667-4637***
⇄***245-6133***
Dans un fort joli site naturel, sur un coteau surplombant la baie, s'élève l'impressionnant Pines Resort Hotel. Tout l'aménagement de cet hôtel a été pensé afin d'offrir un séjour de grande qualité : son design intérieur superbe, des chambres jolies et très confortables, un excellent restaurant et un bar très accueillant. On met de plus à la disposition des visiteurs toute une gamme d'installations sportives, notamment des tennis, une piscine, un centre de conditionnement physique; un golf se trouve à proximité.

Yarmouth

Rodd Colony Harbour Inn
100 $
65 chambres
tv, ℜ
6 Forest Street, B5A 3K7
☎***742-9194 ou 800-565-7633***
⇄***742-6291***
Le Rodd Colony Harbour Inn est situé directement en face du port

d'embarquement des traversiers en partance pour le Maine (É.-U.). Comme l'établissement est à flanc de coteau, de ses chambres arrière, on peut avoir une belle vue. Les chambres sont spacieuses et bien aménagées. Le bar du Rood est un endroit calme et paisible pour prendre un verre.

Shelburne

Cooper's Inn
75 $
7 chambres
ℜ
36 Dock Street, B0T 1W0
☎/⇄*875-4656*
☎*800-688-2011*

En plein cœur du quartier historique de Shelburne, faisant face au port, le Cooper's Inn est l'une des meilleures auberges de la province. Elle occupe une vieille demeure magnifiquement rénovée qui fut construite en 1785 pour un riche marchand loyaliste. La décoration de chacune des chambres et le choix des mobiliers ont été faits avec un tel souci du détail qu'une simple visite du Cooper's Inn constitue en soi un véritable plaisir. Toutes les chambres sont confortables et pourvues de salles de bain privées. Au dernier étage, une splendide suite, très lumineuse, a été aménagée; elle vaut amplement les 135 $ demandés. En outre, l'une des chambres est aisément accessible aux personnes à mobilité réduite. Chacune des chambres porte le nom d'un ancien propriétaire de la maison. La salle à manger du Cooper's Inn (voir p 104, 108) fait le plaisir des gastronomes.

White Point

White Point Beach Resort
110$
71 chambres, 43 cottages
tv, ℜ, ≈
route 3 sortie 20A ou
21 de l'autoroute 103, B0T 1G0
☎*354-2711 ou 800-565-5068*
⇄*354-7278*

Le White Point Beach Resort propose un hébergement moderne et luxueux dans de petits cottages ou dans des chambres d'un grand bâtiment donnant directement sur une plage de 1,5 km de long. Le complexe est joli, et son aménagement a été conçu avec soin et avec bon goût afin de faire profiter au maximum de la beauté des lieux. En plus de la baignade à la plage ou dans la piscine, on peut y pratiquer le golf et le tennis ou aller à la pêche. Le bar est particulièrement agréable et offre un vue magnifique sur l'océan.

Lunenburg

Bluenose Lodge
60$ pdj
9 chambres
ℜ, *tv*
Falkland Avenue
à l'angle de Dufferin Street
B0J 2C0
☎/⇄*634-8851*
☎*800-565-8851*

À quelques minutes de marche du centre de Lunenburg se trouve le Bluenose Lodge, aménagé dans une splendide maison victorienne. Ses chambres, garnies de meubles anciens, ont beaucoup de cachet et disposent toutes d'une douche privée.

Mariner King Inn
60 $ pdj
mi-fév à déc
4 chambres
15 King Street, B0J 2C0
☎*800-565-8509*

Lunenburg offre l'occasion de découvrir le charme d'époque de ses multiples belles résidences du XIXe siècle, dont plusieurs sont maintenant devenues d'accueillantes auberges. L'une des bonnes adresses relativement bon marché de Lunenburg est le Mariner King Inn, qui loge dans une belle maison victorienne construite vers 1825. La décoration intérieure de la maison est restée assez typique de sa période de construction, où l'on appréciait les pièces assez lourdement garnies. En soirée, on sert une très bonne cuisine dans la salle à manger.

Mahone Bay

Sou'Wester Inn
75 $ pdj
4 chambres
788 Main Street, B0J 2E0
☎*624-9296*

Mahone Bay est un village fort agréable pour ceux et celles qui apprécient les belles grandes maisons du XIXe siècle. Certaines d'entre elles sont maintenant des *bed and breakfasts* de grande qualité, dont un des meilleurs est le Sou'Wester Inn, installé dans une magnifique maison victorienne qui appartenait à l'origine à un constructeur de navires. Toutes les chambres et les pièces de la maison sont meublées comme à l'époque de sa construction. La clientèle est invitée à se reposer sur la terrasse dominant la baie.

Chester

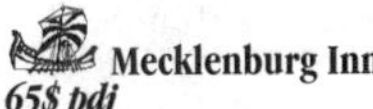 **Mecklenburg Inn**
65$ pdj
fin mai à fin oct
4 chambres
ℜ
78 Queen Street, B0J 1J0
☎275-4638
Aménagé dans une charmante résidence construite à la fin du XIXe siècle, le Mecklenburg Inn propose des chambres mignonnes, de même qu'une terrasse et un charmant salon, où il fait bon se reposer. Une salle à manger est ouverte en soirée.

Captain's House Inn
95$ pdj
9 chambres
ℜ
29 Central Street, B0J 1J0
☎275-3501
⇄275-3502
Si vous vous rendez au Captain's House Inn, vous logerez dans une superbe maison datant du début du XIXe siècle. Les chambres, haut de gamme, sont meublées et décorées avec beaucoup de goût. Outre un environnement élégant, vous profiterez d'une vue exceptionnelle sur la baie.

L'Île du Cap Breton

Sydney

 **Rockinghorse Inn**
70$
8 chambres
tv
259 Kings Road, B1S 1A7
☎539-2696 ou 800-664-1010
⇄539-2696
Si vous désirez loger dans une auberge charmante, non loin du centre-ville, mais tout de même située dans un environnement paisible, rendez-vous au Rockinghorse Inn. Cette demeure victorienne, aujourd'hui rénovée, dispose de huit chambres coquettes, chacune pourvue d'une salle de bain privée. Un endroit où l'on peut aisément oublier le caractère industriel de Sydney.

Delta Sydney
109 $
152 chambres
ℜ, tv, ⊙, ⌂, ≈, ⊛
300 Esplanade, B1P 1A7
☎562-7500
au Canada ☎800-268-1133
aux États-Unis ☎800-887-1133
⇄562-3023
Le centre-ville de Sydney se concentre essentiellement sur quelques rues aux abords de la rivière, et c'est dans ce secteur que se trouvent la majorité des hôtels de la ville, dont le Delta Sydney, avec sa façade donnant sur la rivière Sydney. Il s'agit d'un hôtel proposant des chambres sans grand charme mais tout à fait fonctionnelles. Il a l'avantage d'offrir une belle piscine pourvue d'une glissoire, ce qui ne sera pas sans plaire aux enfants.

Cambridge Suites Hotel
109$ pdj
150 chambres
tv, ≈, ℂ, ℝ, ℜ ⌂, ⊙
380 Esplanade, B1P 1B1
☎562-6500 ou 800-565-9466
⇄564-6011
Juste à côté se dresse le Cambridge Suites Hotel, qui possède des chambres au confort similaire à celles que l'on trouve au Delta Sydney, bien qu'ici on ait porté plus d'attention à la décoration. Chaque chambre est en fait un petit appartement équipé d'une cuisinette. L'établissement possède aussi un excellent restaurant, le Goodies.

Louisbourg

Point of View Suites
115$
8 suites, ℜ, ℂ, tv
5 Lower Commercial St., B0A 1M0
☎733-2080 ou 888-374-8439
Pas très loin de la forteresse de Louisbourg s'élève, depuis peu, un bon établissement abritant des chambres modernes, fort bien aménagées et à l'apparence chaleureuse. Chaque chambre dispose d'une cuisinette et d'un balcon. On trouve également un bon resto qui propose d'excellents plats, entre autres, en saison, du crabe des neiges. Comme son nom le laisse entendre, cet établissement bénéficie d'un excellent point de vue sur la mer.

Baddeck

 **Duffus House**
95 $
9 chambres
tv
108 Water Street, B0E 1B0
☎295-2172
Quelques mignonnes auberges construites au bord de l'eau offrent un environnement particulièrement relaxant. Parmi celles-ci, mentionnons la Duffus House, une des plus anciennes maisons de la ville. Construite au XIXe siècle, elle est agréablement garnie de meubles antiques et offre un beau jardin. Chaque chambre possède sa propre salle de bain privée.

Inverary Inn
95$
150 chambres
tv, ℜ
autoroute 105, sortie 8, B0E 1B0
☎295-3500 ou 800-565-5660
⇄295-3527
Le chaleureux Inverary Inn compte deux types de chambres, certaines étant aménagés dans le bâtiment principal, d'autres dans de

mignons petits chalets de bois. La décoration et le vaste parc lui confèrent un cachet rustique, bien approprié à la campagne néo-écossaise.

Ingonish Beach

Keltic Lodge
298 $ pc
32 chambres
juin à oct et jan à mars
98 chambres
≈, ℂ, ℜ, *tv*
Middle Head Peninsula, B0C 1L0
☎285-2880 ou 800-565-0444
⇄285-2859
Le Keltic Lodge bénéficie d'un site spectaculaire en bordure de falaises surplombant la mer. Quelque peu en retrait des routes d'accès, au cœur d'une véritable oasis de tranquillité, le Keltic Lodge est un lieu d'hébergement de grande qualité à proximité de la Cabot Trail. Les bâtiments ont fière allure, et les chambres, dont certaines occupent des cottages, sont coquettes et confortables. La salle à manger présente un menu gastronomique.

Dingwall

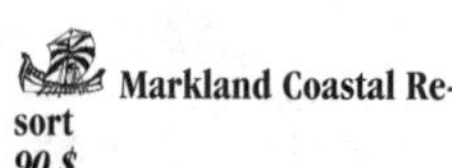

Markland Coastal Resort
90 $
ℂ, ℝ, *tv*
à 3 km de Dingwall, B0C 1G0
☎383-2246 ou ***800-872-6084***
⇄383-2092
Une excellente adresse où se reposer, admirer la mer, marcher sur la plage et partir à la découverte de la Cabot Trail, le Markland Coastal Resort propose un hébergement confortable dans des chalets de bois rustiques et chaleureux. Chaque chalet abrite quelques chambres attenantes à une terrasse. Derrière la grande propriété gazonnée faisant face aux chalets s'étend une plage sauvage. Le Markland est un endroit tout désigné pour les couples ou les familles qui aiment les lieux paisibles et retirés, et qui apprécient les grands espaces. Après une longue journée de plein air, on appréciera la bonne cuisine servie dans la salle à manger (voir p 108). La propriétaire parle un peu français.

Chéticamp

Laurie's Motor Inn
85 $
61 chambres
ℂ, *tv*, ℜ
Main Street, B0E 1H0
☎224-2400
⇄224-2069
Le centre de la communauté acadienne de Chéticamp compte quelques lieux d'hébergement, entre autres le motel Laurie's Motor Inn, qui s'allonge en face du golfe du Saint-Laurent. La décoration intérieure de l'endroit n'est pas des plus originales, mais les chambres restent néanmoins confortables et propres. Si vous avez une fringale ou voulez prendre un bon repas, n'hésitez pas à vous rendre à la salle à manger du Laurie's, dont les plats, notamment les fruits de mer, sont très convenables.

Pictou

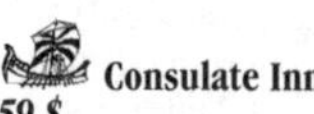

Consulate Inn
59 $
5 chambres
⊛, ℜ
157 Water Street, B0K 1H0
☎485-4554 ou 800-424-8283
⇄485-1532
Construite en 1810, cette belle résidence de pierre s'élève au cœur de Pictou, face à la baie. Au cours du XIXe siècle, elle abrita pendant quelque temps les locaux de la Banque de l'Amérique du Nord britannique, puis ceux du Consulat américain à Pictou, ce qui a inspiré ce nom aux aubergistes. En d'autres temps, elle servit de résidence à d'éminents citoyens de Pictou. Au rez-de-chaussée du Consulate Inn, on découvre une chaleureuse salle à manger (voir p 109) dont la cuisine est l'une des plus réputées à Pictou. Les chambres de l'auberge sont joliment décorées et confortables. Certaines d'entre elles possèdent une baignoire à remous et jouxtent un balcon offrant une belle vue sur la baie. Derrière la résidence, on a aménagé un joli pavillon, idéal pour lire ou simplement relaxer lors des jours de beau temps. On peut se faire servir en français au Consulate Inn.

The Walker Inn
75 $ pdj
10 chambres
ℜ, *tv*
34 Coleraine Street, B0K 1H0
☎485-1433 ou 800-370-5553
The Walker Inn occupe un joli bâtiment de briques construit en plein cœur de Pictou en 1865. L'endroit a beaucoup de charme. Les chambres ont été rénovées afin que chacune soit pourvue d'une salle de bain privée. Le Walker Inn est tenu par un couple de Canadiens français fort sympathique. Sur réservation seulement, on peut prendre un repas en soirée dans la belle salle à manger de l'auberge.

Restaurants

Halifax

Trident Booksellers & Café
$
1570 Argyle Street
☎***423-7100***
Quelle bonne idée de prendre un excellent café tout en bouquinant! Voilà le concept de Trident Booksellers & Café, un endroit sympathique comme tout, très aéré et situé à quelques pas de Blowers Street. Le menu se limite à un choix très respectable de cafés, de chocolats chauds, de thés et, pendant la saison estivale, de rafraîchissements. Un choix restreint de pâtisseries complète le menu. Des journaux y sont toujours disponibles pour les clients, et les livres, souvent usagés, sont vendus à prix modiques.

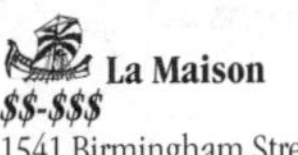
La Maison
$$-$$$
1541 Birmingham Street
☎***492-4339***
Bien plus qu'un simple restaurant français, La Maison propose un tour d'horizon des saveurs de la francophonie d'Amérique et d'Europe. On peut choisir parmi plusieurs entrées, entre autres le steak tartare, la salade de chèvre chaud ou l'excellente bouillabaisse aux moules, pétoncles et crevettes. De savoureuses côtelettes d'agneau, des fruits de mer en papillote, le canard au Grand Marnier et divers steaks sont quelques-uns des plats principaux préparés à La Maison. Cette cuisine est servie dans l'ambiance relaxante d'une salle à manger à la décoration très classique ou, pendant la belle saison, sur une paisible terrasse.

Halliburton House Inn
$$$
5184 Morris Street
☎***420-0658***
La salle à manger de l'élégant Halliburton House Inn (voir p 102) est l'endroit tout indiqué pour prendre un long dîner en tête-à-tête ou avec des amis. Cet établissement a certainement beaucoup de cachet, étant meublé avec élégance et bon goût. Il s'en dégage une atmosphère d'opulence. À part quelques exceptions, comme l'alligator en entrée, le menu se compose de classiques, comme l'excellent steak au poivre flambé au brandy, l'agneau à la provençale, le saumon de l'Atlantique et les coquilles Saint-Jacques.

Cellar Bar & Grill
$$$
5677 Brenton Pl.
☎***492-4412***
Ce bel établissement renferme deux salles à manger décorées de brique, de pierre et de bois, aménagées au sous-sol, dans une cave qui réussit à être tout à fait invitante. La cuisine a également de quoi ravir. Sur le menu se côtoient le gazpacho et la bisque de homard, les calmars sauce *tzatziki* et les moules, les pâtes aux champignons sauvages et le saumon grillé de l'Atlantique. Bref, on y prépare une belle variété de plats parmi lesquels on aura du mal à choisir. Belle carte des vins.

Five Fishermen
$$$
1740 Argyle Street
☎***422-4421***
Occupant l'un des plus anciens bâtiments de la ville, une vieille école aujourd'hui rénovée, le restaurant Five Fishermen est l'un des favoris des amateurs de fruits de mer et de poissons. Le homard vient, bien entendu, en tête de liste des plats proposés. Le menu affiche également du saumon de l'Atlantique et de la truite, mais aussi divers steaks. Notez que sa cuisine est l'une de celles qui ferment les plus tard en ville, soit vers 23h le dimanche et à minuit les autres soirs de la semaine. En outre, sa sélection de vins est très élaborée.

Wolfville

Coffee Merchant
$
à l'angle de Main Street et d'Elm Street
☎***542-4315***
Si vous êtes en mal d'un bon café, faites un saut au Coffee Merchant, où l'on sert de bons cappuccinos et espressos. C'est un endroit suffisamment agréable pour qu'on puisse vouloir s'y attarder, lire les journaux ou regarder par la fenêtre le va-et-vient à Wolfville. Le menu est assez limité; on y sert toutefois des sandwichs et des muffins.

Blomidon Inn
$$-$$$
127 Main Street
☎***542-2291***
Le Blomidon Inn compte deux salles à manger : une petite, très chaleureuse et aménagée dans la bibliothèque, et une autre, plus grande, richement décorée de chaises d'acajou et agrémentée d'une baie vitrée dévoilant un beau paysage. Le menu est tout à fait à la hauteur et propose de délicieux plats tels que le saumon poché et les pétoncles et saumon à la florentine.

Digby

Rod Raven Pub
$-$$
Water Street
☎245-5533
Les fameux pétoncles de Digby sont bien sûr la grande spécialité locale. La plupart des quelques restaurants de la ville se trouvent à proximité du port. Le Rod Raven Pub, un restaurant familial, propose des plats simples et peu chers.

Shelburne

Cooper's Restaurant
$$$
Cooper's Inn, 36 Dock Street
☎875-4656
L'élégance et l'ambiance d'une maison historique construite en 1785, et les saveurs d'une cuisine régionale raffinée sont au rendez-vous au Cooper's Restaurant. Comme hors-d'œuvre, on peut choisir parmi quelques plats dont le saumon fumé, servi dans une crêpe aux épinards. Une dizaine de plats principaux sont proposés, entre autres de succulents pétoncles sautés ou d'excellentes pâtes nappées de béchamel au homard. Une sélection d'une vingtaine de vins, dont quelques excellents crus, ainsi qu'un bon choix d'apéritifs et de digestifs complètent le menu.

Lunenburg

Boscawen Inn
$$
150 Cumberland Street
☎634-3325
Lunenburg occupe un site magnifique surplombant un port naturel. Le Boscawen Inn, une maison victorienne construite à flanc de colline, est un bon endroit où apprécier la beauté naturelle des lieux et l'harmonie architecturale. Le menu de sa salle à manger affiche surtout d'excellents plats de poisson et de fruits de mer.

Joe's Warehouse
$$
424 Charlotte Street
☎539-6686
Ne vous laissez pas intimider par l'aspect «western» du Joe's Warehouse, car il s'agit, à toutes fins utiles, d'une institution à Sydney. Même si la décoration n'a rien de très raffiné et la musique est la même que dans les centres commerciaux, il ne s'en dégage pas moins une atmosphère fort agréable. De toute façon, on vient au Joe's pour déguster de délicieuses et copieuses portions de *prime ribs*. On y apprête aussi des fruits de mer.

L'Île du Cap-Breton

Louisbourg

Dans la forteresse, on a aménagé un restaurant dans un des bâtiments faisant face à la mer. On y fait une cuisine correcte sans plus, mais cela permet de prendre le déjeuner sans quitter le site.

Grubstake
$$
1274 Main St
☎733-2308
Vous pourrez également aller au Grubstake, qui se spécialise dans les plats de fruits de mer. Aux personnes préférant les grillades ou les volailles, on propose des plats de steak et de poulet.

Baddeck

Baddeck Lobster Suppers
$$
Ross Street
☎295-3307
Pour déguster du homard à Baddeck, il faut se rendre aux Baddeck Lobster Suppers. Le plat principal comprend un homard et autant de soupe de fruits de mer (*seafood chowder*), de moules, de salades et de desserts que vous le désirez.

McCurdys
$$
Silver Dart Lodge
Shore Road
☎295-2340
Le Silver Dart Lodge est fort agréablement situé au bord du lac Bras d'Or, et son restaurant, le McCurdys, donnant sur ces flots magnifiques, offre à ses convives une atmosphère sans pareille. Outre la vue, on y vient pour goûter de bons plats de fruits de mer ou pour déguster sa cuisine écossaise.

Dingwall

Markland
$$
☎383-2246
Le restaurant de l'hôtel Markland est aménagé dans une salle à manger en pin coquettement décorée mais sans extravagance. On y propose cependant un menu fort intéressant, dont la simple lecture vous mettra en appétit. Parmi les plats proposés, on y trouve le saumon grillé sauce mousseline et le filet de porc grillé avec prunes au vin rouge et oignons confits.

Chéticamp

Laurie's
$-$$
☎224-2400
Au restaurant Laurie's, vous serez peut-être surpris de constater que le menu affiche aussi bien le homard que le hamburger. En fait, ce restaurant s'adresse à tous, tant en raison des goûts que du porte-monnaie de chacun. On y cuisine tout de même de succulents plats, telle «l'assiette du pêcheur», qui comprend homard, crabe et crevettes. Le service, en acadien, est tout ce qu'il y a de plus courtois. On vous dira aimablement : *«Enjoy le repas!»*

Pictou

Stone House Café and Pizzeria
$-$$
11 Water Street
☎485-6885
Situé dans une jolie résidence de pierre du quartier historique de Pictou, le Stone House Café and Pizzeria est un restaurant familial fort sympathique qui sert une cuisine simple mais bien apprêtée et qui fait notamment le bonheur des amateurs de pizzas à l'américaine. Par beau temps, on peut s'attabler sur la terrasse, face au port de Pictou.

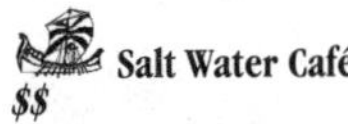 **Salt Water Café**
$$
sur le quai, à côte du Hector
☎485-2558
Le Salt Water Café offre un cadre enchanteur pour le déjeuner. Son menu se résume essentiellement à quelques petits plats de fruits de mer ou de viande, à des sandwichs et à des salades. Le Salt Water Café possède une jolie terrasse qui surplombe les eaux du port.

Consulate Inn
$$-$$$
157 Water Street
☎485-4554
L'élégante et conviviale salle à manger du Consulate Inn se prête bien à un long dîner en soirée. On trouve au menu un bon choix de fruits de mer ou de viandes, entre autres les coquilles Saint-Jacques, le steak au porto et une intéressante recette de fruits de mer au cari. La carte des desserts, quelque peu limitée, propose un excellent gâteau au chocolat.

Sorties

Halifax

Musique

Les concerts d'envergure de musique populaire ont lieu au **Halifax Metro Centre** *(5284 Duke Street, ☎451-1221)*. Halifax est d'ailleurs la ville des provinces atlantiques où s'arrêtent le plus régulièrement les artistes de réputation internationale.

On peut assister à des concerts de musique classique donnés par l'orchestre **Symphony Nova Scotia** *(1646 Barrington Street, ☎421-7311)*.

Théâtre

La troupe de théâtre la plus réputée d'Halifax, soit celle du **Neptune Theatre** *(5216 Sackville Street, ☎429-7070)*, se consacre à faire connaître le répertoire classique.

Bars et discothèques

Lower Deck Pub
Privateer's Warehouse
La ville de Halifax compte un nombre impressionnant de pubs, de bars et de discothèques qui se concentrent pour la plupart au centre-ville. Dans le quartier historique de la ville, on découvre le Lower Deck Pub. En soirée, ce pub offre l'occasion d'écouter de la musique traditionnelle des Maritimes.

Achats

Halifax

Le quartier le plus sympathique pour magasiner est certainement celui des **Historic Properties** *(délimité par Duke Street et Lower Water Street)*, ce quartier historique en bordure des quais d'Halifax. Les boutiques proposant des produits d'artisanat ou des vêtements occupent une bonne part de cet ensemble à l'architecture harmonieuse du XIXe siècle.

The Gallery Shop
Art Gallery of Nova Scotia
1741 Hollis
☎424-2836
The Gallery Shop présente un excellent choix d'artisanat local, mais aussi de travaux d'artistes, de peintres et de sculpteurs de la Nouvelle-Écosse. Des pièces d'artistes micmacs y sont également en vente.

Micmac Heritage Gallery
Barrington Place Shops
Granville Level
☎*422-9509*
La Micmac Heritage Gallery est la plus impressionnante galerie consacrée à l'art et à l'artisanat micmacs des provinces Atlantiques. Parmi les articles en montre, on retrouve des mocassins et des moufles de cuir, des paniers tressés, des bijoux et des peintures.

Houston North Gallery
Sheraton Hotel
1919 Upper Water Street
La Houston North Gallery présente une collection remarquable de sculptures et de peintures amérindiennes et inuit.

La **Government Bookstore** *(1700 Granville Street)* dispose de tous les livres et publications du gouvernement de la Nouvelle-Écosse. Plusieurs des titres disponibles traitent de la faune, de la flore, de la géologie, de l'histoire, enfin d'une foule de sujets pouvant intéresser les voyageurs curieux d'en connaître davantage sur la Nouvelle-Écosse.

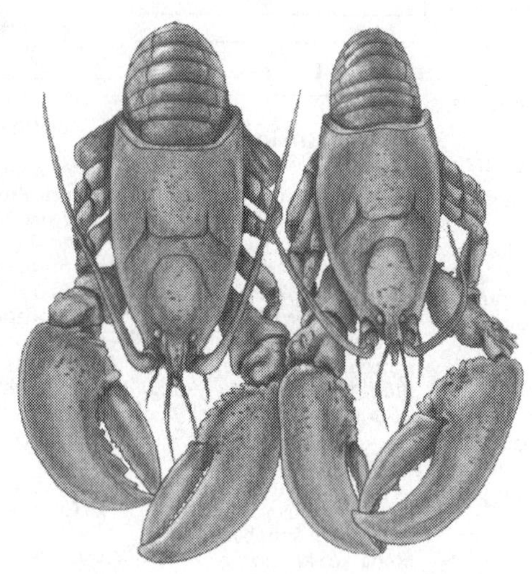

Île-du-Prince-Édouard

Île où se marient dans une rare harmonie les paysages ruraux et maritimes, l'Île-du-Prince-Édouard incarne, à bien des égards, la douceur de vivre.

Au détour de ses routes tranquilles, on découvre, derrière de jolis vallons cultivés, de pittoresques petits ports de pêche, de mignonnes églises blanches de quelques paisibles villages endormis ou la lueur des phares dominant la mer à partir d'étroites pointes isolées. Ce qui frappe surtout dans ces paysages pleins de charme, c'est l'éblouissante palette de leurs coloris : le jaune et le vert clair des champs rencontrant le rouge des falaises de grès et le bleu azur de la mer.

Bordée au nord par le golfe du Saint-Laurent et au sud par le détroit de Northumberland, cette île est d'abord reconnue pour ses magnifiques dunes et plages de sable blanc qui s'étendent à perte de vue le long de la mer et qui sont souvent désertes. Il va sans dire que ces plages sont d'une beauté exceptionnelle et comptent certainement parmi les plus belles de l'est du continent.

Elles offrent d'innombrables occasions de baignade, de longues promenades et de découvertes extraordinaires. Mais si ce sont d'abord ces plages qui attirent les visiteurs dans l'île, ceux-ci ont généralement tôt fait de découvrir que l'Île-du-Prince-Édouard possède bien d'autres splendeurs. À commencer par sa capitale, Charlottetown, une petite ville dont l'architecture et l'atmosphère unique lui confèrent un charme qui semble appartenir à une autre époque.

Puis, il y a encore bien d'autres choses à découvrir, comme par exemple les plus sympathiques dîners de homard qu'on puisse imaginer, l'univers romanesque du pays de *Anne of Green Gables* ou la richesse de la faune et de la flore du magnifique parc national de l'Île-du-Prince-Édouard.

Pour s'y retrouver sans mal

En voiture

L'Île-du-Prince-Édouard possède un bon réseau routier. En raison du transport en commun peu développé, seuls les véhicules automobiles, ou le vélo, permettent d'en faire le tour.

L'île est accessible depuis Cape Tourmentine, au Nouveau-Brunswick, par le **pont de la Confédération** *(35,50$ par voiture aller-retour; ☎902-437-7300 ou 888-437-6565, www.confederationbridge.com)*. Ce pont de 13 km de long, inauguré à l'été 1997, enjambe le détroit de Northumberland. Pour les insulaires, il s'agit d'une véritable révolution : le détroit peut désormais être franchi en moins de 10 min en voiture, alors qu'auparavant il fallait compter au minimum une demi-heure en traversier. Il est possible de payer en argent comptant, par carte de crédit ou par carte de débit.

En avion

Si vous venez dans l'île par avion, vous arriverez à l'aéroport situé au nord de Charlottetown, à **Sherwood**, à environ 4 km du centre-ville *(☎902-566-7992)*. Air Canada *(☎902-894-8825 ou 892-1007)* et son partenaire Air Nova, de même que Canadian *(☎902-892-5358)* et son partenaire Air Atlantic, sont les principales compagnies aériennes desservant cet aéroport. Quatre agences de location de voitures sont sur place, notamment la firme Budget *(☎902-566-5525)*.

En traversier

Du mois de mai au mois de décembre, à partir du continent, on peut se rendre à l'Île-du-Prince-Édouard en prenant le traversier de **Northumberland Ferries** qui relie Caribou (Nouvelle-Écosse) à Wood Islands (Î.-P.-É.) *(pas de réservation; voiture 47$, passager 10$; ☎888-249-7245)*. La durée du trajet est de 75 min.

L'Île-du-Prince-Édouard est également reliée aux Îles-de-la-Madeleine (Québec) par un autre traversier, le ***Lucy Maud Montgomery*** *(64,25$ par voiture, 28,75$ par adulte; une traversée par jour; réservez si possible; ☎418-986-3278)*, qui part de Souris, près de la pointe nord-est de l'île.

En autocar

Les services d'autocars à l'Île-du-Prince-Édouard sont très limités. Il est cependant possible de se rendre à Cavendish en partant de Charlottetown *(départ 9h et retour 18h)* depuis les hôtels du centre-ville.

Renseignements pratiques

Indicatif régional : 902.

Renseignements touristiques

Le principal bureau provincial d'information touristique de l'île se trouve à Borden-Carleton, tout juste au pied du pont de la Confédération *(☎629-2428 ou 800-463-4734, ⇌629-2428)*. Vous pouvez également consulter le site Internet www.peilay.com. Pour des renseignements sur les parcs de la province : www.gov.pe.ca. Un service de réservation d'hôtels est également disponible : ***☎888-268-6667***

Attraits touristiques

Charlottetown

Charmante et coquette, Charlottetown a une ambiance bien particulière. Car malgré sa taille, Charlottetown n'est pas qu'une petite ville des Maritimes comme les autres; elle est également une capitale provinciale avec tout le prestige, l'élégance et les institutions que cela comporte. Bien sûr, tout semble être à échelle réduite, mais qu'à cela ne tienne, la capitale de l'Île-du-Prince-Édouard possède son édifice parlementaire et une somptueuse résidence officielle pour son lieutenant-gouverneur, un grand complexe consacré aux arts visuels et de la scène, de jolis parcs et des rangées d'arbres derrière lesquelles se cachent de belles demeures victoriennes ainsi qu'un hôtel prestigieux et quelques bonnes tables.

Ajoutant à son charme, Charlottetown s'est construite sur un joli site en bordure d'une baie où se rencontrent les rivières Hillsborough, North et West. Ce site, lieu de rassemblement des Micmacs, était connu des explorateurs et colonisateurs français au XVIIIe siècle. Mais ce n'est qu'en 1768, sous l'impulsion de colons britanniques, que la ville a véritablement pris naissance. Elle fut nommée Charlottetown en l'honneur de l'épouse du roi de Grande-Bretagne, George III. Moins d'un siècle plus tard, Charlottetown est passée à l'histoire en tant que berceau de la Confédération du Canada. C'est en effet dans cette petite ville, en 1864, que les délégués des colonies britanniques d'Amérique du Nord se sont réunis afin de discuter de la création du Dominion du Canada.

Le **Centre des Arts de la Confédération** ★★ *(entrée libre; juil et août 9h à 21h, sept à juin lun-sam 9h à 17h; 145 Richmond Street, ☎800-565-0278, ≠566-4648, www.confederationcentre)* a été construit en 1964, soit un siècle après la rencontre décisive des pères de la Confédération à Charlottetown. Ce complexe a été conçu afin de faire connaître à la fois la culture canadienne d'aujourd'hui et son évolution depuis plus d'un siècle. Le complexe présente plusieurs facettes, entre autres un musée présentant des expositions variées et de qualité et logeant une galerie d'art et une bibliothèque publique. Le Centre des Arts renferme aussi plusieurs belles salles de spectacle. En été, on peut y assister à la comédie musicale *Anne of Green Gables*. Présentée chaque été depuis maintenant plus de trois décennies, cette comédie musicale occupe agréablement une soirée à Charlottetown tout en permettant de s'initier à l'univers de la plus célèbre auteure de l'île, Lucy Maud Montgomery.

Le **lieu historique national de Province House** ★★ *(entrée libre; juil et août 9h à 18h, sept à juin lun-ven 9h à 17h; angle Ave. University et de Grafton Street, à côté du Centre des Arts de la Confédération ☎566-7626)* peut être, à juste titre, considéré comme le berceau de la Confédération canadienne. En effet, c'est ici que se sont réunis en 1864 les 23 délégués du Canada-Uni (l'Ontario et le Québec), de la Nouvelle-Écosse, du Nouveau-Brunswick et de l'Île-du-Prince-Édouard afin de préparer la Confédération de 1867.

Ironiquement, l'hôtesse de cette conférence décisive, l'Île-du-Prince-Édouard, ne décida d'adhérer au Dominion du Canada que quelques années plus tard, soit en 1873. On peut voir la salle où a été élaborée la Confédération canadienne et visionner un document audiovisuel expliquant cet événement. La Province House abrite désormais l'Assemblée législative de l'Île-du-Prince-Édouard.

L'**église anglicane St. Paul's** ★ *(angle Grafton St. et de Prince St.)* a été érigée en 1896, en remplacement de diverses autres églises anglicanes construites au siècle précédent. Son intérieur est splendide, notamment sa voûte de boiseries et ses vitraux.

Bel exemple du style gothique, la **basilique St. Dunstan** ★ *(angle Great George St. et de Sydney St.)* est le bâtiment religieux le plus impressionnant de l'Île-du-Prince-Édouard. Elle fut construite dès 1914 sur le site où s'étaient succédé trois églises catholiques au cours du siècle précédent.

La jolie rue Great George, où l'on peut visiter plusieurs brocanteurs et boutiques d'artisanat, débouche sur le petit **port de Charlottetown**, un endroit particulièrement agréable de la ville où se trouve, en plus d'un parc et d'une marina, le **Peake's Wharf** ★ *(au bout de Great George Street)*, regroupant quelques mignons bâtiments où sont installées des boutiques.

Centre des Arts

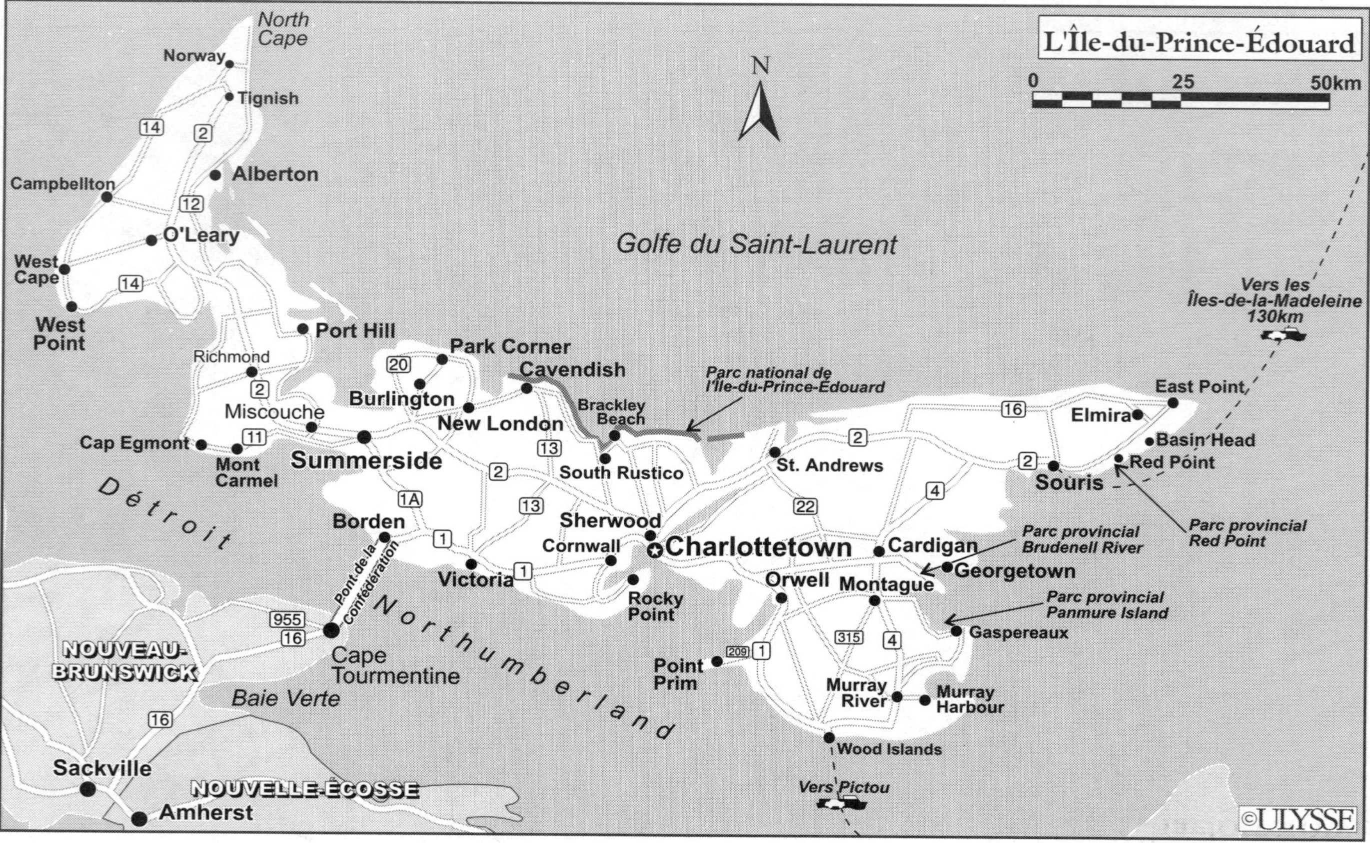
L'Île-du-Prince-Édouard
0
25
50km
N
Golfe du Saint-Laurent
North Cape
Norway
Tignish
Alberton
Campbellton
O'Leary
West Cape
West Point
Port Hill
Richmond
Miscouche
Cap Egmont
Mont Carmel
Summerside
Park Corner
Cavendish
Burlington
New London
Brackley Beach
South Rustico
Parc national de l'Île-du-Prince-Édouard
St. Andrews
East Point
Elmira
Basin Head
Red Point
Souris
Parc provincial Red Point
Borden
Pont-de-la-Confédération
Victoria
Cornwall
Sherwood
Charlottetown
Rocky Point
Cardigan
Georgetown
Parc provincial Brudenell River
Orwell
Montague
Parc provincial Panmure Island
Gaspereaux
Point Prim
Murray River
Murray Harbour
Wood Islands
Vers Pictou
Vers les Îles-de-la-Madeleine 130km
Détroit Northumberland
Cape Tourmentine
Baie Verte
NOUVEAU-BRUNSWICK
NOUVELLE-ÉCOSSE
Sackville
Amherst
©ULYSSE

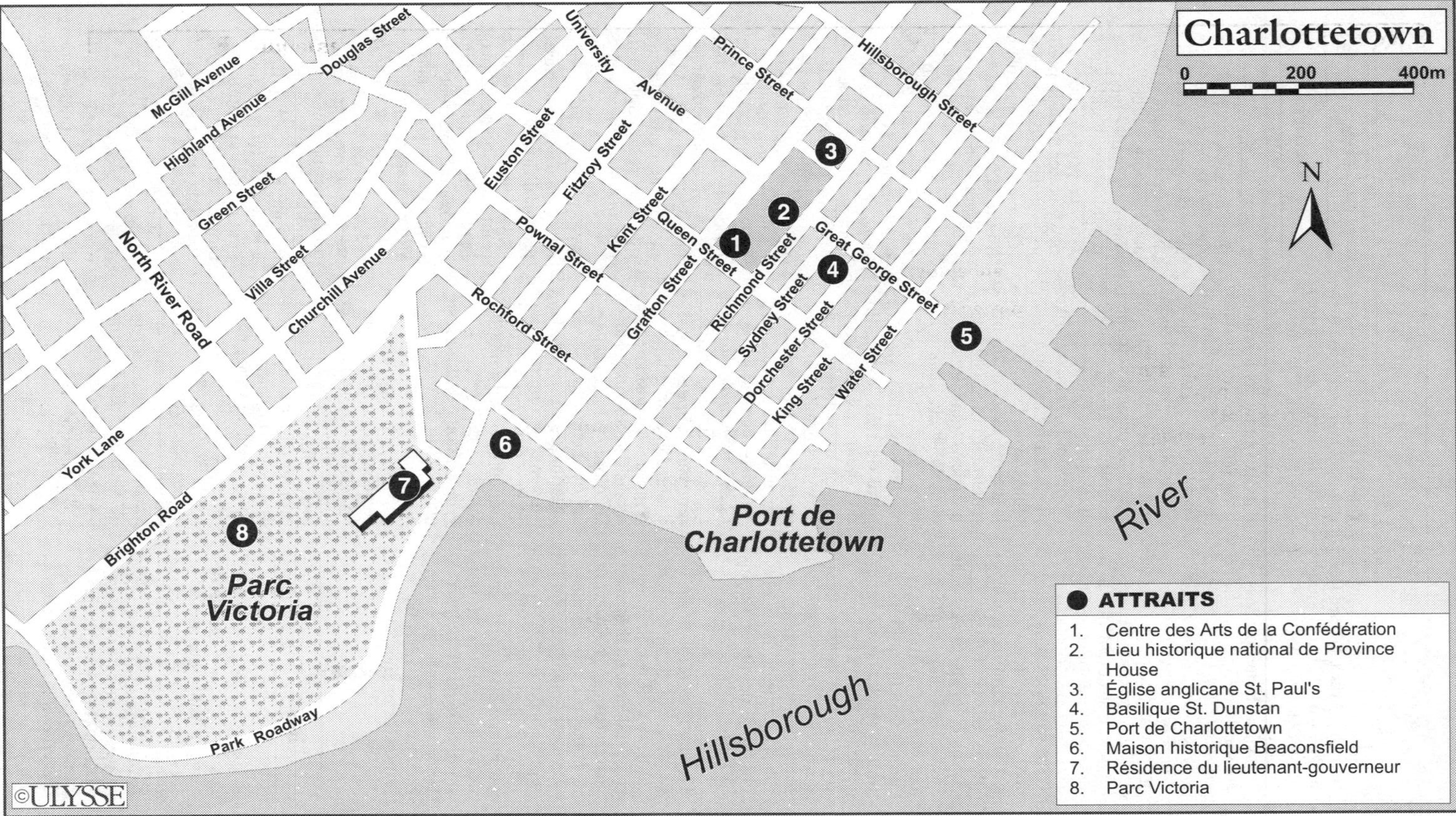
Charlottetown
0
200
400m
N
ATTRAITS
1. Centre des Arts de la Confédération
2. Lieu historique national de Province House
3. Église anglicane St. Paul's
4. Basilique St. Dunstan
5. Port de Charlottetown
6. Maison historique Beaconsfield
7. Résidence du lieutenant-gouverneur
8. Parc Victoria
McGill Avenue
Douglas Street
Highland Avenue
Green Street
North River Road
Villa Street
Churchill Avenue
Euston Street
Fitzroy Street
University Avenue
Prince Street
Hillsborough Street
Kent Street
Queen Street
Pownal Street
Grafton Street
Richmond Street
Great George Street
Sydney Street
Dorchester Street
King Street
Water Street
Rochford Street
York Lane
Brighton Road
Park Roadway
Parc Victoria
Port de Charlottetown
River
Hillsborough
©ULYSSE

À proximité s'élèvent le très chic **Prince Edward Hotel** (voir p 122) ainsi que quelques restaurants.

La **maison historique Beaconsfield** ★ *(2,50$; juil à début sept tlj 10h à 17h sept à juin mar-ven et dim 13h à 17h; 2 Kent Street, ☎368-6603)* a été érigée en 1877 pour James Peake, riche constructeur de navires, et son épouse, Edith Haviland Beaconsfield. C'est l'une des plus luxueuses résidences de la province, comprenant 25 pièces et neuf foyers. Après la faillite personnelle de James Peake, en 1882, ce sont ses créanciers, la famille Cunall, qui habitèrent la résidence. Comme cette famille n'avait pas d'héritiers, la maison Beaconsfield servit d'école de formation pour jeunes filles à partir de 1916; elle fait office de musée depuis 1973.

De l'autre côté de la rue Kent, on aperçoit, derrière de beaux arbres, la splendide **résidence du lieutenant-gouverneur** *(angle Kent St. et de Pond Rd.)*, qui, depuis 1835, est la demeure du représentant de la Couronne britannique à l'Île-du-Prince-Édouard. Cette demeure se trouve en bordure du magnifique **parc Victoria** ★, un espace vert bien aménagé où il fait bon se promener.

Rocky Point

Rocky Point se trouve à l'extrémité d'une bande de terre, à l'embouchure de la West River et en face de la Hillsborough, qui fut toujours un site stratégique en regard de la défense de Charlottetown et de tout l'arrière-pays contre d'éventuelles attaques en provenance de la mer. Il est donc naturel que ce site ait intéressé les empires coloniaux qui se livraient bataille pour le contrôle de l'île. Les Français furent les premiers à s'y établir dans les années 1720, y fondant Port La Joye, assiégé dès 1758 par les Britanniques, qui y établirent le fort Amherst. Le parachèvement du fort eut lieu la même année, alors que la guerre opposant la France et l'Angleterre prenait son véritable envol. Durant toute la guerre, la garnison britannique protège l'île des invasions françaises et contrôle la circulation maritime sur le détroit de Northumberland. Mais à partir de 1763, avec la fin du conflit, ce fort perd vite de son importance, et, en 1768, les troupes britanniques l'abandonnent. Le **lieu historique national Fort-Amherst—Port-la-Joye** ★ *(2,25$; mi-juin à début sept tlj 9h à 17h; ☎566-7626)* renferme un petit centre d'interprétation qui présente une exposition de divers documents relatifs à la colonie française (Port La Joye) et à la présence britannique sur ce site (fort Amherst). On peut également y voir un court documentaire sur l'histoire des Acadiens de l'Île-du-Prince-Édouard. Il ne reste aujourd'hui du fort Amherst que très peu de chose. On a cependant, de ce site, une belle vue sur les plaines avoisinantes et sur la ville de Charlottetown. On peut également profiter d'une visite à Rocky Point pour aller jeter un coup d'œil au **Village micmac** *(3,25$; mi-juin à début sept tlj 9h à 17h; ☎566-7626)*, qui comprend un petit musée, une boutique et la reconstitution d'un village de Micmacs, ces Amérindiens qui habitaient l'île avant l'arrivée des colons européens.

Victoria

Victoria est un charmant et paisible village côtier aux rues bordées de quelques jolies résidences témoignant de l'opulence d'une autre époque, et la vie semble y couler bien paisiblement. Fondé en 1767, ce port de mer devait jouer un rôle prédominant dans l'économie régionale, et ce, jusqu'à la fin du XIXe siècle, alors qu'il perdit peu à peu de son importance à la suite du développement du chemin de fer sur l'île. On voit encore à l'occasion, dans ce port jadis actif, quelques bateaux de pêche mouillant au large. Aujourd'hui, l'intérêt de Victoria réside dans son cachet un peu vieillot et dans la gentillesse de ses résidants. Il offre une belle occasion de découvrir la vie rurale dans l'île. Victoria compte deux auberges, quelques restaurants et un chocolatier réputé.

En arrivant de l'est, vous croiserez d'abord le **parc provincial Victoria**, qui s'étend au bord de l'eau et comprend une petite plage et une aire de pique-nique. À proximité, on peut visiter le minuscule **musée Victoria Seaport** *(entrée libre; juil à début sept mar-dim 10h à 17h; route 116, ☎658-2602)*, qui présente quelques anciennes photographies de Victoria. Comme le musée se trouve à l'intérieur d'un phare, on peut en profiter pour y monter et observer la côte, ses alentours et le village.

Le centre de Victoria n'est composé que de peu de rues, sur lesquelles se trouvent, de part et d'autre, des boutiques, des restaurants ainsi que le **Vic-**

toria Playhouse *(☎658-2025)*, où l'on présente, tout au long de l'été, des concerts et du théâtre de bonne qualité ajoutant au pittoresque du village.

Park Corner

Park Corner a été offert, en 1755, à James Townshend pour le recompenser de ses services dans l'Armée britannique. Ce lieu a été rendu célèbre par l'une des descendantes directes de Townshend, Lucy Maud Montgomery. On peut y visiter aujourd'hui le **Anne of Green Gables Museum at Silver Bush** ★ *(2,50$; juin, sept et oct tlj 9h à 18h, juil et août tlj 9h à 19h; ☎436-7329 ou 886-2884)*, qui était en fait une maison bien aimée de Lucy Maud Montgomery, appartenant à sa tante Annie et à son oncle John Campbell. C'est dans cette maison qu'elle adorait que s'est tenu son mariage en juillet 1911. Aujourd'hui devenue maison historique, elle est garnie de meubles d'époque ainsi que de plusieurs objets personnels ayant appartenu à l'auteure et à sa famille.

New London

La petite communauté de New London a l'insigne honneur d'avoir été le lieu de naissance de l'auteure ayant fait le plus connaître l'Île-du-Prince-Édouard à l'étranger. Son principal attrait touristique est la maison où elle naquit : la **maison de Lucy Montgomery** *(2$; fin mai, juin et sept à mi-oct tlj 9h à 17h, juil et août 9h à 19h; à l'intersection des routes 6 et 8, ☎886-2099 ou 436-7329)*. Dans cette maison modeste, on retrouve certains objets personnels ayant appartenu à L.M. Montgomery, notamment sa robe de mariée.

Cavendish

La région de Cavendish est un haut lieu du tourisme à l'Île-du-Prince-Édouard. Situé près de certaines des plus belles plages de l'île et de plusieurs grandes attractions touristiques, Cavendish possède un bon nombre de lieux d'hébergement, de restaurants et de boutiques. Servant bien souvent de porte d'entrée au parc national de l'Île-du-Prince-Édouard, Cavendish possède un excellent centre d'information touristique.

Green Gables House ★ *(2,50$; mi-mai à fin juin 9h à 17h, fin juin à fin août 9h à 20h, fin août à fin oct 9h à 17h; route 6, à l'ouest de Cavendish, ☎672-6350, ≠672-6370)* est la maison qui a inspiré Lucy Maud Montgomery, et l'endroit où elle situe l'action de son célèbre roman *Anne of Green Gables*. Construite vers le milieu du XIXe siècle, cette maison appartenait à David et Margareth MacNeill, des cousins assez âgées de l'auteure. L.M. Montgomery aimait beaucoup se promener dans le «sentier des amoureux», qui se trouvait dans le bois, sur la propriété de ses cousins. Elle fut à ce point inspirée par ces lieux qu'elle en fit le décor de son célèbre roman. Dès 1936, la popularité du roman était telle que le gouvernement fédéral décida d'en faire un site classé, qu'on peut aujourd'hui visiter.

Parc national de l'Île-du-Prince-Édouard ★★★, voir p. 120

South Rustico

South Rustico est en fait un carrefour en plein campagne autour duquel se sont greffées les principales institutions de la communauté acadienne : l'église, le presbytère, le cimetière, l'école et la **Farmer's Bank of Rustico** ★ *(1$; juil et août mar-dim 10h à 16h; route 243, ☎963-2304)*, aujourd'hui transformée en un musée. La banque a été fondée en 1864 par le père George-Antoine Belcourt, avec pour objectif de permettre aux Acadiens de prendre leur place dans le développement économique. Elle fut la première banque populaire au pays et, pendant un certain temps, la plus petite banque à charte du Canada. L'exposition relate le travail du père Belcourt, et le bâtiment se trouve sur un site classé. Tout juste à côté, la modeste **église Saint-Augustin** *(chemin Church)* est la plus vieille église acadienne de l'île.

Brackley Beach

Petit hameau en bordure de la baie de Rustico, Brackley Beach mérite qu'on s'y arrête un moment, le temps de visiter son phare, le **Brackley Lighthouse** *(1,50$; début juin à mi-sept 10h à 20h; à l'intersection des routes 15 et 6, ☎672-3478)*, où l'on présente, notamment, une collection de photos des phares de l'île. La vue depuis le sommet est superbe. Un autre arrêt très recommandé à proximité est **The Dunes Art Gallery** ★ *(entrée libre; mai 10h à 18h, juin à sept 9h à 22h, oct 10h à 18h; route 15, ☎672-2586)*, où sont en montre les œuvres des plus grands artistes de la province. On y trouve en outre un charmant restaurant. Compte tenu de la proximité du parc national de l'Île-du-Prince-Édouard, Brackley Beach offre plusieurs possibilités d'hébergement.

Orwell Corner

Si découvrir le mode de vie dans la douce campagne de l'île au XIXe siècle vous intéresse, alors il ne faut pas manquer la chance de visiter le **village historique d'Orwell Corner ★** *(3$; fin juin à début sept tlj 9h à 17h; autoroute transcanadienne, 30 km à l'est de Charlottetown, ☎651-8510)*. Ce site charmant, qui vous fait revivre la petite vie d'une communauté agricole de 1890, renferme des bâtiments restaurés dont une jolie petite école qui semble être tirée d'un roman de L.M. Montgomery, une église, une fabrique de bardeaux, des granges, une forge et une maison de ferme servant à la fois de magasin général et de bureau de poste. Des interprètes en costume d'époque animent le site et répondent aux questions des visiteurs. Orwell Corner n'a pas la taille des autres villages historiques du genre, comme par exemple Kings Landing au Nouveau-Brunswick. Par contre, il a l'avantage d'être paisible et mignon.

À quelques centaines de mètres du village historique d'Orwell Corner s'élève, cachée dans un site enchanteur, la **maison de Sir Andrew Macphail** *(dons appréciés; fin juin à début sept tlj 10h à 17h, juil et août tlj 10h à 21h; 30 km à l'est de Charlottetown, route 1, ☎651-2789)*. Natif de l'île, Andrew Macphail (1864-1938) eut une carrière extraordinaire dans les domaines de la médecine et de la recherche, mais aussi en tant que journaliste et auteur. Sa maison, meublée comme au début du siècle, est un bel héritage patrimonial. Une petite salle de restaurant (voir p 126) y a été aménagée, et l'on peut y prendre des repas légers. De plus, on peut faire de belles balades à pied sur la grande propriété en empruntant un sentier de 2 km.

Point Prim

À proximité du village d'Eldon, la route 1 croise la petite route 209, qui mène au **phare Point Prim** *(entrée libre; début juil à fin août 9h à 19h; route 209, ☎659-2412)*, construit et dessiné en 1845 par Isaac Smith, architecte de la Province House de Charlottetown. On peut visiter le phare, et les alentours sont tout désignés pour un pique-nique. Le **point de vue ★** sur la mer vaut ce petit détour.

Montague

Malgré sa taille plutôt modeste, Montague n'en reste pas moins l'une des plus grandes communautés de l'est de la province. On y trouve quelques commerces, boutiques et restaurants, ainsi que l'intéressant **musée Garden of the Gulf ★** *(3$; juin à fin sept lun-sam 9h à 17h; 2 Main Street South, ☎838-2467)*, qui occupe l'ancien bureau de poste de Montague. La collection porte sur l'histoire régionale ainsi que sur l'histoire militaire. Montague est également le lieu de départ des croisières d'observation de phoques qu'organise **Cruise Manada Seal Watching Boat Tours** (voir p 121). D'autres départs se font à la marina de Brudenell.

Souris

La petite ville de Souris est, avec ses quelque 1 600 habitants, la plus importante communauté de l'est de l'Île-du-Prince-Édouard. On y trouve donc un bon éventail de services, quelques restaurants et hôtels, ainsi qu'un centre d'information touristique. À proximité, le **parc provincial Souris Beach** offre d'une aire de pique-nique et une plage non surveillée. Sur Main Street, on peut voir certains jolis bâtiments témoignant de l'importance de Souris, dont les plus resplendissants sont l'**hôtel de ville** et l'**église St. Mary**. C'est du port de Souris qu'on peut prendre un **traversier** (voir p 112) en partance pour les Îles-de-la-Madeleine (Québec), sises au coeur du golfe du Saint-Laurent.

Basin Head

Superbement situé sur l'une des plus belles **plages ★★** de sable de l'île, à proximité de magnifiques dunes, le **Musée des pêcheries de Basin Head ★★** *(3$; mi-juin et sept lun-ven 10h à 15h, juil et août 10h à 19h; route 16, ☎357-7233)* permet au visiteur d'en apprendre beaucoup sur tous les aspects du merveilleux monde de la pêche autour de l'île. L'édifice muséal renferme une intéressante collection d'objets historiques liés à la vie et au métier des pêcheurs d'antan. Il est flanqué de hangars à bateaux où sont en montre des embarcations de diverses tailles et de diverses époques, de même que d'un atelier où des artisans locaux fabriquent des boîtes en bois comme on en utilisait jadis pour l'emballage du poisson salé.

Un peu plus loin se trouve une ancienne conserverie. À tous égards, ce musée est l'un des plus intéressants de la province. On se doit néanmoins de combiner à la visite de ce musée une balade sur les plages et les dunes avoisinantes.

East Point

Pour une magnique vue sur l'océan et sur les paysages côtiers des environs, rendez-vous à l'extrémité la plus orientale de l'île, où se trouve l'**East Point Lighthouse** ★ *(entrée libre; visite guidée 2,50$; mi-juin à fin août; route 16, ☎357-2106)*, un vieux phare construit en 1867. Il est ouvert en été, et l'on peut y monter.

Elmira

Toute petite communauté rurale à proximité de la pointe la plus orientale de l'île, Elmira possède un des six musées de la Fondation pour les musées et le patrimoine de l'Île-du-Prince-Édouard : le **Elmira Railway Museum** ★ *(1,50$; mi-juin à début sept tlj 10h à 18h; route 16A, ☎357-7234)*. Situé dans un décor pastoral, il a été aménagé dans l'ancienne gare d'Elmira, fermée depuis 1982. En plus du bâtiment principal, on y trouve un hangar à marchandises et un wagon stationné sur une voie. Ce musée fait bien revivre l'aventure glorieuse de la construction du chemin de fer de l'Île-du-Prince-Édouard à travers une excellente exposition.

Summerside

Deuxième ville en importance de l'Île-du-Prince-Édouard, avec environ 10 000 habitants, Summerside connaît une période d'effervescence économique grâce au nouveau pont qui, depuis 1997, relie l'île au Nouveau-Brunswick. C'est une ville agréable avec de belles résidences victoriennes et un joli bord de mer. En tant que principal centre urbain de l'ouest de l'île, Summerside est également pourvue de plusieurs commerces, lieux d'hébergement et restaurants.

Eptek *(2$; juil à début sept tlj 9h30 à 18h30, sept à juin mar-ven 10h à 16h; 130 Harbor Drive, ☎888-8373)* est un centre d'exposition national où sont présentées des expositions itinérantes d'œuvres d'artistes canadiens. Dans le même bâtiment se trouve le **Sports Hall of Fame**, le temple de la renommée sportive de l'Île-du-Prince-Édouard.

L'**International Fox Museum** ★ *(dons appréciés; mai à oct 10h à 18h; 286 Fitzroy Street, ☎436-2400)* présente, entre autres grâce à une collection de photographies, l'histoire de l'industrie de l'élevage du renard à l'Île-du-Prince-Édouard, qui, après avoir timidement commencé à la fin du XIXe siècle, représentait environ 17% de l'économie de la province dans les années vingt. À cette époque, un couple de renards argentés pouvait se vendre jusqu'à 35 000$. Aujourd'hui, des efforts sont effectués pour relancer cette industrie naguère prospère.

Mont-Carmel

Mont-Carmel, qu'on a d'abord longtemps appelé Grand-Ruisseau, a été fondée en 1812 par les familles Arseneault et Gallant. L'**église Notre-Dame-du-Mont-Carmel** ★ *(route 11)*, qui se trouve au cœur de la paroisse, dénote de façon éloquente, par sa splendeur, l'importance de la religion catholique chez les Acadiens.

Situé sur le site du tout premier établissement de Grand-Ruisseau, aujourd'hui nommé Mont-Carmel, le **Village pionnier Acadien** ★ *(3,50$; juin à mi-sept 9h à 19h; route 11, à 1,5 km à l'ouest de l'église, ☎854-2227 ou 800-567-3228)* reconstitue le mode de vie rustique des Acadiens au début du XIXe siècle. Le site comprend une église et son presbytère, deux maisons familiales, une forge, une école et une grange. La plupart des meubles qui garnissent les bâtiments ont été offerts par des citoyens des villages avoisinants. À l'entrée du village historique s'élèvent un hôtel confortable (voir p 243) ainsi que le restaurant L'Étoile de mer (voir p 248), qui offre l'occasion unique de déguster de la cuisine acadienne.

West Point

Une intrusion du côté de West Point offre l'occasion de découvrir l'un des sites les plus pittoresques et paisibles de l'île : le **parc provincial Cedar Dunes** ★

(route 14), un parc comptant des kilomètres de dunes et de plages désertes. On peut également en profiter pour visiter le **West Point Lighthouse** *(2,50$; mi-juin à fin août 8h à 21h30, mai à mi-juin et sept 8h à 20h; route 14; ☎859-3605)*. Construit en 1875, ce phare, un des plus grands de la province, abrite un musée et un restaurant, et est le seul à loger une auberge au Canada.

North Cape

Les paysages aux abords de North Cape, la pointe la plus septentrionale de l'île, sont jolis et même souvent spectaculaires. Des falaises de grès rouge y plongent dans les eaux bleues du golfe du Saint-Laurent. North Cape, en tant que tel, occupe un bel emplacement sur la côte, où l'on a érigé l'**Atlantic Wind Test Site Interpretative Centre** *(2$; juil et août 10h à 20h; au bout de la route 12, ☎882-2746)*, soit un centre d'essai et d'évaluation de la technologie éolienne. Une petite exposition explique les avantages de l'utilisation du vent comme énergie.

Parcs et plages

Les paysages escarpés beaux à couper le souffle et les plages s'allongeant à perte de vue, de même que la faune et la flore particulières à l'île, comptent parmi les attraits les plus spectaculaires de cette terre rouge. Pour mettre en valeur la beauté de certains sites naturels de l'île, plusieurs parcs ont été créés, entre autres 29 parcs provinciaux et un parc national, qui est aussi le plus connu, le parc national de l'Île-du-Prince-Édouard. Les belles plages de sable aux mille teintes rosées, une quarantaine en tout, sont aussi au rendez-vous pour faire de cette île un véritable havre naturel pour le vacancier.

West Point Lighthouse

Les parcs

Une visite de l'île ne saurait être complète sans un arrêt d'au moins une journée au **parc national de l'Île-du-Prince-Édouard** ★★★ *(trois centres d'accueil : centre d'accueil Cavendish, près de l'intersection des routes 6 et 13, Cavendish, ☎963-2391; centre d'accueil en face de l'hôtel Dalvay-by-the-Sea, chemin du Golfe, ☎672-6350; centre d'accueil Brackley, à l'intersection des routes 6 et 15, ☎672-2259)*. Il s'étend sur plusieurs dizaines de kilomètres le long de la côte nord de l'île, de Blooming Point à la baie New London. Créé en 1937, ce parc a pour but de protéger un environnement bien particulier comprenant, entre autres, des dunes avec leur écosystème fragile, des falaises de grès rouge, des plages magnifiques et des marais salants. Au fur et à mesure qu'on avance dans le parc, on ne cesse de s'émerveiller, soit pour un point de vue sans pareil sur cette côte abrupte, soit par l'apparition d'un renard roux, soit par l'une des multiples activités auxquelles on peut s'adonner.

Des sentiers sont aménagés et vous font pénétrer au cœur du parc. En les parcourant, vous pourrez traverser un étang sur une passerelle flottante (sentier Reeds et Rushes) et observer la faune qui y vit. On peut également découvrir différents aspects de la faune et de la flore du parc en empruntant un des quatre autres sentiers balisés, accessibles à tous. Les plages du parc, qui s'étendent sur près de 40 km, ont également de quoi plaire à toute la famille. Attention toutefois aux dunes qui les bordent, car elles abritent parfois les nids du pluvier siffleur, ce petit oiseau menacé d'extinction. Pour protéger cet environnement fragile, des passerelles ont été aménagées; respectez les règlements.

Les plages

Tout autour de l'île, les superbes plages de sable blanc ou rouge se succèdent, particulièrement sur la côte nord, dans le **parc national de l'Île-du-Prince-Édouard**. À **Basin Head**, la superbe **plage ★** s'allonge sur des kilomètres; elle est également accessible du **Red Point Provincial Park**. Une autre **plage ★** exceptionnelle se trouve au **Panmure Island Provincial Park**, dans l'est de l'île. Le long du détroit de Northumberland, où l'eau est nettement plus chaude que celle du golfe du Saint-Laurent, au nord de l'île, on trouve également quelques jolies plages : dans le sud-est, le **parc provincial Wood Islands** est un endroit très agréable pour se baigner.

Activités de plein air

Croisières

Si vous désirez partir en promenade sur les flots, vous pourrez prendre part à de courtes croisières organisées par diverses entreprises.

Mill River Boat Tour
adulte 15$
☎856-3820

Cardigan Sailing
50$/5h
Cardigan (voile)
☎583-2020

Charlottetown

Peake's Warf Boat Cruises
différents tours : 14$/70 min.
☎566-4458

Observation de phoques

Des colonies de phoques viennent près des côtes de l'île, et il est possible de partir en excursion pour observer ces gros mammifères marins.

Cruise Manada
(adulte 17$, enfant de moins de 12 ans 8,50$)
☎838-3444 ou 800-986-3444
Départs :
Marina de Montague
tlj mi-mai à fin tlj juin et début sept à début oct 10h et 14h; début juillet à fin août 10h, 13h, 15h30 et 18h30
Marina de Brudenell;
tlj juillet et août 14h30

Garry's Seal Cruises
adulte 15,50$ enfant 7,50$
☎962-2494 ou 800-561-2494
Départ :
Quai Murray River
tlj mai à mi-juin 13h, 15h30 et 18h30; tlj mi-juin à mi-septembre 8h30, 10h30, 13h, 15h30 et 18h30; 10h30; mi-sept à fin oct 13h, 18h30

Pêche en haute mer

Quelques entreprises organisent des excursions de pêche en haute mer, offrant ainsi aux visiteurs l'occasion de mettre leurs talents de pêcheur à l'épreuve et de profiter d'une belle balade sur les flots.

À **Covehead Harbour**, vous pouvez prendre part à des excursions de pêche :

Richard's Deep-Sea Fishing
15$
☎672-2376

Salty Seas Deep-Sea Fishing
15$
☎672-3246

À **Alberton**, une entreprise organise aussi des sorties de pêche en haute mer :

Andrew's Mist
25$
☎853-2307

À **North Rustico**
Aiden Poiron's
☎963-2442
On propose également des excursions en haute mer.

Outside Expedition
☎963-3366
www.getoutside.com
En prenant part à l'une des excursions organisées par cette entreprise, vous contemplerez les côtes de l'île sous un jour différent, en longeant le littoral nord avec ses falaises rouges ou en descendant la rivière Murray. Ces escapades plairont également aux amateurs de faune ailée, car elles sillonnent quelques zones privilégiées pour l'observation des oiseaux.

Hébergement

Charlottetown

Auberge de Jeunesse
12,50$ membre
15$ non-membre
153 Mount Edward Road
☎894-9696
L'Auberge de jeunesse est l'endroit le moins cher où loger dans la région de la

capitale provinciale. C'est une auberge sympathique aménagée dans un bâtiment ayant la forme d'une grange et située à environ 3 km à l'ouest du centre-ville, près de l'Université.

Université de l'Île-du-Prince-Édouard
26$/pers.
32$/double
☎566-0442
Des chambres sont également disponibles, en été seulement, à l'Université de l'Île-du-Prince-Édouard.

Heritage Harbour House Inn
70$ pdj
début juin à fin sept
4 chambres
bc
9 Grafton Street, C1A 1K3
☎892-6633 ou 800-405-0066
Le Heritage Harbour est en fait un excellent *bed and breakfast* situé sur une artère résidentielle à un jet de pierre du Centre des Arts. Les chambres sont d'une propreté impeccable, tout comme les salles de bain partagées. La maison est jolie et chaleureuse, et les invités peuvent profiter du salon pour se reposer, lire ou regarder la télévision. Chaque matin, un petit déjeuner continental est servi par Bonnie, propriétaire de l'endroit et très charmante hôtesse.

The Charlottetown Rodd Classic
85-135$
109 chambres
ℜ, ≈, tv
angle Kent St. et de Pownal St., C1A 7K4
☎894-7371 ou 800-565-7633
The Charlottetown Rodd Classic, un excellent hôtel du centre-ville ayant très fière allure, a été conçu pour convenir tant aux gens d'affaires qu'aux vacanciers. Rénovées en 1998, les chambres chaleureuses sont modernes et meublées avec goût. L'hôtel renferme en outre un bon restaurant.

Dundee Arms
120$
18 chambres
ℜ, tv
200 Pownal Street, C1A 8C2
☎892-2496
⇄368-8532
Le Dundee Arms, construit en 1903, est une très élégante auberge aménagée dans une grande résidence bourgeoise de style Reine-Anne construite au début du XIXe siècle. On s'y sent d'ailleurs aisément à une autre époque, dans des chambres et des pièces communes décorées et meublées avec raffinement. L'auberge comporte de plus une salle à manger très réputée. En outre, l'auberge dispose de chambres de motel très confortables dans un bâtiment avoisinant. Elles sont un tout petit peu moins chères.

The Prince Edward Hotel
159$
211 chambres
ℜ, ≈, tv
18 Queen Street, C1A 8B9
☎566-2222 ou 800-441-1414
⇄566-2282
The Prince Edward Hotel , de la chaîne hôtelière du Canadien Pacifique, est sans contredit l'hôtel le plus luxueux et le plus confortable de la province. Il est aussi on ne peut mieux situé, donnant directement sur le port de Charlottetown. Son intérieur est moderne et très bien aménagé, en plus d'offrir quatre restaurants, dont la Lord Selkirk Dining Room, et toutes les installations dignes d'un hôtel de cet ordre. Le Prince Edward est un établissement où se tiennent nombre de réunions d'affaires et de conférences. Ses salles de réunion peuvent recevoir jusqu'à 650 personnes.

Victoria

Orient Hotel
89$ pdj
mi-mai à mi-oct
6 chambres
ℜ, tv
Main Street, C0A 2G0
☎658-2503
L'Orient Hotel cadre à merveille avec l'atmosphère d'une autre époque de Victoria. Construit au début du XIXe siècle, cet endroit charmant révèle une décoration et des meubles d'antan. Sans être excessivement luxueux, il s'avère confortable, et l'on y est très bien accueilli. L'Orient possède par ailleurs un joli salon de thé donnant sur la rue et une salle à manger.

Cavendish

Kindred Spirits Country Inn
65$ pdj;
135$ pour suite ou cottage
mi-mai à mi-oct
14 chambres
tv, bp, ≡, ⊛
route 6, C0A 1N0
☎/⇄963-2434
Meublé d'antiquités et pourvu d'une décoration exquise, le Kindred Spirits Country Inn propose un hébergement de grande qualité à moins de 1 km de la plage de Cavendish. La clientèle peut profiter de plusieurs salles communes pour se détendre, entre autres un superbe salon. Cet établissement compte 25 chambres; 14 d'entre elles sont pourvues d'une baignoire à remous. Les personnes cherchant plus de confort pourront opter pour une des suites. Enfin, certains pourront préférer aux charmes d'un hébergement familial les commodités d'un petit

cottage à choisir parmi une douzaine.

Shining Waters Country Inn and Cottages
75-130
mai à oct
10 chambres
ℑ, tv, bp
route 13, C0A 1N0
☎963-2251
Au cœur de Cavendish, à environ 500 m de la plage, le Shining Waters Country Inn and Cottages allie charme et confort. Aménagée dans une belle et vieille maison entourée de grandes galeries, cette auberge propose des chambres confortables et un accueil cordial. Les clients peuvent se détendre dans un agréable salon très aéré. Pour une quinzaine de dollars de plus, on peut également loger dans des chalets qui se trouvent derrière l'auberge.

Cavendish Motel
78$
début juin à mi-sept
35 chambres
tv, ℜ
à l'intersection des routes 6 et 13, C0A 1M0
☎963-2244 ou 800-565-2243
Le Cavendish Motel, au cœur de ce qui peut être considéré comme le village de Cavendish, mais pas directement sur la plage, offre en location des chambres propres, modernes et agréables.

South Rustico

Barachois Inn
125$
ℜ
route 243, P.O. Box 1022, C1A 7M4
☎963-2194
Le cœur de South Rustico n'est en réalité qu'un carrefour où se dressent la Banque des fermiers, le collège, le presbytère et l'église, toutes des institutions importantes de la communauté francophone de cette partie de l'île. Le Barachois Inn, situé à proximité, s'ajoute à ce bel ensemble architectural. Construite dans les années 1870, cette jolie résidence bourgeoise fut rénovée il y a quelques années seulement. Le Barachois Inn comprend quatre chambres, dont deux suites, aux meubles et à la décoration d'époque; toutes disposent d'une salle de bain privée. Avec ses grandes galeries et les beaux jardins qui l'entourent, le Barachois Inn a beaucoup de cachet. Il convient tout particulièrement à ceux et celles qui apprécient les charmes et la quiétude d'un séjour à la campagne.

Little Rock

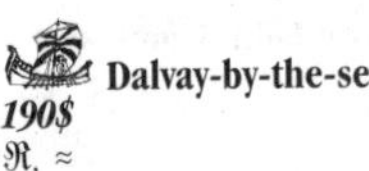

Dalvay-by-the-sea
190$
ℜ, ≈
P.O. Box 8, C0A 1P0
☎672-2048
⇌672-2741
www.aco.ca/dalvay
Le Dalvay-by-the-sea est une impressionnante résidence victorienne située à l'extrémité est du parc national de l'Île-du-Prince-Édouard, à quelques centaines de mètres des magnifiques plages de sable blanc. Il s'agit du seul établissement érigé au sein du parc national. Construit en 1896, le Dalway-by-the-sea a d'abord été la résidence d'été d'Alexander Macdonald, l'un des industriels américains les plus puissants de son époque et notamment le partenaire d'affaires de John D. Rockefeller. Le Dalway-by-the- sea compte désormais une vingtaine de chambres et chalets décorés avec grande élégance et dotés de salles de bain privées. Tant par sa localisation unique que par la splendeur de son aménagement, le Dalway-by-the-sea figure parmi les meilleurs établissements hôteliers de l'île. Pendant la saison estivale, il est fortement recommandé de réserver à l'avance. Les visiteurs qui n'y séjournent pas devraient tout de même s'y arrêter le temps de jeter un coup d'œil aux splendides salles à manger et aux somptueuses salles de séjour.

Little Pond

The Ark Inn
85$
mi-juin à début sept
7 chambres
⊛, ℜ, tv
R.R.4, C0A 2B0
☎583-2400 ou 800-665-2400
⇌583-2176
The Ark Inn est un havre de paix situé sur une grande propriété donnant accès à une plage privée. Les chambres sont confortables, dotées de lits avec futon, de meubles modernes et de grandes fenêtres. Une des particularités intéressantes du Ark Inn est que la majorité des chambres sont construites sur deux niveaux, la partie supérieure offrant une très belle vue. En outre, certaines chambres sont pourvues d'une baignoire à remous. Un agréable restaurant se trouve au rez-de-chaussée.

Bay Fortune

Inn at Bay Fortune
125$ pdj
fin mai à mi-oct
11 chambres
ℜ, *tv*, 𝔉
route 310
C0A 2B0
☎687-3745
⇄687-3540
www.innatbayfortune.com
Une des plus somptueuses et charmantes auberges de l'île, l'Inn at Bay Fortune propose hébergement et restauration de grande qualité. Aménagée dans un bâtiment à l'architecture déroutante, cette auberge occupe un joli site de verdure offrant une superbe vue sur la baie, d'où son nom. Les chambres sont meublées avec élégance, mais aussi avec originalité, et elles sont toutes différentes les unes des autres. Certaines sont même pourvues d'un foyer. Un excellent choix!

Summerside

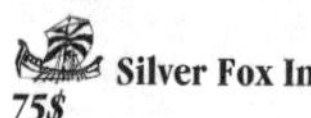
Silver Fox Inn
75$
6 chambres
ℜ
61 Granville Street, C1N 2Z3
☎436-4033 ou 800-565-4033
Le Silver Fox Inn est une très belle auberge située un peu en retrait du port, dans un vieux quartier résidentiel, et entourée d'un joli petit jardin. Chaque chambre a sa propre salle de bain et se révèle bien meublée et très accueillante. L'auberge dans son ensemble est décorée avec raffinement et élégance. L'atmosphère rappelle celle qui régnait dans la haute société du début du XXe siècle.

Loyalist Country Inn
99$
50 chambres
tv, ℜ
195 Harbour Drive, C1N 5R1
☎436-3333
⇄436-4304
Le plus confortable des hôtels de Summerside, le Loyalist Country Inn, a pignon sur rue en plein cœur de la ville, avec vue sur le port situé tout près. Bien qu'elles soient modernes, les chambres ont du cachet et sont meublées avec goût. Cet hôtel a tout spécialement la faveur des gens d'affaires. En outre, son restaurant, la Prince William Dining Room, est particulièrement recommandé (p 126, 127).

West Point

West Point Lighthouse
75$
fin mai à fin sept
10 chambres
tv, ℜ
O'Leary, R.R.2, C0B 1V0
☎859-3605 ou 800-764-6854
⇄859-1510
Le West Point Lighthouse est un bon endroit où s'arrêter une journée ou deux, le temps de découvrir les magnifiques dunes et les merveilleuses plages de la côte. En fait, seule une chambre est véritablement dans le phare, les autres se trouvant dans un bâtiment connexe. L'endroit est sympathique, et les chambres s'avèrent tout à fait correctes.

Woodstock

Rodd Mill River Resort
67$
mai à oct
90 chambres
⊙, ≈, *tv*, ℜ
O'Leary, R.R.2, C0B 1V0
☎859-3555 ou 800-565-7633
⇄859-2486
Le Rodd Mill River Resort est idéal pour les amateurs d'activités sportives. En plus de l'excellent terrain de golf qu'on trouve à proximité, le Rodd est doté d'une piscine intérieure, de courts de tennis, d'un centre de conditionnement physique et de terrains de squash. Les chambres sont très confortables.

Tyne Valley

The Doctor's Inn Bed & Breakfast
55$ pdj
2 chambres
ℜ
route 167, C0B 2C0
☎831-3057
The Doctor's Inn Bed & Breakfast, une maison rurale typique des années 1860 dotée d'un agréable jardin, offre en location deux chambres aux visiteurs en toute saison. L'endroit est très calme, les chambres sont correctes sans être très luxueuses, et l'on peut y prendre d'excellents repas en soirée.

Restaurants

Charlottetown

Anchor and Oar House Grub & Grog
$
mi-mai à mi-oct
derrière le Prince Edward Hotel, Water Street
☎894-1260
Tout juste à l'extérieur du Prince Edward Hotel, du côté du Peake's Wharf, l'Anchor and Oar House Grub & Grog présente un menu léger, idéal pour les repas du midi. La plupart des plats sont à moins de 6$. La carte se compose d'un choix de salades et de sandwichs, mais aussi

de quelques poissons et fruits de mer.

Cedar's Eatery
$
81 University Street
☎*892-7377*
Une adresse pas chère, différente et bien située au centre de la ville, le Cedar's Eatery prépare les mets ayant fait la renommée de la cuisine libanaise à l'étranger : *kebab, falafel, shawarma, shish taouk*. L'ambiance est jeune, sympathique et sans prétention, et les portions sont généreuses.

Peake's Quay
$-$$
mai à sept
36 Water Street
☎*368-1333*
Le Peake's Quay remporte probablement la palme du restaurant le mieux situé à Charlottetown. En fait, son agréable terrasse donne directement sur la marina de la ville. À l'heure du déjeuner, on y propose un menu économique composé de plats légers, entre autres d'excellentes crêpes aux fruits de mer. En soirée, le menu est plus élaboré, mais toujours relativement peu coûteux. On peut manger, entre autres, un bon plat de homard pour moins de 20$. Notez que le Peake's Quay est également un pub où les gens s'attardent en prenant un verre ou deux.

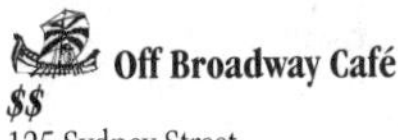
Off Broadway Café
$$
125 Sydney Street
☎*566-4620*
Pour une ville de cette taille, Charlottetown cache quelques belles trouvailles en termes de restaurants, entre autres le Off Broadway Café. Son ambiance relaxante, romantique et de bon goût, tout comme son excellent menu, bien concocté, en ont fait le resto branché de la ville. On y sert une bonne variété de plats ayant souvent une touche française. En outre, les amateurs de fruits de mer ne seront pas déçus, car ces mets sont largement représentés aussi bien en entrées qu'en plats principaux. Le menu se termine par une sélection de desserts, notamment des crêpes sucrées.

Victoria

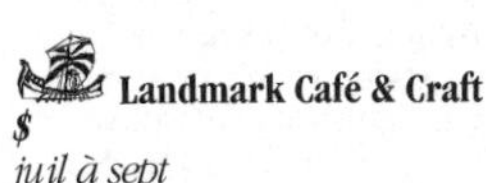
Landmark Café & Craft
$
juil à sept
Main Street
☎*658-2286*
Au centre du mignon petit village de Victoria, près de ses deux auberges et pratiquement en face de son chocolatier, se trouve le Landmark Café & Craft, un endroit fort sympathique, simple et chaleureux, dont les murs et les étagères sont garnis de jolies pièces d'artisanat. Le menu se compose de plats légers faits maison : des quiches, des tourtières, des pâtes, des salades, des desserts, etc. L'endroit est tenu par un francophone.

St. Ann

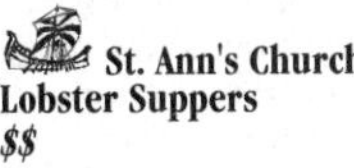
St. Ann's Church Lobster Suppers
$$
juin à oct
route 224
☎*621-0635*
St. Ann's Church Lobster Suppers, un organisme sans but lucratif, propose depuis maintenant plus de 30 ans des repas de homard chaque jour de 16h à 21h. Tout comme dans les autres restaurants du genre qu'on trouve dans les alentours, le menu consiste en une salade, une soupe de poisson, des moules, un homard et un dessert pour environ 20$. Voilà le type de tradition qu'il ne faut surtout pas manquer lors d'une visite de l'Île-du-Prince-Édouard.

New Glasgow

Olde Glasgow Mill
$-$$
☎*964-3313*
Quelques restaurants de qualité attirent en soirée des visiteurs à New Glasgow, qui compte parmi les villages les plus pittoresques de cette partie de l'île. L'un de ces bons petits restaurants est le Olde Glasgow Mill, qui présente un menu pas très cher et varié laissant une place de choix aux fruits de mer et aux poissons.

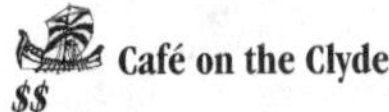
Café on the Clyde
$$
route 224, à l'intersection avec la route 258
☎*964-4305*
Le Café on the Clyde, situé à même la P.E.I. Preserve Co., est un endroit où l'on prend grand plaisir à s'attarder, tant pour la cuisine que pour l'ambiance. On se sent d'ailleurs rapidement à l'aise dans sa jolie salle à manger ayant vue sur la rivière. Le menu propose, en soirée, un bon choix de spécialités locales de fruits de mer et de poissons. On sert également des repas plus légers tout au long de la journée ainsi que le petit déjeuner. Avant ou après le repas, on pourra difficilement résister à la tentation de flâner dans la boutique de la P.E.I. Preserve Co., où sont vendues diverses victuailles préparées sur place.

New Glasgow Lobster Suppers
$$
juin à mi-oct
route 258
☎964-2870
Donnant sur la rivière Clyde, le New Glasgow Lobster Suppers est l'un des classiques de la restauration de l'île qui, depuis son ouverture, a servi plus d'un million de clients! Durant l'été, chaque soir de 16h à 20h30, ses deux salles à manger accueillent des centaines de personnes. Le charme de l'endroit tient à sa simplicité : dans ses deux salles à manger s'alignent des tables toutes simples, couvertes de nappes à carreaux blancs et rouges. Pour ce qui est du menu, le homard est, bien entendu, à l'honneur. Le repas comprend une entrée servie à volonté, un homard et un dessert maison. Les prix varient selon la grosseur du homard qu'on choisit, mais on peut s'en tirer autour de 20$ par personne.

North Rustico

Blue Mussel Café
$$
☎675-2501
Pittoresque à souhait, le port de pêche du village sert de toile de fond à ce petit restaurant familial. Quelques tables seulement composent l'essentiel de la salle à manger, où il fait bon s'installer pour déguster les spécialités de la maison, soit des plats de poisson ou de fruits de mer d'une impeccable fraîcheur. Le service aux tables, très gentil, est effectué par les filles du propriétaire, qui s'assurent du bon déroulement du repas.

Fisherman Wharf Lobster Suppers
$$
mi-mai à mi-oct
route 6
☎963-2669
Une institution bien connue de la région, le Fisherman Wharf Lobster Suppers sert également de traditionnels repas de homard, avec soupe de poisson et fruits de mer à volonté, un immense choix de salades, du pain, un homard et un dessert pour environ 20$. Avec sa capacité d'environ 500 personnes, l'endroit n'est pas intime, mais cela fait partie du charme.

Oyster Bed Bridge

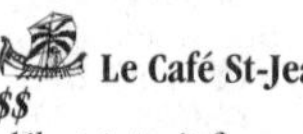
Le Café St-Jean
$$
début juin à fin sept
route 6
☎963-3133
Le Café St-Jean, aménagé dans une maison aux allures rustiques donnant sur la rivière Wheatley, est un petit resto à la fois chaleureux et élégant. On y propose, en soirée, une cuisine assez élaborée avec, au menu, des fruits de mer, bien sûr, mais aussi bon nombre d'autres plats bien apprêtés et originaux, ainsi que des spécialités cajuns. Le midi, le Café présente un menu à moindre prix composé de plats légers. Pourquoi Le Café «St-Jean»? Avant la conquête britannique, l'île portait le nom d'«île Saint-Jean», et la région reste encore marquée par la présence des Acadiens.

Brackley Beach

Dunes Café
$$
juin à sept 10h à 22h
route 15
☎672-2586
Le Dunes Café est un endroit unique en son genre sur l'île. Aménagé dans un complexe à l'architecture originale et moderne, qui abrite également une remarquable galerie d'art, il propose dans un décor très aéré une cuisine aux saveurs locales et internationales. Le menu du midi est moins élaboré, les plats étant moins chers. En soirée, l'endroit est souvent animé par la présence d'un musicien.

Orwell Corner

Sir Andrew McPhail Restaurant
$
fin juin à début sept
route 1
☎651-2789
Établi sur le site historique de la Sir Andrew Macphail Homestead (voir p 118), le Sir Andrew McPhail Restaurant est un endroit agréable pour prendre un bon repas léger sur l'heure du midi ou une pause en après-midi. Le menu est simple, mais les plats sont savoureux. Pour le repas du soir ***($$)***, on doit réserver à l'avance. L'élégance et l'atmosphère de la Macphail Homestead rendent ce petit resto bien sympathique.

Summerside

Prince William Dining Room
$$
195 Harbour Drive
☎436-3333
Salle à manger du Loyalist Country Inn (voir p 124),

la Prince William Dining Room propose une cuisine bien apprêtée et un menu assez élaboré, comprenant un bon choix d'entrées et de plats principaux. Les fruits de mer et les poissons comptent pour une bonne partie de ce menu, bien qu'on y prépare aussi plusieurs types de steaks et différentes recettes de poulet. Il arrive, en soirée, qu'un plat soit à l'honneur, comme par exemple l'excellent *surf and turf*, qui présente dans une même assiette un petit steak et la queue d'un homard. Sans être guindée, l'ambiance est élégante, et le service, courtois.

West Point

Un bon endroit où faire une pause lors d'une excursion à la découverte de l'ouest de l'île, le **West Point Lighthouse** est une auberge (voir p 243) dont le restaurant *($-$$; fin mai à fin sept; route 14, ☎859-3605)* est ouvert du lever du jour à 21h30. Au déjeuner, le menu se compose d'une variété de plats légers comprenant, bien entendu, des sandwichs au homard, des *chowders* et d'autres fruits de mer.

En soirée, la cuisine est un peu plus sophistiquée, proposant des entrées et des plats de résistance plus élaborés, notamment une «assiette du pêcheur» qui inclut cinq espèces de fruits de mer ou de poissons pour moins de 20$. On y apprête également des steaks, du poulet à la Kiev et des pâtes. Le restaurant est aménagé de façon simple dans le bâtiment attenant au phare, et l'on peut y manger à une terrasse.

Sorties

Charlottetown

Centre des Arts de la Confédération
☎566-1267 ou 800-566-1207
Depuis maintenant plus de trois décennies, le Centre des Arts de la Confédération (voir p 113) présente, chaque été, la comédie musicale ***Anne of Green Gables***, inspirée de l'œuvre de la plus célèbre ambassadrice de l'Île-du-Prince-Édouard à l'étranger, l'auteure Lucy Maud Montgomery. À la fois drôle et touchante, l'histoire de la petite Anne est aujourd'hui un classique de la littérature jeunesse un peu partout dans le monde. Il est d'ailleurs étonnant de voir à quel point la petite Anne a marqué les jeunes Japonaises, qui comptent désormais pour une part importante des touristes dans l'île. La comédie musicale est bien jouée et nous fait passer une excellente soirée.

Victoria

Victoria Playhouse
environ 12$
☎658-2025 ou 800-925-2025
Pratiquement tous les soirs des mois de juillet et d'août, le **Victoria Playhouse** présente de bonnes pièces de théâtre ainsi que des concerts dans sa petite salle de spectacle. Le Victoria Playhouse, avec ses représentations de bonne qualité, possède un charme qui convient très bien à celui de Victoria.

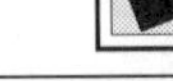

Achats

Charlottetown

À Charlottetown, on se rend au **Peake's Wharf** pour se balader sur les quais de bois et profiter du bord de l'eau, tout en faisant un peu de magasinage dans une des jolies boutiques qui s'y sont installées. Artisanat, souvenirs, t-shirts, etc. : on trouve des articles qui plairont à tout le monde.

Vêtements

Cow's
en face du Centre des Arts de la Confédération
Les vêtements rigolos, entre autres les t-shirts et les survêtements du magasin Cow's, constituent certes un achat fort apprécié tant des enfants que de leurs parents. En outre, c'est une bonne occasion de goûter d'excellentes glaces.

La Cache
119 Kent Street
☎368-3072
La Cache propose des vêtements de coton confortables ainsi que des objets décoratifs mais utiles pour la cuisine et des nappes.

Artisanat et souvenirs

The Two Sisters
150 Richmond Street
☎894-3407
Vous pourrez acheter de belles pièces d'artisanat, des livres et des souvenirs en tout genre à la boutique The Two Sisters.

Anne of Green Gables
110 Queen St.
☎*368-2663*
Les amateurs de souvenirs évoquant le roman **Anne of Green Gables** peuvent aller fouiner à la boutique Anne of Green Gables.

Victoria

Island Chocolate
Main Street
☎*658-2320*
Chez Island Chocolate, on prépare sur place de véritables petits délices et des chocolats de qualité qui fondent dans la bouche.

Cavendish

La **Cavendish Boardwalk** *(route 6)* longe toute une rangée de mignonnes boutiques dont certaines sont spécialisées dans les t-shirts et les souvenirs, telle **The Two Sisters**. On y trouve également une succursale de **Roots** (vêtements sport) et de **Cow's,** qui vend toujours ses chouettes vêtements et ses excellentes glaces. De plus, à l'avant du magasin Cow's, on vend des vêtements de marque Cow's ayant quelques imperfections.

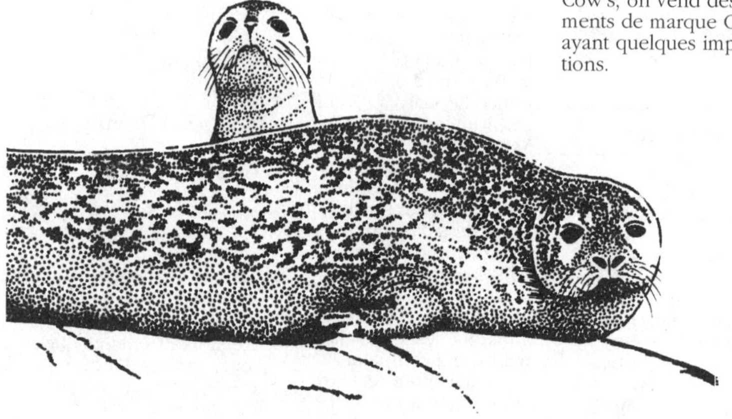

La brume matinale se lève tranquillement sur la Bonne Bay et le petit village de Rocky Harbour à Terre-Neuve, aux confins orientaux du Canada.
- B. Terry

Un orignal, animal impressionnant qui se retrouve un peu partout dans les forêts du Canada, et particulièrement dans les zones marécageuses.
- Jerg Kroener

Le macareux moine, qu'on rencontre en divers endroits de la côte est du Canada, se fait remarquer par son bec coloré qui lui a valu le surnom de «perroquet de mer».
- P. Quittemelle

Les Provinces maritimes sont truffées de ces petits ports qui accueillent les chaloupes des pêcheurs, comme ici à Little River en Nouvelle-Écosse, tandis que la forêt n'est jamais loin...
- K. Cooke

Bien que de petite taille, l'île du Prince-Édouard se pare de grands champs qui la recouvrent d'une côte à l'autre en jouant avec les contrastes de couleurs.
- P. Quittemelle

Le littoral acadien est bien connu pour ses jolis petits villages dispersés çà et là. Situé sur les rives du détroit de Northumberland, Cap-Lumière ne fait certes pas exception à cette règle.
- Roger Michel

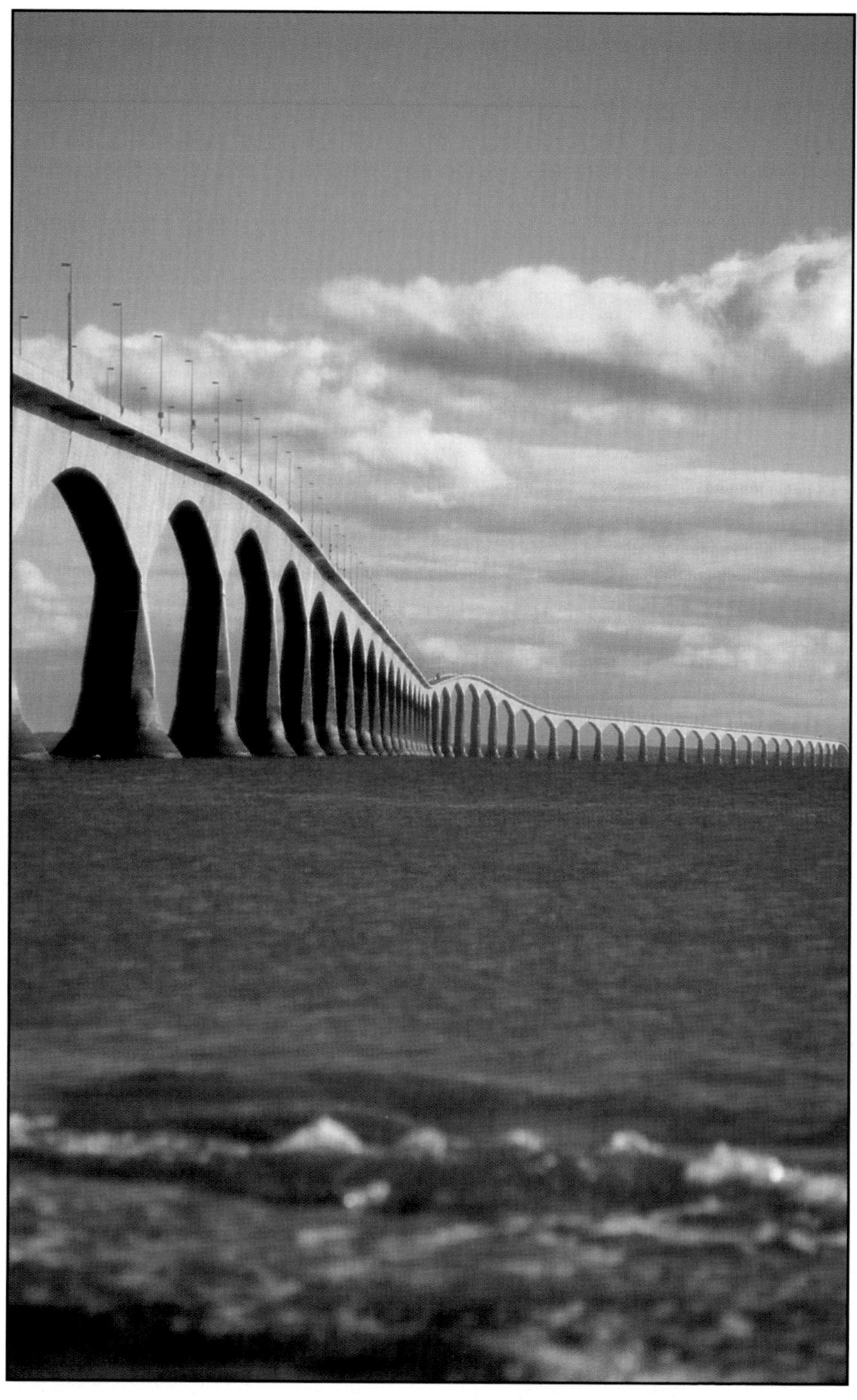

Le pont de la Confédération, long de 13 km, relie la plus petite province canadienne, l'Île-du-Prince-Édouard, et le Nouveau-Brunswick, sur le continent. - *P. Quittemelle*

Nouveau-Brunswick

Porte d'entrée des Provinces atlantiques, le Nouveau-Brunswick possède le charme de la diversité, celle d'un territoire à la géographie d'une remarquable variété, alliant à plus d'un millier de kilomètres de côtes et de paysages marins d'interminables étendues sauvages souvent montagneuses, et de pittoresques scènes agricoles.

Couvert à 85% de forêts, ce territoire est traversé du nord au sud par un majestueux cours d'eau, le fleuve Saint-Jean, qui tire sa source des contreforts des Appalaches. Ce fleuve a depuis toujours été au cœur du développement de la province, et c'est le long de celui-ci, où s'étendent de riches terres arables, qu'ont surgi de charmants villages et villes, entre autres la coquette Fredericton, capitale provinciale à l'ambiance d'une autre époque, et Saint-John, la grande cité portuaire et industrielle de la province.

Après un parcours tortueux qui traverse des paysages pastoraux, le fleuve Saint-Jean se jette dans la baie de Fundy, dont les rivages souvent escarpés et spectaculaires délimitent la frontière sud du Nouveau-Brunswick.

C'est dans cette baie qu'a lieu un phénomène naturel exceptionnel, alors que, deux fois par jour, les plus hautes et les plus puissantes marées du monde déferlent sur les côtes, y sculptant des paysages parfois étranges et allant jusqu'à renverser le courant des rivières! Ces marées gigantesques de la baie de Fundy font partie, sans contredit, des grandes attractions naturelles de l'est du continent, et, en ce qui a trait à la beauté de son littoral, cette baie est incomparable.

Par contre, l'autre côte du Nouveau-Brunwick, celle donnant sur l'océan Atlantique, n'est pas sans posséder son lot d'attraits. C'est le long de celle-ci, depuis la frontière de la Nouvelle-Écosse jusqu'à celle du Québec, qu'on retrouve les plus belles plages de sable de la province, baignées par des eaux particulièrement chaudes et idéales pour la baignade. Mais cette côte, c'est avant tout la côte acadienne. C'est ici, dans des villes et villages comme Caraquet, Shippagan ou Shediac, qu'on découvre l'Acadie et les Acadiens, ces gens chaleureux et accueillants.

Pour s'y retrouver sans mal

En voiture

L'agglomération de Fredericton s'est développée des deux côtés du fleuve Saint-Jean; par contre, c'est essentiellement du côté ouest que se trouvent le centre-ville et la plupart des attraits touristiques. Ce centre-ville étant petit, il est très simple de s'y retrouver et de le visiter à pied. Les deux principales artères du centre-ville sont la rue Queen et la rue King, toutes deux parallèles au fleuve. La plupart des attraits ainsi que plusieurs restaurants et commerces sont situés sur l'une ou l'autre de ces rues.

De St. Stephen à Saint-John, puis jusqu'à Sussex, la principale artère qu'on peut emprunter est l'autoroute 1. À Sussex, l'autoroute 1 rejoint l'autoroute 2, par laquelle on se rend à Moncton puis à Aulac, à la frontière de la Nouvelle-Écosse, où se termine le présent circuit.

Pour atteindre l'île Deer, de l'autoroute 2, on prend la sortie pour St. George, puis on suit les indications jusqu'au petit hameau de Letete. De Letete, un traversier gratuit va à l'île Deer. On peut se rendre à l'île Campobello en prenant un traversier depuis l'île Deer. On peut également atteindre l'île Campobello par l'État du Maine en empruntant la route de Calais à Lubec. Pour aller à l'île Grand Manan, il faut prendre un traversier à partir de Blacks Harbour.

En autocar

Arrêt d'autocar :
angle Brunswick Street et Regent Street
☎458-6000

Saint John :
300 rue Union, angle rue Carmarthen
☎(506)658-4700

Moncton :
centre-ville
961 Main Street
☎(506)859-5060

En train

Saint John :
rue Station
☎800-561-3952

Moncton :
centre-ville, du côté ouest, à proximité de la rue Main
☎(506)859-3917

En avion

L'**aéroport de Fredericton** *(☎506-451-8011)* est situé à environ 15 km au sud-ouest de la ville, sur Lincoln Road, et est desservi principalement par Air Canada *(☎506-458-8561)* et son partenaire Air Nova, ainsi que par Air Canada(Canadian Airlines) *(☎800-363-7530)* et son partenaire Air Atlantic. On peut se rendre au centre-ville en taxi.

Saint John :
l'aéroport est situé à une dizaine de kilomètres à l'est de la ville. Une navette assure la liaison entre le centre-ville et l'aéroport quelques fois par jour. L'aéroport est principalement desservi par Air Canada *(☎632-1517)* et son partenaire Air Nova, ainsi que par Air Canada (Canadian Airlines) *(☎800-363-7530)* et son partenaire Air Atlantic.

Moncton :
l'aéroport est situé sur la rue Champlain, à Dieppe. On peut se rendre au centre-ville en taxi. L'aéroport est principalement desservi par Air Canada *(☎857-1044)* et son partenaire Air Nova, ainsi que par Air canada (Canadian Airlines) *(☎800-363-7530)* et son partenaire Air Atlantic.

En traversier

Saint John
Un traversier se rend à Digby, en Nouvelle-Écosse, trois fois par jour. Les départs se font au quai de la rive ouest du fleuve Saint-Jean.
☎(506)636-4048

Île Grand Manan
Cinq ou six fois par jour à partir de Blacks Harbour.
☎(506)662-3724

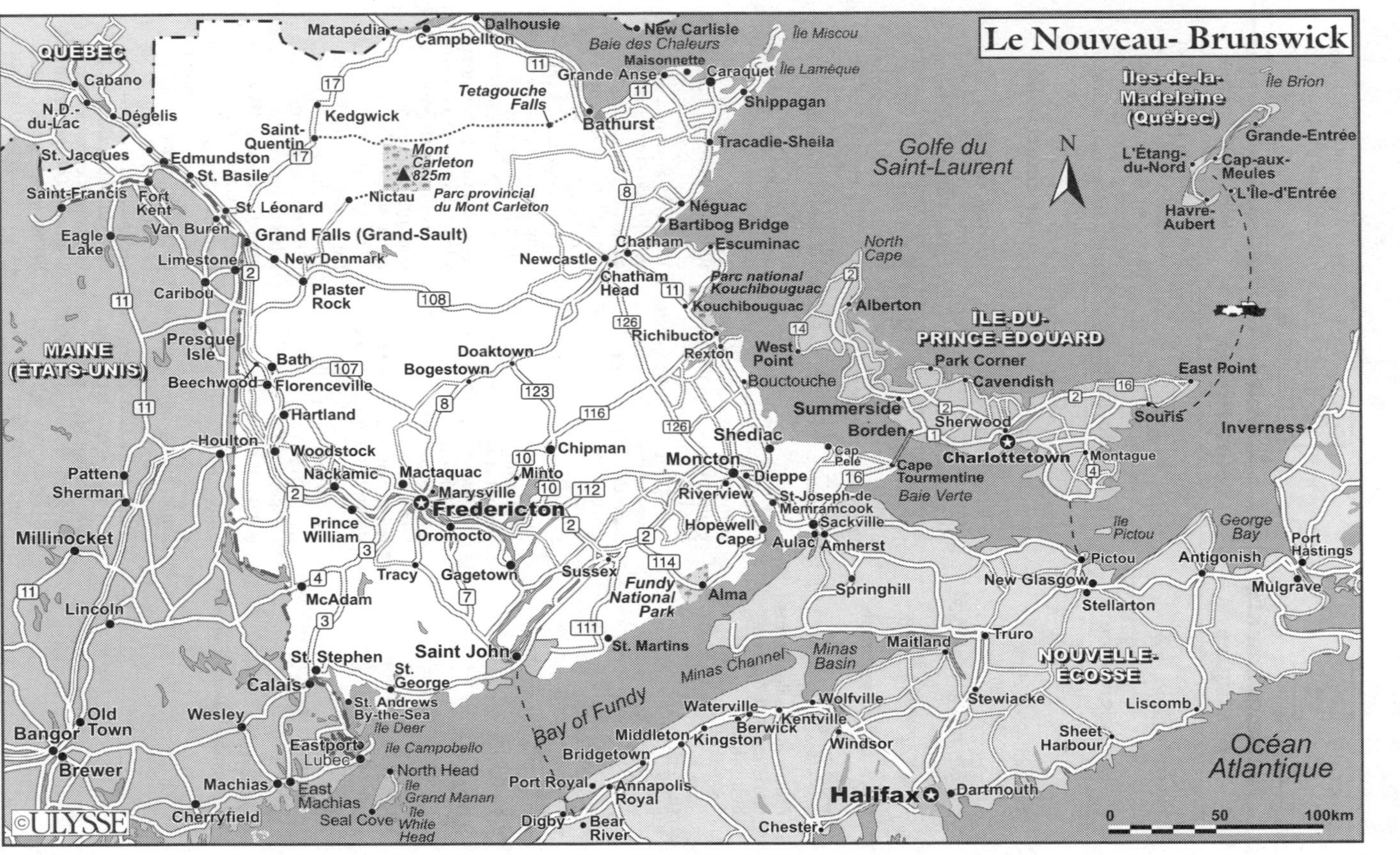

Le Nouveau- Brunswick
QUÉBEC
Cabano
N.D.-du-Lac
Dégelis
St. Jacques
Edmundston
St. Basile
Saint-Francis
Fort Kent
St. Léonard
Eagle Lake
Van Buren
Grand Falls (Grand-Sault)
Limestone
New Denmark
Caribou
Plaster Rock
MAINE (ÉTATS-UNIS)
Presque Isle
Bath
Beechwood
Florenceville
Hartland
Houlton
Woodstock
Patten
Sherman
Nackamic
Mactaquac
Marysville
Fredericton
Millinocket
Prince William
Oromocto
Tracy
Gagetown
McAdam
Lincoln
St. Stephen
Saint John
St. George
Calais
St. Andrews By-the-Sea
Île Deer
Wesley
Old Town
Bangor
Brewer
Eastport
Lubec
Île Campobello
North Head
Machias
East Machias
Île Grand Manan
Cherryfield
Seal Cove
Île White Head
©ULYSSE
Matapédia
Campbellton
Dalhousie
Kedgwick
Saint-Quentin
Tetagouche Falls
Mont Carleton 825m
Nictau
Parc provincial du Mont Carleton
Bathurst
New Carlisle
Baie des Chaleurs
Maisonnette
Grande Anse
Caraquet
Shippagan
Île Miscou
Île Lamèque
Tracadie-Sheila
Néguac
Bartibog Bridge
Chatham
Escuminac
Newcastle
Chatham Head
Parc national Kouchibouguac
Kouchibouguac
Richibucto
Rexton
Bouctouche
Doaktown
Bogestown
Chipman
Minto
Moncton
Shediac
Dieppe
Riverview
St-Joseph-de Memramcook
Hopewell Cape
Sackville
Aulac
Amherst
Sussex
Fundy National Park
Alma
St. Martins
Cap Pelé
Cape Tourmentine
Baie Verte
Golfe du Saint-Laurent
North Cape
Alberton
West Point
ÎLE-DU-PRINCE-EDOUARD
Park Corner
Cavendish
Summerside
Borden
Sherwood
Charlottetown
Montague
Souris
East Point
Inverness
Îles-de-la-Madeleine (Québec)
Île Brion
Grande-Entrée
L'Étang-du-Nord
Cap-aux-Meules
L'Île-d'Entrée
Havre-Aubert
N
Île Pictou
George Bay
Pictou
Antigonish
Port Hastings
Mulgrave
New Glasgow
Stellarton
Springhill
Maitland
Truro
Minas Basin
Minas Channel
NOUVELLE-ECOSSE
Bay of Fundy
Waterville
Wolfville
Kentville
Berwick
Middleton
Kingston
Stewiacke
Liscomb
Windsor
Bridgetown
Sheet Harbour
Port Royal
Annapolis Royal
Digby
Bear River
Halifax
Dartmouth
Chester
Océan Atlantique
0
50
100km

Renseignements pratiques

Indicatif régional : 506.

Renseignements touristiques

Tourisme Fredericton
C.P. 130, Fredericton
N.B., E3B 4Y7
☎***460-2129 ou 888-888-4768***
⇄***460-2474***
www.city.fredericton.nb.ca

Centre de renseignements touristiques :
☎***800-561-0123***

Centre de renseignements touristiques du Nouveau-Brunswick :
☎***800-561-0123***

St. Stephen
King Street
☎***466-7390***

St. Andrew
autoroute 1
☎***466-4858***

Saint John
autoroute 1
☎***658-2940***
près des chutes réversibles
☎***658-2937***
centre-ville, près du marché
☎***658-2855***

Moncton
Main Street, près du parc Boreview
☎***856-4399***
L'hôtel de ville, 665 Main Street
☎***853-3590***
www.greater.moncton.nb.ca

Attraits touristiques

Fredericton

Fredericton est certainement l'un des plus précieux joyaux de la province. Capitale du Nouveau-Brunswick, elle a su préserver, du XIXe siècle, un remarquable héritage et une harmonie architecturale qui lui confèrent une élégance discrète et un cachet d'antan.

Ornée de magnifiques édifices religieux et gouvernementaux, et dotée de grands espaces verts dont certains longent le fleuve Saint-Jean, Fredericton fait partie de ces villes qu'on aime dès le premier regard.

Une balade le long de ses rues paisibles, où s'alignent de grands ormes, permet d'apercevoir de grandes et superbes maisons victoriennes. Ces jolies demeures, aux parterres toujours bien entretenus, sont légion à Fredericton et comptent beaucoup pour le charme et l'harmonie de la ville.

Le site où s'élève aujourd'hui la ville fut d'abord, à la fin du XVIIe siècle, un poste de traite acadien dénommé Sainte-Anne. Des Acadiens y sont restés jusqu'à ce qu'ils en soient chassés par l'arrivée des loyalistes en 1783. La ville fut fondée l'année suivante, devint la capitale de la province et fut nommée Fredericton en l'honneur du second fils de George III, alors souverain de Grande-Bretagne.

Au fil des années, très peu d'industries ont choisi de s'installer à Fredericton, préférant plutôt la ville de Saint John. La population active de Fredericton est aujourd'hui surtout embauchée par le gouvernement provincial et les universités.

Le centre-ville

Le meilleur endroit où débuter une visite du centre-ville de Fredericton est l'hôtel de ville, dont le hall abrite un excellent bureau de renseignements touristiques, qui d'ailleurs offre une très bonne visite guidée en autobus de la ville. La plus vieille partie de l'**Hôtel de ville** ★ *(entrée libre; mi-mai à août tlj 8h à 19h30, sept à mi-mai sur rendez-vous;angle Queen St. et York St.)* fut aménagée en 1876 et comprenait alors, en plus des bureaux municipaux et des salles du Conseil, un opéra, un marché agricole et des cellules de prison. La fontaine devant l'hôtel de ville fut quant à elle inaugurée en 1885. De 1975 à 1977 fut construite la deuxième aile du bâtiment. Pendant la saison estivale, on peut faire une intéressante visite de la salle du Conseil.

De l'autre côté de la rue York se dresse un grand bâtiment de pierre, soit le **palais de justice** *(pas de visite; angle Queen St. et York St.)*, dont la construction date de la fin des années trente. Avant d'être transformé en palais de justice en 1970, l'édifice abritait une école secondaire. Tout juste à côté du palais de justice, vous apercevrez le **New Brunswick College of Craft and Design** *(pas de visite)*, seule école post-secondaire au Canada à offrir un pro-

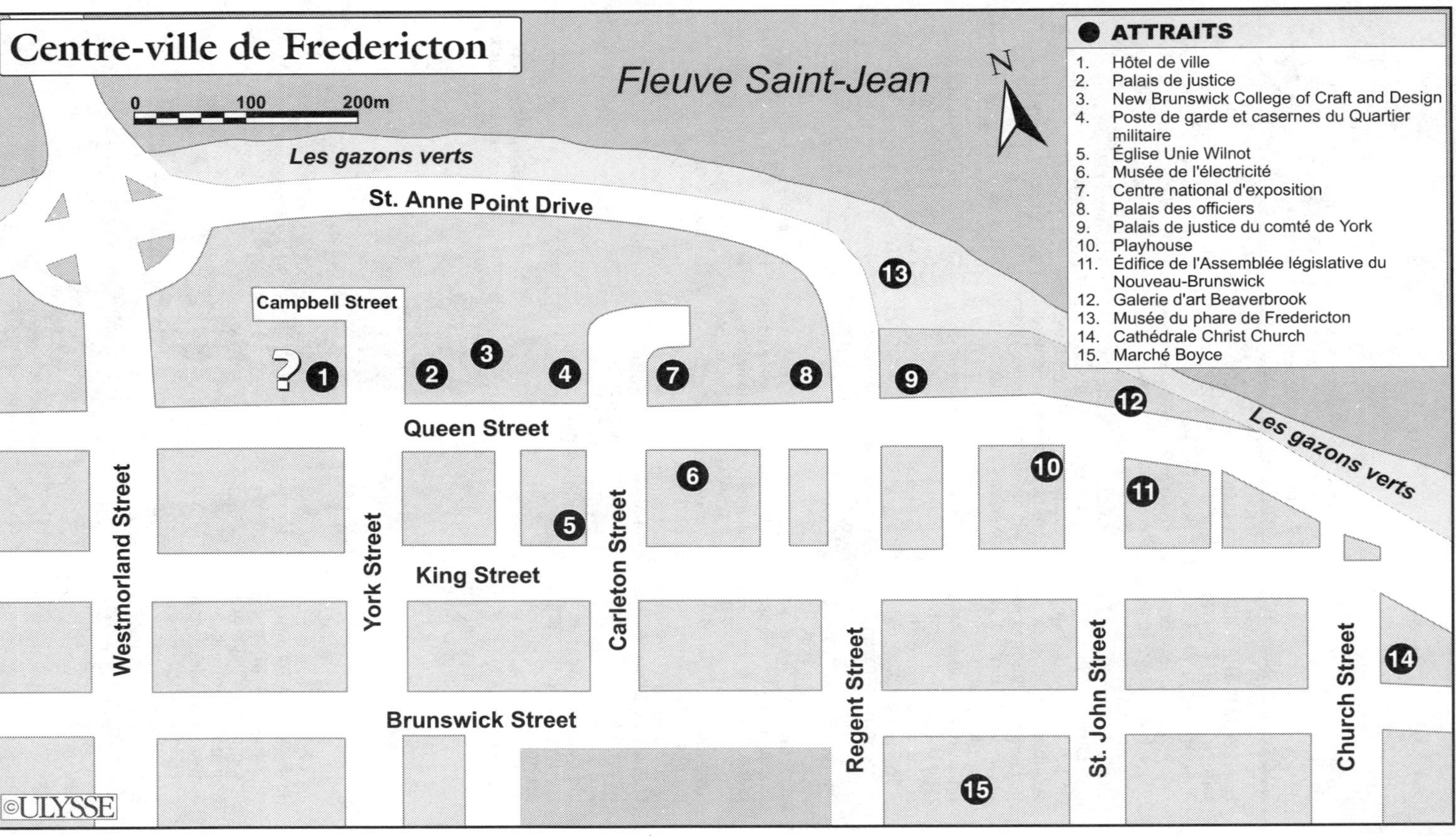
Centre-ville de Fredericton
0
100
200m
Fleuve Saint-Jean
N
ATTRAITS
1. Hôtel de ville
2. Palais de justice
3. New Brunswick College of Craft and Design
4. Poste de garde et casernes du Quartier militaire
5. Église Unie Wilnot
6. Musée de l'électricité
7. Centre national d'exposition
8. Palais des officiers
9. Palais de justice du comté de York
10. Playhouse
11. Édifice de l'Assemblée législative du Nouveau-Brunswick
12. Galerie d'art Beaverbrook
13. Musée du phare de Fredericton
14. Cathédrale Christ Church
15. Marché Boyce
Les gazons verts
St. Anne Point Drive
Campbell Street
Queen Street
King Street
Brunswick Street
Westmorland Street
York Street
Carleton Street
Regent Street
St. John Street
Church Street
Les gazons verts
©ULYSSE

gramme consacré totalement à la formation d'artisans.

Un peu plus loin se trouvent le **Poste de garde et les casernes du Quartier militaire** ★ *(entrée libre; juin à août, 10h à 18h; angle Queen St. et Carleton St., ☎453-3747)*. Ces bâtiments de pierre, construits en 1827 pour remplacer les premiers édifices militaires de la ville faits de bois, servirent de casernes aux troupes britanniques jusqu'en 1869. Une des chambres a été restaurée afin de refléter la vocation originale du bâtiment, et un soldat en costume d'époque sert de guide. Sur le mur du casernement, un cadran solaire a été reconstitué. Jusqu'au début du Xx^e^ siècle, les gens de Fredericton pouvaient connaître l'heure grâce à ce type de cadran.

Remontez la rue Carleton jusqu'à l'intersection avec la rue King, où se dresse l'**église Unie Wilnot** ★★ *(angle Carleton St. et King St.)*. Son aspect extérieur, plutôt sobre, cache un superbe intérieur particulièrement coloré et doté de nombreuses boiseries sculptées à la main. Cette église a été construite en 1852. Cependant, la Société méthodiste de Fredericton, qui devait joindre l'Église Unie du Canada en 1925, fut fondée en 1791.

Un très beau bâtiment de style Second Empire, construit en 1881, abrite désormais le **Temple de la renommée sportive du Nouveau-Brunswick** *(entrée libre; début juin à début sept tlj 10h à 18h, début sept. à juin lun-ven midi à 16h; ☎453-3747)*, consacré aux grands sportifs néo-brunswickois.

Toujours sur la rue Queen, la **Place des officiers** ★★, un agréable parc, est bordée sur un de ses côtés par l'édifice des anciens quartiers des officiers, qui furent érigés en deux étapes, en 1839-1840 puis en 1851. Ses arcs de pierre, ses rampes et ses escaliers en fer sont typiques de l'architecture des ingénieurs royaux durant la période coloniale. Les anciens quartiers renferment maintenant le **Musée de la société historique York-Sunbury** *(2$; 1er juin au 30 sept mar-sam 10h à 17h, dim 12h à 17h; reste de l'année mar-sam 10h à 17h; 571 Queen St., à proximité de Regent St., ☎455-6041)*, consacré au passé militaire et domestique de la province.

Continuez sur la rue Queen jusqu'au joli **palais de justice du comté de York** *(pas de visite; Queen St., passé Regent St.)*. Celui-ci fut bâti en 1855, et un marché occupait le rez-de-chaussée. Il abrite aujourd'hui des services du ministère de la Justice ainsi qu'un tribunal.

Un peu plus loin sur la rue Queen, de l'autre côté de la rue, se trouve le **Playhouse** *(Queen St., 'angle Saint John St., billetterie ☎ 458-8344)*, une salle de spectacle construite en 1964 qui sert de pied-à-terre depuis 1969 au New Brunswick Theatre, seule troupe de théâtre anglophone de la province. Le Playhouse fut un don de Lord Beaverbrook, magnat de la presse britannique qui vécut au Nouveau-Brunswick au cours de son enfance.

Du Playhouse, on aperçoit tout près l'**édifice de l'Assemblée législative du Nouveau-Brunswick** ★★ *(juin à août 9h à 19h, sept à mai lun-ven 9h à 16h; Queen St.,angle Saint John St., ☎453-2527)*, siège du gouvernement provincial depuis 1882. À l'intérieur, un impressionnant escalier de bois en spirale mène à la bibliothèque, qui contient plus de 35 000 volumes dont certains sont très rares.

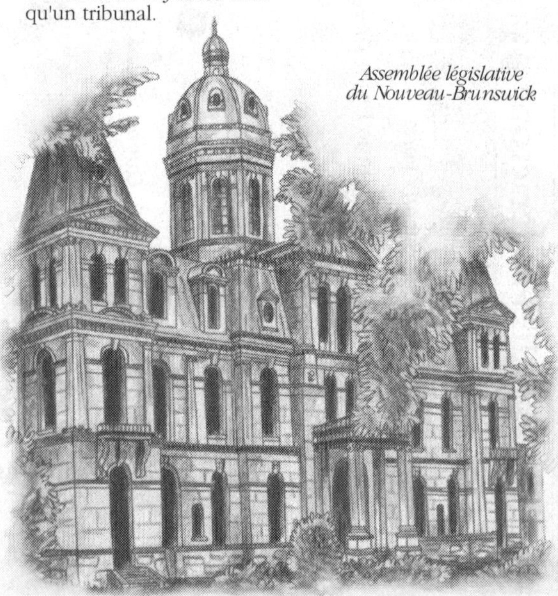

Assemblée législative du Nouveau-Brunswick

On peut notamment visiter la Chambre d'Assemblée, où se réunissent les députés, et voir des portraits du roi George III et de la reine Charlotte, œuvres du peintre britannique Joshua Reynolds.

En face de l'Assemblée législative s'élève la **galerie d'art Beaverbrook ★★★** *(3$; juin et sept lun-ven 9h à 18h et sam-dim 10h à 17h; visite guidée français-anglais 11h; Queen St., ☎458-8545)*, un autre don de Lord Beaverbrook à la Ville de Fredericton. La galerie possède, entre autres choses, une superbe collection des œuvres des plus réputés peintres britanniques, mais aussi certaines autres, très belles, de peintres canadiens tels que Cornelius Krieghoff, Mary Pratt et James Wilson Morrice. Cependant, la toile la plus impressionnante est certainement l'œuvre intitulée *Santiago el Grande*, du peintre d'origine catalane Salvador Dalí.

Après une intéressante visite de la galerie d'art Beaverbrook, les superbes **gazons verts ★** s'offrent à vous en été pour une promenade des plus agréables le long du fleuve Saint-Jean. Ils s'allongent sur 4 km et permettent aux promeneurs tout comme aux cyclistes de découvrir les berges du fleuve. Ils comptent pour beaucoup dans la qualité de vie de Fredericton. On peut s'y arrêter pour une visite du **Musée du phare de Fredericton** *(2$; mai et juin lun-ven 10h à 16h, sam-dim 10h à 21h, juil et août tlj 10h à 21h; ☎459-2515)*, où l'on présente une exposition sur l'histoire de la ville.

Suivez la rue Queen jusqu'à la rue Church, où l'on peut visiter la **cathédrale Christ Church ★★** *(angle Queen St. et Church St. ☎ 450-8500)*, de style gothique, dont la construction, terminée en 1853, fut largement tributaire des efforts du premier évêque anglican de Fredericton, John Medley.

De la cathédrale, en prenant la rue Brunswick jusqu'à la rue Regent, on peut apercevoir, du côté gauche, le **marché Boyce** *(6h à 13h; 665 George St., angle de Brunswick St. et Regent St. ☎451-1815)*, un marché public où, chaque samedi matin, les fermiers, mais aussi les artisans et les artistes, offrent en vente leurs produits. Tout juste à côté, en continuant sur la rue Brunswick, on peut voir l'**ancien cimetière de Fredericton**. C'est ici que furent inhumés, de 1787 à 1878, les personnages les plus marquants des débuts de l'histoire de Fredericton.

Extérieur du centre-ville

L'**Université du Nouveau-Brunswick** *(au bout d' University Avenue)* a été fondée en 1785 par des loyalistes nouvellement arrivés. Elle comporte plusieurs bâtiments dont un pavillon des arts, le plus ancien bâtiment universitaire toujours en activité au Canada.

Sur le même site se trouve l'**Université St. Thomas**, une université catholique qui, avant de s'installer à Fredericton dans les années soixante, était à Chatham, sur la rivière Miramichi. Les deux universités reçoivent en tout, chaque année, plus de 8 000 étudiants. Surplombant la ville, elles offrent un très beau coup d'œil.

Saint-Jacques

Pour bien des voyageurs, ceux qui viennent du Québec tout au moins, Saint-Jacques est le tout premier village qu'ils croisent dans leur périple au Nouveau-Brunswick. Ce n'est donc pas par hasard qu'on y trouve l'un des plus importants centres d'information touristique, mais aussi un parc provincial, Les Jardins de la République, qui regroupe des terrains de camping, une piscine et des aires de jeux pour enfants, ainsi que des sentiers pédestres et des pistes cyclables. On y trouve également, à proximité, deux attraits importants.

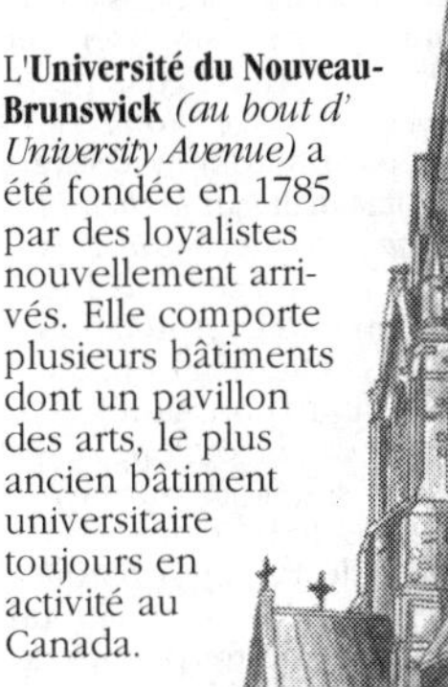

Christ Church Cathedral

Le **Jardin botanique du Nouveau-Brunswick** ★★ *(adulte 3$; juin à sept; sortie 8 de l'autoroute 2, ☎735-2699 ou 735-2525)*, voué à devenir l'une des grandes attractions de la région, est à plusieurs égards une très belle réussite. Il compte quelque 75 000 végétaux répartis sur un site très bien aménagé d'une superficie de 7 ha qui offre un beau panorama sur les vallons boisés de la région. On a eu la très bonne idée d'y installer discrètement un système de son, ce qui permet au visiteur de découvrir le jardin avec, en arrière-plan, les musiques de Bach, Chopin ou Mozart.

Conçu initialement à partir de la collection privée d'un résidant d'Edmundston, Melvin Louden, le **Musée des automobiles d'autrefois** ★ *(2,50$; juin à mi-sept; tout juste à côté du Jardin botanique, ☎735-2525)* possède une belle sélection de véhicules anciens, dont certains sont aujourd'hui très rares, comme la *Bricklin*, seule automobile fabriquée au Nouveau-Brunswick, ou la *Phantom 1933* de Rolls Royce.

Grand-Sault (Grand Falls)

Charmante bourgade aux abords du fleuve, là où il chute abruptement de 23 m, Grand-Sault est une petite communauté dynamique et attachante dont la population à majorité francophone est de souche québécoise et acadienne. Son joli site fut d'abord longtemps fréquenté par les Malécites (Welustuk), puis devint un poste militaire britannique à partir de 1791, avant que la ville ne soit finalement incorporée en 1896. En plus de l'attrait qu'exerce son emplacement, Grand-Sault possède un centre-ville ayant fière allure, et un cachet un peu *Midwest* que lui vaut son large boulevard flanqué de maisons basses donnant directement sur la rue. Fait à noter, elle est la seule ville au Canada au nom officiellement bilingue : Grand-Sault Grand Falls. Célèbre pour la culture de la pomme de terre, la région immédiate de Grand-Sault est belle à découvrir avec ses champs qui grimpent le long des vallons.

À l'origine du nom de la ville, la magnifique **chute de Grand-Sault** ★★ est la plus importante et la plus impressionnante des provinces Atlantiques. À cet endroit, les eaux du fleuve Saint-Jean plongent d'une hauteur de 23 m, puis s'engouffrent sur environ 2 km dans une gorge aux parois atteignant jusqu'à 70 m de haut. Au fond de cette gorge, l'action des eaux tumultueuses a créé dans le roc des cavités qu'on nomme ici des «puits», car elles conservent l'eau des crues. Vous pouvez commencer votre visite par un arrêt au **centre Malobiannah** *(sur le chemin Madawaska, en bordure de la chute)*, qui sert à la fois de centre d'interprétation et de centre d'information touristique pour la région. On y bénéficie d'une **vue** ★ splendide sur la chute et le barrage hydroélectrique. À partir du centre Malobiannah, un sentier pédestre permet de découvrir la chute et la gorge sous tous leurs angles.

Sur l'autre rive, en plein centre-ville, à partir du **centre La Rochelle** *(1$; parc du Centenaire)*, un escalier permet aux visiteurs de descendre jusqu'au lit de la rivière, offrant une très belle **vue** ★★ sur la gorge, les puits et la chute.

Pour en connaître davantage sur Grand-Sault et sa région, rendez-vous au petit **Musée de Grand-Sault** *(entrée libre; juin à août; rue Church, ☎473-5265)*, où l'on présente une collection d'objets hétéroclites liés à l'histoire de la région.

Hartland

Patrie de l'excentrique Richard Hatfield, ancien premier ministre de la province, Hartland est un mignon et typique village de la vallée du fleuve Saint-Jean, connu pour son remarquable **pont couvert** ★★, le plus long du monde. Celui-ci enjambe le fleuve sur 390 m et fut construit en 1899, à une époque où le simple fait de couvrir un pont permettait à sa charpente de résister jusqu'à sept fois plus longtemps. Le Nouveau-Brunswick est d'ailleurs aujourd'hui l'endroit au monde où l'on compte le plus grand nombre de ponts couverts. Sur la rive ouest du fleuve, un agréable parc permet de pique-niquer et de contempler le paysage avoisinant.

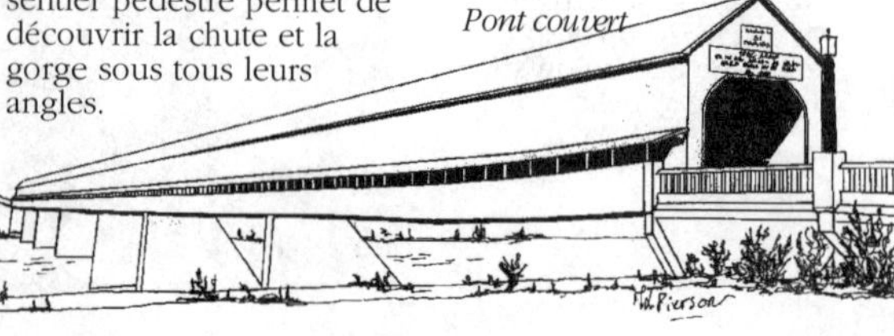
Pont couvert

Prince William

Kings Landing ★★★ *(10$; juin à mi-oct tlj 10h à 17h; le long de la Transcanadienne, ☎363-4999, ≠363-4989)* est un formidable musée vivant et en plein air reproduisant un village loyaliste du début du XIXe siècle sur un immense site de 120 ha en bordure du fleuve Saint-Jean. Il comprend une vingtaine de bâtiments historiques et environ 30 000 objets patrimoniaux, notamment des pièces de mobilier, des vêtements et des outils. Des personnages en costume d'époque animent le site en vaquant aux occupations quotidiennes des villageois de cette époque tout en répondant aux questions des visiteurs. Mieux que dans tout autre musée traitant du sujet, une visite de Kings Landing est la façon la plus agréable et la plus efficace de connaître l'histoire des loyalistes.

Gagetown

Après avoir serpenté à travers les champs d'une région agricole prospère, la petite route en provenance d'Oromocto mène à Gagetown, un tout petit village qu'on dirait tiré d'un conte de fées, tellement tout y est mignon : son église, son magasin général, ses quelques maisons et son site même, sur les berges du fleuve Saint-Jean. L'endroit, très paisible, a conservé son cachet d'antan de village loyaliste, et un savoir-vivre on ne peut plus anglo-saxon. Avec tant de charme, on ne peut s'étonner que Gagetown attire chaque année des artistes en quête d'inspiration, en plus des vacanciers venus y trouver le repos. Des plaisanciers s'y arrêtent aussi, amarrant leur yacht ou leur voilier au quai du village. Même si Gagetown est un village minuscule, il est doté de quelques *bed and breakfasts*, d'une très bonne auberge, d'une galerie d'art et de boutiques d'artisanat. En outre, un service de traversier gratuit permet de se rendre sur l'autre rive du fleuve.

La **Tilley House** ★ *(2$; mi-juin à mi-sept, tlj 10h à 17h; Front Street, ☎488-2966)* a été construite en 1786, ce qui en fait l'une des plus anciennes maisons du Nouveau-Brunswick. Elle abrite désormais le **Musée du comté de Queens**, où sont rassemblés une foule d'objets rappelant l'histoire locale et celle de son plus illustre propriétaire, Samuel Leonard Tilley, l'un des pères de la Confédération canadienne de 1867.

Le **studio Loomcrofter** ★ *(au sud du village, près de l'école, ☎488-2400)* renferme les ateliers des dessinateurs et des tisserands de vêtements de tartan, cette étoffe de laine à bandes de couleur et aux motifs d'origine écossaise. Le studio occupe l'un des plus vieux bâtiments de la vallée du fleuve Saint-Jean.

St. Stephen

Plus important poste frontalier des Maritimes, St. Stephen est une petite ville animée qui a été fondée en 1784 par des colons américains désirant rester fidèles à la Couronne britannique à la suite de la guerre d'Indépendance des États-Unis. Ironiquement, aujourd'hui, si ce n'était de la frontière naturelle que constitue la petite rivière Sainte-Croix, on pourrait croire que St. Stephen et Calais, sa ville jumelle du Maine (É.-U.), ne forment qu'une seule et même ville. On célèbre d'ailleurs chaque année, des deux côtés de la frontière, cette communauté d'esprit lors d'un **festival international** qui se tient à la fin du mois d'août. Un autre festival, celui du **chocolat**, se tient quant à lui exclusivement à St. Stephen au début du mois d'août : c'est que St. Stephen a l'honneur d'être passée à l'histoire comme le berceau de la tablette de chocolat, inventée ici en 1910 par l'entreprise Ganong. La boutique **Ganong Chocolatier** *(73 Milltown Boulevard, ☎465-5611)* a d'ailleurs toujours pignon sur rue, et c'est un arrêt obligé pour les amateurs de sucreries.

Le **Musée du comté de Charlotte** *(entrée libre; juin à août lun-sam 9h30 à 16h30; 443 Milltown Boulevard, ☎466-3295)* est aménagé dans une résidence de style Second Empire construite en 1864 pour un homme d'affaires prospère de la ville. Il abrite i une collection d'objets rappelant l'histoire de la région, particulièrement l'époque où St. Stephen et les petits villages avoisinants étaient réputés pour la construction navale.

Le **Crocker Hill Garden & Studio** *(2,4 km à l'est de St. Stephen, sur Ledge Road, ☎466-4251)* est un magnifique jardin donnant sur la rivière Sainte-Croix. On peut le visiter sur rendez-vous seulement.

St. Andrews by-the-Sea

Plus célèbre lieu de villégiature du littoral de la baie de Fundy, St. Andrews by-the-Sea est un beau village, tourné vers la baie, qui a su tirer profit de sa popularité pour mettre en valeur l'étonnante richesse de son patrimoine architectural. Comme nombre d'autres communautés de la région, St. Andrews by-the-Sea a été fondée par des loyalistes en 1783, puis a connu une époque de grande prospérité pendant le XIXe siècle en tant que centre de construction navale et d'exportation de billes de bois. Plusieurs des nombreuses résidences cossues qui flanquent ses rues, notamment la jolie **Water Street ★**, datent de cette période faste. Puis, avec la fin de ce même XIXe siècle, St. Andrews by-the-Sea commença à accueillir de riches visiteurs venus s'y remplir les poumons de l'air vivifiant du large. Cette nouvelle vocation pour St. Andrews by-the-Sea fut définitivement consacrée à partir de 1889 avec la construction, sur le coteau dominant le village, d'un formidable hôtel, l'**Algonquin Resort ★★** (voir p 153). Au cachet pittoresque que lui valent sa multitude de bâtiments historiques et son ouverture sur la baie aux marées géantes, s'ajoutent aujourd'hui un large choix de lieux d'hébergement et de bons restaurants, de nombreuses boutiques et un célèbre parcours de golf. Tout cela fait de St. Andrews by-the-Sea le lieu tout désigné où séjourner lors d'une visite de la région et de ses îles.

Érigée en 1820, la **maison du shérif Andrews ★** *(entrée libre; fin juin à début sept 9h30 à 16h30; 63 King Street, ☎453-2324)* est une des mieux préservées de cette époque à subsister à St. Andrews by-the-Sea. Elle fut construite par Elusha Shelton Andrews, shérif du comté de Charlotte et fils d'un éminent loyaliste, le révérend Samuel Andrews. Elle appartient depuis 1986 au gouvernement du Nouveau-Brunswick, qui en a fait un musée où des guides en costume d'époque reconstituent la vie et l'époque du shérif.

Aménagé dans une somptueuse résidence du XIXe -siècle de style néoclassique, le **musée Ross ★** *(entrée libre; fin mai à début oct mar-sam 10h à 16h30, dim 13h30 à 16h30; 188 Montague Street, ☎529-1824)* renferme les meubles anciens et d'autres antiquités rassemblés tout au long de leur vie par Henry Phipps Ross et Sarah Juliette Ross, un couple d'Américains qui habitèrent St. Andrews by-the-Sea de 1902 à leur mort. Le couple Ross avait une passion pour les voyages et les antiquités, et il a fait l'acquisition de superbes meubles fabriqués au Nouveau-Brunswick, mais aussi de magnifiques pièces de porcelaine de Chine et d'autres objets importés aujourd'hui inestimables. Une visite au musée Ross est un véritable plaisir pour les yeux. St. Andrews by-the-Sea compte plusieurs remarquables églises. La plus flamboyante est la **Greenock Church ★★** *(angle Montague Street et Edward Street)*, une église presbytérienne dont la construction s'acheva en 1824. Son élément le plus intéressant est sa chaire, construite en bonne partie d'acajou du Honduras.

Le **lieu historique national du Blockhaus de St. Andrews by-the-Sea** *(à l'extrémité ouest de Water Street)* était jusqu'à tout récemment le tout dernier blockhaus de la guerre de 1812 resté intact. Il fut malheureusement endommagé par les flammes, mais sa restauration est en cours. En face se trouve le joli **parc du Centenaire**.

Plaisamment aménagé, le **jardin horticole Kingsbrae** *(220 King St., ☎529-3335, ≠529-4875)*, d'une superficie de 11 ha, permet de découvrir plusieurs espèces de fleurs et d'arbustes rares.

Le **Sunbury Shores Arts & Nature Centre** *(139 Water Street, ☎529-3386)* abrite une petite galerie d'art où l'on peut admirer les travaux d'artistes du Nouveau-Brunswick. Le centre est toutefois surtout connu pour les cours d'art, d'artisanat et d'interprétation de la nature qu'il offre chaque été à des groupes d'enfants et d'adultes.

Le **musée** et l'**aquarium du centre marin Huntsman** *(4,50$; juil à oct 10h à 18h; Brandy Cove Road, ☎529-1202)* permet aux visiteurs de découvrir les richesses de l'écosystème de la baie. Plusieurs espèces animales y sont présentées, entre autres des phoques qu'on nourrit quotidiennement à 11h et à 16h. Un bassin a également été aménagé afin que les visiteurs puissent toucher certaines espèces de crustacés vivants.

Le **lieu historique Minister's Island ★** *(5$; Mowat Drive Road, prendre Bar Road jusqu'au bout)* fut d'abord, au tout début du XIXe siècle, la propriété du révérend Samuel, avant d'être rachetée vers 1890 par Sir William Van Horne, résidant de Montréal célèbre pour avoir été le constructeur du premier chemin de fer reliant Montréal à Vancouver. Van Horne fit construire sur ce grand domaine une immense résidence d'été comptant une cinquantaine de pièces. Minister's Island n'est accessible qu'à marée basse. Pour faire une visite en groupe organisé, renseignez-vous au bureau d'information touristique *(☎529-3000 ou 529-5081).*

Le **Centre d'interprétation du saumon de l'Atlantique** *(4$; avr à oct 9h à 17h; Chamcook, à 8 km de St. Andrews by-the-Sea, sur la route 127, ☎529-4581)* a été conçu pour permettre de comprendre le mode d'existence du saumon de l'Atlantique, notamment en l'observant dans son état naturel grâce à une fenêtre.

St. George

Granite Town, comme on surnomme St. George en raison des riches dépôts de granit de sa région, est une bourgade à l'héritage loyaliste en bordure d'une jolie **chute** ★ sur la rivière Magaguadavic. Un petit poste d'observation situé à l'entrée du village, à côté du pont de la rue Brunswick, offre un beau coup d'œil sur la chute et sa gorge, sur l'ancien barrage de la St. George Pulp & Paper Company et sur l'escalier qui a été construit afin de permettre aux saumons de remonter le cours de la rivière en été. Comme plusieurs villes et villages de la baie fondés à la fin du XVIIIe siècle, St. George possède sa part d'intéressants bâtiments dont son **bureau de poste** *(Brunswick Street)*, à la façade de granit rouge, et plusieurs églises, notamment la **Presbyterian Kirk** *(sur Brunswick Street, à la sortie est du village)*, la plus vieille église presbytérienne du Canada. De St. George, on peut se rendre à Letete, où un traversier gratuit se rend à l'île Deer entre 7h et 22h chaque jour.

Île Deer

Après une croisière à travers des îlots couverts d'oiseaux, le traversier de Letete arrive à l'île Deer, une île de paysages forestiers, de plages sauvages et de minuscules villages de pêcheurs. De la pointe sud de l'île Deer, on peut voir chaque jour, trois heures avant la marée haute, un intéressant phénomène naturel, un grand tourbillon, l'un des plus grands au monde, qu'on nomme ici **Old Sow** ★. Un traversier privé fait la navette en été, environ aux heures, entre l'île Deer et l'île Campobello.

Île Campobello

Campobello, l'île bien-aimée de l'ancien président américain Franklin D. Roosevelt (1882-1945), est aujourd'hui un lieu de détente privilégié par les ama-teurs de plein air et d'histoire. On vient découvrir ses belles plages sauvages, faire du vélo sur ses routes tranquilles ou marcher dans des sentiers bien aménagés le long de ses côtes. À son extrémité est, le très pittoresque phare d'**East Quoddy Head** ★ occupe un site magnifique sur la baie, à partir duquel on peut à l'occasion voir des baleines et d'autres mammifères marins.

Dès le début du XIXe - siècle, la beauté de l'île Campobello a attiré l'attention de riches familles des villes du Nord-Est américain qui s'y sont fait construire de belles résidences d'été. La plus célèbre de ces familles a été celle de Franklin D. Roosevelt, dont le père, James, acheta un terrain de 1,6 ha sur l'île en 1883. Franklin lui-même, puis sa propre famille, y passèrent la plupart de leurs étés, de 1883 jusqu'en 1921, année pendant laquelle il a contracté la polio. Il y vint à quelques reprises par la suite revoir ses amis de Campobello, alors qu'il était président des États-Unis. Si l'île est en territoire canadien, c'est à partir du poste frontalier de Lubec (Maine) qu'elle est le plus facilement accessible. Pendant les mois d'été, un traversier privé fait également la navette, environ aux heures, entre l'île Deer et l'île Campobello.

Le **parc international Roosevelt et son aire naturelle** ★★ *(entrée libre; fin mai à début oct 10h à 18h; route 774, ☎752-2922)* fut un projet conjoint des gouvernements canadien et américain lancé en 1964, avec pour objectif de faire connaître l'attachement tout particulier de Roosevelt à l'île Campobello et à sa magnifique propriété. Le centre d'accueil des visiteurs du parc présente un court métrage sur les séjours de Roosevelt dans l'île Campobello. On peut par la suite visiter l'extraordinaire **maison Roosevelt**, dont les meubles ont pour la plupart appartenu à l'ancien président américain, puis s'arrêter à la **maison Prince**, au site de la **maison James Roosevelt** et à la **maison Hubbard**.

Villa Roosevelt

Le parc renferme aussi une très belle aire naturelle, au sud du centre des visiteurs, où de beaux sentiers de randonnée ont été aménagés sur la côte.

Tout près du parc international Roosevelt se trouve **Herring Cove** *(☎752-7000)*, un joli site naturel qui comprend des sentiers pédestres, un centre d'interprétation, un golf et un camping.

Île Grand Manan

L'île Grand Manan a longtemps surtout attiré les scientifiques, notamment le célèbre James Audubon au début du XIXe siècle, intéressés par les quelque 275 espèces d'oiseaux qui s'y posent chaque année, de même que les géologues car l'île possède des formations rocheuses uniques. Mais plus récemment, l'île Grand Manan a commencé à bénéficier de l'engouement que suscite désormais l'écotourisme, car ce n'est un secret pour personne : cette île paisible a beaucoup à offrir aux amants de la nature. Elle peut être agréablement découverte à vélo, ou encore mieux à pied grâce à un très bon réseau de sentiers pédestres qui longent ses côtes accidentées aux paysages souvent spectaculaires.

L'un des endroits les plus pittoresques de l'île est certainement le phare **Swallowtail Light** ★, qui se dresse à l'extrémité d'une péninsule à North Head, d'où l'on peut régulièrement voir des baleines au large. L'île abrite également un **musée** *(Grand Harbour, ☎662-3524)* et sert de point de départ à de multiples excursions d'observation de baleines ou à des expéditions jusqu'à l'**île Machias Seal** ★, une remarquable réserve ornithologique.

L'île compte aussi plusieurs phares, des plages sauvages et d'excellents sites pour l'observation d'oiseaux. Plusieurs *bed and breakfasts* sont à la disposition des visiteurs, de même qu'un très bon terrain de camping *(The Anchorage, ☎662-7022)*.

Pour se rendre à l'île Grand Manan, il y a, cinq ou six fois par jour, un traversier à partir de Blacks Harbour *(☎662-3724)*.

Saint John

Plus grande ville du Nouveau-Brunswick, Saint John est construite sur des collines de part et d'autre du fleuve Saint-Jean, qui, à cet endroit, se jette dans la baie de Fundy. Son charme unique, teinté de mystère, tient largement à ce qu'elle incarne on ne peut mieux la vieille ville portuaire et industrielle typique de l'est du continent. Ses hautes grues et ses hangars s'alignent sur les quais, lesquels, à marée basse, prennent l'allure étrange de hautes palissades de bois surplombant le fleuve. De plus, pour ajouter à ce caractère mystérieux, Saint John est souvent recouverte d'un épais brouillard imprévisible qui, à tout moment, peut l'envelopper ou disparaître aussi rapidement. Cette ville doit en bonne partie l'essor de ses industries à son port libre de glace à longueur d'année. Son site fut recensé pour la première fois le 24 juin 1604 par l'explorateur Samuel de Champlain, qui baptisa le fleuve Saint-Jean afin d'honorer le saint patron du jour. Plus tard, à partir de 1631, Charles de La Tour en fit un poste de traite des fourrures. Mais l'histoire de la ville ne commença véritablement qu'en 1783 sous le Régime anglais. Cette année-là, du 10 au 18 mai, environ 2 000 loyalistes débarquèrent à Saint John pour refaire leur vie à la suite de la défaite britannique aux mains des forces armées de la Révolution américaine. Avant l'hiver, l'arrivée de nouveaux contingents de loyalistes fit doubler la population de Saint John.

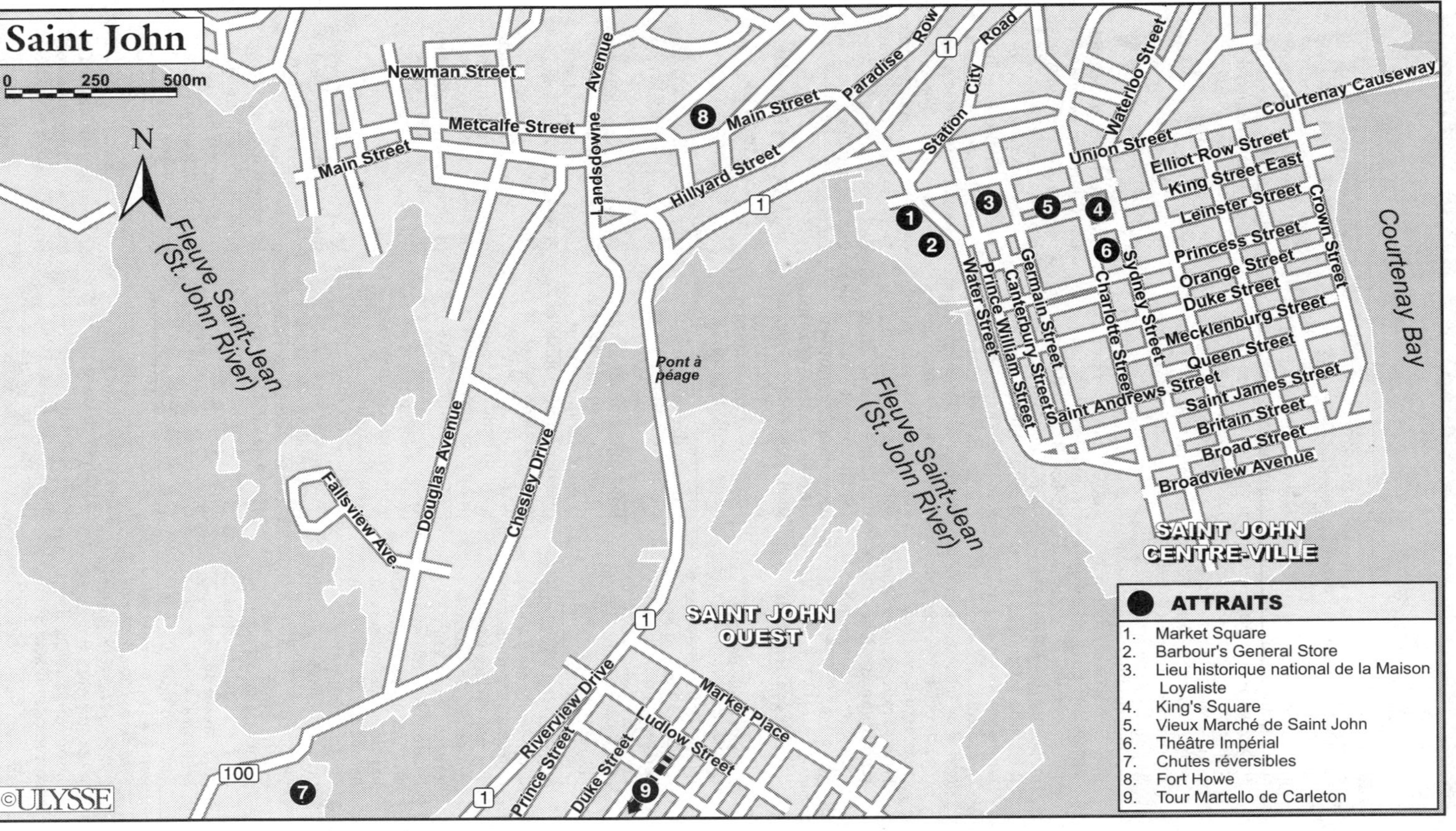

Saint John
0
250
500m
N
Newman Street
Metcalfe Street
Main Street
Landsdowne Avenue
Main Street
Paradise Row
Station
City Road
Waterloo Street
Courtenay Causeway
Hillyard Street
Union Street
Elliot Row Street
King Street East
Leinster Street
Crown Street
Princess Street
Orange Street
Duke Street
Mecklenburg Street
Queen Street
Saint James Street
Britain Street
Broad Street
Broadview Avenue
Water Street
Prince William Street
Canterbury Street
Germain Street
Charlotte Street
Sydney Street
Saint Andrews Street
Courtenay Bay
Fleuve Saint-Jean
(St. John River)
Pont à péage
Fleuve Saint-Jean
(St. John River)
Douglas Avenue
Chesley Drive
Fallsview Ave.
SAINT JOHN CENTRE-VILLE
SAINT JOHN OUEST
Riverview Drive
Prince Street
Duke Street
Ludlow Street
Market Place
1
100
ATTRAITS
1. Market Square
2. Barbour's General Store
3. Lieu historique national de la Maison Loyaliste
4. King's Square
5. Vieux Marché de Saint John
6. Théâtre Impérial
7. Chutes réversibles
8. Fort Howe
9. Tour Martello de Carleton
©ULYSSE

La ville se développa par la suite en absorbant quantité d'immigrants en provenance principalement des îles Britanniques. L'île Partridge, dans son port, était d'ailleurs à cette époque pour les immigrants la principale porte d'entrée et de quarantaine au Canada. Aujourd'hui, Saint John est la ville canadienne ayant la plus forte concentration d'Irlandais. C'est une ville agréable à visiter, notamment lors des **Journées loyalistes**, à la mi-juillet, qui rappellent l'arrivée en 1783 des loyalistes. L'excellent **festival by-the-Sea**, au mois d'août, célèbre les arts de la scène, alors que le **Franco-Frolic**, tenu en juin, rend hommage à la culture et aux traditions acadiennes.

Le centre-ville

Le **centre-ville de Saint John ★★**, aux rues étroites flanquées de maisons et d'édifices historiques, est construit sur une colline du côté est du fleuve. Une visite de ce quartier de la ville commence généralement au Market Square, aménagé il y a une dizaine d'années dans le cadre d'un plan de revitalisation du centre-ville. La place comprend un centre commercial et un centre des congrès, des restaurants et un hôtel qui allie un aménagement moderne à des bâtiments du XIXe siècle. On trouve un excellent bureau de renseignements touristiques à l'entrée du Market Square. C'est également au Market Square qu'a récemment emménagé le **Musée du Nouveau-Brunswick ★** *(6$; toute l'année; lun-ven 9h à 21h, sam 10h à 18h, dim midi à 17h; Market Square, ☎643-2300, ⇄643-6081)*. Portant le titre de plus ancien musée du Canada, il est consacré non seulement aux œuvres d'artistes de la province, mais aussi à l'histoire des habitants du Nouveau-Brunswick : Amérindiens, Acadiens, loyalistes et autres. La collection permanente comporte entre autres des objets importés, notamment des porcelaines de Chine.

Sur le versant sud du Market Square se trouve un petit bâtiment de brique, le **Barbour's General Store** *(entrée libre; mi-mai à mi-oct; ☎658-2939)*, où sont présentés les objets de consommation courante vendus au XIXe siècle dans ce type de commerce. Des visites guidées de la ville sont organisées à partir du Barbour's General Store. De là, on peut remonter la rue Union jusqu'au **lieu historique national de la Maison Loyaliste ★** *(2$; toute l'année; 120 Union Street, ☎652-3590)*, une maison toute simple construite dans les années 1810 renfermant des meubles d'époque raffinés.

En continuant sur la rue Union, on se rend jusqu'à la rue Charlotte, qu'on prend à droite pour aller jusqu'au **King's Square ★**, un joli parc urbain constituant le centre de Saint-John. Les allées de ce parc reproduisent le design de l'*Union Jack*, le drapeau britannique, évoquant on ne peut mieux l'attachement de la population de Saint John à la mère patrie. En face du parc, toujours sur la rue Charlotte, s'étale le **Vieux Marché de Saint John ★** *(entrée libre; toute l'année lun-jeu 7h30 à 18h, ven 7h30 à 19h, sam 7h30 à 17h; 47 Charlotte Street, ☎658-2820)*, ouvert depuis 1876, et où l'on peut toujours acheter les produits frais des fermes de la région. Quelques marchands vendent du *Dulse*, une algue que les habitants de Saint John utilisent abondamment pour accompagner divers plats. Sur un autre flanc du parc, on peut apercevoir le somptueux **Théâtre Impérial** *(24 King Square South, ☎634-8355 ou 674-4111)*, construit en 1913 et restauré en 1994; il se consacre aux arts de la scène.

L'**Aitken Bicentennial Exhibition Centre** *(entrée libre; juin à sept tlj 10h à 17h, sept à juin mar-dim 11h30 à 16h30; 20 Hazen Avenue, ☎633-4870)* présente des expositions à caractère scientifique et artistique. L'un des cinq halls d'exposition a été spécialement conçu pour présenter de façon dynamique aux enfants certaines facettes de la science.

À l'extérieur du centre-ville

Les chutes réversibles ★★ *(sur la route 100, à la hauteur du fleuve)* offrent un phénomène naturel unique ayant lieu deux fois par jour à marée haute. Le courant du fleuve, qui, à cet endroit, chute de 4 m à marée basse, se renverse à marée haute, lorsque le niveau des eaux de la baie est de plusieurs mètres plus haut que celui du fleuve. Ce contre-courant se fait sentir jusqu'à Fredericton.

Pour un excellent **point de vue ★** sur la ville, rendez-vous sur le site de **Fort Howe** *(Main Street, ☎658-2090)*. Le site comporte un blockhaus de bois construit à Halifax, puis déménagé ici en 1777 pour protéger le port de Saint John d'éventuelles attaques américaines.

La **Tour Martello de Carleton ★★** *(2,50$; juin à oct 9h à 17h; sur la rive ouest du* *fleuve, Whipple Street, ☎636-4011)* est une tour circulaire construite pendant la guerre de 1812 en vue de protéger le port des attaques américaines. Elle servit également de poste de commande à l'Armée canadienne lors de la Seconde Guerre mondiale. Des guides en costume du XIXe siècle expliquent l'histoire de la tour et de la ville de Saint John. Du sommet, on bénéficie d'un superbe panorama sur la ville, le port et la baie. Il s'agit d'un lieu historique national.

Le **parc Rockwood** *(entrée principale sur Mt. Pleasant Avenue)* est le poumon de Saint John et, avec ses 890 ha, le plus grand parc municipal du Canada. On peut y pratiquer plusieurs activités sportives, notamment la randonnée pédestre, la baignade, la pêche, le canot et le pédalo. Plusieurs autres activités sont spécialement organisées pour les enfants. Dans la section nord du parc, on peut visiter le **Zoo Cherry Brook** *(3,25$; toute l'année, 10h à la tombée de la nuit; Sandy Point Road, dans la partie nord du parc Rockwood, ☎634-1440)*, le seul zoo d'animaux exotiques des Maritimes; il en abrite une centaine d'espèces.

L'**île Partridge** ★ *(10$; mai à nov; du port de Saint John, pour information ☎693-2598)* a longtemps été la principale porte d'entrée au Canada des immigrants en provenance des îles Britanniques et du continent européen. Entre 1785 et 1942, elle fut le lieu de transition et de quarantaine de trois millions d'immigrants qui se sont, par la suite, installés à Saint John, mais aussi, pour la plupart, ailleurs au Canada ou aux États-Unis. Environ 2 000 d'entre eux, après une traversée de l'Atlantique souvent pénible, n'ont pas eu la chance de voir autre chose que cette île et y sont morts puis enterrés dans l'un de ses six cimetières. L'île abrite aussi le plus vieux phare du Nouveau-Brunswick ainsi qu'un musée d'histoire.

Le **parc naturel Irving** ★★ *(à l'extrémité de Sand Cove Road, ☎632-7777)* est une pure merveille qui a beaucoup à offrir aux amants de la nature. Situé à quelques kilomètres à peine à l'ouest de la ville industrielle de Saint John, ce magnifique parc occupe une péninsule de 225 ha bordée de plages sauvages où l'on se sent à mille lieues de la ville. Des sentiers permettent d'agréables balades en contact avec la nature, la faune et la flore des côtes de la baie de Fundy.

St. Martins

St. Martins est l'un des trésors les mieux gardés du Nouveau-Brunswick. Idyllique village de pêcheurs donnant sur la baie de Fundy, St. Martins est riche de belles maisons du XXe siècle, époque où il était connu comme un centre de construction de grands navires en bois. Le village est aujourd'hui très pittoresque avec son petit port où mouillent les embarcations des pêcheurs locaux; il compte également deux ponts couverts, dont l'un mène aux célèbres **cavernes à écho** ★ creusées dans des falaises par l'action des marées de la baie de Fundy. Les amants de la nature trouvent à St. Martins de longues plages sauvages, mais aussi l'agréable **Lions Park**, où l'on peut marcher et se baigner. Les amateurs d'excellente cuisine trouvent, quant à eux, à St. Martins l'une des meilleures auberges de la province. Enfin, pour jouir d'une **vue spectaculaire** ★ sur les falaises rouges de la région, rendez-vous au **phare de Quaco Head**, à quelques kilomètres à l'ouest de St. Martins.

Alma

Alma, un petit village de pêcheurs à l'entrée du parc national Fundy, compte plusieurs lieux d'hébergement et de nombreux restaurants. Lorsque la marée est à son plus bas, elle découvre des kilomètres de fonds marins que l'on peut arpenter. À partir d'Alma, la route 915 se rend jusqu'à une péninsule au nom évocateur de **Cap Enragé** ★. De cette péninsule, on peut avoir de bons points de vue sur la baie. L'endroit est particulièrement propice à la pratique de plusieurs sports aquatiques etl dispose d'une belle plage sauvage. La route longe la baie jusqu'à **Mary's Point** ★, une réserve naturelle d'oiseaux aquatiques où s'arrêtent de la mi-juillet à la mi-août des centaines de milliers de bécasseaux semi- palmés.

Hopewell Cape

Les formations rocheuses de Hopewell Cape *(mi-mai à mi-oct. ☎877-734-3429)*, surnommées les **pots de fleurs** ★★, constituent l'un des attraits les plus connus de la province et symbolisent à elles seules toute la force des marées de la baie.

Hopewell Cape

À marée haute, on dirait des îlots boisés tout juste en retrait de la côte. Puis, en se retirant à marée basse, les eaux mettent à nu de hautes formations sculptées par le va-et-vient incessant des marées. Lorsque la marée est à son plus bas, on peut y explorer les fonds marins. Plusieurs sports nautiques sont organisés à partir de Hopenelle Rock.

Moncton

Grâce à sa situation géographique au cœur des Maritimes et à son bassin de main-d'œuvre qualifiée et bilingue, Moncton est aujourd'hui l'étoile montante du Nouveau-Brunswick. Son site, sur la rivière Petitcodiac, fut jusqu'à la Déportation un petit poste acadien. Puis, des colons d'origine américaine vinrent s'y installer et fondèrent la ville, qui prospéra au milieu du XIXe siècle comme centre de construction de navires de bois et, plus tard, en tant que terminus du chemin de fer Intercolonial. Désormais, l'économie de Moncton repose principalement sur le commerce et le secteur des services.

Aux Acadiens, qui forment plus de 35% de la population, Moncton offre l'occasion unique de relever les défis et de goûter les attraits de la vie urbaine. Malgré leur statut minoritaire, ils ont fait de Moncton le siège de leurs principales institutions économiques et sociales et de la seule université francophone de la province, l'Université de Moncton. Ironiquement, la ville et par extension l'université tiennent leur nom de l'officier Robert Monkton, qui commanda les forces britanniques lors de la prise du fort Beauséjour en 1755, ce qui devait être le prélude de la chute de l'Empire français en Amérique du Nord et du Grand Dérangement. Qu'à cela ne tienne, Moncton est actuellement au centre du renouveau acadien et, inversement, le vent de dynamisme qui souffle sur Moncton est en bonne partie attribuable à l'esprit entrepreneurial qui caractérise maintenant les Acadiens. La banlieue immédiate de Moncton comprend des communautés aussi diversifiées que **Dieppe**, à forte majorité acadienne, et **Riverview**, laquelle, de son côté, est très anglophone. Le début du mois de juillet est un excellent moment pour visiter la ville, alors qu'elle s'anime à l'occasion du **Festival de jazz de Moncton**.

La rivière Petitcodiac, qu'on surnomme ici la rivière Chocolat à cause de la couleur de ses eaux, se vide et se remplit deux fois par jour sous l'effet des marées de la baie de Fundy. Phénomène intéressant, la hausse des eaux de la rivière Petitcodiac est toujours précédée d'un **mascaret ★**, soit une vague pouvant atteindre quelques dizaines de centimètres et qui remonte en sens inverse le cours de la rivière. Le meilleur endroit où observer cette vague est le **parc du Mascaret** *(centre-ville, sur Main Street)*. Pour savoir à quel moment de la journée aura lieu le mascaret au cours de votre séjour, renseignez-vous auprès du bureau d'information touristique de Moncton *(angle Main Street, en face du parc du Mascaret, ☎856-4399)*.

La **maison Thomas Williams ★** *(entrée libre; mai et sept lun, mer et ven 10h à 15h; juin mar-sam 9h à 17h et dim 13h à 17h; juil et août lun-sam 9h à 17h; dim 13h à 17h; 103 Park Street, ☎857-0590)*, de style Second Empire, est un bâtiment de 12 pièces construit en 1883 pour la famille de Thomas Williams, alors comptable pour le chemin de fer Intercolonial; ses héritiers y vivèrent pendant un siècle. Aujourd'hui un musée, il permet aux visiteurs de mieux découvrir le mode de vie de la bourgeoisie de Moncton à l'époque victorienne. Au moment de sa construction, Moncton n'étant qu'une toute petite bourgade, la maison se trouvait à l'extérieur de ses limites, en pleine campagne.

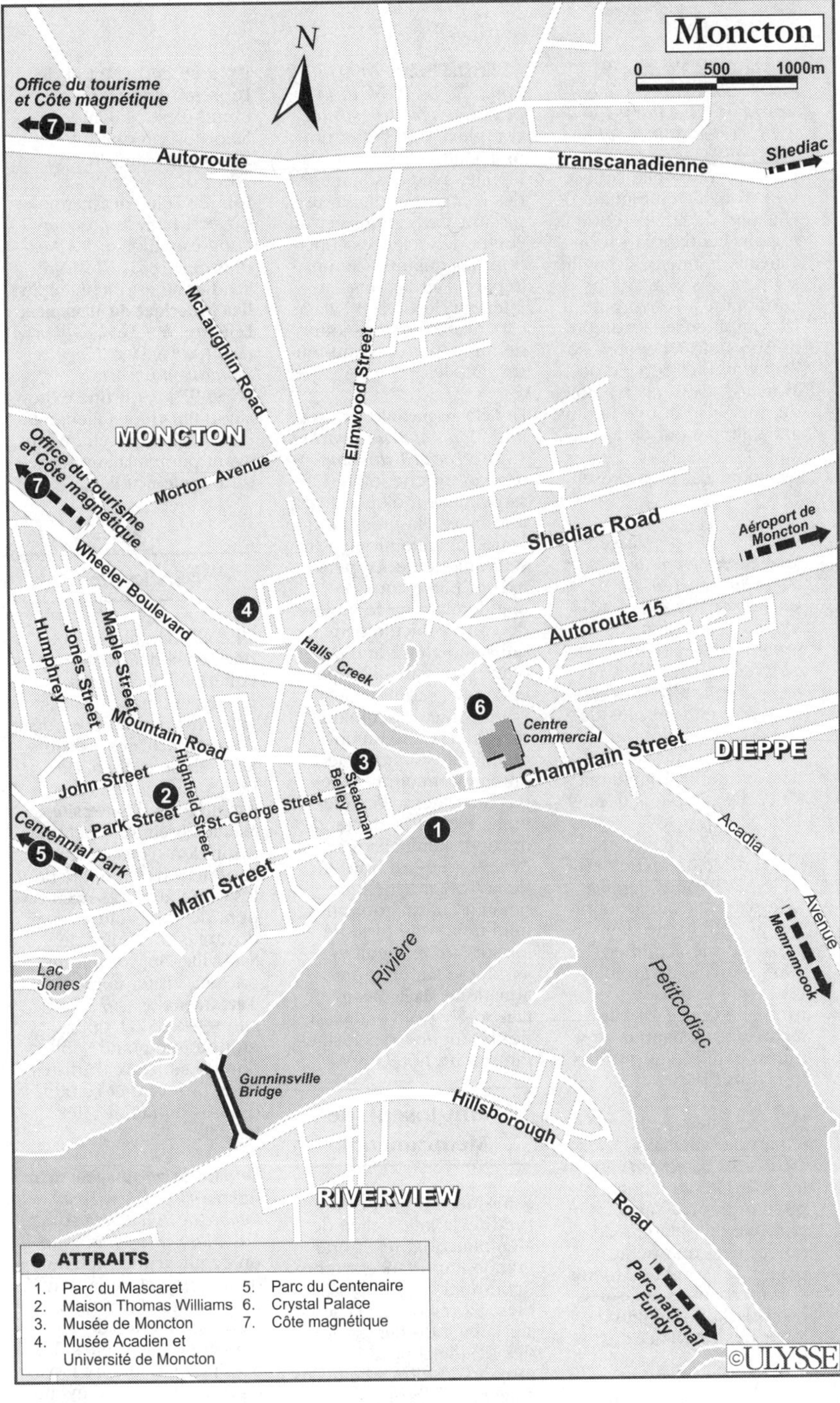
Moncton
0
500
1000m
N
Office du tourisme
et Côte magnétique
7
Autoroute
transcanadienne
Shediac
McLaughlin Road
Elmwood Street
MONCTON
Office du tourisme
et Côte magnétique
7
Morton Avenue
Shediac Road
Aéroport de
Moncton
Wheeler Boulevard
4
Autoroute 15
Halls
Creek
Humphrey
Jones Street
Maple Street
Mountain Road
6
Centre
commercial
Highfield Street
3
Steadman
Belley
Champlain Street
DIEPPE
John Street
2
Park Street
St. George Street
Centennial Park
5
1
Acadia
Avenue
Main Street
Memramcook
Lac
Jones
Rivière
Petitcodiac
Gunninsville
Bridge
Hillsborough
Road
RIVERVIEW
Parc national
Fundy
ATTRAITS
1. Parc du Mascaret
2. Maison Thomas Williams
3. Musée de Moncton
4. Musée Acadien et
Université de Moncton
5. Parc du Centenaire
6. Crystal Palace
7. Côte magnétique
©ULYSSE

Le **Musée de Moncton ★** *(entrée libre; juil et août lun-sam 9h à 16h30, dim 13h à 17h; 20 Mountain Road, ☎856-4383, ≠856-4355)* présente une belle collection d'objets témoignant de l'histoire de la ville et de la région. Pendant la saison estivale, le musée accueille souvent des expositions temporaires d'envergure. La somptueuse façade du musée a été récupérée de l'ancien hôtel de ville de Moncton. Tout juste à côté du musée se trouve le plus ancien bâtiment de la ville, datant de 1821, et d'ailleurs très bien préservé.

La collection du **Musée Acadien ★** *(entrée libre; juin à sept lun-ven 10h à 17h, sam-dim 13h à 17h; oct à mai mar-ven 13h à 16h30, sam-dim 13h à 16h; Université de Moncton, édifice Clément-Cormier, ☎858-4088)* renferme en tout plus de 30 000 objets, dont une collection permanente démontrant l'héritage matériel des Acadiens depuis 1604 jusqu'au XXe siècle. Le Musée Acadien a été fondé à Memramcook en 1886 par le père Camille Lefebvre du Collège Saint-Joseph, puis a été déménagé sur le site actuel en 1965. Dans le même bâtiment que le musée se trouve le **Centre d'art de l'Université de Moncton ★★**, où est exposée la production d'artistes acadiens.

Du côté ouest de la ville, le **parc du Centenaire** *(St. George Boulevard)* est un lieu de détente familial ouvert en toute saison. On y trouve des sentiers de randonnée, une petite plage, des courts de tennis et un terrain de jeu, sans compter la possibilité d'y louer des canots et des pédalos.

Le **Crystal Palace** *(499 rue Paul, Dieppe, à côté de la place Champlain)* est un complexe hôtelier et un parc d'attractions pour la famille, avec des manèges, des jeux, un minigolf, une piscine, des cinémas et un centre des sciences conçu pour les enfants. Comme le parc d'attractions est intérieur, le Crystal Palace est envahi, lors des jours de pluie, par de nombreuses familles.

La **Côte magnétique ★** *(voiture 2$; à l'ouest de Moncton, sortie 88 de la Transcanadienne)* est une intéressante illusion d'optique où vous avez l'impression que votre véhicule monte tout seul une pente. Le personnel sur place vous demande d'arrêter le moteur de votre véhicule dans ce qui semble être le bas d'une pente très abrupte, et comme par miracle votre véhicule semble la remonter. Cette remarquable illusion est, bien entendu, un attrait à ne pas manquer avec la famille. Plusieurs autres attractions familiales se sont développées en bordure de la Côte magnétique, notamment un zoo, un mini-train, une piste de karting, un minigolf et surtout le superbe parc aquatique **Magic Mountain ★**. S'y trouvent aussi des boutiques, des restaurants et un hôtel.

Saint-Joseph-de-Memramcook

Saint-Joseph, petit bourg rural de la jolie vallée de Memramcook, revêt une grande importance symbolique pour le peuple acadien. Sa région est la seule sur la baie de Fundy où des Acadiens occupent toujours les terres cultivées d'avant la Déportation, faisant le pont entre l'Acadie de l'avant et de l'après Grand Dérangement. C'est également à Saint-Joseph que fut établi le Collège Saint-Joseph en 1864, où longtemps a été formée l'élite acadienne et où s'est tenu le premier congrès national des Acadiens en 1881. L'histoire acadienne est racontée au **lieu historique du Monument Lefebvre ★** *(2$; début juin à début sept tlj 9h à 17h; Monument-Lefebvre, ☎758-9783)*, où une exposition illustre les éléments-clés et les dates charnières ayant permis la survivance du peuple acadien.

Sackville

Une aisance discrète et une sensibilité toute particulière à l'héritage du passé émanent de Sackville, avec ses rues bordées de grands arbres, derrière lesquels se cachent de belles résidences. La ville est l'hôte de l'**Université Mount Allison**, une petite institution d'enseignement supérieur très réputée dont les jolis bâtiments occupent de belles aires verdoyantes du centre de Sackville. Sur le campus, on peut visiter la **galerie d'art Owens ★** *(sur le campus, ☎364-2574)*, qui regroupe une grande collection de tableaux d'artistes de la province et certaines œuvres du maître Alex Colville.

Le **parc de la Sauvagine ★★** *(entrée libre; tlj jusqu'à la tombée de la nuit; entrée sur East Main Street)* renferme un centre d'interprétation de la faune et de la flore d'un marais d'eau salée. Deux kilomètres de sentiers et de passerelles de bois permettent aux visiteurs de pénétrer dans un univers dont on ne peut soupçonner à prime abord la richesse et la diversité. En plus de son aspect éminemment pédagogique, ce parc est un merveilleux lieu de détente.

Aulac

C'est à Aulac, à la suite de la prise du fort Beauséjour par les troupes britanniques en 1755, que devait commencer le tragique épisode de la déportation des Acadiens. Construit à partir de 1751, le fort Beauséjour occupait alors un emplacement stratégique donnant sur la baie de Chignecto, à la frontière des empires coloniaux français et britannique. Le **lieu historique national Fort-Beauséjour** ★ *(entrée libre; mi-mai à mi-oct; autoroute 2, sortie 550A, ☎876-2443)* comprend un centre d'interprétation expliquant à la fois l'histoire des Acadiens et de la Déportation. On peut également se promener à travers quelques fortifications toujours visibles de ce fort construit en forme d'étoile. Le point de vue sur la baie, le Nouveau-Brunswick et la Nouvelle-Écosse y est excellent.

Cap Pelé

L'occasion est belle, à Cap Pelé, de découvrir le monde fascinant de la pêche, puisque l'existence de cette communauté acadienne, fondée à la fin du XVIIIe siècle, reste encore aujourd'hui tributaire des richesses de l'océan. Le village compte en outre une douzaine de **boucanières**, ces bâtiments ressemblant à des granges où l'on «boucane» (sèche à la fumée) le poisson avant de l'exporter.

Les quelque 30 boucanières de la région de Cap-Pelé parviennent à fumer pas moins de 95% du hareng vendu à travers le monde.

Tout près de Cap Pelé, on peut se rendre à la belle **plage de l'Aboiteau** ★★. Cette plage, à proximité d'un petit port de pêche, est splendide, idéale pour la baignade et beaucoup moins fréquentée que celle du parc provincial Parlee. Un long remblai de rocs et de pierres la cache de la route, d'où le nom de la plage. On trouve également dans la région de Cap Pelé deux autres belles plages : la plage Gagnon et Sandy Beach.

Cap Pelé et sa région occupent un petit plateau quasiment dénudé de toute végétation qui offre de jolis points de vue sur l'océan. Plus loin sur la route 133, au village de **Barachois**, on peut voir en son centre la plus vieille église acadienne en bois des Maritimes, construite en 1824 : l'**église historique de Saint-Henri-de-Barachois** ★ *(en été 11h à 17h; route 133, ☎532-2976).*

Shediac

La ville de Shediac est le centre de villégiature le plus connu de la côte est du Nouveau-Brunswick, et certainement un lieu de séjour très apprécié par les vacanciers. Elle doit d'abord sa popularité à la magnifique plage du **parc provincial de la plage Parlee** ★★ *(route 15)*, baignée par des eaux étonnement chaudes, idéales pour la baignade. Cette popularité a fait surgir à Shediac et dans la région immédiate plusieurs centres d'activité, notamment un beau terrain de golf et des parcs d'attractions. Mais la réputation de Shediac tient aussi en bonne partie à l'abondance de homards qu'on trouve au large et qu'on peut savourer frais à sa table. La ville s'est même autoproclamée «capitale mondiale du homard» et tient, chaque année à la mi-juillet, un **festival du homard**. Juste à côté du centre de renseignements touristiques, une gigantesque reproduction d'un homard, longue de 11 m, haute de 5 m et pesant 90 tonnes, illustre l'importance de ce crustacé pour la région.

Shediac

Fondée au XIXe siècle comme port de pêche, Shediac a gardé de cette époque quelques beaux édifices, ce qui tranche avec le caractère quelque peu anarchique de la ville, très affairée pendant la saison estivale. En longeant la côte vers le nord, on traverse quelques minucules communautés acadiennes vivant surtout de la pêche.

Bouctouche

Agréable petite communauté donnant sur une large baie aux eaux calmes, Bouctouche a été fondée à la fin du XVIIIe siècle par des Acadiens chassés de la vallée de Memramcook. Bouctouche a l'honneur d'avoir donné naissance à deux des plus célèbres Néo-Brunswickois : Antonine Maillet et K.C. Irving. Récipiendaire du prix Goncourt en 1979 pour son roman *Pélagie-la-Charrette*, Antonine Maillet est l'auteure acadienne la plus connue dans le monde. Elle s'était d'abord fait remarquer dans les années soixante-dix avec *La Sagouine*, une pièce de théâtre évoquant de manière remarquable la vie et l'âme acadienne au début du XXe siècle. De son côté, K.C. Irving, récemment décédé, a construit un empire financier colossal impliqué dans une foule de secteurs, notamment celui du pétrole. Parti de rien, Irving possédait à sa mort l'une des plus grandes fortunes personnelles au monde.

Le **Pays de la Sagouine** ★★ *(10$; mi-juin à début sept, tlj 10h à 18h; à l'entrée sud du village, sur la route 134, ☎743-1400, ⇌743-1414)* a été aménagé récemment pour faire revivre l'Acadie du début du XXe siècle en s'inspirant de la pièce de théâtre à grand succès *La Sagouine* d'Antonine Maillet. On a eu l'excellente idée d'animer le site avec les personnages de la célèbre pièce, qui présentent des mises en scène, de la musique et des chansons. Le principal point d'attraction se trouve à l'île aux Puces, au centre d'une baie. C'est là que l'animation est la plus grande et que l'on peut, à sa guise, s'initier au mode de vie des Acadiens du début du XXe siècle en discutant avec les personnages du site. À l'entrée, on peut se délecter de mets traditionnels acadiens au restaurant L'ordre du bon temps (voir p 158). On y propose, chaque soir, des souper-théâtres et des soirées musicales.

Situé dans un bâtiment qui fut un couvent de religieuses jusqu'en 1969, le **Musée du comté de Kent** ★ *(3$; fin juin à début sept, lun-sam 9h à 17h30, dim midi à 18h; du côté est du village, 150 rue du Couvent, ☎743-5005)* est certainement l'un des plus intéressants musées régionaux de la province. Les diverses pièces de l'édifice renferment des meubles d'époque et des objets d'art religieux qui rappellent l'histoire du couvent et la vie quotidienne des religieuses et des étudiantes. Des guides très affables proposent d'intéressantes visites du musée.

Éco-Centre Irving de la Dune de Bouctouche ★★ *(route 475, environ 5 km au nord de Bouctouche)*. La dune, qui s'étend sur 12 km de long sur la baie de Bouctouche, est l'habitat d'une grande variété de plantes et d'animaux aquatiques, ainsi que d'oiseaux migrateurs ou riverains, entre autres le grand héron solitaire, le pluvier siffleur et la sterne, aux longues ailes. Cette dune, qui protège les eaux calmes et le marais salant de la baie, a été façonnée au fil des siècles par l'action incessante du vent, des marées et des courants marins. L'Éco-Centre Irving vise à préserver et à mieux faire connaître cet écosystème fragile. Une passerelle de bois d'environ 2 km de long a été construite pour permettre d'observer aisément la faune et la flore; des guides sont également mis à la disposition des touristes pour des visites commentées de la dune. Depuis plusieurs années, la superbe plage de sable fin qui borde la dune sur toute sa longueur est un site d'excursion estival très populaire; bordée par des eaux particulièrement chaudes, elle est un des meilleurs endroits de la côte pour la baignade. La dune ne se trouve qu'à quelques kilomètres au nord de Bouctouche. On peut s'y rendre à pied ou à vélo par un sentier forestier.

Tracadie-Sheila

Après avoir traversé les villages de **Néguac** et de **Val-Comeau**, qui sont pourvus chacun d'un parc provincial et de plages, la route 11 mène à la petite ville de Tracadie-Sheila, où l'on trouve de nombreux restaurants et hôtels ainsi qu'un agréable quai. Comme en témoigne encore l'héritage institutionnel, l'histoire de la ville a longtemps été marquée par la présence des religieuses hospitalières de Saint-Joseph, qui, de 1868 à 1965, y ont soigné les malades, notamment les lépreux. Chaque année, à la fin de juin et au début de juillet, Tracadie-Sheila est l'hôte du **Festival international de la francophonie**, où la musique et les arts du monde francophone sont à l'honneur.

Le **Musée historique de Tracadie** *(entrée libre; juin à mi-août; 2e étage de l'Académie Sainte-Famille, rue du Couvent, ☎395-6366)* présente une exposition relatant les diverses étapes de l'histoire de Tracadie et de sa région. On y retrouve notamment des objets d'origine micmaque, des objets religieux et des outils du XXe siècle. À proximité du musée, on peut visiter le **Cimetière des lépreux**, où sont alignées une soixantaine de croix identiques.

Shippagan

Protégé par le détroit qui le sépare de l'île Lamèque, le site où se trouve aujourd'hui Shippagan fut d'abord un poste de traite avant de devenir, dès la fin du XVIIIe siècle, un port de mer. Désormais une petite communauté fébrile, Shippagan est dotée de quelques industries et, surtout, d'un port où est amarrée l'une des plus importantes flottes de pêche de la péninsule acadienne. Le charme de Shippagan tient, bien entendu, à son site donnant sur la mer, mais aussi, et pour beaucoup, à son atmosphère unique de ville portuaire. Toute personne intéressée à en connaître davantage sur l'industrie de la pêche, cette activité au cœur de l'économie acadienne depuis maintenant plus de deux siècles, devrait s'arrêter à Shippagan, découvrir la ville, marcher sur le quai et, bien sûr, visiter son Centre marin (voir ci-dessous). En outre, chaque année vers la troisième semaine de juillet, la ville organise un **Festival des pêches et de l'aquaculture***(début juil.; ☎336-8726)*, avec plusieurs activités reliées au monde de la pêche, notamment la bénédiction des bateaux.

Ayant habité jusqu'alors les terres fertiles des rives de la baie de Fundy, les Acadiens qui ont pu éviter la Déportation en fuyant à travers les bois sont venus trouver refuge, pour la plupart, sur la côte atlantique de la province. Le sol y étant moins fertile, les Acadiens se sont alors tournés vers la mer pour gagner leur vie. Ils se sont convertis à la pêche, une activité économique longtemps indissociable de la culture acadienne. Pour découvrir le monde fascinant de la pêche moderne en Acadie et dans le golfe du Saint-Laurent, et surtout la riche faune qui peuple les fonds marins de la région, faites une visite de l'**Aquarium** et du **Centre marin** ★★ *(5$; mi-mai à sept, tlj 10h à 18h; près du quai de Shippagan, ☎336-3013)*. Une visite de l'Aquarium est l'occasion d'observer différentes espèces de poissons qui proviennent du golfe du Saint-Laurent et des lacs et rivières de la province, ainsi que des homards, notamment des homards bleus. Son intérêt réside en partie dans le fait que ces poissons et crustacés évoluent dans des bassins recréant fidèlement leur environnement naturel. Ces bassins sont certes intéressants, mais le plus fascinant est sans nul doute le bassin des phoques, particulièrement aux heures des repas (11h et 16h). Enfin, ceux qui le désirent pourront en apprendre plus sur l'histoire de la pêche dans la région par le biais d'un vidéo. Le complexe sert également à la recherche scientifique.

Île Lamèque

De Shippagan, une rampe permet d'accéder à l'île Lamèque. Avec ses paysages plats et ses quelques minuscules hameaux aux jolies maisons blanches ou de couleur, cette île est un havre de paix où le temps semble figé. Un arrêt s'impose à l'**église Sainte-Cécile** ★ de Petite-Rivière-de-l'Île. C'est dans le cadre enchanteur de cette mignonne église de bois très colorée que se tient annuellement, pendant la dernière semaine de juillet, un festival exceptionnel : le **Festival international de la musique baroque**.

Île Miscou

Après une courte balade en traversier depuis l'île Lamèque, on arrive à l'île Miscou, un autre havre de paix fort peu peuplé mais connu pour ses quelques belles plages souvent désertes. À l'extrémité de l'île s'élève le **phare de l'île Miscou** ★ *(au bout de la route 133)*, l'un des plus vieux phares du Nouveau-Brunswick; il bénéficie en outre d'un très beau point de vue sur l'océan. Quelques kilomètres avant le phare, toujours sur la même route, un **site d'interprétation** ★ *(route 133)*, avec un sentier et des passerelles, permet de découvrir une tourbière.

Caraquet

À Caraquet, ce sont d'abord le dynamisme et la chaleur des habitants qui charment. Plus grande ville de la péninsule, dotée de plusieurs hôtels et restaurants, Caraquet est aussi, à juste titre, considérée comme le cœur culturel de l'Acadie! D'ailleurs, c'est probablement dans cette ville, et dans le mode de vie de ses habitants, qu'on peut le mieux prendre le pouls de la culture acadienne, celle qui aujourd'hui s'inspire de diverses tendances sans pour autant renier la richesse du passé. Le mois d'août est de loin la meilleure période pour visiter Caraquet, car le 15 août est le jour de la fête nationale des Acadiens. À eux seuls, le Tintamarre et le Frolic du 15 août garantissent une expérience mémorable. Le mois d'août donne également lieu aux célébrations du **Festival Acadien** *(☎727-6515 ou 727-6540)*. En d'autres temps, il est en outre possible d'assister à des représentations de l'excellente troupe du **Théâtre populaire d'Acadie** *(276 boul. St-Pierre Ouest, ☎727-0920)*. On peut aussi se détendre sur l'une des petites plages de Caraquet ou encore faire une croisière au départ du **Carrefour de la mer** *(51 boulevard Saint-Pierre Est)*.

Le **Musée Acadien** ★ *(3$; mi-juin à mi-sept; 15 boul. St-Pierre Est, ☎727-1713)* abrite une petite collection d'objets d'usage quotidien des deux derniers siècles.

Important lieu de pèlerinage, le **Sanctuaire Sainte-Anne-du-Bocage** ★ *(entrée libre; toute l'année; boul. St-Pierre Ouest)* comprend, sur un beau site naturel, une petite chapelle de bois, un chemin de croix ainsi qu'un monument élevé en l'honneur d'Alexis Landry, ancêtre de la plupart des Landry d'Acadie.

Aucun livre d'histoire sur l'Acadie ne peut rivaliser, en termes d'efficacité pédagogique, avec le **Village historique acadien** ★★★ *(10$; mi-juin à début sept; route 11, environ 10 km à l'ouest de Caraquet, ☎726-2600)*. On y a reconstitué, sur une vaste propriété, un village qui comprend une quarantaine de maisons et d'autres bâtiments dont la plupart sont authentiques, datant entre 1770 et le début du XXe siècle. Le site est animé par des interprètes en costume d'époque, qui donnent vie au village en effectuant des travaux quotidiens de manière traditionnelle et qui se font un plaisir d'informer les visiteurs sur les us et coutumes du passé. Au centre d'interprétation, un film présente brièvement l'histoire des Acadiens. On peut maintenant loger sur place, à l'hôtel Château Albert, une réplique d'un établissement hôtelier du début du XXe siècle.

Grande-Anse

Autre tout petit village côtier, Grande-Anse est pourvu d'une jolie plage au pied des falaises : la **plage Ferguson**. On peut également y visiter un musée unique en son genre, le **Musée des Papes** ★ *(5$; mi-juin à début sept; 184 rue Acadie, ☎732-3003)*. L'exposition comprend notamment une reproduction à l'échelle de Saint-Pierre-de-Rome, des vêtements et des objets d'art religieux, ainsi qu'une collection iconographique papale. Plusieurs des pièces exposées sont certainement rares et intéressantes. Ce musée rappelle l'importance qu'a eue la religion dans l'histoire de l'Acadie.

Parcs

Le **parc Odell** ★ *(Rockwood Avenue, au nord-ouest de la ville)* s'étend sur plus de 175 ha et compte 16 km de sentiers de randonnée. On a également enrichi cette aire naturelle très bien préservée, paisible et sauvage, d'un enclos de chevreuils, d'étangs à canards, de tables de pique-nique et d'un parc d'attractions pour les enfants.

Le **parc national Fundy** ★★★ *(route 114, près d'Alma, ☎887-6000 ou 887-2005)* est l'endroit par excellence pour découvrir le littoral de la baie, sa faune, sa flore et la puissance de ses marées. Il occupe un territoire densément boisé et montagneux de 206 km², riche de paysages spectaculaires, de lacs et de rivières, et d'une vingtaine de kilomètres de côte. Une foule d'activités sportives peuvent y être pratiquées. C'est d'abord un paradis pour les randonneurs, qui peuvent y parcourir jusqu'à 120 km de sentiers à travers la forêt, près des lacs et en bordure de la magnifique baie. On peut aussi, entre autres choses, y pratiquer la pêche à la ligne, camper sur un de ses nombreux terrains aménagés ou sauvages, parcourir son superbe terrain de golf ou faire une baignade dans sa piscine d'eau de mer chauffée. Les voyageurs pressés par le temps doivent à tout le moins se rendre à **Pointe Wolfe** ★★, où des sentiers tout proches offrent d'excellentes vues sur des falaises plongeant abruptement dans les eaux de la baie. À chacune des entrées du parc, des agents fournissent de l'information sur les diverses activités qu'il est possible de pratiquer dans le parc. Ce parc national occupe un territoire densément boisé et montagneux de 206 km² donnant sur la baie de Fundy.

Le magnifique **Parc national Kouchibouguac** ★★ *(route 11 ou 134, ☎876-2443)*, recouvert d'une forêt de conifères, notamment de cèdres, et parsemé de tourbières, possède plus de 26 km d'une superbe côte maritime de marais salés, de lagunes, de dunes et de plages de sable doré. Il est l'habitat naturel de plusieurs centaines d'animaux et d'oiseaux, dont le rarissime pluvier siffleur. Des sentiers de randonnée pédestre et des pistes cyclables le parcourent, mais on peut également le découvrir en canot ou en chaloupe. L'équipement pour la pratique de ces sports est disponible sur place; s'y trouve également un terrain de camping. Le parc est tout désigné pour des baignades en eau salée, tout particulièrement à la plage Lagune, qui offre l'eau salée la plus chaude de la province, et aux excellentes **plages Kelly's** et **Collanders**.

Activités de plein air

Observation de baleines

La richesse de l'alimentation disponible a fait de la baie de Fundy l'un des meilleurs endroits au monde pour observer certaines espèces de baleines. Pendant tout l'été, on organise des excursions en bateau pour l'observation de baleines à partir des lieux suivants : **St. Andrews by-the-Sea**, l'**île Deer**, l'**île Campobello** et l'**île Grand Manan**, dans le sud-ouest de la province. Comptez environ 45$ pour une excursion de 3 h. Adressez-vous à :

Cline Marine
Départs de St. Andrews by-the-Sea, de l'île Deer et de l'île Campobello
☎529-4188 ou 747-2287

Atlantic Marine Wildlife Tours
Départs de St. Andrews by-the-Sea
☎459-7325

St.Andrews by-the-Sea Outdoor Adventure
☎755-6415

Tide Runner
16 King St.
☎529-4481

S/V Cory
Quai de St.Andrews by-the-Sea
☎529-8116
Excursions à bord d'un voilier pouvant transporter 40 passagers.

St. George Adventure Destination Centre
15 Adventure Lane
☎755-2699

Island Coast Boat Tours
Départs de l'île Grand Manan
☎662-8181

Ocean Search
Départs de l'île Grand Manan
☎662-8488

Seawatch
Départs de l'île Grand Manan
☎662-8552

Starboard Tours
Départs de l'île Grand Manan
☎662-8545 ou 633-7525

Hébergement

Fredericton

Université du Nouveau-Brunswick
41,50$/double
28,40$/simple
mai à mi-août
20 Bailey Dr., au bout d'University Ave.
☎453-4891
≠453-3585
Pendant la saison estivale, on peut louer des chambres d'étudiants à l'Université du Nouveau-Brunswick.

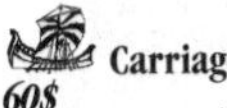 **Carriage House Inn**
60$
10 chambres
tv
230 University Ave., E3C 4H7
☎452-9924 ou 800-267-6068
≠458-0799
Le charme de Fredericton vient en bonne partie des nombreuses et superbes maisons victoriennes qui ponctuent plusieurs de ses artères. Le Carriage House Inn est l'une de ces magnifiques maisons victoriennes, construite en 1875, aujourd'hui transformée en une auberge où l'on peut s'imprégner d'une atmosphère révolue. L'auberge possède de belles grandes pièces, entre autres une

salle de bal, une bibliothèque, un solarium ainsi qu'une dizaine de chambres meublées d'antiquités. Ombragée par de grands ormes, elle donne sur une rue paisible et cossue, à quelques minutes à pied du centre de la ville. En toute saison, il vaut mieux réserver à l'avance.

Fredericton Country Inn & Suites
94$ pdj
tv, ℂ
445 Prospect St. W., E3B 6B8
☎459-0035
⇄458-1011
Cet hôtel n'a pas l'avantage d'être situé au centre-ville, mais il n'en propose pas moins des chambres convenables. On cherche en outre à rendre le séjour agréable en offrant une foule de petits extras, entre autres des journaux et du café gratuit toute la journée. Les voyageurs séjournant plusieurs jours à Fredericton pourront en outre profiter des chambres avec cuisinette et petit salon.

Sheraton Inn
109$
223 chambres
tv, ℂ, ⌂, ⊙ ℜ, ≈
225 Woodstock Rd., E3B 2H8
☎457-7000 ou 800-325-3535
⇄457-4000
L'élégant Sheraton Inn occupe un magnifique emplacement sur les berges du fleuve Saint-Jean, un tout petit peu en retrait du centre-ville de Fredericton. C'est de loin l'hôtel le plus luxueux de la capitale et l'un des meilleurs établissements de la province. Ses concepteurs ont su tirer profit de son site privilégié en y aménageant une superbe terrasse (voir p 157) donnant sur le fleuve, où l'on peut siroter un apéritif, se baigner dans la piscine ou prendre un repas en contemplant le paysage. Les chambres sont très confortables, jolies et fonctionnelles, et plusieurs d'entre elles offrent une très belle vue. De construction récente, le Sheraton Inn est, bien entendu, doté d'une piscine intérieure et d'installations sportives, d'un très bon restaurant (voir p 157), d'un bar et de salles de conférences. Visiblement, il a été conçu à la fois pour plaire aux gens d'affaires et aux vacanciers.

Grand-Sault/ Grand Falls

Maple Tourist Home
55$ pdj
3 chambres, tv
142 rue Main, E3Z 2V9
☎473-1763
Le Maple Tourist Home, un excellent *bed and breakfast* situé au centre-ville de Grand-Sault, dispose de chambres très propres. Les clients peuvent se détendre dans un sympathique salon commun.

Hill Top Motel
63$
28 chambres
tv, ℜ
131 ch. Madawaska E3Y 1A7
☎473-2684 ou 800-496-1244
⇄473-4567
Le Hill Top Motel est le seul motel situé au cœur de Grand-Sault, à quelques centaines de mètres du Centre d'interprétation. Comme son nom le laisse supposer, le Hill Top occupe un promontoire qui, d'ailleurs, présente une vue sur le barrage hydroélectrique de la ville. Les chambres sont propres, mais meublées sans grand raffinement.

Motel Léo
66$
44 chambres
ℜ, *tv*
2,5 km au nord de Grand-Sault, E0J 1M0
☎473-2090 ou 800-661-0077
⇄473-6614
Le long de la route transcanadienne, le Motel Léo loue des chambres bien tenues et pas très chères. C'est un motel assez typique où la plupart des clients ne s'arrêtent que pour une nuit, question de faire une halte au cours d'un voyage. Le personnel est sympathique.

Lakeside Lodge & Resort
69$
15 chambres
ℂ, *tv*, ℜ, ≡, ℑ, ⌂, ⊛
590 Gillespie Rd., Lac Pirie, E0J 1M0
☎473-6252
Aménagé près du lac Pirie, à environ 5 km au sud de Grand-Sault, le Lakeside Lodge & Resort constitue, pour les amants de la nature, une excellente alternative aux motels de la région. Sept chalets avec foyer et cuisinette y sont disponibles, ainsi que huit chambres, dont deux sont dotées d'un sauna et d'un foyer.

Auberge Près du lac
81$
100 chambres
ℜ, tv, ≈
2,5 km au nord de Grand-Sault, E0J 1M0
☎473-1300 ou 888-473-1300
⇄473-5501
Tout juste à côté du Motel Léo (voir ci-dessus) se trouve l' Auberge Près du lac, offrant une bonne qualité d'hébergement dans la région. Le complexe propose des chambres de motel ainsi que des chalets en bordure d'un petit lac artificiel. Les clients peuvent choisir entre des chambres standards meublées adéquatement et des suites et chambres nuptiales. Diverses installations permettent

de s'adonner à des activités comme les balades en pédalo sur le lac, le minigolf, le basketball, le conditionnement physique et la natation dans une piscine intérieure, ce qui en fait un lieu de séjour particulièrement apprécié par les familles.

Hartland

Campbell's Bed & Breakfast
35$ pdj
3 chambres
tv, ℂ
1 km au nord de Hartland, E0J 1N0
☎375-4775
⇄375-4014
On peut difficilement imaginer un endroit plus paisible que le Campbell's Bed & Breakfast, une maison de ferme construite le long du fleuve Saint-Jean à proximité du village de Hartland. C'est assis sur les grandes galeries extérieures de cette maison qu'on apprécie le mieux le charme et la remarquable tranquillité du «pays de Richard Hatfield». On y propose des chambres confortables au décor quelque peu chargé, et une cuisine tout équipée peut être utilisée par les clients en tout temps. Mme Campbell n'habite pas son *B&B*, mais plutôt une petite maison sur la même propriété, à environ 200 m.

Gagetown

 **Steamers Stop Inn**
75$
6 chambres
tv, ℜ
74 Front St., E0G 1V0
☎488-2903
⇄488-1116
Occupant une maison à l'allure plutôt sobre au cœur du village, en bordure du fleuve Saint-Jean, le Steamers Stop Inn cadre très bien avec le charme bucolique du petit centre de villégiature qu'est Gagetown. Il n'y a sans doute pas meilleur endroit où prendre le pouls de la communauté, car tout est à proximité. Les chambres sont bien aménagées, et cinq d'entre elles offrent une jolie vue sur le fleuve. Le Steamers Stop Inn est pourvu d'un restaurant très convenable.

St. Andrews by-the-Sea

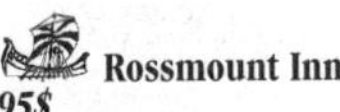 **Rossmount Inn**
95$
17 chambres
tv, ℜ, ⊗, ≈
à quelques kilomètres de St. Andrews By-The-Sea, sur l'autoroute 127 vers l'est, E0G 2X0
☎529-3351
⇄529-1920
Sis au centre d'une grande propriété surplombant les paysages avoisinants, le Rossmount Inn est une magnifique auberge du patrimoine dont chacune des chambres est meublée d'antiquités. Le Rossmount Inn dispose d'une excellente salle à manger.

St. Andrews Motor Inn
125$
33 chambres
ℂ, ≈, *tv*, ℜ
111 Water St., E0G 2X0
☎529-4571
Directement sur la baie, le St. Andrews Motor Inn propose un hébergement confortable dans des chambres modernes possédant un balcon ou une terrasse, et certaines ont même une cuisinette. La piscine extérieure, à l'arrière du bâtiment, donne sur la baie.

Algonquin Resort
149$
mai à oct
238 chambres
tv, ≡, ⊛, ℜ, ℂ, ≈
autoroute 127, 184 Adolphus St., E0G 2X0
☎529-7162 ou 800-441-1414
⇄529-4194
Le meilleur hôtel et le plus réputé des Maritimes, l'Algonquin Resort forme un ensemble majestueux de style néo-Tudor se trouvant au centre d'une grande propriété dominant St. Andrews by-the-Sea. Cet hôtel de rêve qui a su traverser les années a préservé tout le raffinement aristocratique et le cachet anglo-saxon d'un centre de villégiature réservé à l'élite à la fin du XIXe siècle. Construit en 1889, l'Algonquin fut complètement rasé par les flammes en 1914. Il fut reconstruit, pour l'essentiel, l'année suivante. Puis, en 1991, on aménagea un nouveau centre de congrès, et une nouvelle aile comprenant 54 chambres et suites fut élevée en 1993.
L'Algonquin propose de superbes chambres et suites modernes et très confortables, une excellente cuisine à la Passamaquoddy Veranda (voir p 157), un service irréprochable et une foule d'activités. Si vous ne pouvez vous payer le plaisir, tout de même assez onéreux, de loger à l'Algonquin, faites-y tout de même une visite pour le brunch du dimanche, un lunch ou un dîner, un verre au Library Bar ou un arrêt à la boutique de souvenirs.

Île Campobello

Lupin Lodge
50$ juin à oct
11 chambres
tv, ℜ
E0G 3H0
☎**752-2555**
Bien situé à proximité du parc international Roosevelt, le Lupin Lodge propose un hébergement assez confortable. Le restaurant voisin est plutôt fréquenté pendant la saison estivale, et ce jusqu'en début de soirée.

Île Grand Manan

Fishermen's Haven Cottages
80$
5 chambres
Grand Harbour, E0G 1X0
☎**662-8919 ou 662-3389**
⇌**662-6246**
Bien des familles séjournent sur l'île Grand Manan pour au moins quelques jours. Il leur est alors avantageux de s'installer dans un cottage tel qu'on trouve aux Fishermen's Haven Cottages, avec deux ou trois chambres à coucher. Des tarifs à la semaine y sont disponibles.

Saint John

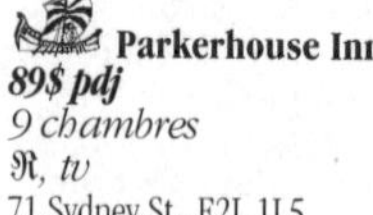 **Parkerhouse Inn**
89$ pdj
9 chambres
ℜ, tv
71 Sydney St., E2L 1L5
☎**652-5054 ou 888-457-2520**
⇌**636-8076**
Le Parkerhouse Inn loge dans une jolie résidence construite à la fin du XIXe siècle, et qui a conservé toute sa splendeur d'origine. Une magnifique salle à manger, richement ornementée de boiseries, occupe presque tout le rez-de-chaussée. Un bel escalier en colimaçon mène aux étages supérieurs, où se trouvent les chambres avec leurs meubles antiques. Chacune des chambres a son charme particulier; elles sont toutes dotées de salles de bain privées. Le Parkerhouse Inn est situé au cœur de Saint John, tout juste derrière le théâtre Impérial. La cuisine de la salle à manger du Parkerhouse Inn est très réputée.

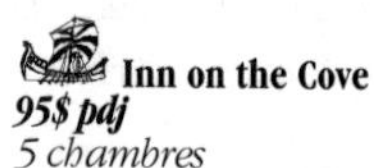 **Inn on the Cove**
95$ pdj
5 chambres
bc/bp, tv, ⊛, ℑ
1371 Sand Cove Rd., E2M 4X7
☎**672-7799**
⇌**635-5455**
Si vous croyez que Saint-John n'est pas un lieu idyllique pour prendre des vacances relaxantes et vivifiantes, c'est que vous ne connaissez pas encore l'Inn on the Cove, probablement l'une des meilleures auberges de la province. Située dans un environnement calme offrant une vue spectaculaire sur la baie de Fundy, cette auberge n'est pourtant qu'à 5 min en voiture du centre-ville. Les amants de la nature trouveront à proximité de belles plages sauvages à explorer et des sentiers menant au Parc naturel Irving. La maison, quant a elle, a été décorée avec goût et avec un souci du détail, et les chambres, confortables, sont meublées d'antiquités. Toutes les chambres sont agréables, mais les deux qui se trouvent à l'étage, donnant sur l'arrière de la maison, le sont encore plus : plus spacieuses, elles ont leur propre salle de bain et bénéficient d'une vue saisissante sur la baie. Les propriétaires sont accueillants tout en étant discrets, et ils préparent d'excellents petits déjeuners.

Delta Brunswick Hotel
95$
225 chambres
tv, ℜ, ≈
39 King St., E2L 4W3
☎**648-1981 ou 800-268-1133**
⇌**658-0914**
Au cœur du centre-ville, sur la rue la plus fréquentée, le Delta Brunswick Hotel est le plus grand hôtel de Saint John, avec ses 255 chambres et suites grand confort. L'hôtel en tant que tel, aménagé à même un centre commercial, manque un peu de charme. Il est en fait surtout reconnu pour sa gamme de services proposés aux vacanciers et aux gens d'affaires et pour son confort.

 **Hilton**
154$
197 chambres
tv, ℜ, ≈, ⊛, ⊘
1 Market Sq., E2L 4Z6
☎**693-8484 ou 800-561-8282**
⇌**657-6610**
Offrant un hébergement haut de gamme, le Hilton occupe un bel emplacement à l'extrémité d'un quai tout près du marché. C'est un endroit où l'on peut jouir de la beauté singulière du port de mer, avec ses quais et ses infrastructures, dont l'activité dépend du cycle des puissantes marées. Le Hilton possède un bon restaurant, le Turn of the Tide (voir p 158) et un agréable bar, le Brigandine Lounge, avec vue sur les quais. Ses chambres sont spacieuses et garnies de meubles à la fois modernes et chaleureux. Bien sûr, les chambres à l'arrière du bâtiment, avec leur vue sur le port de Saint John, sont particulièrement recommandées.

St. Martins

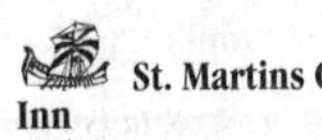

St. Martins Country Inn
95$
16 chambres
tv, ℜ
autoroute 111, E0G 2Z0
☎833-4534 ou 800-565-5257
⇄833-4725
Le St. Martins Country Inn est une délicieuse auberge sise dans le cadre enchanteur d'une grande propriété surplombant le village. Construite en 1857 pour le plus important constructeur de navires de St. Martins, elle a su garder une ambiance sereine, un tantinet insolente, digne de la résidence d'un membre bien en vue de la haute bourgeoisie anglo-saxonne de cette belle époque. Tout y est en place pour offrir un séjour de qualité au voyageur épicurien : des chambres décorées avec goût et garnies de meubles d'antan, une cuisine hautement réputée, trois splendides salles à manger et un service impeccable. Réservez à l'avance.

Parc national Fundy

Fundy Park Chalets
73$
ℂ, ≈
Alma, E0A 1B0
☎887-2808
Au parc national Fundy, outre les campings, on peut loger aux Fundy Park Chalets. Ces chalets, d'aspect quelque peu rustique, sont situés à proximité du centre d'administration du parc et du terrain de golf, pas très loin de la côte. Chaque chalet est doté d'une chambre à coucher avec deux lits, d'une salle de bain et d'une cuisinette. On peut acheter des provisions à Alma, un village qui se trouve à quelques kilomètres seulement.

Moncton

Canadiana Inn
90$
20 chambres
46 rue Archibald, E1C 5H9
☎382-1054
Situé dans un quartier paisible, mais à proximité des artères les plus animées de la ville, le Canadiana Inn occupe une grande et jolie résidence de style victorien construite à la fin du XIXe siècle. Ses chambres, garnies de meubles confortables, sont chaleureusement décorées et accueillantes. L'endroit dispose d'une agréable terrasse à l'étage, ainsi que deux salles à manger où l'on sert de généreux petits déjeuners. L'accueil est fort sympathique.

Hôtel Beauséjour
109$
310 chambres
tv, ℜ, ≈, ≡, ⌂, ⊙
750 Main St., E1C 1E6
☎854-4344 ou 800-441-1414
⇄858-0957
Pour les voyageurs douillets à la recherche d'élégance et de confort, Moncton est dotée d'un établissement de haut standing, l'Hôtel Beauséjour, membre de la chaîne d'hôtels du Canadien Pacifique. On y retrouve la qualité du service qui a fait la réputation de cette chaîne hôtelière, des chambres spacieuses et bien meublées, un excellent restaurant, le Windjammer, un piano-bar ainsi qu'une jolie piscine intérieure où l'on peut aisément oublier le rythme de la vie urbaine. La situation de l'hôtel, en plein cœur de Moncton, convient on ne peut mieux aux gens d'affaires et aux visiteurs désirant profiter de la proximité des restaurants et des boîtes de nuit.

Sackville

Marshlands Inn
89$
18 chambres
tv, ℜ
55 Bridge St., E4L 3N8
☎536-0170 ou 800-561-1266
⇄536-0721
Le cachet de Sackville tient en bonne partie à la multitude de belles et grandes maisons du XIXe siècle. L'une d'elles est aujourd'hui une formidable auberge, le Marshlands Inn, une somptueuse résidence offerte par Wiliam Crane, homme puissant de l'époque, à sa fille comme cadeau de mariage. L'auberge compte plus de 20 chambres, toutes impeccablement meublées, dont plusieurs sont dotées d'une salle de bain privée, de même qu'un restaurant réputé.

Shediac

Chez Françoise
60$
avr à déc
16 chambres
tv
293 rue Main, E0A 3G0
☎532-4233
⇄532-8423
Sise sur une propriété joliment aménagée au cœur de Shediac, Chez Françoise est une excellente auberge construite au début du XXe siècle pour servir de résidence à une famille de la haute bourgeoisie de l'époque. L'endroit a immensément de charme, avec son intérieur où prédominent les boiseries, son escalier somptueux et sa grande galerie avant, idéale pour prendre le café ou l'apéro. De plus, sa salle à manger est une véritable institution

(voir p 158). Un bon conseil, réservez d'avance pendant la saison estivale.

Four Seas Motel
60$
tv, ℜ, ℂ
762 rue Main, E0A 3G0
☎532-2585
⇄855-0809
Toujours à proximité du parc provincial de la plage Parlee, le Four Seas Motel est un bon choix pour les familles. Le service offert est efficace et amical, son restaurant est très bien et ses chambres sont propres et dotées, dans la plupart des cas, de meubles modernes. Pendant la saison estivale, réservez tôt le matin si vous désirez obtenir une chambre parmi les moins chères, car elles se louent souvent rapidement.

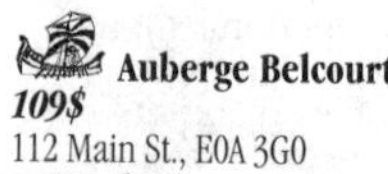 **Auberge Belcourt**
109$
112 Main St., E0A 3G0
☎532-6098
Membre de l'Association des auberges du patrimoine du Nouveau-Brunswick, l'Auberge Belcourt occupe une somptueuse résidence bourgeoise ayant notamment appartenu à l'un des anciens premiers ministres de la province, soit le juge Allison Dysart. Érigé en 1912, ce bâtiment de trois étages de style victorien a conservé toute sa splendeur d'antan. L'intérieur de la maison a beaucoup de cachet. Ses pièces communes sont spacieuses, meublées d'antiquités et richement ornementées de boiseries. Les sept chambres de l'auberge, toutes différentes les unes des autres, sont également garnies de meubles d'époque. Une galerie très invitante offre un cadre idéal pour la détente ou la lecture. L'Auberge Belcourt est située au cœur de Shediac, tout juste en face de Chez Françoise (voir plus haut).

Bouctouche

Vieux Presbytère de Bouctouche
75$
ℜ
157 ch. du Couvent, E0A 1G0
☎743-5568
⇄743-5566
Le Vieux Presbytère de Bouctouche, construit à la fin du XIXe siècle, servit effectivement de presbytère. C'est aujourd'hui une superbe auberge familiale ayant une très belle vue sur la baie, légèrement en retrait du centre de Bouctouche. L'ambiance est fameuse, idéale pour la relaxation, et le bâtiment, réaménagé à plusieurs reprises, possède beaucoup de charme. On y trouve notamment une salle de réception aménagée dans une ancienne chapelle. Sa salle à manger, le Tire-Bouchon, est de plus très réputée (voir p 158).

Caraquet

Le Poirier
45$
98 boul. St-Pierre O., E1W 1B6
☎727-4359
Caraquet dispose également d'un gîte plaisant, Le Poirier, aménagé dans une maison datant de 1928 qui a su garder un certain cachet d'époque. Ses quatre chambres, simplement meublées, offrent un bon confort.

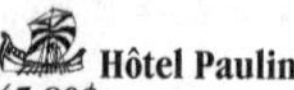 **Hôtel Paulin**
45-80$
mai à oct
tv, ℜ
143 boul. St-Pierre O., E1W 1B6
☎727-9981
⇄727-3165
Autre bâtiment marquant le paysage de Caraquet depuis fort longtemps, l'Hôtel Paulin est en fait une agréable auberge tenue par la famille Paulin depuis maintenant trois générations. Les chambres varient en qualité, certaines étant joliment rénovées depuis peu, d'autres plus vieillottes quoique très propres. On peut même y loger dans une très belle suite, à l'arrière du bâtiment, avec vue sur l'océan. Les visiteurs peuvent s'attarder au salon et profiter de l'excellente cuisine du restaurant.

Maison Touristique Dugas
55$
683 boul. Saint-Pierre O., E1W 1A1
☎727-3195
⇄727-3193
Il y en a vraiment pour tous les goûts et tous les budgets à la Maison Touristique Dugas. Le bâtiment principal, une belle et grande résidence construite en 1926, compte plus de 10 chambres de différentes dimensions, d'une propreté impeccable, et joliment décorées. Sur la propriété, des chalets tout équipés peuvent être loués, alors que des emplacements de camping sont disponibles. À la Maison Touristique Dugas, l'accueil est très sympathique; aussi, le matin venu, on y sert d'excellents petits déjeuners. Depuis la résidence, située un peu à l'ouest de Caraquet, un sentier sillonnant un petit bois mène, après 10 min de marche, à la plage privée des Dugas.

Auberge de la Baie
59$
tv, ℜ
139 boul. Saint-Pierre O., E1W 1B7
☎727-3485
⇄727-3634
L'Auberge de la Baie est en fait un établissement proposant des chambres confortables et modernes de type motel. Une bonne partie des chambres ont

ceci de saugrenu qu'elles ne donnent pas sur l'extérieur, mais plutôt sur un couloir intérieur. On y trouve un bon restaurant où le service est courtois, amical et empressé (voir p 158). Enfin, le vaste terrain donne accès, à l'arrière, à une petite plage sauvage.

Restaurants

Fredericton

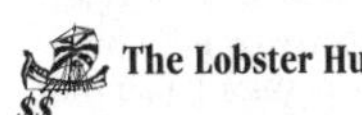

The Lobster Hut
$$
1216 Regent St., City Motel
☎455-4413
The Lobster Hut pourrait pratiquement figurer sur la liste des attraits de Fredericton, tant sa décoration surchargée de photos, de cadres et de bibelots de toutes sortes, consacrés à la vie maritime, a des allures bizarres, quasi psychédéliques. Ce restaurant est sympathique comme tout et, on l'aura deviné, a pour spécialités les fruits de mer et le poisson. La cuisine est bonne et relativement peu chère.

The Dip
$$-$$$
Sheraton Inn
En été, si la température est clémente, on ne peut concevoir un endroit plus agréable pour prendre un verre, un petit goûter ou un repas, que The Dip, un restauran terrasse servant une excellente cuisine de bistro. En plus d'un service courtois et attentionné, et d'une cuisine savoureuse, The Dip a ceci de particulier qu'il offre une vue absolument imbattable sur le fleuve Saint-Jean.

St. Andrews by-the-Sea

Chef Café
$
180 Water St.
☎529-8888
L'Amérique des années cinquante est on ne peut mieux évoquée dans la décoration du Chef Café, un resto populaire passablement ringard qui détonne avec le chic inhérent à St. Andrews by-the-Sea. On y trouve un menu de plats simples du genre *fish and chips* et *lobster roll* ainsi que des petits déjeuners pas très chers. Pour un menu plus sophistiqué, on peut prendre place à l'arrière du restaurant, dans la salle à manger plus feutrée, connue sous le nom de Captain's Table.

The Lighthouse Restaurant
$$-$$$
Patrick St.
☎529-3082
Pour nombre de visiteurs, le homard frais et relativement bon marché constitue à lui seul une raison suffisante pour séjourner dans les Maritimes. De passage à St. Andrews by-the-Sea, ces amateurs de homard et d'autres fruits de mer convergent vers The Lighthouse Restaurant. Ce joli resto, qui donne sur la baie de Passamaquoddy, se trouve sur la dernière rue du côté est de St. Andrews by-the-Sea.

Passamaquoddy Veranda
$$$
Algonquin Resort (voir p 153)
☎529-8823
La Passamaquoddy Veranda est une salle à manger tout à fait exceptionnelle, autant par l'élégance de sa décoration que par la grande qualité de sa cuisine internationale et régionale. Comme un dîner à la Veranda n'est pas à la portée de toutes les bourses, on peut toujours se rabattre sur le menu beaucoup moins onéreux du lunch ou s'y rendre pour le brunch du dimanche, à compter de 18,50$.

Saint John

Grannan's Seafood Restaurant and Oyster Bar
$$
Market Sq.
☎634-1555
Le Grannan's Seafood Restaurant and Oyster Bar est devenu une institution à Saint John. Ce restaurant, à la décoration intérieure surchargée de bibelots, de cadres et d'autres objets hétéroclites et parfois étranges évoquant tous la mer et ses produits, s'ouvre sur une terrasse très agréable pendant les chaudes soirées d'été. Le menu de ce restaurant se compose, bien entendu, d'abord de fruits de mer et de poissons. Ce resto est souvent très achalandé le soir.

Incredible Edibles Café
$$
42 Princess St.
Sans contredit l'une des adresses les plus branchées à Saint John, l'Incredible Edibles Café sert une excellente cuisine continentale et de superbes desserts. Les convives peuvent s'attabler au jardin, sinon dans la mignonne salle à manger. Le menu affiche entre autres d'excellentes pâtes aux moules ainsi qu'un succulent filet de saumon. Pour terminer un bon repas, ou tout simplement pour combler un petit creux en milieu d'après-midi, le gâteau au fromage nappé de framboises s'avère un très bon choix. Le midi, ce

resto propose un menu du jour pas très cher.

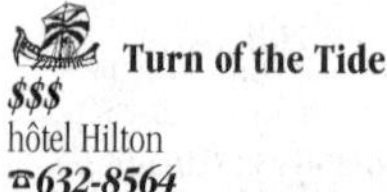

Turn of the Tide
$$$
hôtel Hilton
☎632-8564
Le Turn of the Tide (voir p 154) présente un menu varié, typique des restaurants d'hôtel de ce calibre, avec un vaste choix de viandes, de gibiers et, région oblige, de poissons frais et de fruits de mer. Les prix sont quelque peu élevés, mais la cuisine n'est certainement pas décevante et la vue sur le port en vaut la peine. Quant à la décoration, elle est classique, aérée et de bon goût. Le Turn of the Tide s'avère un endroit tout indiqué pour les repas entre amoureux ou pour célébrer un événement spécial.

Moncton

Café Joe Moka
$
angle Robinson St. et Main St.
Le Café Joe Moka propose un petit menu et une terrasse paisible.

Shediac

Paturel
$$-$$$
route du Cap Bimet
☎532-4774
À environ 5 km à l'extérieur de Shediac, en direction de Cap Pelé, une petite route mène au célèbre Paturel, un restaurant tout simple, avec vue sur l'océan, où l'on sert des fruits de mer frais et, somme toute, pas très chers. Les portions sont plutôt généreuses, particulièrement le *seafood platter*, qui en un seul repas vous fait découvrir l'abondante variété de fruits de mer de la région. Comme pour ajouter à l'atmosphère on ne peut plus maritime de l'endroit, le Paturel se trouve tout juste à côté de la Paturel Seafood Ltd., une usine de transformation.

Chez Françoise
$$$
93 rue Main
☎532-4233
Indéniablement l'une des très bonnes tables de la région, Chez Françoise (voir p 155) propose une cuisine française raffinée qu'on peut accompagner d'un cru de l'excellente sélection de la maison. Pour ajouter au plaisir, sa salle à manger est meublée et décorée avec élégance et grand raffinement. Lors des belles journées d'été, on peut prendre l'apéro sur la splendide galerie avant de l'établissement.

Bouctouche

L'ordre du bon temps
$-$$
à l'entrée du Pays de la Sagouine
☎743-1400
L'ordre du bon temps, le restaurant du Pays de la Sagouine (voir p 148), propose aux visiteurs l'occasion d'essayer les spécialités traditionnelles acadiennes, comme le fricot de poulet, la poutine râpée ou la poutine à trou, le pâté à la râpure ou le pâté aux palourdes. Son menu comporte probablement la sélection la plus variée de plats acadiens de toute l'Acadie. Voilà donc le temps d'en profiter!

Tire-Bouchon
$$-$$$
Vieux Presbytère
☎743-5568
L'hospitalité acadienne prend tout son sens au Tire-Bouchon, l'excellente salle à manger du Vieux Presbytère de Bouctouche (voir p 156), où le chef, Marcelle Albert, vous fait découvrir les spécialités régionales les plus raffinées. L'endroit porte bien son nom, car la cave recèle de très bons vins.

Shippagan

Abri des Flots
$$-$$$
à côté de l'Aquarium
☎336-8454
Très élégant et doté d'une vue splendide sur le port, l'Abri des Flots est, comme on est en droit de s'y attendre, un excellent restaurant de fruits de mer et de poissons. On peut s'y arrêter pour un lunch alors que le *lobster roll* et d'autres très bons petits plats sont disponibles à prix raisonnable. Le soir, les gourmets bénéficient de l'embarras du choix. Ceux et celles qui ont un bon appétit peuvent toujours s'offrir «La mer dans votre assiette», qui dans un seul repas vous fera découvrir les meilleurs délices de l'océan.

Caraquet

Auberge de la Baie
$$
139 boul. St-Pierre
☎727-3485
Très aérée, moderne mais tout de même chaleureuse et sympathique, la salle à manger de l'Auberge de la Baie (voir p 156) présente une belle variété de plats, notamment des fruits de mer et des steaks. Le service est très attentionné. Certaines des spécialités de l'endroit sont les pétoncles au four, les coquilles Saint-Jacques gratinées et les cuisses de grenouille à la provençale.

Paquetville

La Crêpe Bretonne
$-$$
1085 rue du Parc
☎764-5344
Si vous avez un creux en passant par la petite communauté de Paquetville, faites un saut à La Crêpe Bretonne, un petit resto dont les spécialités sont les crêpes et les fruits de mer. Les deux spécialités sont parfois combinées, ce qui donne comme résultat : les crêpes pétoncles et béchamel, homard et béchamel, crabe et béchamel, etc. Un bon endroit pour un lunch pas cher ou un bon repas en soirée.

Sorties

Fredericton

The Upper Deck Sport's Bar
2e étage, Queen St.
Toujours très animé, même les dimanches soir, The Upper Deck Sport's Bar est l'un des endroits les plus fréquentés de la jeunesse de Fredericton. On peut y jouer au billard et, souvent, y assister à des concerts. Ce bar dispose d'une grande terrasse arrière où l'on peut manger ou siroter un verre tout en relaxant.

Saint John

O'Leary's
46 Princess St.
C'est bien connu, l'influence irlandaise est très forte à Saint John. Il n'est donc pas surprenant d'y trouver O'Leary's, un excellent petit pub irlandais. La clientèle est plutôt jeune, et l'on y présente régulièrement des musiciens.

Moncton

Théâtre Capitol
811 Main St.
☎856-4377
Le somptueux théâtre Capitol est le principal centre des arts de la scène à Moncton. Depuis la fin des travaux de rénovation, qui lui ont fait retrouver tout son panache d'antan en 1993, on y présente des productions variées et de qualité.

Achats

Fredericton

Gallery 78
796 Queen St.
Une visite de Fredericton ne saurait être complète sans un arrêt à la Gallery 78. Cette galerie d'art rassemble les travaux de certains des artistes les plus connus ou les plus prometteurs du Nouveau-Brunswick. La somptueuse maison victorienne qui l'abrite donne sur le fleuve Saint-Jean et est magnifique avec ses hautes et grandes pièces, son escalier et ses planchers de bois franc... à faire rêver!

Conseil d'artisanat du Nouveau-Brunswick
103 Church St.
☎450-8989
La galerie du Conseil d'artisanat du Nouveau-Brunswick présente une superbe variété de produits de grande qualité fabriqués par des artistes et des artisans de la province. Il s'agit assurément de l'une des meilleures boutiques d'artisanat du Nouveau-Brunswick.

Gagetown

Acadia Gallery of Canadian Art
fin juin à fin sept, tlj 11h à 16h
1948 Lakeview Rd.
☎488-1119
L'Acadia Gallery of Canadian Art, une charmante galerie d'art contemporain située au cœur de Gagetown, propose une sélection particulièrement intéressante de travaux d'artistes utilisant diverses techniques. Comme la galerie comporte également un atelier, on peut souvent y rencontrer des artistes inspirés par ce site enchanteur aux abords du fleuve Saint-Jean.

St. Stephen

Ganong chocolatier
73 Milltown Boul.
☎465-5611
Le plus ancien fabricant de friandises au Canada (1873), Ganong chocolatier, serait également le premier concepteur de tablettes de chocolat. La boutique propose aujourd'hui environ 75 variétés de chocolats.

St. Andrews by-the-Sea

North of Sixty Art
238 Water St.
☎529-4148
North of Sixty Art est une galerie d'art inuite qui se visite comme un musée! On y présente des travaux réalisés par des Inuits, notamment des sculptures d'une rare diversité et d'une grande richesse. Des dizaines de boutiques de la rue Water, cette galerie est probablement la plus intéressante.

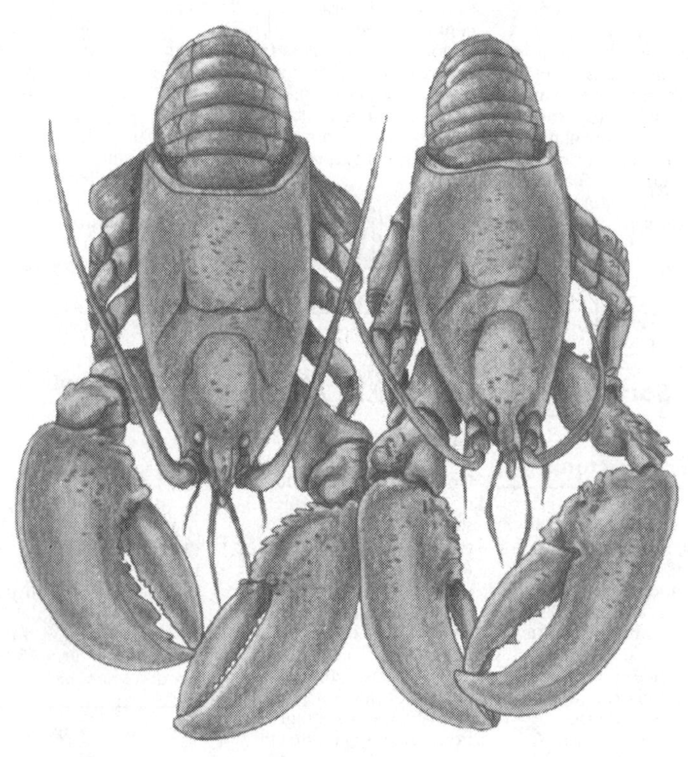

Le Québec

Vaste contrée située à l'extrémité nord-est du continent américain, le Québec s'étend sur environ 1 550 000 km^2, ce qui équivaut globalement aux superficies de l'Allemagne, de la France et de la péninsule ibérique mises ensemble.

Cet immense territoire à peine peuplé, sauf dans ses régions les plus méridionales, comprend de formidables étendues sauvages, riches en lacs, en rivières et en forêts. Il forme une grande péninsule septentrionale dont les interminables fronts maritimes plongent à l'ouest dans les eaux de la baie James et de la baie d'Hudson, au nord dans le détroit d'Hudson et la baie d'Ungava, et à l'est dans le golfe du Saint-Laurent.

Le Québec possède également de très longues frontières terrestres qu'il partage à l'ouest et au sud-ouest avec l'Ontario, au sud-est avec le Nouveau-Brunswick et l'État du Maine, au sud avec les États de New York, du Vermont et du New Hampshire, et au nord-est avec le Labrador, appartenant à la province de Terre-Neuve.

La géographie du pays est marquée de trois formations morphologiques d'envergure continentale. D'abord, le puissant et majestueux fleuve Saint-Laurent, le plus important cours d'eau de l'Amérique du Nord à se jeter dans l'Atlantique, le traverse sur plus d'un millier de kilomètres. Étant la principale voie de pénétration du territoire, le fleuve a depuis toujours été le pivot du développement du Québec. Encore aujourd'hui, la majeure partie de la population québécoise se regroupe sur les basses terres qui le bordent, principalement dans la région de Montréal, qui compte près de la moitié de la population du Québec. Plus au sud, près de la frontière canado-étasunienne, la chaîne des Appalaches longe les basses terres du Saint-Laurent depuis le sud-est du Québec jusqu'à la péninsule gaspésienne.

Le reste du Québec, soit environ 80% de son territoire, est formé du Bouclier canadien, une très vieille chaîne de montagnes érodées bordant la baie d'Hudson de chaque côté. Très peu peuplé, le Bouclier canadien est doté de richesses naturelles fabuleuses, de grandes forêts et d'un formidable réseau hydrographique dont plusieurs rivières servent à la production d'électricité.

Le mode d'occupation du sol des premiers colons modèle encore de nos jours l'espace territorial québécois. Les paysages des basses terres du Saint-Laurent portent ainsi toujours l'empreinte du système seigneurial français.

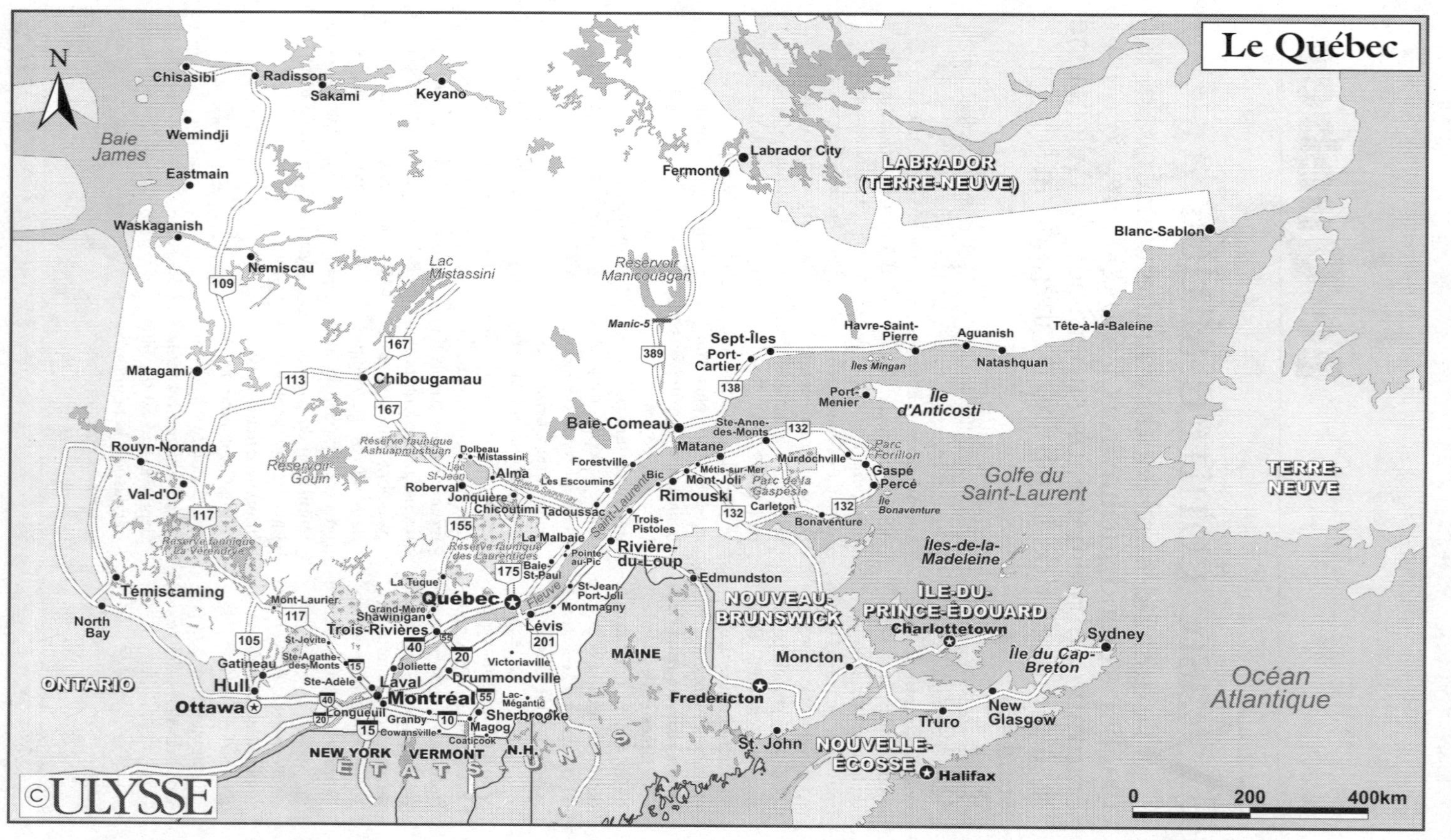
Le Québec
N
Baie James
Chisasibi
Radisson
Sakami
Keyano
Wemindji
Eastmain
Waskaganish
Nemiscau
109
Lac Mistassini
Matagami
113
Chibougamau
167
Labrador City
Fermont
LABRADOR (TERRE-NEUVE)
Blanc-Sablon
Réservoir Manicouagan
Manic-5
389
Sept-Îles
Port-Cartier
138
Havre-Saint-Pierre
Îles Mingan
Aguanish
Natashquan
Tête-à-la-Baleine
Port-Menier
Île d'Anticosti
Baie-Comeau
Ste-Anne-des-Monts
132
Matane
Murdochville
Parc Forillon
Gaspé
Percé
Île Bonaventure
Golfe du Saint-Laurent
TERRE-NEUVE
Rouyn-Noranda
Val-d'Or
117
Réserve faunique La Vérendrye
Réservoir Gouin
Réserve faunique Ashuapmushuan
Dolbeau
Mistassini
Lac St-Jean
Alma
Roberval
Jonquière
Chicoutimi
Tadoussac
Les Escoumins
Forestville
Bic
Métis-sur-Mer
Mont-Joli
Rimouski
Parc de la Gaspésie
Carleton
Bonaventure
Trois-Pistoles
155
Réserve faunique des Laurentides
La Malbaie
Baie-St-Paul
Pointe-au-Pic
Rivière-du-Loup
Saint-Laurent
Fleuve
Îles-de-la-Madeleine
Edmundston
Témiscaming
North Bay
La Tuque
175
Québec
St-Jean-Port-Joli
Montmagny
Lévis
201
NOUVEAU-BRUNSWICK
ÎLE-DU-PRINCE-ÉDOUARD
Charlottetown
Sydney
Île du Cap-Breton
Mont-Laurier
Grand-Mère
Shawinigan
Trois-Rivières
105
St-Jovite
Ste-Agathe-des-Monts
Gatineau
Hull
Ottawa
ONTARIO
Ste-Adèle
Laval
Joliette
40
55
20
Victoriaville
Drummondville
Montréal
Lac-Mégantic
Longueuil
Granby
10
Sherbrooke
Magog
Coaticook
Cowansville
15
NEW YORK
VERMONT
N.H.
ÉTATS-UNIS
MAINE
Moncton
Fredericton
St. John
NOUVELLE-ÉCOSSE
Halifax
Truro
New Glasgow
Océan Atlantique
0
200
400km
©ULYSSE

Ville au carrefour de l'Amérique et de l'Europe, à la fois latine et septentrionale, cosmopolite et métropole québécoise, Montréal ★★★ s'offre sans retenue.

Elle étonne les visiteurs d'outre-Atlantique par son caractère anarchique et sa nonchalance, alors que son petit cachet européen sait charmer les continentaux. On la visite avec ravissement, mais surtout on la vit avec passion et enivrement. Montréal est généreuse, accueillante et pas mondaine du tout. Lorsque vient le temps d'y célébrer le jazz, le cinéma, l'humour, la chanson ou la Saint-Jean-Baptiste, c'est par centaines de milliers que l'on envahit ses rues pour faire de ces événements de chaleureuses manifestations populaires.

D'ailleurs, cet esprit de fête, on le retrouve tout au long de l'année dans ses innombrables cafés, boîtes de nuit ou bars en tout genre, pris constamment d'assaut par une faune urbaine bigarrée et joyeuse. Si l'on sait s'éclater à Montréal, on aime aussi beaucoup y célébrer les arts. Perméable aux influences françaises et américaines, tout en étant le principal foyer de la culture québécoise et une terre d'accueil de peuples provenant de tous les horizons, Montréal constitue un formidable carrefour culturel de réputation internationale. Le dynamisme de ses créateurs et de ses artistes est perceptible par l'abondance d'œuvres de qualité remarquable, notamment en théâtre, en mode, en littérature et en musique. Sa gastronomie bénéficie également d'une réputation très enviable : il semble que l'on mange mieux à Montréal que partout ailleurs en Amérique du Nord.

Pour s'y retrouver sans mal

L'**indicatif régional** de l'île de Montréal est le **514**. La région autour de l'île, qui utilisait auparavant le même indicatif, utilise depuis le mois de juin 1998 l'indicatif régional **450**. Cependant, les appels entre ces deux régions demeurent des appels locaux, donc sans frais, bien que l'on doive composer l'indicatif régional d'une région à l'autre.

Vous n'avez pas besoin de composer cet indicatif s'il s'agit d'un appel local. Pour les appels interurbains, faites le 1 suivi de l'indicatif de la région où vous appelez, puis le numéro de l'abonné que vous désirez joindre. Les numéros de téléphone précédés de 800 ou 888 vous permettent de communiquer avec l'abonné sans encourir de frais si vous appelez du Canada et souvent même des États-Unis. Si vous désirez joindre un téléphoniste, faites le 0.

Au total, 28 municipalités se partagent l'île de Montréal, longue de 32 km et large de 16 km dans sa portion la plus étendue. La ville de Montréal même est, avec environ un million d'habitants, la principale agglomération de la Communauté urbaine de Montréal, qui regroupe les administrations de l'île. La région de Montréal comprend, en plus, la Rive-Sud, Laval et la Rive-Nord, pour un total de 3 300 000 habitants (1996). Le centre-ville se trouve en bordure du Saint-Laurent, au sud du mont Royal (234 m), l'une des collines montérégiennes.

En voiture

Si vous partez de Québec ou de l'autoroute 40 (rive nord), vous pouvez emprunter l'autoroute 20 Ouest jusqu'au pont Champlain puis prendre l'autoroute Bonaventure, qui mène directement au centre-ville. Vous pouvez aussi arriver par l'autoroute 40 Ouest, que vous devez emprunter jusqu'à l'autoroute Décarie, d'où vous devez suivre les indications vers le centre-ville.

En arrivant d'Ottawa, empruntez l'autoroute 40 Est jusqu'à l'autoroute Décarie, que vous devez prendre en suivant les indications vers le centre-ville. De Toronto, vous entrez sur l'île de Montréal par l'autoroute 20 Est, puis vous devez prendre l'autoroute Ville-Marie en suivant les indications vers le centre-ville.

Des États-Unis, en arrivant par l'autoroute 10 (Cantons-de-l'Est) ou l'autoroute 15, vous entrez à Montréal par le pont Champlain et l'autoroute Bonaventure.

Comptoirs de location de voitures

Avis
1225 rue Metcalfe
☎*(514) 866-7906*

Budget
1240 rue Guy
☎*(514) 937-9121*
Complexe Desjardins
☎*(514) 842-9931*

Hertz
1475 rue Aylmer
☎*(514) 842-8537*

National
1200 rue Stanley
☎*(514) 878-2771*

Via Route
1255 rue Mackay
☎*(514) 871-1166*

Les aéroports

On trouve deux aéroports à Montréal : l'aéroport de Dorval et l'aéroport de Mirabel.

Gare routière

505 bd De Maisonneuve Est
Métro Berri-UQÀM
☎*(514)842-2281*

Gare ferroviaire

Gare centrale
895 rue De La Gauchetière Ouest
métro Bonaventure
☎*(514)871-7765*
☎*800-361-5390 du Québec*
☎*800-561-8630 du Canada*
⇄*871-7766*

Les transports publics

Montréal est pourvue d'un système de transport en commun (autobus et métro) qui couvre l'ensemble de son territoire. Pour utiliser tout le réseau pendant un mois sans aucune limite, on peut se procurer la carte d'accès à 46$. Pour l'utiliser pendant une semaine, il faut se procurer la Cam-Hebdo à 12,25$. On peut acheter des billets au coût de 8,25$ pour six. Enfin, pour un seul voyage, il faut payer 2$. Lorsqu'un trajet nécessite une correspondance (transfert d'autobus au métro par exemple), le passager doit demander un billet de correspondance au chauffeur ou le prendre, après avoir franchi le tourniquet, dans la distributrice prévue à cet effet dans les stations de métro. À l'intérieur de ces dernières, on peut obtenir gratuitement un plan du réseau ainsi que l'horaire de chacune des lignes.

Pour plus de renseignements sur le système de transport en commun, appelez la STCUM au ☎(514) 288-6287 (AUTOBUS, sur le clavier).

Les taxis

Co-op Taxi : ☎*(514)725-9885*
Diamond : ☎*(514)273-6331*
Taxi LaSalle : ☎*(514)277-2552*

Renseignements pratiques

Indicatif régional : 514

Renseignements touristiques

Centre Infotouriste
(métro Peel)
1001 rue du Square-Dorchester
(entre Metcalfe et Peel, au sud de Ste-Catherine)
☎***873-2015***
www.tourisme-montreal.org

Le centre est ouvert de 8h à 19h tous les jours en été et de 9h à 18h tous les jours de novembre à avril.

On trouve un petit kiosque donnant de l'information sur Montréal seulement, au 174, rue Notre-Dame Est (métro Champ-de-Mars).

Bureaux de change

Au centre-ville, on trouve plusieurs banques offrant un service de change des devises étrangères. Dans la majorité des cas, ces institutions demandent des frais de change. Les bureaux de change, quant à eux, n'en exigent pas toujours; il faut se renseigner sur place. Mentionnons que la plupart des banques sont en mesure de changer les dollars américains.

Banque d'Amérique du Canada

1230 rue Peel
☎***392-9100***

Banque Nationale du Canada
1001 rue Ste-Catherine Ouest
☎***281-9640***

Forexco
1250 rue Peel
☎***879-1300***

Thomas Cook
625, bd René-Lévesque Ouest
☎***397-4029***

Des guichets automatiques faisant le change de devises étrangères ont été installés au complexe Desjardins (sur Sainte-Catherine Ouest, entre les rues Jeanne-Mance et Saint-Urbain). Ils sont en fonction de 6h à 2h.

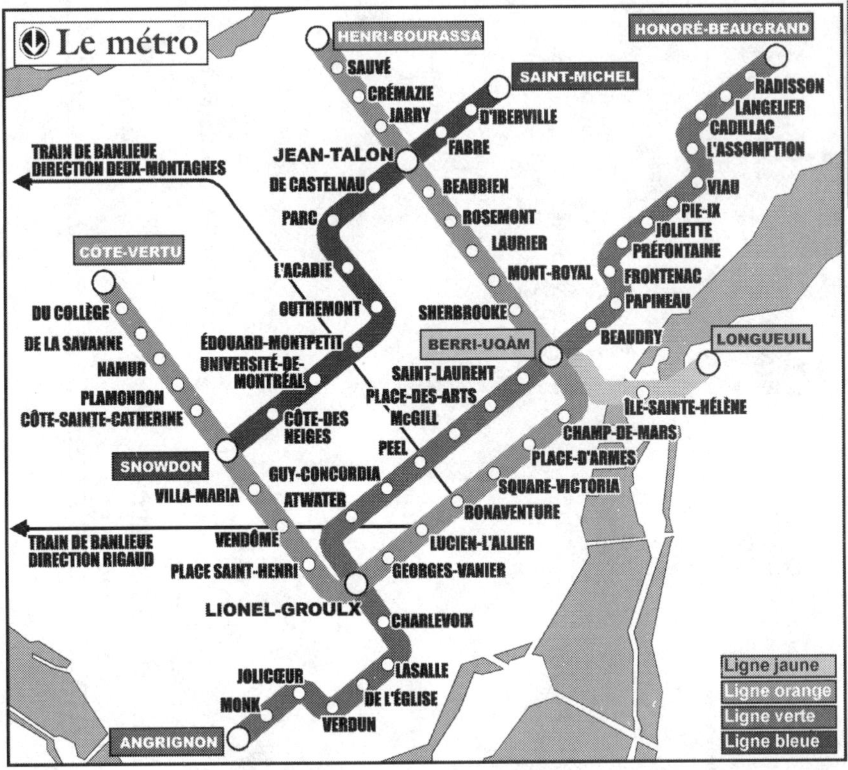

Québec

Le métro

HENRI-BOURASSA
SAUVÉ
CRÉMAZIE
JARRY
JEAN-TALON
DE CASTELNAU
PARC
L'ACADIE
OUTREMONT
ÉDOUARD-MONTPETIT
UNIVERSITÉ-DE-MONTRÉAL
CÔTE-DES NEIGES
SAINT-MICHEL
D'IBERVILLE
FABRE
BEAUBIEN
ROSEMONT
LAURIER
MONT-ROYAL
SHERBROOKE
BERRI-UQÀM
SAINT-LAURENT
PLACE-DES-ARTS
McGILL
PEEL
GUY-CONCORDIA
ATWATER
HONORÉ-BEAUGRAND
RADISSON
LANGELIER
CADILLAC
L'ASSOMPTION
VIAU
PIE-IX
JOLIETTE
PRÉFONTAINE
FRONTENAC
PAPINEAU
BEAUDRY
LONGUEUIL
ÎLE-SAINTE-HÉLÈNE
CHAMP-DE-MARS
PLACE-D'ARMES
SQUARE-VICTORIA
BONAVENTURE
LUCIEN-L'ALLIER
GEORGES-VANIER
TRAIN DE BANLIEUE DIRECTION DEUX-MONTAGNES
CÔTE-VERTU
DU COLLÈGE
DE LA SAVANNE
NAMUR
PLAMONDON
CÔTE-SAINTE-CATHERINE
SNOWDON
VILLA-MARIA
VENDÔME
TRAIN DE BANLIEUE DIRECTION RIGAUD
PLACE SAINT-HENRI
LIONEL-GROULX
CHARLEVOIX
LASALLE
DE L'ÉGLISE
VERDUN
JOLICŒUR
MONK
ANGRIGNON
Ligne jaune
Ligne orange
Ligne verte
Ligne bleue

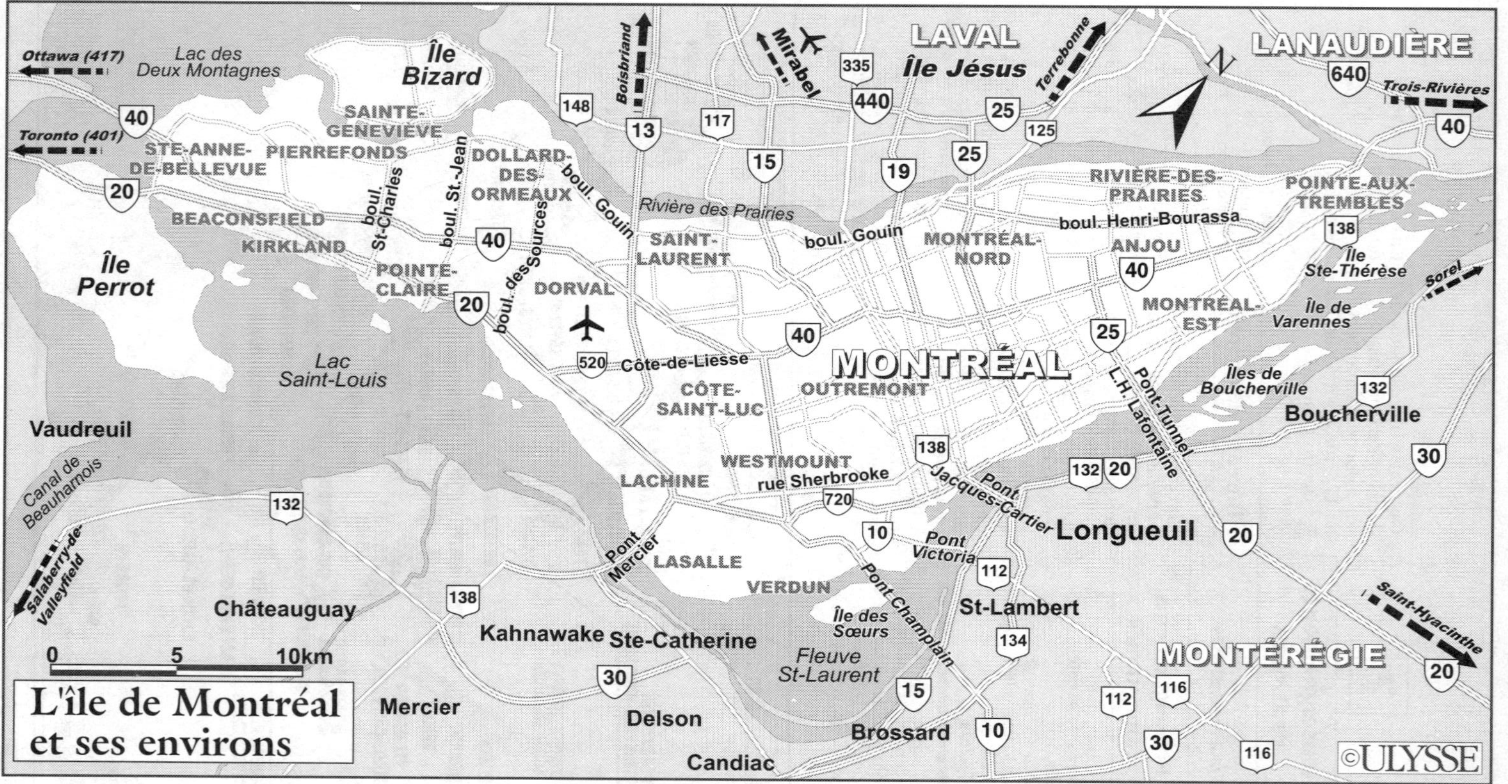

L'île de Montréal et ses environs

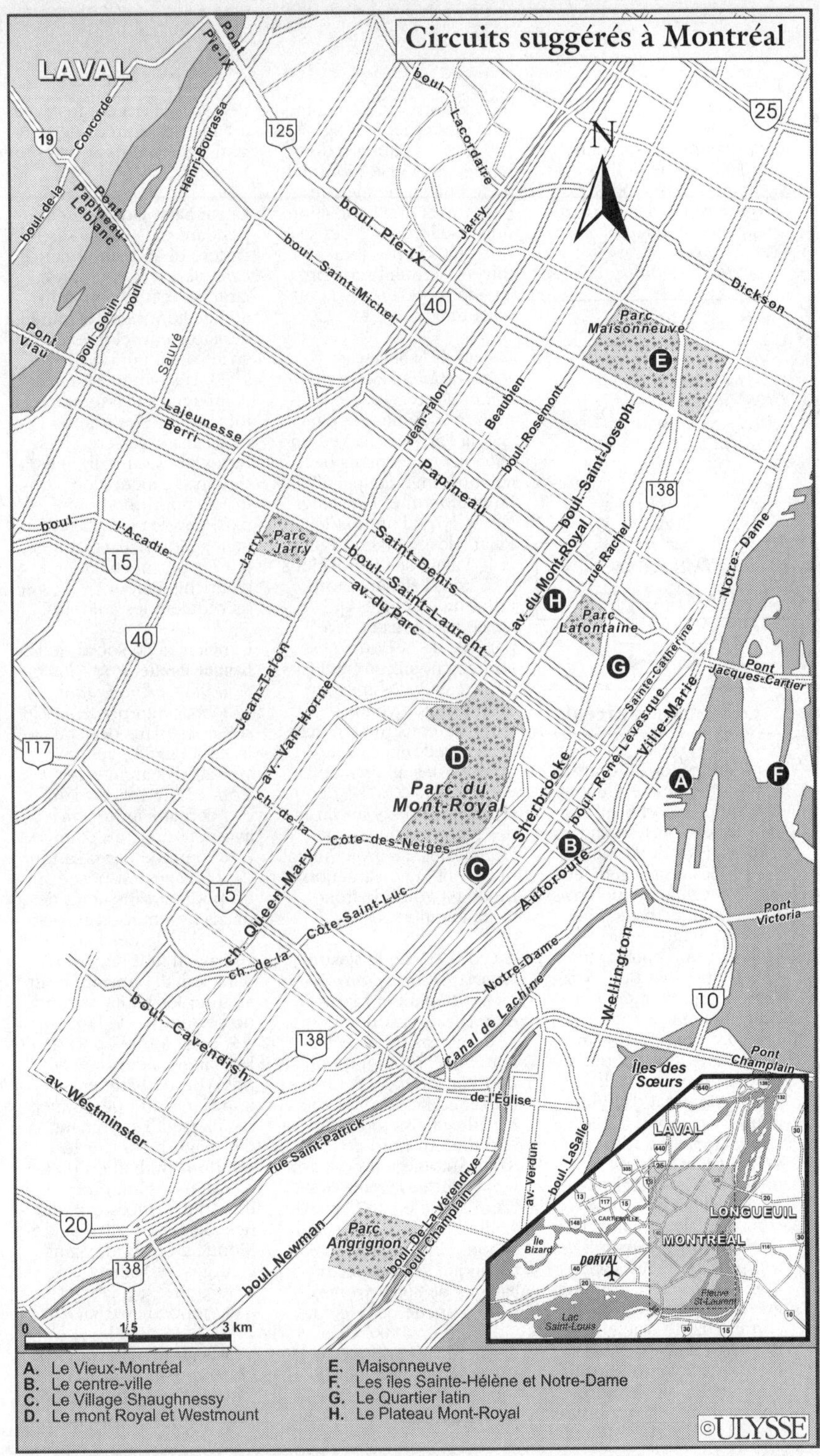
Circuits suggérés à Montréal
LAVAL
Pont Pie-IX
boul. Lacordaire
Concorde
Henri-Bourassa
Pont Papineau-Leblanc
boul.-de-la
boul. Pie-IX
Jarry
boul. Saint-Michel
Dickson
Parc Maisonneuve
Pont Viau
boul. Gouin
boul.
Sauvé
Jean-Talon
Beaubien
boul. Rosemont
boul. Saint-Joseph
Lajeunesse
Berri
Papineau
boul.
l'Acadie
Jarry
Parc Jarry
Saint-Denis
boul. Saint-Laurent
av. du Parc
av. du Mont-Royal
rue Rachel
Notre-Dame
Parc Lafontaine
Sainte-Catherine
Pont Jacques-Cartier
Jean-Talon
av. Van Horne
boul. René-Lévesque
Ville-Marie
Parc du Mont-Royal
Sherbrooke
ch. de la
Côte-des-Neiges
ch. Queen-Mary
Côte-Saint-Luc
ch. de la
Autoroute
Pont Victoria
Wellington
Notre-Dame
Canal de Lachine
boul. Cavendish
av. Westminster
Pont Champlain
Îles des Sœurs
de l'Église
rue Saint-Patrick
boul. De La Vérendrye
boul. Champlain
av. Verdun
boul. LaSalle
boul. Newman
Parc Angrignon
LAVAL
LONGUEUIL
MONTRÉAL
Île Bizard
DORVAL
Lac Saint-Louis
Fleuve St-Laurent
0
1.5
3 km
A. Le Vieux-Montréal
B. Le centre-ville
C. Le Village Shaughnessy
D. Le mont Royal et Westmount
E. Maisonneuve
F. Les îles Sainte-Hélène et Notre-Dame
G. Le Quartier latin
H. Le Plateau Mont-Royal
©ULYSSE

On peut y changer plusieurs devises en monnaie canadienne. Par ailleurs, en échange de dollars canadiens, il est possible d'obtenir des devises américaines et françaises. À l'aéroport de Mirabel, il y a également de tels guichets.

Bureaux de poste

1250 rue University
☎283-4506
1695 rue Ste-Catherine Est
☎522-3220

Attraits touristiques

Le Vieux-Montréal

Au XVIIIe siècle, Montréal était, tout comme Québec, entourée de fortifications en pierre (voir le plan des fortifications de Montréal vers 1750). Entre 1801 et 1817, cet ouvrage défensif fut démoli à l'instigation des marchands, qui y voyaient une entrave au développement de la ville. Cependant, la trame des rues anciennes, comprimée par près de 100 ans d'enfermement, est demeurée en place. Ainsi, le Vieux-Montréal d'aujourd'hui correspond à peu de chose près au territoire couvert par la ville fortifiée. Au XIXe siècle, ce secteur devient le noyau commercial et financier du Canada. On y construit de somptueux sièges sociaux de banques et de compagnies d'assurances, ce qui entraîne la destruction de la quasi-totalité des bâtiments du Régime français. Puis au XXe siècle, après une période d'abandon de 40 ans au profit du centre-ville moderne, le long processus visant à redonner vie au Vieux-Montréal a été enclenché avec les préparatifs de l'Exposition universelle de 1967 et se poursuit, de nos jours, à travers de nombreux projets de recyclage et de restauration.

La **tour de la Bourse ★** *(place de la Bourse, métro Square-Victoria)* est le bâtiment qui domine le paysage à l'arrivée. Élevée en 1964 selon les plans des célèbres ingénieurs italiens Luigi Moretti et Pier Luigi Nervi, à qui l'on doit le Palais des Sports de Rome et le Palais des Expositions de Turin, l'élégante tour noire de 47 étages qui abrite les bureaux et le parquet de la Bourse est l'un des nombreux édifices montréalais dessinés par des créateurs venus d'ailleurs. Sa construction était censée redonner vie au quartier des affaires de la vieille ville, délaissé depuis le krach de 1929 au profit des environs du square Dorchester. Le projet initial prévoyait la construction de deux, voire de trois tours identiques.

Au XIXe siècle, le **square Victoria** *(métro Square-Victoria)* adoptait la forme d'un jardin victorien entouré de magasins et de bureaux Second Empire ou néo-Renaissance. Seul l'étroit édifice du 751 rue McGill subsiste de cette époque. Au nord de la rue Saint-Antoine, on peut voir une **statue de la reine Victoria**, réalisée en 1872 par le sculpteur anglais Marshall Wood, ainsi qu'une authentique **grille de métro parisien** de style Art nouveau, conçue par Hector Guimard en 1900. Cette dernière a été donnée à la Ville de Montréal par la Ville de Paris à l'occasion de l'Exposition universelle de 1967. Elle a été installée à l'une des entrées de la station de métro Square-Victoria.

La **rue Saint-Jacques** a été pendant plus de 100 ans l'artère de la haute finance canadienne. Cette particularité se reflète dans son architecture riche et variée, véritable encyclopédie des styles de la période 1830-1930. Les banques, les compagnies d'assurances, tout comme les grands magasins et les entreprises ferroviaires ou maritimes du pays, étaient alors contrôlés, pour une bonne part, par des Écossais devenus Montréalais, attirés par les perspectives d'enrichissement qu'offraient les colonies.

L'ancien siège social de la **Banque Royale ★★** *(360 rue St-Jacques, métro Square-Victoria)*, entrepris en 1928 selon les plans des spécialistes du gratte-ciel new-yorkais, les architectes York et Sawyer, est l'un des derniers immeubles à avoir été érigé au cours de cette période faste. La tour de 22 étages est posée sur un podium s'inspirant des palais florentins et respectant l'échelle des bâtiments voisins. Il faut pénétrer dans le hall bancaire pour admirer les hauts plafonds de ce «temple de la finance», érigé à une époque où les banques devaient se pourvoir de bâtiments imposants afin de donner confiance à l'épargnant. On remarquera, sur le pourtour du hall en pierre de Caen, les armoiries de 8 des 10 provinces canadiennes ainsi que celles de Montréal (croix de Saint-Georges) et Halifax (oiseau jaune), où la banque a été fondée en 1861.

La **Banque de Montréal ★★** *(119 rue St-Jacques, métro Place-d'Armes)*, fondée en 1817 par un groupe de

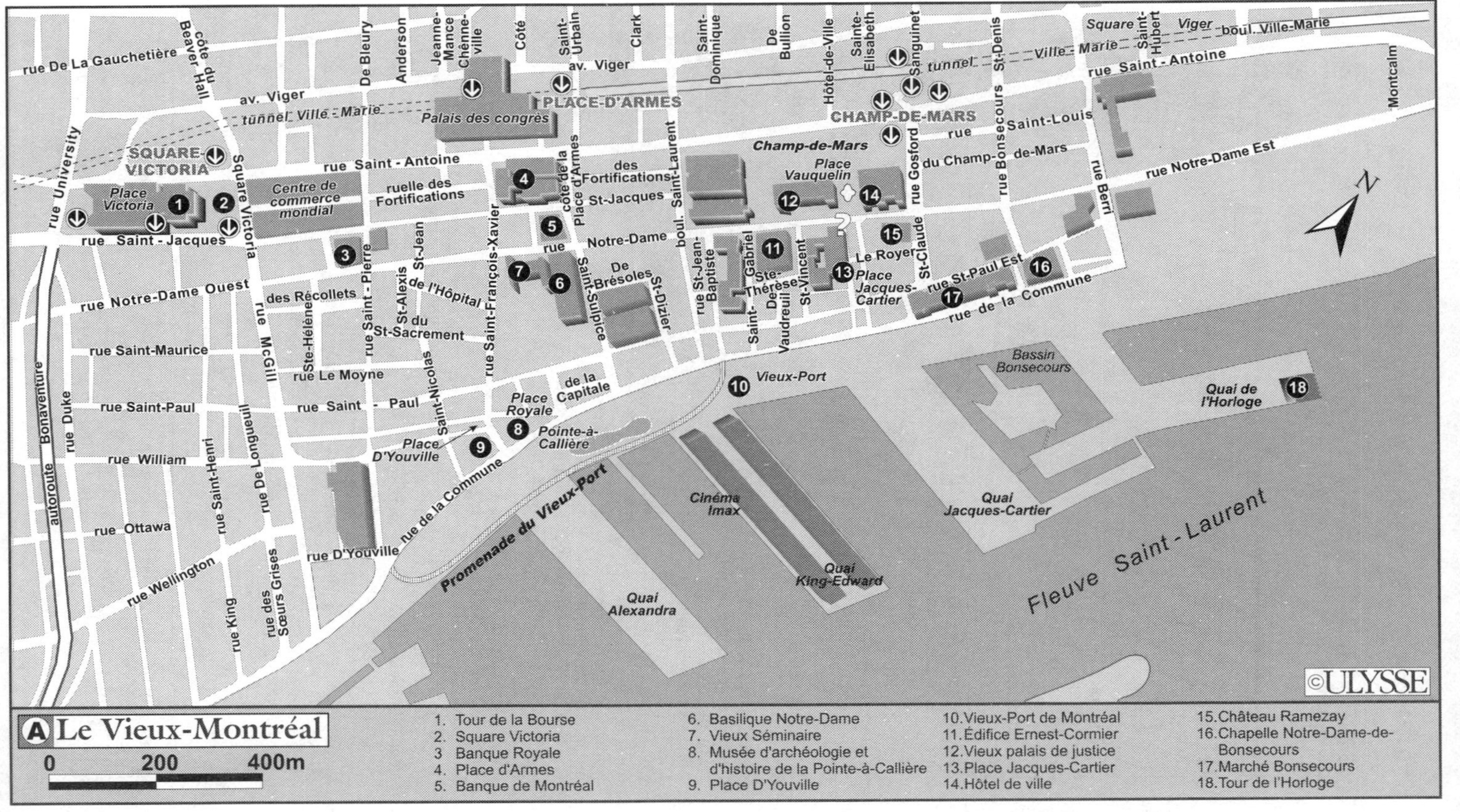

A Le Vieux-Montréal
0 200 400m
1. Tour de la Bourse
2. Square Victoria
3 Banque Royale
4. Place d'Armes
5. Banque de Montréal
6. Basilique Notre-Dame
7. Vieux Séminaire
8. Musée d'archéologie et d'histoire de la Pointe-à-Callière
9. Place D'Youville
10. Vieux-Port de Montréal
11. Édifice Ernest-Cormier
12. Vieux palais de justice
13. Place Jacques-Cartier
14. Hôtel de ville
15. Château Ramezay
16. Chapelle Notre-Dame-de-Bonsecours
17. Marché Bonsecours
18. Tour de l'Horloge
©ULYSSE
SQUARE-VICTORIA
PLACE-D'ARMES
CHAMP-DE-MARS
Palais des congrès
Centre de commerce mondial
Place Victoria
Champ-de-Mars
Place Vauquelin
Place Jacques-Cartier
Place Royale
Place D'Youville
Pointe-à-Callière
Vieux-Port
Promenade du Vieux-Port
Bassin Bonsecours
Quai de l'Horloge
Quai Jacques-Cartier
Quai King-Edward
Quai Alexandra
Cinéma Imax
Fleuve Saint-Laurent
rue De La Gauchetière
rue Saint-Antoine
rue Saint-Jacques
rue Notre-Dame Ouest
rue Notre-Dame Est
rue de la Commune
rue St-Paul Est
rue Saint-Paul
rue Saint-Maurice
rue William
rue Ottawa
rue Wellington
rue D'Youville
rue McGill
rue University
autoroute Bonaventure
boul. Saint-Laurent
boul. Ville-Marie
rue Berri
rue Saint-Louis
rue Bonsecours
rue Gosford
av. Viger
tunnel Ville-Marie

marchands, est la plus ancienne institution bancaire du pays. Son siège social actuel occupe tout un quadrilatère au nord de la place d'Armes, au centre duquel trône le magnifique édifice de John Wells abritant le hall bancaire, construit en 1847 sur le modèle du Panthéon romain. Son portique corinthien est un monument à la puissance commerçante des marchands écossais. En 1970, les chapiteaux de ses colonnes, gravement endommagés par la pollution, ont été remplacés par des répliques en aluminium. Dans le fronton se trouve un bas-relief en pierre de Binney, exécuté en Écosse par le sculpteur de Sa Majesté, Sir John Steele. Il représente les armoiries de la banque.

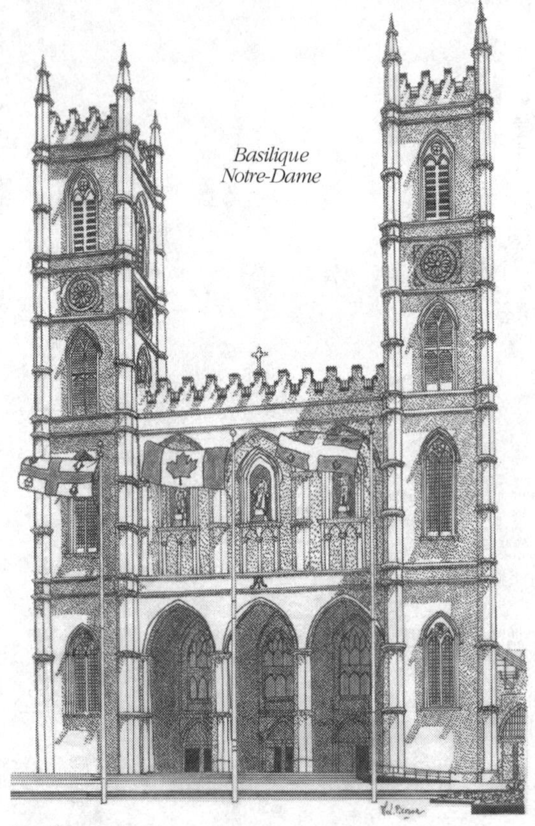
Basilique Notre-Dame

Sous le Régime français, la **place d'Armes ★★** *(métro Place-d'Armes)* constituait le cœur de la cité. Utilisée pour les manœuvres militaires et des processions religieuses, elle comportait aussi le puits Gadoys, principale source d'eau potable de l'agglomération. En 1847, la place se transforme en un joli jardin victorien, ceinturé d'une grille; il disparaîtra au début du XXe siècle pour faire place au terminus des tramways. Entre-temps, on y installe en 1895 le **monument à Maisonneuve** du sculpteur Philippe Hébert, qui représente le fondateur de Montréal, Paul de Chomedey, sieur de Maisonneuve, entouré de personnages ayant marqué les débuts de la ville, à savoir Jeanne Mance, fondatrice de l'Hôtel-Dieu, Lambert Closse avec sa chienne Pilote, et Charles Le - Moyne, chef d'une famille d'explorateurs célèbres. Un guerrier iroquois complète le tableau.

La **basilique Notre-Dame ★★★** *(2$; 110 rue Notre-Dame O., métro Place-d'Armes)*, construite entre 1824 et 1829, est un véritable chef-d'œuvre du style néogothique en Amérique. Il ne faut pas y voir une réplique d'une cathédrale d'Europe, mais bien un bâtiment foncièrement néoclassique de la révolution industrielle, sur lequel est apposé un décor d'inspiration médiévale précurseur de l'historicisme de l'ère victorienne. C'est d'ailleurs ce qui fait son mérite. O'Donnell fut tellement satisfait de son œuvre qu'il se convertit au catholicisme avant de mourir, afin d'être inhumé sous l'église.

Le décor intérieur d'origine, jugé trop sévère, fut remplacé par le fabuleux décor polychrome actuel entre 1874 et 1880. Exécuté par Victor Bourgeau, champion de la construction d'églises dans la région de Montréal, et par une cinquantaine d'artisans, il est entièrement de bois peint et doré à la feuille. On remarquera en outre le baptistère, décoré de fresques du peintre Ozias Leduc, le puissant orgue électropneumatique Casavant de 5 772 tuyaux, fréquemment mis à contribution pendant les nombreux concerts donnés à la basilique, ainsi que les vitraux du maître-verrier limousin Francis Chigot, dépeignant des épisodes de l'histoire de Montréal, et qui furent installés lors du centenaire de l'église.

Le **Vieux Séminaire ★** *(116 rue Notre-Dame O., métro Place-d'Armes)* fut construit en 1683 sur le modèle des hôtels particuliers parisiens, érigés entre cour et jardin. C'est le plus ancien édifice de la ville. Depuis plus de trois siècles, il est habité par les Messieurs de Saint-Sulpice, qui en ont fait, sous le Régime français, le manoir d'où ils administraient leur vaste seigneurie. À l'époque de sa construction, Montréal comptait à peine 500 habitants, terrorisés par les attaques incessantes des Iroquois. Le séminaire, même s'il semble somme toute modeste, représentait dans ce contexte un précieux morceau de civilisation européenne au milieu d'une contrée sauvage et isolée. L'horloge publique, installée au sommet de la façade en 1701, serait la plus ancienne du genre au Nouveau Monde.

Le **Musée d'archéologie et d'histoire de la Pointe-à-Callière ★★** *(8,50$; en hiver mar-ven 10h à 17h et sam-dim 11h à 17 h, en été mar-ven 10h à 18h, sam-dim 11h à 18h; 350 place Royale, Pointe-à-Callière, métro Place-d'Armes, ☎872-9150)* se trouve à l'emplacement même où Montréal fut fondée le 18 mai 1642. Là où débute la place D'Youville coulait autrefois la rivière Saint-Pierre; là où se trouve la rue de la Commune s'approchait la rive boueuse du fleuve, découpant ainsi une pointe isolée sur laquelle les premiers colons érigèrent le fort Ville-Marie, fait de terre et de pieux. Menacés par les flottilles iroquoises et par la crue des eaux, les dirigeants de la colonie décidèrent bientôt d'installer la ville sur le coteau Saint-Louis, dont la rue Notre-Dame constitue de nos jours l'épine dorsale. Le site du fort fut par la suite occupé par un cimetière et par le château du gouverneur de Callière, d'où son nom.

Le Musée d'archéologie et d'histoire de la Pointe-à-Callière utilise les techniques les plus modernes pour présenter aux visiteurs un intéressant panorama de l'histoire de la ville. Un spectacle multimédia, une visite des vestiges découverts sur le site, de belles maquettes représentant différents stades du développement de la place Royale, des conversations holographiques et des expositions thématiques composent le menu de ce musée, érigé pour les fêtes du 350e anniversaire de Montréal (1992) selon les plans de l'architecte Dan Hanganu.

La forme allongée de la **place D'Youville**, s'étendant de la place Royale à la rue McGill, vient de ce qu'elle est aménagée sur le lit de la rivière Saint-Pierre, canalisée en 1832. Au milieu de la place se trouve le **Centre d'histoire de Montréal** *(4,50$; mai à sept tlj 9h à 17h, sept à mai fermé lun 10h à 17h, fermé du 8 déc au 25 jan; 335 place D'Youville, métro Square-Victoria, ☎872-3207)*, petit musée sans prétention qui présente des expositions temporaires portant sur différents thèmes de la vie urbaine montréalaise. Il occupe l'ancienne caserne de pompiers n° 3, rare exemple d'architecture d'inspiration flamande au Québec. À l'ouest de la rue Saint-Pierre se trouvait autrefois le marché Sainte-Anne, où a siégé le Parlement du Canada-Uni de 1840 à 1849. Cette année-là, les Orangistes brûlèrent l'édifice à la suite de l'adoption d'une loi compensatoire visant à la fois les victimes anglaises et françaises de la rébellion de 1837-1838. C'en fut fait de la vocation politique de Montréal.

Le port de Montréal est le plus important port intérieur du continent. Il s'étend sur 25 km le long du fleuve, de la Cité du Havre aux raffineries de Montréal-Est. Le **Vieux-Port de Montréal ★★** *(métro Place-d'Armes ou Champ-de-Mars)* correspond à la portion historique du havre, située devant la ville ancienne. Délaissé à cause de sa vétusté, il a été réaménagé entre 1983 et 1992 pour accueillir les promeneurs, à l'instar de plusieurs zones portuaires centrales nord-américaines. Le Vieux-Port de Montréal comporte un agréable parc linéaire, aménagé sur les remblais et doublé d'une promenade le long des quais offrant une «fenêtre» sur le fleuve de même que sur les quelques activités maritimes qui ont heureusement été préservées. L'agencement met en valeur les vues sur l'eau, sur le centre-ville et sur la rue de la Commune, qui dresse devant la ville sa muraille d'entrepôts néoclassiques en pierre grise, représentant l'un des seuls exemples d'aménagement dit en «front de mer» en Amérique du Nord.

Du Vieux-Port, on peut faire une excursion sur le fleuve et le canal de Lachine avec **Le Bateau-Mouche** *(21,50$ taxes incluses; quai Jacques-Cartier, mi-mai à mi-oct, départs tlj 10h, 12h, 14h, 16h, 19h; ☎849-9952)*, pourvu d'un toit vitré qui permet d'apprécier la beauté des panoramas environnants. Le bateau-mouche propose, le soir, des croisières avec repas et soirée dansante. On peut aussi utiliser les navettes *(quai Jacques- Cartier, fin mai à mi-oct la fin de semaine 11h à 19h, au cœur de l'été tlj 11h à 19h; ☎281-8000)* vers l'île Sainte-Hélène *(2,75$)*, et vers Longueuil *(3,25$)*, qui permettent d'avoir une vue d'ensemble du Vieux- Port et du Vieux-Montréal.

De son inauguration en 1926 jusqu'à sa fermeture en 1970, l'**édifice Ernest-Cormier** ★ *(100 rue Notre-Dame E., métro Champ-de-Mars)* a reçu les causes criminelles. Autrefois palais de justice, recyclé en conservatoire de musique, l'édifice porte dorénavant le nom de son architecte, l'illustre Ernest Cormier, à qui l'on doit, entre autres, le pavillon principal de l'Université de Montréal et les portes de l'Assemblée générale des Nations Unies à New York. L'édifice comporte d'exceptionnelles torchères en bronze, coulées à Paris aux ateliers d'Edgar Brandt. Leur installation, en 1925, marque les débuts de l'Art déco au Canada. Le hall principal, revêtu de travertin et percé de trois puits de lumière en forme de coupole, mérite une petite visite.

Le **vieux palais de justice** ★ *(155 rue Notre-Dame E., métro Champ-de-Mars)*, doyen des palais de justice montréalais, a été érigé entre 1849 et 1856 selon les plans de John Ostell et d'Henri-Maurice Perrault, à l'emplacement du premier palais de justice de 1800. Il s'agit d'un autre bel exemple d'architecture néoclassique canadienne. À la suite de la division des tribunaux en 1926, le vieux Palais a hérité des causes civiles. Depuis l'ouverture du nouveau Palais, à sa gauche, le vieux Palais a été transformé pour accueillir une annexe de l'hôtel de ville, situé à sa droite.

La **place Jacques-Cartier** ★ *(métro Champ-de-Mars)* a été aménagée à l'emplacement du château de Vaudreuil, incendié en 1803. L'ancienne résidence montréalaise du gouverneur de la Nouvelle-France était sans contredit la plus raffinée des demeures de la ville. Dessinée par l'ingénieur Gaspard Chaussegros de Léry en 1723, elle comportait un escalier en fer à cheval donnant sur un beau portail en pierre de taille, deux pavillons en avancée de part et d'autre du corps principal et un jardin à la française s'étendant jusqu'à la rue Notre-Dame. La forme allongée de la place Jacques-Cartier lui vient de ce que les marchands, ayant racheté la propriété, ont choisi de donner au gouvernement de la Ville une languette de terre, à condition qu'un marché public y soit aménagé, augmentant du coup la valeur des terrains limitrophes, demeurés entre des mains privées.

Après avoir logé dans des bâtiments inadéquats pendant des décennies (mentionnons simplement l'incident de l'aqueduc Hayes, édifice comportant un immense réservoir d'eau sous lequel se trouvait la salle du Conseil, et qui se fissura un jour en pleine séance; on imagine la suite), l'administration municipale put enfin emménager dans l'édifice actuel en 1878. L'**hôtel de ville** ★ *(275 rue Notre-Dame E., métro Champ-de-Mars)*, bel exemple du style Second Empire ou Napoléon III, est l'œuvre d'Henri-Maurice Perrault, auteur du palais de justice voisin. En 1922, un incendie (encore un!) détruisit l'intérieur et la toiture de l'édifice. Celle-ci fut rétablie en 1926, en prenant pour modèle l'hôtel de ville de Tours en France. Des expositions se tiennent sporadiquement dans le hall d'honneur, auquel on accède par l'entrée principale. Notons enfin que c'est du balcon de l'hôtel de ville que le général de Gaulle a lancé son fameux *«Vive le Québec libre»* en 1967, au grand plaisir de la foule massée devant l'édifice.

Hôtel de ville

Le plus humble des «châteaux» construits à Montréal, le **Château Ramezay** ★★ *(5$; mar-dim 10h à 16h30, en été tlj 10h à 18h, horaire sujet à changement; 280 rue Notre-Dame E., métro Champ-de-Mars, ☎861-3708)* est pourtant le seul qui subsiste. Il a été érigé en 1705 pour le gouverneur de Montréal, Claude de Ramezay, et sa famille. En 1745, il passe entre les mains de la Compagnie des Indes occidentales, qui en fait son siège nord-américain. On conserve alors dans ses voûtes les précieuses fourrures du Canada, avant qu'elles ne soient expédiées en France. À la Conquête, les Britanniques s'y installent avant d'être délogés temporairement par l'armée des insurgés américains, qui voudraient bien que le Québec se joigne aux États-Unis, en formation. Benjamin Franklin vient même résider au château quelques mois, en 1775, pour convaincre les Montréalais de devenir citoyens américains.

La **chapelle Notre-Dame-de-Bonsecours** ★ *(400 rue St-Paul E., métro Champ-de-Mars)* actuelle date de 1771, alors que les Messieurs de Saint-Sulpice voulurent établir une desserte de la paroisse mère dans l'est de la ville fortifiée. Une première chapelle fut érigée à cet endroit en 1657, à l'instigation de sainte Marguerite Bourgeoys, fondatrice de la congrégation de Notre-Dame. La chapelle a été mise au goût du jour vers 1890, au moment où l'on a ajouté la façade actuelle en pierre bossagée ainsi que la chapelle aérienne donnant sur le port, d'où l'on bénissait autrefois les navires et leur équipage en partance pour l'Europe. L'intérieur, refait à la même époque, contient de nombreux *ex-voto* offerts par des marins sauvés d'un naufrage. Certains prennent la forme de maquettes de navires, suspendues au plafond de la nef. Du petit **musée Marguerite-Bourgeoys** *(2$; mai à oct mer-dim 9h à 16h30, nov à avr 10h30 à 14h30)*, à l'arrière de la chapelle, où l'on présente des souvenirs de la sainte, on accède à une plate-forme attenante à la chapelle aérienne d'où l'on bénéficie d'une vue intéressante sur le Vieux-Port.

La **rue Saint-Paul** fut pendant longtemps la principale artère commerciale de Montréal. Entre 1845 et 1850, on y érige le **marché Bonsecours** ★★ *(350 rue St-Paul Est)*, bel édifice néoclassique en pierre grise, doté de fenêtres à guillotines à l'anglaise. Il comporte un portique, dont les colonnes doriques en fonte furent coulées en Angleterre, et un dôme argenté, qui a longtemps été le symbole de la ville, à l'entrée du port. Le marché public, fermé au début des années soixante à la suite de l'apparition des supermarchés d'alimentation, transformé en bureaux municipaux puis en salle d'exposition, a été rouvert partiellement en 1996. À l'origine, l'édifice abritait également l'Hôtel de Ville de Montréal ainsi qu'une salle de concerts à l'étage. Le long de la rue Saint-Paul, on peut voir les anciens celliers du marché, récemment mis au jour, alors que, du grand balcon de la rue de la Commune, on aperçoit le **bassin Bonsecours**, en partie reconstitué, où accostaient les bateaux à aubes sur lesquels prenaient place les agriculteurs venus en ville vendre leurs produits.

Au bout du quai Jacques-Cartier, on aperçoit vers l'est la **tour de l'Horloge** ★ *(à l'extrémité du quai de l'Horloge; mai à oct)*. Cette structure peinte en jaune pâle est en réalité un monument érigé en 1922 à la mémoire des marins de la marine marchande morts au cours de la Première Guerre mondiale. Il fut inauguré par le prince de Galles (futur Édouard VIII) lors de l'une de ses nombreuses visites à Montréal. Au sommet de la tour se trouve un observatoire permettant d'admirer l'île Sainte-Hélène, le pont Jacques-Cartier et l'est du Vieux-Montréal. De la place du Belvédère, située au pied de la tour, on a cette impression étrange d'être sur le pont d'un navire qui glisse lentement sur le Saint-Laurent en direction de l'Atlantique.

Le centre-ville

Les gratte-ciel du centre-ville donnent à Montréal son visage typiquement nord-américain. Toutefois, à la différence de la plupart des autres villes du continent, un certain esprit latin s'infiltre entre les tours pour animer ce secteur, de jour comme de nuit. Les bars, les cafés, les grands magasins, les boutiques, les sièges sociaux, deux universités et de multiples collèges sont tous intégrés à l'intérieur d'un périmètre restreint au pied du mont Royal.

Au début du XXe siècle, le centre de Montréal s'est déplacé graduellement de la vieille ville vers ce qui était, jusque-là, le quartier résidentiel huppé de la bourgeoisie canadienne, baptisé *Golden Square Mile*. De grandes artères, comme le boulevard Dorchester, aujourd'hui René-

Lévesque, étaient alors bordées de demeures palatiales entourées de jardins ombragés. Le centre-ville a connu une transformation radicale en un très court laps de temps, soit entre 1960 et 1967, période qui voit s'élever la Place Ville-Marie, le métro, la ville souterraine, la Place des Arts et plusieurs autres infrastructures qui influencent encore le développement du secteur.

Le **Musée des Beaux-Arts ★★★** *(entrée libre pour la collection permanente, 12$ pour les expositions temporaires, à moitié prix mer 17h30 à 21h; mar-dim 11h à 18h, mer jusqu'à 21h; 1380 rue Sherbrooke O., ☎285-2000)*, le plus ancien et le plus important musée québécois, a été fondé en 1860 par un groupe d'amateurs d'art anglo-saxons sous le nom de *Art Association of Montreal*. Le pavillon Beniah Gibb, au nord de la rue Sherbrooke *(1379 rue Sherbrooke O.)*, a ouvert ses portes en 1912. Sa belle façade en marbre blanc du Vermont est l'œuvre des architectes privilégiés de la bourgeoisie écossaise, les prolifiques Edward et William Sutherland Maxwell. À l'étroit dans son immeuble, le musée a été agrandi à trois reprises vers l'arrière, avant que l'architecte Moshe Safdie ne crée en 1991 le pavillon Jean-Noël Desmarais, au sud de la rue Sherbrooke. Celui-ci intègre la façade de briques rouges d'un ancien immeuble d'habitation et est relié au pavillon originel par des galeries qui courent sous la rue Sherbrooke. L'entrée principale du musée se situe maintenant dans le nouveau pavillon, à l'angle de la rue Crescent.

Le musée regroupe des collections variées provenant pour la plupart de grandes familles du *Golden Square Mile*. Le pavillon Gibb regroupe l'art canadien, alors que le pavillon Desmarais s'accapare la plus grande part de la collection permanente (œuvres américaines, européennes, art africain, art précolombien, etc.). On y présente également des expositions temporaires d'envergure internationale. Parmi les salles du musée, les plus intéressantes sont certainement la salle des miniatures, les salles du Moyen Âge et de la Renaissance ainsi que celles où sont présentées les peintures canadiennes de la première moitié du XXe siècle. Les volumes intérieurs du nouveau musée, parfois surprenants, méritent, eux aussi, un examen attentif.

Dernier survivant des vieux hôtels de Montréal, l'**Hôtel Ritz-Carlton ★** *(1228 rue Sherbrooke O., métro Guy-Concordia ou Peel)* a été inauguré en 1911 par César Ritz lui-même. Il fut pendant longtemps le lieu de rassemblement favori de la bourgeoisie montréalaise. Certains y résidaient même toute l'année, menant la belle vie entre les salons, le jardin et la salle de bal. L'édifice a été conçu par les architectes new-yorkais Warren et Wetmore, bien connus pour leur Grand Central Terminal de Park Avenue, à New York. L'hôtel, d'un luxe raffiné, a accueilli au cours de son histoire de nombreuses célébrités. Richard Burton et Elizabeth Taylor s'y sont mariés en 1964.

La **ville souterraine de Montréal** est la plus étendue au monde. Très appréciée pendant les jours de mauvais temps, elle donne accès par des tunnels, des atriums et des places intérieures à plus de 2 000 boutiques et restaurants, à des cinémas, à des immeubles résidentiels, à des bureaux, à des hôtels, à des gares, au terminus d'autobus, à la Place des Arts et même à l'Université du Québec à Montréal (UQAM). **Les Cours Mont-Royal ★★** *(1455 rue Peel, métro Peel)* sont reliées, comme il se doit, à ce réseau tentaculaire qui gravite autour des stations de métro. Il s'agit d'un complexe multifonctionnel comprenant quatre niveaux de boutiques, des bureaux et des appartements aménagés dans l'ancien hôtel Mont-Royal. Ce palace des Années folles, inauguré en 1922, était, avec ses 1 100 chambres, le plus vaste hôtel de l'Empire britannique. Mis à part l'extérieur, seule une portion du plafond du hall, où est suspendu l'ancien lustre du casino de Monte Carlo, a été conservée lors du recyclage de l'immeuble en 1987. Il faut voir les quatre cours intérieures, hautes de 10 étages, et se promener dans ce qui est peut-être le plus réussi des centres commerciaux du centre-ville. En face, ce qui ressemble à un petit manoir écossais est en fait le siège social des distilleries Seagram (vins Barton et Guestier, champagnes Mumm Cordon Rouge et Mumm Cuvée Napa).

L'**édifice Sun Life ★★** *(1155 rue Metcalfe, métro Peel)*, érigé entre 1913 et 1933 pour la puissante compagnie d'assurances Sun Life, fut pendant longtemps le plus vaste édifice de l'Empire britannique. C'est dans cette «forteresse» de l'*establishment* anglo-saxon, aux colonnades dignes de la mythologie antique, que l'on dissimula les joyaux de la Couronne britannique au cours de la

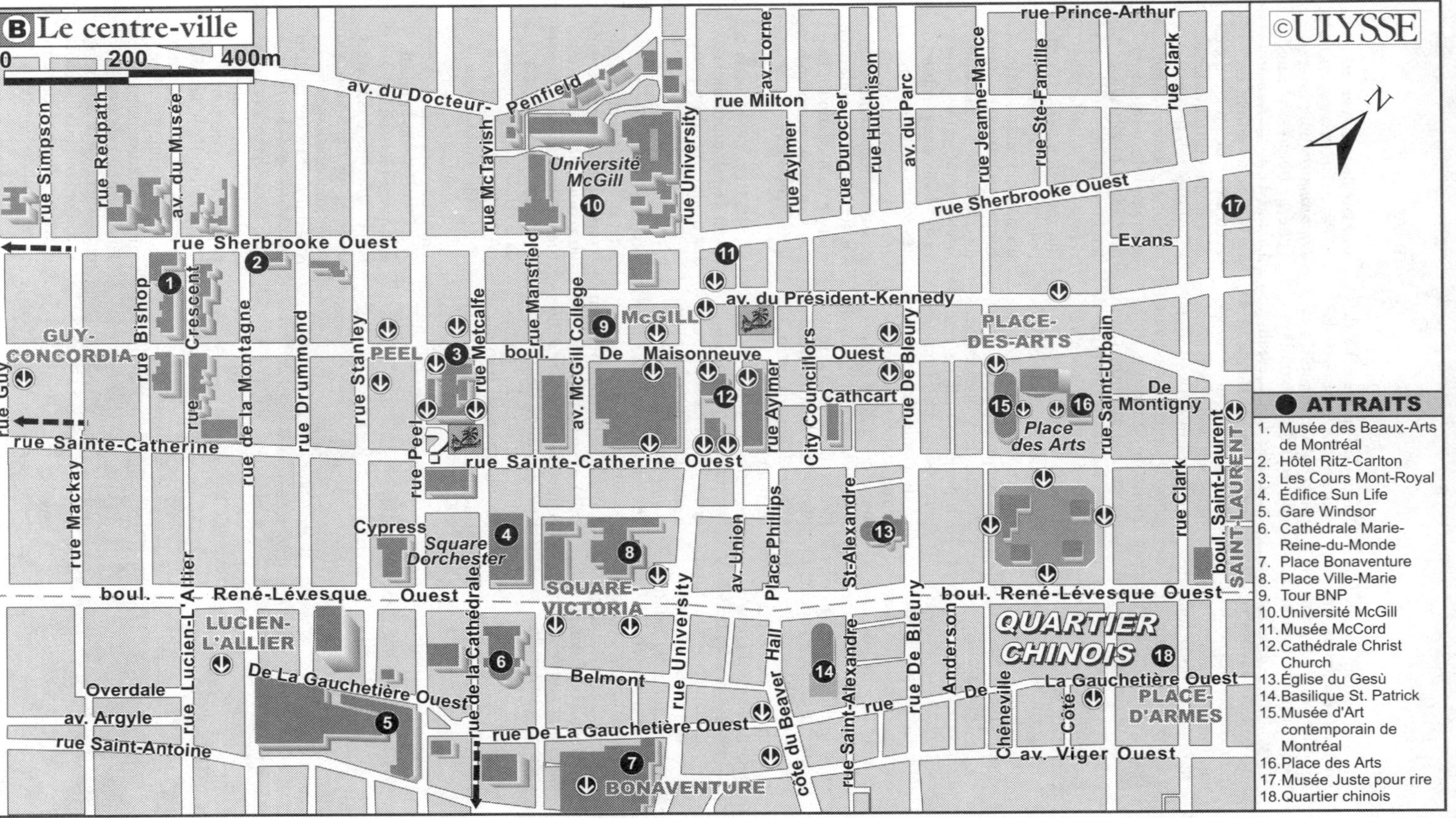

B Le centre-ville
0 200 400m
©ULYSSE
N
ATTRAITS
1. Musée des Beaux-Arts de Montréal
2. Hôtel Ritz-Carlton
3. Les Cours Mont-Royal
4. Édifice Sun Life
5. Gare Windsor
6. Cathédrale Marie-Reine-du-Monde
7. Place Bonaventure
8. Place Ville-Marie
9. Tour BNP
10. Université McGill
11. Musée McCord
12. Cathédrale Christ Church
13. Église du Gesù
14. Basilique St. Patrick
15. Musée d'Art contemporain de Montréal
16. Place des Arts
17. Musée Juste pour rire
18. Quartier chinois
rue Prince-Arthur
av. du Docteur-Penfield
rue Milton
av. Lorne
rue Simpson
rue Redpath
av. du Musée
rue McTavish
Université McGill
rue University
rue Aylmer
rue Durocher
rue Hutchison
av. du Parc
rue Jeanne-Mance
rue Ste-Famille
rue Clark
rue Sherbrooke Ouest
Evans
av. du Président-Kennedy
rue Bishop
rue Crescent
rue de la Montagne
rue Drummond
rue Stanley
rue Metcalfe
rue Mansfield
av. McGill College
McGILL
GUY-CONCORDIA
PEEL
boul. De Maisonneuve Ouest
PLACE-DES-ARTS
rue Saint-Urbain
De Montigny
rue Guy
Cathcart
City Councillors
rue De Bleury
Place des Arts
rue Sainte-Catherine
rue Peel
rue Sainte-Catherine Ouest
boul. Saint-Laurent
SAINT-LAURENT
rue Mackay
Cypress
Square Dorchester
av. Union
Place Phillips
St-Alexandre
boul. René-Lévesque Ouest
SQUARE-VICTORIA
LUCIEN-L'ALLIER
rue Lucien-L'Allier
QUARTIER CHINOIS
Overdale
av. Argyle
rue Saint-Antoine
De La Gauchetière Ouest
rue de la Cathédrale
Belmont
côte du Beaver Hall
rue Saint-Alexandre
Anderson
Chèneville
rue De La Gauchetière Ouest
La Gauchetière Ouest
Côté
PLACE-D'ARMES
av. Viger Ouest
BONAVENTURE

Seconde Guerre mondiale. En 1977, le siège social de la compagnie fut déménagé à Toronto en guise de protestation contre les lois linguistiques favorables au français. Heureusement, le carillon qui sonne à 17h, chaque jour de la semaine, n'a pas été transféré et demeure partie intégrante de l'âme du quartier.

En 1887, le directeur du Canadien Pacifique, William Cornelius Van Horne, demande à son ami newyorkais Bruce Price (1845-1903) d'élaborer les plans de la **gare Windsor** ★ *(angle rue De La Gauchetière et rue Peel, métro Bonaventure)*, gare moderne qui agira comme terminal du chemin de fer transcontinental, terminé l'année précédente. Price est à l'époque l'un des architectes les plus en vue de l'est des États-Unis, où il conçoit des projets résidentiels pour la haute société, mais aussi des gratte-ciel, tel l'American Surety Building de Manhattan. On le chargera, par la suite, de la construction du Château Frontenac de Québec, qui lancera la vogue du style château au Canada.

Siège de l'archevêché de Montréal et rappel de la puissance extrême du clergé jusqu'à la Révolution tranquille, la **cathédrale Marie-Reine-du-Monde** ★★ *(bd René-Lévesque O., angle Mansfield, métro Bonaventure)* est une réduction au tiers de la basilique Saint-Pierre-de-Rome. En 1852, un terrible incendie détruit la cathédrale catholique de la rue Saint-Denis. L'évêque de Montréal à l'époque, l'ambitieux Mgr Ignace Bourget (1799-1885), profitera de l'occasion pour élaborer un projet grandiose, qui surpassera enfin l'église Notre-Dame des sulpiciens et qui assurera la suprématie de l'Église catholique à Montréal. Quoi de mieux alors qu'une réplique de Saint-Pierre-de-Rome élevée en plein quartier protestant. Malgré les réticences de l'architecte Victor Bourgeau, le projet sera mené à terme, l'évêque obligeant même Bourgeau à se rendre à Rome pour mesurer le vénérable édifice. La construction, entreprise en 1870, sera finalement achevée en 1894. Les statues de cuivre des 13 saints patrons des paroisses de Montréal seront quant à elles installées en 1900.

Cathédrale Marie-Reine-du-Monde

La **Place Bonaventure** ★ *(1 Place Bonaventure, métro Bonaventure)*, immense cube de béton strié sans façade, était, au moment de son achèvement en 1966, l'une des réalisations de l'architecture moderne les plus révolutionnaires de son époque. Il s'agit d'un complexe multifonctionnel du Montréalais Raymond Affleck érigé audessus des voies ferrées qui mènent à la Gare centrale, où se superposent un stationnement, un centre commercial à deux niveaux relié au métro et à la ville souterraine, deux vastes halls d'exposition, des salles de vente en gros, des bureaux et, audessus, un hôtel intimiste de 400 chambres, aménagé autour d'un charmant jardin suspendu qui mérite une petite visite.

En 1913, on perce, sous le mont Royal, un tunnel ferroviaire qui aboutit au centre-ville. Les voies souterraines courent sous l'avenue McGill College, puis se multiplient au fond d'une large tranchée à l'air libre qui s'étend entre les rues Mansfield et University. En 1938, on érige la **Gare centrale** en sous-sol, véritable point de départ de la ville souterraine.

Camouflée depuis 1957 par l'**Hôtel Reine-Elizabeth**, elle présente une intéressante salle des pas perdus de style Art déco aérodynamique, aussi appelé Streamlined Deco. La **Place Ville-Marie** ★★★ *(1 Place Ville-Marie, métro Bonaventure)* voit le jour dans la portion nord de cette tranchée en 1959. Le célèbre architecte sino-américain Ieoh Ming Pei (Pyramide du Louvre de Paris, East Building de la National Gallery de Washington) conçoit, au-dessus des voies ferrées, un complexe multifonctionnel comprenant des galeries marchandes très étendues, aujourd'hui reliées à la majorité des immeubles environnants, et différents immeubles de bureaux, notamment la fameuse tour cruciforme en aluminium. Sa forme particulière, tout en permettant d'obtenir un meilleur éclairage naturel jusqu'au centre de la construction, symbolise la ville catholique dédiée à Marie.

La **tour BNP** ★ *(1981 av. McGill College, métro McGill)*, le plus réussi des immeubles de l'avenue McGill College, a été construit pour la Banque Nationale de Paris en 1981 selon les plans des architectes Webb, Zerafa, Menkès, Housden et associés (tour Elf-Aquitaine de La Défense à Paris, Banque Royale de Toronto). Ses parois de verre bleuté mettent en valeur la sculpture intitulée ***La foule illuminée*** du sculpteur franco-britannique Raymond Mason.

L'**Université McGill** ★★ *(805 rue Sherbrooke O., métro McGill)* a été fondée en 1821 grâce à un don du marchand de fourrures James McGill, ce qui en fait la plus ancienne des quatre universités de la ville. L'institution sera, tout au long du XIXe siècle, l'un des plus beaux fleurons de la bourgeoisie écossaise du *Golden Square Mile*. Le campus principal de l'université est caché dans la verdure, au pied du mont Royal. On y pénètre, à l'extrémité nord de l'avenue McGill College, par les portes Roddick, qui renferment l'horloge et le carillon universitaire. À droite, on aperçoit deux bâtiments néoromans de Sir Andrew Taylor, conçus pour abriter les départements de physique (1893) et de chimie (1896). L'École d'architecture occupe maintenant le second édifice. Un peu plus loin se trouve l'édifice du département d'ingénierie, le Macdonald Engineering Building, un bel exemple de néobaroque anglais avec son portail à bossages, doté d'un fronton brisé écarté (Percy Nobbs, 1908). Au fond de l'allée se dresse le plus ancien bâtiment du campus, l'Arts Building de 1839. Cet austère bâtiment néoclassique de l'architecte John Ostell fut pendant trois décennies le seul pavillon de l'Université McGill. Il loge le Moyse Hall, un beau théâtre antiquisant de 1926 (Harold Lea Fetherstonhaugh, architecte).

Le **Musée McCord d'histoire canadienne** ★★ *(8,05$ taxes incluses, sam entrée libre 10h à midi; mar-ven 10h à 18h, sam-dim 10h à 17h, fin juin à mi-oct tlj 10h à 18h; 690 rue Sherbrooke O., métro McGill, ☎398-7100)* occupe l'ancien édifice de l'association étudiante de l'Université McGill. Le beau bâtiment d'inspiration baroque anglais, de l'architecte Percy Nobbs (1906), a été agrandi vers l'arrière en 1991. Le long de la rue Victoria, on peut voir, entre les parties nouvelles et anciennes du musée, une intéressante sculpture de Pierre Granche intitulée ***Totem urbain/histoire en dentelle***. C'est le musée qu'il faut absolument voir à Montréal si l'on s'intéresse aux Amérindiens et à la vie quotidienne au Canada aux XVIIIe et XIXe siècles. On y trouve en effet une importante collection ethnographique, à laquelle s'ajoutent des collections de costumes, d'arts décoratifs, de tableaux, d'estampes et de photographies, entre autres la fameuse collection «Notman», comportant 700 000 négatifs sur verre, véritable portrait du Canada de la fin du XIXe siècle.

Cathédrale Christ Church ★★ et **Promenades de la Cathédrale** *(angle rue University, métro McGill)*. La première cathédrale anglicane de Montréal était située sur la rue Notre-Dame à proximité de la place d'Armes. À la suite d'un incendie en 1856, on décida de reconstruire la cathédrale Christ Church plus près de la population à desservir, soit au cœur du *Golden Square Mile* naissant. L'architecte Frank Wills de Salisbury, prenant pour modèle la cathédrale de sa ville d'origine, a réalisé un ouvrage flamboyant doté d'un seul clocher aux transepts. La sobriété de l'intérieur contraste avec la riche ornementation de plusieurs églises catholiques. Seuls quelques beaux vitraux, exécutés dans les ateliers de William Morris, ajoutent un peu de couleur.

Après 40 ans d'absence, les jésuites reviennent à Montréal en 1842 à l'invitation de Mgr Ignace Bourget. Six ans plus tard, ils fondent le collège Sainte-Marie, où plusieurs générations de garçons recevront une éducation exemplaire. L'**église du Gesù** ★★ *(1202 rue De Bleury, métro Place-des-Arts)* fut conçue, à l'origine, comme chapelle du collège. Le projet grandiose, entrepris en 1864 selon les plans de l'architecte Patrick C. Keely de Brooklyn (New York), ne put être achevé faute de fonds. Ainsi, les tours de l'église néo-Renaissance n'ont jamais reçu de clochers. Quant au décor intérieur, il fut exécuté en trompe-l'œil par l'artiste Damien Müller. On remarquera les beaux exemples d'ébénisterie que sont les sept autels principaux ainsi que les parquets marquetés qui les entourent. Les grandes toiles suspendues aux murs ont été commandées aux frères Gagliardi de Rome. Le collège des jésuites, érigé au sud de l'église, a été démoli en 1975, mais le Gesù a heureusement pu être sauvé puis restauré en 1983.

Fuyant la misère et la maladie de la pomme de terre, les Irlandais arrivent nombreux à Montréal entre 1820 et 1860, où ils participent aux chantiers du canal de Lachine et du pont Victoria. La construction de la **basilique St. Patrick** ★★ *(rue St-Alexandre, métro Place-des-Arts)*, pour desservir la communauté catholique irlandaise, répondait donc à une demande nouvelle et pressante. Au moment de son inauguration en 1847, l'église dominait la ville, située en contrebas. Elle est, de nos jours, bien dissimulée entre les gratte-ciel du quartier des affaires. Le père Félix Martin, supérieur des jésuites, et l'architecte Pierre-Louis Morin se chargèrent des plans de l'édifice néogothique, style préconisé par les Messieurs de Saint-Sulpice, qui financèrent le projet. Paradoxe parmi tant d'autres, l'église St. Patrick est davantage l'expression d'un art gothique français que celle de sa contrepartie anglo-saxonne. L'intérieur, haut et sombre, invite à la prière. Chacune des colonnes en pin qui divisent la nef en trois vaisseaux est un tronc d'arbre d'un seul morceau.

Autrefois situé à la Cité du Havre, le **Musée d'Art contemporain** ★★ *(6$; mar-dim 11h à 18h, mer entrée libre 18h à 21h; 185 rue Ste-Catherine O., angle rue Jeanne-Mance, métro Place-des-Arts, ☎847-6212)* a été transféré sur ce site en 1992. L'édifice tout en longueur, érigé au-dessus du stationnement de la Place des Arts, renferme huit salles où sont présentées des œuvres québécoises et internationales réalisées après 1940. L'intérieur, nettement plus réussi que l'extérieur, s'organise autour d'un hall circulaire. Au rez-de-chaussée, une amusante sculpture métallique de Pierre Granche intitulée *Comme si le temps... de la rue* représente la trame de rues montréalaise, envahie par des oiseaux casqués, dans une sorte de théâtre semi-circulaire.

Inspiré par des ensembles culturels, comme le Lincoln Center de New York, le gouvernement du Québec a fait ériger la **Place des Arts** ★ *(rue Ste-Catherine O., entre les rues Jeanne-Mance et St-Urbain, métro Place-des-Arts)*, un complexe de cinq salles consacré aux arts de la scène, dans la foulée de la Révolution tranquille. La Salle Wilfrid-Pelletier, au centre, fut inaugurée en 1963 (2 982 places). Elle accueille l'Orchestre symphonique de même que l'Opéra de Montréal. Le Théâtre Maisonneuve, à droite, adopte une forme cubique. Il renferme trois salles : le Théâtre Maisonneuve (1 460 places), le Théâtre Jean-Duceppe (755 places) et le Café de la Place, petite salle intimiste de 138 places. Quant à la Cinquième Salle (350 places), elle a été aménagée en 1992 dans le cadre de la construction du Musée d'Art contemporain. La Place des Arts est reliée à l'axe gouvernemental de la ville souterraine, qui s'étend du Palais des congrès jusqu'à l'avenue du Président-Kennedy. Développée par les différents paliers de gouvernements, cette portion du réseau souterrain a été baptisée ainsi par opposition au réseau privé, qui gravite autour de la Place Ville-Marie, plus à l'ouest.

Installé dans les anciens bâtiments de la brasserie Ekers, le **Musée juste pour rire** ★★ *(5$; lun-ven 9h30 à 15h30, sam-dim 10h à 17h; 2111 bd St-Laurent, métro St-Laurent, ☎845-4000)* fut inauguré en 1993. Ce musée, unique en son genre, explore diverses facettes du domaine de l'humour en présentant divers extraits de films et des décors parfois déroutants. Un système d'écouteurs à infrarouge, grâce auquel on peut suivre la présentation, accompagne les curieux tout au long de leur visite. Le bâtiment dans lequel il se trouve a été rénové et réaménagé par l'architecte Luc Laporte; il offre quelque 3 000 m² de surface d'exposition.

Le **quartier chinois** ★ *(rue De La Gauchetière, métro Place-des-Arts)* de Montréal, même s'il est plutôt petit, n'en demeure pas moins un lieu de promenade agréable. Les Chinois venus au Canada pour la construction du chemin de fer transcontinental, terminée en 1886, s'y sont installés en grand nombre à la fin du XIXe siècle. Bien qu'ils n'habitent plus le quartier, ils y viennent toujours les fins de semaine pour flâner et faire provision de produits exotiques. La rue De La Gauchetière a été transformée en artère piétonne, bordée de restaurants et encadrée par de belles portes à l'architecture d'inspiration chinoise.

Le Village Shaughnessy

Lorsque les Messieurs de Saint-Sulpice prennent possession de l'île de Montréal en 1663, ils se réservent une partie des meilleures terres, sur lesquelles ils implanteront une ferme et un village amérindien en 1676. À la suite d'un incendie, le village est déplacé à différents endroits, avant de se fixer définitivement à Oka. Une section de la ferme, correspondant à l'actuel territoire de Westmount, est alors concédée à des colons français. Sur la portion restante, les sulpiciens aménagent un verger et un vignoble. Le lotissement de ces terres débute vers 1870 : une partie d'entre elles servent à la construction de demeures bourgeoises, alors que de larges parcelles sont accordées aux communautés religieuses catholiques, alliées des sulpiciens. C'est à cette époque que l'on érige la maison Shaughnessy, qui donnera son nom au quartier. Depuis 1960, la population du secteur a considérablement augmenté, faisant du Village Shaughnessy la zone la plus densément peuplée du Québec.

La maison de ferme des sulpiciens était entourée d'un mur d'enceinte relié à quatre tours d'angle en pierre, ce qui lui a valu le nom de «fort des Messieurs». La maison a été détruite au moment de la construction (1854-1860) du **Grand Séminaire** ★★ *(2065 rue Sherbrooke O., métro Guy-Concordia)*, mais deux des tours érigées au XVIIe siècle selon les plans de François Vachon de Belmont, supérieur des sulpiciens de Montréal, subsistent dans les jardins ombragés de l'institution. C'est dans l'une d'elles que sainte Marguerite Bourgeoys enseignait aux petites Amérindiennes. Les longs bâtiments néoclassiques du Grand Séminaire, œuvre de l'architecte John Ostell, se sont vu coiffer d'une toiture en mansarde par Henri-Maurice Perrault vers 1880. Un centre d'interprétation extérieur, aménagé sur la rue Sherbrooke, dans l'axe de la rue du Fort, apporte des précisions sur la disposition des bâtiments de la ferme.

Fondé en 1979 par Phyllis Lambert, le **Centre Canadien d'Architecture** ★★★ *(6$, entrée libre jeu 18h à 20h; juin à sept mar-dim 11h à 18h, jeu jusqu'à 20h; oct à mai mer-ven 11h à 18h, jeu jusqu'à 20h, sam-dim 11h à 17h; 1920 rue Baile, métro Guy-Concordia, ☎939-7026)* est à la fois un musée et un centre d'étude de l'architecture du monde entier. Ses collections de plans, de dessins, de maquettes, de livres et de photographies d'architecture sont les plus importantes du genre au monde. Le centre, érigé entre 1985 et 1989, comprend six salles d'exposition, une librairie, une bibliothèque, un auditorium de 217 places et une aile spécialement aménagée pour les chercheurs, sans compter les voûtes et les laboratoires de restauration. L'édifice principal en forme de *U*, réalisé par Peter Rose, assisté de Phyllis Lambert, est recouvert de calcaire gris extrait des carrières de Saint-Marc-des-Carrières, près de Québec. Ce matériau, autrefois extrait des carrières du Plateau Mont-Royal et de Rosemont, à Montréal, donne sa couleur aux rues de la ville.

L'édifice enserre la **maison Shaughnessy**, dont la façade donne sur le boulevard René-Lévesque Ouest. Cette maison est en fait constituée de deux habitations jumelées, construites en 1874 selon les plans de l'architecte William Tutin Thomas. Elle est représentative des demeures bourgeoises qui bordaient autrefois le boulevard René-Lévesque (anciennement Dorchester). En 1974, elle fut au centre du sauvetage du quartier, éventré en plusieurs endroits. La maison, elle-même menacée de démolition, fut rachetée *in extremis* par Phyllis Lambert, qui y a aménagé les bureaux et les salles de réception du Centre Canadien d'Architecture. Un ancien président du Canadien Pacifique, Sir Thomas Shaughnessy, qui a habité la maison pendant plusieurs décennies, a laissé son nom au bâtiment. Les habitants du secteur, regroupés en association, ont par la suite choisi de donner son nom au quartier tout entier.

L'amusant **jardin d'architecture** ★ *(métro Guy-Concordia)* de l'artiste Melvin Charney, aménagé entre deux bretelles d'autoroute, fait face à la maison Shaughnessy. Il exprime les différentes strates de développement du quartier à travers un segment du verger des sulpiciens, à gauche; les limites de lots des demeures victoriennes indiquées par des lignes de pierre et des plantations de rosiers rappellent les jardins de ces maisons. Une promenade longeant la falaise qui séparait autrefois le quartier riche des quartiers ouvriers permet de contempler la basse ville (La Petite-Bourgogne,

Saint-Henri, Verdun) et le fleuve Saint-Laurent. Certains points forts de ce panorama sont représentés de manière stylisée au sommet de mâts en béton.

Le **couvent des Sœurs Grises** ★★ *(1185 rue St-Mathieu, métro Guy-Concordia)* représente l'aboutissement d'une tradition architecturale québécoise développée à travers les siècles. Seule la chapelle présente une influence étrangère, soit le style néoroman, qui, avec le néogothique, était privilégié par les Messieurs de Saint-Sulpice, par opposition aux styles néo-Renaissance et néobaroque, favorisés par l'évêché.

Le mont Royal et Westmount

Le mont Royal est un point de repère important dans le paysage montréalais, autour duquel gravitent les quartiers centraux de la ville. Appelée simplement «la montagne» par les citadins, cette masse trapue de 234 m de haut à son point culminant est en fait l'une des collines montérégiennes, qui sont autant d'intrusions de roche volcanique dans la plaine du Saint-Laurent. Ce «poumon vert» couvert d'arbres apparaît à l'extrémité des rues du centre-ville, exerçant un effet bénéfique sur les Montréalais, qui ainsi ne perdent jamais contact avec la nature. La montagne comporte en réalité trois sommets : le premier est occupé par le parc du Mont-Royal, le second par l'Université de Montréal et le troisième par Westmount, ville autonome aux belles demeures de style anglais. À cela, il faut ajouter les cimetières catholique, protestant et juif, qui forment ensemble la plus vaste nécropole du continent nord-américain.

Du **belvédère Camillien-Houde** ★★ *(voie Camillien-Houde)*, un beau point d'observation, on embrasse du regard tout l'est de Montréal. On voit, à l'avant-plan, le quartier du Plateau Mont-Royal, avec sa masse uniforme de duplex et de triplex percée en plusieurs endroits par les clochers de cuivre verdi des églises paroissiales, et, à l'arrière-plan, les quartiers Rosemont et Maisonneuve, dominés par le Stade olympique. Par temps clair, on distingue les raffineries de pétrole de Montréal-Est, dans le lointain. À des fins comparatives, mentionnons que le fleuve Saint- Laurent, visible à droite, fait 1,5 km de largeur à son point le plus étroit. Le belvédère Camillien-Houde est le point de rendez-vous des amoureux motorisés.

Le **parc du Mont-Royal** ★★★ a été créé par la Ville de Montréal en 1870, à la suite des pressions des résidants du *Golden Square Mile* qui voyaient leur terrain de jeu favori déboisé par divers exploitants de bois de chauffage. Frederick Law Olmsted (1822-1903), le célèbre créateur du Central Park à New York, fut mandaté pour aménager les lieux. Il prit le parti de conserver au site son caractère naturel, se limitant à aménager quelques points d'observation reliés par des sentiers en tire-bouchon.

Le **chalet du mont Royal** ★★★ *(lun-ven 9h30 à 20h; parc du Mont-Royal, ☎844-4928)*, au centre du parc, fut conçu par Aristide Beaugrand-Champagne en 1932, en remplacement de l'ancien, qui menaçait ruine. Au cours des années trente et quarante, les *big bands* donnaient des concerts à la belle étoile sur les marches de l'édifice. L'intérieur est décoré de toiles marouflées représentant des scènes de l'histoire du Canada et commandées à de grands peintres québécois comme Marc-Aurèle Fortin et Paul-Émile Borduas. Mais, si l'on se rend au chalet du mont Royal, c'est d'abord pour la traditionnelle vue sur le centre-ville depuis son belvédère, admirable en fin d'après-midi et en soirée, alors que les gratte-ciel s'illuminent.

Du cimetière Notre-Dame-des-Neiges et des chemins qui y conduisent, on jouit de plusieurs points de vue sur l'**oratoire Saint-Joseph** ★★ *(entrée libre; tlj 9h à 17h, messe tlj 6h30 à 21h30, crèche de Noël du 15 nov au 15 fév; 3800 chemin Queen Mary, ☎733-8211)*. L'énorme édifice, coiffé d'un dôme en cuivre, le second en importance au monde après celui de Saint-Pierre-de-Rome, est érigé à flanc de colline, accentuant encore davantage son caractère mystique. De la grille d'entrée, il faut gravir plus de 300 marches pour accéder à la basilique. L'oratoire a été aménagé entre 1924 et 1956 à l'instigation du bienheureux frère André, portier du collège Notre-Dame (situé en face), à qui l'on attribue de nombreux miracles.

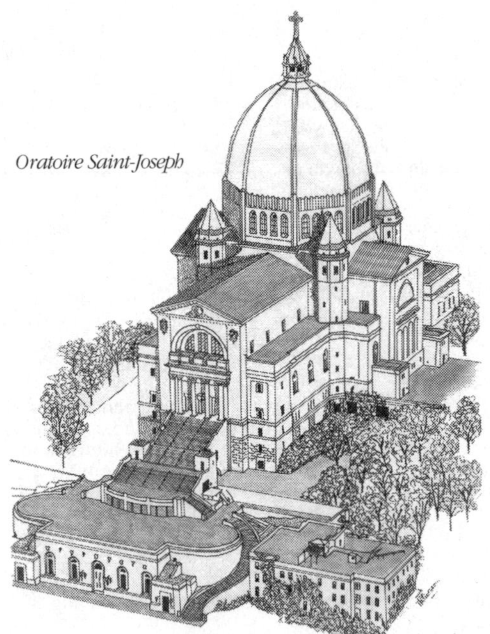

Oratoire Saint-Joseph

Ce véritable complexe religieux est donc à la fois consacré à saint Joseph et à son humble créateur. Il comprend la basilique inférieure, la crypte du frère André et la basilique supérieure, ainsi que deux musées, l'un dédié à la vie du frère André et l'autre à l'art sacré. La première chapelle du petit portier, aménagée en 1910, une cafétéria, une hostellerie et un magasin d'articles de piété complètent les installations.

Une succursale de l'Université Laval de Québec ouvre ses portes dans le Château Ramezay en 1876, après bien des démarches entravées par la maison mère, qui voulait garder le monopole de l'éducation universitaire en français à Québec. Quelques années plus tard, elle emménage sur la rue Saint- Denis, donnant ainsi naissance au Quartier latin (voir p 185).

L'**Université de Montréal** ★ *(2900 bd Édouard-Montpetit)* obtient finalement son autonomie en 1920, ce qui permet à ses directeurs d'élaborer des projets grandioses. Ernest Cormier (1885-1980) est approché pour la réalisation d'un campus sur le flanc nord du mont Royal. Cet architecte, diplômé de l'École des beaux-arts de Paris, fut l'un des premiers à introduire l'Art déco en Amérique du Nord.

Westmount est comme un morceau de Grande-Bretagne transposé en Amérique. L'**hôtel de ville de Westmount** ★ *(4333 rue Sherbrooke O.)* adopte le style néo- Tudor, inspiré de l'architecture de l'époque d'Henri VIII et d'Élizabeth Ire, considéré dans les années vingt comme le style national anglais, puisque émanant exclusivement des îles Britanniques. Celui-ci se définit, entre autres choses, par la présence d'ouvertures horizontales à multiples menaux de pierres, de *bay-windows* (oriels) et d'arcs surbaissés. À l'arrière se trouve la pelouse irréprochable d'un club de *bowling* sur gazon, sur laquelle se détachent les joueurs portant le costume blanc réglementaire.

Parc et **bibliothèque de Westmount** ★ *(4575 rue Sherbrooke O.)*. Le parc Westmount a été créé à l'emplacement de marécages en 1895. Quatre ans plus tard, on y construisait la première bibliothèque municipale du Québec. La province avait un retard considérable en la matière, les seules communautés religieuses ayant jusque-là pris en charge ce type d'équipement culturel. L'édifice de brique rouge se rattache aux courants éclectiques, pittoresques et polychromes des deux dernières décennies du XIXe siècle.

Maisonneuve

En 1883, la ville de Maisonneuve voit le jour dans l'est de Montréal à l'initiative de fermiers et de marchands canadiens-français. Dès 1889, les installations du port de Montréal la rejoignent, facilitant ainsi son développement. Puis, en 1918, cette ville autonome est annexée à Montréal, devenant de la sorte l'un de ses principaux quartiers ouvriers, francophone à 90%. Au cours de son histoire, Maisonneuve a été profondément marquée par des hommes aux grandes idées qui ont voulu faire de ce coin de pays un lieu d'épanouissement collectif. Les frères Marius et Oscar Dufresne, à leur arrivée au pouvoir à la mairie de Maisonneuve en 1910, instituent une politique de démesure en faisant ériger de prestigieux édifices publics de style Beaux-Arts destinés à faire de «leur» ville un modèle de développement pour le Québec français. Puis le frère Marie-Victorin y fonde en 1931 le Jardin botanique de Montréal, aujourd'hui le second en importance au monde. Enfin, en 1971, le maire Jean Drapeau inaugure dans Maisonneuve les travaux de l'immense complexe sportif qui accueillera les Jeux olympiques de Montréal en 1976.

Jardin botanique, **Maison de l'Arbre** et **Insectarium** ★★★ *(entrée serres et Insectarium basse saison 7$, haute saison 9,50$, sept à mai tlj 9h à 17h, mai à sept tlj 9h à 19h; 4101 rue Sherbrooke E., métro Pie-IX, ☎872-1400).* D'une superficie de 73 ha, le Jardin botanique a été entrepris pendant la crise des années trente sur le site du Mont-de-La-Salle, la maison mère des frères des Écoles chrétiennes. Derrière le pavillon Art déco de l'École de biologie de l'Université de Montréal, s'étirent les 10 serres d'exposition reliées les unes aux autres, où l'on peut notamment voir une précieuse collection d'orchidées ainsi que le plus important regroupement de bonsaïs et de *penjings* hors d'Asie, dont fait partie la fameuse collection «Wu», donnée au jardin par le maître Wu Yee-Sun de Hong-Kong en 1984.

Trente jardins extérieurs, ouverts du printemps à l'automne, conçus pour instruire et émerveiller le visiteur, s'étendent au nord et à l'ouest des serres. Parmi ceux-ci, il faut souligner les jardins d'exposition symétriques, dans la perspective du restaurant, le jardin japonais et son pavillon de thé de style *sukiya*, ainsi que le très beau jardin chinois du Lac de rêve, dont les pavillons ont été réalisés par des artisans venus exprès de Chine. Montréal étant jumelée à Shanghai, on a voulu en faire le plus vaste jardin du genre hors d'Asie.

Un arboretum occupe la partie nord du Jardin botanique. C'est dans ce secteur qu'a été érigée la **Maison de l'Arbre**, véritable outil de vulgarisation permettant de mieux comprendre la vie d'un arbre. L'exposition permanente interactive que l'on y présente reprend d'ailleurs la forme d'une moitié de tronc d'arbre. Les modules y sont faits de bouleau jaune, arbre emblématique du Québec depuis 1993. La structure du bâtiment, formé d'un assemblage de poutres provenant de différentes essences, veut rappeler une forêt de feuillus. On remarquera plus particulièrement les jeux d'ombre et de lumière de la charpente sur le grand mur blanc qui suggère des troncs et des branches. À l'arrière, une terrasse permet de contempler l'étang de l'arboretum et donne accès à un charmant petit jardin de Bonzsaïs. On peut se rendre à la Maison de l'Arbre en montant à bord de la *Balade*, navette qui fait régulièrement le tour du Jardin botanique, ou encore y accéder directement par l'entrée nord du Jardin, située le long du boulevard Rosemont.

L'**Insectarium** (☎872-8753), complémentaire, est situé à l'est des serres. D'un type nouveau, ce musée vivant invite les visiteurs à découvrir le monde fascinant des insectes à l'aide de courts films, de jeux interactifs et d'une surprenante collection d'insectes.

Le **Château Dufresne** ★★ *(2929 rue Jeanne-d'Arc, métro Pie-IX)* est constitué en réalité de deux résidences bourgeoises jumelées de 22 pièces chacune, érigées derrière une façade unique. Il fut réalisé en 1916 pour les frères Marius et Oscar Dufresne, fabricants de chaussures et promoteurs d'un projet d'aménagement grandiose pour Maisonneuve, auquel la Première Guerre mondiale allait mettre un terme, engendrant la faillite de la municipalité. Leur demeure, œuvre conjointe de Marius Dufresne et de l'architecte parisien Jules Renard, devait former le noyau d'un quartier résidentiel bourgeois, qui n'a jamais vu le jour. Elle est un des meilleurs exemples d'architecture Beaux-Arts à Montréal. Le château a abrité de 1979 jusqu'à mars 1997 le Musée des Arts décoratifs de Montréal *(☎259-2575)*, relocalisé au centre-ville (voir p ?).

Stade olympique ★★★ *(5,25$, 10,25$ visite guidée et tour dans le funiculaire; visites guidées en français à 11h et 14h, en anglais à 12h40 et 15h40; fermé mi-jan à mi-fév; 4141 av. Pierre-de-Coubertin, métro Pie-IX, ☎252-8687).* Jean Drapeau fut maire de Montréal de 1954 à 1957 puis de 1960 à 1986. Il rêvait de grandes choses pour «sa» ville. D'un pouvoir de persuasion peu commun et d'une détermination à toute épreuve, il mena à bien plusieurs projets importants, entre autres la construction du métro et de la Place des Arts, et la venue à Montréal de l'Exposition universelle de 1967 et, bien sûr, des Jeux olympiques d'été de 1976. Mais pour cet événement international, il fallait doter la ville d'équipements à la hauteur. Qu'à cela ne tienne, on irait chercher un visionnaire parisien qui dessinerait du jamais vu. Un milliard de dollars plus tard, l'œuvre maîtresse de l'architecte Roger Taillibert, également auteur du stade du Parc des Princes, à Paris, étonne par la courbure de ses formes organiques en béton. Le stade ovale contient 56 000 places. Au loin, on aperçoit les deux tours de forme pyramidale du **Village olympique**, qui ont logé les athlètes en 1976. Le Stade olympique accueille, chaque année, différents événements, entre autres le Salon national de l'habitation. D'avril à septembre, l'équipe de baseball Les Expos y dispute ses matchs à domicile. La tour du stade, qui serait la plus haute tour penchée du monde (190m), a été rebaptisée la **Tour de Montréal**. Un funiculaire *(9$; lun midi à 21h, mar-jeu 10h à 21h, ven-dim 10h à 23h)* grimpe à l'assaut de la structure, permettant d'accéder à un observatoire intérieur d'où les visiteurs peuvent contempler l'ensemble de l'Est montréalais. Au niveau inférieur de l'observatoire, sont présentées des expositions qui ont pour thème l'olympisme. On y trouve aussi une aire de détente assortie d'un bar.

Pingouins

Le pied de la tour abrite les piscines du Complexe olympique, alors que l'ancien vélodrome, situé à proximité, a été transformé en un milieu de vie artificiel pour les plantes et les animaux appelé le **Biodôme** ★★★ *(9,50$; tlj 9h à 17h, mi-juin à début sept jusqu'à 19h; 4777 av. Pierre-de-Coubertin, métro Viau, ☎868-3000)*. Ce nouveau type de musée, rattaché au Jardin botanique, présente sur 10 000 m² quatre écosystèmes fort différents les uns des autres : la forêt tropicale, la forêt laurentienne, le Saint- Laurent marin et le monde polaire. Ce sont des microcosmes complets, comprenant végétation, mammifères et oiseaux en liberté ainsi que conditions climatiques réelles.

Les îles Sainte-Hélène et Notre-Dame

Lorsque Samuel de Champlain aborde dans l'île de Montréal en 1611, il trouve, en face, un petit archipel rocailleux. Il baptise la plus grande de ces îles du nom de son épouse, Hélène Boulé. L'île Sainte-Hélène est par la suite rattachée à la seigneurie de Longueuil. La baronne y fait ériger une maison de campagne entourée d'un jardin vers 1720. À noter qu'en 1760 l'île sera le dernier retranchement des troupes françaises en Nouvelle-France sous le commandement du chevalier François de Lévis.

L'importance stratégique des lieux est connue de l'armée britannique, qui aménage un fort dans la partie est de l'île au début du XIXe siècle. La menace d'un conflit armé avec les Américains s'étant amenuisée, l'île Sainte- Hélène est louée à la Ville de Montréal par le gouvernement canadien en 1874. Elle devient alors un parc de détente relié au Vieux-Montréal par un service de traversiers et, à partir de 1930, par le pont Jacques-Cartier. Au début des années soixante, Montréal obtient l'Exposition universelle de 1967. On désire l'aménager sur un vaste site attrayant et situé à proximité du centre-ville. Un tel site n'existe pas. Il faut donc l'inventer de toutes pièces en doublant la superficie de l'île Sainte-Hélène et en créant l'île Notre-Dame à l'aide de la terre excavée des tunnels du métro. D'avril à novembre 1967, 45 millions de visiteurs fouleront le sol des deux îles et de la Cité du Havre, qui constitue le point d'entrée du site. «L'Expo», comme l'appellent encore familièrement les Montréalais, fut plus qu'un ramassis d'objets hétéroclites. Ce fut le réveil de Montréal, son ouverture au monde et, pour ses visiteurs venus de partout, la découverte d'un nouvel art de vivre, celui de la minijupe, des réactés, de la télévision en couleurs, des hippies, du *flower power* et du rock revendicateur.

Le **parc Hélène-de-Champlain** ★★ *(métro Île-Ste-Hélène)* est situé sur l'île Sainte-Hélène, qui avait à l'origine une superficie de 50 ha. Les travaux d'Expo 67 l'ont portée à plus de 120 ha. La portion originale correspond au territoire surélevé et ponctué de rochers, composés d'une pierre d'un type particulier à l'île appelée «brèche», une pierre très dure et ferreuse qui prend une teinte orangée avec le temps lorsqu'elle est exposée à l'air. En 1992, la portion ouest de l'île a été réaménagée en un vaste amphithéâtre en plein air où sont présentés des spectacles à grand déploiement. Sur une belle place en bordure de la rive faisant face à Montréal, on aperçoit ***L'Homme***, important stabile d'Alexander Calder réalisé pour Expo 67.

À la suite de la guerre de 1812 entre les États- Unis et la Grande-Bretagne, le **fort de l'île Sainte-Hélène ★★** *(métro Île-Ste-Hélène)* est construit afin que l'on puisse défendre adéquatement Montréal si jamais un nouveau conflit devait éclater. Les travaux effectués sous la supervision de l'ingénieur militaire Elias Walker Durnford sont achevés en 1825. L'ensemble en pierre de brèche se présente tel un *U* échancré, entourant une place d'armes qui sert de nos jours de terrain de parade à la Compagnie Franche de la Marine et au 78e régiment des Fraser Highlanders. Ces deux régiments factices en costume d'époque font revivre les traditions militaires françaises et écossaises du Canada pour le grand plaisir des visiteurs. De la place d'armes, on bénéficie d'une belle vue sur le port et le pont Jacques-Cartier, inauguré en 1930, qui chevauche l'île et sépare le parc de verdure de La Ronde.

Le **Musée David-M. Stewart ★★** *(6$; sept à mai mer-lun 10h à 17h, été tlj 10h à 18h; métro Île-Ste-Hélène, ☎861-6701)*, aussi appelé «Musée des découvertes», est installé dans l'arsenal. On y présente un ensemble d'objets des XVIIe et XVIII e siècles parmi lesquels figurent d'intéressantes collections de cartes, d'armes à feu, d'instruments scientifiques et de navigation, rassemblées par l'industriel montréalais David Stewart et son épouse Liliane. Cette dernière veille sur le musée et sur la fondation Macdonald-Stewart, qui administre également le Château Ramezay et le Château Dufresne (qui abritait anciennement le Musée des Arts décoratifs).

Le **Festin des Gouverneurs** (voir p 193), un restaurant qui accueille principalement les groupes sur réservation, occupe les voûtes des anciennes casernes. On y recrée chaque soir l'ambiance d'un repas de fête à l'époque de la Nouvelle-France.

La Ronde ★ *(27,50$; juin à sept tlj 11h à 23h, ven-sam jusqu'à minuit; métro Île-Ste-Hélène, ☎872-6222)*, ce parc d'attractions aménagé à l'occasion de l'Exposition universelle de 1967 sur l'ancienne île Ronde, ouvre chaque été ses portes aux jeunes et aux moins jeunes. Pour les Montréalais, la visite annuelle à La Ronde est presque devenue un pèlerinage. Un concours international d'art pyrotechnique s'y tient les samedis ou les dimanches pendant les mois de juin et de juillet.

Bien peu de pavillons d'Expo 67 ont survécu à l'usure du temps et aux changements de vocation des îles. L'un des rares survivants est l'ancien pavillon américain, un véritable monument à l'architecture moderne. Il s'agit du premier dôme géodésique complet à avoir dépassé le stade de la maquette. Son concepteur est le célèbre ingénieur Richard Buckminster Fuller (1895-1983). La **Biosphère ★★** *(6,50$; mar-dim 10h à 17h, été tlj 10h à 18h; métro Île-Ste-Hélène, ☎283-5000)* de 80 m de diamètre, à structure tubulaire en aluminium, a malheureusement perdu son revêtement translucide en acrylique lors d'un incendie en 1978. Elle abrite de nos jours un centre d'observation environnementale portant sur le fleuve Saint-Laurent, les Grands Lacs et les différents écosystèmes canadiens. Le volet permanent vise à sensibiliser le public dans les domaines du développement durable et de la conservation de l'eau en tant que ressource précieuse. On y trouve quatre salles interactives dotées d'écrans géants et de maquettes tactiles pour explorer tout en s'amusant. Un restaurant-terrasse avec vue panoramique sur l'ensemble des îles complète le musée.

L'**île Notre-Dame** est sortie des eaux du fleuve Saint-Laurent en l'espace de 10 mois, grâce aux 15 millions de tonnes de roc et de terre transportés sur le site depuis le chantier du métro. Comme il s'agit d'une île artificielle, on a pu lui donner une configuration fantaisiste en jouant autant avec la terre qu'avec l'eau. Ainsi, l'île est traversée d'agréables **canaux** et **jardins ★★** *(métro Île-Ste-Hélène et autobus 167)* aménagés à l'occasion des Floralies internationales de 1980. Il est possible de louer des embarcations pour sillonner les canaux et admirer les fleurs qui se mirent dans leurs eaux.

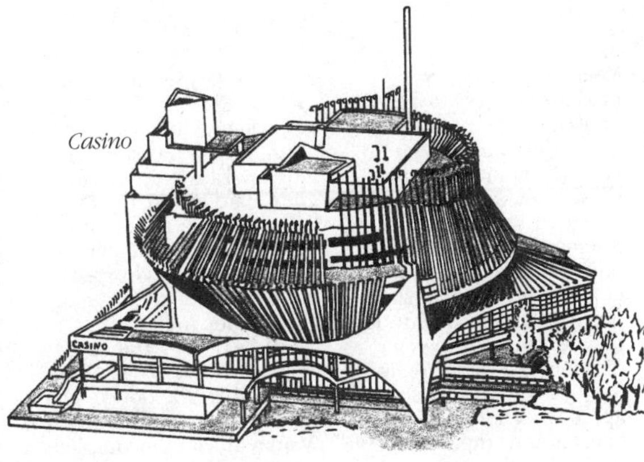

Casino

Le **Casino de Montréal** ★ *(stationnement et vestiaire gratuits; tlj 24 heures sur 24; métro Île-Ste-Hélène et autobus 167,* ☎*392-2746)* est aménagé dans ce qui fut les pavillons de la France et du Québec pendant l'Exposition universelle de 1967. Le bâtiment principal, correspondant à l'ancien **pavillon de la France** ★, a été conçu en aluminium par l'architecte Jean Faugeron, puis rénové au coût de 92,4 millions de dollars en 1993 pour abriter le casino. Les galeries supérieures offrent une vue imprenable sur le centre-ville et sur le fleuve Saint-Laurent.
À proximité se trouve l'accès à la **plage de l'île Notre-Dame**, qui permet aux Montréalais de se prélasser sur une vraie plage de sable, même au milieu du fleuve Saint-Laurent. Le système de filtration naturel permet de garder l'eau du petit lac intérieur propre, sans devoir employer d'additifs chimiques. Le nombre de baigneurs que la plage peut accueillir est cependant rigoureusement contrôlé afin de ne pas déstabiliser ce système.

Le Quartier latin

Ce quartier universitaire, qui gravite autour de la rue Saint-Denis, est apprécié pour ses théâtres, ses cinémas et ses innombrables cafés-terrasses, d'où l'on peut observer la foule bigarrée d'étudiants et de fêtards. Son histoire débute en 1823, alors que l'on inaugure l'église Saint-Jacques, première cathédrale catholique de Montréal. Ce prestigieux édifice de la rue Saint-Denis a tôt fait d'attirer dans ses environs la crème de la société canadienne-française, composée surtout de vieilles familles nobles demeurées au Canada après la Conquête.

En 1852, un incendie ravage le quartier, détruisant du même coup la cathédrale et le palais épiscopal de Mgr Bourget. Reconstruit péniblement dans la seconde moitié du XIXe siècle, le secteur conservera sa vocation résidentielle jusqu'à ce que l'Université de Montréal s'y installe en 1893. S'amorce alors une période d'ébullition culturelle, qui sera à la base de la Révolution tranquille des années soixante.

L'Université du Québec, créée en 1974, a pris la relève de l'Université de Montréal, déménagée sur le versant nord du mont Royal, assurant de la sorte la prospérité du Quartier latin.

À la suite de l'incendie de 1852, on aménage un réservoir d'eau au sommet de la Côte-à- Barron. En 1879, le réservoir est démantelé et son site aménagé en parc de verdure sous le nom de **square Saint- Louis** ★★ *(métro Sherbrooke)*. Des entrepreneurs érigent alors autour du square de belles demeures victoriennes d'inspiration Second Empire, constituant ainsi le noyau du quartier résidentiel de la bourgeoisie canadienne-française. Ces ensembles forment l'un des rares paysages urbains montréalais où règne une certaine harmonie. À l'ouest, la **rue Prince-Arthur** débouche sur le square. Cette artère piétonne (entre le boulevard Saint Laurent et l'avenue Laval) était, dans les années soixante, le centre de la contre-culture et du mouvement hippie à Montréal. Elle est, de nos jours, bordée de nombreux restaurants et terrasses. Les soirs d'été, l'endroit est animé par des amuseurs publics.

La **Bibliothèque Nationale** ★ *(1700 rue St-Denis, métro Berri-UQÀM)* fut d'abord aménagée pour les Messieurs de Saint-Sulpice, qui voyaient d'un mauvais œil la construction d'une bibliothèque municipale ouverte à tous sur la rue Sherbrooke. Même si de nombreux ouvrages étaient encore à l'Index, donc interdits de lecture par le clergé, cette ouverture était vue comme de la concurrence déloyale.

Autrefois connue sous le nom de Bibliothèque Saint-Sulpice, cette succursale de la Bibliothèque Nationale du Québec fut dessinée par l'architecte Eugène Payette en 1914 dans le style Beaux-Arts. Ce style, synthèse de l'architecture française de la Renaissance et du classicisme, était enseigné à l'École des beaux-arts de Paris, d'où son nom en Amérique. À l'intérieur, on peut voir de belles verrières réalisées par Henri Perdriau en 1915.

À l'angle du boulevard De Maisonneuve se trouve la salle de projection et de location de l'**Office national du film du Canada** (ONF). L'ONF dispose d'une cinérobothèque *(5$ pour deux heures, 3$ pour une heure; mar-dim 12h à 21h; 1564 rue St-Denis, ☎496-6887)* permettant à une centaine d'usagers de visionner des films différents. De plus, ce complexe abrite une salle de cinéma *(5$; tlj, l'horaire paraît au début de chaque mois)* où l'on projette différents documentaires ainsi que des films de l'ONF. Un peu plus loin à l'ouest, la **Cinémathèque québécoise** *(335 bd De Maisonneuve E., ☎842-9763)* accueille les cinéphiles. Elle possède une collection de 25 000 films canadiens, québécois et étrangers, ainsi que des centaines d'appareils témoignant des débuts de l'histoire du cinéma. Rouverte après une importante rénovation et un agrandissement de ses locaux, se dresse en face de la nouvelle salle de concerts de l'Université du Québec, la **Salle Pierre-Mercure**.

Contrairement à la plupart des campus universitaires nord-américains, composés de pavillons disséminés dans un parc, le campus de l'**Université du Québec à Montréal** (UQÀM) ★ *(405 rue Ste-Catherine E., angle rue St-Denis, métro Berri-UQÀM)* est intégré à la ville à la manière des universités de la Renaissance en France ou en Allemagne. Il est en outre relié à la ville souterraine et au métro. L'université occupe l'emplacement des bâtiments de l'Université de Montréal et de l'église Saint-Jacques, reconstruite après l'incendie de 1852. Seuls le mur du transept droit et le clocher néogothique, dessiné par Victor Bourgeau, ont été intégrés au pavillon Judith-Jasmin de 1979, pour devenir l'emblème de l'institution. L'UQÀM fait partie du réseau de l'Université du Québec, fondé en 1969 et réparti dans différentes villes du Québec. Ce lieu de haut savoir, en pleine expansion, accueille chaque année plus de 40 000 étudiants.

Le Plateau Mont-Royal

S'il existe un quartier typique à Montréal, c'est bien celui-là. Rendu célèbre par les écrits de Michel Tremblay, l'un de ses illustres fils, «Le Plateau», comme l'appellent ses résidants, c'est le quartier des intellectuels fauchés autant que des jeunes professionnels et des vieilles familles ouvrières francophones. Ses longues rues sont bordées des fameux duplex et triplex montréalais, dont les longs et étroits appartements sont accessibles par des escaliers extérieurs aux contorsions amusantes. Ces escaliers aboutissent à des balcons de bois en fer forgé qui sont autant de loges fleuries d'où l'on observe le spectacle de la rue. Le Plateau Mont-Royal est délimité à l'ouest par le mont Royal, à l'est et au nord par les voies ferrées du Canadien Pacifique, et au sud par la rue Sherbrooke. Il est traversé par quelques artères bordées de cafés et de théâtres, comme les rues Saint-Denis et Papineau, mais conserve dans l'ensemble une douce quiétude. Une visite de Montréal serait incomplète sans une excursion sur le Plateau Mont-Royal, ne serait- ce que pour flâner sur ses trottoirs et mieux saisir l'âme de Montréal.

À l'extrémité de la rue Fabre, on aperçoit le **parc Lafontaine** *(métro Sherbrooke)*, principal espace vert du Plateau Mont-Royal, créé en 1908 à l'emplacement d'un ancien champ de tir militaire. Des monuments honorant la mémoire de Sir Louis-Hippolyte Lafontaine, de Félix Leclerc et de Dollard des Ormeaux y ont été élevés. D'une superficie de 40 ha, le parc est agrémenté de deux petits lacs artificiels et de sentiers ombragés que l'on peut emprunter à pied ou à vélo. Des terrains de pétanque et de courts de tennis sont mis à la disposition des amateurs. En hiver, une grande patinoire éclairée est entretenue sur les étangs. On y trouve également le Théâtre de Verdure, où sont présentés des concerts d'été. La fin de semaine, le parc est envahi par les gens du quartier qui viennent y profiter des belles journées ensoleillées.

L'**église Saint-Jean-Baptiste** ★★ *(309 rue Rachel, métro Mont-Royal)*, consacrée sous le vocable du saint patron des Canadiens français, est un gigantesque témoignage de la foi solide de la population catholique et ouvrière du Plateau Mont-Royal au tournant du XXe siècle, laquelle, malgré sa misère et ses familles nombreuses, a réussi à amasser des sommes considérables pour la construction d'églises somptueuses. L'extérieur fut édifié en 1901 selon les plans de l'architecte Émile Vanier. Quant à l'intérieur, il fut repris, à la suite d'un incendie, selon des dessins de Casimir Saint-Jean, qui en fit un chef-d'œuvre du style néobaroque à voir absolument. Le baldaquin de marbre rose et de bois doré du chœur (1915) protège l'autel de marbre blanc d'Italie, qui fait face aux grandes orgues Casavant du jubé, comptant parmi les plus puissantes de la ville. L'église, qui peut accueillir 3 000 personnes assises, est le lieu de fréquents concerts.

Activités de plein air

Aux quatre coins de l'île de Montréal se trouvent des parcs offrant la possibilité de s'adonner à mille et une activités. Les parcs **Angrignon** *(3400 bd des Trinitaires)*, **Lafontaine** (voir p 186), du **Mont-Royal**, **Jeanne-Mance** *(av. de l'Esplanade, entre avenue du Mont-Royal et avenue Duluth)* et **René-Lévesque** *(à l'extrémité ouest du canal de Lachine)* s'avèrent bien agréables pour se détendre dans une atmosphère paisible. En toute saison, les Montréalais profitent de ces îlots de verdure pour relaxer loin de l'activité urbaine tout en restant au cœur même de leur cité.

Vélo

Des pistes cyclables ont été aménagées afin de permettre aux cyclistes de se promener en toute sécurité dans les rues de la ville. Un petit plan gratuit des pistes est également disponible au bureau d'information touristique. En dehors des heures de pointe, il est possible d'utiliser le métro avec son vélo. Pour obtenir plus de renseignements sur les voies cyclables, vous pouvez vous adresser à la **Maison des Cyclistes** *(1251 rue Rachel, ☎521-8356)*.

Une très belle excursion à vélo, longeant le **canal de Lachine**, est possible au départ de la rue de la Commune (Vieux-Montréal). Les abords du canal ont été réaménagés dans le but de mettre en valeur cette voie de communication qui fut si importante au cours du XIXe siècle et au début du XXe siècle (voir p ?). La piste conduit les cyclistes jusqu'au **parc René-Lévesque**, cette mince bande de terre qui avance dans le lac Saint-Louis et d'où la vue est magnifique.

En partant du Vieux-Montréal, une autre piste cyclable se rend jusqu'aux îles Notre-Dame et Sainte-Hélène. La piste traverse d'abord un secteur où sont établies diverses usines, puis passe par la Cité du Havre et se rend jusqu'aux îles (on traverse le fleuve par le pont de la Concorde). Il est aisé de circuler d'une île à l'autre. Celles-ci, joliment entretenues, constituent un havre de détente où il fait bon se promener en contemplant au loin le profil de Montréal.

Vous pouvez louer des vélos à **La Cordée** *(2159 rue Ste-Catherine E., métro Papineau, ☎524-1515)*. Comptez 18$ pour la journée (un dépôt de 400$ est exigé).

Hébergement

La **Fédération des Agricotours du Québec** *(4545 Pierre-de-Coubertin, H1V 3R2, ☎252-3138, ⇌252-3173)* publie chaque année le guide des *Gîtes du Passant au Québec*, dans lequel on retrouve le nom et l'adresse des membres de cette fédération qui propose des chambres pour les voyageurs. Les chambres sélectionnées le sont en fonction des critères de qualité de la fédération. Elles sont généralement assez économiques. Ce guide est en vente au Québec, en France, en Belgique et en Suisse.

Gîte Montréal
3458 av. Laval, H2X 3C8
☎289-9749
⇌287-7386
Gîte Montréal est une association regroupant une centaine de logements chez l'habitant. Afin de s'assurer du bon confort des chambres, l'organisme visite chacun des gîtes. Il est nécessaire de réserver.

Relais Montréal Hospitalité
3977 av. Laval H2W 2H9
☎287-9635
⇌287-1007
Relais Montréal Hospitalité possède également une banque d'adresses d'une trentaine de logements chez l'habitant qui ont tous été soigneusement inspec-

Québec

tés. Les chambres sont propres et confortables.

Le Vieux-Montréal

Auberge alternative
dortoirs 17$
chambre double 50$
ℂ
358 rue St-Pierre, H2Y 2M1
☎282-8069
www.odyssee.net/ ~eber/ intro.html
Située dans le Vieux-Montréal, l'Auberge alternative a ouvert ses portes en avril 1996. Tenue par un jeune couple, elle est située dans un immeuble rénové datant de 1875. Les 34 lits des chambres et des dortoirs sont rudimentaires mais confortables, et les salles de bain sont très propres. Murs aux couleurs gaies, beaucoup d'espace, vaste salle de repos-cuisinette avec murs de pierre et vieux planchers de bois. Une couverture coûte 2$ par nuitée. Buanderie à votre disposition et accès 24 heures par jour.

Les Passants du Sans-Soucy
125$ pdj
171 rue St-Paul O.
métro Place-d'Armes
☎842-2634
⇌842-2912
Les Passants du SansSoucy est une charmante auberge située dans une maison construite en 1723 et rénovée il y a une dizaine d'années. Elle est d'autant plus fréquentée qu'elle propose de coquettes chambres meublées d'antiquités. Réservation requise.

Hôtel Intercontinental
199$ pdj
≈, ⊙, ⌂, ℜ, ♿
360 rue St-Antoine O., H2Y 3X4
☎987-9900
☎800-361-3600
⇌847-8730
www.interconti.com
Tout près du Palais des congrès, l'Hôtel Intercontinental, de construction récente (1991), à l'exception d'une de ses ailes, s'élève aux abords du Vieux-Montréal. Relié au Centre de commerce mondial et à plusieurs boutiques, il est aisément reconnaissable grâce à sa jolie tourelle aux multiples fenêtres, dans laquelle le salon des suites a été aménagé. Les 357 chambres, garnies de meubles aux lignes harmonieuses, sont décorées sans surcharge et avec goût, et comprennent entre autres une salle de bain spacieuse. L'hôtel offre aussi tous les services nécessaires aux gens d'affaires : ordinateur, fax, photocopieur, etc. L'accueil est empressé et poli. Stationnement 12$ par jour.

Maison Pierre du Calvet
195$ pdj
ℜ
405 rue Bonsecours
☎282-1725
⇌282-0456
www.pierreducalvet.ca
Située près du métro Champ-de-Mars, la Maison Pierre du Calvet est l'une des plus vieilles maisons de Montréal (1725). Elle se cache discrètement à l'angle des rues Bonsecours et Saint-Paul, et a été entièrement rénovée ces dernières années, comme beaucoup d'anciennes maisons du quartier. Un charme fou émane de ses six chambres, toutes munies d'un foyer, et des suites personnalisées, aux murs lambrissés de jolies boiseries anciennes, rehaussées de tapis indien, de vitraux et d'antiquités de bon goût; ce cadre ancestral mais raffiné donne aux visiteurs l'impression de remonter dans le temps. En outre, les salles de bain sont d'une propreté immaculée et recouvertes de marbre d'Italie. Par ailleurs, une jolie cour intérieure et une salle de séjour ont été aménagées pour permettre aux clients de s'affranchir du grouillement de la foule. Le petit déjeuner est servi dans une salle victorienne; le service y est attentionné et soigné. Bref, cette auberge, située au cœur historique de la ville, est un vrai petit bijou qui rendra votre séjour tout à fait inoubliable.

Le centre-ville

Auberge de jeunesse
18$ à 26$ membre
22$ à 30$ non-membre
petit déjeuner et dîner (non-compris) servis dans un café
≡, ℂ
1030 rue Mackay, H3G 2H1
métro Lucien-L'Allier
☎843-3317
☎800-663-3317
⇌934-3251
L'Auberge de jeunesse, située à deux pas du centre-ville, propose 250 lits répartis dans des chambres logeant de 4 à 10 personnes ainsi qu'une quinzaine de chambres privées. Les chambres sont tout équipées de salles de bain complètes. Cette auberge compte parmi les moins chères à Montréal. Il est interdit d'y fumer. Un service de consignation des bagages, une cuisine, une buanderie, une salle de télévision et une table de billard y sont disponibles.

Résidences du YMCA Centre-ville
40$
tv, ≈, ⊘, ⌂
1450 rue Stanley, H3A 2W6
métro Peel
☎849-8393
⇄849-8017
Les résidences du YMCA Centre-ville, premier YMCA en Amérique du Nord, furent construites en 1851 et comptent 331 chambres très simples mais confortables, avec un ou deux lits. Hommes, femmes et enfants sont les bienvenus. La plupart des chambres sont munies d'un téléphone et d'un téléviseur; certaines ont un lavabo ou une salle de bain. Au rez-de-chaussée, la cafétéria sert les repas matin et soir *(3$ - 6$)*. Les hôtes peuvent avoir accès sans frais supplémentaires à un gymnase très complet, à la piscine et au vestiaire du gymnase. Fondé en 1844 à Londres, le mouvement YMCA *(Young Men's Christian Association)* avait pour mandat d'aider les jeunes travailleurs anglais.

Manoir Ambrose
50$ pdj
bc/bp, tv
3422 rue Stanley, H3A 1R8
☎288-6922
⇄288-5757
Le Manoir Ambrose se compose de deux maisons victoriennes placées côte à côte, construites sur une rue tranquille. On y trouve 22 petites chambres, dont 15 munies d'une salle de bain privée, réparties dans une sorte de dédale aux quatre coins de la demeure. L'hôtel, dont la décoration n'a rien de celle d'un manoir, vous semblera suranné et vous fera peut-être sourire, mais les chambres sont bien tenues et l'accueil est sympathique. Une laverie est mise à la disposition des voyageurs, moyennant des frais de 5$.

Hôtel de la Montagne
144$
⊛, ℜ, ≈, ≡
1430 rue de la Montagne, H3G 1Z5
☎288-5656
☎800-361-6262
⇄288-9658
Outre ses 134 chambres réparties sur 19 étages, l'Hôtel de la Montagne dispose d'un excellent restaurant et d'un bar où un personnel chaleureux et courtois accueille la clientèle. Une piscine extérieure, au sommet de l'hôtel, est ouverte en été.

Centre Sheraton
160$
≈, ⊘, ⌂, ♿, ℜ
1201 bd René-Lévesque O., H3B 2L7
☎878-2000
☎800-325-3535
⇄878-8214
Le Centre Sheraton s'élève sur plus de 30 étages et dispose de 824 chambres; il a donc une très grande capacité d'accueil. En entrant, prenez le temps de profiter du très beau hall orné de baies vitrées et de plantes tropicales. Les chambres, quant à elles, offrent une jolie décoration et révèlent plusieurs petites attentions (machine à café, séchoir à cheveux, étages non-fumeurs) qui ajoutent à leur confort. Certaines sont même très bien équipées pour les gens d'affaires. On y a procédé à plusieurs travaux de rénovation en 1996.

Marriott Château Champlain
175$
⊘, ⌂, ℜ, ≈, ♿, ✪
1 Place du Canada, H3B 4C9
☎878-9000
☎800-228-9290
⇄878-6761
www.marriott.com/marathe/can a-321.htm
Le Marriott Château Champlain occupe un bâtiment blanc aux fenêtres en demi-lune, ce qui lui a valu le surnom de «râpe à fromage». Cet hôtel réputé dispose de petites chambres, mais elles sont élégantes. Accès direct à la ville souterraine. L'hôtel dispose d'une salle de massage.

Delta Montréal
185$
≈, ⊛, ⌂, ⊘, ℜ
475 Président-Kennedy, H3A 1J7
☎286-1986
☎800-268-1133
⇄284-4342 ou 284-4306
www.deltahotels.com/ properties/montreal.html
L'hôtel Delta Montréal occupe un bâtiment de construction relativement récente qui dispose de deux entrées, l'une donnant sur la rue Sherbrooke et l'autre sur l'avenue du Président-Kennedy. Il propose des chambres agréables et joliment garnies de meubles en bois de couleur acajou. Divers éléments de la décoration ont été rafraîchis en 1995.

Reine-Élizabeth
195$
⊘, ♿, ℜ, ⌂, ≈, ✪
900 bd René-Lévesque O., H3B 4A5
☎861-3511
☎800-441-1414
⇄954-2256
www.cphotels.ca/qeindex.htm
Le Reine-Élizabeth fait partie des institutions hôtelières du centre-ville montréalais qui se sont démarquées au cours des ans. L'hôtel, comptant 1 040 chambres, a subi plusieurs travaux de rénovation en 1996. Son hall orné de boiseries est splendide. Au rez-de-chaussée, on retrouve une galerie de boutiques de laquelle, grâce aux couloirs souterrains, on accède aisément à la gare ferroviaire ainsi qu'au Montréal souterrain.

Ritz-Carlton Montréal
215$
⊙, ℜ
1228 rue Sherbrooke O., H3G 1H6
☎*842-4212*
☎*800-363-0366*
⇄*842-2268*
www.ritz-carlton-montreal.com
Le Ritz-Carlton Montréal fut inauguré en 1912 (voir p 174) et n'a cessé depuis de s'embellir, afin d'offrir à sa clientèle un confort toujours supérieur, tout en conservant son élégance et son charme d'antan. Dignes d'un éta blissement de grande classe, les chambres sont décorées de superbes meubles anciens et offrent un excellent confort. Un excellent restaurant (le Café de Paris, voir p 192) Se double en été d'un agréable jardin où casser la croûte (le Jardin du Ritz, voir p 192)

Le Plateau Mont-Royal

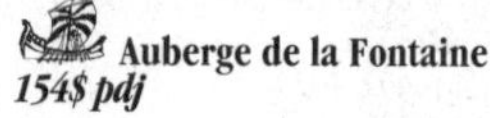
Auberge de la Fontaine
154$ pdj
⊛
1301 rue Rachel E., H2J 2K1
☎*597-0166*
☎*800-597-0597*
⇄*597-0496*
Si vous cherchez un endroit sachant allier charme, confort et tranquillité, allez loger à l'Auberge de la Fontaine, qui, en plus de proposer des chambres décorées avec goût, se trouve en face du beau parc Lafontaine. Un sentiment de calme et de bien-être vous envahira dès l'entrée. Avec autant de qualités, l'auberge est vite devenue populaire, et les réservations sont fortement recommandées.

Près des aéroports

Aéroport de Dorval

Best Western Hôtel International
99$
≈, ⊙, ⌂, ℜ; ⊛
13000 ch. de la Côte-de-Liesse
☎*631-4811*
☎*800-361-2254*
⇄*631-7305*
Les chambres du Best Western Hôtel International sont agréables et économiques. Rénové en 1996, l'hôtel offre à ses clients un service aussi rare qu'intéressant : on peut y garer sa voiture pour près d'un mois.

Hilton Montréal Aéroport
149$ pdj
(fin de semaine, sinon selon la demande)
≈, ⌂, ⊙, ⊛, ℜ, ♿
12505 ch. de la Côte-de-Liesse
H9P 1B7
☎*631-2411*
☎*800-268-9275*
⇄*631-0192*
Le Hilton Montréal Aéroport propose des chambres agréables à proximité de l'aéroport.

Aéroport de Mirabel

Château de l'Aéroport-Mirabel
115$
≈, ⌂, ℜ; ⊙, ✪
12555 rue Commerce A4, J7N 1E3
☎*(450)476-1611*
☎*800-361-0924*
⇄*(450)456-0873*
www.châteaumirabel.com
Directement accessible de l'aéroport de Mirabel, Le Château de l'Aéroport-Mirabel est bien équipé, et les chambres sont confortables. Il dispose d'une salle de massage.

Restaurants

Le Vieux-Montréal

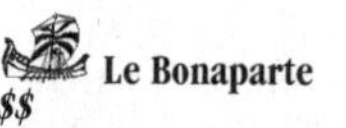
Le Bonaparte
$$
ouverture à 7h pour le pdj 12h pour le déjeuner et 17h30 pour le dîner
443 rue St-François-Xavier
☎*844-4368*
Le menu varié du restaurant français Le Bonaparte réserve toujours de délicieuses surprises. Les tables des mezzanines offrent une vue agréable sur les petites rues du Vieux-Montréal.

Gibby's
$$$
fermé le midi
298 place D'Youville
☎*282-1837*
Le restaurant Gibby's occupe une vieille étable rénovée et propose de généreuses portions de steak de bœuf ou de veau; on les déguste à des tables en bois bordées d'un muret de brique et de pierre, et disposées devant un feu de braise. Pendant les mois d'été, on peut manger confortablement à l'air libre dans une très grande cour intérieure. Somme toute, un décor assez extraordinaire mais qui se reflète dans les prix plutôt élevés. Végétariens s'abstenir.

Chez Queux
$$$-$$$$
158 rue St-Paul
☎*866-5194*
Profitant d'un site des plus agréables face à la place Jacques-Cartier, Chez Queux sert une délicieuse cuisine française. Le service et le décor raffinés en font un endroit tout indi-

qué pour faire un excellent repas.

Claude Postel
$$$-$$$$
fermé sam et dim midi
443 rue St-Vincent
☎875-5067
Le Claude Postel bénéficie d'une réputation bien établie dans le vieux secteur de la ville. Son menu étendu recèle de véritables triomphes de la cuisine française, mais à des prix plutôt élevés; la table d'hôte est tout aussi délicieuse et beaucoup plus abordable. Décor simple et raffiné. Le chef et propriétaire de cet établissement exploite également une pâtisserie à la porte voisine, de sorte que vous feriez bien de vous garder une petite place pour le dessert.

Maison Pierre du Calvet
$$$$
405 rue Bonsecours
☎282-1725
À la suite d'un conflit de travail, le restaurant les Filles du Roy a fermé ses portes pour rouvrir sous le nom de la Maison Pierre du Calvet. Cet ancien fleuron de la restauration montréalaise a donc fait place à une magnifique auberge (voir p 188) abritant l'une des meilleures salles à manger de Montréal. Ce nouvel établissement est en effet particulièrement recommandé pour sa délicieuse cuisine française imaginative, dont le menu, à base de gibier, de volaille, de poisson et de bœuf, change toutes les deux semaines. De plus, son cadre élégant, ses antiquités, ses plantes ornementales et la discrétion de son service vous feront passer une soirée des plus agréables.

Le centre-ville

Ben's Delicatessen
$
990 bd De Maisonneuve O.
☎844-1000
Au début du XXe siècle, un immigrant lithuanien adapta une recette de chez lui (la viande fumée) aux besoins des travailleurs et implanta à Montréal la recette du sandwich au *smoked meat.* C'est ainsi que vit le jour le restaurant Ben's Delicatessen. Au fil des ans, ce restaurant est devenu une institution montréalaise où se presse une foule bigarrée de 7h à 4h. On y va même après la fermeture des bars! Les tables usées et bancales ainsi que les photographies jaunies par le temps donnent au restaurant des allures austères.

Brûlerie Saint-Denis
$
2100 rue Stanley
Maison Alcan
☎985-9159
La Brûlerie Saint-Denis, située au centre-ville, sert les mêmes délicieux cafés, repas légers et desserts que les autres bistros du même nom (voir p 194). Bien que le café ne soit pas torréfié sur place, il y arrive directement de la brûlerie de la rue Saint-Denis.

Le Commensal
$-$$
1204 av. McGill College
☎871-1480
Le restaurant Le Commensal a opté pour une formule buffet. Les plats, tous végétariens, sont vendus au poids. Son décor moderne et chaleureux ainsi que ses grandes fenêtres sur le centre-ville en font un endroit agréable. Ouvert tous les jours, jusque tard le soir.

Marché Movenpick
$-$$$$
Place Ville-Marie
Par où commencer? C'est d'ailleurs la question que vous vous poserez vous-même en pénétrant dans l'enceinte du Marché Movenpick, un concept unique réunissant tout à la fois un marché traditionnel, une cafétéria et un restaurant. Mais ne vous en faites pas puisque votre hôte ou votre hôtesse se fera un plaisir de vous réserver une table et de vous mettre au fait des habitudes de la maison. Cette étape franchie, plusieurs choix s'offriront à vous, dès lors que des comptoirs de mets variés des quatre coins du monde, de tous les prix et à base d'ingrédients on ne peut plus frais, sollicitent vos papilles à qui mieux mieux. Il ne vous reste plus qu'à commander ce qui vous chante et à faire estampiller votre passeport. La nourriture est excellente (compte tenu du fait qu'il s'agit de restauration rapide), et comprend aussi bien des potages asiatiques que du *bami goreng* indonésien, des pizzas sur mesure, du poisson, des fruits de mer, des biftecks, des soupes, des salades et des desserts. Il y a un comptoir à jus frais, un pub, un bar et même un bistro français offrant le meilleur steak tartare et les meilleurs vins qui soient! Notez toutefois que l'endroit peut devenir très affairé, et qu'on a parfois du mal à trouver une table. Cette chaîne de restauration suisse gagne de plus en plus de terrain en Amérique du Nord.

L'Actuel
$$
fermé sam midi et dim
1194 rue Peel
☎866-1537
L'Actuel, le plus belge des restaurants montréalais, ne désemplit pas midi et soir. On y trouve deux salles, dont une grande assez bruyante et très animée où se pressent des garçons affables parmi les gens d'affaires. La cuisine propose évidemment des moules mais aussi plusieurs autres spécialités.

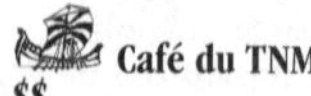 **Café du TNM**
$$
84 rue Ste-Catherine O.
☎866-8669
Quel bel ajout dans ce secteur un peu sinistré que ce Café du TNM, où il fait bon simplement prendre un verre, un café ou un dessert dans le décor déconstructiviste du rez-de-chaussée ou encore un bon repas à l'étage, où l'atmosphère rappelle les brasseries parisiennes. Le menu s'associe au décor et propose les classiques de la cuisine française de bistro. Service impeccable, belle présentation et cuisine irréprochable, que demander de plus?

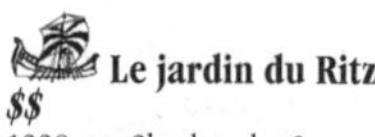 **Le jardin du Ritz**
$$
1228 rue Sherbrooke O.
☎842-4212
Le jardin du Ritz est l'endroit rêvé pour se soustraire aux chaleurs estivales ainsi qu'à l'activité grouillante du centre-ville. On y déguste les classiques de la cuisine française, et l'on prend le thé devant un étang entouré de fleurs et de verdure où s'ébattent des canards. Clientèle diversifiée. Ouvert seulement en été, Le jardin du Ritz est le prolongement de l'autre restaurant de l'hôtel, le Café de Paris (voir plus loin). Prendre un repas dans ce jardin vous assure un moment de pur bonheur.

La Mère Tucker
$$
1175 place du Frère André
☎866-5525
Disposant de vastes salles, le restaurant La Mère Tucker est idéal pour les groupes et les familles. Le rôti de bœuf, servi à volonté, s'est depuis longtemps taillé une solide réputation auprès des gourmets gourmands. L'atmosphère est détendue.

Café de Paris
$$$
1228 rue Sherbrooke O.
☎842-4212
Le Café de Paris est le restaurant réputé du magnifique Hôtel Ritz-Carlton (voir p 190). Son riche décor, aux couleurs de bleu et d'ocre, est d'une beauté distinguée. Le menu, composé avec soin, propose de délicieux plats.

Club Lounge 737
$$$
fermé sam midi et dim
1 Place Ville-Marie
☎397-0737
Situé au 42e étage de la Place Ville-Marie, le restaurant Club Lounge 737 est pourvu de grandes fenêtres qui permettent de jouir d'une vue imprenable sur Montréal et ses environs. Le menu, quant à lui, affiche une cuisine française. Notez toutefois qu'ici les prix sont aussi élevés que le restaurant lui même.

Maison George Stephen
$$$
1440 rue Drummond
☎849-7338
Fondée en 1884, la Maison George Stephen ouvre ses portes à titre de restaurant uniquement le dimanche pour un brunch musical. Son décor semble s'être figé dans l'histoire, avec ses murs superbement lambrissés et ornés de vitraux datant du XIXe siècle. Vous aurez le privilège de vous délecter le palais tout en vous laissant bercer l'oreille par des airs de musique classique interprétés par des étudiants du Conservatoire.

Les Caprices de Nicolas
$$$$
ouvert le soir seulement
2071 rue Drummond
☎282-9790
Les Caprices de Nicolas s'inscrit au palmarès des meilleurs restaurants de Montréal. On y fait une cuisine très raffinée, française et innovatrice jusqu'au bout des doigts. Heureuse formule : pour le prix d'un bouteille de vin, on peut prendre différents vins au verre pour accompagner chacun des plats. Service irréprochable mais sans prétention et décor de jardin intérieur.

Beaver Club
$$$$
900 bd René-Lévesque O.
à l'intérieur de l'Hôtel Reine-Élizabeth
☎861-3511
De magnifiques boiseries confèrent une atmosphère raffinée au restaurant de renommée internationale qu'est le Beaver Club, un atout incomparable pour le grand hôtel montréalais où il est établi. Sa table d'hôte variable peut aussi bien comporter du homard frais que de fines coupes de bœuf ou de gibier. Tout y est préparé avec le plus grand soin, et une attention de tous les instants est accordée aux moindres détails, présentation comprise. Il y a même un sommelier à demeure, et vous pourrez y danser le samedi soir.

Maisonneuve

Moe's Deli & Bar
$$
3950 rue Sherbrooke E.
☎*253-6637*
Le Moe's Deli & Bar est particulièrement couru pour son 5 à 7, pendant lequel on s'accoude sur le bar, mais sa salle à manger reste très souvent bondée. Son menu est extrêmement varié, ce qui n'est pas toujours synonyme de qualité, mais ici les plats, salades, grillades et sandwichs sont généralement bons. Pour les estomacs courageux, on propose une série de desserts assez audacieux. Musique forte et décor de pub anglais contribuent à créer une atmosphère animée. Situé à deux pas du Stade olympique.

Les îles Sainte-Hélène et Notre-Dame

Hélène-de-Champlain
$$
fermé sam-dim midi
☎*395-2424*
Sur l'île Sainte-Hélène, le restaurant Hélène-de-Champlain bénéficie d'un site enchanteur, sans doute l'un des plus beaux à Montréal. La grande salle, pourvue d'un foyer et offrant une vue sur la ville et le fleuve, s'avère des plus agréables. Chaque coin de la salle à manger possède un charme bien à lui, et l'on peut y profiter des paysages qui varient au gré des saisons. La cuisine n'y est pas gastronomique, mais on mange très bien. Le service est empressé et courtois.

Festin des Gouverneurs
$$$
☎*879-1141*
Au Festin des Gouverneurs, on recrée un festin tel qu'on en trouvait en Nouvelle-France au début de la colonisation. Des personnages en costume d'époque et des plats de la cuisine québécoise traditionnelle font revivre aux convives ces soirées de fête. Seuls les groupes sont reçus, aussi les réservations sont-elles nécessaires.

Nuances
$$$$
tlj 17h30 à 23h
Casino de Montréal,
île Notre-Dame
☎*392-2708*
☎*800-665-2274, poste 4322*
Juché au cinquième étage du Casino de Montréal, le Nuances compte parmi les meilleures tables de la ville. Dans un riche décor où se côtoient acajou, laiton, cuir et vue sur les lumières de la ville, cet établissement de prestige propose une cuisine raffinée et imaginative. Ainsi, on notera sur le menu la brandade crémeuse de homard en millefeuille ou la brochette de caille grillée comme entrée, ainsi que le magret de canard rôti, la longe d'agneau du Québec ou la polenta rayée entourée d'une grillade mi-cuite de thon pour la suite. Les desserts, savoureux, sont quant à eux présentés de façon spectaculaire. Le cadre feutré et classique de ce restaurant convient bien aux dîners d'affaires, mais aussi aux occasions spéciales et aux grandes demandes... Il est à noter que le casino possède également quatre autres restaurants à formules plus économiques : le **Via Fortuna** *($$)*, un restaurant italien, **L'Impair** *($)*, avec buffet, **La Bonne Carte** *($$)*, avec buffet et menu à la carte, et le casse-croûte **L'Entre-Mise** *($)*.

Le Quartier latin

La Paryse
$
302 rue Ontario E.
☎*842-2040*
Le local minuscule de La Paryse est fréquemment envahi par les étudiants. La raison en est bien simple : on y propose de délicieux hamburgers et des frites maison, servis en de généreuses portions. Le décor rappelle les années cinquante.

Le Pèlerin
$
330 rue Ontario E.
☎*845-0909*
Situé près de la rue Saint-Denis, Le Pèlerin attire une clientèle hétéroclite qui aime discuter tout en grignotant dans une atmosphère jeune et sympathique. Le mobilier de bois imitant l'acajou et les expositions d'œuvres d'art moderne parviennent à créer une ambiance amicale.

Le Plateau Mont-Royal

L'Anecdote
$
801 rue Rachel E.
☎*526-7967*
L'Anecdote propose des hamburgers et des clubs végétariens préparés avec des ingrédients de qualité. On y trouve un décor évoquant les années cinquante : de vieilles pubs de Coke et des affiches de films ornent les murs.

Aux 2 Marie
$
4329 rue St-Denis
☎*844-7246*
Une faune typique du Plateau fréquente le charmant petit café Aux 2 Marie. On y sert, outre un impressionnant choix de cafés torréfiés sur place,

d'excellents repas sans prétention à des prix abordables. Sa nouvelle terrasse à l'étage est plutôt agréable, si ce n'est du bruit de la rue. Le service peut se révèler lent certains midis achalandés.

Binerie Mont-Royal
$
367 av. du Mont-Royal E.
☎*285-9078*
Dans un décor formé de quatre tables et d'un comptoir, La Binerie Mont-Royal est un petit resto de quartier d'aspect modeste. Mais elle a bonne réputation grâce à sa spécialité, les fèves au lard (les «binnes»), et au roman d'Yves Beauchemin *(Le Matou)*, auquel elle sert de toile de fond.

Brûlerie Saint-Denis
$
3967 rue St-Denis
☎*286-9158*
La Brûlerie Saint-Denis importe son café des quatre coins du monde et propose un des plus grands choix de moutures à Montréal. Les grains sont torréfiés sur place, ce qui donne à l'endroit un arôme tout à fait particulier. Des repas légers et des desserts sont également proposés.

 **Chu Chai**
$$
4088 rue St-Denis
☎*843-4194*
Le Chu Chai ose innover et il faut l'en féliciter. Tant de restaurants ressemblent à tous les autres! Ici, on a imaginé une cuisine thaïlandaise végétarienne qui donne dans le pastiche : crevettes végétariennes, poisson végétarien et même bœuf ou porc végétarien. L'imitation est extraordinaire au point qu'on passe la soirée à se demander comment ils font! La chef peut vous expliquer qu'il s'agit vraiment de produits végétaux comme le seitan, le blé, etc. Le résultat est délicieux et ravit la clientèle diversifiée qui se presse dans sa salle modeste ou sur la terrasse. Pour le repas de midi, le restaurant propose une table d'hôte économique.

 **Côté Soleil**
$$
fermé lun en hiver
3979 rue St-Denis
☎*282-8037*
Ce restaurant propose chaque jour un menu différent qui ne déçoit jamais. Voilà de la bonne cuisine française, inventive à l'occasion, à petit prix, tellement qu'on n'hésitera pas à dire qu'il s'agit probablement du meilleur rapport qualité/prix du secteur. Service empressé, toujours souriant, agréable terrasse sur la rue, décor simple mais chaleureux.

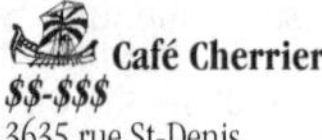 **Café Cherrier**
$$-$$$
3635 rue St-Denis
☎*843-4308*
Lieu de rencontre par excellence de tout un contingent de jeunes professionnels dans la trentaine, la terrasse et la salle du Café Cherrier ne désemplissent pas. L'atmosphère de brasserie française y est donc très animée avec beaucoup de va-et-vient, ce qui peut donner lieu à d'agréables rencontres. Le menu affiche des plats de bistro généralement bons.

 **Laloux**
$$-$$$
fermé sam midi
250 av. des Pins E.
☎*287-9127*
Établi dans une superbe demeure, le Laloux est aménagé comme un chic et élégant bistro parisien. On peut y déguster une cuisine nouvelle qui ne déçoit jamais. Il propose un menu «théâtre» comportant trois services légers à prix avantageux.

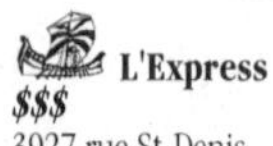 **L'Express**
$$$
3927 rue St-Denis
☎*845-5333*
Lieu de rencontre par excellence des yuppies vers 1985, L'Express demeure très apprécié pour son décor de wagon-restaurant, son atmosphère de bistro parisien animé, que peu ont su reproduire, et son menu toujours invitant. Il a su acquérir ses lettres de noblesse au fil des années.

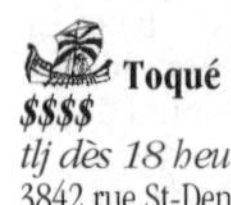 **Toqué**
$$$$
tlj dès 18 heures
3842 rue St-Denis
☎*499-2084*
Si l'expérience culinaire vous intéresse, le Toqué est sans contredit l'adresse à retenir à Montréal. Le chef, Normand Laprise, insiste sur la fraîcheur des aliments et officie dans la cuisine, où les plats sont toujours préparés avec grand soin puis admirablement bien présentés. Il faut voir les desserts, de véritables sculptures modernes. De plus, le service est classique, la carte des vins est bonne, son nouveau décor est élégant et les prix élevés n'intimident pas les convives. L'une des tables les plus originales de Montréal.

Sorties

Bars et discothèques

L'Air du Temps
194 rue Saint-Paul O.
L'Air du Temps fait partie des plus célèbres bars de

jazz à Montréal. Au cœur du Vieux-Montréal, il offre un fantastique décor ancien, orné d'une profusion de pièces antiques. L'endroit étant souvent bondé, il faut arriver tôt pour bénéficier d'un bon siège. Les droits d'entrées varient selon les spectacles.

Balattou
4372 bd St-Laurent
Le Balattou est sans doute la boîte africaine la plus populaire de Montréal. Elle est sombre, enfumée, bondée, chaude, trépidante et bruyante. Des spectacles sont présentés en semaine seulement; les droits d'entrée varient dans ce cas.

Belmont
4483 bd St-Laurent
Au Belmont s'entasse une clientèle composée de jeunes cadres. La fin de semaine, l'endroit est littéralement envahi. Entrée : 3$ le jeudi, 4$ le vendredi et le samedi.

Diable vert
4557, rue St-Denis
Le Diable vert est l'endroit par excellence pour se laisser aller sur une vaste piste de danse et très populaire auprès des étudiants, il n'est pas rare qu'on doive y faire la queue. Prévoir 2$ pour admission (vestiaire inclus) les mercredis et jeudis soirs et 3$ les vendredis et samedis soirs.

Di Salvio
3519 bd St-Laurent
Le Di Salvio présente une décoration de style Art déco, et le mobilier très «années cinquante» en fait un endroit original où l'on peut danser sur une musique *acid-jazz*. La clientèle est triée sur le volet, aussi est-il difficile d'y entrer.

Dogue
4177 rue St-Denis
Le Dogue est l'endroit rêvé pour danser, danser et danser. Sa musique, des classiques d'Elvis à la plus récente «bombe» de Rage Against the Machine, assouvit une clientèle très jeune, enthousiaste et avide de bière peu coûteuse. Ses deux tables de billard, toutefois encombrantes, divertissent quelques adeptes invétérés. Dans ce bar littéralement bondé sept jours sur sept, il est fortement recommandé d'arriver tôt.

Les Foufs
87 rue Ste-Catherine E.
Les Foufs (anciennement Les Foufounes Électriques), un endroit au nom bizarre, est en fait un «bar-discothèque-lieu-de-rencontre» inusité et merveilleux. Il s'agit du meilleur bar au Québec pour danser sur de la musique non traditionnelle. Il attire une foule variée de jeunes Montréalais, allant des punks aux étudiants en médecine. Le décor composé de graffitis et de sculptures étranges est pour le moins farfelu. Il faut reconnaître que l'endroit n'est pas de tout repos. L'entrée est libre, sauf quand on y présente des spectacles.

Whisky Café
5800 bd St-Laurent
On a tellement soigné la décoration du Whisky Café que même les toilettes des hommes sont en voie de devenir une attraction touristique. Les tons chauds utilisés dans un contexte moderne, les grandes colonnes recouvertes de boiseries, les chaises style «années cinquante», tout cela contribue à une sensation de confort et de classe. Une clientèle aisée de 20 à 35 ans s'y retrouve.

Bars et discothèques gays

Cabaret L'Entre-Peau
1115 rue Ste-Catherine E.
Au Cabaret L'Entre-Peau, on présente des spectacles de travestis. La clientèle est mixte et enjouée.

Sky Pub
1474 rue Ste-Catherine Est
☎ *529-6969*
Bar gay le plus fréquenté de Montréal, le Sky Pub bénéficie d'un élégant décor épuré, doux et chaleureux. Bois à profusion et éclairage étudié en ont fait dès le début un endroit recherché, mais on peut déplorer sa musique trop forte et souvent banale. En été, sa terrasse sur la rue Sainte-Catherine permet d'observer le va-et-vient; en toute saison, quand la soirée avance, on peut toujours opter pour le Sky, à l'étage, où se déhanche une clientèle en moyenne plus jeune. En début de semaine, le Sky Pub présente généralement des spectacles qui souvent mettent en vedette Mado Lamothe et son Québec travesti. À l'étage, sur deux niveaux, s'étend la plus grande boîte gay de Montréal, le **Sky**, avec ses trois ou quatre pistes de danse qui permettent d'offrir une variété de styles musicaux : alternatif, commercial, techno, rétro, etc. Bien entendu, le pari de maintenir l'atmosphère dans une telle immensité n'est pas toujours tenu, mais, en général, la clientèle, plutôt jeune, s'amuse bien ici. Un seul reproche : les droits d'entrée assez chers qui varient de manière imprévisible.

Unity
jeu-dim 22h à 3h
1400 rue Montcalm
Grande discothèque gay fréquentée par un public de tout âge, surtout mas-

culin. Son architecture est des plus intéressantes avec ses différents niveaux et sa mezzanine d'où l'on peut observer la piste de danse et les envoûtants jeux de lumière. Et, par les belles soirées d'été, il ne faut pas manquer son immense terrasse sur le toit.

Théâtres et salles de spectacle

Place des Arts
Elle dispose de cinq salles : la Salle Wilfrid-Pelletier, le Théâtre Maisonneuve, le Théâtre Jean-Duceppe, le théâtre du Café de la Place et la Cinquième Salle, ouverte en 1992.

260, bd De Maisonneuve O.
Information : ☎***285-4200***
Réservations : ☎***842-2112***

Théâtre du Nouveau Monde
84 rue Ste-Catherine O.
☎***861-0563***
Voir p ?.

Kola Note
5240 av. du Parc
☎***270-7848***

Spectrum
318 rue Ste-Catherine O.
☎***861-5851***
Les spectacles débutent généralement vers 21h. Pour entrer, il faut compter un minimum de 10$. Les spectacles après 23h sont en général gratuits pendant le Festival de jazz.

Théâtre Saint-Denis
1594 rue St-Denis
☎***849-4211***

Les billetteries

Trois principaux réseaux de billetterie distribuent les billets de spectacles, de concerts et d'autres événements. Pour ce faire, ils offrent un service de vente par téléphone. Des frais de service, variant d'un spectacle à l'autre, sont ajoutés au prix du billet. Il est possible de payer par carte de crédit.

Admission
☎***790-1245***
☎***800-361-4595***

Telspec
☎***790-2222***

Billetterie articulée
☎***844-2172***

Renseignements sur la vie culturelle

Info-Arts (Bell)
☎***790-2787 (790-ARTS)***

Des téléphonistes répondent à toutes vos questions concernant les activités présentées à Montréal dans le domaine des arts.

Les salles de cinéma

Montréal compte plusieurs salles de cinéma; voici une liste des principales salles qui sont situées au centre-ville. Des tarifs spéciaux sont offerts pour les représentations en matinée et le mardi. Le prix régulier est de 9$ (sauf dans les cinémas de répertoire).

Quelques salles où l'on présente des films en français :

Complexe Desjardins
rue Ste-Catherine O., entre les rues Jeanne-Mance et St-Urbain
☎***849-3456***

Parisien
480 rue Ste-Catherine O.
☎***866-3856***

Quartier Latin
350 rue Émery
☎***849-4422***

Quelques salles de cinéma de répertoire :

Cinémathèque québécoise
335 bd De Maisonneuve E.
☎***842-9763***
L'une des salles les plus avancées au point de vue technologique. La qualité des projections est toujours hors pair, les cinémas de répertoire et d'auteur étant à l'honneur.

EX-Centris
3536 bd St-Laurent
☎***847-3536***

Impérial
1430 rue De Bleury
☎***288-1702***
C'est le plus ancien cinéma de Montréal.

L'**Office national du film** *(1564 rue St-Denis, ☎496-6301)* dispose d'une cinérobothèque où chacun peut visionner les films produits par l'ONF. Un robot alimente chaque appareil. Ce concept est unique au monde.

Vous pouvez également vous offrir une projection au cinéma Imax :

Imax
Vieux-Port de Montréal, rue de la Commune, angle bd St-Laurent
☎***496-4629***
pour réserver
☎***496-1799***
Ce cinéma présente des films sur écran géant.

Fêtes et festivals

Durant l'été, la fièvre des festivals assaille Montréal. Du mois de mai au mois de septembre se succèdent une foule de festivals, chacun ayant un thème différent. Une chose est certaine, il y en a pour tous les goûts. Avec la fin de la saison estivale, ces événements se font moins fréquents.

Tour de l'île
L'événement se restreint à un nombre maximum de 45 000 cyclistes, qui vont ensemble parcourir quelque 65 km sur l'île de Montréal. Pour y participer, les inscriptions débutent dès le mois d'avril et se font au coût de 21$ par adulte et à moitié prix pour les enfants (moins de 11 ans) et les aînés. On trouve les formulaires d'inscription dans les magasins Canadian Tire et à Tour de l'île de Montréal *(1251 rue Rachel E., ☎521-8356)*.

Le mois de juin est marqué par un événement d'envergure internationale qui captive une foule nombreuse d'amateurs venus de tous les coins d'Amérique : le **Grand Prix Player's du Canada** *(pour réserver des places, ☎350-0000)*, qui a lieu au cours de la deuxième semaine de juin sur le circuit Gilles-Villeneuve de l'île Notre-Dame. Il est sans conteste l'un des événements les plus courus de l'été. Durant ces trois journées, on peut assister à diverses courses automobiles, dont la vrombissante et spectaculaire course de voitures de formule 1.

Pour sa part, le **Concours international d'art pyrotechnique** *(☎872-6222)* débute à la mi-juin et se poursuit jusqu'à la mi-juillet. Les meilleurs artificiers du monde y présentent des spectacles pyro-musicaux d'une grande qualité. Les spectacles ont lieu les samedis en juin et les dimanches en juillet. Une foule de Montréalais se pressent alors à la Ronde *(il faut se procurer des billets au coût de 28$, 29$ ou 30$, mis en vente au ☎790-1245)* ou au bord du fleuve (c'est alors gratuit) afin d'apprécier les innombrables fleurs de feux qui colorent pendant plus d'une demi-heure le ciel de leur ville.

Pendant les journées du **Festival international de jazz de Montréal** *(☎871-1881)*, du 29 juin au 9 juillet 2000, sur le quadrilatère entourant la Place des Arts, se dressent les scènes où sont présentés de multiples spectacles rythmés sur des airs de jazz. Au début du mois de juillet, cette partie de la ville ainsi que bon nombre de salles de spectacle seront prises d'une activité trépidante. Ces journées sont l'occasion de descendre dans les rues pour se laisser emporter par l'atmosphère joyeuse émanant de ces excellents spectacles en plein air présentés gratuitement, auxquels les Montréalais participent en grand nombre. La programmation en salle est payante, à l'exception des spectacles de fin de soirée au Spectrum.

L'humour et la fantaisie sont en honneur durant le **Festival Juste pour rire**, qui a lieu du 13 au 23 juillet 2000 *(☎790-HAHA ou 790-4242)*. Des salles de spectacle accueillent alors des humoristes venant de divers pays. Ainsi, le Théâtre Saint-Denis présente des spectacles au cours desquels on peut apprécier de courtes prestations de plusieurs artistes. On monte des scènes en plein air, sur lesquelles sont présentés des spectacles auxquels on peut assister gratuitement.

Les **FrancoFolies** *(☎871-1881)* sont organisées dans le but de promouvoir la chanson francophone. Durant les journées de ce festival, du 27 juillet au 5 août 2000, des artistes provenant d'Europe, des Antilles françaises, du Québec, du Canada français et d'Afrique présentent des spectacles où l'on peut découvrir les talents et les spécificités de chacun.

Pendant la dernière semaine d'août se tient, dans diverses salles de cinéma de la ville, le **Festival international des films du monde** (FFM) *(☎848-3883)*. Au cours de ces jours de compétition, des films provenant de différents pays sont présentés au public montréalais. À l'issue de la compétition, bon nombre de prix sont décernés aux films les plus méritoires; mentionnons la catégorie la plus prestigieuse : le grand prix des Amériques. Durant ces journées, des films sont présentés du matin au soir pour le grand plaisir des cinéphiles.

Au **Festival international du cinéma et des nouveaux médias de Montréal** (FCMM) *(☎843-4725)*, le plus ancien événement cinématographique canadien, mais toujours le plus avant-gardiste, se rencontrent le cinéma d'auteur, la vidéo, les nouveaux médias (CD-ROM, Internet, etc.), les performances et les projections à la belle étoile. Le festival se déroule au cœur du boulevard Saint-Laurent chaque année. Autrefois en début d'été, l'événement se déplace maintenant à l'automne. Toutefois, les projections en plein air demeurent en juin.

L'hiver à Montréal donne l'occasion d'organiser une autre fête pour célébrer les plaisirs et les activités de cette blanche saison. La **Fête des Neiges** a lieu sur l'île Notre-Dame de la fin janvier à la mi-février. Des toboggans géants et des patinoires sont installés pour le plus grand plaisir des familles montréalaises.

Le concours de sculptures de glace attire également bon nombre de curieux.

Événements sportifs

Les amateurs de sport seront également comblés car, en plus des matchs professionnels de hockey et de baseball, il se déroule à Montréal une foule d'événements sportifs d'envergure internationale.

Depuis mars 1996, les parties de hockey des Canadiens de Montréal sont présentées au nouveau **Centre Molson** *(1250 rue De La Gauchetière)*. Ils y jouent 42 matchs durant la saison régulière. Puis débutent les séries éliminatoires, au terme desquelles l'équipe gagnante remporte la Coupe Stanley, légendaire trophée.

Au printemps débutent les parties de baseball. Les Expos reçoivent au **Stade olympique** *(4141 av. Pierre-de-Courbertin, ☎846-3976)* les diverses équipes de la Ligue nationale de baseball.

Casino

Avec ses 2 700 machines à sous et sa centaine de tables de jeu (blackjack, roulette, baccara, poker, etc.), le **Casino de Montréal** *(entrée libre; tlj 9h à 5h; métro Île-Ste-Hélène et autobus 167, ☎392-2746)* constitue à n'en point douter un élément important de la vie nocturne montréalaise. À la suite de l'ajout d'une seconde aile en 1996, aménagée dans l'ancien pavillon du Québec, il figure maintenant sur la liste des 10 plus importants casinos du monde en termes d'équipements de jeu. L'addition, toujours en 1996, d'un cabaret où sont présentés des spectacles divers, a amené une vitalité nouvelle au niveau de l'animation de l'endroit.

Achats

Que ce soit des créations québécoises ou des articles d'importation, les boutiques montréalaises vendent une foule de marchandises. Pour vous aider dans vos achats, nous avons dressé une liste de boutiques qui se démarquent par la qualité, l'originalité ou les bas prix de leurs produits.

Ne vous étonnez pas si vous entendez une personne demander à la vendeuse si tel ou tel article est «en vente». Cela, en réalité, signifie en «solde».

La ville souterraine

La construction de la Place Ville-Marie, en 1962, avec sa galerie marchande en sous-sol, marque le point de départ de ce que l'on appelle la ville souterraine. Le développement de cette «cité sous la cité» est accéléré par la construction du métro, qui ouvre en 1966. Rapidement, la plupart des commerces, des immeubles à bureaux et quelques hôtels du centre-ville sont stratégiquement reliés au réseau piétonnier souterrain et, par extension, au métro.

Aujourd'hui, on dénombre cinq zones importantes formant cette ville souterraine, devenue entre-temps la plus grande du monde. La première se situe en plein cœur du réseau du métro, autour de la station Berri-UQÀM. On y retrouve les bâtiments de l'Université du Québec à Montréal (UQÀM) ainsi que la Place Dupuis et la gare routière. La seconde, entre les stations Place-des-Arts et Place-d'Armes, formée de la Place des Arts, du Musée d'Art contemporain, des complexes Desjardins et Guy-Favreau, et du Palais des congrès, constitue un ensemble culturel exceptionnel. La troisième dessert, à la station Square-Victoria, le quartier des affaires. La quatrième, qui est aussi la plus fréquentée et la plus importante, peut être identifiée aux stations McGill, Peel et Bonaventure; elle englobe les centres commerciaux La Baie, Eaton, la Place de la Cathédrale, la Place Montréal Trust et les Cours Mont-Royal ainsi que la Place Bonaventure, le 1000 De La Gauchetière, la Gare centrale et la Place Ville-Marie. Finalement, on peut noter une cinquième zone, dans le secteur commercial entourant la station Atwater, où l'on trouve le Westmount Square et la Plaza Alexis-Nihon.

Les centres commerciaux

Au centre-ville, plusieurs centres commerciaux disposent d'une bonne sélection de créations de couturiers. On y retrouve des vêtements signés Jean-Claude Chacok, Cacharel, Guy Laroche, Lily Simon, Adrienne Vittadini, Mondi, Ralph Lauren et bien d'autres.

La Baie
Square Phillips (rue Ste-Catherine O.)
☎281-4422

Ogilvy
1307 rue Ste-Catherine O.
☎842-7711

Simons
677 rue Ste-Catherine O.

Westmount Square
4 Westmount Square
☎*932-0211*

Les vêtements et articles de plein air

Les personnes désirant partir en expédition de plein air bien équipées devraient faire un saut à **La Cordée** *(2159 rue Ste-Catherine E., ☎524-1106)*.

Pour des vêtements de style, chauds et parfaitement adaptés au plein air, il faut aller voir les créations de **Kanuk** *(485 rue Rachel E., ☎527-4494)*.

Les librairies

On trouve à Montréal des librairies aussi bien francophones qu'anglophones. Les livres québécois, canadiens et américains s'y vendent à bon prix. Pour ceux et celles qui s'intéressent à la littérature québécoise, les librairies offrent une large sélection. Du fait du transport, les livres importés d'Europe se vendent un peu plus cher. Pour les Européens qui s'intéressent à la littérature québécoise, c'est le moment de faire le plein de livres car Montréal offre une sélection complète.

Générales

Librairie Champigny
4380 rue St-Denis
5219 chemin de la Côte-des-Neiges
☎*844-2587*

Librairie Renaud-Bray
5252 chemin de la Côte-des-Neiges
☎*342-1515*
4233 rue St-Denis
☎*499-3656*
5117 av. du Parc
☎*276-7651*
1474 rue Peel
☎*287-1011*

Chapters
(francophone et anglophone)
1171 rue Ste-Catherine O.
☎*849-8825*

Librairie Gallimard
3700 bd Saint-Laurent
☎*499-2012*

Librairie Olivieri
5219 ch. de la Côte-des-Neiges
☎*739-3639*

Librairie Paragraphe et Café
(anglophone)
2065 rue Mansfield
☎*845-5811*

WH Smith
(francophone et anglophone)
Place Ville-Marie
☎*861-1736*
Place de la Cathédrale
☎*289-8737*

Spécialisées

Librairie Allemande
(livres en allemand)
418 rue Sherbrooke Est
☎*845-7489*

Librairie C.E.C. Michel Fortin
(éducation, langues)
3714 rue St-Denis
☎*849-5719*

Librairie Las Americas
(livres en espagnol)
10 rue St-Norbert
☎*844-5994*

Librairie du Musée des Beaux-Arts
(art)
1368 rue Sherbrooke O.
☎*285-1600, poste 350*

Librairie Olivieri
Musée d'Art contemporain
185 rue Ste-Catherine O.
☎*847-6903*

Librairie Ulysse
(voyage)
4176 rue St-Denis
☎*843-9447*
560 av. du Président-Kennedy
☎*843-7222*

Les disques et cassettes

Le voyageur européen trouvera au Québec des disques compacts moins chers qu'en Europe. Ces boutiques proposent un vaste choix, tant pour la musique populaire, francophone et anglophone que pour la musique jazz ou classique.

Archambault Musique
500 rue Ste-Catherine E.
☎*849-6201*
175 rue Ste-Catherine O.
☎*281-0367*

HMV
1020 rue Ste-Catherine O.
☎*875-0765*

Sam the Record Man
rue Ste-Catherine Ouest, angle St-Alexandre

L'artisanat d'ici

Parmi les pièces d'artisanat d'ici, il faut inclure les créations québécoises, canadiennes, autochtones et inuites. Tous les ans, en décembre, se tient à la Place Bonaventure *(901 rue De La Gauchetière O.)* le **Salon des métiers d'art du Québec**. Cette exposition, qui dure environ une dizaine de jours, est l'occasion pour les artisans québécois d'exposer et de vendre les fruits de leur travail.

Tout au long de l'année, il est également possible de se procurer quelques belles pièces produites par les artisans québécois à l'une des boutiques **Le Rouet** *(136 rue St-Paul E., ☎875-2333; 1500 av. McGill College, ☎843-5235)*.

La Guilde canadienne des Métiers d'arts *(2025 rue Peel, ☎849-6061)* possède une boutique où sont vendues des pièces d'artisanat québécoises et canadiennes. En outre, deux petites galeries présentent des pièces d'art inuites et amérindiennes.

La **Galerie d'objets d'art du marché Bonsecours** *(350 rue St-Paul E., ☎878-2787)* est une autre bonne adresse à connaître pour acheter des produits artisanaux québécois.

Enfin, **Le Chariot** *(448 place Jacques-Cartier, ☎875-6134)* se spécialise dans les pièces d'art amérindiennes et inuites.

Les boutiques d'idées cadeaux

Céramique
(4201 B rue St-Denis; ☎848-1119; 95 rue de la Commune E.).
Si vous cherchez une idée originale pour un cadeau, la boutique-resto Céramique vous offre la possibilité de peindre vous-même une pièce de céramique ou de verre tout en étant confortablement installé devant un léger repas ou une boisson. Le personnel expérimenté est là pour vous conseiller. Soyez assuré qu'il n'existera pas de cadeau plus personnalisé.

Les boutiques du **Musée des Beaux-Arts de Montréal** *(1390 rue Sherbrooke O., ☎285-1600)* et du **Musée d'Art contemporain** *(185 rue Ste-Catherine O., ☎847-6226)* vous réservent une foule de chouettes reproductions, des bibelots de toutes sortes, de t-shirts, d'objets de décoration... et mille et une trouvailles si vous aimez les beaux souvenirs.

La boutique **Franc jeu** *(4152 rue St-Denis, ☎849-9253)* propose des jouets éducatifs, des oursons en peluche, des poupées et une ribambelles d'autres jouets amusants.

Les enfants de tous âges doivent se rendre aux **Valet d'cœur** *(4408 rue St-Denis, ☎499-9970).* Ils y trouveront entre autres des jeux de société, des casse-tête ainsi que des jeux de dames et d'échecs.

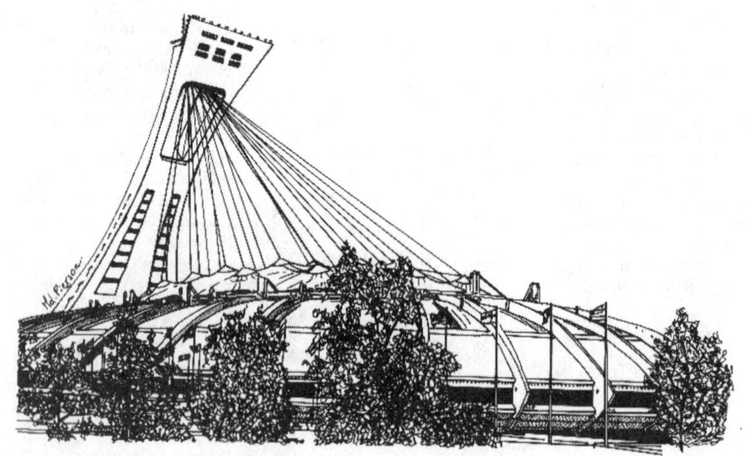

La Montérégie et les Cantons-de-l'Est

Les six collines de la Montérégie, les monts Saint-Bruno, Saint-Hilaire, Yamaska, Rigaud, Saint-Grégoire et Rougemont, constituent les seules dénivellations d'importance de ce plat pays.

Disposées ici et là sur le territoire, ces collines massives, qui ne s'élèvent qu'à environ 400 m, furent longtemps considérées comme d'anciens volcans. En réalité, ce sont plutôt des roches métamorphiques qui devinrent apparentes à la suite de la longue érosion des terres avoisinantes.

Riche d'histoire, la Montérégie est donc d'abord et avant tout une belle plaine très propice à l'agriculture, située entre l'Ontario, la Nouvelle-Angleterre et les contreforts des Appalaches. Sa position géographique, tout juste au sud de Montréal, et ses multiples voies de communication naturelles, dont la majestueuse rivière Richelieu, lui octroyèrent longtemps un rôle militaire et stratégique d'importance.

Les nombreuses fortifications qu'on peut maintenant visiter dans la région ont ainsi été des avant-postes servant à protéger la colonie contre les Iroquois, les Anglais puis les Américains. La nation américaine y connut d'ailleurs, en 1812, la première défaite militaire de sa jeune histoire. Les Patriotes et les Britanniques s'y affrontèrent aussi, à Saint-Charles-sur-Richelieu et à Saint-Denis, lors de la rébellion de 1837.

L'une des belles régions du Québec, les Cantons-de-l'Est sont situés à l'extrême sud du territoire québécois, à même les contreforts des Appalaches. Son riche patrimoine architectural et ses paysages montagneux lui confèrent un cachet particulier qui rappelle à bien des égards la Nouvelle-Angleterre.

Entre de gracieux vallons et des montagnes aux sommets arrondis se cachent de petits villages fort pittoresques, caractérisés par une architecture très souvent d'inspiration anglo-saxonne.

Comme en témoignent toujours de nombreux toponymes tels que Massawippi et Coaticook, cette vaste région fut d'abord parcourue et habitée par les Abénaquis. Par la suite, lorsque la Nouvelle-France passa sous domination anglaise et que prit fin la guerre d'Indépendance des États-Unis, de nombreux colons américains restés fidèles à la Couronne britannique (les loyalistes) vinrent s'installer dans la région que l'on nommait alors «Eastern Townships».

Ils furent suivis, tout au long du XIXe siècle, de grands contingents d'immigrants provenant des îles Britanniques, surtout des Irlandais, et de colons de souche française venant des régions surpeuplées des basses terres du Saint-Laurent.

Même si aujourd'hui la population est à plus de 90% francophone, l'apport anglo-saxon reste très présent, notamment dans le patrimoine architectural. Dans plusieurs villes et villages s'élèvent de majestueuses églises anglicanes bordées de belles résidences du XIXe siècle, de style victorien ou vernaculaire américain. Restés très attachés aux Cantons-de-l'Est, les Anglo-Québécois y ont conservé de prestigieuses institutions, comme l'Université Bishop de Lennoxville.

Pour s'y retrouver sans mal

En traversier

La Montérégie

Saint-Paul-de-l'Île-aux-Noix – Île-aux-Noix
mi-mai à mi-nov
☎***(450) 291-5700***

St-Denis – St-Antoine-sur-Richelieu
mi-mai à mi-nov
☎***(450) 787-2759***

St-Marc-sur-Richelieu – St-Antoine-sur-Richelieu
mi-mai à mi-nov
☎***(450) 584-2813***

St-Roch-de-Richelieu – St-Ours
mi-mai à mi-nov
☎***(450) 785-2161***

Sorel – St-Ignace-de-Loyola
toute l'année
☎***(450) 743-3258***

Bateau-passeur Longueuil – Île Charron
mi-mai à mi-nov
☎***(450) 442-9575***

Navette fluviale Longueuil – Montréal
mi-mai à mi-nov
☎***(450) 281-8000***

Hudson – Oka
mi-mai à mi-nov
☎***(450) 458-4732***

En autocar

La Montérégie

Saint-Jean-sur-Richelieu
600 boul. Pierre-Caisse
☎***(450) 359-6024***

Saint-Hyacinthe
1330 rue Calixa-Lavallée
☎***(450) 778-6090***

Sorel
191 rue du Roi
☎***(450) 743-4411***

Longueuil
1001 rue de Sérigny
☎***(450) 670-3422***
station d'autocars

STRSM
100 Place-Charles-Lemoyne
☎***(450) 463-0131***
station de métro et d'autobus, station Longueuil

En train

La Montérégie

Sainte-Hyacinthe
1450 rue Sicotte
☎***800-361-5390***

Les Cantons-de-l'Est

Bromont
624 rue Shefford (dépanneur Shefford)
☎***(450) 534-2116***

Sutton
28 rue Principale (station Esso)
☎***(450) 538-2452***

Magog-Orford
67-A rue Sherbrooke (Terminus Café)
☎***(819) 843-4617***

Sherbrooke
20 rue King O.
☎***(819) 569-3656***

Lac-Mégantic
6630 rue Salaberry
(Dépanneur 6630 Fatima)
☎***(819) 583-0112***

Renseignements pratiques

L'indicatif régional de la Montérégie est le 450. Les indicatifs régionaux des Cantons-de-l'Est sont 819 et 450.

Renseignements touristiques

La Montérégie

Bureau régional

Association touristique régionale de la Montérégie
11 ch. Marieville,
Rougemont, J0L 1M0
☎*(450) 469-0069*
☎*(514) 990-4600*
⇄*(450) 469-1139*
www.tourisme-monteregie.qc.ca

Saint-Jean-sur-Richelieu
315 rue MacDonald
bureau 301
☎*359-9999*
⇄*359-0994*

Mont-Saint-Hilaire
1080 ch. des Patriotes N.
☎*536-0395*
☎*888-536-0395*
⇄*536-3147*

Saint-Hyacinthe
parc des Patriotes
2090 rue Cherrier
☎*774-7276*
☎*800-849-7276*
⇄*774-9000*

Sorel
92 ch. des Patriotes
☎*746-9441*
☎*800-474-9441*
⇄*780-5737*

Longueuil
205 ch. Chambly
☎*670-7293*
⇄*670-5887*

Vaudreuil-Dorion
331 rue Saint-Charles (maison Valois)
bureau saisonnier
☎*424-8620*

Salaberry-de-Valleyfield
980 boul. Monseigneur Langlois
☎*377-7676*
☎*800-378-7648*
⇄*377-3727*

Les Cantons-de-l'Est

Bureau régional

Tourisme Cantons-de-l'Est
20 rue Don-Bosco S.,
Sherbrooke, J1L 1W4
☎*(819) 820-2020*
☎*800-355-5755*
⇄*(819) 566-4445*
www.tourisme-cantons.qc.ca

Bromont
83 bd Bromont, J0E 1L0
☎*(450) 534-2006*

Granby
650 rue Principale, J2G 8L4
☎*(450) 372-7273*
☎*800-567-7273*

Rougemont
11 ch. Marieville, J0L 1M0
☎*(450) 674-5555*

Magog-Orford
55 rue Cabana, J1X 2C4
☎*(819) 843-2744*
☎*800-267-2744*

Sherbrooke
3010 King O., J1L 1Y7
☎*(819) 821-1919*
☎*800-561-8331*

Sutton
1049 11-B rue principale S.
C.P. 1049, J0E 2K0
☎*(450) 538-8455*
☎*800-565-8455*

Lac-Mégantic
3295 rue Laval N., G6B 1A5
☎*(819) 583-5515*
☎*800-363-5515*

Attraits touristiques

La Montérégie

★★ Chambly

La ville de Chambly occupe un site privilégié en bordure du Richelieu, qui s'élargit à cet endroit pour former le bassin de Chambly. Celui-ci se trouve à l'extrémité des rapides qui entravaient autrefois la navigation sur la rivière, faisant du lieu un élément clé du système défensif de la Nouvelle-France.

Dès 1665, le régiment de Carignan-Salières, sous le commandement du capitaine Jacques de Chambly, y construit un premier fort de pieux pour repousser les Iroquois de la rivière Mohawk, qui effectuent alors de fréquentes incursions jusqu'à Montréal. En 1672, le capitaine de Chambly reçoit la seigneurie qui portera son nom en guise de remerciement pour services rendus à la colonie.

Le bourg qui se formera graduellement autour du fort connaîtra une période florissante au moment de la guerre canado-étasunienne de 1812-1814, alors qu'une importante garnison britannique y est stationnée. Puis, en 1843, on inaugure le canal de Chambly, qui permettra de contourner les rapides du Richelieu, facilitant ainsi le commerce entre le Canada et les États-Unis.

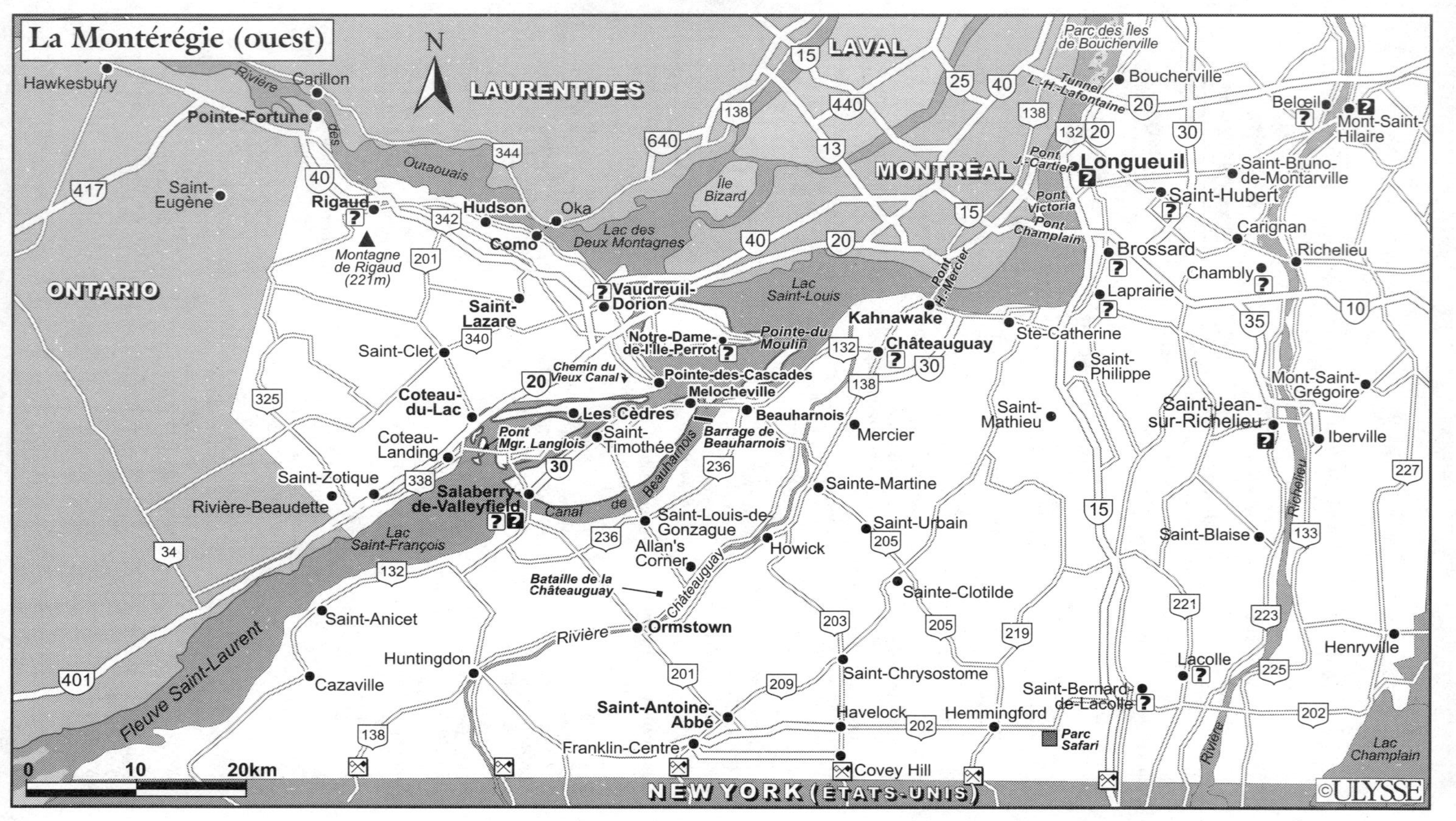
La Montérégie (ouest)
N
LAURENTIDES
LAVAL
MONTRÉAL
ONTARIO
NEW YORK (ÉTATS-UNIS)
Hawkesbury
Carillon
Rivière des Outaouais
Pointe-Fortune
Saint-Eugène
Rigaud
Montagne de Rigaud (221m)
Hudson
Como
Oka
Lac des Deux Montagnes
Île Bizard
Vaudreuil-Dorion
Saint-Lazare
Saint-Clet
Notre-Dame-de-l'Île-Perrot
Pointe-du Moulin
Lac Saint-Louis
Chemin du Vieux Canal
Pointe-des-Cascades
Melocheville
Coteau-du-Lac
Les Cèdres
Beauharnois
Barrage de Beauharnois
Coteau-Landing
Pont Mgr. Langlois
Saint-Timothée
Canal de Beauharnois
Saint-Zotique
Rivière-Beaudette
Salaberry-de-Valleyfield
Lac Saint-François
Fleuve Saint-Laurent
Saint-Anicet
Huntingdon
Cazaville
Saint-Louis-de-Gonzague
Allan's Corner
Bataille de la Châteauguay
Rivière Châteauguay
Ormstown
Howick
Saint-Antoine-Abbé
Franklin-Centre
Kahnawake
Pont H.-Mercier
Châteauguay
Mercier
Sainte-Martine
Saint-Urbain
Sainte-Clotilde
Saint-Chrysostome
Havelock
Covey Hill
Hemmingford
Parc Safari
Ste-Catherine
Saint-Philippe
Saint-Mathieu
Tunnel L.-H.-Lafontaine
Parc des Îles de Boucherville
Boucherville
Pont J.-Cartier
Pont Victoria
Pont Champlain
Longueuil
Saint-Hubert
Saint-Bruno-de-Montarville
Brossard
Laprairie
Carignan
Chambly
Richelieu
Beloeil
Mont-Saint-Hilaire
Mont-Saint-Grégoire
Saint-Jean-sur-Richelieu
Iberville
Rivière Richelieu
Saint-Blaise
Lacolle
Saint-Bernard-de-Lacolle
Henryville
Lac Champlain
0
10
20km
©ULYSSE

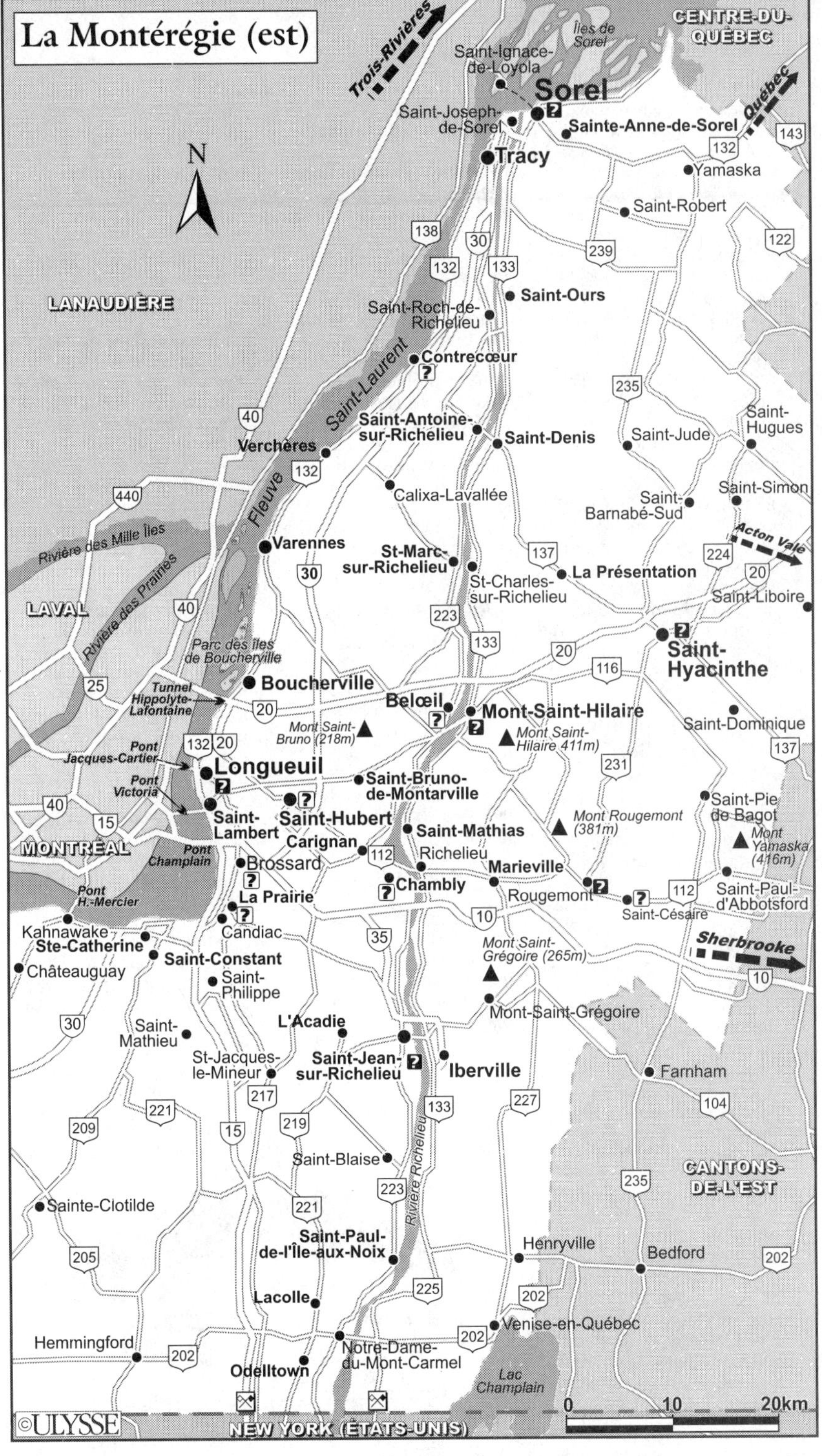
La Montérégie (est)
Trois-Rivières
Québec
CENTRE-DU-QUÉBEC
Îles de Sorel
Saint-Ignace-de-Loyola
Sorel
Saint-Joseph-de-Sorel
Sainte-Anne-de-Sorel
Tracy
Yamaska
Saint-Robert
N
LANAUDIÈRE
Saint-Ours
Saint-Roch-de-Richelieu
Contrecœur
Fleuve Saint-Laurent
Saint-Antoine-sur-Richelieu
Saint-Denis
Saint-Jude
Saint-Hugues
Verchères
Calixa-Lavallée
Saint-Barnabé-Sud
Saint-Simon
Acton Vale
Rivière des Mille Îles
Rivière des Prairies
Varennes
St-Marc-sur-Richelieu
St-Charles-sur-Richelieu
La Présentation
Saint-Liboire
LAVAL
Parc des îles de Boucherville
Saint-Hyacinthe
Boucherville
Tunnel Hippolyte-Lafontaine
Belœil
Mont-Saint-Hilaire
Mont Saint-Bruno (218m)
Mont Saint-Hilaire 411m)
Saint-Dominique
Pont Jacques-Cartier
Longueuil
Pont Victoria
Saint-Bruno-de-Montarville
Saint-Hubert
Saint-Lambert
Saint-Pie de Bagot
Mont Rougemont (381m)
Saint-Mathias
Mont Yamaska (416m)
MONTRÉAL
Carignan
Pont Champlain
Richelieu
Brossard
Marieville
Chambly
Pont H.-Mercier
La Prairie
Rougemont
Saint-Césaire
Saint-Paul-d'Abbotsford
Candiac
Kahnawake
Ste-Catherine
Saint-Constant
Mont Saint-Grégoire (265m)
Sherbrooke
Châteauguay
Saint-Philippe
Mont-Saint-Grégoire
Saint-Mathieu
L'Acadie
St-Jacques-le-Mineur
Saint-Jean-sur-Richelieu
Iberville
Farnham
Saint-Blaise
CANTONS-DE-L'EST
Sainte-Clotilde
Rivière Richelieu
Saint-Paul-de-l'Île-aux-Noix
Henryville
Bedford
Lacolle
Venise-en-Québec
Hemmingford
Notre-Dame-du-Mont-Carmel
Odelltown
Lac Champlain
0 10 20km
©ULYSSE
NEW YORK (ÉTATS-UNIS)

Le **lieu historique national du Fort-Chambly ★★★** *(3,75$;début mars à mi-mai mer-dim 10h à 17h, mi-mai à mi-juin tlj 9h à 17h, mi-juin à début sept tlj 10h à 18h, début sept à mi-oct tlj 10h à 17h, mi-oct à fin nov mer-dim 10h à 17h; 2 rue Richelieu, ☎658-1585).* Il s'agit là du plus important ouvrage militaire du Régime français qui soit parvenu jusqu'à nous. Il a été construit entre 1709 et 1711 selon les plans de l'ingénieur Josué Boisberthelot de Beaucours, à l'instigation du marquis de Vaudreuil. Le fort, défendu par les Compagnies franches de la Marine, devait protéger la Nouvelle-France contre une éventuelle invasion anglaise. Il remplace les quatre forts de pieux ayant occupé le site depuis 1665.

★ Saint-Jean-sur-Richelieu

Cette ville industrielle fut pendant longtemps une importante porte d'entrée au Canada à partir des États-Unis, ainsi qu'un relais indispensable sur la route de Montréal, grâce à son port sur le Richelieu, très fréquenté à partir de la fin du XVIIIe siècle, à son chemin de fer, le premier du Canada, qui la relie à La Prairie dès 1836, et au canal de Chambly, inauguré en 1843. Au milieu du XIXe siècle, Saint-Jean-sur-Richelieu voit prospérer de nombreuses entreprises liées à ces voies de communication, parmi lesquelles on pouvait compter plusieurs fabriques de poteries et de faïences dont les théières, cruches et assiettes allaient devenir une spécialité de la région. L'architecture de la ville reflète ce passé industriel avec ses manufactures, ses édifices commerciaux, son habitat ouvrier et ses belles demeures victoriennes.

Le **Musée régional du Haut-Richelieu ★** *(2$; fin juin à début sept mar-dim 9h30 à 17h, début sept à juin mer-dim 9h30 à 17h, 182 rue Jacques-Cartier N., ☎347-0649)* est situé à l'intérieur de l'ancien marché public érigé en 1859. Le musée présente, outre différents objets liés à l'histoire du Haut-Richelieu, une intéressante collection de poteries et faïences produites dans la région au cours du XIXe siècle, dont de belles pièces de la compagnie Farrar et de la St. Johns Stone Chinaware Company.

Saint-Paul-de-l'Île-aux-Noix

Ce village est surtout connu pour son fort, édifié sur l'île aux Noix, au milieu du Richelieu. Le premier occupant de l'île, le cultivateur Pierre Joudernet, payait sa rente seigneuriale sous la forme d'un sac de noix, d'où le nom donné aux lieux.

Vers la fin du Régime français, l'île acquit une grande importance stratégique en raison de sa proximité du lac Champlain et des colonies américaines. En 1759, les Français entreprirent de fortifier l'île, mais les ressources manquèrent, tant et si bien que la prise du fort par les Britanniques se fit sans difficulté. En 1775, l'île devint le quartier général des forces révolutionnaires américaines, qui tentaient alors d'envahir le Canada. Puis, au cours de la guerre de 1812-1814, le fort reconstruit servit de base pour l'attaque de Plattsburg par les Britanniques.

Le **lieu historique national du Fort-Lennox ★★** *(5,25$; mi-mai à fin juin lun-ven 10h à 17h, sam-dim 10h à 18h; fin juin à début sept lun-dim 10h à 18h; ☎291-5700)* occupe les deux tiers de l'île aux Noix, dont il a transformé la configuration. Il a été construit entre 1819 et 1829, sur les ruines des forts précédents, par les Britanniques qui voyaient alors les Américains ériger le fort Montgomery, de l'autre côté de la frontière. Derrière l'enceinte bastionnée en terre et entourée de larges fossés, on trouve une poudrière, 2 entrepôts, le corps de garde, le logis des officiers, 2 casernes et 19 casemates. Le bel ensemble en pierre de taille, présente les traits de l'architecture coloniale néoclassique de l'Empire britannique.

Le **blockhaus de Lacolle ★** *(entrée libre; fin mai à début sept tlj 9h à 17h, début sept à début oct sam-dim 9h à 17h; 1 rue Principale, ☎246-3227)*, une construction de bois équarri à deux étages, dotée de meurtrières, se trouve à l'extrême sud de la municipalité de Saint-Paul-de-l'Île-aux-Noix.

Blockhaus

Sa construction remonte à 1782, ce qui en fait l'une des plus anciennes structures de bois de la Montérégie. C'est aussi l'un des rares ouvrages du genre qui subsitent au Québec.

★

Mont-Saint-Hilaire

Campée devant l'énorme masse du mont Saint-Hilaire, cette petite municipalité de la vallée du Richelieu tire ses origines de la seigneurie de Rouville, concédée à Jean-Baptiste Hertel en 1694. Celle-ci demeurera entre les mains de la famille Hertel jusqu'en 1844, alors qu'elle sera vendue au major Thomas Edmund Campbell, secrétaire du gouverneur britannique, qui y exploitera une ferme modèle dont l'existence sera maintenue jusqu'en 1942.

Manoir Rouville-Campbell

Légèrement défiguré par l'aménagement de stationnements et l'ajout d'une grille ostentatoire, le **manoir Rouville-Campbell** ★ *(25 ch. des Patriotes S.)*, d'allure médiévale, n'en demeure pas moins l'une des plus splendides résidences seigneuriales du Québec, aujourd'hui transformée en hôtel (voir p 219). Il a été construit en 1854 selon les plans de l'architecte d'origine britannique Frederick Lawford, à qui l'on doit également une partie du décor intérieur de l'église de Saint-Hilaire. Le manoir de la famille Campbell est l'un des premiers et des plus intéressants exemples du style néo-Tudor en Amérique, style qui se caractérise par l'emploi de l'arc brisé surbaissé, de fenêtres à meneaux et de *bay-windows*, de même que par un plan irrégulier associé au mouvement pittoresque. On remarquera, en outre, les parements de brique, fort rares au Québec avant 1860, et la présence de belles cheminées à mitrons torsadés. Le sculpteur Jordi Bonet sauva le manoir, laissé à l'abandon depuis 1955, lorsqu'il en fit son atelier en 1969.

Au cours des années quatre-vingt, la maison et les écuries ont été reconverties en hôtellerie. En face du manoir Rouville-Campbell se dresse le **monument aux Patriotes de Mont-Saint-Hilaire.**

L'**église Saint-Hilaire** ★★ *(260 ch. des Patriotes N.)* devait à l'origine arborer deux tours en façade surmontées d'autant de flèches. À la suite de disputes internes, seule la base des tours fut érigée vers 1830, et un seul clocher, disposé au centre de la façade, fut finalement installé. Quant au décor intérieur, de style néogothique, il fut aménagé sur une longue période, soit de 1838 à 1928; mais c'est l'œuvre du peintre Ozias Leduc (1864-1955), exécutée à la toute fin du XIXe siècle, qui attire davantage l'attention. Cet artiste, originaire de Mont-Saint-Hilaire, est l'auteur de l'ensemble des belles toiles marouflées aux tons pastel qui ornent le temple de même que des dessins des vitraux et des lampes de la nef.

★★

Saint-Hyacinthe

Saint-Hyacinthe a vu le jour à la fin du XVIIIe siècle autour des moulins de la rivière Yamaska et du domaine de Jacques-Hyacinthe Delorme, seigneur de Maska. Grâce à la fertilité des terres environnantes, elle s'est développée rapidement, attirant nombre d'institutions religieuses, de commerces et d'industries. La transformation et la distribution des produits agricoles jouent encore un rôle prédominant dans l'économie de la ville. On y trouve par ailleurs la seule faculté de médecine vétérinaire francophone d'Amérique ainsi que des instituts de recherche agroalimentaire et d'insémination.

Saint-Hyacinthe s'est aussi fait une spécialité de la construction de grandes orgues. Les frères Casavant ont établi leur célèbre **manufacture d'orgues** à l'écart de la ville en 1879 *(900 rue Girouard E.)*. On y fabrique encore chaque année une quinzaine d'orgues électropneumatiques, que les experts de la maison vont installer un peu partout dans le monde. Des visites guidées sont organisées à l'occasion. Les facteurs d'orgues Guilbault-Thérien construisent, quant à eux, des orgues à traction mécanique selon des modèles français et allemands du XVIIIe siècle depuis 1946 *(2430 rue Crevier)*.

La **cathédrale Saint-Hyacinthe-le-Confesseur** ★ *(1900 rue Girouard O.)* est un édifice d'allure trapue malgré ses flèches qui culminent à 50 m. Elle a été construite en 1880 et remaniée en 1906 selon les plans des architectes Perrault et Venne de Montréal, lesquels lui ont donné sa façade néoromane et son curieux intérieur rococo. On y remarquera les énormes chapiteaux à cornes des colonnes de la nef, les riches chandeliers qui pendent de la voûte ainsi que le trône épiscopal, qui occupe l'emplacement habituellement réservé à l'autel, au fond du chœur.

La Présentation

L'**église de La Présentation** ★★ *(551 ch. de l'Église)* se démarque des autres temples érigés en Montérégie à la même époque par sa façade en pierre de taille finement sculptée, achevée en 1819. On y remarquera les inscriptions rédigées en ancien français au-dessus des entrées. Le vaste presbytère dissimulé dans la verdure ainsi que la maison du sacristain, plus modeste, complètent ce paysage typique des paroisses rurales du Québec.

★ Saint-Denis

Au cours des années 1830, Saint-Denis fut le lieu de grands rassemblements politiques et le siège des Fils de la Liberté, ces jeunes Canadiens français qui voulaient faire du Bas-Canada (le Québec d'aujourd'hui) un pays indépendant. Plus important encore, Saint-Denis a été le théâtre de l'unique victoire des Patriotes sur les Britanniques lors de la rébellion de 1837-1838. En effet, le 23 novembre 1837, les troupes du général Gore durent se replier sur Sorel après une lutte acharnée contre les Patriotes, mal équipés mais bien décidés à l'emporter sur l'ennemi. Toutefois, les troupes britanniques se vengèrent quelques semaines plus tard. Surprenant ses citoyens endormis, ils pillèrent et brûlèrent maisons, commerces et industries de Saint-Denis.

Le bourg de Saint-Denis, fondé en 1758, a connu une intense période d'industrialisation au début du XIXe siècle. On y trouvait, entre autres, la plus importante chapellerie au Canada, où l'on confectionnait les fameux hauts-de-forme en peau de castor, portés par les hommes d'Europe et d'Amérique, de même que plusieurs poteries et faïenceries. La répression qui a suivi la rébellion a mis un terme à cette expansion économique et, dès lors, Saint-Denis a retrouvé sa vocation de simple village agricole.

Le **parc des Patriotes**. Un monument dévoilé en 1913 honore la mémoire des Patriotes de Saint-Denis au centre de cet agréable square, qui fut autrefois la place Royale, avant de devenir la place du Marché, puis un parc public au début du XXe siècle.

La **Maison nationale des Patriotes** ★ *(4$; mai à sept tlj 10h à 17h, nov mar-ven 10h à 17h; 610 ch. des Patriotes, ☎787-3623)*. Au sud du parc s'élève une ancienne auberge en pierre construite en 1810. Le bâtiment de forme irrégulière a les caractéristiques des maisons urbaines de la fin du XVIIIe siècle (murs coupe-feu dotés de corbeaux, étage sur rez-de-chaussée, occupation maximale du terrain), dont c'est l'un des rares exemples en dehors de Montréal et Québec.

Saint-Constant

Le **Musée ferroviaire canadien** ★★ *(6$; début mai à début sept tlj 9h à 17h, début sept à mi-oct sam-dim 9h à 17h; 120 rue St-Pierre, ☎632-2410)* présente une importante collection de matériel ferroviaire, des locomotives, des wagons et des véhicules d'entretien. On peut y admirer la fameuse locomotive *Dorchester*, mise en service en 1836 sur la première voie ferrée du pays, entre Saint-Jean-sur-Richelieu et La Prairie, plusieurs wagons luxueux du XIXe siècle ayant appartenu au Canadien Pacifique de même que des locomotives de l'étranger, comme la puissante *Chateaubriand* de la Société nationale des chemins de fer français (S.N.C.F.), mise en service en 1884.

★ La Prairie

Les **rues du Vieux-La Prairie** ★★ revêtent un caractère urbain rarement atteint dans les villages du

Québec au XIXe siècle. Plusieurs des maisons ont été soigneusement restaurées depuis que le secteur a été classé «arrondissement historique» par le gouvernement du Québec en 1975. Une promenade le long des rues Saint-Ignace, Sainte-Marie, Saint-Jacques et Saint-Georges permet d'en apprécier les particularités. Certaines maisons de bois rappellent les habitations des faubourgs de Montréal aujourd'hui disparues *(240 et 274 rue St-Jacques)*. D'autres maisons s'inspirent de l'architecture du Régime français (toits à deux versants, murs coupe-feu, lucarnes), à cette différence près qu'elles sont partiellement ou totalement construites en brique plutôt qu'en pierre *(234 et 237 rue St-Ignace, 166 rue St-Georges)*. Enfin, la maison en pierre revêtue de bois, au numéro 238 de la rue Saint-Ignace, serait le seul véritable témoin du Régime français qui subsiste dans le Vieux-La Prairie

Longueuil

Cette agglomération, située en face de Montréal, est la plus peuplée de la Montérégie. Elle faisait autrefois partie de la seigneurie de Longueuil, concédée à Charles Le Moyne (1624-1685) en 1657. Celui-ci est à l'origine d'une dynastie ayant joué un rôle de premier plan dans le développement de la Nouvelle-France. Parmi ses 14 enfants, plusieurs seront célèbres, dont Pierre Le Moyne d'Iberville (1661-1706), premier gouverneur de la Louisiane, Jean-Baptiste Le Moyne de Bienville (1680-1768), fondateur de La Nouvelle-Orléans, et Antoine Le Moyne de Châteauguay (1683-1747), gouverneur de la Guyane. Le fils aîné, Charles Le Moyne de Longueuil, hérita de la seigneurie. Entre 1685 et 1690, il fait construire, sur le site de l'actuelle cathédrale Saint-Antoine-de-Padoue, un véritable château fort comprenant quatre tours d'angle, une église et plusieurs corps de logis. En 1700, Longueuil est élevée au rang de baronnie par Louis XIV, un cas unique dans l'histoire de la Nouvelle-France.

L'**église Saint-Antoine-de-Padoue** ★★ *(rue St-Charles, angle ch. Chambly)*. Le château de Longueuil occupait autrefois cet emplacement. Après avoir été assiégé par les insurgés américains lors de l'invasion de 1775, il a été réquisitionné par l'armée britannique. En 1792, alors qu'une garnison y était stationnée, un incendie éclata, détruisant une bonne partie de l'ensemble érigé au XVIIe siècle. Les ruines sont mises à profit en 1810 lors de la construction de la seconde église catholique. Quelques années plus tard, la rue Saint-Charles est percée en plein centre du site du château. Ainsi sont disparus les derniers vestiges d'un édifice unique en Amérique du Nord. Des fouilles archéologiques, effectuées au cours des années soixante-dix, ont permis de retracer l'emplacement exact du château et de mettre au jour une partie de ses fondations, visibles à l'est de l'église.

Kahnawake

Les jésuites implantent en 1667 une mission pour les Iroquois convertis à La Prairie. Après quatre déménagements, celle-ci se fixe définitivement sur le site du Sault-Saint-Louis en 1716. La mission Saint-François-Xavier est aujourd'hui devenue Kahnawake, nom qui signifie «là où il y a des rapides». Au fil des ans, des Iroquois mohawks, venus de l'État de New York, se sont joints aux premiers habitants de la mission, modifiant le paysage linguistique de l'endroit, tant et si bien que l'anglais constitue de nos jours la langue d'usage sur la réserve, cela même si ses habitants ont pour la plupart conservé les patronymes d'ascendance française donnés par les jésuites.

L'**enceinte**, l'**église Saint-François-Xavier** et le **musée** ★★ *(Main Street)*. Sous le Régime français, on obligeait les bourgs et les missions à s'entourer de fortifications. Très peu de ces murailles ont survécu, même partiellement, au temps et aux pressions du développement. L'enceinte de la mission de Kahnawake, en partie debout, représente donc un cas quasi unique au nord du Mexique. Elle a été entreprise en 1720 selon les plans de l'ingénieur du roi, Gaspard Chaussegros de Léry, afin de protéger l'église et le couvent des jésuites, érigés en 1717. On peut encore voir le corps de garde, la poudrière et le logement des officiers (1754).

L'église Saint-François-Xavier fut remaniée en 1845 selon les plans du jésuite Félix Martin, puis redécorée au fil des ans par Vincent Chartrand (entre 1845 et 1847), à qui l'on doit une partie du mobilier, et Guido Nincheri, auteur de la voûte polychrome (XXe siècle). On y trouve aussi la tombe de Kateri Tekakouitha, cette jeune Amérindienne béatifiée en 1980. Le couvent abrite le Musée de la mission Saint-François-Xavier, où l'on admire dans un joyeux fouillis quelques objets ayant appartenu aux jésuites.

Salaberry-de-Valleyfield

Cette ville industrielle est née vers 1845 autour d'un moulin à scie et à papier, racheté quelques années plus tard par la Montreal Cotton Company (filature). Grâce à cette industrie, Salaberry-de-Valleyfield a connu à la fin du XIXe siècle une ère de prospérité qui en fit l'une des principales villes du Québec de l'époque. Son vieux noyau commercial et institutionnel de la rue Victoria témoigne de cette période faste, tout en lui donnant davantage l'allure d'une vraie ville que Châteauguay, pourtant plus peuplée de nos jours. L'agglomération est coupée en deux par le vieux canal de Beauharnois, en fonction de 1845 à 1900 (à ne pas confondre avec l'actuel canal de Beauharnois, qui passe au sud de la ville).

Siège d'un évêché depuis 1892, Salaberry-de-Valleyfield a été dotée de l'actuelle **cathédrale Sainte-Cécile** ★ *(31 rue de la Fabrique)* en 1934, à la suite de l'incendie du temple précédent. Il s'agit d'une œuvre colossale exécutée dans le style néogothique tardif, plus élancée et plus proche des modèles historiques, à laquelle l'architecte Henri Labelle a joint des éléments d'esprit Art déco. En façade, on remarquera une statue de sainte Cécile, patronne des musiciens, ainsi que les lourdes portes d'entrée en bronze, garnies de bas-reliefs racontant la vie de Jésus et exécutés par Albert Gilles. La plupart des fines boiseries de l'intérieur sont l'œuvre du sculpteur Villeneuve, de Saint-Romuald. Les hautes verrières des Fondateurs (côté gauche) et des Fondatrices (côté droit), sorties des ateliers de Guido Nincheri, méritent un examen attentif.

Le **lieu historique national de la Bataille-de-la-Châteauguay** ★ *(3,25$; fin mai à début sept tlj 10h à midi et 13h à 17h, début sept à fin oct sam-dim 10h à midi et 13h à 17h, fermé les jours fériés sauf le 1er juil; 2371 ch. Rivière-Châteauguay N., ☎829-2003)*. Lors de la guerre d'Indépendance des États-Unis, en 1775-1776, les Américains avaient tenté une première fois de s'approprier le Canada, colonie britannique depuis 1759. La peur des Canadiens français d'être un peuple noyé dans une mer anglo-saxonne, à une époque où l'ensemble de la colonie canadienne était encore très majoritairement française, explique l'échec de cette première tentative. En 1812-1813, les Américains essaient de nouveau de prendre le Canada. Cette fois, c'est la fidélité de l'élite canadienne à la couronne d'Angleterre, mais aussi la bataille décisive de la Châteauguay, qui ont fait échouer le projet. En octobre 1813, les troupes du général Hampton, fortes de 2 000 hommes, se massent à la frontière. Elles pénètrent dans le territoire canadien à la faveur de la nuit, en longeant la rivière Châteauguay. Mais Charles Michel d'Irumberry de Salaberry, seigneur de Chambly, les y attend à la tête de 300 miliciens et de quelques dizaines d'Amérindiens. Le 26 octobre, la bataille s'engage. La ruse qu'use de Salaberry aura raison des Américains, qui battent bientôt en retraite, mettant ainsi fin à une série de conflits et inaugurant une période d'amitié durable entre les deux pays.

L'autoroute 15 conduit à **Hemmingford**, située près de la frontière canado-étasunienne. Vous y trouverez le **Parc Safari** ★ *(adulte 20$, ou 68$ par voiture; fin-mai à mi-sept tlj dès 10h ; 850 rte. 202, ☎247-2727, ☎800-465-8724)*, un jardin zoologique où les animaux, originaires d'Afrique, d'Europe et d'Amérique, déambulent librement alors que les visiteurs font le tour des lieux dans leur voiture. Il est possible de synchroniser votre radio avec la station du parc pour avoir une description éducative de chacun des animaux que vous croiserez. Cette idée ajoute beaucoup à l'intérêt de la visite. De plus, on trouve aussi, attenant au zoo, un parc d'attractions avec une foule de services et d'installations, entre autres plusieurs manèges, une pataugeoire pour les petits, des restaurants et des boutiques, sans oublier les spectacles. Une activité familiale des plus appréciées.

Les Cantons-de-l'Est

★

La route des vins

Le visiteur européen pourra trouver bien prétentieux d'entendre parler de «**route des vins**» *(route 202 O.)* pour décrire le parcours entre Dunham et Stanbridge East, mais l'expérience québécoise en matière de viticulture est tellement surprenante, et la concentration de vignobles dans cette région, si unique au Québec, que l'enthousiasme l'a emporté sur la mesure.

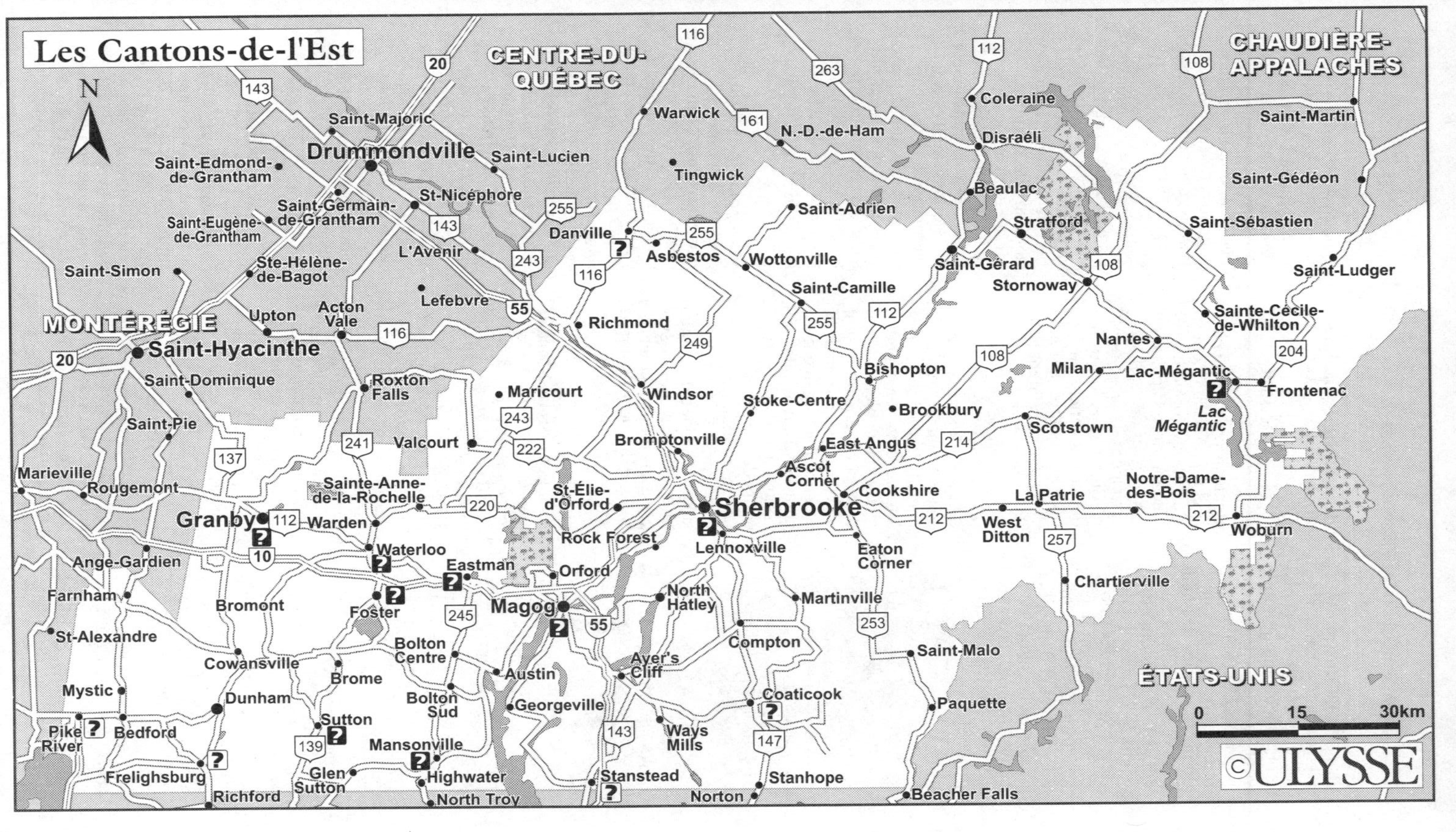
Les Cantons-de-l'Est
N
CENTRE-DU-QUÉBEC
CHAUDIÈRE-APPALACHES
MONTÉRÉGIE
ÉTATS-UNIS
Drummondville
Saint-Majoric
Saint-Lucien
Saint-Edmond-de-Grantham
Saint-Germain-de-Grantham
St-Nicéphore
Saint-Eugène-de-Grantham
L'Avenir
Ste-Hélène-de-Bagot
Saint-Simon
Lefebvre
Upton
Acton Vale
Saint-Hyacinthe
Saint-Dominique
Saint-Pie
Roxton Falls
Maricourt
Valcourt
Marieville
Rougemont
Granby
Sainte-Anne-de-la-Rochelle
Warden
Waterloo
Eastman
Ange-Gardien
Farnham
Bromont
Foster
St-Alexandre
Cowansville
Brome
Bolton Centre
Mystic
Dunham
Bolton Sud
Pike River
Bedford
Sutton
Mansonville
Frelighsburg
Glen Sutton
Highwater
Richford
North Troy
Warwick
Tingwick
N.-D.-de-Ham
Danville
Asbestos
Wottonville
Saint-Adrien
Saint-Camille
Richmond
Windsor
Stoke-Centre
Bromptonville
St-Élie-d'Orford
Rock Forest
Orford
Magog
Austin
Georgeville
Ayer's Cliff
North Hatley
Compton
Coaticook
Ways Mills
Stanstead
Stanhope
Norton
Sherbrooke
Lennoxville
Ascot Corner
East Angus
Bishopton
Brookbury
Cookshire
Eaton Corner
Martinville
Saint-Malo
Paquette
Beacher Falls
Coleraine
Disraéli
Beaulac
Stratford
Saint-Gérard
Stornoway
Scotstown
La Patrie
West Ditton
Chartierville
Notre-Dame-des-Bois
Woburn
Milan
Nantes
Lac-Mégantic
Lac Mégantic
Frontenac
Sainte-Cécile-de-Whilton
Saint-Ludger
Saint-Sébastien
Saint-Gédéon
Saint-Martin
0
15
30km
©ULYSSE

Pas de châteaux ni de vieux comtes distingués ici, mais plutôt des exploitants viticulteurs qui doivent parfois aller jusqu'à louer des hélicoptères pour sauver leurs vignes du gel. Les pales des hélices créent en effet une circulation d'air qui empêche le gel au sol à des moments critiques (mois de mai). La région bénéficie tout de même d'un microclimat et d'un sol propice à la culture de la vigne (ardoise). Les vins ne sont vendus qu'à la propriété.

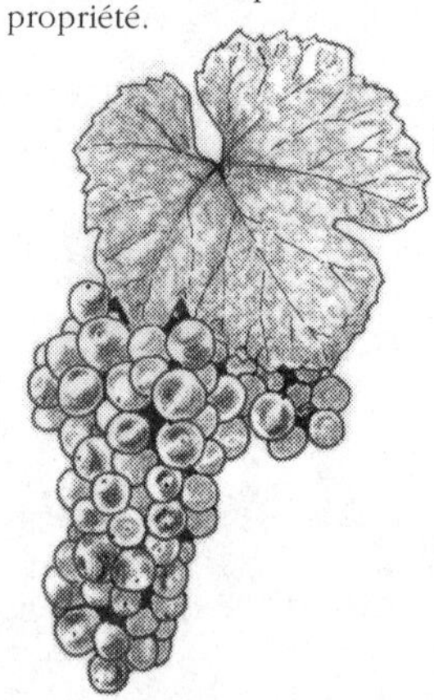

Vous pouvez visiter le vignoble **L'Orpailleur** *(1086 rte 202, J0E 1M0, Dunham, ☎450-295-2763, ⇄295-3112)*, où sont, entre autres, élaborés un vin blanc sec et un apéritif rappelant le Pineau des Charentes, l'Apéridor.

Le **Domaine des côtes d'Ardoises** *(879 rte 202, Dunham, J0E 1M0, ☎450-295-2020)* est l'un des rares vignobles québécois qui produit un vin rouge. Encore une fois, on a droit à l'accueil chaleureux du vigneron.

Le vignoble **Les Blancs Coteaux** *(1046 rte 202, Dunham, J0E 1M0, ☎450-295-3503)*, en plus de faire un vin de qualité, dispose d'une jolie boutique d'artisanat.

Valcourt

Bombardier n'est pas le seul mécanicien québécois à avoir développé un véhicule motorisé capable de circuler sur des surfaces enneigées. Le besoin est né du fait que, jusqu'au début des années cinquante, nombre de routes du Québec n'étaient pas déneigées en hiver. Il fallait pour se déplacer renouer avec les moyens de transport ancestraux, soit le traîneau tiré par un cheval, l'automobile étant, à toutes fins utiles, peu recommandable. Bombardier est cependant le seul à avoir réussi à rentabiliser son invention, grâce notamment à un lucratif contrat avec l'armée au cours de la Seconde Guerre mondiale. L'entreprise s'est par la suite diversifiée et a connu une croissance considérable, sans toutefois délaisser son patelin de Valcourt, où se trouve toujours le siège social.

Le **Musée J.-Armand-Bombardier** ★ *(5$; tlj 10h à 17h, fermé lun début sept à fin avr; 1001 av. Joseph-Armand-Bombardier, ☎450-532-5300)* retrace l'histoire du développement de l'autoneige puis de la motoneige par Bombardier, et sa commercialisation à travers le monde. On peut y voir différents prototypes de même que les modèles de motoneiges fabriqués depuis 1960. Des visites de l'usine sont également proposées aux groupes.

Granby

Se trouvant à quelques kilomètres du verdoyant parc de la Yamaska, Granby, «la princesse des Cantons-de-l'Est», respire l'air frais de la campagne environnante. Outre ses résidences témoignant de l'architecture victorienne, elle renferme de grandes avenues et de nombreux parcs ornés de fontaines et de sculptures.

Traversée par la rivière Yamaska Nord, elle se veut également le point de rencontre des pistes cyclables de la Montérégiade et de l'Estriade. Son dynamisme et sa jeunesse se réflètent à travers ses multiples festivals, notamment le célébrissisme Festival international de la chanson, grâce auquel la francophonie a découvert plusieurs excellents interprètes. Elle est aussi connue pour son zoo de type traditionnel, ouvert en 1953.

Vous pourrez observer quelque 250 espèces d'animaux provenant de divers pays, notamment d'Amérique du Nord et d'Afrique, au **Zoo de Granby** ★★ *(19,95$; début juin à fin sept tlj 10h à 18h, téléphoner pour le reste de l'année; autoroute 10, sortie 68 ou 74 et suivez les indications, ☎450-372-9113)*. Malheureusement aménagé à l'ancienne mode, le zoo offre très peu d'aires où les animaux sont en liberté, la majorité étant dans des cages. La visite demeure cependant intéressante, surtout pour les jeunes enfants.

★★ Knowlton

Le **lac Brome** ★, de forme circulaire, est populaire auprès des amateurs de planche à voile, qui bénéficient d'une aire de stationnement et d'une petite plage en bordure de la route à l'approche de Knowlton. Le «canard du

Lac Brome» est reconnu pour sa saveur et est au menu des auberges et restaurants de la région en saison.

Le **Musée historique du comté de Brome** ★ *(3,50$; mi-mai à mi-sept lun-sam 10h à 16h30, dim 11h à 16h30; 130 rue Lakeside, ☎450-243-6782)*, réparti dans cinq bâtiments loyalistes, raconte l'histoire et la vie des gens de la région. On y trouve, outre les habituelles collections de meubles et de photographies, un magasin général reconstitué, une cour de justice du XIXe siècle et, chose plus rare, une intéressante collection militaire dont un avion de la Première Guerre mondiale.

Sutton

L'une des principales stations de sports d'hiver de la région, Sutton, est située en contrebas du mont du même nom. On trouve aussi dans la région quelques terrains de golf bien aménagés pour combler les sportifs pendant l'été. Parmi les églises de Sutton, on remarquera plus particulièrement la **Grace Church** anglicane, en pierre, de style néogothique et érigée en 1850. Son clocher a malheureusement perdu son ouverture en ogive.

★★

Lac Memphrémagog

Long de 40 km, mais d'une la largeur variant entre seulement un et deux kilomètres, le lac Memphrémagog n'est pas sans rappeler les lochs écossais. Il possède même son propre monstre marin, baptisé «Memphré», que plusieurs jurent avoir aperçu depuis 1798 (eh oui!). La portion sud du lac, non visible depuis Magog, à son extrémité nord, est située en territoire américain. Son nom vient de la langue abénaquie, tout comme celui du lac Massawippi et de la rivière Missisquoi. Les amateurs de voile y seront au paradis, puisqu'il s'agit de l'un des meilleurs endroits pour pratiquer ce sport au Québec.

★★

Saint-Benoît-du-Lac

Le territoire de cette municipalité correspond exclusivement au domaine de **l'abbaye de Saint-Benoît-du-Lac**, fondée en 1913 par des moines bénédictins chassés de leur abbaye de Saint-Wandrille-de-Fontenelle, en Normandie. L'ensemble comprend le monastère, l'hôtellerie, la chapelle abbatiale et les bâtiments de ferme. Seuls quelques corridors de même que la chapelle sont accessibles au public. On ne manquera pas d'écouter le chant grégorien pendant les vêpres, à 17h tous les jours de la semaine.

L'hôtellerie accueille séparément hommes et femmes qui désirent se recueillir pendant quelque temps. De plus, les moines font l'élevage de bovins charolais et exploitent deux vergers (production de cidre) ainsi qu'une fromagerie (ses fromages sont l'Ermite et le Mont Saint-Benoît).

★

Magog-Orford

Principal centre de services entre Granby et Sherbrooke, Magog est une ville qui a beaucoup à offrir aux amateurs de sport. Elle occupe un site admirable à l'extrémité nord du lac Memphrémagog. Sa vocation culturelle n'est pas à dédaigner non plus, puisqu'elle possède un théâtre où sont présentées plusieurs avant-premières ainsi qu'un complexe musical en pleine nature au mont Orford. L'industrie textile, qui occupait autrefois une grande place dans la vie des habitants, a beaucoup diminué au profit du tourisme. La rue Principale, bordée de boutiques et de restaurants, est agréable à parcourir à pied.

★★

North Hatley

Les paysages enchanteurs de North Hatley ont eu tôt fait d'attirer les riches villégiateurs américains, qui s'y sont fait construire de luxueuses villas entre 1890 et 1930. La plupart d'entre elles bordent toujours la portion nord du lac Massawippi, qui, à l'instar du lac Memphrémagog, rappelle un loch écossais. De belles auberges et des restaurants gastronomiques contribuent au charme de l'endroit, lui assurant la réputation d'un lieu de villégiature des plus raffinés. On notera, au centre du village, la minuscule **église Unie** de style Shingle, qui fait davantage penser à une chapelle de culte catholique qu'à un temple protestant.

Le **Manoir Hovey** ★ *(ch. Hovey)*, grande villa construite en 1900 sur le modèle de Mount Vernon, résidence de George Washington en Virginie, était autrefois la demeure estivale de l'Américain Henry Atkinson, qui recevait chez lui chaque été artistes et politiciens de son pays. La maison sert de nos jours d'auberge (voir p 221).

★ Lennoxville

Cette petite ville, toujours majoritairement anglophone, se distingue par la présence des prestigieuses maisons d'enseignement de langue anglaise que sont l'Université Bishop et le Bishop's College. Fondée aux abords de la route reliant Trois-Rivières à la frontière canado-étasunienne, elle prit le nom de Lennoxville en l'honneur de Charles Lennox, quatrième duc de Richmond, qui fut gouverneur du Haut et du Bas-Canada en 1818. Il faut quitter la route principale (route 143) et parcourir les rues secondaires pour découvrir les bâtiments institutionnels, de même que les belles maisons Second Empire et Queen Anne cachées dans la verdure.

L'une des trois universités de langue anglaise du Québec, l'**Université Bishop** ★ *(College Road)* est une petite institution offrant un enseignement personnalisé, dans un cadre enchanteur, à quelque 1 300 étudiants provenant de tous les coins du Canada. Elle a été fondée en 1843 à l'instigation du pasteur Lucius Doolittle. À l'arrivée, on aperçoit le **McGreer Hall**, élevé en 1876 selon les plans de l'architecte James Nelson, puis modifié pour lui donner un air médiéval par les architectes Taylor et Gordon de Montréal. La **chapelle anglicane St. Mark**, érigée à sa gauche, a été reconstruite en 1891 à la suite d'un incendie. Son intérieur, long et étroit, comporte de belles boiseries en chêne ainsi que des vitraux réalisés par la maison Spence and Sons de - Montréal.

★★ Sherbrooke

Principale agglomération de la région, Sherbrooke est surnommée la Reine des Cantons-de-l'Est. Elle est implantée sur une série de collines de part et d'autre de la rivière Saint-François, ce qui accentue son aspect désordonné. La ville possède néanmoins plusieurs bâtiments d'intérêt, pour la plupart concentrés sur la rive ouest. Sherbrooke est née au début du XIXe siècle autour d'un moulin et d'un petit marché, comme tant d'autres villages des Cantons-de-l'Est. Cependant, sa désignation pour l'implantation d'un palais de justice, destiné à desservir l'ensemble de la région, allait la distinguer des communautés environnantes dès 1823. La venue du chemin de fer en 1852 et la concentration, dans son centre, d'institutions comme le siège de l'Eastern Township Bank, allaient modifier le paysage de Sherbrooke par la construction de prestigieux édifices victoriens. Aujourd'hui, la ville accueille notamment une importante université de langue française, fondée en 1952 afin de faire contrepoids à l'Université Bishop de Lennoxville. Malgré son nom, qu'elle porte en l'honneur de Sir John Coape Sherbrooke, gouverneur de l'Amérique du Nord britannique à l'époque de sa fondation, la ville est depuis longtemps à forte majorité francophone (95%).

Importante institution financière du siècle dernier, aujourd'hui amalgamée à la banque CIBC, l'ancienne **Eastern Townships Bank** ★★ *(241 rue Dufferin)* fut créée par la bourgeoisie des Cantons-de-l'Est, incapable d'obtenir du financement des banques montréalaises pour le développement de projets locaux. Son siège sherbrookois fut érigé en 1877 selon les plans de l'architecte James Nelson de Montréal, qui travaillait alors à l'édification des bâtiments de l'Université Bishop. On peut en parler comme de l'édifice Second Empire le plus achevé du Québec en dehors des villes de Montréal et de Québec. À la suite d'un don de la banque CIBC et des multiples travaux de rénovation favorisant la conservation de ses œuvres d'art, l'édifice abrite, depuis le milieu des années quatre-vingt dix, le **Musée des Beaux-Arts de Sherbrooke** *(4$; mar-dim 13h à 17h, mer jusqu'à 21h; fin juin à début sept 11h à 17h, mer jusqu'à 21h; 241 rue Dufferin, ☎819-821-2115)*. Au fond de la salle accueillant les visiteurs, l'œuvre de Gérard Gendron représentant un trésor sur la place publique trace un parallèle entre l'institution que logeait autrefois l'édifice et sa vocation artistique d'aujourd'hui. Outre son énorme collection d'art naïf, le musée présente également des œuvres contemporaines des artistes de la région. Des bénévoles se trouvent sur place pour répondre aux questions sur les expositions qui s'y renouvellent tous les deux mois.

Quartier du parc Mitchell ★★. Autour du square, agrémenté d'une fontaine du sculpteur George Hill (1921), se trouvent certaines des plus belles maisons de Sherbrooke. Au numéro 428 de la rue Dufferin s'élève la **maison Morey** *(on ne visite pas)*, représentative de cette architecture victorienne bourgeoise qu'af-

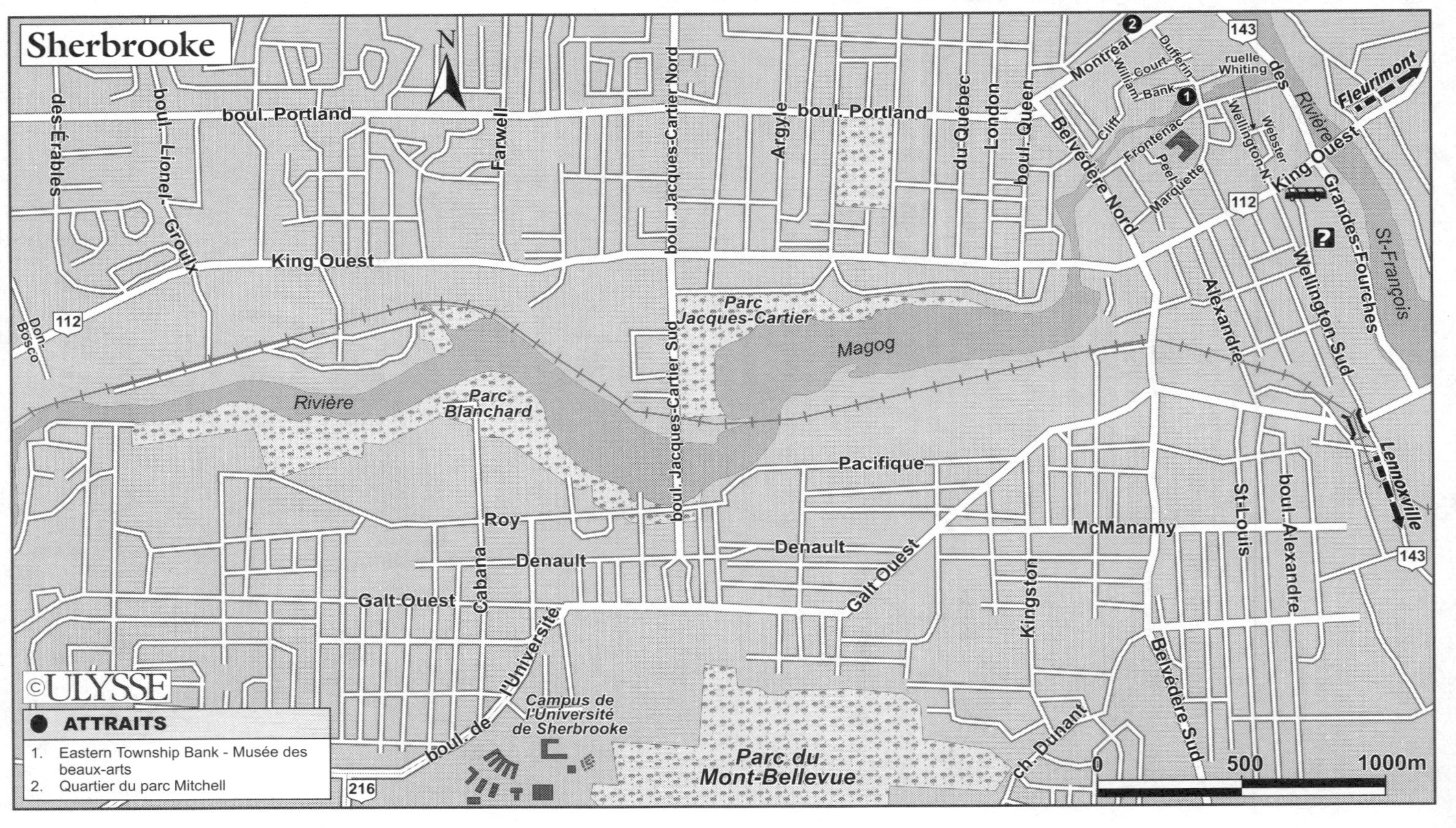
Sherbrooke
N
boul. Portland
des Érables
boul. Lionel-Groulx
Farwell
boul. Jacques-Cartier Nord
Argyle
du Québec
London
boul. Queen
Montréal
Dufferin
Court
William
Bank
ruelle Whiting
des
Rivière
St-François
Fleurimont
Webster
Wellington N.
Cliff
Frontenac
Peel
Marquette
Belvédère Nord
King Ouest
143
112
Grandes-Fourches
Wellington Sud
Alexandre
King Ouest
Don-Bosco
Parc Jacques-Cartier
Magog
Rivière
Parc Blanchard
boul. Jacques-Cartier Sud
Pacifique
Roy
Denault
Cabana
Galt Ouest
McManamy
St-Louis
boul. Alexandre
Lennoxville
Kingston
Belvédère Sud
ch. Dunant
boul. de l'Université
Campus de l'Université de Sherbrooke
Parc du Mont-Bellevue
216
0
500
1000m
©ULYSSE
ATTRAITS
1. Eastern Township Bank - Musée des beaux-arts
2. Quartier du parc Mitchell

fectionnaient les marchands et les industriels originaires des îles Britanniques ou des États-Unis. Elle a été construite en 1873.

Notre-Dame-des-Bois

Cette petite localité, établie au cœur des Appalaches à plus de 550 m d'altitude, est en quelque sorte la porte d'entrée du mont Mégantic et de son observatoire, ainsi que du mont Saint-Joseph et de son sanctuaire, tous deux inclus dans le parc du Mont Mégantic.

L'**ASTROlab du Mont Mégantic** ★★ *(à partir de 10$; mi-juin à début sept tlj 10h à 18h et 20h à 23h; fin-mai à mi-juin sam-dim 11h à 17h; début sept à mi-oct sam-dim 11h à 17h; 189 rte du Parc, ☎819-888-2941, http://astrolab.qc.ca)* est un centre d'interprétation de l'astronomie. Vous pourrez découvrir, à travers les différentes salles de ce musée interactif et son spectacle multimédia, l'histoire de l'astronomie de ses premières heures aux technologies les plus récentes. Une visite guidée au sommet du mont Mégantic, d'une durée approximative de 1 heure 15 min, présente toutes les installations de l'observatoire.

Célèbre pour son observatoire, le mont Mégantic fut choisi en fonction de sa position stratégique, entre les universités de Montréal et Laval, ainsi que de son éloignement des sources lumineuses urbaines. Deuxième sommet en importance des Cantons-de-l'Est, il s'élève à 1 105 m. Lors du **Festival d'astronomie populaire du mont Mégantic**, au cours de la deuxième semaine de juillet, les passionnés d'astronomie peuvent observer la voûte céleste à l'aide du plus puissant télescope de l'est de l'Amérique du Nord. Autrement, ce dernier n'est accessible qu'aux chercheurs. Toutefois, le grand public a accès au nouvel observatoire populaire muni d'un télescope de 60 cm. En été, des «observations-causeries» proposent une présentation sur écran géant et une observation du ciel.

Le **lac Mégantic** ★★, vaste nappe d'eau cristalline s'étendant sur 17 km, est riche en poissons de toutes sortes, notamment en truites, et attire bon nombre de vacanciers voulant profiter des plaisirs de la pêche ou tout simplement des plages.

Cinq municipalités établies autour du lac, dont la plus connue est Lac-Mégantic, accueillent les visiteurs qui viennent profiter de la belle nature de cette région montagneuse.

Parcs

La Montérégie

Il faut prévoir au moins trois heures pour visiter le **Centre de la nature de Mont-Saint-Hilaire** ★★ *(4$; tlj 8h jusqu'à une heure avant le coucher du soleil; 422 rue des Moulins, J3G 4S6, Mt-St-Hilaire, ☎467-1755).*

Aménagé dans la partie supérieure de la montagne, ce centre est un ancien domaine privé que le brigadier Andrew Hamilton Gault a légué à l'Université McGill de Montréal en 1958. On y fait de la recherche scientifique, et l'on y permet les activités récréatives à longueur d'année sur la moitié du domaine (randonnée pédestre, ski de fond), qui fait 11 km^2 au total. Celui-ci a été reconnu en tant que Réserve de la biosphère par l'Unesco en 1978, car il est constitué d'une forêt mature quasi inexploitée au cours des siècles. À l'entrée, on trouve un centre d'interprétation portant sur la formation des collines montérégiennes ainsi qu'un jardin de plantes indigènes.

ASTROlab du Mont Mégantic

Les Cantons-de-l'Est

Le **parc du Mont Orford** ★★ *(C.P. 146, Magog, J1X 3W7, ☎819-843-6233)* s'étend sur plus de 58 km² et comprend, en plus du mont, les abords des lacs Stukely et Fraser. En été, il dispose de deux plages, d'un magnifique terrain de golf *(comptez 30$ pour un parcours)*, d'emplacements de camping, situés au cœur de la forêt, et de quelque 50 km de sentiers de randonnée pédestre (la plus belle piste est celle menant au mont Chauve). En outre, le parc s'adapte aux besoins des amateurs de sports d'hiver et propose des parcours de ski de fond ainsi que 33 pistes de ski alpin.

Le **parc de la Gorge de Coaticook** ★ *(6$; fin juin à début sept 9h à 20h, début sept à fin juin lun-ven 10h à 17h, sam-dim 10h à 18h; 135 rue Michaud, Coaticook, ☎819-849-2331 ou ☎888-524-6743, ⇌849-2459)* protège une portion de la rivière Coaticook où elle a creusé dans le roc une gorge impressionnante qui atteint par endroits jusqu'à 50 m de profondeur. Des sentiers serpentent sur tout le territoire, permettant au visiteur d'apprécier la gorge sous tous ses aspects. La passerelle suspendue, qui a réussi à en faire frissonner plus d'un, traverse la gorge tout en la surplombant.

Surtout connu du public pour son célébrissime observatoire (voir p 216), le **parc de conservation du Mont Mégantic** *(4$; tlj 9h à 17h; animaux domestiques non admis; 189 rte du Parc, Notre-Dame-des-Bois, ☎819-888-2941)*, d'une superficie de 58,8 km², témoigne des différents types de végétation montagneuse des Cantons-de-l'Est et abrite en fait deux monts, le mont Mégantic et le mont Saint-Joseph. De lourdes infrastructures ne risquent pas de venir gâcher la tranquillité de ce parc, dont la mission première est éducative. Les marcheurs et les skieurs pourront profiter de ses sentiers d'interprétation, de ses refuges et des plateformes de camping, et observer, avec un peu de chance, jusqu'à 125 espèces d'oiseaux qui y trouvent refuge. On y pratique également la raquette en hiver et le vélo de montagne en été.

Activités de plein air

Randonnée pédestre

La Montérégie

La Montérégie renferme six collines qui ont été longtemps considérées comme d'anciens volcans. En réalité, il s'agit de roches métamorphiques qui n'ont pu perforer la couche superficielle de la croûte terrestre. Au plan de la randonnée pédestre, ces collines sont idéales pour ceux et celles qui désirent pratiquer leur sport favori sans trop de difficulté, et la plupart sont facilement accessibles par la route. Voici la liste de quelques-uns des meilleurs endroits où marcher :

Le **Parc des îles-de-Boucherville** *(55 Île Ste-Marguerite, pont-tunnel Louis-Hyppolite-Lafontaine, sortie 89, ☎ 928-5088)*, situé au milieu du fleuve Saint-Laurent, a beaucoup à offrir en termes de flore et de faune. Plus de 170 espèces de poissons et 40 espèces d'oiseaux y ont été recensées à ce jour.

Centre de la nature Mont-Saint-Hilaire *(422 ch. des Moulins, ☎467-1755)*. Avec 400 m d'altitude, le mont Saint-Hilaire offre plusieurs possibilités de randonnée grâce à ses nombreux sentiers. Et, en prime, les points de vue que l'on découvre au bout de nos peines en valent l'effort. Entre autres, le Pain de sucre permet une vue sans pareille sur la région montérégienne.

Les Cantons-de-l'Est

Le **Sentier de l'Estrie** *(☎819-868-3889)* propose une longue randonnée de plus 150 km qui sillonne les zones de Chapman, Kingsbury, Brompton, Orford, Bolton, Glen, Echo et Sutton. Il est à noter que le sentier traverse principalement des terrains privés. Les propriétaires ont accordé un droit de passage exclusif aux membres de la Corporation du Sentier de l'Estrie. Vous pouvez vous procurer le topo-guide du Sentier de l'Estrie au coût de 20$, qui inclut la carte de membre vous permetant de circuler sur le sentier.

Équitation

Les Cantons-de-l'Est

Le **centre équestre de Bromont** *(100 rue Laprairie, Bromont, ☎450-534-3255)* a accueilli les compétitions de sport équestre des Jeux olympiques de 1976, pour lesquelles des écuries et des manèges (intérieurs et extérieurs) ont été construits. Depuis lors, une partie des installations est mise à la disposition des personnes qui désirent suivre des cours.

Ski de fond

La Montérégie

Bien sûr, la Montérégie, ce ne sont ni les Laurentides ni les Cantons-de-l'Est. Toutefois, il y a toujours les collines montérégiennes, qui offrent un réseau de pistes de ski de fond fort intéressant. Il peut être très agréable de skier sur des dénivellations un peu moins fortes à l'occasion. En outre, c'est plus près de la grande ville. Voici une liste d'endroits qui pourront plaire à plusieurs. Idéal pour les familles.

Centre de la nature du Mont-Saint-Hilaire
4$
4 sentiers - 7,5 km
422 ch. des Moulins
☎467-1755

Parc de conservation du Mont-Saint-Bruno
3,25$ voiture
6,25$ pers.
Location
9 sentiers - 27 km
330 ch. des 25 E.
☎653-7111

Les Cantons-de-l'Est

Tout comme pour le ski alpin et la randonnée pédestre, la région de Sutton possède un superbe réseau de pistes de ski de fond. Le réseau de **Sutton-en-Haut** *(6,95$; 297 rue Maple, Sutton-en-Haut, J0E 2K0, ☎450-538-2271)* compte 15 sentiers qui s'entrecroisent, permettant de varier les parcours durant la journée.

Le **parc du Mont Orford** *(9$; Magog-Orford, ☎819-843-9855)*, lui aussi, abrite un centre de ski de fond ayant acquis une solide réputation. Avec ses 12 sentiers couvrant près de 55 km, ce centre saura plaire aux skieurs de tous les niveaux.

Long de 82 km, le **Centre de ski de Fond Bellevue** *(8$; 70 ch. Lay, Melbourne, J0B 2B0, ☎819-826-3869)* constitue une agréable surprise. On y trouve 15 sentiers répartis également entre 3 niveaux de difficulté.

En plus de son célèbre observatoire et de ses conditions de neige exceptionnelles, le parc du Mont Mégantic propose huit sentiers de ski de fond. Les **Sentiers du Mont Mégantic** *(8$; ch. de l'Observatoire, rang 2, J0B 2E0, Notre-Dame-des-Bois, ☎819-888-2800)* offrent l'une des plus longues saisons de ski au Québec. Grâce à son altitude, vous pourrez même, avec de la chance, y skier au mois de mai!

Ski alpin

Les Cantons-de-l'Est

Les skieurs trouveront à la **Station de ski Bromont** *(34$; 150 rue Champlain, Bromont, ☎450-534-2200)* 23 pistes dont 20 sont éclairées, permettant aux amateurs de faire du ski en soirée jusqu'à 23h30. Le mont n'offre cependant qu'un dénivelé d'au plus 400 m.

La **Station de ski du mont Sutton ★** *(39$; 671 ch. Maple, Sutton, ☎450-538-2545)* dispose de 53 pistes de ski alpin sur un dénivelé de 460 m. Réputée parmi les amateurs de sous-bois, cette station n'a rien à envier à ses consœurs québécoises et américaines.

Figurant parmi les plus belles stations de ski du Québec, le **Mont Orford ★** *(33,75$; Magog, ☎819-843-6548)* propose une quarantaine de pistes qui sauront plaire à tous.

Le **Mont Owl's Head ★** *(30$; ch. du Mont Owl's Head, Mansonville, ☎450-292-3342 ou 800-363-3342)* est l'une des plus belles stations de ski des Cantons-de-l'Est en raison des panoramas qu'elle offre sur le lac Memphrémagog et les montagnes environnantes. Cette station saura surtout plaire aux amateurs de descente ainsi qu'aux skieurs de niveau intermédiaire ou débutant, puisque l'on peut y déplorer le manque de pistes de très haut calibre.

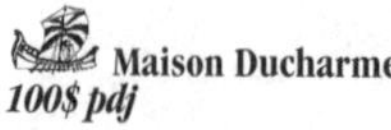

Hébergement

La Montérégie

Chambly

Maison Ducharme
100$ pdj
≈
10 rue De Richelieu, J3L 2B9
☎447-1220
⇄447-1018
Dans une ancienne caserne du début du XIXe siècle (voir p ?), on a aménagé à deux pas du fort Chambly cet agréable logement chez l'habitant.

Décorée avec beaucoup de raffinement, la Maison Ducharme nous plonge, dans un luxe suranné, à une époque où l'on prenait, plus qu'aujourd'hui, le temps de vivre et où chaque détail intérieur était soigné. Disposant d'un vaste terrain au bord de la rivière Richelieu, tout en rapides à cet endroit, il fait bon en été se prélasser dans son jardin à l'anglaise et profiter de sa piscine.

Saint-Jean-sur-Richelieu

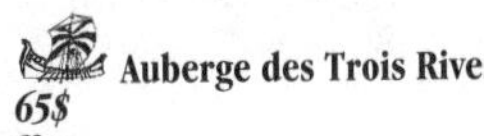

Auberge des Trois Rives
65$
ℜ
297 rue Richelieu, J3B 6Y3
☎358-8077
L'Auberge des Trois Rives est un sympathique gîte touristique aménagé dans une maison rustique. Le rez-de-chaussée renferme un restaurant, et une terrasse offre une vue agréable sur l'eau. Deux étages se partagent 10 chambres décorées de façon modeste mais chaleureuses.

Belœil

Hôtellerie Rive Gauche
110$
≡, ⊛, *tv*, ≈, ℜ, ℑ
1810 boul. Richelieu, J3G 4S4
☎467-4477
⇄467-0525
À la sortie 112 de l'autoroute 20 Est, sur le bord de la rivière Richelieu, se situe l'Hostellerie Rive Gauche. Cette hostellerie, comptant 22 chambres enjolivées de tons chauds et de toile de lin, offre une vue sur l'eau. Deux courts de tennis sont mis à la disposition de la clientèle. On y trouve une salle à manger chaleureuse. À la suite d'un incendie, cet établissement ouvrira ses portes à nouveau en avril 2000.

Mont-Saint-Hilaire

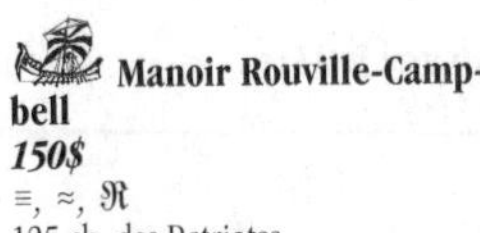

Manoir Rouville-Campbell
150$
≡, ≈, ℜ
125 ch. des Patriotes
☎446-6060
☎800-714-1214
⇄446-4878
Le Manoir Rouville-Campbell a ce petit quelque chose qui confère à certains établissements une atmosphère unique et même, à la limite, mystique. Quand on entre dans le manoir, on a l'impression que le temps s'est arrêté il y a plus d'un siècle. Il faut dire que l'endroit, maintenant vieux de 200 ans, a vu plusieurs pages de l'histoire du Québec se tourner.

D'abord la demeure d'un seigneur au temps de la colonie, il appartint au major Campbell et à sa descendance pendant plusieurs années, pour ensuite être vendu à une entreprise de construction et finalement être racheté par le célèbre peintre Jordi Bonet afin de le sauver de la décrépitude. C'est aujourd'hui Yvon Deschamps, célèbre humoriste québécois, qui en est propriétaire. Le manoir est reconverti en hôtel de luxe depuis 1987. Pour une expérience de la vie de seigneur, c'est l'endroit tout indiqué. La salle à manger, le bar et les jardins avec vue sur le Richelieu ajoutent un plus à ce lieu d'hébergement déjà magique.

Saint-Hyacinthe

Hôtel Gouverneur Saint-Hyacinthe
160$
≡, ⊛, ≈, ⊘, ⌂, ℜ
1200 rue Daniel-Johnson O. J2S 7K7
☎774-3810
☎800-363-0110
⇄774-6955
Aménagé dans un bâtiment qui se dresse au bord de l'autoroute, l'hôtel Gouverneur Saint-Hyacinthe offre de nombreux services afin de rendre le séjour des visiteurs le plus agréable possible. Ainsi, des courts de tennis et de squash sont mis à leur disposition. Le hall est orné de plantes et d'une fontaine créant une atmosphère paisible, et les chambres sont jolies.

Saint-Marc-sur-Richelieu

Hostellerie Les Trois Tilleuls
150$
≡, ⊛, ≈, *tv*, ℜ, ℑ
290 boul. Richelieu, J0L 2E0
☎856-7787
☎800-263-2230
⇄584-3146
L'Hostellerie Les Trois Tilleuls est membre de la prestigieuse association Relais et Châteaux. Construite au bord de la rivière Richelieu, elle bénéficie d'un site champêtre d'une grande tranquillité. On doit le nom de l'établissement à trois fiers arbres ombrageant la propriété. Les chambres, décorées de meubles rustiques, disposent toutes d'un balcon donnant sur la rivière. À l'extérieur, des jardins et un belvédère sont mis à la disposition de la clientèle, qui a aussi accès à la piscine chauffée.

Les Cantons-de-l'Est

Dunham

Pom-Art B&B
65$ pdj ; bc
80$ pdj ; bp
677 ch. Hudon
☎(450) 295-3514
☎888-537-6627
Avec son 0,5 ha de terrain, le Pom-Art B&B, dont la construction date de 1820, est un véritable trésor. Denis et Lise vous réservent un accueil chaleureux, sans parler d'un petit déjeuner exceptionnel où les pommes de la région sont à l'honneur. Un endroit parfait où se réfugier après une journée essoufflante sur les pentes de ski du mont Sutton, situé à 15 km de là. La plus luxueuse des trois chambres proposées possède d'ailleurs un foyer et une fenêtre avec vue sur les montagnes de la région.

Bromont

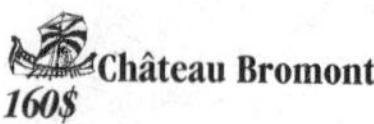**Château Bromont**
160$
≡, ⊛, ℑ, ✪, ≈, △, ℜ
90 Stanstead, J0E 1L0
☎(450) 534-3433
☎800-304-3433
⇄534-0514
Si vous cherchez à vous loger confortablement, vous pouvez choisir le Château Bromont, dont les chambres et les pièces principales sont élégamment garnies de meubles anciens. L'établissement se trouve sur un terrain avoisinant le mont Bromont, ce qui permet aux skieurs de s'y rendre facilement.

Autour du lac Brome

Auberge Joli Vent
80$ pdj
≈
667 ch. Bondville
Foster, J0E 1R0
☎(450) 243-4272
⇄243-0202
La belle demeure de l'Auberge Joli Vent bénéficie d'un site agréable, bien que située au bord de la route. Ses chambres, modestement meublées, ont un cachet rustique.

Knowlton

Auberge Lakeview
158$ pdj ven-dim
137$ pdj lun-jeu
⊛, ≈, ℜ, *tv*, ⊗
50 rue Victoria
☎(450) 243-6183
☎800-661-6183
⇄243-0602
L'Auberge Lakeview, bien située près des stations de ski et des terrains de golf, propose une atmosphère tout à fait victorienne. En effet, les travaux de rénovation de 1986 ont fait renaître le cachet de noble ancienneté de ce monument historique dont la construction remonte à la deuxième moitié du XIXe siècle. Le prix des chambres, confortables et spacieuses, inclut le petit déjeuner continental.

Sutton

Auberge La Paimpolaise
47,50$
≡, ⊛, ≈, ℜ
615 rue Maple
C.P. 548, J0E 2K0
☎(450) 538-3213
☎800-263-3213
⇄538-3970
Établie près des pistes de ski, l'Auberge La Paimpolaise se compose de deux bâtiments distincts. Ainsi, l'entrée se trouve dans une petite maison de bois imitant les chalets suisses, alors qu'une longue annexe de béton renferme les chambres, d'ailleurs plutôt austères. L'endroit, bien ordinaire, attire une clientèle essentiellement constituée de skieurs.

Saint-Benoît-du-Lac

Si vous désirez vous reposer en paix loin de tout, vous pouvez vous rendre à l'**Abbaye** et demander l'hospitalité, que les moines vous accorderont s'ils ont de la place. De petites chambres, meublées d'un simple lit, seront alors mises à votre disposition. Vous payez selon votre générosité.

Magog

Aux Jardins Champêtres
70$ pdj; bc
90$ pdj; bp
1575 ch. des Pères
☎(819) 868-0665
Entouré de fleurs sauvages et de chats, le gîte touristique Aux Jardins Champêtres rappelle les étés passés dans les maisons de nos grands-mères! Situé à quelques minutes de Magog et de l'Abbaye St-Benoît-du-Lac, le gîte offre des chambres confortables ainsi qu'une piscine. L'accueillante petite ferme doit également sa notoriété à son excellente et diversifiée table champêtre.

Orford

L'Auberge La Grande Fugue
18$ pers.
mai à oct
3166 ch. du Parc
☎(819) 843-8595
☎800-567-6155
Située à même le site du Centre d'arts Orford, L'Auberge La Grande Fugue met à la disposition des visiteurs une série de petits chalets en pleine nature. Une cuisine communautaire est également accessible.

Village Mont Orford
245$
≈, ℂ
3635 ch. du Parc, J1X 3W8
☎(819) 847-2662
☎800-567-7315
⇄847-2487
Le Village Mont Orford est constitué de plusieurs bâtiments, chacun comprenant quelques jolis condominiums (appartements) tout équipés. À environ 200 m du Village, un télésiège quadruple donne accès aux pistes du mont Orford.

Manoir des Sables
175$
⊛, ℂ, ≡, ℜ, △, ⊘, ≈, *tv*, ℑ, ✪
90 av. des Jardins
☎(819) 847-4747
☎800-567-3514
⇄847-3519
À l'ombre du mont Orford se dresse maintenant le très luxueux et moderne Manoir des Sables. On y retrouve une foule de services et installations dont des piscines extérieure et intérieure, un terrain de golf de 18 trous, des courts de tennis et un relais santé. Plusieurs des chambres possèdent un foyer, et celles du dernier étage offrent une vue splendide sur le lac et le terrain de 60 ha. Une chambre dans la section «Privilège» assure un service exemplaire et inclut le petit déjeuner continental.

Ayer's Cliff

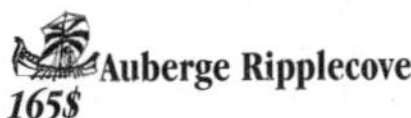
Auberge Ripplecove
165$
≡, ⊛, ≈, ℜ, ℑ
700 rue Ripplecove
☎819-838-4296
☎800-668-4296
⇄838-5541
Regardant le lac Massawippi, l'Auberge Ripplecove, avec son verdoyant terrain d'environ 6 ha, offre un cadre champêtre merveilleusement paisible permettant de pratiquer diverses activités de plein air. Son élégant salon de style victorien et ses chambres distinguées assurent le confort dans une intimité sans pareille. Aussi les chambres les plus luxueuses possèdent-elles leurs propres foyers et bagnoires à remous. L'endroit devient absolument féerique en saison hivernale. Le restaurant de l'auberge se spécialise dans une cuisine française de qualité (voir p 223).

North Hatley

L'Auberge Hatley
130$
≡, ⊛, ≈, ℜ, ℑ
325 ch. Virgin, J0B 2C0
☎819-842-2451
⇄842-2907
L'Auberge Hatley occupe une superbe demeure construite en 1903. Aujourd'hui, la salle de séjour spacieuse, donnant sur le lac, et les chambres se parent de beaux meubles antiques qui créent une atmosphère chaleureuse. Entourée d'un vaste jardin, au cœur duquel a été aménagée une piscine, l'auberge est un véritable havre de détente.

Manoir Hovey
170$
≈, ⊛, ⊘, ℜ, ℑ
575 ch. Hovey, J0B 2C0
☎819-842-2421
☎800-661-2421
⇄842-2248
Bâti en 1900, le Manoir Hovey reflète bien l'époque où de riches familles choisissaient North Hatley pour y passer leurs vacances dans de belles demeures de campagne (voir p 213). Transformé en auberge il y a plus de 40 ans, le manoir se révèle, aujourd'hui encore, d'un grand confort. Il compte 40 chambres garnies de beaux meubles anciens; et la plupart de celles-ci font face au lac Massawippi. L'aménagement paysager préserve le charme ancien et naturel du site.

Sherbrooke

Le Vieux Presbytère
65$ bp
1162 boul. Portland
☎819-346-1665
Le Vieux Presbytère, récemment converti en gîte touristique, abrite cinq chambres décorées avec goût. Plusieurs trouvailles des propriétaires raviront les amateurs de meubles antiques, sans parler du très beau salon accueillant les visiteurs au rez-de-chaussée. De plus, un rangement sécuritaire est prévu pour les vélos. Prenez note, toutefois, que ce gîte n'est malheureusement ouvert que durant la belle saison.

Hôtel Delta
156$
≡, ≈, ⊛, ⊘, △, ℜ, ✪, ♞, ♿
2685 rue King O.
J1L 1C1
☎819-822-1989
☎800-268-1133
⇄822-8990
L'immeuble aux teintes rosées de l'Hôtel Delta s'élève à l'entrée de la ville. Il propose une foule d'installations telles que piscine intérieure, baignoire à remous et salle d'exercices.

Restaurants

La Montérégie

Chambly

Crêperie du Fort Chambly
$$-$$$
1717 rue Bourgogne
☎447-7474
Au bord du bassin de Chambly, cette maison de

Québec

bois aux allures maritimes qu'est la Crêperie du Fort Chambly invite à profiter du beau paysage environnant. On y sert bien sûr des crêpes mais aussi des fondues au fromage. Terrasse au bord de l'eau et service sympathique. Brunch le dimanche.

Saint-Jean-sur-Richelieu

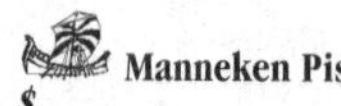 **Manneken Pis**
$
320 rue De Champlain
☎348-3254
Avec un nom comme Manneken Pis, les gaufres ne sont pas loin, et quelles délicieuses gaufres au chocolat fin! Les cafés, torréfiés sur place s'avèrent eux aussi excellents, et c'est avec plaisir qu'on les déguste à la terrasse devant la petite marina. On propose aussi des sandwichs et salades.

 **Chez Noeser**
$$$
apportez votre vin
fermé lun-mar
236 rue De Champlain
☎346-0811
Il y a quelques années, Denis et Ginette Noeser ont quitté Montréal et leur restaurant de la rue Saint-Denis pour s'installer à Saint-Jean-sur-Richelieu et y ouvrir un sympathique restaurant offrant un service des plus agréables et une délicieuse cuisine française classique : Chez Noeser. Durant l'été, une terrasse est mise à la disposition de la clientèle.

Saint-Hyacinthe

À Saint-Hyacinthe, deux adresses sont connues de tous, et elles ont le même propriétaire. Sans être de la haute gastronomie, **Chez Pépé** *($$; 1705 rue Girouard O., ☎773-8004)* et **Grillade Rose** *($$; 494 rue St-Simon, ☎771-0069)* proposent des plats honnêtes dans un décor avec terrasse très agréable. Le concept semble s'inspirer des chaînes de restaurants de cuisine fine très répandues dans le Canada anglais. Chacun des restaurants s'est développé autour d'un thème : Pépé, c'est l'Italie avec son choix de pâtes, et Grillade Rose évoque Santa Fe avec ses grillades et ses *nachos*.

Saint-Marc-sur-Richelieu

Hostellerie Les Trois Tilleuls
$$$$
290 boul. Richelieu
☎856-7787
☎800-263-2230
Au restaurant de l'Hostellerie Les Trois Tilleuls, on peut savourer certains trésors de la gastronomie française. Le menu, composé avec art, présente des mets traditionnels qui ne manquent pas de raffinement. La salle à manger offre une agréable vue sur la rivière. En été, la terrasse s'avère des plus charmantes.

Les Cantons-de-l'Est

Dunham

L'Orpailleur
$-$$
début juin à fin oct
fermé lun-mar
1086 rte 202
☎450-295-2763
Au restaurant du vignoble L'Orpailleur, on propose, en été seulement, une courte carte de qualité. Une agréable terrasse donne sur le vignoble et permet de contempler de jolis paysages tout en mangeant. Le service est des plus sympathiques. Il vaut mieux réserver.

Granby

Ben la Bédaine
$
599 rue Principale
☎450-378-2921
Le nom très évocateur de Ben la Bédaine vous fera peut-être sourire, mais sachez qu'il s'agit en fait d'un véritable temple de la frite!

Maison de chez nous
$$$-$$$$
847 rue Mountain
☎450-372-2991
Le patron de La Maison de chez nous a renoncé à sa cave à vins afin de permettre certaines économies à sa clientèle, qui peut désormais apporter son vin. Autre choix significatif de la maison, la cuisine québécoise est mise à l'honneur dans ce qu'elle a de meilleur et de plus recherché.

Cowansville

McHaffy
$$$-$$$$
351 rue Principale
☎450-266-7700
Un incontournable de la région estrienne, le restaurant McHaffy, dont le menu est renouvelé tous les deux mois, propose une fine cuisine d'influence internationale créée à partir des produits de la région. Le tout peut s'accompagner de vin des Blancs Coteaux, choisi par Alain Bélanger, l'un des meilleurs sommeliers québécois. À midi, on peut aussi manger plus légèrement tout en profitant d'une agréable terrasse. Il ne faut surtout pas manquer le «festival du canard», de la mi-octobre à la mi-novembre, alors que le chef Pierre Johnston crée

d'excellents plats pour l'occasion.

Bromont

Les Délices de la Table
$$-$$$
641 rue Shefford
☎534-1646
Les Délices de la Table, un petit restaurant-traîteur aux allures champêtres avec ses murs jaune soleil, ses rideaux de dentelle et ses nappes aux motifs de fleurs et de fruits, est le genre d'endroit où l'on se sent bien dès qu'on franchit la porte.

Vous pourrez déguster, entouré d'une clientèle d'habitués, de délicieux plats à base de produits régionaux, préparés avec soin et raffinement par le chef, qui est aussi le propriétaire des lieux. Il est préférable de réserver car l'établissement, en plus d'être petit, est de plus en plus fréquenté.

L'Étrier Rest-O-Bar
$$$
fermé lun
547 rue Shefford
☎450-534-3562
L'Étrier Rest-O-Bar prépare une cuisine de qualité grâce à laquelle il s'est créé une clientèle d'habitués. Le restaurant est situé un peu à l'écart de la ville et bénéficie d'un cadre peu recherché mais plaisant.

Sutton

Il Duetto
$$$-$$$$
tlj à partir de 17h
227 Académie-Élie
☎450-538-8239
Situé dans une contrée rurale calme et bien caché parmi les collines aux alentours de Sutton, le restaurant Il Duetto propose une fine cuisine italienne. Les pâtes maison y sont fraîches, et les plats principaux s'inspirent de la gastronomie des différentes régions italiennes. On peut également savourer des vins italiens sur la terrasse, ou bien choisir le menu dégustation à cinq services pour avoir une bonne idée de la variété de la cuisine italienne.

Magog

La Grosse Pomme
$$
273 rue Principale O.
☎819-843-9365
Le sympathique restaurant La Grosse Pomme sert une bonne cuisine de type bistro. Durant la soirée, l'endroit attire jeunes et moins jeunes qui viennent prendre un verre et bavarder.

La Paimpolaise
$$-$$$
soir seulement, lun-mar en hiver
rte 112
☎819-843-1502
Bien que située au bord d'une route très passante, La Paimpolaise ne manque pas de cachet. Une maison coquette abrite ce chaleureux restaurant où l'on propose une bonne sélection de crêpes et autres mets français. Sans doute l'une des meilleures adresses de la ville.

Orford

Les Jardins
$$$-$$$$
90 av. des Jardins
☎819-847-4747
☎800-567-3514
Avec son décor moderne, le restaurant Les Jardins du Manoir des Sables manque un peu de personnalité. Heureusement, ses grandes fenêtres donnent sur le mont Orford. On retrouve au menu de la cuisine gastronomique dont une «table estrienne» ***($$$$)*** permettant de se familiariser agréablement avec les saveurs de la région.

Ayer's Cliff

Auberge Ripplecove
$$$$
700 rue Ripplecove
☎819-838-4296
☎800-668-4296
Reconnu comme établissement «quatre diamants», le restaurant de l'Auberge Ripplecove propose une fine cuisine gastronomique de grande distinction. Son atmosphère victorienne et son décor élégant en font un endroit excellent pour un repas romantique. En outre, il dispose d'une excellente cave à vins.

North Hatley

Pilsen
$$
55 rue Main
☎819-842-2971
Aménagé dans une grande maison construite au bord du lac Massawippi, le restaurant Pilsen prépare de bons petits plats dans une atmosphère chaleureuse et sympathique. Sa jolie décoration champêtre et ses meubles antiques lui confèrent un air vieillot fort plaisant.

Auberge Hatley
$$$$
rte 108
☎819-842-2451
Honorée à maintes reprises, la cuisine du restaurant de l'Auberge Hatley est sans conteste l'une des meilleures que l'on puisse goûter dans les Cantons-de-l'Est. Le repas gastronomique, savamment dosé, saura plaire aux plus fins palais. La salle à manger offre en outre une décoration fort belle et une vue magnifique sur le lac Massawippi. Réservations nécessaires.

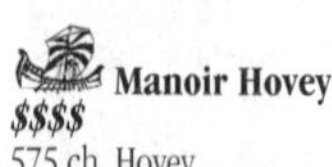
Manoir Hovey
$$$$
575 ch. Hovey
☎819-842-2421
Garnie de meubles anciens et d'un foyer, la salle à manger du Manoir Hovey vous promet une ambiance feutrée où vous passerez une excellente soirée. Sa cuisine, tout aussi raffinée que celle servie à l'Auberge Hatley, a elle aussi mérité bien des éloges.

Sherbrooke

Presse Boutique Café
$-$$
4 rue Wellington N.
☎819-822-2133
Une clientèle relaxe fréquente le Presse Boutique Café. Outre les expositions d'arts visuels et les concerts de musiciens de la région et d'ailleurs, on peut y profiter d'un bon choix de bières importées, d'un menu simple (salades, croque-monsieur, sandwichs, etc.) et de plats végétariens. De plus, deux postes Internet sont également accessibles (6$/h, 1$/10 min.). Bref, ce café témoigne bien du nouveau souffle qui fait présentement revivre le vieux centre-ville de Sherbrooke.

Da Toni
$$$$
15 Belvédère N.
☎819-346-8441
La réputation du luxueux restaurant Da Toni, situé en plein cœur du nouveau centre-ville, n'est plus à faire. En effet, depuis 25 ans, on y déguste, dans un décor classique, de la fine cuisine française ou italienne arrosée d'un vaste choix de vins. La table d'hôte propose cinq excellents services, et ce, à bon prix. Quoiqu'un peu bruyante, une terrasse permet de siroter un verre durant la période estivale.

Notre-Dame-des-Bois

Aux Berges de l'Aurore
$$$$
mai à oct mer-dim 18h à 21h, tlj juil et août
139 rte du Parc
☎819-888-2715
Situé à proximité du verdoyant mont Mégantic, l'intime et fort charmant restaurant Aux Berges de l'Aurore sert une excellente cuisine québécoise. Assaisonnés d'herbes sauvages fraîchement cueillies dans la campagne environnante, ses plats sont des plus originaux. Dès la première bouchée, on comprend pourquoi sa table a reçu le prix du «Mérite de la Fine Cuisine Estrienne»!

Sorties

Bars et discothèques

Les Cantons-de-l'Est

North Hatley

La Pilsen
55 rue Principale
La Pilsen accueille une clientèle de vacanciers qui viennent discuter tout en prenant une bière et en contemplant le lac Massawippi.

Lac Brome

Knowlton Pub
267 Knowlton Rd
☎819-242-6862
Le Knowlton Pub a acquis une réputation telle, que même les Montréalais en quête de dépaysement s'y rendent pour passer une soirée entre amis.

Magog

Café St-Michel
50 rue Principale O.
Le Café St-Michel est un petit «restaurant-bar» aux airs de boîte à chansons fort convivial. Outre son choix non négligeable de bières importées, on peut y entendre, du vendredi au dimanche, des musiciens au style musical diversifié. Deux ordinateurs sont également mis à la disposition des inconditionnels de la «grande toile» moyennant des frais de 4$ la demi-heure.

La Grosse Pomme
270 rue Principale O.
☎(819) 843-9365
À la fois bistro et pub, La Grosse Pomme est, chaque soir, envahie par une foule animée.

Sherbrooke

Au Vieux Quartier
252 rue Dufferin
☎(819) 346-9552
Établi dans l'ancien centre-ville, le pub Au Vieux Quartier, à l'ambiance décontractée, demeure fidèle au rock classique, comme en témoignent les photos des divers artistes rock qui tapissent les murs. De plus, tous les dimanches soirs, on peut venir voir et entendre différents artistes de la région.

Café du palais
184 ruelle Whiting
☎(819) 566-8977
On va au Café du palais pour danser. Certains soirs, des spectacles sont présentés.

King Hall
286 rue King O.
Le sympathique bar King Hall propose une intéressante sélection de bières provenant de diverses contrées.

Théâtres et salles de spectacle

La Montérégie

Upton

Unique en Amérique du Nord, le concept théâtral de **La Dame de cœur** *(juin à début sept; 611 rang de la Carrière, ☎549-5828)* ne manquera pas d'émerveiller jeunes et moins jeunes. Situé dans un magnifique site historique, le Théâtre de la Dame de Cœur présente un spectacle multidisciplinaire avec des marionnettes géantes et des effets visuels saisissants. La salle de spectacle extérieure, avec son immense toiture, renferme des sièges pivotants munis de bretelles chauffantes pour éviter l'inconfort des soirées fraîches. Vous vivrez sans contredit un retour unique dans l'imaginaire de vos rêves d'enfant.

Les Cantons-de-l'Est

Sherbrooke

Deux mensuels sont distribués gratuitement : *Visages* et *Fusions*. On y trouve le calendrier complet des activités culturelles et un point de vue moins conventionnel sur la région.

Salle Maurice-O'Bready
2500 boul. Université
☎(819) 820-1000
Le centre culturel de l'Université de Sherbrooke abrite la Salle Maurice-O'Bready, où vous pourrez assister à des concerts de musique, tant classique que rock, à des pièces de théâtre et à d'autres spectacles.

Vieux Clocher de Sherbrooke
1590 rue Galt O.
☎(819) 822-2102
Ancienne église convertie en salle de spectacle, le Vieux Clocher de Sherbrooke accueille maintenant les mélomanes et les fidèles du divertissement. Se donnant la même vocation que son prédécesseur de Magog, la nouvelle salle offre des «spectacles-découvertes» de jeunes artistes québécois ainsi que d'artistes bien établis. Vous trouverez aussi la liste des représentations qui animent cette salle d'environ 500 places dans le quotidien sherbrookois *La Tribune*.

Orford

Centre d'arts Orford
3165 ch. du Parc
☎843-3981
☎800-567-6155
Le Centre d'arts Orford propose des stages de perfectionnement aux jeunes musiciens pendant l'été. Un festival annuel (voir ci-dessous) est également présenté sur le site, qui regroupe plusieurs bâtiments modernes des années soixante conçus par l'architecte Paul-Marie Côté. La salle d'exposition qui complète l'ensemble est l'ancien pavillon «L'Homme et la Musique» d'Expo 67, conçu par les architectes Desgagné et Côté.

Magog

Théâtre du Vieux-clocher
64 rue Merry N.
☎819-847-0470
Aménagé dans une vieille église protestante de 1887, le Théâtre du Vieux-clocher a servi au rodage de maints spectacles qui ont, par la suite, connu un très grand succès au Québec et en France. Vous pouvez assister aux spectacles en réservant vos places à l'avance. L'endroit est sympathique mais petit.

Fêtes et festivals

La Montérégie

Saint-Jean-sur-Richelieu

Le **Festival de montgolfières** (*deuxième semaine d'août; ☎347-9555, www.montgolfieres.com)* se tient à Saint-Jean-sur-Richelieu. Le ciel se couvre alors d'une centaine de montgolfières multicolores. Les envolées ont lieu tous les jours à 6h et à 18h, si le temps le permet. De l'animation, des expositions et des spectacles font partie des festivités pendant ces journées.

Sallaberry-de-Valleyfield

Valleyfield est l'hôte des **Régates internationales de Valleyfield** *(première fin de semaine de juil; ☎371-6144 ou 888-371-6144)*. La compétition propose diverses catégories de courses d'hydroplanes, au cours desquelles les plus rapides peuvent parfois atteindre une vitesse de près de 240 km/h.

Kahnawake

Différents événements traditionnels autochtones (danses, chants, etc.) sont organisés dans le cadre du **Pow Wow** *(deuxième fin de semaine de juil; ☎638-9699)*. La plupart des activités ont lieu sur l'île Kateri Tekakouitha.

Les Cantons-de-l'Est

Granby

Le **Festival de la chanson de Granby** (*mi-sept; ☎450-375-7555*) a déjà couronné le talent de jeunes artistes québécois dans le domaine de la chanson francophone. Des auteurs-compositeurs et interprètes aussi connus que Luc de La Rochelière, Jean Leloup et Fabienne Thibault s'y sont fait connaître.

Magog

Quelques journées de festivités sont organisées dans le cadre de la **Traversée internationale du lac Memphrémagog** (*5$; mi-juil; ☎819-843-5000 ≠843-5621*). Animation ambulante, spectacles d'artistes québécois, expositions de toutes sortes et chansonniers sont alors de la partie. Le couronnement des célébrations a lieu avec l'arrivée des nageurs en provenance de Newport (USA). Le périple de 42 km est entrepris par des athlètes considérés parmi les meilleurs à l'échelle internationale. Cet événement a célébré, à l'été 1998, sa 20e édition.

Orford

Pendant les mois de juillet et août, le **Festival Orford** (*3165 ch. du Parc, ☎819-843-3981 ou 888-310-3665*) propose une série de concerts présentant des ensembles musicaux formés de virtuoses connus internationalement. Plusieurs excellents concerts sont également présentés gratuitement par de jeunes musiciens venus perfectionner leur art au Centre d'arts Orford durant l'été. Du plus haut calibre, le festival se veut un délice absolu pour les mélomanes et autres amoureux de la musique.

Achats

La Montérégie

La Montérégie est de plus en plus reconnue pour ces petites adresses que l'on se passe entre amis ou que l'on garde précieusement pour ses escapades de fin de semaine. Il est presque devenu coutume de sortir de la ville afin de se diriger en Montérégie pour la cueillette de fruits en saison, pour trouver de précieuses antiquités ou encore simplement pour faire l'achat et la dégustation de produits agricoles.

Chambly

Une Histoire d'Amour (*1878 rue Bourgogne, ☎658-9222*) est parmi les premières boutiques du genre au Québec à offrir toute sorte de trouvailles artisanales intéressantes. Mais depuis, avouons-le, ce genre de boutiques pousse aussi vite que des champignons. Reste que celle-ci a gardé un cachet bien à elle. Ça vaut la peine d'y jeter un coup d'œil.

Iberville

Spécialisée dans les arrangements de fleurs séchées de toute beauté, la jeune propriétaire des **jardins de Versailles** (*fin juin à fin déc tlj 9h à 17h, mi-jan à fin juin mer-dim; 399 rang Versailles, rte. 227, ☎346-6775*) se fait un plaisir de vous faire visiter son jardin ainsi que le séchoir où fleurs et légumes se côtoient pour finir en diapason dans un magnifique arrangement. Ateliers proposés.

La Maison sous les Arbres (*2024 rte. 133 S., ☎347-1639*). Imaginez une galerie d'art aménagée dans une demeure. Vous magasinerez vos articles de salle de bain dans la salle de bain, vos accessoires de cuisine dans la cuisine, et ainsi de suite. Pour ceux et celles qui adorent fouiner dans la maison des autres.

Victor, Christiane et leur fille Stéphanie, de chaleureux Alsaciens d'origine, sont propriétaires du **Vignoble Dietrich-Jooss** (*toute l'année 9h à 18h, mar-dim; 407 Grande Ligne, ☎347-6857*) depuis 1986. Leur vin a déjà remporté plusieurs prix d'excellence dans diverses compétitions prestigieuses, preuve qu'il est possible de faire un vin de haut calibre en pays québécois. Dégustation.

Hudson

Le **Marché Finnigan** (*boutique tlj 9h à 16h, marché public sam seulement mai à nov; 775 rue Principale, ☎458-4377*), ce célèbre marché en plein air où l'on propose non seulement des antiquités mais aussi une foule d'autres trouvailles, est un incontournable dans la région. Quel plaisir de déambuler à travers tous ces trésors qui sont pour la plupart vendus à des prix abordables!

Saint-Antoine-Abbé

Léger et frais, l'hydromel est la boisson tout indiquée pour les belles journées d'été, et les **Vins Mustier Gerzer, Hydromel** (*ouvert à l'année; 3299 rte. 209, ☎826-4609*), situés dans la magnifique région de Saint-Antoine-Abbé, sont passés maîtres dans sa fabrication. D'ailleurs, à cet endroit, l'abeille est à l'honneur avec une gamme variée de produits à base de miel. Dégustation.

Sainte-Marie-de-Monnoir

Semblerait-il que l'autruche soit la viande de l'avenir? En attendant, ça vaut la peine d'y goûter. Aménagée pour recevoir des visiteurs avec une aire de repos et un kiosque de souvenirs, la **Ferme l'Autruche Dorée** *(visite 3$; ouvert à l'année mer-dim 9h à 17h; 505 Ruisseau St-Louis O., ☎460-2446)* vend des produits de l'autruche.

Otterburn Park

Ce qui fait la renommée de la **Chocolaterie La Cabosse D'Or** *(ouvert toute l'année; mi-juin à fin août lun-mer 9h à 18h, jeu-dim 9h à 21h; début sept à mi-juin lun-mer 10h à 18h, jeu-ven 9h à 21h, sam 9h à 18h; 973 ch. Ozias-Leduc, ☎464-6937 et 800-784-6937)*, c'est bien sûr le chocolat belge de première qualité, mais c'est encore l'aspect enchanteur digne des contes de notre enfance, comme Hensel et Gretel. On y retrouve une splendide maison avec boutique, terrasse et salon de thé. Les hôtesses, vêtues en costume traditionnel, nous accueillent avec le sourire.

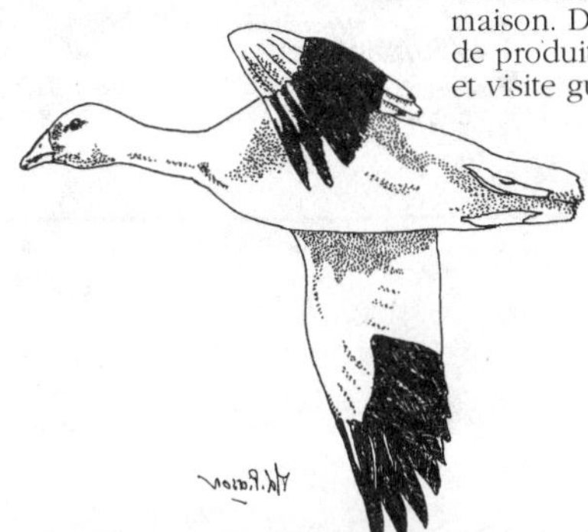

Les Cantons-de-l'Est

Rougemont

Cidrerie Michel Jodoin
tlj
1130 rang de la Petite-Caroline
☎450-469-2676
☎888-469-2676
Michel Jodoin, aidé de toute sa famille, produit sans contredit un des meilleurs cidres du Québec. Des études l'ayant mené jusqu'en Champagne, en Bretagne et en Normandie, et le goût unique des variétés de pommes québécoises, lui ont permis de créer un cidre absolument succulent. Sur place, on vous offre une visite guidée des installations où l'on vous expliquera que le cidre met un minimum de deux ans à vieillir en fût de chêne pour acquérir le maximum de ses qualités. Dégustation sur place.

Vinaigrerie Pierre Gingras
sam-dim 10h à 17h
lun-ven 9h à 17h
1132 rang de la Grande-Caroline
☎450-469-4954
On prétend que le vinaigre de cidre a un effet thérapeutique miraculeux. Un peu chaque jour dans votre eau, et adieu les problèmes d'articulation. Chose certaine, celui de la Vinaigrerie Pierre Gingras, aromatisé de diverses façons, reste un indispensable dans la cuisine, ne serait-ce que pour réussir de sublimes vinaigrettes maison. Dégustation, vente de produits de la pomme et visite guidée.

Magog

Bonjour Santé
108 pl. du Commerce,
en longeant le stationnement
☎819-868-1450
Boutique d'aliments naturels.

Sherbrooke

La ville de Sherbrooke possède plusieurs centres commerciaux, le plus apprécié des gens de la région étant incontestablement le Carrefour de l'Estrie, situé sur le boulevard Portland dans l'ouest de la ville. À la suite de sa construction, la promenade de la rue Wellington fut en quelque sorte boudée, voire désertée par les consommateurs.

Dernièrement, toutefois, une série de réaménagements visent à réanimer la «Well», comme se plaisent à l'appeler les Sherbrookois. Ainsi, depuis le retrait des marquises, on peut désormais y admirer les façades des bâtiments (notamment celle du Théâtre du Granada, construit en 1929).

Le Juke Box
87 rue Wellington N.
☎819-564-2070
C'est entre quelques boutiques de vêtements et papeteries que vous trouverez Le Juke Box, un disquaire d'occasion offrant un bon choix de musique alternative et de bandes dessinées américaines.

La Randonnée
292 rue King O.
☎819-566-8882
Tout au haut de la rue King, la boutique La Randonnée se spécialise dans les articles de sports de plein air. Il s'agit d'un bon endroit pour compléter votre équipement avant d'entreprendre un périple dans la région!

Lanaudière
0
10
20km
N
Réserve faunique Rouge-Matawin
Parc du Mont-Tremblant
Réserve faunique Mastigouche
Réservoir Taureau
Manouane (environ 70km)
Saint-Ignace-du-Lac
Saint-Michel-des-Saints
Lac Kaiagamac
Saint-Zénon
MAURICIE
Lac des Îles
Saint-Alexis-des-Monts
Lac Lavigne
Saint-Charles-de-Mandeville
Saint-Damien
Sainte-Émélie-de-l'Énergie
Saint-Didace
Saint-Édouard-de-Maskinongé
Lac Maskinongé
Saint-Donat
Lac Archambault
Lac Ouareau
Saint-Côme
Saint-Gabriel-de-Brandon
Saint-Jean-de-Matha
Saint-Edmond
Québec
Notre-Dame-de-la-Merci
Sainte-Béatrix
Saint-Cléophase
Saint-Barthélemy
Saint-Alphonse-Rodriguez
Saint-Félix-de-Valois
Saint-Norbert
Saint-Viateur
Sainte-Mélanie
Saint-Cuthbert
Entrelacs
Sainte-Marceline-de-Kildare
Notre-Dame-de-Lourdes
Berthierville
Chertsey
Saint-Ambroise-de-Kildare
Sainte-Élisabeth
Île Dupas
St-Ignace-de-Loyola
Sainte-Marguerite-du-Lac-Masson
Rawdon
Joliette
Saint-Liguori
Saint-Thomas
Sorel
Sainte-Agathe-des-Monts
Sainte-Julienne
Crabtree
Saint-Paul-de-Joliette
Saint-Calixte
Lanoraie
Ste-Victoire
Saint-Jacques
LAURENTIDES
Saint-Alexis
Saint-Esprit
Saint-Gérard-Majella
Saint-Ours
St-Roch-de-l'Achigan
Lavaltrie
Fleuve Saint-Laurent
Laurentides
L'Épiphanie
Contrecœur
Sainte-Sophie
L'Assomption
Saint-Louis
La Plaine
Saint-Sulpice
Saint-Jérôme
Verchères
Le Gardeur
Mascouche
Repentigny
MONTÉRÉGIE
Charlemagne
Terrebonne
Lachenaie
Montréal
©ULYSSE

Lanaudière, les Laurentides et l'Outaouais

La région de Lanaudière s'étend juste au nord-est de Montréal, de la plaine du Saint-Laurent jusqu'au début du plateau laurentien.

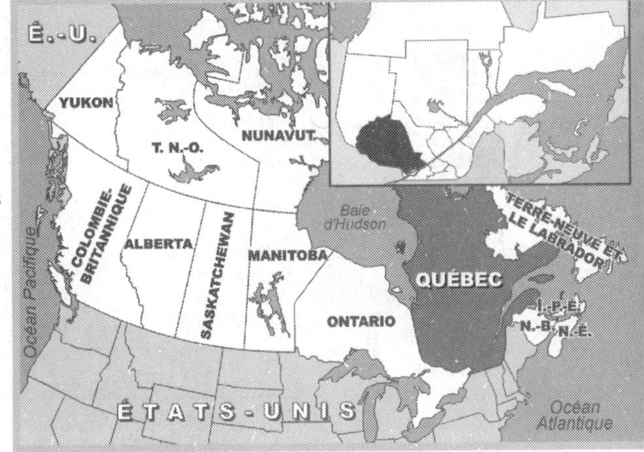

Sauf pour la zone englobée dans la région métropolitaine de Montréal, Lanaudière constitue une région paisible de lacs et de rivières, de terres cultivées, de forêts sauvages et de grands espaces. On explore donc Lanaudière pour s'y détendre et y pratiquer des activités sportives telles que le ski, la motoneige, le canot, la marche, la chasse et la pêche. Ayant été l'une des premières zones de colonisation de la Nouvelle-France, on s'y rend également pour découvrir son héritage architectural.

De son côté, la belle région des Laurentides est sans doute la plus réputée contrée de villégiature du Québec. Elle attire toujours de nombreux visiteurs en toute saison. Depuis longtemps, on «monte dans le Nord» pour s'y détendre et apprécier la beauté de ses paysages. Ses lacs, montagnes et forêts sont particulièrement propices à la pratique d'activités sportives diverses et aux balades.

Comme les Laurentides possèdent la plus grande concentration de stations de ski en Amérique du Nord, lorsque l'hiver se pointe, ce sport y devient roi. Ses quelques villages, au pied des montagnes, sont très souvent coquets et agréables.

Bien que très tôt connue des explorateurs et coureurs des bois, l'Outaouais ne fut colonisée qu'au début du XIXe siècle grâce à l'initiative de loyalistes arrivant des États-Unis.

L'exploitation des forêts, et tout particulièrement des essences de pin blanc et de pin rouge, idéales pour les constructions navales, fut longtemps la principale vocation économique de la région. Une fois ces arbres coupés en rondins, on les laissait descendre la rivière des Outaouais, puis le fleuve Saint-Laurent jusqu'à Québec, où ils étaient chargés sur des navires en partance pour la Grande-Bretagne. Le secteur forestier conserve toujours une importance appréciable, mais des industries tertiaires et une importante administration publique générée par la proximité de la capitale canadienne s'y sont ajoutées.

Pour s'y retrouver sans mal

En autocar

Lanaudière

Terrebonne
Galeries de Terrebonne

Joliette
250 rue Richard
(restaurant Point d'Arrêt)
☎***(450)759-1524***

Repentigny
435 boul. Iberville
(à l'hôtel de ville)
☎***(450) 654-2315***

Rawdon
3168 1re Av.
(à la Patate à gogo)
☎***(450)834-2000***

Saint-Donat
751 rue Principale (Dépanneur Boni-Soir)
☎***(819)424-1361***

Les Laurentides

Saint-Eustache
550 Arthur-Sauvé
☎***(450) 472-9911***

Boisbriand
4115 rue Lavoisier
☎***(450) 435-6767***

Piedmont
760 boul. des Laurentides
☎***(450) 227-4847***

Sainte-Adèle
1208 rue Valiquette (Pharmacie Brunet)
☎***(450) 229-6609***

Lac-Mercier
1950 ch. Principal
☎***(819) 425-8315***

L'Outaouais

Montebello
570 rue Notre-Dame
☎***(819) 423-6900***

Hull
238 boul.Saint-Joseph
☎***(819) 771-2442.***
Ottawa (Ontario)
265 rue Catherine
☎***(613)238-5900***

En train

Lanaudière

Joliette
380 rue Champlain
☎***800-363-5390***

L'Outaouais

Ottawa (Ontario)
200 Tremblay Rd.
☎***800-361-5390***

L'excursion du petit train à vapeur Hull–Chelsea–Wakefield est un moyen tout à fait charmant de visiter la vallée de la Gatineau jusqu'à Wakefield. La balade d'une durée de cinq heures (32 km), avec arrêt de deux heures à Wakefield, permet de contempler les scènes pastorales de la Gatineau (voir p 239).

Renseignements pratiques

Sauf indication contraire, l'indicatif régional de Lanaudière est le 450.

Deux indicatifs régionaux sont employés dans les Laurentides, soit le 450, jusqu'à la hauteur de Sainte-Adèle, et le 819.

L'indicatif régional de L'Outaouais est le 819.

Renseignements touristiques

Lanaudière

Bureau régional

Tourisme Lanaudière
3643 rue Queen, C.P. 1210, Rawdon, J0K 1S0,
☎***843-2535 ou 800-363-2788***
⇄***843-8100***
http://tourisme-lanaudiere.qc.ca.

Berthierville
760 rue Gadoury
☎***836-1621***

Joliette
500 rue Dollard
☎***759-5013 ou 800-363-1775***

Terrebonne
1091 boul. Moody
☎***964-0681***

Rawdon
3588 rue Metcalfe
☎***834-2282***

Saint-Donat
536 rue Principale
☎***424-2833***

Les Laurentides

Bureau régional

Maison du tourisme des Laurentides
14142 rue de la Chapelle, Mirabel
J7J 2C8
☎**436-8532**
☎**800-561-6673**
⇄**436-5309**

Saint-Eustache
600 rue Dubois
☎**(450) 491-4444**

Saint-Sauveur-des-Monts
605 ch. Des Frênes
☎**(450) 229-3729**

Sainte-Adèle
1490 rue Saint-Joseph
☎**(450) 229-3729**

Mont-Tremblant
1001 Montée Ryan
☎**(819) 425-2434**

Labelle
7404 boul. du Curé-Labelle
☎**686-2606**

Mont-Laurier
177 boul. Paquette
☎**(819) 623-4544**

L'Outaouais

Bureau régional

Association touristique de l'Outaouais
103 rue Laurier, Hull, J8X 3V8
☎**778-2222 ou 800-265-7822**
⇄**778-7758**
www.tourisme-outaouais.org

Montebello
502-A, rue Notre-Dame
☎**423-5602**

Hull
103 rue Laurier
☎**778-2222**

Ottawa (Ontario)
90 rue Wellington
☎**(613)239-5000**
☎**800-465-1867**

Maniwaki
156, rue Principale S.
☎**449-6627**

Attraits touristiques

Lanaudière

★★
Terrebonne

Cette municipalité, située en bordure de la bouillante rivière des Mille-Îles, tire son nom de la fertilité des terres qui l'entourent. De nos jours, elle est incluse dans la couronne de banlieues qui ceinture Montréal, mais le quartier ancien, réparti entre haute et basse villes, a conservé de beaux bâtiments résidentiels et commerciaux. Terrebonne est certainement le meilleur endroit au Québec pour apprécier ce qu'était une seigneurie prospère au XIXe siècle.

Sur l'**île des Moulins** ★★ *(entrée libre; fin juin à début sept tlj 13h à 21h; au bas de la rue des Braves, ☎471-0619)* est concentré l'ensemble exceptionnel de moulins et autres installations pré-industrielles de la seigneurie de Terrebonne. La plupart de ces bâtiments, intégrés à un grand parc de promenade, sont aujourd'hui recyclés à des fins communautaires et publiques. À l'entrée du site, on longe d'abord les anciennes minoterie (1846) et à scierie (reconstruit en 1986), qui renferment la Bibliothèque municipale, puis on arrive au Centre d'accueil et d'interprétation de l'île des Moulins, logé dans l'ancien bureau seigneurial. Ce bâtiment revêtu de pierre de taille aurait été construit en 1848 selon les plans de Pierre-Louis Morin.

Joliette

Le **Musée d'art de Joliette** ★★ *(4$; fin juin à début sept mar-dim 12h à 17h, le reste de l'année mer-dim 12h à 17h; 145 rue Wilfrid-Corbeil, ☎756-0311).* Le père Wilfrid Corbeil c.s.v. a fondé ce musée exceptionnel à partir de la collection des clercs de Saint-Viateur, amassée au cours des années quarante pour illustrer l'évolution des arts au Québec et dans le monde. Le plus important musée régional du Québec loge dans le bâtiment quelque peu rébarbatif de la rue Wilfrid-Corbeil depuis 1976. On peut y voir des œuvres majeures de peintres québécois et canadiens tels que Marc-Aurèle de Foy Suzor-Côté, Jean-Paul Riopelle et Emily Carr, mais aussi des œuvres d'artistes européens et américains comme Henry Moore et Karel Appel.

Île des Moulins

Une section est consacrée à l'art religieux québécois et une autre, plus surprenante encore, à l'art religieux du Moyen Âge et de la Renaissance, époques représentées par de belles pièces allemandes, françaises et italiennes.

L'**Amphithéâtre de Lanaudière** *(1575 boul. Base-de-Roc, ☎759-2999 ou 800-561-4343)*. On doit la création du Festival international de Lanaudière au père Fernand Lindsay c.s.v. Le festival présente chaque année, en juillet et en août, les vedettes de l'art lyrique et du concert. En 1989, un amphithéâtre en plein air de 2 000 places a été érigé afin d'augmenter la capacité d'accueil de l'événement, jusque-là confiné aux églises des environs. Le sculpteur Georges Dyens a complété l'aménagement du site par des allées et des sculptures raffinées.

★

Berthierville

L'**église Sainte- Geneviève** ★★ *(780 av. Montcalm)* constitue l'un des trésors de Lanaudière. Sa construction en 1781 en fait l'une des plus anciennes de la région. Mais c'est le décor intérieur de style Louis XVI, réalisé par Amable Gauthier et Alexis Millette entre 1821 et 1830, qui en fait vraiment un édifice exceptionnel. D'une richesse peu commune pour l'époque, il comprend le beau maître-autel de la première église, réalisé par Gilles Bolvin en 1759, le retable en coquille et la voûte ornée de fins losanges, ainsi que plusieurs tableaux parmi lesquels figurent une Sainte - Geneviève, toile française du XVIIIe siècle disposée au-dessus du maître-autel, et six toiles de Louis Dulongré peintes en 1797.

Gilles Villeneuve, champion de course automobile mort tragiquement en 1982 lors des essais de qualification du Grand Prix de Belgique, était originaire de Berthierville. Le **Musée Gilles- Villeneuve** *(6$; tlj 9h à 17h; 960 av. Gilles-Villeneuve, ☎836-2714)* est consacré à la carrière de l'illustre pilote de Formule 1 chez Ferrari. Depuis quelques années, son fils Jacques a pris la relève. En 1997, il a remporté le titre de Champion du monde de la Formule 1. Le musée consacre donc maintenant un nouveau volet à la carrière de Jacques Villeneuve.

★

Rawdon

Dans les environs de Rawdon, deux beaux sites naturels, aménagés de façon à recevoir les visiteurs, sont à signaler. Il y a tout d'abord le **parc des Chutes-Dorwin** ★ *(6$ par voiture; tlj 9h à 19h; ☎834-2282)*, accessible par la route 337 peu avant le village. Grâce à deux belvédères, il est possible d'admirer ces impressionnantes chutes de la rivière Ouareau, hautes de 30 m. Aire de pique-nique boisée à proximité.

L'autre site naturel digne d'intérêt dans les parages est le **parc des Cascades** ★*(6$ par voiture; tlj mi-mai à mi-oct; ☎834-4149)*, que l'on atteint en empruntant la route 341 dans le prolongement du boulevard Pontbriand. Encore là, une aire de pique-nique borde la rivière Ouareau, dont les eaux forment de jolies cascades en caressant les nombreux rochers que l'on trouve à cette hauteur, où les amateurs de bain de soleil s'étendent au cours de la belle saison.

★

Saint-Donat

Bordée par des montagnes pouvant atteindre 900 m d'altitude, à quelques minutes du mont Tremblant et sur le bord du lac Archambault, se trouve cette petite municipalité de Lanaudière s'étendant à l'est jusqu'au lac Ouareau. Saint-Donat est aussi une porte d'entrée du **parc du Mont-Tremblant** (voir p 239).

Les Laurentides

Saint-Jérôme

Cette ville administrative et industrielle est surnommée «La Porte du Nord» puisque, à la hauteur de Saint-Jérôme, on quitte la vallée du Saint-Laurent pour pénétrer dans la région montagneuse qui s'étend au nord de Montréal et de Québec, les Laurentides. Celles-ci forment la plus vieille chaîne de montagnes de la planète. La douce rondeur de ses monts, leur faible hauteur et le sol sablonneux trahissent le grand âge des Laurentides, comprimées par les glaciations successives. Saint-Jérôme fut le point de départ de la colonisation de ces territoires dans la seconde moitié du XIXe siècle.

La **cathédrale de Saint-Jérôme** ★ *(entrée libre; tlj 7h30 à 16h30; 355 rue St-Georges, en face du parc Labelle, ☎432-9741)*, simple église paroissiale au moment de sa construction en 1899, est un vaste édifice de style romano-byzantin.

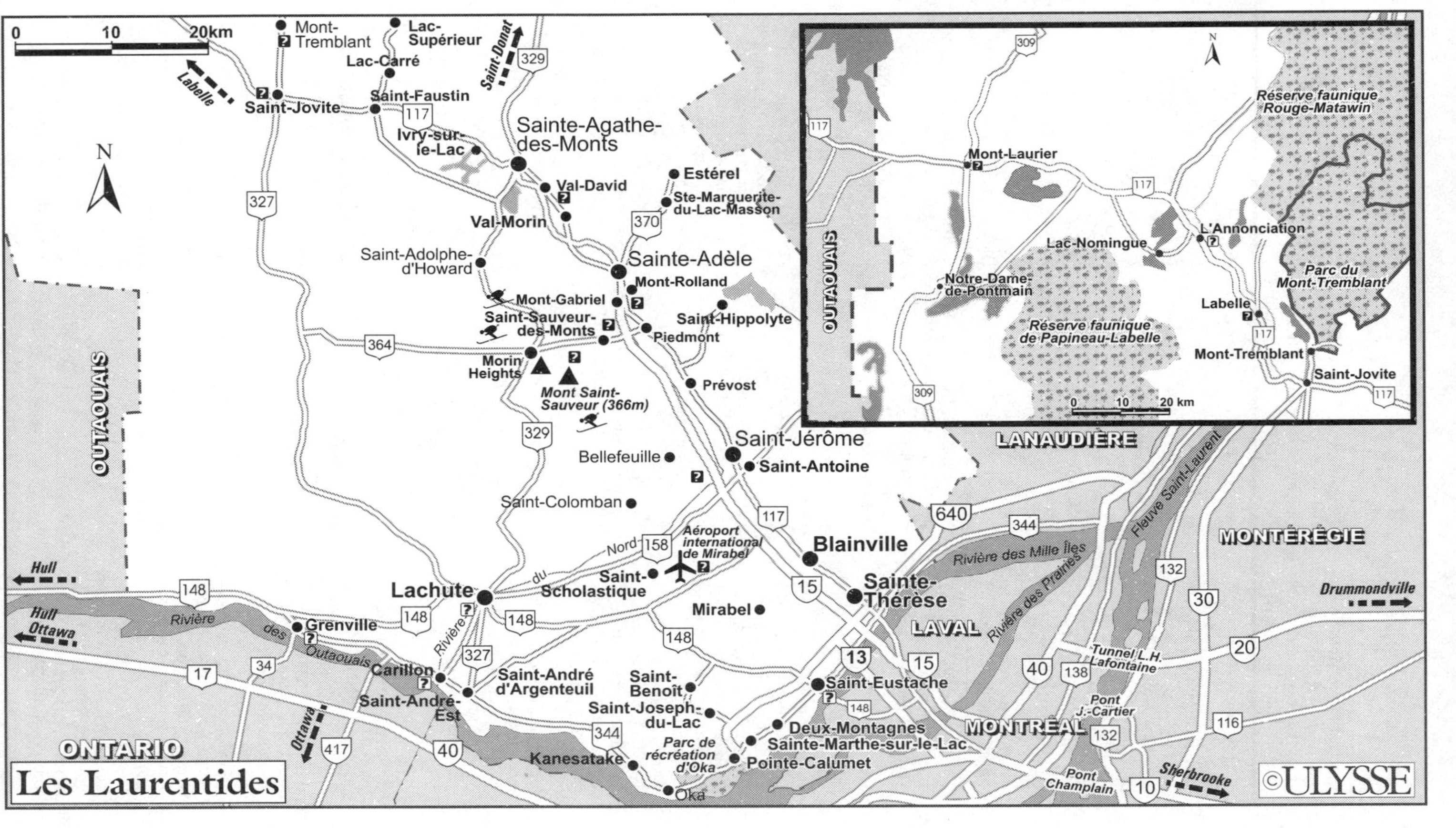
Les Laurentides
©ULYSSE
0
10
20km
Labelle
Saint-Donat
Hull
Hull
Ottawa
Ottawa
Sherbrooke
Drummondville
ONTARIO
OUTAOUAIS
LANAUDIÈRE
MONTÉRÉGIE
LAVAL
MONTRÉAL
Mont-Tremblant
Lac-Supérieur
Lac-Carré
Saint-Faustin
Saint-Jovite
Ivry-sur-le-Lac
Sainte-Agathe-des-Monts
Val-David
Val-Morin
Estérel
Ste-Marguerite-du-Lac-Masson
Sainte-Adèle
Saint-Adolphe-d'Howard
Mont-Rolland
Mont-Gabriel
Saint-Sauveur-des-Monts
Saint-Hippolyte
Piedmont
Morin Heights
Mont Saint-Sauveur (366m)
Prévost
Saint-Jérôme
Saint-Antoine
Bellefeuille
Saint-Colomban
Aéroport international de Mirabel
Blainville
Sainte-Thérèse
Saint-Scholastique
Mirabel
Lachute
Rivière du Nord
Grenville
Rivière des Outaouais
Carillon
Saint-André-Est
Saint-André d'Argenteuil
Saint-Benoît
Saint-Joseph-du-Lac
Saint-Eustache
Deux-Montagnes
Sainte-Marthe-sur-le-Lac
Parc de récréation d'Oka
Pointe-Calumet
Kanesatake
Oka
Rivière des Mille Îles
Rivière des Prairies
Fleuve Saint-Laurent
Tunnel L.H. Lafontaine
Pont J.-Cartier
Pont Champlain
Mont-Laurier
Notre-Dame-de-Pontmain
Lac-Nomingue
L'Annonciation
Labelle
Mont-Tremblant
Saint-Jovite
Réserve faunique Rouge-Matawin
Parc du Mont-Tremblant
Réserve faunique de Papineau-Labelle
0
10
20 km

Elle reflète le statut prestigieux de «siège» de la colonisation des Laurentides de Saint-Jérôme. Devant la cathédrale se dresse une statue en bronze du curé Labelle, œuvre d'Alfred Laliberté.

C'est par ailleurs à Saint-Jérôme que débute le tracé du **parc linéaire le P'tit Train du Nord** ★★. Cette extraordinaire piste cyclable, qui se transforme en sentier de ski de fond en hiver, s'étire sur 200 km entre Saint-Jérôme et Mont-Laurier en suivant le corridor autrefois utilisé par le chemin de fer des Laurentides.

C'est entre 1891 et 1909, sous l'impulsion du légendaire curé de Saint-Jérôme, Antoine Labelle, que fut construite cette ligne de chemin de fer qui devait jouer un rôle prépondérant dans la colonisation des Laurentides. Plus tard, et ce jusque dans les années quarante, le P'tit Train du Nord, comme on le surnommait et comme le chantera Félix Leclerc, contribua au développement de l'industrie touristique des Laurentides en favorisant l'ouverture de nombreuses stations de villégiature et de sports d'hiver.

★

Saint-Sauveur-des-Monts

Trop rapproché de Montréal, Saint-Sauveur-des-Monts a souffert, ces dernières années, d'un développement excessif qui a fait pousser comme des champignons les condominiums (appartements), les restaurants et les galeries d'art. Sa rue principale, très fréquentée, reste cependant le meilleur endroit où prendre un bain de foule dans les Laurentides. Cette station de sports d'hiver est un des lieux de prédilection des artistes de variétés, qui y possèdent de luxueuses résidences secondaires à flanc de montagne.

★

Sainte-Adèle

Les Laurentides ont été surnommées «Les Pays-d'en-Haut» par les colons qui, au XIXe siècle, se dirigeaient vers ces terres septentrionales éloignées de la vallée du Saint-Laurent. L'écrivain et journaliste Claude-Henri Grignon, né à Sainte- Adèle en 1894, en a fait le théâtre de son œuvre. Son célèbre roman, *Un homme et son péché*, raconte la vie de misère dans les Laurentides à cette époque. C'est Grignon qui a demandé à l'architecte Lucien Parent de dessiner l'église de Sainte-Adèle, que l'on peut encore admirer de nos jours en bordure de la rue Principale. Le 27 août 1997, les villages de Mont-Rolland et de Sainte-Adèle ont fusionné pour former la nouvelle municipalité de Sainte-Adèle.

Au Pays des Merveilles *(8$; mi-juin à fin août tlj 10h à 18h, fin mai à mi-juin fin de semaine seulement; 3595 ch. de la Savane, ☎229-3141)* est un petit parc d'attractions sans prétention qui plaira surtout aux jeunes enfants. Dans un décor rappelant les aventures rocambolesques d'Alice, on a aménagé toboggans, pataugeuse, mini-golf, labyrinthe, etc. À 8$ par personne, même pour les enfants, c'est toutefois un peu cher.

★

Ville d'Estérel

En Belgique, le nom «Empain» est synonyme de réussite financière. Le baron Louis Empain, héritier de la fortune familiale au début du XXe siècle, était, tout comme son père qui a fait construire le quartier neuf d'Héliopolis, au Caire (Égypte), un grand bâtisseur. Lors d'un voyage au Canada en 1935, il acquiert la Pointe Bleue, une langue de terre qui avance paresseusement dans le lac Masson. En deux ans, de 1936 à 1938, il fait construire une vingtaine de bâtiments sur le site, selon les plans de l'architecte belge Antoine Courtens. Empain baptise l'ensemble «**Domaine de l'Estérel**». La Seconde Guerre mondiale viendra cependant contrecarrer ses plans. À la suite du conflit, le domaine est morcelé. Il est en partie racheté par l'homme d'affaires québécois Fridolin Simard en 1958, qui fait construire l'actuel **Hôtel L'Estérel** (voir p 244) en bordure de la route 370, puis procède à des lotissements successifs. On retrouve, sur ces derniers terrains, de belles maisons modernes en pierre et en bois, œuvres de l'architecte Roger D'Astou.

★

Sainte-Agathe-des-Monts

Cette ville de commerce et de services, au cœur des Laurentides, est née autour d'une scierie en 1849. Elle est devenue, grâce à l'ouverture du chemin de fer du Nord en 1892, le premier centre de villégiature des Laurentides. Située au point de rencontre de deux mouvements de colonisation, celui des Anglo-Saxons du comté d'Argenteuil et celui des Canadiens français de Saint-Jérôme, Sainte-Agathe-des-Monts a su attirer les vacanciers fortunés, séduits par son **lac des Sables**. Ceux-ci ont fait construire quelques belles villas sur le pourtour du lac et dans les parages de l'église anglicane. La région était autrefois considérée comme une destination de choix par les grandes familles juives de Montréal et de New York. En 1909, la communauté juive fonde le sanatorium du Mont-Sinaï (le bâtiment actuel fut érigé en 1930), et, dans les années qui suivent, elle fait construire des synagogues à Sainte-Agathe-des-Monts et à Val-Morin.

★★★

Station touristique du Mont-Tremblant

Certains des plus importants complexes sportifs et touristiques des Laurentides ont été créés par de richissimes familles américaines passionnées de ski alpin. Elles ont choisi les Laurentides pour la beauté des paysages, le charme français du Québec, mais surtout pour le climat septentrional qui permet de prolonger la saison de ski au-delà de celle des États-Unis. La station de ski du Mont-Tremblant fut fondée par le millionnaire de Philadelphie Joseph Ryan en 1938. Aujourd'hui, la station appartient au groupe Intrawest, propriétaire de stations comme Whistler, en Colombie-Britanique. Intrawest a investi des sommes considérables pour élever la station du Mont-Tremblant au niveau de ses concurents de l'Ouest américain et canadien. Elle a ouvert de nombreuses pistes additionnelles, fait construire un véritable village au pied du mont, ainsi qu'un magnifique terrain de golf. Au plus fort de la saison, 92 pistes de ski alpin sont ouvertes sur les flancs du mont Tremblant (914 m). On trouve à cet endroit non seulement les plus longues et les plus difficiles dénivelées de la région, mais aussi un vaste complexe hôtelier de même qu'un charmant «village» rappelant l'architecture traditionnelle du Québec. Le nouveau village de la station touristique se compose de plusieurs éléments des plus colorés, dont les allures à la Disneyland ne plaisent pas à tous. Mais au fond, à quoi bon bouder son plaisir... L'endroit n'a été façonné que dans un seul but : fournir un cadre qui sort de l'ordinaire pour unique fin de loisir.

★

Village Mont-Tremblant

De l'autre côté du lac Tremblant se trouve le charmant Village Mont-Tremblant, à ne pas confondre avec la Station touristique développée depuis 1993 par Intrawest. Dans un cadre plus authentique, on y trouve de sympathiques boutiques et restaurants, ainsi que d'autres possibilités d'hébergement dont le fameux Club Tremblant (voir p 246).

L'Outaouais

★

Montebello

Sous le Régime français, l'Outaouais ne connaît pas de véritable développement. Située en amont des rapides de Lachine, donc difficilement accessible par voie d'eau, la région demeure un riche territoire de chasse et de trappe, jusqu'à ce que l'on amorce l'exploitation de ses ressources forestières au début du XIXe siècle. La seigneurie de la Petite-Nation, concédée à Mgr Laval en 1674, sera la seule incursion colonisatrice dans ce vaste territoire. Incursion bien théorique toutefois, puisque ce n'est qu'en 1801, date à laquelle la seigneurie passe entre les mains du notaire Joseph Papineau, que s'installent les premiers colons appelés à donner naissance au bourg de Montebello. Son fils, Louis-Joseph Papineau (1786-1871), chef des mouvements nationalistes canadiens-français à Montréal, hérite de la Petite-Nation en 1817. De retour d'un exil de huit ans aux États-Unis et en France à la suite des troubles de 1837-1838, Papineau, désillusionné et franchement déçu du comportement du clergé catholique lors de sa rébellion, se retire sur ses terrer de montebello, où il se fait construire un prestigieux manoir.

Le **lieu historique national du Manoir-Papineau** ★★ *(contribution volontaire; fin mai à début sept tlj 10h à 17h; 500 rue Notre-Dame, ☎423-6955).*

Le manoir Papineau a été érigé entre 1846 et 1849 dans l'esprit des villas monumentales néoclassiques. Les plans sont de Louis Aubertin, architecte français de passage. L'adjonction de tours, au cours de la décennie suivante, a cependant donné une allure médiévale à l'ensemble. L'une de ces tours renferme la précieuse bibliothèque que Papineau voudra ainsi mettre à l'abri du feu. L'intérieur comporte une vingtaine de pièces d'apparat, maintenant ouvertes au public, qui peut ainsi déambuler au milieu d'un riche décor Second Empire. Le manoir Papineau s'inscrit dans un beau parc ombragé, propriété de la chaîne d'hôtels Canadien Pacifique, qui gère le Château Montebello, érigé à proximité. En bordure de l'allée du seigneur se dresse la **chapelle funéraire des Papineau** (1853), où ont été inhumés 11 membres de la célèbre famille. On sera surpris de constater que cette chapelle est vouée au culte anglican, conséquence de la conversion du fils Papineau à l'Église d'Angleterre après la mort de son célèbre père, auquel on a refusé la sépulture religieuse. Un buste de ce dernier, exécuté par Napoléon Bourassa à partir du masque funéraire du défunt, figure parmi les éléments d'intérêt de la chapelle. En 1999, l'intérieur et l'extérieur du manoir

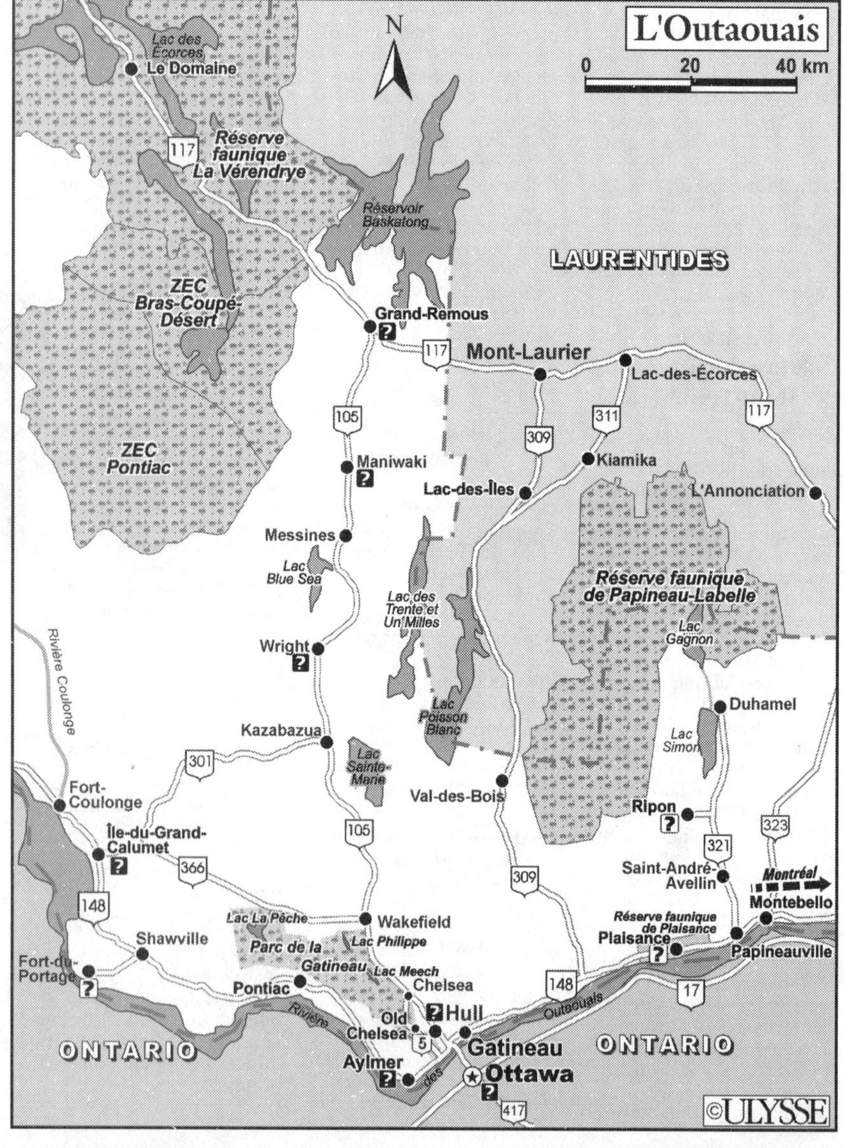

vont faire l'objet d'une importante rénovation. La réouverture complète est prévue pour le printemps 2000.

Le **Château Montebello** ★★ *(392 rue Notre-Dame, ☎423-6341)* est un vaste hôtel (voir p 246) de villégiature construit dans le parc du manoir; il constitue le plus grand édifice en bois rond du monde. Il fut érigé en 1929 (Lawson et Little, architectes) en un temps record de 90 jours. On ne manquera pas de visiter son impressionnant hall central, doté d'une cheminée à six âtres, autour de laquelle rayonnent les six ailes abritant les chambres et le restaurant.

Hull

Le **Musée canadien des civilisations** ★★★ *(début mai à mi-oct 8$, mi-oct à fin avr 5$; début mai à mi oct tlj 9h à 18h, début juil à début sept jeu-ven jusqu'à 21h, mi-oct à fin avr mar-dim 9h à 17h; 100 rue Laurier, ☎776-7000 ou 800-555-5621).* Dans le cadre d'un vaste programme de réaménagement de la région de la capitale nationale (1983-1989), des parcs et des musées ont vu le jour de part et d'autre de la frontière Québec--Ontario. Hull a hérité du magnifique Musée canadien des civilisations, consacré à l'histoire des différentes ethnies qui ont fait le Canada.

L'architecte albertain d'origine amérindienne Douglas Cardinal a dessiné les plans des deux étonnants bâtiments aux formes organiques qui composent le musée. Le premier, à gauche, abrite les bureaux administratifs et les laboratoires de restauration, alors que le second, à droite, regroupe les collections du musée. Leurs formes ondoyantes évoquent des rochers du Bouclier canadien sculptés par le vent et les glaciers. De l'esplanade, à l'arrière, on jouit de belles vues sur la rivière des Outaouais et sur la Colline parlementaire.

S'il est un musée qu'il faut absolument voir au Canada, c'est bien celui-là. Sa Grande Galerie rassemble la plus importante collection de mâts totémiques amérindiens du monde. L'institution fait aussi revivre de façon magistrale différentes époques de l'histoire canadienne, de la venue des Vikings, vers l'an 1000, à l'Acadie française du XVIIe siècle et à l'Ontario rural du XIXe siècle. L'art autochtone contemporain ainsi que les arts et traditions populaires y sont également représentés. Le Musée des enfants, conçu expressément pour les plus jeunes, invite le visiteur à sélectionner le thème de son choix avant de lui faire vivre une aventure extraordinaire.

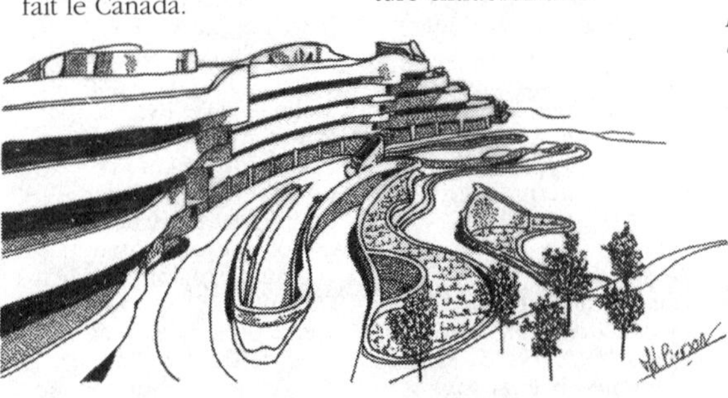

Musée canadien des civilisations

Aux salles d'exposition s'ajoute la salle de cinéma Omniplus, dotée du procédé Omnimax, un système développé par les créateurs du Cinéma Imax, dont on retrouve des exemples dans le Vieux-Port de Montréal et à la Cité des sciences de la Villette à Paris. Les films présentés portent en général sur les paysages du Canada.

Le **Casino de Hull** ★★ *(11h à 3h; 1 boul. du Casino, ☎772-2100 ou 800-665-2274)* occupe un site impressionnant entre deux lacs, le lac Leamy, dans le parc du même nom, et le lac de la Carrière, qui prend place dans la cuvette d'une ancienne carrière de pierre calcaire. Le thème de l'eau est omniprésent autour du superbe bâtiment inauguré en 1996, que ce soit au milieu de l'allée grandiose conduisant à l'entrée principale, ponctuée de hautes fontaines, ou à travers le port de plaisance de 20 places permettant aux joueurs venus de Montréal ou Toronto d'accéder directement au casino par voie d'eau. L'aire de jeux, d'une superficie totale de 2 741 m^2, comprend 1 300 machines à sous et 58 tables de jeux réparties autour d'une forêt tropicale. Elle est dominée par la célèbre toile, longue de 40 m, du peintre québécois Jean-Paul Riopelle: ***Hommage à Rosa Luxembourg*** ★★★.

★★ Parc de la Gatineau

Le parc de la Gatineau (voir p 239) est le point de départ de ce circuit. Fondé en 1934, ce parc vallonné, riche en lacs et rivières, couvre une superficie de plus de 35 000 ha.

Québec

Le **domaine Mackenzie-King** ★★ *(entrée libre, 6$ pour le stationnement; mi-mai à mi-oct lun-ven 11h à 17h, sam-dim 10h à 18h; rue Barnes, Kingsmere, parc de la Gatineau, ☎613-239-5000 à Ottawa ou ☎827-2020 en Outaouais).* William Lyon Mackenzie King fut premier ministre du Canada de 1921 à 1930 puis de 1935 à 1948. Il s'intéressa aux arts et à l'horticulture presque autant qu'à la politique. King aimait se retirer dans sa résidence d'été, près du lac Kingsmere, aujourd'hui intégrée au parc de la Gatineau. Le domaine, ouvert au public, comprend deux maisons (l'une d'entre elles a été transformée en un charmant salon de thé), un jardin à l'anglaise et surtout des *follies*, ces fausses ruines que les esprits romantiques affectionnent tant. Cependant, contrairement à la plupart de ces structures, qui sont érigées de toutes pièces, les ruines du domaine Mackenzie--King sont d'authentiques fragments de bâtiments provenant principalement du premier parlement canadien, incendié en 1916, et du palais de Westminster, endommagé par les bombes allemandes en 1941.

Parcs

Lanaudière

La **réserve faunique Rouge-Matawin** *(à 26 km à l'ouest de St-Michel-des-Saints, ☎ 833-5530)* s'étale sur 1 394 km² de verdure et dissimule quelque 450 lacs et cours d'eau tout en abritant une faune luxuriante. On peut s'adonner à maintes activités telles que la randonnée, la chasse, la pêche, le canot-camping et la cueillette de fruits sauvages, ainsi que la motoneige en hiver.

Les Laurentides

Le **parc d'Oka et son calvaire** ★*(2020 ch. Oka, Oka, ☎(450) 479-8337)* proposent des sentiers de randonnée pédestre en été, et de ski de fond en hiver, totalisant environ 45 km. Au sud de la route 344, vous découvrirez la majorité des pistes, qui sillonnent un terrain relativement plat. Au nord de la route 344, deux autres sentiers mènent au sommet de la colline d'Oka (168 m), d'où l'on embrasse du regard l'ensemble de la région. Le sentier du Sommet, long de 7,5 km, aboutit à un belvédère panoramique, alors que le sentier du Calvaire (5,5 km) longe les stations du plus ancien calvaire des Amériques. Celui-ci fut aménagé par les sulpiciens en 1740 afin de stimuler la foi des Amérindiens nouvellement convertis au catholicisme. Humble et digne tout à la fois, le calvaire d'Oka se compose de quatre oratoires trapézoïdaux et de trois chapelles rectangulaires en pierre blanchie à la chaux. Ces petits bâtiments, aujourd'hui vidés de leur contenu, servaient à l'origine d'écrins à des bas-reliefs en bois illustrant des scènes de la Passion du Christ. Le parc dispose d'emplacements de camping *(16$ par jour; ☎(450) 479-8337)*, d'un centre d'interprétation et d'une plage.

Le **parc du Mont-Tremblant** ★★ *(ch. du Lac-Tremblant, Mt-Tremblant, ☎(819) 688-2281)* fut inauguré en 1894 sous le nom de «Parc de la Montagne tremblante», en hommage à une légende algonquine. Il couvre un territoire de 1 250 km² qui englobe le mont, sept rivières et quelque 500 lacs. En 1938, la station de ski alpin était créée, et depuis, elle n'a cessé d'accueillir les skieurs. Le parc compte également neuf pistes de ski de fond qui s'étendent sur plus de 50 km. La station répond aux besoins des sportifs en toute saison. Ainsi, les amateurs de randonnée pédestre peuvent profiter de 100 km de sentiers. D'ailleurs, les sentiers «La Roche» et «La Corniche» ont été classés parmi les plus beaux du Québec. Le parc dispose de pistes cyclables et de circuits de vélo de montagne. Des activités nautiques telles que le canot et la planche à voile peuvent aussi y être pratiquées.

L'Outaouais

Le **parc de la Gatineau** ★★ *(entrée libre, stationnement 6$ pour le domaine Mackenzie-King et pour les plages; le centre d'accueil se trouve à Chelsea, aussi accessible par le boulevard Taché, à Hull; ☎827-2020)* est situé à proximité du centre-ville de Hull. Il fut fondé en 1934, durant la Dépression, afin de protéger cette forêt de plus de 35 000 ha des gens à la recherche de bois de chauffage bon marché. Chacun peut aujourd'hui profiter de ce superbe parc composé de collines et de rivières. Il est traversé par une route longue de 34 km et ponctuée de belvédères dont le **belvédère Champlain**, qui offre une magnifique vue sur la région. Des activités de plein air peuvent y être pratiquées tout au long de l'année. En été, des sentiers de randonnée pédestre et de vélo de montagne sont aménagés. Le parc compte plusieurs lacs dont le célèbre lac Meech, qui donna son nom à une entente constitutionnelle finalement non ratifiée. Les activités nautiques telles que la planche à voile, le canot et la baignade y sont fort populaires. Il met en outre à la disposition des visiteurs un service de location d'embarcations ainsi que des emplacements de camping. On y trouve également la **caverne Lusk**, qu'il est possible d'explorer. Creusée dans le marbre, elle fut formée par l'action de l'eau issue de la fonte de glaciers il y a 12 500 ans. En hiver, quelque 190 km de pistes de ski de fond sont entretenues *(comptez 7$ par jour)*. On peut aussi s'adonner au ski alpin au **camp Fortune** *(☎827-1717)*, qui possède 17 pistes, dont 13 sont ouvertes en soirée. Il en coûte 30$ par jour ou 20$ pour la soirée.

Activités de plein air

Randonnée pédestre

Lanaudière

Des sentiers de randonnée sillonnant 5,8 km de paysages exceptionnels aboutissent à l'**Aménagement panoramique des Sept-Chutes** *(3,25$; mai à nov 9h à 17h; rte. 131, St-Zénon, ☎ 884-0484 ☎833-1334)* et offrent l'occasion de découvrir la diversité de la faune et de la flore locale. Les sept chutes sont accessibles au public, mais sont asséchées durant l'été. Toutefois, lors de la crue des eaux, elles peuvent atteindre une hauteur de 60 m et constituent alors un spectacle assez impressionnant.

Le **sentier de la Matawinie** *(Ste-Émélie-de-l'Énergie, à environ 5 km du village, sur la rte. 131 N., ☎886-3823)* permet d'observer les sept chutes de la rivière Noire ainsi que plusieurs autres points de vue de la région. Il serpente à travers de nombreux panoramas, allant jusqu'à 565 m d'altitude, et vous mène, le long d'un parcours accidenté, aux Sept-Chutes de Saint-Zénon.

Le **parc régional des Chutes-Monte-à-Peine-et-des-Dalles** *(droit d'entrée; accessible par les rtes. 131, 337 et 343, ☎883-2245)* est géré conjointement par les municipalités de Saint-Jean-de-Matha, Sainte-Béatrix et Sainte-Mélanie. Plusieurs sentiers de randonnée, totalisant quelque 12 km, ont été aménagés dans ce parc de 300 ha créé en 1987. Ils permettent entre autres de contempler trois belles chutes situées sur la rivière L'Assomption.

Les Laurentides

S'étendant sur une longueur de 0,4 km, la **promenade de la Rivière du Nord** *(entre les rues Martigny et St-Joseph, St-Jérôme)* raconte l'histoire de la région à l'aide de panneaux thématiques. On y a de belles vues sur la rivière du Nord.

Près de Saint-Faustin, le **Centre touristique et éducatif des Laurentides** *(4$; avr à fin oct, tlj; Lac du Cordon, ☎(819) 326-1606)* dispose d'un réseau de sentiers de randonnée d'environ 25 km. Parmi les huit pistes de 1 km à 10 km qu'on y retrouve, Le Panoramique (3 km) est celle qui réserve les plus belles vues sur les alentours. L'Aventurier (10 km), qui représente la plus longue piste du centre, permet quant à elle d'accéder au sommet d'une montagne de 530 m.

À la Station touristique du Mont-Tremblant, une montée à bord du télésiège «Tremblant Express» permet d'accéder au nouveau centre **ÉcoZone** *(☎877-873-6252 ou 88-TREMBLANT)*. Il y a des pistes conçues pour la famille (Le Manitou, Le 360°, Le Montagnard et Les Ruisseaux), mais aussi pour les randonneurs plus avancés (Les Caps, Le Grand Brûlé, Les Sommets, Le Parben et Le Johannsen). Tout au long des sentiers, des bornes explicatives permettent d'en connaître davantage sur la faune et la flore laurentiennes.

Le **parc du Mont-Tremblant** est un excellent choix pour les amateurs de randonnée, puisqu'on y trouve des sentiers de tous niveaux de difficulté. Ainsi, les sentiers de **La Roche** et de **La Corniche** (8 km) permettent une courte et délicieuse randonnée, alors que les 45 km de **La Diable** sauront sûrement satisfaire les marcheurs les plus mordus.

L'Outaouais

Le **parc de la Gatineau** *(☎827-2020)* possède une foule de sentiers de randonnée ne totalisant pas moins de 125 km, autant d'occasions d'en découvrir les beautés. Vous pourrez ainsi partir à la découverte du lac Pink, fort beau mais à l'équilibre fragile (on ne peut s'y baigner), par le sentier (1,4 km) qui le longe. Si vous préférez les splendides panoramas, optez plutôt pour le sentier du Mont-King, d'une longueur de 2,5 km, qui vous amènera au sommet, d'où vous aurez une vue splendide sur la vallée de la rivière des Outaouais. Enfin, les personnes disposant d'un peu plus de temps, et qui désirent entreprendre une excursion fascinante, devraient suivre le sentier de la caverne Lusk, long de 10,5 km, qui se rend à une véritable caverne de marbre, vieille de 12 500 ans.

Ski de fond

Lanaudière

La **Station touristique de la Montagne Coupée** *(204 rue de la Montagne-Coupée, St-Jean-de-Matha, ☎886-3845)* propose des activités de plein air tout au long de l'année. En hiver, on y trouve quelque 80 km de pistes de ski de fond, dont 43 km pour pratiquer le «pas du patineur». Sur place, un centre fait la location d'équipement. En été, divers sentiers peuvent être empruntés par les amateurs de sport équestre.

Dans la région de Saint-Donat, on trouve plusieurs endroits pour pratiquer le ski de fond. Ainsi, il y a des pistes dans le **secteur La Donatienne du parc des Pionniers** *(ch. Hector-Bilodeau)*, dans la **Montagne Noire** et au **parc du Mont-Tremblant** (secteur La Pimbina).

Les Laurentides

Le **parc d'Oka** *(7,25$; ch. d'Oka, ☎(450) 479-8337)* possède huit pistes totalisant quelque 70 km. Ainsi, on y trouvera trois pistes classées «faciles», trois «difficiles» et deux «très difficiles». Par ailleurs, les amateurs de raquette seront heureux d'apprendre que le parc leur réserve deux sentiers totalisant 5 km.

Le **parc linéaire du P'tit Train du Nord** *(3$; 300 rue Longpré, bureau 110, St-Jérôme, ☎(450) 436-4051, ⇄436-2277)*, long de quelque 200 km, se transforme, l'hiver venu, en une merveilleuse piste de ski de fond et de motoneige. La piste de ski de fond s'étend de Saint-Jérôme à Sainte-Agathe et devient ensuite le royaume de la motoneige jusqu'à Mont-Laurier.

Le **Centre de ski de fond Morin-Heights** *(3$; 612 rue du Village, Morin-Heights, ☎(450) 226-2417 ou (450) 226-1868)* est un des plus anciens du Canada. Ce centre est un endroit idéal pour pratiquer le ski «aventure», c'est-à-dire de très longues randonnées sur des pistes moins fréquentées et non entretenues mécaniquement.

Le **Centre de ski de fond L'Estérel** *(6$; 39 boul. Fridolin-Simard, Ville d'Estérel, ☎(450) 228-2571)* s'avère un des mieux organisés de la région. Grâce à ses 330 m d'altitude, il bénéficie d'excellentes conditions de neige. À L'Estérel, on mise sur un centre pour tous les niveaux d'expérience. Les pistes sont généralement de peu de longueur, sans pour autant être faciles. Le centre compte 14 sentiers, dont 6 faciles, 4 difficiles et 4 très difficiles.

Durant l'hiver, au **Centre Far Hills** *(10$; ch. du Lac LaSalle, Val-Morin, ☎(819) 322-2014) ou (514) 990-4409, ☎800-567-6636)*, plus de 125 km de pistes de ski de fond sont entretenues. Ces sentiers, s'étendant sur une région de forêts et de collines, permettent aux skieurs d'apprécier de beaux paysages. On y trouve, entre autres, la célèbre **piste Maple Leaf**, ouverte par nul autre que Jack Rabbit.

Un autre lieu de rendez-vous fort prisé des amateurs de ski de fond est la **Base de Plein Air Le P'tit Bonheur** *(8$; 1400 ch. du Lac-Quenouille, Lac-Supérieur, ☎(819) 326-4281 ou 800-567-6788)*, qui gère un réseau de 45 km. On peut aussi y pratiquer la raquette (deux pistes).

Avec ses 35 sentiers totalisant 100 km, le **Centre de ski de fond Mont-Tremblant** *(6$; 140 rue du Couvent, ☎(819) 425-5588)* est l'un des plus imposants des Laurentides. Il compte 5 pistes faciles, 20 difficiles et 11 très difficiles.

L'Outaouais

En hiver, alors que le **parc de la Gatineau** *(8$; ☎827-2020)* se couvre d'un épais tapis de neige, pas moins de 200 km de pistes de ski de fond sont entretenues. Ces pistes, au nombre de 47, sont destinées aux skieurs de tous niveaux qui y trouveront à coup sûr leur bonheur.

Les skieurs plus intrépides rêvant de s'enfoncer dans les bois, loin de tout développement urbain, trouveront à la **réserve faunique Papineau-Labelle** *(5,25$ par jour, 20$ nuitée en refuge; ☎454-2013)* de quoi combler leurs attentes : une piste de ski de fond longue de 100 km. Tout le long des parcours, les skieurs peuvent loger dans des refuges chauffés. Il s'agit certes d'une aventure mémorable, mais réservée exclusivement aux skieurs expérimentés.

Ski alpin

Lanaudière

La **Station touristique de Val Saint-Côme** *(32$; lun-jeu 9h à 16h, ven-dim 9h à 22h30; 501 ch. Val St-Côme, ☎883-0701)* est la plus importante station de ski alpin dans la région de Lanaudière. On y dénombre 21 pistes dont certaines éclairées pour le ski de soirée. Dénivelé : 300 m. Hébergement sur place.

À la **Station de ski Mont-Garceau** *(30$; lun-ven 8h30 à 16h, sam-dim 8h à 16h; 190 ch. du Lac Blanc, ☎819-424-2784)*, près de Saint-Donat, 16 pistes attendent les skieurs. L'une d'entre elles est réservée aux amateurs de planche à neige. Dénivelé : 305 m.

Les Laurentides

Deux stations de ski ont été aménagées sur les monts entourant Piedmont, la **Station de ski du Mont-Olympia** *(30$; rue de la Montagne, Piedmont, ☎(450) 227-3523 ou 800-363-3696)*, avec 21 pentes d'une dénivellation totale de 200 m, et la **Station de ski du Mont-Avila** *(29$; ch. Avila, Piedmont, ☎(450) 227-4671 ou 800-363-2426)*, proposant une dizaine de pentes, dont la plus longue fait 1 050 m.

Avec sa petite montagne n'ayant qu'un dénivelé de 210 m, la **Station touristique Mont-Saint-Sauveur** *(38$; 350 rue St-Denis, St-Sauveur-des-Monts, ☎(450) 227-4671)* accueille une clientèle nombreuse en raison de sa proximité de Montréal. Cette station possède tout de même 26 pistes de ski alpin. Quelques pistes étant éclairées, il est possible de skier en soirée.

La Station de ski du Mont-Saint-Sauveur étant fréquemment envahie, certaines personnes préféreront les pentes des monts voisins, qui possèdent moins de pistes, mais où elles pourront skier sans trop attendre. La **Station de ski du Mont-Habitant** *(29$; 12 boul. des Skieurs, ☎(450) 227-2637)*, avec ses huit pistes, en fait partie. Et il y a aussi le **Mont-Christie** *(22$; Côte St-Gabriel E., ☎(450) 226-2412)*, qui compte 12 pistes partagées entre les skieurs et les planchistes.

Également situées dans les environs, mentionnons la **Station de ski Morin-Heights** *(31$; ch. Bennett, ☎(450) 227-2020)*, qui compte 22 pistes dont 16 éclairées, ainsi que la modeste (huit pistes) station **L'Avalanche** *(22$; 1657 ch. de l'Avalanche, ☎(819) 327-3232)*, près de Saint-Adolphe-d'Howard.

La région de Sainte-Adèle attire, elle aussi, les skieurs grâce à deux stations de ski d'une bonne envergure. La **Station de ski du Mont-Gabriel** *(30$; 1501 montée Gabriel, Ste-Adèle, ☎(450) 227-1100)* offre 12 pistes (9 sont éclairées en soirée) destinées aux skieurs de tout niveau. De plus, on retrouve au Mont-Gabriel la célèbre piste nommée «Tomahawk», qui accueille le championnat mondial de ski acrobatique. La **Station de ski du Chanteclerc** *(25$; 1474 ch. Chanteclerc, ☎(450) 229-3555)*, près de laquelle le beau complexe touristique Chanteclerc a été bâti, propose 22 pistes, dont 13 sont ouvertes pour le ski de soirée.

À Val-Morin, on peut skier au mont **Belle Neige** *(26$; rte. 117, ☎(819) 322-3311)*. On y trouve 14 pistes toutes catégories. Puis, aux environs de Val-David, il y a le **Mont-Alta** *(20$; rte. 117, ☎(819) 322-3206)* et la **Station de ski Vallée-Bleue** *(23$; 1418 ch. Vallée-Bleue, ☎(819) 322-3427)*, qui comptent respectivement 22 et 16 pistes.

À Saint-Faustin, la **Station de ski Mont-Blanc** *(32$; rte. 117, ☎(819) 688-2444 ou 800-567-6715)* possède le second dénivelé en importance dans les Laurentides (300 m). Trente-cinq pistes y sont aménagées.

Station de ski Mont-Tremblant, voir p 239.

Non loin de la Station de ski Mont-Tremblant, vous découvrirez une autre belle station de ski de la région, **Gray Rocks** *(25$; 525 ch. Principal, Mt-Tremblant, ☎(819) 425-2771 ou 800-567-6767)*, qui présente une vingtaine de pistes sur un dénivelé (bien inférieur à sa voisine) de 191 m. Un vaste projet de rajeunissement des installations sera lancé au printemps 1998. De nouvelles unités d'hébergement seront ajoutées (appartements et chalets), de même qu'un nouveau parcours de golf.

Hébergement

Lanaudière

Joliette

Château Joliette
90$
ℜ
450 rue St-Thomas, J6E 3R1
☎752-2525 ou 800-361-0572
⇄752-2520
Logeant dans un vaste bâtiment de brique rouge construit au bord de la rivière, le Château Joliette se présente comme le plus grand hôtel de la ville. Il comporte de longs couloirs froids, dépourvus d'ornements. Les chambres, au décor moderne, sont grandes et confortables.

Saint-Alphonse-Rodriguez

Auberge sur la Falaise
118$ pdj
≡, ≈, ℑ, ✪, ⊛, ⊘, ℜ, ⌂
324 av. du Lac Long S., J0K 1W0
☎883-2269 ou 888-325-2473
⇄883-0143
À 10 km du village de Saint-Alphonse-Rodriguez, on découvre enfin la merveilleuse Auberge sur la Falaise après avoir emprunté une longue montée, pénétré dans un univers de tranquillité et passé devant le paisible lac Long. L'auberge, perchée sur un promontoire, domine ce paysage empreint de sérénité, réservant du même coup une vue exceptionnelle à ses invités. Dans ce bâtiment moderne, on trouve 25 chambres de grand luxe, certaines étant même équipées d'une baignoire à remous et d'un foyer. L'hôtel se double d'un relais santé et offre la possibilité de pratiquer de nombreux sports. Enfin, sa table compte parmi les meilleures de la région (voir p 247).

Saint-Jean-de-Matha

Auberge de la Montagne Coupée
115$
131$ pdj
≡, ≈, ⊘, ⊛, ℑ, ℜ, ⌂, ✪
1000 ch. de la Montagne-Coupée, J0K 2S0
☎886-3891 ou 800-363-8614
⇄886-5401
www.montagne.coupée.com
Autre établissement exceptionnel, l'Auberge de la Montagne Coupée ne se laisse repérer qu'après une montée qui semble interminable. L'excursion en vaut toutefois le coup, ce qui est immédiatement évident lorsque apparaît enfin ce bâtiment tout blanc doté d'immenses baies vitrées.
L'établissement compte une cinquantaine de chambres confortables au décor moderne baigné de lumière naturelle. Certaines sont munies d'un foyer. Depuis le salon et la salle à manger, les grandes fenêtres dévoilent un panorama saisissant. Centre équestre et théâtre d'été au bas du domaine. Restaurant remarquable (voir p 247).

Saint-Donat

Parc du Mont-Tremblant
17$
2951 rte. 125 N., C.P. 1169, J0T 2C0
☎819-424-7012
⇄424-2086
Le secteur Pimbina du parc du Mont-Tremblant, accessible par la route 125, non loin de Saint-Donat, possède 340 emplacements de camping.

Manoir des Laurentides
80$
ℑ, ⊛, ≈, ≡, ℂ, ℜ
290 rue Principale, C.P. 100
J0T 2C0
☎819-424-2121
☎800-567-6717
⇄424-2621
Le Manoir des Laurentides, bien situé sur la rive du lac Archambault, propose un bon rapport qualité/prix. Les chambres du bâtiment principal, qui fait trois étages, sont petites et quelque peu défraîchies. Chacune possède en contrepartie son propre balcon et s'avère somme toute confortable. Il y a aussi deux rangées de chambres de type motel qui s'allongent jusqu'au bord du lac et une quarantaine de chalets équipés d'une cuisinette. Comme l'endroit est souvent fort animé, ceux et celles qui recherchent paix et tranquillité opteront pour une chambre de motel ou un chalet. Au bord du lac, on a aménagé une plage, voisine d'une petite marina.

Les Laurentides

Saint-Sauveur-des-Monts

Hôtel Châteaumont
85$
≡, *tv*, ⊘, ℑ, ≈
50 rue Principale, J0R 1R6
☎(450) 227-1821
⇄227-1483
Une belle rangée de sapins égaye le jardin de l'hôtel Châteaumont. Il propose des chambres au mobilier moderne, toutes dotées (sauf deux d'entre elles) d'un foyer, un plaisir appréciable après une journée de ski.

Manoir Saint-Sauveur
209$
≈, ≡, *tv*, ♿, ⊘, ⌂, ℜ
246 ch. du lac Millette, J0R 1R3
☎(450) 227-1811
☎800-361-0505
⇄227-8512
Le Manoir Saint-Sauveur, comptant quelque 220 chambres, a mis l'accent sur les activités sportives. On y propose, en hiver ou en été, une foule de forfaits ski alpin, golf ou équitation, ainsi qu'une grande variété d'installations sportives (terrains de tennis et de squash). Il a l'avantage d'être construit en bordure du village de Saint-Sauveur, où vous pourrez vous rendre à pied.

Sainte-Adèle

Le Chanteclerc
100$
≈, ≡, *tv*, ⌂, ⊘
1474 ch. du Chanteclerc, J8B 1A2
☎(450) 229-3555
☎800-223-0883
⇄229-5593
Nommé en référence à l'œuvre d'Edmond Rostand, dont on a aussi emprunté le coq pour emblème, Le Chanteclerc propose une foule d'activités dans un cadre très naturel, au bord du lac et au pied du mont Chanteclerc. Le terrain de golf se trouve dans un site enchanteur, entre les montagnes. Le beau bâtiment en pierre, renfermant environ 300 chambres, et l'importance du complexe sportif créent une affluence considérable aux alentours de l'hôtel.

L'Eau à la Bouche
195$
≈, ≡, *tv*, ℜ
3003 boul. Ste-Adèle, J0R 1L0
☎(450) 229-2991
☎888-828-2991
⇄229-7573
Faisant partie de la prestigieuse association des Relais et Châteaux, l'hôtel L'Eau à la Bouche est connu pour son excellent restaurant gastronomique (voir p 249) et pour ses chambres compactes et simples mais d'un grand confort. Ne vous laissez pas influencer par l'aspect très rustique du bâtiment, car les chambres sont garnies d'un mobilier sobre mais élégant. Quelques-unes sont mêmes dotées d'un foyer. Le bâtiment de l'hôtel même a été construit en retrait de la route au milieu des années quatre-vingt. Il offre une vue splendide sur les pistes de ski du Mont Chanteclerc. Le restaurant, quant à lui, a été aménagé dans une maison séparée. L'ensemble se trouve sur la route 117, assez loin au nord du village de Sainte-Adèle.

Ville d'Estérel

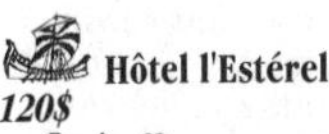
Hôtel l'Estérel
120$
≈, ⊘, ⌂, ℜ
39 boul. Fridolin-Simard, J0T 1E0
☎(450) 228-2571
☎888-378-3735
⇄228-4977
Le vaste complexe de l'hôtel l'Estérel, agréablement établi au bord du lac Masson, offre l'occasion de s'adonner à bon nombre d'activités nautiques ainsi qu'à des sports aussi divers que le tennis, le golf et le ski de fond. L'accent est surtout mis sur les activités; les chambres, quoique confortables, offrent un décor aux couleurs démodées.

Val-Morin

Hôtel Far Hills
238$
≈, ⌂, ℜ
Far Hills
☎(819) 322-2014
☎(514) 990-4409
⇄322-1995
Profitant d'un immense terrain, l'Hôtel Far Hills constitue un site champêtre d'une grande tranquillité. On y vient, entre autres, pour pratiquer le ski de fond, car il dispose de plus d'une centaine de kilomètres de pistes. En été, il fait bon s'y reposer tout en profitant des activités proposées par l'hôtel. Les chambres sont bien décorées, et l'accueil est chaleureux. De plus, l'hôtel dispose d'une des meilleures tables de la région (voir p 249).

Val-David

Chalet Beaumont
19$
ℂ
1451 Beaumont, J0T 2N0
☎(819) 322-1972
☎800-461-8585
⇄(819) 322-3793
de la gare d'autocar, empruntez la rue de l'Église et traversez le village jusqu'à la rue Beaumont, sur laquelle vous tournerez à gauche; comptez 2 km
Le Chalet Beaumont abrite une des deux seules Auberges de Jeunesse des Laurentides. Faite de rondins et disposant de deux foyers, elle est fort sympathique et confortable. L'auberge est située en montagne, dans une région paisible. Il s'agit d'un très bon choix pour les amateurs de plein air préoccupés par leur budget. Avant de louer, il est conseillé de s'enquérir des personnes susceptibles de partager votre chambre, car l'auberge est souvent occupée par des groupes de

jeunes étudiants en excursion à Val-David.

Auberge du Vieux Foyer
164$
⊛, ℂ, ℑ, ℜ, ≈
3167 R.R. 1, J0T 2N0
☎*(819) 322-2686*
☎*800-567-8327*
⇄*322-2687*
L'Auberge du Vieux Foyer est un endroit confortable qui saura satisfaire les gens recherchant une escapade de tranquillité. Le service est impeccable, et les chambres offrent un bon confort. La table est aussi très appréciée. Des vélos sont mis à la disposition de la clientèle.

Hôtel La Sapinière
270$
≈, ≡, *tv*, ℑ, ℜ
1244 ch. de la Sapinière, J0T 2N0
☎*(819) 322-2020*
☎*800-567-6635*
⇄*322-6510*
Le bâtiment en rondins de l'hôtel La Sapinière a un cachet campagnard qui n'a rien de luxueux. Les chambres ont toutefois été entièrement redécorées récemment. Ainsi, l'hôtel constitue-t-il une halte confortable pour qui séjourne dans cette région, d'autant plus qu'il est situé dans un cadre enchanteur.

Sainte-Agathe-des-Monts

Auberge Le Saint-Venant
86$ pdj
ℂ
234 rue St-Venant, J8C 2Z7
☎*(819) 326-7937*
☎*800-697-7937*
⇄*(819) 326-4848*
L'Auberge Le Saint-Venant constitue l'un des secrets bien gardés de Sainte-Agathe. Dans une belle grande maison jaune juchée sur une colline, on a aménagé avec beaucoup de raffinement ce bel établissement de neuf chambres. Celles-ci se révèlent vastes, décorées avec goût et baignées de lumière grâce à de grandes fenêtres. Accueil à la fois chaleureux et discret.

Lac-Supérieur

Base de Plein Air le P'tit Bonheur
153$/ pers. 2 nuitées, 5 repas, activités, animation
bc, ℜ
1400 ch. du Lac Quenouille, Lac-Supérieur, J0T 1P0
☎*(819) 326-4281*
⇄*326-9516*
La Base de Plein Air le P'tit Bonheur n'est rien de moins qu'une institution dans les Laurentides. Ce qui autrefois n'était qu'un camp de vacances pour les jeunes est aujourd'hui devenu un établissement s'adressant aux familles désireuses de prendre des «vacances plein air». C'est donc sur un vaste domaine au bord d'un lac et en pleine forêt que l'on accède aux quatre pavillons de la base, abritant au total près de 450 lits, la plupart en dortoir. Une vingtaine de lits se trouvent toutefois dans des chambres séparées, avec salle de bain privée, pouvant accueillir jusqu'à quatre personnes. L'endroit est bien sûr idéal pour la pratique de nombreux sports : voile, randonnée pédestre, ski de fond, patin, etc.

Station touristique du Mont-Tremblant

Manoir Labelle-Marriott
195$
≡, *tv*, ℂ, ⊙, ≈, ℜ
170 ch. Curé-Deslauriers, J0T 1Z0
☎*(819) 681-4000*
☎*800-228-9290*
⇄*681-4099*
La prestigieuse chaîne internationale Marriott s'est également installée à la station touristique du Mont-Tremblant, dans un grand bâtiment situé au tout début du village piétonnier. Ainsi, au Marriott Residence Inn, il est possible de louer un studio ou un appartement d'une ou deux chambres. Chaque unité est équipée d'une cuisinette, et certaines ont même un foyer.

Château Mont Tremblant
129$
⊛, ℂ, ℑ, ≡, *tv*, ⊙, △, ≈, ℜ
3045 ch. Principal, J0T 1Z0
☎*(819) 681-7000*
☎*800-441-1414*
⇄*681-7097*
Dominant le village piétonnier de la station touristique du Mont-Tremblant, le Château Mont Tremblant est un des deux seuls ajouts faits à la prestigieuse chaîne hôtelière Canadien Pacifique depuis un siècle, l'autre se trouvant à Whistler, en Colombie-Britannique. Cet imposant hôtel de 316 chambres arrive à combiner habilement chaleur rustique de bon aloi dans les environs et haut confort propre aux établissements de grand prestige. L'endroit abrite de plus un important centre de congrès et possède de nombreuses salles de réunion d'affaires.

Station touristique du Mont-Tremblant
3005 ch. Principal
J0T 1Z0
☎*(819) 681-3000*
☎*800-461-8711*
⇄*681-5999*
La Station touristique du Mont-Tremblant gère, de plus, directement toute une gamme d'unités d'hébergement. Ainsi peut-on choisir une chambre ou un appartement à l'intérieur d'un complexe comme le **Kandahar** *(225$; bp*, ≡, *tv*, △, ≈, ℂ*)*, situé près d'un étang dans le secteur «Vieux Tremblant» de la station, ou comme les luxueux **Deslauriers**, **Saint-**

Bernard et **Johannsen** *(225$; bp, ≡, tv, ℂ)*, tous construits autour de la place Saint-Bernard. Les familles devraient quant à elles opter pour les condos individuels du domaine **La Chouette** *(260$)*. Ceux-ci, entièrement équipés, ont des dimensions modestes mais sont magnifiquement baignés de lumière naturelle. Ils offrent en outre un excellent rapport qualité/prix, devenant ainsi une alternative appréciable dans le secteur.

Village Mont-Tremblant

Auberge de jeunesse Mont-Tremblant
20$
ℜ
2213 ch. Principal, C.P. 1001, J0T 1Z0
☎(819) 425-6008
☎800-461-8585
⇄425-3760
L'auberge de jeunesse Mont-Tremblant a vu le jour à l'automne 1997. Aménagé dans l'ancien hôtel L'Escapade, ce nouveau venu dispose de 84 lits, certains en dortoir, d'autres en chambres fermées. Dans les aires communes, on retrouve une cuisine, un café-resto-bar et un salon avec foyer.

Parc du Mont-Tremblant
17$
☎(819) 688-2281
Le parc du Mont-Tremblant, secteur de la Diable, propose près de 600 emplacements de camping. Installations sanitaires et douches.

Hôtel Mont-Tremblant
71$ pdj
bc/bp
1900 rue Principale, J0T 1Z0
☎(819) 425-3232
⇄425-9755
L'hôtel Mont-Tremblant dispose, au rez-de-chaussée, d'un bar et, à l'étage, de chambres au confort modeste, mais adéquat pour le prix et la situation géographique, au centre du village et près de la Station de ski du Mont-Tremblant.

Auberge Gray Rocks
140$
⊛, ≈, ≡, ⌂, ℂ, ⊙, *tv*, ℜ, ℑ
525 ch. Principal, J0T 1Z0
☎(819) 425-2771
☎800-567-6767
⇄425-3006
L'Auberge Gray Rocks propose toute une gamme d'activités et de services dans le but de satisfaire les moindres désirs des vacanciers.

Club Tremblant
200$
≈, ≡, ⌂, ⊙, ℂ, *tv*, ℜ
121 av. Cuttle, J0T 1Z0
☎(819) 425-2731
☎800-363-2314
⇄425-9903
Au Club Tremblant, vous louez des condos bien équipés. Le site, vaste et paisible, est idéal pour les personnes qui désirent s'adonner à une activité sportive (le Parc du Mont-Tremblant est tout près) ou préférent se reposer loin de la ville, dans un bel environnement naturel.

L'Outaouais

Montebello

Château Montebello
250$
≡, ⊛, ℜ, ≈, ⊙, ⌂, ✪
392 rue Notre -Dame, J0V 1L0
☎423-6341 ou 800-441-1414
⇄423-5283
www.cphotel.ca
Baptisée Château Montebello, cette superbe structure construite en bois de pin et de cèdre s'élève sur le bord de la rivière des Outaouais. Elle détient le titre de la plus importante structure en bois rond du monde. C'est aujourd'hui un centre de villégiature qui dispose de plusieurs installations, notamment une piscine intérieure et extérieure, des terrains de squash et une salle de conditionnement physique.

Hull

Auberge de la gare
98$ pdj
≡, ⊛
205 boul. St-Joseph, J8Y 3X3
☎778-8085 ou 800-361-6162
⇄595-2021
L'Auberge de la gare est un hôtel simple et conventionnel. Le service est courtois et aimable. Les chambres sont propres, bien tenues, mais sans surprise. Il s'agit d'un établissement offrant un bon rapport qualité/prix.

Parc de la Gatineau

Parc de la Gatineau
19$
camping du lac Philippe
15$
rte. 366
☎456-3016
camping du lac La Pêche
rte. 366
☎456-3016
Sans doute un des plus beaux sites de la région pour camper, le parc de la Gatineau a, avec plus de 350 emplacements, vraiment de quoi plaire aux personnes désirant dormir en pleine nature. Des emplacements sont aménagés pour recevoir les véhicules récréatifs.

Restaurants

Lanaudière

Terrebonne

Le Folichon
$$$-$$$$
fermé lun
804 rue St-François-Xavier
☎492-1863
L'arrondissement historique de Terrebonne, avec son parc, ses jolies boutiques et ses belles demeures, constitue un lieu de promenade fort apprécié. D'aucuns en profiteront d'ailleurs pour couronner une aussi agréable excursion par une halte à l'une de ses nombreuses bonnes tables. À cet égard, Le Folichon ne déçoit pas. Aménagé dans une sympathique maison en bois de deux étages, ce restaurant arrive, grâce à son atmosphère chaleureuse, à faire oublier les plus froides journées d'hiver. En été toutefois, plusieurs opteront plutôt pour sa terrasse ombragée. La table d'hôte, composée de cinq services, laisse habituellement un bon souvenir. On y remarquera tout particulièrement le feuilleté d'escargot à la tombée de tomate et de poireau, le magret de canard sauce aux framboises et le contre-filet de chevreuil sauce miel et thym. Qui plus est, la carte des vins impressionne par sa variété.

L'Étang des Moulins
$$$
fermé lun
888 rue St-Louis
☎471-4018
L'Étang des Moulins occupe une superbe maison de pierre qui domine l'arrondissement historique. Une première salle, à l'entrée, baigne dans une ambiance chaleureuse et romantique. On y remarque un petit bar sur la gauche et un bel escalier menant à l'étage. À l'arrière, une seconde pièce possède de grandes fenêtres offrant une splendide vue sur l'île des Moulins. Cette seconde partie de l'établissement donne aussi accès à une terrasse protégée par une jolie verrière. Le raffinement de l'endroit se remarque jusque sur les tables, élégamment nappées de dentelle, et c'est bercé de chansons françaises que l'on y savoure son repas. Le service s'avère quant à lui discret et attentionné. Sur le menu, on a tôt fait de remarquer des mets français que l'on croyait connaître et qu'on réussit ici à réinventer : feuilleté de cuisses de grenouille, thermidore de homard, caille farcie à la chair de daim. Les gourmets n'hésiteront pas quant à eux à délier les cordons de leur bourse et ainsi succomber aux charmes du «menu inspiration» de sept services. À n'en point douter, l'une des meilleures tables de Lanaudière.

Joliette

L'Antre Jean
$$$
mer-dim
385 boul. St-Viateur
☎450-756-0412
Au nombre des bonnes tables, L'Antre Jean semble faire l'unanimité au sein de la population locale. On y sert une cuisine française qui ne dépare certainement pas le genre, à partir d'un menu basé sur des tables d'hôte variées. Le décor est chaleureux et l'ambiance, pas trop guindée.

Saint-Alphonse-Rodriguez

Auberge sur la Falaise
$$$-$$$$
324 av. du Lac Long S.
☎883-2269
À l'extraordinaire Auberge sur la Falaise, c'est dans un cadre d'une rare tranquillité que vous prendrez votre repas. Perdu en pleine forêt et surplombant un beau lac paisible, cet établissement constitue une fameuse retraite pour quiconque cherche à fuir, ne serait-ce que le temps d'un dîner, le rythme trépidant de la vie moderne. Avec beaucoup d'habileté, le chef adapte ici la gastronomie française à la sauce québécoise. Ainsi découvrirez-vous sur la carte médaillon de caribou aux bleuets du Lac, carré d'agneau, mousseline de brochet, crème renversée à l'érable, etc. Pour les gourmets, le menu gastronomique de cinq services est un choix éclairé et a toutes les chances de devenir une expérience mémorable.

Saint-Jean-de-Matha

Auberge de la Montagne Coupée
$$$$
tlj
1000 ch. de la Montagne-Coupée
☎886-3891
L'Auberge de la Montagne Coupée, une autre adresse réputée pour le calme de son site, propose quant à elle un étonnant menu de cuisine évolutive québécoise. Grâce à de hautes baies vitrées (deux étages), la salle à manger, située au rez-de-chaussée d'un beau bâtiment blanc moderne, planté au bord d'une falaise, offre aux convives une vue à couper le souffle sur la nature environnante. Et ce n'est là qu'une entrée en matière,

le meilleur (le repas!) restant encore à venir. Aux plats de gibier présentés avec une rare imagination, s'ajoutent quelques succulentes trouvailles comme la volaille de grains aux poireaux et au fromage oka sauce dijonnaise et le croustillant d'agneau au chèvre. Service des plus attentionnés. Belle carte des vins. Petits déjeuners très copieux.

Saint-Donat

La petite Michèle
$
327 rue St-Donat
☎819-424-3131
Pour les voyageurs à la recherche d'une bonne table familiale, La petite Michèle est le restaurant tout indiqué. Une ambiance décontractée, un service amical et un menu composé de plats québécois, voilà ce que vous y retrouverez.

Maison Blanche
$$
515 rue Principale
☎819-424-2222
Les plats de la Maison Blanche sont toujours délicieux. On y sert une spécialité de viande rouge dont la réputation n'est plus à faire.

Cuisto du Nord
$$
436 rue Principale, C.P. 59, J0T 2C0
☎819-424-2483
Quant à lui, le Cuisto du Nord constitue un choix intéressant pour qui désire un menu de spécialités québécoises.

Auberge Havre du Parc
$$$-$$$$
2788 rte. 125 N., Lac-Provost
☎819-424-7686
L'Auberge Havre du Parc, en plus d'offrir un site d'une exceptionnelle tranquillité, propose aussi un excellent menu de spécialités françaises.

Les Laurentides

Saint-Jérôme

Le Jardin d'Agnès
$$-$$$
401 rue Laviolette
fermé dim-mar
☎(450) 431-2575
Parmi les plats au menu, mentionnons les prometteurs blanc de volaille à la moutarde ancienne et le filet d'agneau à la crème de basilic. Terrasse à l'arrière, au bord de l'eau.

Saint-Sauveur-des-Monts

Le Chrysanthème
$$
173 rue Principale
☎(450) 227-8888
Le Chrysanthème possède une belle grande terrasse où il fait bon s'attabler par une belle soirée d'été. On y sert une authentique cuisine chinoise représentant une bonne alternative dans le secteur.

Papa Luigi
$$-$$$
155 rue Principale
☎(450) 227-5311
On trouve au menu de Papa Luigi des spécialités italiennes, on s'en doute, mais aussi des fruits de mer et des grillades. Installé dans une belle maison de bois peinte en bleu, cet établissement attire les foules, surtout la fin de semaine. Réservations fortement recommandées.

Le Mousqueton
$$-$$$
fermé dim
120 rue Principale
☎(450) 227-4330
Non loin de là, mais de l'autre côté de la rue, vous remarquerez la maison verte abritant Le Mousqueton. Dans une ambiance chaleureuse et sans prétention, on y sert une cuisine québécoise moderne et imaginative. Plats de gibier, de poisson et même d'autruche figurent au menu.

Mont-Rolland

Auberge La Biche au Bois
$$$$
fermé lun
1806 rte. 117
☎(450) 229-8064
Le cadre enchanteur de l'Auberge La Biche au Bois, plantée en pleine nature aux abords de la rivière Simon, saura à coup sûr vous mettre en appétit. Au menu, des spécialités québécoises et françaises. Atmosphère romantique.

Sainte-Adèle

La Scala
$$-$$$
fermé mar-mer en hiver
1241 ch. Chanteclerc
☎(450) 229-7453
Sur la route menant au Chanteclerc s'alignent quelques petits restaurants. Parmi ceux-ci, le plus intéressant est sans doute La Scala. On peut s'installer à l'intérieur, chaleureux et accueillant, ou, en saison, sur la terrasse ombragée offrant une belle vue sur le lac Rond. On y prépare des spécialités italiennes et françaises, dont un carré d'agneau qui a gagné ses lettres de noblesse.

Clef des Champs
$$$-$$$$
fermé lun en hiver
875 ch. Pierre-Péladeau
☎(450) 229-2857
Au restaurant la Clef des Champs, vous dégusterez une cuisine française digne des plus fins palais. Il faut

grimper au sommet d'une petite colline pour atteindre ce resto, dont la savoureuse cuisine classique est reconnue depuis maintenant de nombreuses années. La salle à manger, chaleureusement décorée, est parfaite pour les repas en tête-à-tête. Le restaurant dispose en outre d'une excellente cave à vins.

L'Eau à la Bouche
$$$$
3003 boul. Ste-Adèle
☎(450) 229-2991
L'une des meilleures tables des Laurentides, voire du Québec, se trouve à l'hôtel L'Eau à la Bouche (voir p 244). Le chef Anne Desjardins se fait ici un point d'honneur de se surpasser jour après jour, afin de servir à sa clientèle une cuisine française exceptionnelle à base de produits du Québec. Ainsi apprête-t-elle avec un rare raffinement le cochonnet du Québec, la truite de l'Abitibi, le saumon de l'Atlantique et le caribou du Grand Nord. Deux menus, l'un de trois services et l'autre de six services, sont proposés chaque soir. Très belle carte des vins. Une inoubliable expérience gastronomique!

Sainte-Marguerite-du-Lac-Masson

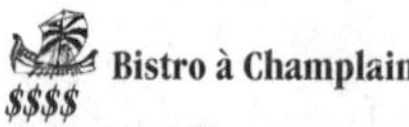
Bistro à Champlain
$$$$
fin juin à début sept mar-dim, début sept à fin juin jeu-dim
75 ch. Masson
☎(450) 228-4988
Il ne faut pas se fier à l'allure quelconque de la maison qui abrite le Bistro à Champlain. Il s'agit en fait d'une des meilleures tables des Laurentides. On y prépare d'excellents plats issus d'une cuisine nouvelle employant des produits frais de la région. L'intérieur se révèle absolument extraordinaire. Il s'agit en fait d'une véritable galerie d'art où vous pourrez admirer plusieurs tableaux de Jean-Paul Riopelle, un ami intime du proprio, et d'autres artistes comme Joan Mitchell et Louise Prescott. L'établissement possède de plus l'une des caves à vins les plus réputées du Québec. Il est d'ailleurs possible de visiter sur réservation. Chacun peut goûter quelques crus de cette formidable réserve, car même les plus grands vins sont vendus au verre. Il est préférable de réserver.

Val-Morin

Le Mazot Suisse
$$-$$$
mer-lun l'hiver
5320 boul. Labelle
☎(450) 229-5600
Le Mazot Suisse occupe une maison semblable au typique chalet (mazot) de ce pays. Le menu propose des spécialités telles que la fondue bourguignonne (filet de bœuf) ou la raclette (préparée dans le four original). L'endroit est fort agréable.

Hôtel Far Hills
$$$$
rue Far Hills
☎(819) 322-2014
☎de Montréal 990-4409
La table de l'hôtel Far Hills compte encore aujourd'hui parmi les meilleures des Laurentides. On y propose une gastronomie digne des plus grands établissements internationaux. Il faut essayer le saumon aux herbes folles du jardin, un pur délice.

Val-David

Le Petit Poucet
$$
1030 rte. 117
☎(819) 322-2246
☎800-334-2246
Le sympathique restaurant le Petit Poucet propose une bonne cuisine québécoise de type familial. L'endroit est détendu, et l'on y vient pour prendre un repas entre amis. Les petits déjeuners sont copieux; les gourmands devraient essayer le spécial nommé «l'Ogre».

Hôtel La Sapinière
$$$$
1244 ch. La Sapinière
☎(819) 322-2020
Au restaurant de l'hôtel La Sapinière (voir p 245), on s'efforce depuis maintenant plus de 60 ans de développer une cuisine créative d'inspiration québécoise et française. Parmi les spécialités de la maison, notons les plats de lapereau et de porcelet, de même que le pain d'épices. La tarte au sucre à la crème est pour sa part un *must* absolu. Très bonne sélection de vins.

Sainte-Agathe-des-Monts

Le Havre des Poètes
$$
lun-sam
55 rue St-Vincent
☎(819) 326-8731
Le restaurant Le Havre des Poètes présente des spectacles de chansonniers interprétant les classiques de la musique francophone. La cuisine est appréciée, mais on s'y rend surtout pour l'ambiance.

Chez Girard
$$-$$$
18 rue Principale O.
☎(819) 326-0922
Au restaurant Chez Girard, situé non loin du lac des Sables, un peu en retrait de la route, vous profiterez d'un cadre tout à fait agréable et d'une délicieuse cuisine française. Le restaurant est aménagé sur deux étages, le premier étant le plus bruyant. L'endroit est fort agréable après les journées de plein air.

La Sauvagine
$$$$
1592 rte. 329 N.
☎(819) 326-7673
Le restaurant français La Sauvagine est judicieusement installé dans ce qui fut jadis la chapelle d'un couvent. L'aménagement est des plus réussis; d'énormes meubles d'époque composent le décor.

Station touristique du Mont-Tremblant

Aux Truffes
$$$$
3035 ch. Principal
☎(819) 681-4544
Dans un décor à la fois moderne et chaleureux, Aux Truffes constitue la meilleure adresse de la Station Touristique du Mont-Tremblant. On y prépare une succulente nouvelle cuisine française dans laquelle figurent en bonne place truffes, foie gras et plats de viande sauvage.

La Légende
$$$$
fermé en mai et de la fin sept à la fin déc
mont Tremblant
☎(819) 681-3000
☎800-461-8711, poste 5500
La Légende est un restaurant gastronomique situé au sommet du mont Tremblant, dans le complexe Le Grand-Manitou, à l'intérieur duquel on trouve aussi une cafétéria. Évidemment, la vue spectaculaire sur les environs prend ici la vedette. Mais il ne faut toutefois pas sous-estimer la cuisine québécoise préparée en ces lieux. Ainsi, les plats de gibier, de poisson, de veau, de bœuf et de porc sont ici apprêtés avec beaucoup de finesse. Terrasse. Réservation nécessaire.

Village Mont-Tremblant

Club Tremblant
$$$-$$$$
av. Cuttle
☎(819) 425-2731
La magnifique salle à manger du Club Tremblant (voir p 246) offre une vue panoramique sur le lac et le mont Tremblant. Le chef y prépare une cuisine gastronomique française traditionnelle. Les jeudis et samedis soirs, on y sert un fastueux buffet. Le brunch du dimanche est aussi très couru. Réservations fortement recommandées.

L'Outaouais

Hull

Aux Quatre Jeudis
$
44 rue Laval
☎771-9557
Le sympathique «café-resto-bar-galerie-ciné-terrasse» Aux Quatre Jeudis accueille une clientèle jeune et un peu bohème. Il dispose d'un écran sur lequel sont présentés des films. Sa jolie terrasse se révèle très populaire durant l'été. L'atmosphère y est très détendue.

Le Casino de Hull possède décidément toutes les ressources pour que vous y passiez d'excellents moments, car, outre les tables de jeux, il renferme deux restaurants où vous pourrez faire un excellent repas loin du tapage. Le **Banco** (***$$***) propose une formule buffet, à bon prix, ainsi que divers plats à la carte. Plus chic et plus cher, le **Baccara** (***$$$$***; *fermé le midi; 1 boul. du Casino,☎ 772-6210*) a su se tailler une place parmi les meilleurs restos de la région. La table d'hôte affiche tous les jours des plats raffinés, que vous dégusterez tout en profitant d'une vue spectaculaire sur le lac. La cave à vins, bien garnie, et le service toujours impeccable concourent également à faire de votre repas une expérience culinaire mémorable.

Café Henry Burger
$$$$
69 rue Laurier
☎777-5646
Le chic Café Henry Burger se spécialise dans la préparation d'une cuisine française raffinée. Le menu se modifie au gré des arrivages et réussit chaque fois à ravir les palais les plus délicats. Établi à Hull depuis belle lurette, il a su conserver une excellente réputation malgré le service un peu froid.

Chelsea

L'Orée du bois
$$$-$$$$
ouvert dès 17h
fermé lun
en hiver fermé dim-lun
15 Kingsmere Rd.
Old Chelsea
☎827-0332
Visiter l'Outaouais sans se rendre dans le parc de la Gatineau est une hérésie. Ne serait-ce que pour y prendre un repas. L'Orée du bois vous accueille dans une maison rustique en plein cœur de la nature. Le bois, la brique et

les rideaux crochetés que l'on retrouve à l'intérieur ajoutent à l'harmonie. Voilà une entreprise familiale du genre que l'on retrouve partout dans les différentes régions de la France. Manon, souriante, vous reçoit et supervise les salles, tandis que Guy concentre son expertise sur la cuisine. La formule ne peut qu'être gagnante pour le client. Guy tente d'établir une cuisine française qui mettrait en valeur les excellents produits régionaux que l'on retrouve au Québec. La carte propose ainsi des plats préparés à base de champignons des bois, de fromage de chèvre frais, de canard du Lac Brome, de cerf et de poissons fumés sur place au bois d'érable. Les prix sont très raisonnables et les portions, généreuses.

Papineauville

La Table de Pierre Delahaye
$$$
fermé lun-mar
247 Papineau
☎427-5027
La Table de Pierre Delahaye mérite une escale. Oubliez le Château Montebello! Ce restaurant n'évoque que des souvenirs mémorables. Une histoire de couple : Madame à l'entrée et Monsieur à la cuisine. Un accueil toujours cordial et chaleureux, une cuisine exquise d'inspiration normande : le chef est un vrai Normand! Si l'évocation du ris de veau vous fait saliver, pas besoin d'aller plus loin. Cette maison de village historique (1880) abrite des pièces empreintes d'ambiance. Lorsqu'on est à plusieurs (huit et plus), on peut même entièrement disposer d'une des pièces.

Sorties

Bars et discothèques

Prévost

Le Secret
292 boul. Labelle
Le Secret est le bar gay des Laurentides. On y retrouve une clientèle mixte venue surtout pour danser.

Saint-Sauveur-des-Monts

Les Vieilles Portes
rue Principale
Le bar Les Vieilles Portes est un endroit agréable pour prendre un verre avec des amis. En été, il bénéficie d'une terrasse extérieure fort plaisante.

Bentley's
235 rue Principale
Le Bentley's est souvent rempli de jeunes venus prendre un verre avant d'aller danser.

Mont-Rolland

Bourbon Street
rte. 117
Le Bourbon Street reçoit de bons groupes de musiciens. Il est fréquenté par une clientèle relativement jeune.

Mont-Laurier

Bistro
495 boul. Paquette
Le Bistro est un endroit fort populaire. Les fins de semaine, une jeune clientèle s'y entasse pour boire un verre entre amis.

Hull

La promenade du Portage est connue de tous, y compris des Ontariens qui viennent y terminer la fête. Clientèle plutôt jeune.

Le Bop
5 rue Aubry
Le Bop est un petit établissement sympathique du vieux Hull. On peut commencer la soirée en y mangeant. On y entend non seulement de la musique techno et disco, mais aussi du *softrock* et même un peu de *hardrock*.

Aux Quatre Jeudis
44 rue Laval
Depuis de très nombreuses années, le café Aux Quatre Jeudis est l'endroit privilégié par les habitués des cafés. Belle grande terrasse en été. Fort sympathique. Beaucoup d'ambiance à l'intérieur.

Le Fou du Roi
253 boul. St-Joseph
Le Fou du Roi est le lieu de rencontre des gens qui ont dépassé la trentaine. Les vitrines s'ouvrent sur une petite terrasse en été. Également très fréquenté après les heures de bureau.

Le Casino de Hull abrite deux très beaux bars : le **777** et le **Marina** *(1 boul. du Casino)*, où l'on ne sert pas moins de 70 sortes de bières produites par les microbrasseries canadiennes.

Théâtres et salles de spectacle

Lanaudière

Terrebonne

Le minuscule mais chaleureux **Théâtre du Vieux-Terrebonne** *(867 St-Pierre,*

☎*492-4777)* a gagné au fil des ans le respect de la communauté artistique québécoise. Ainsi, les plus grands noms de la chanson et de l'humour s'y arrêtent systématiquement pour y roder leur spectacle avant d'affronter le public montréalais. Des troupes de théâtre en tournée y font aussi fréquemment halte.

Joliette

Rien de plus agréable que d'assister à un concert en plein air à l'**Amphithéâtre de Lanaudière** *(1575 boul. Base-de-Roc, ☎759-2999 ou 800-561-4343)*, brillamment installé dans une sorte de petite vallée ceinturée d'arbres. C'est au cours de l'été, lors du Festival international de Lanaudière, que ce site à l'acoustique remarquable propose le meilleur de sa programmation.

Les Laurentides

Les Laurentides possèdent une véritable tradition en matière de théâtre d'été. Plusieurs salles bien connues et appréciées présentent des pièces de qualité tout au long de la belle saison. Parmi celles-ci, figurent le **Théâtre Saint-Sauveur** *(22 rue Claude, ☎(450) 227-8466)*, le **Théâtre le Chanteclerc** *(1474 ch. du Chanteclerc, Ste-Adèle, ☎(450) 229-3591)*, Le Patriote de Sainte-Agathe *(rue St-Venant, ☎(819) 326-3655)* et le **Théâtre Sainte-Adèle** *(1069 boul. Ste-Adèle, ☎(450) 227-1389)*.

L'Outaouais

Hull

Pour assister à une pièce de théâtre, rendez-vous au **Théâtre de l'île** *(1 rue Wellington, ☎595-7455)*. En été, des forfaits souper-théâtre sont proposés.

Fêtes et festivals

Lanaudière

Joliette

Le **Festival international de Lanaudière** *(☎759-7636 ou 800-561-4343)* constitue l'événement le plus important de la région. Et pour cause : pendant les plus belles semaines de l'été, des dizaines de concerts de musique classique, contemporaine et, plus rarement, populaire sont présentés dans les églises de la région ou encore, en plein air, au superbe Amphithéâtre de Lanaudière.

St-Donat

Une fois l'automne venu, la nature de la région de Saint-Donat se pare de ses couleurs les plus variées. Pour célébrer cette explosion spectaculaire, de nombreuses activités familiales sont organisées dans le cadre des **Week-ends des Couleurs** *(☎819-424-2833 ou 888-783-6628)*.

L'Outaouais

Gatineau

Le **Festival des montgolfières** *(☎243-2330 ou 800-668-8383)* se déroule à Gatineau pendant la fin de semaine de la fête du Travail, début septembre. Une féerie de couleurs inonde alors le ciel. En peu d'années, ce festival a acquis une réputation enviable. Très bien organisé, il attire plusieurs grands artistes de la chanson en soirée.

Casinos

L'Outaouais

Hull

Les personnes désirant s'amuser tout en ayant la possibilité de gagner de bons montants d'argent peuvent se rendre au **Casino de Hull** *(11h à 3h; 1 boul. du Casino, ☎819-772-2100 ou 800-665-2274)*. Vaste, il renferme notamment des machines à sous, des tables de Keno, de blackjack et de roulette ainsi que deux restaurants (voir p 250).

Achats

Lanaudière

La région compte plusieurs bonnes librairies. Parmi celles-ci, mentionnons la sympathique **Librairie Lincourt** *(191 rue St-André, Terrebonne, ☎471-3142)*, située en plein cœur du Vieux-Terrebonne, la **Librairie Lu-lu** *(1681 ch. Gascon, Terrebonne, ☎471-2060)*, la **Librairie Raffin** *(100 boul. Brien, Galeries de la Rive Nord, Repentigny, ☎581-9892)*, la **Librairie René-Martin** *(598 rue St-Viateur, Joliette, ☎759-2822)* et la **Librairie Villeneuve** *(364 rue Notre-Dame, Joliette, ☎759-2833)*.

Les Laurentides

Saint-Sauveur-des-Monts

La rue Principale de Saint-Sauveur est bordée d'une foule de commerces variés que vous prendrez sans doute plaisir à découvrir. Outre de belles boutiques de mode, vous trouverez des spécialistes des reproductions de meubles québécois d'époque.

La Petite École
153 rue Principale
Vous pourrez vous procurer, à la boutique La Petite École, des trésors de toutes sortes, allant des décorations de Noël aux fleurs séchées en passant par les articles de cuisine et les produits de beauté.

L'art du souvenir
191A rue Principale, St-Sauveur-des-Monts
Pour les amateurs de souvenirs en tout genre, la boutique L'art du souvenir constitue un fort bon endroit où les y cueillir.

Saint-Jovite

Le Hameau
816 rue Ouimet
Le Hameau est un ensemble de boutiques toutes plus mignonnes les unes que les autres.

L'Outaouais

Hull

La **boutique du Musée canadien des civilisations** *(100 rue Laurier)* est en quelque sorte une autre salle de cette institution. Bien que les pièces d'artisanat autochtone et canadien qui y sont vendues n'aient pas la même qualité artistique que celles exposées dans le musée, vous y dénicherez toutes sortes de trésors à prix accessible. En plus de l'artisanat, on y vend une foule de chouettes petits bibelots. Le **Musée canadien des civilisations** renferme également une librairie disposant d'une fort belle collection d'ouvrages traitant de l'histoire et de l'artisanat de nombre d'ethnies.

Wakefield

Une petite boutique, **Jamboree** *(817 Riverside Rd, ☎459-3453)* propose des produits maison faits sur place : confitures, chutneys et achards (*relish*) (aux bleuets sauvages ou aux courgettes, s'il faut choisir). Lorsqu'on y pénètre, les odeurs embaument le petit espace. On y vend également des articles de cuisine et de l'artisanat.

La Mauricie–Centre-du-Québec

La région Mauricie–Centre-du-Québec constitue un amalgame de régions diverses, réparties sur les deux rives du Saint-Laurent.

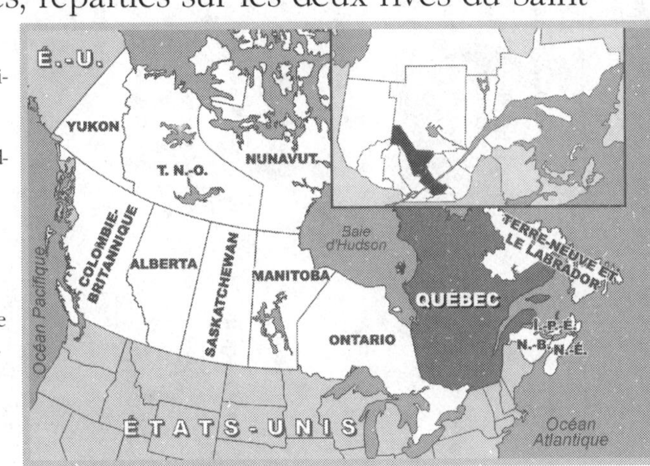

Située à mi-chemin environ entre Québec et Montréal, cette grande région forme un axe nord-sud embrassant les trois formations morphologiques du territoire québécois : le Bouclier canadien, la plaine du Saint-Laurent et une parcelle de la chaîne des Appalaches.

On considère généralement la ville de Trois-Rivières comme le pivot central de la Mauricie–Centre-du-Québec. Seconde ville à être fondée en Nouvelle-France (1634), Trois-Rivières fut d'abord un poste de traite des fourrures avant de devenir, avec l'inauguration en 1730 des Forges du Saint-Maurice, une ville à vocation industrielle.

Aujourd'hui, et ce, depuis la fin du XIXe siècle, l'exploitation des richesses forestières de son arrière-pays en a fait le plus important centre québécois de l'industrie des pâtes et papiers.

Enfin, l'extrême sud de la région, que l'on nomme les «Bois-Francs», présente des paysages légèrement vallonnés qui annoncent le début de la chaîne des Appalaches. Depuis quelque temps, grâce à de belles initiatives locales, on peut chaque année assister à d'intéressants spectacles au Festival international de musique actuelle de Victoriaville et au Mondial des Cultures.

Pour s'y retrouver sans mal

En autocar

Trois-Rivières
275 rue St-Georges
☎ *(819) 374-2944*

Grand-Mère
800 6e Av.
☎ *(819) 533-5565*

Shawinigan
1563 boul. St-Sacrement
☎ *(819) 539-5144*

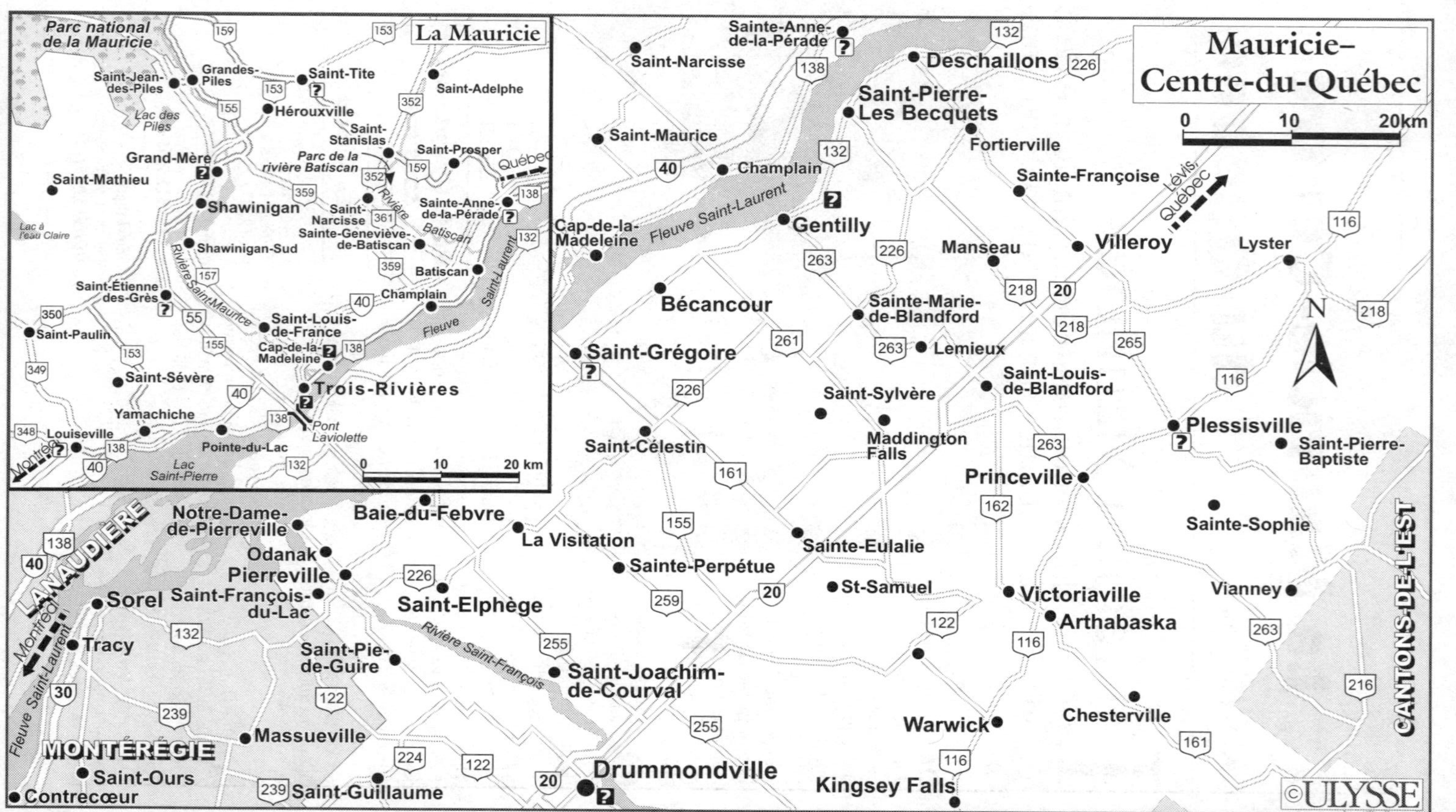

Mauricie–
Centre-du-Québec
0
10
20km
La Mauricie
Parc national de la Mauricie
Saint-Jean-des-Piles
Grandes-Piles
Saint-Tite
Saint-Adelphe
Lac des Piles
Hérouxville
Saint-Stanislas
Parc de la rivière Batiscan
Saint-Prosper
Grand-Mère
Saint-Mathieu
Shawinigan
Saint-Narcisse
Sainte-Anne-de-la-Pérade
Rivière Batiscan
Lac à l'eau Claire
Shawinigan-Sud
Sainte-Geneviève-de-Batiscan
Batiscan
Rivière Saint-Maurice
Saint-Étienne-des-Grès
Champlain
Saint-Louis-de-France
Saint-Paulin
Fleuve Saint-Laurent
Cap-de-la-Madeleine
Saint-Sévère
Trois-Rivières
Yamachiche
Pont Laviolette
Louiseville
Pointe-du-Lac
Lac Saint-Pierre
Montréal
Québec
0
10
20 km
Saint-Narcisse
Deschaillons
Saint-Pierre-Les Becquets
Fortierville
Saint-Maurice
Champlain
Sainte-Françoise
Lévis, Québec
Gentilly
Cap-de-la-Madeleine
Villeroy
Lyster
Manseau
Bécancour
Sainte-Marie-de-Blandford
N
Saint-Grégoire
Lemieux
Saint-Louis-de-Blandford
Saint-Sylvère
Maddington Falls
Plessisville
Saint-Pierre-Baptiste
Saint-Célestin
Princeville
Sainte-Sophie
LANAUDIÈRE
Notre-Dame-de-Pierreville
Baie-du-Febvre
La Visitation
Sainte-Eulalie
Odanak
Pierreville
Sainte-Perpétue
Sorel
Saint-François-du-Lac
St-Samuel
Victoriaville
Vianney
Saint-Elphège
Arthabaska
Tracy
Rivière Saint-François
Saint-Pie-de-Guire
Saint-Joachim-de-Courval
Warwick
Chesterville
Massueville
MONTÉRÉGIE
Saint-Ours
Drummondville
Kingsey Falls
Contrecœur
Saint-Guillaume
CANTONS-DE-L'EST
©ULYSSE

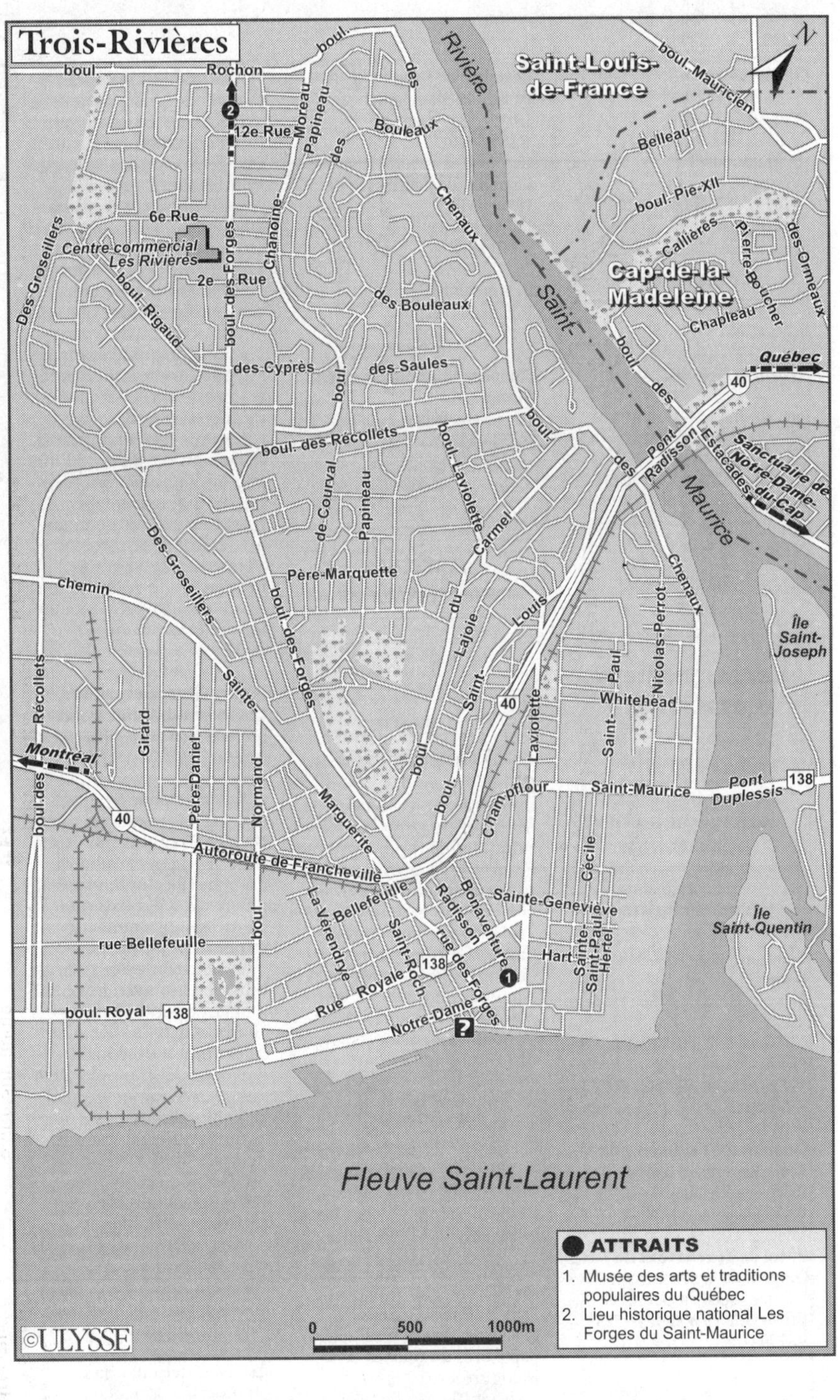
Trois-Rivières
Saint-Louis-de-France
Cap-de-la-Madeleine
Rivière Saint-Maurice
Centre commercial Les Rivières
Québec
Montréal
Sanctuaire de Notre-Dame-du-Cap
Île Saint-Joseph
Île Saint-Quentin
Pont Duplessis
Pont Radisson
Autoroute de Francheville
Fleuve Saint-Laurent
ATTRAITS
1. Musée des arts et traditions populaires du Québec
2. Lieu historique national Les Forges du Saint-Maurice
0
500
1000m
©ULYSSE

Victoriaville
64 boul. Carignan
☎*(819) 752-5400*

Drummondville
330 rue Hériot
☎*(819) 477-2111*
☎*472-5252*

En train

La Tuque
550 rue St-Louis
☎*(819) 523-3257*

Shawinigan
1560 ch. du CN
☎*(819) 537-9007*

Drummondville
263 rue Lindsay
☎*(819)472-5383*

Renseignements pratiques

Indicatif régional : 819.

Renseignements touristiques

Bureau régional

Tourisme Mauricie–Bois-Francs
lun-ven 8h30 à midi et 13h à 16h30
5775 boul. Jean-XXIII, Trois-Rivières-Ouest, G8Z 4J2
☎*375-1222 ou 800-567-7603*
⇄*375-0301*

Chambre de Commerce de Trois-Rivières
168 rue Bonaventure, G9A 2B1
☎*375-9628*

Office de Tourisme et de Congrès de Trois-Rivières
1457 rue Notre-Dame, G9A 4X4
☎*375-1122 ou 800-313-1123*
⇄*375-0022*

Chambre de Commerce du Cap-de-la-Madeleine
170 rue des Chenaux
☎*375-5346*

Chambre de Commerce de Victoriaville
122 rue Aqueduc
☎*758-6371*

Drummondville
1350 rue Michaud
☎*477-5529*

Chambre de Commerce de Nicolet
30 rue Notre-Dame
☎*293-4537*

Attraits touristiques

La Mauricie

★★ Trois-Rivières

Implantée au confluent du fleuve et de la rivière Saint-Maurice, qui se divise en trois embranchements à son embouchure (d'où le nom donné à la ville), Trois-Rivières fut fondée par le sieur de Laviolette en 1634. Dès ses débuts, elle était entourée d'une palissade de pieux correspondant à l'arrondissement historique actuel.

À l'angle de la rue de Tonnancour, on aperçoit l'ancien cimetière anglican, aujourd'hui transformé en parc public, qui nous rappelle que Trois-Rivières comptait une importante communauté anglo-saxonne jusqu'au milieu du XIXe siècle. Au sud de la rue Hart se trouve le **Musée des arts et traditions populaires du Québec ★★**, inauguré en 1996. L'ensemble, de facture postmoderne, intègre l'ancienne prison des Trois-Rivières, un bel édifice néoclassique construit en 1822 selon les plans de François Baillairgé. Le musée présente des expositions liées aux coutumes et à la vie quotidienne des Québécois à travers les siècles. On peut y voir, outre les traditionnelles courtepointes, des jouets anciens, des ossements de baleine, une pirogue amérindienne du XVIIe siècle de même que de petits bâtiments provenant de la collection de Robert-Lionel Séguin, l'un des pionniers de l'ethnologie québécoise (porcherie à toit de chaume, écurie à encorbellement, «marche-à-terre» provenant de Saint-Irénée). Le musée est présentement fermé, et ce, jusqu'à l'été 2001.

Le **lieu historique national Les Forges-du-Saint-Maurice ★★** *(4$; visites commentées avec guides-interprètes, mi-mai à mi-oct tlj 9h à 17h, réservations pour groupes; 10000 boul. des Forges,* ☎*378-5116,* ⇄*378-0887).* En 1730, François Poulin de Francheville fut autorisé par Louis XV à exploiter les riches gisements de minerai de fer de sa seigneurie. La présence de bois denses, avec lesquels il était possible de faire du charbon de bois, de pierre calcaire et d'un cours d'eau au débit rapide allait favoriser les opérations de la fonte. Originaires pour la plupart de Bourgogne et de Franche-Comté, les ouvriers de ce premier complexe sidérurgique canadien s'affairaient à couler des canons pour les vaisseaux du roi et à confectionner des poêles pour chauffer les maisons de la Nouvelle-France.

La visite débute à la «grande maison», vaste bâtiment tout blanc que

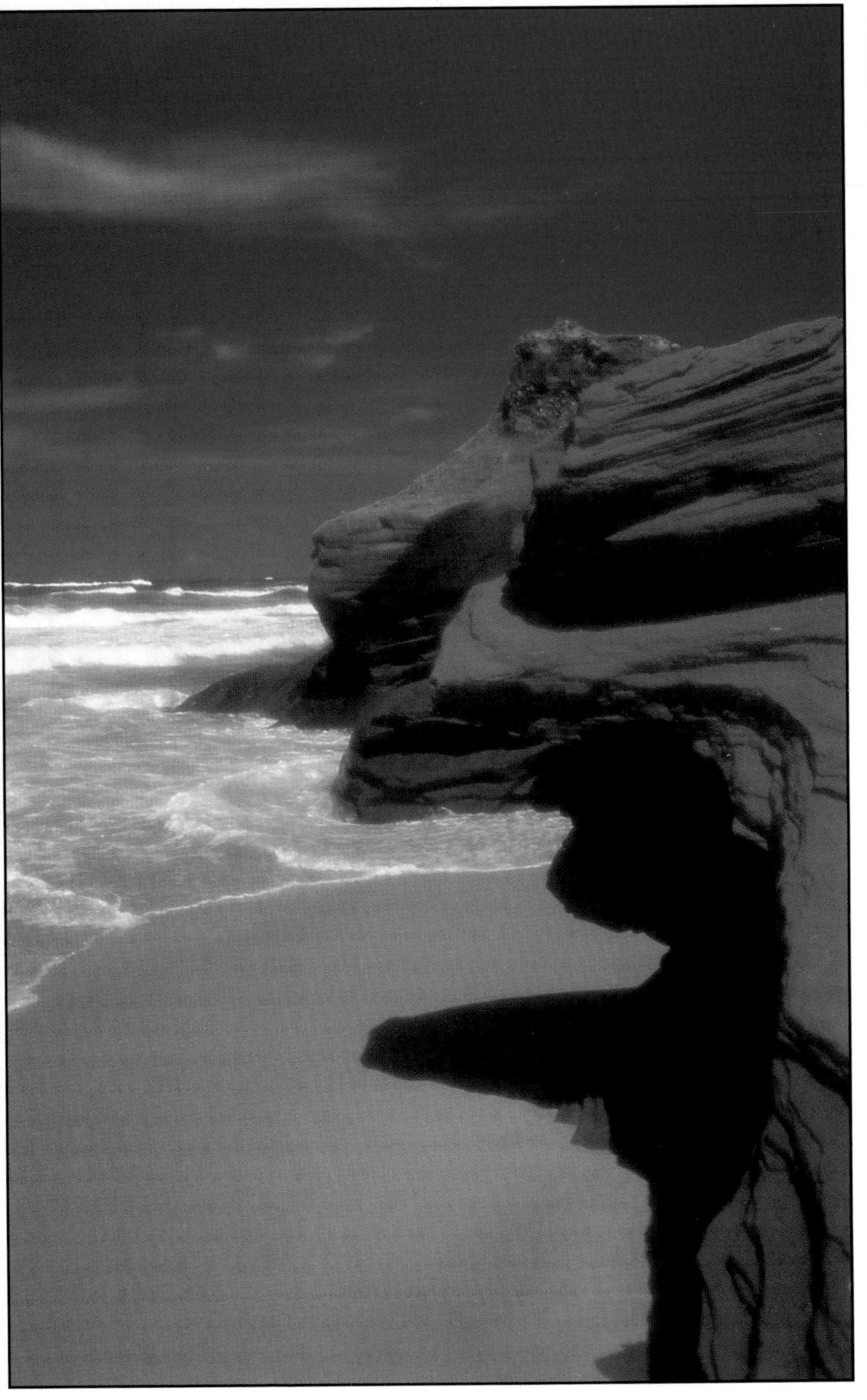

Des formes inusitées et des couleurs chaudes sculptent des paysages prenants sur les îles de la Madeleine, qui flottent dans le golfe du Saint-Laurent. - *E. Dugas*

Cette belle architecture, typique du Régime français, se retrouve encore aujourd'hui un peu partout au Québec.
- Guy Dagenais

Une fois les cours d'eau gelés, on installe de petites cabanes à même la glace; on perce celle-ci, puis on s'adonne à la pêche blanche. Dans certaines régions, on parle plutôt de la pêche aux petits poissons des chenaux.
- P. Renaud

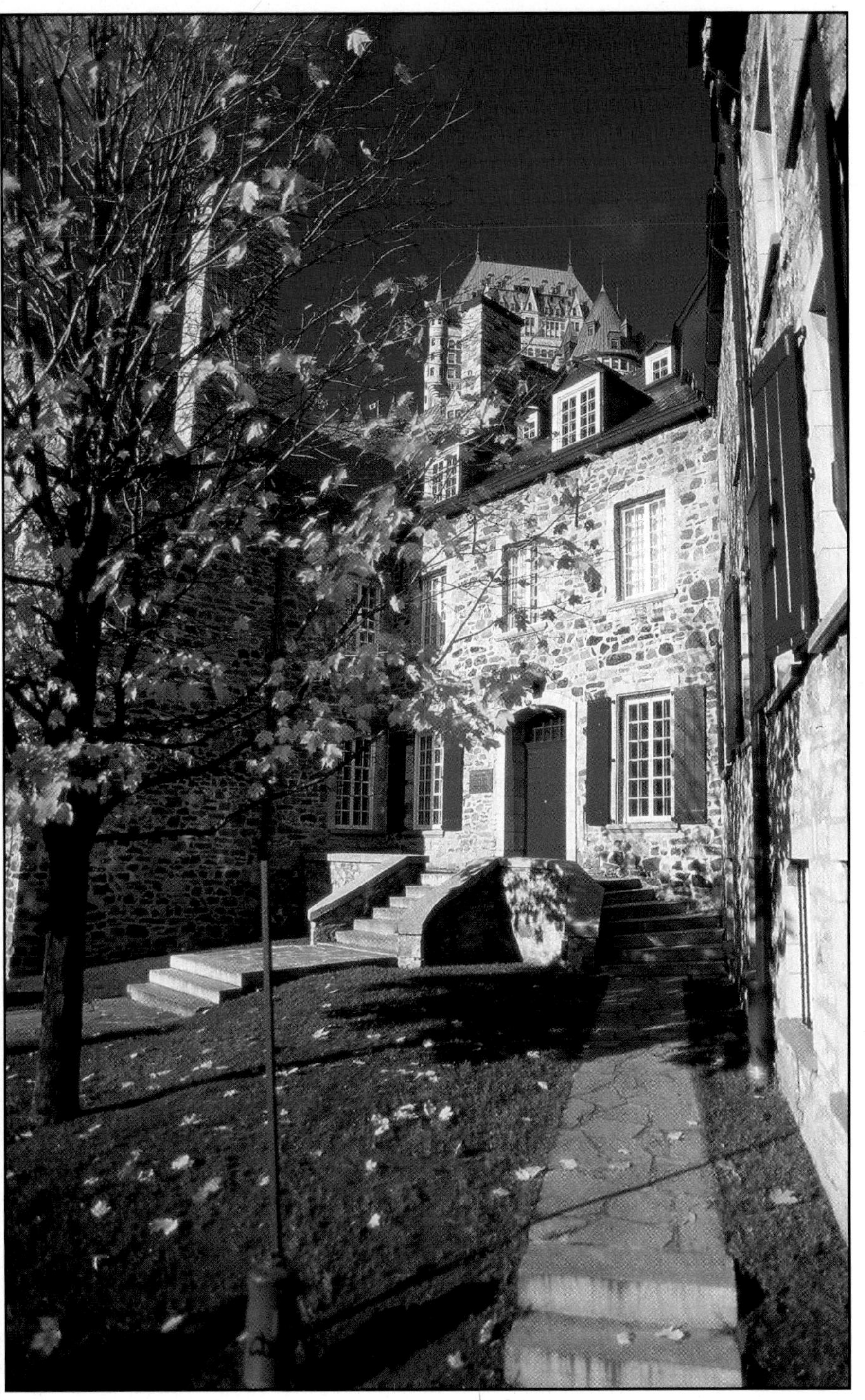

L'automne affiche ses couleurs devant les bâtiments historiques qui caractérisent si bien la ville de Québec, tandis que le Château Frontenac monte la garde. - *Y. Tessier*

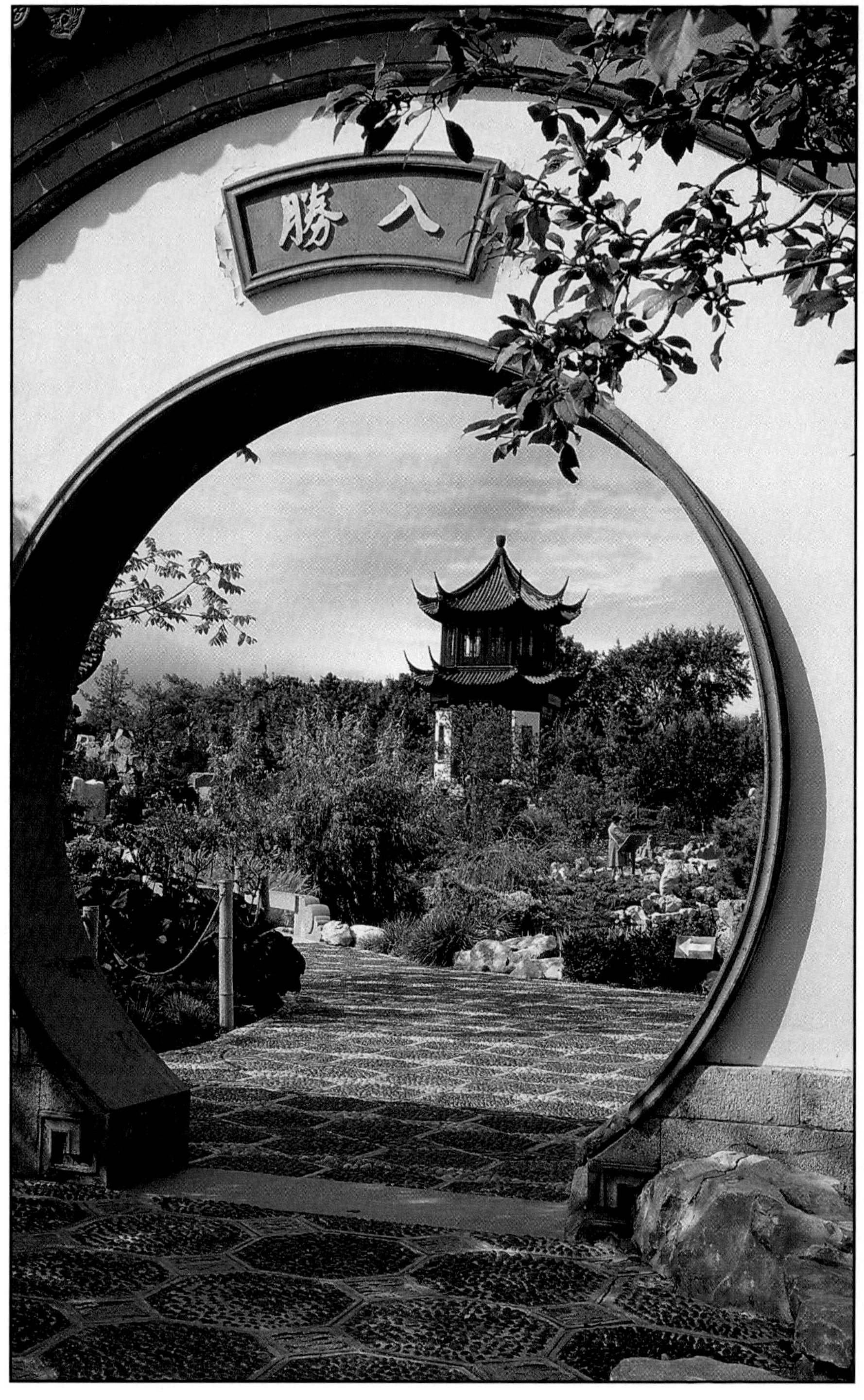

L'entrée du jardin chinois au Jardin botanique de Montréal, une invitation à de belles découvertes... - *J. Pharand*

l'on dit d'inspiration bourguignonne. On y présente différentes facettes de la vie aux Forges ainsi que les divers produits de l'entreprise. À l'étage, on peut voir une belle maquette représentant les Forges en 1845. Le spectacle son et lumière utilise cette maquette en toile de fond. Après avoir contemplé la maquette, on peut partir à la découverte du site en empruntant les multiples sentiers qui le traversent.

Cap-de-la-Madeleine

Le Québec, terre catholique par excellence au nord du Mexique, compte plusieurs lieux de pèlerinage importants qui attirent chaque année des milliers de pèlerins du monde chrétien. Le **sanctuaire Notre-Dame-du-Cap** ★★ *(entrée libre; visites guidées pour groupes sur réservation; 626 rue Notre-Dame, ☎374-2441, www.sanctuaire-ncd.ca)*, placé sous la responsabilité des missionnaires oblats de Marie-Immaculée, est consacré à la dévotion mariale. De mai à octobre, par beau temps, les visiteurs peuvent participer à la marche symbolique aux flambeaux.

L'histoire de ce sanctuaire débute en 1879, lorsque l'on décide d'ériger une nouvelle église paroissiale à Cap-de-la-Madeleine. Nous sommes en mars et il faut transporter des pierres depuis la rive sud du fleuve. Mais, cet hiver-là, contrairement à son habitude, le fleuve n'a pas encore gelé. À la suite des prières et des chapelets récités devant la statue de la Vierge offerte à la paroisse en 1854, un pont de glace se forme «miraculeusement» en travers du fleuve, permettant de transporter en une semaine les pierres nécessaires à la construction du nouvel édifice. Le curé Désilet décide alors de conserver la vieille église et de la transformer en un sanctuaire dédié à la Vierge Marie. Ce vieux sanctuaire, construit entre 1714 et 1717, est considéré comme l'une des plus anciennes églises du Canada.

Sanctuaire Notre-Dame-du-Cap

Shawinigan

Inaugurée au printemps 1997, la **Cité de l'Énergie** ★★ *(12$; juin mar-dim 10h à 17h, fin juin à début sept lun-dim 10h à 20h, début sept à mi-oct mar-dim 10h à 17h; 1000 av. Melville, G9N 6T9, ☎536-4992 ou 800-383-2483, ≠536-2982)* promet d'en initier plus d'un, petits et grands, à l'histoire du développement industriel de la Mauricie et du Québec. La ville de Shawinigan se trouve au cœur de ce développement car elle a été choisie, dès le début du siècle, par des alumineries et des compagnies productrices d'électricité à cause de la présence d'un fort courant sur la rivière Saint-Maurice et de la proximité de chutes hautes de 50 m. Vaste parc thématique, la Cité de l'Énergie regroupe plusieurs attraits : deux centrales hydroélectriques, dont une encore en activité, la centrale Shawinigan 2, le Centre des sciences et une tour d'observation haute de 115 m qui offre, il va sans dire, une vue imprenable sur les environs, entre autres sur les bouillonnantes chutes de Shawinigan.

Centre-du-Québec

Victoriaville

La **maison Suzor-Côté** *(on ne visite pas; 846 boul. des Bois-Francs S.)*. Le peintre paysagiste Marc-Aurèle de Foy Suzor-Côté (1869-1937) est né dans cette humble maison, bâtie par son père 10 ans plus tôt. L'artiste, qui figure parmi les principaux peintres canadiens, a amorcé sa carrière par la décoration d'églises, entre autres celle d'Arthabaska. En 1891, il part pour Paris, où il étudie à l'École des beaux-arts. Premier Prix des académies Julian et Colarossi, il travaille à Paris avant de s'installer à Montréal en 1907. Mais, à partir de cette date, il revient chaque année à Arthabaska, dans la maison paternelle, qu'il transforme graduellement en studio. Ses scènes d'hiver impressionnistes et ses couchers de soleil rouges par temps chaud de juillet sont bien connus. La maison est toujours une résidence privée.

Le **Musée Laurier** ★ *(3,50$; juil et août lun-ven 9h à 17h et sam-dim 13h à 17h; sept à fin juin mar-ven 9h à midi et 13h à 17h, sam-dim 13h à 17h; 16 rue Laurier O., ☎357-8655)* est installé dans l'ancienne demeure de celui qui fut premier ministre du Canada de 1896 à 1911. Premier Canadien français à occuper ce poste, Sir Wilfrid Laurier (1841-1919) est né à Saint-Lin, dans les Basses-Laurentides, mais s'est établi à Arthabaska aussitôt ses études de droit terminées. Sa maison d'Arthabaska fut convertie en musée à caractère politique par deux admirateurs dès 1929. Les pièces du rez-de-chaussée ont conservé leur mobilier victorien d'origine, alors que l'étage est en partie réservé à des expositions temporaires, en général fort intéressantes. Des toiles et des sculptures d'artistes québécois encouragés par le couple Laurier sont disséminées dans la maison. On remarquera notamment le portrait de Lady Laurier par Suzor-Côté et le buste de Sir Wilfrid Laurier par Alfred Laliberté.

Drummondville

Drummondville a été fondée à la suite de la guerre canado-américaine de 1812 par Frederick George Heriot. D'abord poste militaire sur la rivière Saint-François, la colonie devient rapidement un centre industriel important grâce à l'implantation de moulins et de manufactures dans ses environs.

Le **Village québécois d'antan** ★★ *(11$; début juin à début sept tlj 10h à 18h, sept tlj 11h à 16h; 1425 rue Montplaisir, ☎478-1441)* retrace 100 ans d'histoire. Quelque 70 bâtiments de l'époque de la colonisation ont été reconstitués dans le but de recréer une atmosphère digne des années 1810-1910. Des artisans en costume d'époque s'affairent à la fabrication de chandelles et de ceintures fléchées ou à la cuisson du pain. Plusieurs productions historiques y ont été tournées.

Le **parc des Voltigeurs** ★ fait, depuis quelque temps, l'objet de divers projets d'aménagement et d'entretien qui visent à améliorer cet espace vert laissé trop longtemps à l'abandon. Dans la partie sud du parc se dresse le **manoir Trent**, érigé en 1848 pour un officier de la Marine anglaise à la retraite, George Norris Trent. Le manoir est le seul bâtiment patrimonial visible en bordure de l'autoroute 20 entre Montréal et Québec. Désigné erronément comme un manoir, alors qu'il s'agit en réalité d'une grande maison de ferme, l'édifice a été acquis par les Compagnons de l'École hôtelière, qui en ont fait un centre de documentation et une école de formation et dégustation.

Parcs

La Mauricie

Le **parc de la Rivière-Batiscan** ★ *(3,50$/pers. jusqu'à concurrence de 12$ par voiture, gratuit pour les enfants; début mai à fin oct 9h à 21h; 200 rte. du Barrage, St-Narcisse, ☎418-328-3599)* est réservé à la préservation de la faune et de ses habitats. Il demeure toutefois un endroit fort agréable pour pratiquer maintes activités de plein air, comme la randonnée pédestre, la pêche, le vélo de montagne et le camping, qui n'en sont que quelques exemples. Le parc dispose également de circuits d'interprétation écologique et historique. Au milieu du parc se trouve un des premiers ouvrages hydroélectriques du Québec : la centrale Saint-Narcisse. Cette centrale, qui produit toujours de l'électricité, fut bâtie en 1897. D'ailleurs, la Mauricie recèle plusieurs centrales hydroélectriques d'intérêt construites pour tirer profit des puissants courants des rivières de la région.

Le **parc national de la Mauricie** ★ *(3,50$/pers./jour, 8$/famille; Shawinigan, ☎538-3232)* a été créé en 1970 afin de préserver un exemple de forêt boréale. Il constitue un site parfait pour s'adonner à diverses activités de plein air, comme le canot, la randonnée pédestre, le vélo de montagne, la raquette et le ski de fond. Ses forêts dissimulent plusieurs lacs et rivières de même que diverses richesses naturelles. Les visiteurs peuvent loger dans des gîtes de type dortoir tout au long de l'année, au coût de 21$ par personne. Les réservations se font au ☎537-4555.

Activités de plein air

Pêche aux petits poissons des chenaux

La Mauricie

En hiver, la rivière Sainte-Anne, riche en poulamons (mieux connus sous le nom de «petits poissons des chenaux»), attire des milliers d'amateurs. Du mois de décembre au mois de février, elle se couvre de cabanes de pêcheurs. Il est possible de louer une cabane et le matériel de pêche au **Comité de gestion de la rivière Sainte-Anne** *(Ste-Anne-de-la-Pérade, ☎418-325-2475)*. Il en coûte environ 15$ par personne et par jour (18$ la fin de semaine); chaque cabane accueille un maximum de quatre personnes.

Canot

La Mauricie

Le **parc national de la Mauricie** se prête particulièrement bien aux excursions en canot. Sillonné de lacs, de tout petits et de très grands, ainsi que de rivières, il est reconnu depuis longtemps par les amateurs de canot-camping. Laissez-vous glisser dans d'étroits chenaux qui vous entraînent d'un lac à l'autre sous une végétation luxuriante en compagnie d'oiseaux aquatiques peu farouches! Vous pouvez y faire la location d'embarcations et vous tracer un itinéraire à votre mesure.

Hébergement

La Mauricie

Trois-Rivières

Auberge de jeunesse la Flottille
19$/pers. au dortoir, 16,50$ membres
36$/pers. pour une chambre privée, 33$ membres
497 rue Radisson, G9A 2C7
☎378-8010
L'auberge de jeunesse la Flottille est une jolie petite auberge près de la vie nocturne de Trois-Rivières. Elle dispose d'une quarantaine de places durant la saison estivale. En hiver, elle reste ouverte, mais ne dispose alors que d'une trentaine de lits.

Hôtel Delta
93$
≈, ⊙, ⌂, ℜ
1620 Notre-Dame, G9A 6E5
☎376-1991
⇄372-5975
Haute tour se dressant à côté du centre-ville, l'hôtel Delta est facilement repérable. Il dispose de chambres spacieuses, prévues pour loger confortablement les voyageurs, et de nombreuses installations sportives afin d'agrémenter leur séjour. Centre des congrès.

Grand-Mère

Auberge Le Florès
70-90
bc, tv, ≈, ✪, ≡, ℜ
4291 50e Av., G9T 6S5
☎538-9340
⇄538-1884
www.leflores.com
L'Auberge Le Florès occupe une superbe maison d'époque à laquelle on a ajouté une partie moderne. Les chambres ne sont pas spectaculaires mais offrent un bon confort.

Shawinigan

Auberge l'Escapade
49-145
⊛, ♿, ℜ
3383 rue Garnier, G9N 6R4
☎539-6911
⇄539-7669
L'Auberge l'Escapade possède plusieurs personnalités. Ainsi peut-on y louer une chambre toute simple, mais à prix économique *(53$)*, autant qu'une chambre de luxe *(145$)*, garnie de meubles de style. Entre les deux, les «intermédiaires» *(63-80)*, jolies et confortables, présentent un bon rapport qualité/prix. Voilà un établissement bien tenu se trouvant près de l'entrée de la ville. Au restaurant, qui plus est, on sert de bons petits plats.

Pointe-du-Lac

Auberge du Lac Saint-Pierre
85-154
≡, ⊛, ≈, ⊙, ⌂, ℜ
1911 rue Notre-Dame, C.P. 10, G0X 1Z0
☎377-5971 ou 888-377-5971
⇄377-5579
www.auberge.lacst-pierre.com
L'Auberge du Lac Saint-Pierre est située à Pointe-de-Lac, un petit village qui, comme son nom l'indique, annonce la fin du lac Saint-Pierre. Ce «lac» est en fait un élargissement du

fleuve Saint-Laurent qui, par ses caractéristiques propres aux marais, attire une faune et une flore particulières. Juchée sur un promontoire qui dévale sur la grève, l'auberge occupe un site idéal. Ce grand établissement abrite des chambres modernes et confortables. Certaines sont munies d'une mezzanine pour les lits, laissant ainsi tout l'espace voulu au salon, dans la pièce principale. La salle à manger sert une fine cuisine (voir p 262). Si vous vous sentez l'âme à la découverte, vous pouvez emprunter un vélo pour explorer les alentours; vous ne le regretterez pas!

Saint-Paulin

Le Baluchon
99-154$
⊛, ≈, ⊘, △, ℜ, ✪
350 ch. des Trembles, J0K 2J0
☎268-2555 ou 800-789-5968
⇄268-5234
www.baluchon.com
Construit sur une propriété irriguée par une rivière, Le Baluchon s'impose dans la région comme un relais santé-plein air incontournable. Ce vaste domaine où a eu lieu le tournage de la série télévisée *Marguerite Volant*, bénéficie de divers aménagements qui ont pour but de faire profiter les visiteurs des beautés de son environnement. Baladez-vous le long de la rivière ou dans les bois, à pied ou en ski de fond, ou encore descendez la rivière en kayak ou en canot : les activités ne sauraient ici vous manquer. Les deux bâtiments qui servent à l'hébergement abritent près de 40 chambres grand confort au décor moderne et agréable. Vous pouvez aussi vous relaxer au relais santé, bien équipé, ou déguster une fine cuisine dans la salle à manger.

Centre-du-Québec

Victoriaville

Hôtel Le Suzor
58-70, 153$ suite
1000 boul. Jutras, G6S 1E4
☎357-1000
⇄357-5000
www.hotelsuzor.com
Installé dans un bâtiment de construction moderne, l'hôtel Le Suzor est situé dans un quartier tranquille. Les chambres sont garnies de meubles neufs. Elles offrent beaucoup d'espace et s'avèrent agréables.

Drummondville

Motel Blanchette
50-100 mai à oct
45-100 oct à mai
⊛
225 boul. St-Joseph O., J2E 1A9
☎477-0222 ou 800-567-3823
⇄478-8706
Le Motel Blanchette bénéficie d'une bonne situation géographique et propose de jolies chambres à prix raisonnable.

Auberge Universel
90$
≈
915 rue Hains, J2C 3A1
☎478-4971 ou 800-668-3521
⇄474-6604
À l'entrée de la ville, on trouve l'Auberge Universel. Les chambres sont modernes et pourvues de grandes salles de bain.

Restaurants

La Mauricie

Trois-Rivières

Bolvert
$
1556 rue Royale
☎373-6161
Le Bolvert est un petit restaurant de la chaîne du même nom où l'on peut manger de délicieux plats santé. La cuisine est simple et bonne, mais le décor se révèle un peu froid.

Auberge Castel des Prés
5800 boul. Royal
☎375-4921
L'Auberge Castel des Prés est en fait constituée de deux restaurants différents : le **restaurant-bar l'Étiquette** ***($$)***, où l'on sert une cuisine bistro, et le populaire **Chez Claude** ***($$-$$$)***, qui propose une cuisine de tradition française. C'est l'une des bonnes tables de la région. Le chef a d'ailleurs remporté plusieurs prix pour la qualité de sa cuisine. Son menu propose pâtes, viandes et poissons servis avec des sauces riches et savoureuses. En été, une terrasse abritée vous laisse aussi goûter la fraîcheur de la brise.

Grand-Mère

Auberge Grand-Mère
$$-$$$
10 6e Av
☎538-8651
La réputation de l'Auberge Grand-Mère n'est plus à faire dans la région. Malgré un décor désuet, les plats sont savoureux.

Pointe-du-Lac

Auberge du Lac Saint-Pierre
$$$-$$$$
1911 rte. 138
☎377-5971 ou 888-377-5971
Si vous allez manger à l'Auberge du Lac Saint-Pierre (voir p 260), vous pouvez, pour vous mettre en appétit, vous offrir une petite promenade sur la grève ou un apéro à la terrasse avec vue sur le fleuve. La salle à manger présente un décor moderne quelque peu froid. Mais la présentation des plats, quant à elle, n'a rien de fade, et leur goût, encore moins. Le menu de cuisine française et québécoise propose truite, saumon, agneau, faisan... tous finement apprêtés. Réservations nécessaires.

Centre-du-Québec

Victoriaville

Plus Bar
$-$$
192 boul. des Bois- Francs S.
☎758-9927
Le restaurant Plus Bar sert une glorieuse poutine qui a une solide réputation. Vous pouvez déguster ce grandiose amalgame «culinaire» tout en appréciant les exploits sportifs de l'heure sur écran géant. Attention, le format «plus» est peut-être «plus» que vous ne le pensez.

Le jardin du Samuraï
$$
182 rue Notre-Dame E.
☎758-8288
À Le jardin du Samuraï, on sert une savoureuse cuisine japonaise. On peut voir le chef travailler car il vient aux tables pour préparer le repas. Les salons tatami, isolés de la salle bruyante, sont quant à eux plus intimes.

Drummondville

Le Globe-Trotter
$$
600 boul. St-Joseph
☎478-4141 ou 800-567-0995
Le restaurant de l'Hôtellerie Le Dauphin apprête un bon buffet de fruits de mer. Les portions sont copieuses; on propose même la formule «à volonté». Le restaurant offre un décor un peu froid, mais l'atmosphère est détendue.

Sorties

Bars et discothèques

Trois-Rivières

Café Galerie l'Embuscade
1571 Badeaux
☎374-0652
Le Café Galerie l'Embuscade est un lieu de rencontre très populaire où artistes, étudiants et autres se donnent rendez-vous avec plaisir pour siroter une bière ou déguster un léger repas. L'endroit sert aussi de galerie d'art pour permettre à de nombreux créateurs de faire connaître leurs talents. On présente sur la terrasse extérieure, surtout en période estivale, des événements artistiques tels que de la «peinture en direct».

Nord Ouest Café
1441 rue Notre-Dame
☎693-1151
Le Nord Ouest Café est un endroit décontracté, réparti sur plusieurs niveaux avec un bar au rez-de-chaussée, un petit salon privé, des tables de billard et des jeux. On y sert une grande variété de bières importés ainsi que des repas légers.

Victoriaville

Le Café
32 rue Notre-Dame E.
☎758-4943
Le Café porte bien son nom; c'est en effet un endroit sans prétention pour prendre un café ou une bière en fin d'après-midi ou en soirée.

Théâtres et salles de spectacles

Trois-Rivières

Le Maquisart
323 rue des Forges
379-0235
Aménagé dans un ancien cinéma, Le Maquisart est une salle de spectacle qui a la particularité d'offrir des événements presque tous les soirs. Percussionnistes, chansonniers, danseurs, musiciens de la région mais aussi de partout au Québec y présentent leurs talents. Les soirées d'improvisation et les soirées «hommage» occupent aussi une importante place dans la programmation.

Fêtes et festivals

Trois-Rivières

Chaque année, Trois-Rivières est le site d'un festival aussi original que populaire. Le **Festival international de la poésie** *(début oct; C.P. 335, Trois-Rivières, G9A 5G4, ☎379-9813)*, par ses multiples activités, aide à faire connaître cet art qui reste trop souvent l'apanage de groupes restreints. Lectures publiques dans les restaurants et les bars de la ville, entrevues et ateliers de création sont parmi les activités de ce festival qui attire autant les poètes que les amateurs de partout.

C'est à la fin du mois de juillet que se tient habituellement le **Grand Prix Player's de Trois-Rivières** *(☎373-9912, billeterie ☎380-9797 ou 800-363-5051)* dans les rues de la ville. Il s'agit d'une course automobile de formule Atlantique. Des pilotes aujourd'hui réputés, notamment Jacques Villeneuve, y ont déjà participé.

Saint-Tite

Le **Festival western de Saint-Tite** *(☎418-365-7524, www.festival.western.com)* donne l'occasion de découvrir l'attraction western la plus populaire de l'est du Canada. Chaque année, pendant la deuxième semaine de septembre, plusieurs activités sont proposées afin de satisfaire les amateurs de western, telles qu'un rodéo et un défilé mettant en vedette plusieurs espèces animales.

Drummondville

Pendant la deuxième semaine de juillet se déroule le **Mondial des Cultures** *(☎472-1184 ou 800-265-5412, www.mondialdescultures.qc.ca)*, anciennement connu sous le nom de Festival mondial du folklore de Drummondville. Cet événement est organisé dans le but de favoriser un échange entre les différentes traditions et cultures du monde.

Victoriaville

Le **Festival de musique actuelle de Victoriaville** *(☎758-9451, www.fimav.qc.ca)* a lieu chaque année en mai. Vous pourrez y entendre les ténors de la musique contemporaine. En fait, ce festival commence la où les autres se terminent, c'est-à-dire au seuil de l'exploration des nouvelles formes musicales. Évidemment, cet événement ne plaira pas à tout le monde, mais il est toujours intéressant d'aller explorer les nouvelles avenues vers lesquelles la musique actuelle se dirige. Enfin, ce festival est une grande aventure, autant pour les musiciens que pour les spectateurs, et plusieurs surprises vous y attendent.

Achats

Chèvrerie l'Angélaine
12275 boul. Bécancour (rte 132)
☎222-5702
⇌222-5690
Spécialisée dans l'élevage de chèvres angoras, la chèvrerie l'Angélaine fabrique une ligne de vêtements appelée la «Molaire du Québec». La collection se compose d'une vaste gamme de chandails, de vestes, de châles, de manteaux et d'accessoires de mode.

Fromagerie L'Ancêtre
1615 boul Port-Royal
☎233-9157
⇌233-9158
La Fromagerie L'Ancêtre, à la fois boutique et restaurant, vous propose de délicieux produits laitiers maison, entre autres trois sortes de fromages, du beurre et de la crème glacée. Tous fabriqués selon des procédés biologiques, les produits vous sont servis en dégustation accompagnés de vins ou de bières artisanales.

La ville de Québec

La ville de Québec★★★ est exceptionnelle tant par l'éblouissante richesse de son patrimoine architectural que par la beauté de son site.

Sa Haute-Ville occupe un promontoire de plus de 98 m, le cap Diamant, et surplombe le fleuve Saint-Laurent, qui, à cet endroit, ne fait que 1km de large. Cet étranglement du fleuve est d'ailleurs à l'origine du nom de la ville, puisque *kebec* signifie en langue algonquine «là où la rivière se rétrécit». Offrant une vue imprenable, les hauteurs du cap Diamant dominent le fleuve et la campagne avoisinante. Ce haut piton rocheux joua, dès les origines de la Nouvelle-France, un rôle stratégique majeur et se prêta très tôt à d'importants travaux de fortification. Surnommée le «Gibraltar de l'Amérique du Nord», Québec est aujourd'hui la seule ville fortifiée d'Amérique au nord de México.

La ville de Québec, qui fut le berceau de la Nouvelle-France, évoque davantage l'Europe que l'Amérique par son atmosphère et son architecture. Ses rues étroites, flanquées de belles résidences en pierre, tout comme ses multiples clochers d'église et d'institutions religieuses, rappellent la France de l'Ancien Régime. D'autre part, les vieilles fortifications de sa Haute-Ville, le parlement et les somptueux bâtiments administratifs démontrent avec éclat l'importance que revêt Québec dans l'histoire du Canada. Sa richesse patrimoniale et architecturale fut d'ailleurs reconnue en 1985 par l'Unesco, lorsque son arrondissement historique fut classé «Joyau du patrimoine mondial», une première en Amérique du Nord.

Pour s'y retrouver sans mal

En voiture

De Montréal, on peut accéder à Québec par les deux rives du fleuve Saint-Laurent. Par la rive nord, on doit emprunter l'autoroute 40 Est. Aux abords de Québec, elle devient l'autoroute 440, qui se prolonge jusqu'au centre de la ville et porte alors le nom de «boulevard Charest». Par la rive sud, on s'y rend en prenant l'autoroute 20 Est jusqu'au pont Pierre-Laporte, qui permet de traverser le fleuve.

Le sirop d'érable

Lors de l'arrivée des premiers colons en Amérique, la tradition du sirop d'érable était bien établie à travers les différentes cultures indigènes. Il est en fait impossible de retracer exactement la découverte du sirop d'érable par les Amérindiens. Les Iroquois ont cependant une légende expliquant la venue du doux sirop. Ils racontent que Woksis, le Grand Chef, partait chasser un matin de printemps. Il prit donc son tomahawk à même l'arbre où il l'avait planté la veille. La nuit avait été froide, mais la journée s'annonçait douce. Ainsi, de la fente faite dans l'arbre, un érable, se mit à couler de la sève. La sève coula dans un seau qui, par hasard, se trouvait sous le trou. À l'heure de préparer le repas du soir, la squaw de Woksis eut besoin d'eau. Elle vit le seau rempli de sève et pensa que cela lui éviterait un voyage à la rivière. Elle était une femme intelligente et consciencieuse qui méprisait le gaspillage. Elle goûta l'eau et la trouva un peu sucrée, mais tout de même bonne. Elle l'utilisa pour préparer son repas. À son retour, Woksis sentit l'arôme sucré de l'érable et sut de très loin que quelque chose de spécialement bon était en train de cuire. La sève était devenue un sirop et rendit leur repas exquis. C'est ainsi, comme le dit la légende, que naquit cette douce tradition. Les Amérindiens n'avaient cependant pas les matériaux nécessaires pour chauffer un chaudron à très haute température. Ils utilisaient donc des pierres chauffées qu'ils lançaient dans l'eau pour la faire bouillir. Une autre méthode consistait à laisser l'eau d'érable geler la nuit et ensuite à enlever la couche de glace le lendemain; et ainsi de suite, jusqu'à ce qu'il ne reste qu'un épais sirop. Pour les Amérindiens, le sirop d'érable constituait un élément marquant de leur alimentation, de leur culture et de leur religion. Les méthodes de fabrication du sirop que l'on connaît aujourd'hui nous viennent des Européens qui les ont enseignées aux Amérindiens.

Aujourd'hui, la production des produits de l'érable, grâce à la technologie, se fait de façon bien différente. La saison des sucres a lieu au printemps, lorsque les températures nocturnes sont encore sous zéro et que les journées sont chaudes, ce qui permet à la sève de mieux descendre et en plus grande quantité. C'est pourquoi la température joue un rôle clé dans la fabrication du sirop d'érable. On commence par entailler les érables en perçant un trou d'environ 2,5 cm de profondeur, à 1 m du sol. On y glisse ensuite un bec qui permet soit d'y accrocher un seau, soit d'y brancher un système de tubulure qui conduit l'eau d'érable à la sucrerie. Si l'on choisit le seau, on devra passer récolter l'eau d'érable chaque matin. Évidemment, le système de tubulure est plus répandu, et seulement les petites érablières utilisent encore la manière traditionnelle de ramassage.

Rendue à la sucrerie, l'eau d'érable est portée à ébullition dans les «bouilleuses». On fait bouillir l'eau d'érable pour en faire évaporer l'eau et la réduire en sirop. Lorsque l'eau d'érable a atteint 7 °C au-dessus du point d'ébullition, elle devient du sirop d'érable. Si l'on poursuit l'évaporation jusqu'à 14,5 °C, toujours au-dessus du point d'ébullition, on obtient de la tire d'érable, un régal sur la neige. Il est également possible d'obtenir d'autres produits, comme du sucre d'érable, du beurre d'érable ou des bonbons à l'érable, mais ces derniers exigent une préparation plus délicate.

Le printemps venu, les Québécois se donnent rendez-vous à la cabane à sucre pour déguster les éternelles «oreilles de Christ», les œufs dans le sirop et l'incontournable tire sur la neige.

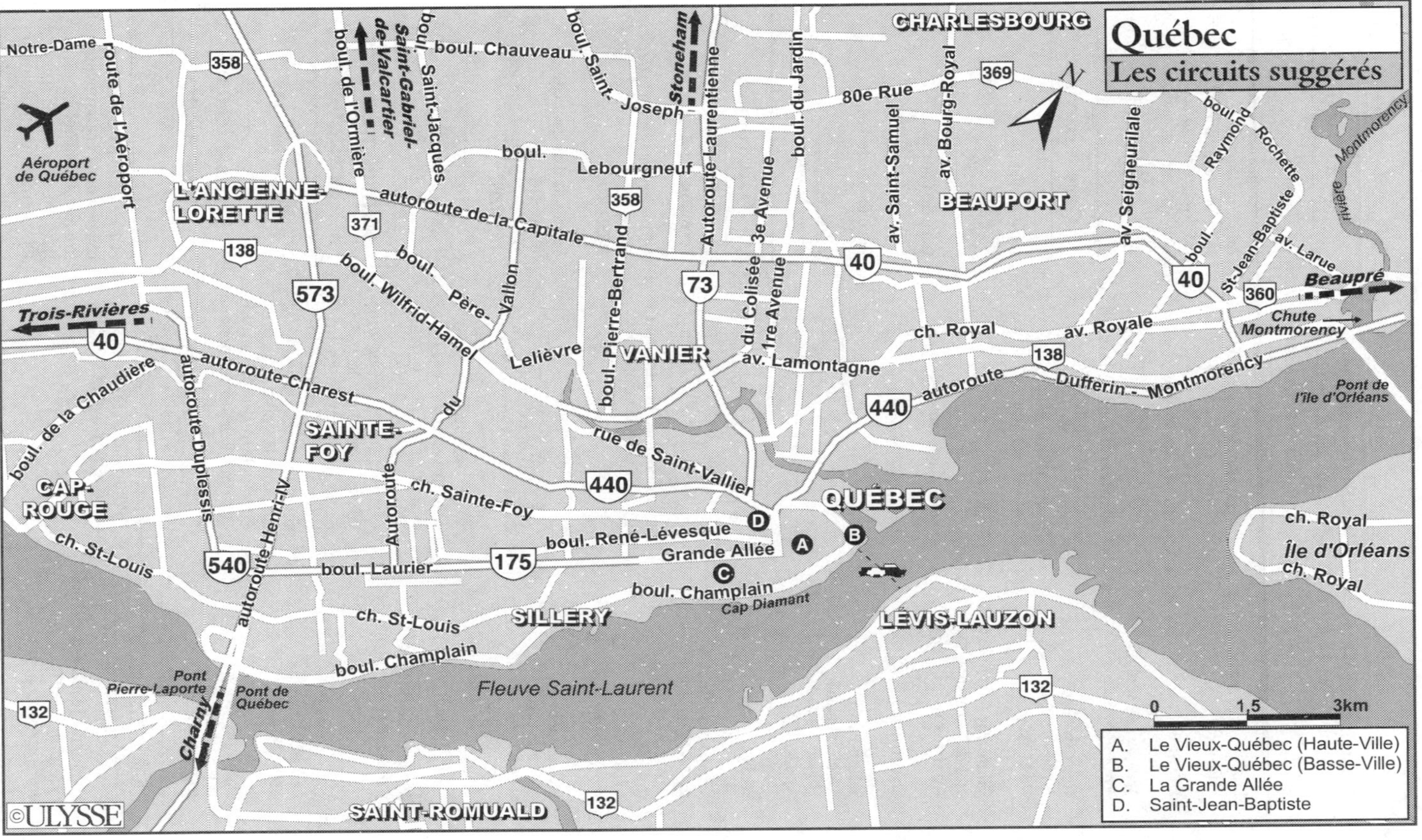

Québec
Les circuits suggérés
CHARLESBOURG
BEAUPORT
L'ANCIENNE-LORETTE
VANIER
SAINTE-FOY
CAP-ROUGE
QUÉBEC
SILLERY
LÉVIS-LAUZON
SAINT-ROMUALD
Île d'Orléans
Fleuve Saint-Laurent
Aéroport de Québec
Trois-Rivières
Saint-Gabriel-de-Valcartier
Stoneham
Beaupré
Charny
Chute Montmorency
rivière Montmorency
Pont de l'île d'Orléans
Pont Pierre-Laporte
Pont de Québec
Cap Diamant
Notre-Dame
route de l'Aéroport
boul. Chauveau
boul. Saint-Jacques
boul. de l'Ormière
boul. Saint-Joseph
80e Rue
av. Saint-Samuel
av. Bourg-Royal
boul. du Jardin
boul. Lebourgneuf
autoroute de la Capitale
Autoroute Laurentienne
3e Avenue
1re Avenue
du Colisée
boul. Pierre-Bertrand
boul. Père-Lelièvre
boul. Wilfrid-Hamel
boul. du Vallon
av. Seigneurilale
boul. Raymond
boul. Rochette
St-Jean-Baptiste
av. Larue
ch. Royal
av. Royale
av. Lamontagne
autoroute Dufferin - Montmorency
autoroute Charest
boul. de la Chaudière
autoroute Duplessis
autoroute Henri-IV
Autoroute du Vallon
rue de Saint-Vallier
ch. Sainte-Foy
boul. René-Lévesque
Grande Allée
boul. Laurier
boul. Champlain
ch. St-Louis
358
369
371
138
573
40
73
360
440
540
175
132
0
1,5
3km
A. Le Vieux-Québec (Haute-Ville)
B. Le Vieux-Québec (Basse-Ville)
C. La Grande Allée
D. Saint-Jean-Baptiste
©ULYSSE

Il faut par la suite emprunter le boulevard Laurier, qui change de nom pour «Grande Allée Est», laquelle se rend jusqu'au centre de la ville. Pour louer une voiture :

Budget

Aéroport de Québec
☎***872-9885***

Vieux-Québec
29 côte du Palais
☎***692-3660***

Sainte-Foy
2481 ch. Sainte-Foy
☎***651-6518***

Discount

Sainte-Foy
(Centre Innovation)
2360 ch. Sainte-Foy
☎***652-7289***

Hertz

Aéroport de Québec
☎***871-1571***

Québec
580 Grande Allée
☎***647-4949***

Vieux-Québec
44 côte du Palais
☎***694-1224***
≠***692-3713***

National

Aéroport de Québec
☎***871-1224***

Québec
295 rue St-Paul
☎***694-1727***
≠***694-2174***

Via Route
2605 boul. Hamel O.
☎***682-2660***

En avion

L'**aéroport Jean-Lesage**, bien que plus petit que les aéroports de Montréal, reçoit des vols internationaux.

En traversier

Le **traversier** *(adulte 1,75$; voiture 4,75$ (3$ la voiture, 1,75$ chauffeur); 10 rue des Traversiers, ☎644-3704)* quittant Lévis pour se rendre à Québec permet d'arriver à destination en 20 min. L'horaire des traversées varie grandement d'une saison à l'autre; renseignez-vous avant de planifier un voyage.

Société des traversiers du Québec
10 rue des Traversiers
☎***644-3704***

En autobus

Il existe un parc d'autobus qui dessert l'ensemble du territoire de la ville de Québec. Un laissez-passer mensuel permettant de circuler librement sur le réseau est en vente au coût de 53$. Pour un seul voyage, il en coûte 2$ (monnaie exacte) ou 1,70$ (valeur d'un ticket vendu chez les marchands de journaux). On vend des laissez-passer au coût de 4,60$ donnant accès au réseau pendant une journée pour un nombre illimité de passages. Lorsqu'un trajet nécessite une correspondance, le passager doit demander un billet à cet effet au conducteur. Notez que la plupart des autobus sont en fonction de 6h à minuit et demi. Les vendredis et samedis, on ajoute des autobus «couche-tard» : les n°s 800, 801, 7, 11 et 25, qui partent de la place D'Youville à 3h. Pour information : ☎627-2511.

En stop

On peut se rendre à Québec en stop organisé avec **Allo Stop Québec** *(carte de membre obligatoire: passager 6$ par an, chauffeur 7$ par an; 655 rue Saint-Jean, Québec, G1R 1P7; ☎522-3430)* (voir p 57).

Gare ferroviaire

Gare du Palais
450 rue de la Gare-du-Palais
☎***800-835-3037***

Gare de Charny
2326 rue de la Gare E.

Gare de Sainte-Foy
3255 ch. de la Gare
☎***800-835-3037***
www.viarail.ca

Gare routière

Terminus d'autocars de Québec
320 rue Abraham-Martin (gare du Palais)
☎***525-3000***

Terminus d'autocars de Sainte-Foy
3001 ch. des Quatre-Bourgeois
☎***650-0087***

Renseignements pratiques

Indicatif régional : 418

Renseignements touristiques

Le centre d'information de l'**Office du tourisme et des congrès de la Communauté urbaine de Québec**, anciennement situé sur la rue D'Auteuil, loge maintenant près du manège militaire et des plaines d'Abraham dans la maison de la Découverte.

Office du tourisme et des congrès de la Communauté urbaine de Québec
fin juin à mi-oct tlj 8h30 à 19h, mi-oct à fin avr lun-sam 9h à 17h30, ven 9h à 18h, dim 10h à 16h, 1er mai au 23 juin lun-dim 9h à 17h30, ven 9h à 18h
835 av. Wilfrid-Laurier, G1R 2L3
☎692-2471
⇌692-1481
www.quebec-region.cuq.qc.ca

Maison du tourisme de Québec
mi-juin à la fête du Travail tlj 8h30 à 19h30, le reste de l'année 9h à 17h
12 rue Sainte-Anne
(en face du Château Frontenac)
Québec, G1R 3X2

Visites guidées

Installé dans le bureau d'information touristique de la rue Sainte-Anne, **CD Tour** *(10$, 15$ pour 2 pers.; 12 rue Ste-Anne, ☎990-8687)* loue des «audio-guides» portatifs avec lesquels on peut effectuer des visites guidées de différents secteurs de la ville, tel le Vieux-Québec, la Colline parlementaire ou les Plaines d'Abraham. Ces visites sont enregistrées sur disque laser, ce qui vous permet de faire la visite à votre rythme et de la manière qui vous convient. Il s'agit d'un enregistrement animé qui met en scène des personnages historiques racontant les événements importants qui façonnèrent Québec.

La **Société historique de Québec** *(12$; 72 côte de la Montagne, ☎692-0556, ⇌692-0614)*, propose des visites guidées du Vieux-Québec sous différents thèmes. Ces visites, qui se font à pied, durent en général de deux à trois heures et vous font découvrir différents aspects de l'histoire de Québec.

On peut aussi participer aux visites guidées «Québec, ville fortifiée» organisées par le **Centre d'initiation aux fortifications de Québec** *(10$; durée 90 min; fin juin à début sept tlj 9h à 17h, le reste de l'année tlj 10h à 17h; ☎648-7016)*. Les départs de ces randonnées pédestres se font du kiosque de la terrasse Dufferin.

Attraits touristiques

Le Vieux-Québec

La Haute-Ville occupe le plateau du cap Diamant. Cité administrative et institutionnelle, elle se pare de couvents, de chapelles et de bâtiments publics dont la construction remonte parfois au XVIIe siècle. Elle est enserrée dans ses murailles, dominées par la Citadelle, qui lui confèrent le statut de place forte et qui, pendant longtemps, ont contenu son développement, favorisant une densité élevée de l'habitat bourgeois et aristocratique. Enfin, l'urbanisme pittoresque du XIXe siècle a contribué à lui donner son image actuelle par la construction d'édifices, comme le Château Frontenac, ou par l'aménagement d'espaces publics, telle la terrasse Dufferin, de style Belle Époque.

Le **lieu historique national des Fortifications-de-Québec** ★. Une première enceinte faite de terre et de pieux, suffisante pour repousser les attaques des Iroquois, est érigée sur la face ouest de Québec en 1693, d'après les plans de l'ingénieur Dubois Berthelot de Beaucours. Ce mur primitif est remplacé par une enceinte de pierre, au moment où s'annoncent de nouveaux conflits entre la France et l'Angleterre. Les plans de l'ingénieur Chaussegros de Léry sont mis à exécution en 1745, mais les travaux ne sont toujours pas terminés au moment de la prise de Québec en 1759. Ce sont les Britanniques qui achèveront l'ouvrage à la fin du XVIIIe siècle. Quant à la Citadelle, entreprise timidement en 1693, on peut dire qu'elle a véritablement été érigée entre 1820 et 1832. L'ensemble adopte cependant les principes mis de l'avant par le Français Vauban au XVIIe siècle, principes qui conviennent parfaitement au site de Québec.

Habitués que l'on est de marcher sur des surfaces asphaltées, il est amusant de sentir sous ses pas les planches de bois de la **terrasse Dufferin** ★★★. Cette large promenade fut créée en 1879 à l'instigation du gouverneur général du Canada, Lord Dufferin. Charles Baillairgé en a dessiné les kiosques et les lampadaires de fonte en s'inspirant du mobilier urbain installé à Paris sous Napoléon III. La terrasse est l'une des principales attractions de la ville et le lieu des rendez-vous galants de la jeunesse québécoise. Elle offre un panorama superbe du fleuve, de la rive sud et de l'île d'Orléans.

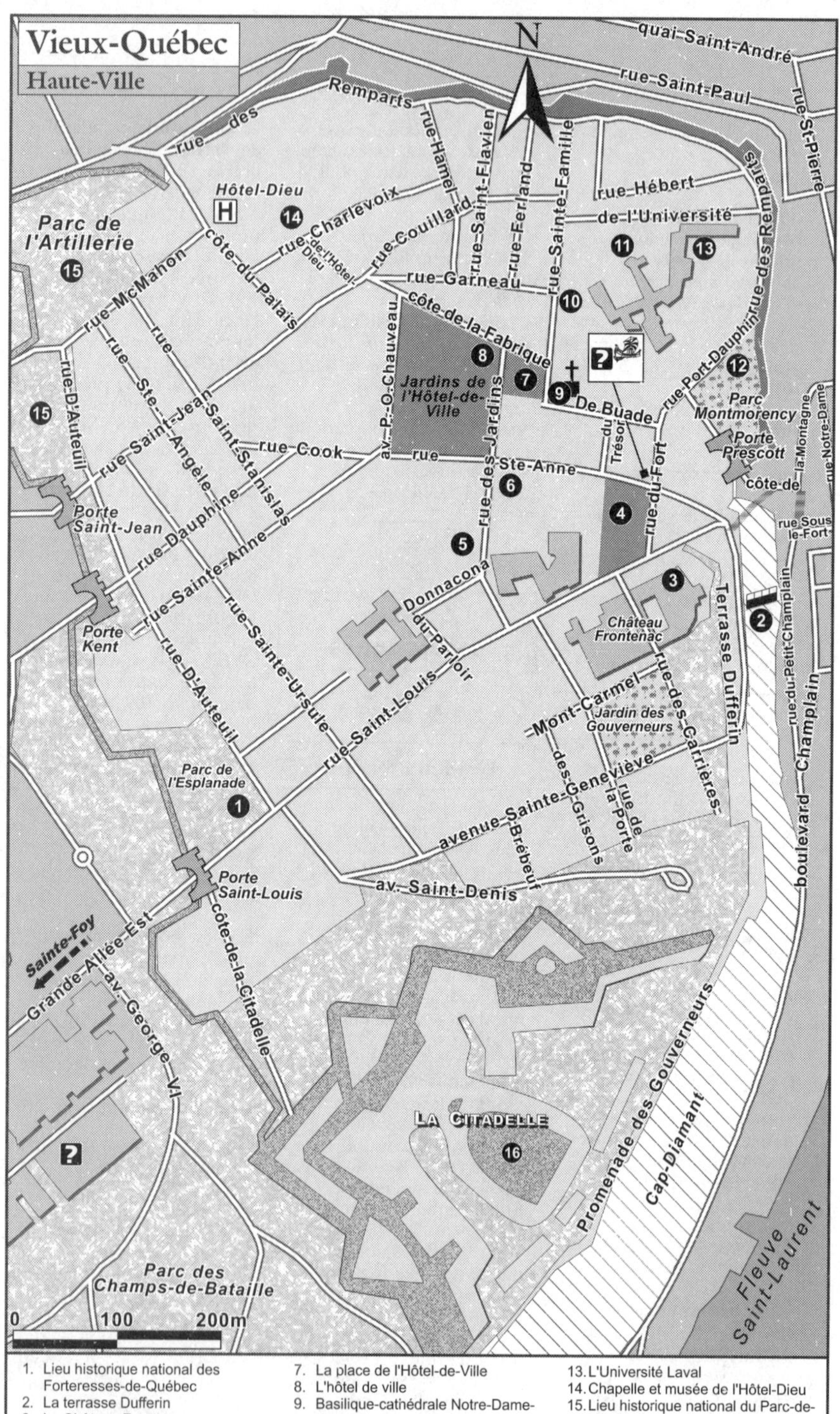

1. Lieu historique national des Forteresses-de-Québec
2. La terrasse Dufferin
3. Le Château Frontenac
4. La place d'Armes
5. Le monastère des Ursulines
6. La cathédrale anglicane Holy Trinity
7. La place de l'Hôtel-de-Ville
8. L'hôtel de ville
9. Basilique-cathédrale Notre-Dame-de-Québec
10. Le Séminaire
11. Musée d'Amérique française
12. Le parc Montmorency
13. L'Université Laval
14. Chapelle et musée de l'Hôtel-Dieu
15. Lieu historique national du Parc-de-l'Artillerie
16. La Citadelle

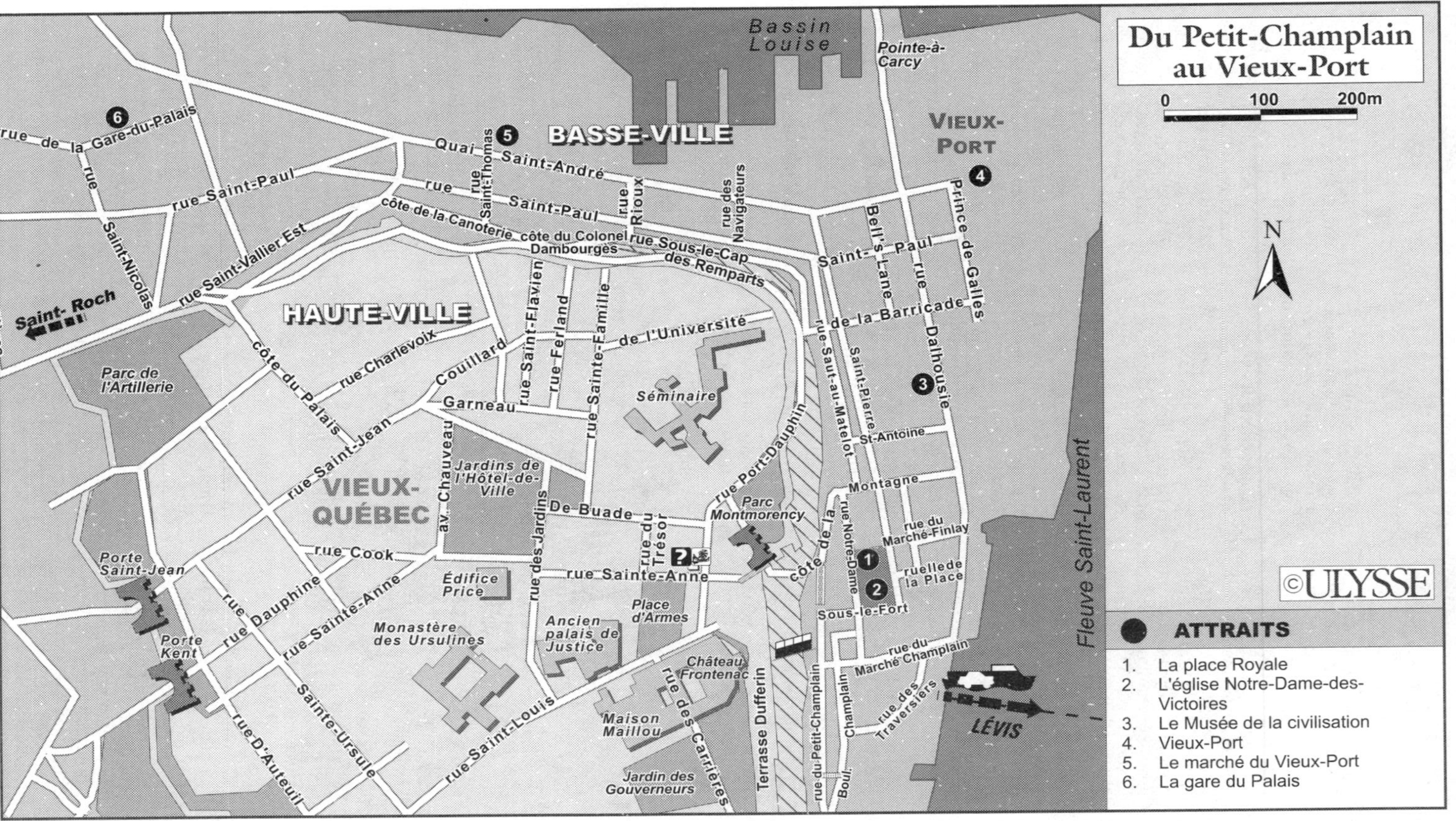

Du Petit-Champlain au Vieux-Port
0
100
200m
N
©ULYSSE
ATTRAITS
1. La place Royale
2. L'église Notre-Dame-des-Victoires
3. Le Musée de la civilisation
4. Vieux-Port
5. Le marché du Vieux-Port
6. La gare du Palais
Bassin Louise
Pointe-à-Carcy
Vieux-Port
Basse-Ville
Haute-Ville
Vieux-Québec
Fleuve Saint-Laurent
Lévis
Saint-Roch
rue de la Gare-du-Palais
Quai Saint-André
rue Saint-Thomas
rue Saint-Paul
rue Rioux
rue des Navigateurs
côte de la Canoterie
côte du Colonel Dambourgès
rue Sous-le-Cap
des Remparts
rue Saint-Vallier Est
rue Saint-Nicolas
Prince-de-Galles
Bell's Lane
rue de la Barricade
rue Dalhousie
rue Saut-au-Matelot
Saint-Pierre
St-Antoine
Montagne
rue du Marché-Finlay
ruelle de la Place
rue Notre-Dame
Sous-le-Fort
rue du Marché-Champlain
rue des Traversiers
Champlain
Boul.
rue du Petit-Champlain
côte de la
rue Port-Dauphin
Parc Montmorency
Terrasse Dufferin
Château Frontenac
rue des Carrières
Maison Maillou
Jardin des Gouverneurs
de l'Université
Séminaire
rue Sainte-Famille
rue Ferland
rue Saint-Flavien
Couillard
rue Charlevoix
côte du Palais
Garneau
Parc de l'Artillerie
rue Saint-Jean
av. Chauveau
Jardins de l'Hôtel-de-Ville
De Buade
rue du Trésor
rue des Jardins
rue Cook
rue Sainte-Anne
Édifice Price
Place d'Armes
Ancien palais de Justice
Monastère des Ursulines
rue Dauphine
rue Sainte-Anne
Sainte-Ursule
rue Saint-Louis
rue D'Auteuil
Porte Saint-Jean
Porte Kent

En hiver, une longue glissoire, réservée aux amateurs de toboggan, est aménagée dans sa portion occidentale.

Le **Château Frontenac** ★★★ *(1 rue des Carrières)*. La vocation touristique de Québec s'affirme dès la première moitié du XIXe siècle. Ville romantique par excellence, elle attire très tôt de nombreux visiteurs américains désireux d'y retrouver un peu de l'Europe. En 1890, la compagnie ferroviaire Canadien Pacifique, dirigée par William Cornelius Van Horne, décide d'implanter un ensemble d'hôtels prestigieux à travers le Canada. Le premier de ces établissements voit le jour à Québec. On le nomme Château Frontenac en l'honneur de l'un des plus célèbres gouverneurs de la Nouvelle-France, Louis de Buade, comte de Frontenac (1622-1698).

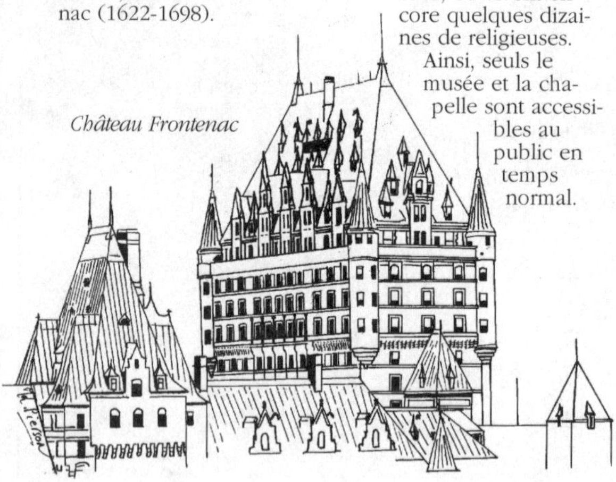

Château Frontenac

Terrain d'exercice pour les militaires jusqu'à la construction de la Citadelle, la **place d'Armes** ★ devient un square d'agrément en 1832. En 1916, on y élève le monument de la Foi pour commémorer le tricentenaire de l'arrivée des récollets à Québec. David Ouellet est l'auteur de la base néogothique soutenant la statue dessinée par l'abbé Adolphe Garneau.

Le **monastère des ursulines** ★★★ *(18 rue Donnacona)*. En 1535, sainte Angèle Merici fonde à Brescia, en Italie, la communauté des ursulines. Après son installation en France, celle-ci devient un ordre cloîtré, voué à l'enseignement (1620). Grâce à une bienfaitrice, Madame de la Peltrie, les ursulines débarquent à Québec en 1639 et fondent dès 1641 leur monastère et leur couvent, où des générations de jeunes filles recevront une éducation exemplaire. Le couvent des ursulines est aujourd'hui la plus ancienne maison d'enseignement pour filles en Amérique du Nord toujours en activité. On ne peut voir qu'une partie des vastes installations, où vivent encore quelques dizaines de religieuses. Ainsi, seuls le musée et la chapelle sont accessibles au public en temps normal.

La **cathédrale anglicane Holy Trinity** ★★ *(31 rue des Jardins)*. À la suite de la Conquête, un petit groupe d'administrateurs et de militaires britanniques s'installe à Québec. Les conquérants désirent marquer leur présence par la construction de bâtiments prestigieux à l'image de l'Angleterre, mais leur nombre insuffisant retardera la réalisation de projets majeurs jusqu'au début du XIXe siècle, alors que l'on entreprend l'édification de la cathédrale anglicane selon les plans des majors Robe et Hall, deux ingénieurs militaires. L'édifice palladien, achevé en 1804, modifiera la silhouette de la ville, dont l'image française était jusque-là demeurée intacte. Il s'agit de la première cathédrale anglicane érigée hors des îles Britanniques ainsi que d'un bel exemple d'architecture coloniale anglaise, à la fois gracieuse et simple. La pente du toit fut exhaussée en 1815 afin de permettre un meilleur écoulement de la neige.

La **place de l'Hôtel-de-Ville** ★ occupe depuis 1900 l'emplacement du marché Notre-Dame, créé au XVIIIe siècle. Un monument en l'honneur du cardinal Taschereau, œuvre du Français André Vermare (1923), en agrémente le flanc ouest.

La composition de l'**hôtel de ville** *(2 rue des Jardins)*, influencée par le courant néoroman américain, surprend dans une ville où les traditions françaises et britanniques ont toujours prévalu dans la construction d'édifices publics. George-Émile Tanguay en a réalisé les plans en 1895, à la suite d'un difficile concours où aucun des projets primés ne reçut un appui majoritaire des conseillers et du maire. On ne peut que regretter la disparition du collège des jésuites de 1666, qui occupait auparavant le même emplacement. Les agréables jardins qui entourent l'hôtel de ville recouvrent un stationnement souterrain et sont le lieu de maints événements populaires pendant la saison estivale.

La **Basilique-Cathédrale Notre-Dame-de-Québec** ★★★ *(à l'autre extrémité de la place de l'Hôtel-de-Ville)* est un livre ouvert sur les difficultés que rencontrèrent les bâtisseurs de la Nouvelle-France et sur la détermination des Québécois à travers les pires épreuves. On pourrait presque parler d'architecture organique, tant la forme définitive du bâtiment est le résultat de multiples campagnes de construction et de tragédies, qui laissèrent l'édifice en ruine à deux reprises. La première église à occuper le site fut érigée en 1632 à l'instigation de Samuel de Champlain, lui-même inhumé à proximité quatre ans plus tard. Ce temple de bois est remplacé en 1647 par l'église Notre-Dame-de-la-Paix, bâtiment de pierre en forme de croix latine qui servira de modèle aux paroisses rurales des alentours. Puis en 1674, Québec accueille l'évêché de la Nouvelle-France. Mgr François de Montmorency-Laval (1623-1708), premier évêque, choisit la petite église comme siège épiscopal tout en souhaitant une reconstruction digne du vaste territoire couvert par son ministère. L'architecte Claude Baillif élabore un projet grandiose qui devra cependant être ramené à des proportions plus modestes, même avec la contribution financière personnelle de Louis XIV. Seule la base de la tour ouest subsiste de cette époque. En 1742, l'évêché fait reconstruire le temple selon les dessins de l'ingénieur Gaspard Chaussegros de Léry, lui donnant son plan actuel composé d'une longue nef éclairée par le haut et encadrée de bas-côtés à arcades. La cathédrale de Québec se rapproche alors des églises urbaines érigées en France à la même époque.

Le **Séminaire de Québec** ★★★*(fin juin à fin août, communiquez avec le musée pour l'horaire des visites guidées; 1 côte de la Fabrique, ☎692-3981)*. Avant de pénétrer dans le centre d'accueil du Séminaire, il est recommandé d'accéder à la cour intérieure par la porte cochère (décorée aux armes de l'institution), qui fait face à la grille d'entrée, afin de mieux percevoir ce complexe religieux qui constituait au XVIIe siècle un havre de civilisation au milieu d'une contrée rude et hostile. Le Séminaire fut fondé en 1663 par Mgr Laval à l'instigation du Séminaire des Missions étrangères de Paris, auquel il a été affilié jusqu'en 1763. On en fit le centre névralgique du clergé dans toute la colonie, puisqu'en plus d'y former les futurs prêtres on y administrait les fonds des paroisses et y répartissait les cures. Colbert, ministre de Louis XIV, obligea en outre la direction du Séminaire à fonder un petit séminaire voué à l'évangélisation et à l'éducation des Amérindiens. Après la Conquête, le Séminaire devient aussi collège classique, à la suite de l'interdiction qui frappe les jésuites, et loge pendant quelque temps l'évêque dépourvu de son palais, détruit par les bombardements. En 1852, le Séminaire met sur pied l'Université Laval, aujourd'hui établie à Sainte-Foy, faisant de cet établissement la première université de langue française en Amérique. Le vaste ensemble de bâtiments comprend actuellement la résidence des prêtres du côté du fleuve, un collège privé pour garçons et filles, de même que la faculté d'architecture de l'Université Laval, de retour dans les vieux murs du Séminaire depuis 1987.

Du 2, côte de la Fabrique, partent les visites guidées permettant de voir les appartements du Séminaire, les voûtes, la chapelle de Mgr Briand ainsi que la chapelle extérieure de 1890. Cette dernière remplace la chapelle de 1752, incendiée en 1888. Pour éviter un nouveau sinistre, l'intérieur, semblable à celui de l'église de la Trinité, à Paris, fut recouvert de zinc et de fer blanc, peints en trompe-l'œil, selon un plan de Paul Alexandre de Cardonnel et de Joseph-Ferdinand Peachy. On y trouve la plus importante collection de reliques en Amérique du Nord, au sein de laquelle figurent des reliques de saint Anselme et de saint Augustin, des martyrs du Tonkin, de saint Charles Borromée et de saint Ignace de Loyola. Certaines sont authentiques et d'une taille appréciable, d'autres sont incertaines et minuscules. Une chapelle funéraire, au milieu de laquelle prend place un gisant contenant les restes de Mgr Laval, premier évêque de l'Amérique du Nord, donne sur le bas-côté gauche.

Le **Musée de l'Amérique française** ★★ *(3$; fin juin à début sept tlj 10h à 17h, début sept à fin juin mar-dim 10h à 17h; 9 rue de l'Université, ☎692-2843)*, réservé à l'histoire de l'Amérique française, réunit une collection riche de 450 000 pièces, constituée au cours des trois derniers siècles par les prêtres du Séminaire à des fins éducatives. Dans l'ancien pensionnat de l'Université Laval, ses salles d'exposition sont réparties sur cinq étages, où sont présentés des trésors d'orfèvrerie, de peinture, d'art oriental, de numismatique, de même que des instruments scientifiques. On peut y voir la première momie égyptienne transportée en Amérique ainsi que plusieurs objets ayant appartenu à Mgr Laval. Cette prestigieuse collection fait d'ailleurs partie du domaine des archives.

Le **parc Montmorency** ★. Lors du rabaissement des murs de la ville, le long de la rue des Remparts, le gouverneur général du Canada, Lord Dufferin, découvrit les superbes vues dont on bénéficiait depuis ce promontoire et décida, en 1875, d'y aménager un parc. Par la suite, deux monuments y furent érigés, le premier en l'honneur de George-Étienne Cartier, premier ministre du Canada-Uni et l'un des pères de la Confédération canadienne, le second à la mémoire de Louis Hébert, de Guillaume Couillard et de Marie Rollet, premiers agriculteurs de la Nouvelle-France, arrivés en 1617, à qui le fief du Sault-au-Matelot, situé à l'emplacement du Séminaire, fut concédé dès 1623. Le sculpteur montréalais Alfred Laliberté est l'auteur des belles statues de bronze.

L'**Université Laval** ★. Une ouverture dans la muraille de la rue des Remparts laisse voir les anciens pavillons de l'Université Laval, élevés en 1856 dans les jardins du Séminaire et complétés en 1875 par l'ajout d'une formidable toiture mansardée, coiffée de trois lanternes argentées. Le soir, sous l'éclairage des projecteurs, elles font penser à un décor de fête royale.

Chapelle et musée de l'Hôtel-Dieu ★★ *(32 rue Charlevoix).* Les augustines hospitalières s'installent d'abord à Sillery, où elles fondent un premier couvent. Inquiétées par les Iroquois, elles s'établissent à Québec en 1642 et entament la construction de l'institution actuelle, avec couvent, hôpital et chapelle. Les bâtiments, refaits à plusieurs reprises, datent pour la plupart du XXe siècle. Subsiste le couvent de 1756, avec ses caves voûtées remontant à 1695, dissimulé derrière la chapelle de 1800, construite avec des matériaux provenant de divers édifices du Régime français ruinés par la guerre. Sa pierre proviendrait du palais de l'Intendant, alors que ses premiers ornements avaient été récupérés de l'église des jésuites (XVIIe siècle). Seule la balustrade en fer forgé du clocher en témoigne de nos jours. Thomas Baillargé conçoit l'actuelle façade néoclassique en 1839, après avoir achevé le nouveau décor intérieur en 1835. Le chœur des religieuses est visible à droite. La chapelle a été utilisée comme salle des ventes en 1817, puis en 1821 par l'abbé Louis-Joseph Desjardins, qui venait d'acheter une collection de tableaux d'un banquier français en faillite. Celle-ci était constituée d'œuvres confisquées aux églises de Paris à la Révolution française. *La Vision de sainte Thérèse d'Avila*, œuvre de François-Guillaume Ménageot placée au-dessus d'un des autels latéraux, provient du Carmel de Saint-Denis, près de Paris.

Le **lieu historique national du Parc-de-l'Artillerie** ★★ *(3,25$; l'horaire varie selon les saisons; 2 rue D'Auteuil, ☎648-4205, ⇄648-2506).* Le parc de l'Artillerie occupe une partie d'un vaste site à vocation militaire situé en bordure des murs de la ville. Le centre d'accueil et d'interprétation occupe l'ancienne fonderie où l'on a fabriqué des munitions jusqu'en 1964. On peut y voir une fascinante maquette de Québec, exécutée de 1795 à 1810 par l'ingénieur militaire Jean-Baptiste Duberger aux fins de planification tactique. Expédiée en Angleterre en 1813, elle n'est de retour à Québec que depuis quelques années. La maquette est une source d'information sans pareille sur l'état de la ville dans les années qui ont suivi la Conquête.

La visite se poursuit à la redoute Dauphine, beau bâtiment fortifié revêtu d'un crépi blanc et situé à proximité de la rue McMahon. En 1712, l'ingénieur militaire Dubois Berthelot de Beaucours trace les plans de la redoute, qui sera achevée par Chaussegros de Léry en 1747. Une redoute est un ouvrage de fortification autonome qui sert en cas de repli des troupes. Jamais véritablement utilisée à cette fin, elle sera plutôt à l'origine de l'affectation de casernement du secteur. En effet, on retrouve derrière la redoute un ensemble de casernes érigées par l'armée britannique au XIXe siècle, complété par une cartoucherie, aujourd'hui fermée. La visite du logis des officiers (1820), converti en centre d'initiation au patrimoine pour les enfants, termine le parcours.

La Citadelle ★★★ *(à l'extrémité de la côte de la Citadelle).* Toujours en pleine activité, la Citadelle représente trois siècles d'histoire militaire en Amérique du Nord. Depuis 1920, elle est le siège du Royal 22e Régiment de l'Armée canadienne, qui s'est distingué par sa bravoure au cours de la Seconde Guerre mondiale. On y trouve quelque 25 bâtiments distribués sur le pourtour de l'enceinte, dont le mess des officiers, l'hôpital, la prison et la résidence officielle du gouverneur général du Canada, sans oublier le premier observatoire astronomique du pays. L'histoire de la Citadelle débute en 1693, alors que l'ingénieur Dubois Berthelot de Beaucours fait ériger la redoute du cap Diamant au point culminant du système défensif de Québec, à quelque 100 m au-dessus du niveau du fleuve. Cet ouvrage solide se trouve de nos jours contenu à l'intérieur du bastion du Roi.

Tout au long du XVIIIe siècle, les ingénieurs français, puis britanniques, élaboreront des projets de citadelle qui demeureront sans suite. L'aménagement d'une poudrière par Chaussegros de Léry en 1750, bâtiment qui abrite maintenant le Musée du Royal 22e Régiment, et le terrassement temporaire à l'ouest (1783) sont les seuls travaux d'envergure effectués pendant cette période. La Citadelle telle qu'elle apparaît au visiteur est une œuvre du colonel Elias Walker Durnford et fut édifiée entre 1820 et 1832. Surnommé «le Gibraltar de l'Amérique», l'ouvrage, conçu selon les principes élaborés par Vauban au XVIIe siècle, n'a jamais eu à essuyer le tir d'un seul canon, mais fut pendant longtemps un élément dissuasif important.

Du Petit-Champlain au Vieux-Port

La Basse-Ville commerçante et portuaire du Vieux-Québec est une étroite bande de terre en forme de *U* coincée entre les eaux du fleuve Saint-Laurent et l'escarpement du cap Diamant. Elle constitue le berceau de la Nouvelle-France puisque c'est sur le site de la Place Royale que Samuel de Champlain (1567-1635) choisit en 1608 d'ériger son «Abitation», à l'origine de la ville de Québec. À l'été de 1759, elle est aux trois quarts détruite par les bombardements anglais. Il faudra 20 ans pour réparer et reconstruire les maisons. Au XIXe siècle, de multiples remblais élargissent la Basse-Ville, permettant de relier par des rues les secteurs de la Place Royale et du palais de l'Intendant. Le déclin des activités portuaires, au début du XXe siècle, a provoqué l'abandon graduel de la Place Royale, que l'on a entrepris de restaurer en 1959. Le quartier du Petit-Champlain, avec sa rue du même nom, a quant à lui été récupéré par des artisans qui y ouvrirent leur ateliers. Aujourd'hui à vocation plus touristique, le quartier abrite encore nombre de ces ateliers dans lesquels les artisans fabriquent et vendent leurs ouvrages.

Le secteur de **Place Royale** ★★★, le plus européen de tous les quartiers d'Amérique du Nord, rappelle un village du nord-ouest de la France. Le lieu est lourd de symboles puisque c'est sur cet emplacement même que Québec a été fondée en 1608. Après de multiples tentatives infructueuses, ce fut le véritable point de départ de l'aventure française en Amérique. Sous le Régime français, Place Royale représentait le seul secteur densément peuplé d'une colonie vaste et sauvage, et c'est aujourd'hui la plus importante concentration de bâtiments des XVIIe et XVIIIe siècles en Amérique, au nord du Mexique.

La place elle-même est inaugurée en 1673 par le gouverneur Frontenac, qui en fait une place de marché. Celle-ci occupe l'emplacement du jardin de l'«Abitation» de Champlain, sorte de château fort incendié en 1682, au même moment que toute la Basse-Ville. En 1686, l'intendant Jean Bochart de Champigny fait ériger, au centre de la place, un buste en bronze de Louis - XIV, conférant de la sorte au lieu le titre de Place Royale. Le buste disparaît sans laisser de traces après 1700. En 1928, François Bokanowski, ministre français du Commerce et des Communications, offre au Québécois Athanase David une réplique en bronze du buste en marbre de Louis - XIV se trouvant dans la Galerie de Diane, à Versailles, afin de remplacer la statue disparue. L'œuvre du fondeur Alexis Rudier ne fut installée qu'en 1931, car on craignait par ce geste d'insulter l'Angleterre!

L'**église Notre-Dame-des-Victoires** ★★ *(entrée libre; début mai à mi-oct tlj 9h30 à 16h30, le reste de l'année 10h à 16h30; fermée lors des mariages, baptêmes et funérailles, 32 rue Sous-le-fort, ☎692-1650).* Cette petite église sans prétention est la plus

Québec

ancienne qui subsiste au Canada. Sa construction a été entreprise en 1688 selon les plans de Claude Baillif sur l'emplacement de l'«Abitation» de Champlain, dont elle a intégré une partie des murs. D'abord placée sous le vocable de l'Enfant-Jésus, elle est rebaptisée Notre-Dame-de-la-Victoire à la suite de l'attaque infructueuse de l'amiral Phipps en face de Québec (1690), puis Notre-Dame-des-Victoires en rappel de la déconfiture de l'amiral Walker, dont la flotte fit naufrage à l'île aux Œufs pendant une tempête en 1711. Les bombardements de la Conquête ne laisseront debout que les murs, ruinant du coup le beau décor intérieur des Levasseur. L'église est rétablie en 1766, mais ne sera achevée qu'avec la pose du clocher actuel en 1861.

Le **Musée de la civilisation** ★★ *(7$; mar, sauf en été, entrée libre; fin juin à début sept tlj 10h à 19h, début sept à fin juin mar-dim 10h à 17h; 85 rue Dalhousie, ☎643-2158)*, inauguré en 1988, représente une interprétation de l'architecture traditionnelle de Québec, àpar ses toitures et lucarnes stylisées de même que son campanile rappelant les clochers des environs. L'architecte Moshe Safdie, à qui l'on doit également le révolutionnaire Habitat 67 de Montréal et le Musée des Beaux-Arts du Canada à Ottawa (voir le Guide Ulysse *Ontario* ou *Ottawa*), a créé là un édifice sculptural au milieu duquel prend place un escalier extérieur, véritable monument en soi. Le hall central révèle une vue charmante sur la maison Estèbe et son quai tout en conservant une apparence contemporaine, renforcée par la sculpture d'Astri Reuch, intitulée *La Débâcle*.

Ce musée de «société» présente dans 10 salles un ensemble d'objets reliés à la culture et à la vie quotidienne dans le Québec d'autrefois comme dans celui d'aujourd'hui. Les présentoirs hétéroclites et la quantité d'objets exposés pêle-mêle peuvent devenir rapidement étourdissants. Aussi est-il recommandé de sélectionner deux ou trois salles, dont l'intérêt paraît plus grand au visiteur, plutôt que d'essayer de tout voir d'un coup. Parmi les objets les plus intéressants, on notera la présence de vestiges amérindiens, d'une grande barque du Régime français dégagée lors des fouilles sur le chantier du musée, de corbillards hippomobiles très ornés qui datent du XIXe siècle et d'objets d'art et d'ébénisterie chinois qui proviennent de la collection des jésuites, incluant un beau lit impérial.

Souvent critiqué pour son caractère trop nord-américain dans une ville à sensibilité tout européenne, le **Vieux-Port** ★ *(160 rue Dalhousie)* a été réaménagé par le gouvernement du Canada à l'occasion de l'événement maritime «Québec 1534-1984». On y retrouve diverses structures métalliques destinées à agrémenter la promenade, devant laquelle se dresse le bel **édifice de la Douane** (1856), œuvre de l'architecte William Thomas de Toronto. Toute la portion du Vieux-Port comprise entre la Place Royale et l'entrée du **bassin Louise** porte le nom de **Pointe-à-Carcy**.

Le **marché du Vieux-Port** ★ *(angle rue St-Thomas et rue St-André)*. La plupart des marchés publics du Québec ont fermé leurs portes au début des années soixante, car ils étaient perçus comme des services obsolètes à l'âge des supermarchés climatisés et des aliments surgelés. Mais l'attrait des produits frais de la ferme et celui du contact avec le producteur sont demeurés, de même que la volonté de vivre en société dans des lieux publics non aseptisés. Aussi les marchés publics sont-ils réapparus timidement au début des années quatre-vingt. Le marché du Vieux-Port, érigé en 1987, succède à deux marchés de la Basse-Ville aujourd'hui disparus (marchés Finlay et Champlain). Il est agréable d'y flâner en été et de jouir des vues sur la marina du bassin Louise, accolée au marché.

La **gare du Palais** ★ *(rue de la Gare-du-Palais)*. Pendant plus de 50 ans, les citoyens de Québec ont réclamé qu'une gare prestigieuse soit construite pour desservir leur ville. Leur souhait sera finalement exaucé par le Canadien Pacifique en 1915. Érigée selon les plans de l'architecte new-yorkais Harry Edward Prindle dans le même style que le Château Frontenac, la gare donne au passager qui arrive à Québec un avant-goût de la ville romantique et pittoresque qui l'attend. Le hall, haut de 18 m, qui s'étire derrière la grande verrière de la façade, est baigné de lumière grâce aux puits en verre plombé de sa toiture. Ses murs sont recouverts de carreaux de faïence et de briques multicolores, donnant un aspect éclatant à l'ensemble. La gare fut fermée pendant près de 10 ans (de 1976 à 1985), à une époque où les compagnies ferroviaires tentaient d'imiter les compagnies aériennes en déplaçant leurs

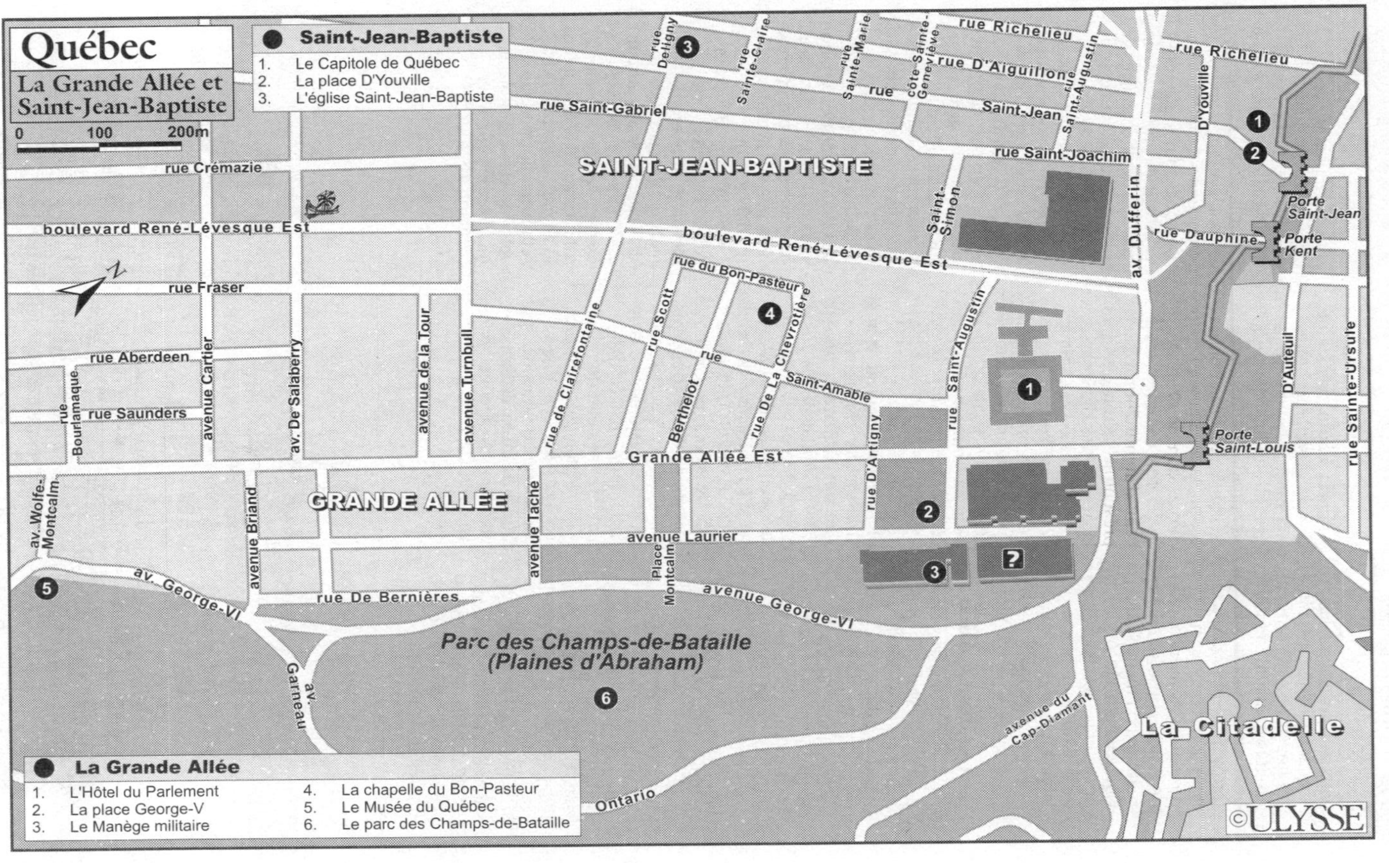
Québec
La Grande Allée et Saint-Jean-Baptiste
0 100 200m
Saint-Jean-Baptiste
1. Le Capitole de Québec
2. La place D'Youville
3. L'église Saint-Jean-Baptiste
La Grande Allée
1. L'Hôtel du Parlement
2. La place George-V
3. Le Manège militaire
4. La chapelle du Bon-Pasteur
5. Le Musée du Québec
6. Le parc des Champs-de-Bataille
SAINT-JEAN-BAPTISTE
GRANDE ALLÉE
La Citadelle
Parc des Champs-de-Bataille
(Plaines d'Abraham)
rue Richelieu
rue D'Aiguillon
rue Saint-Jean
rue Saint-Gabriel
rue Saint-Joachim
rue Crémazie
boulevard René-Lévesque Est
rue Fraser
rue Aberdeen
rue Saunders
rue Bourlamaque
Grande Allée Est
avenue Laurier
rue De Bernières
av. George-VI
avenue George-VI
av. Garneau
Ontario
avenue du Cap-Diamant
av. Wolfe-Montcalm
avenue Briand
avenue Cartier
av. De Salaberry
avenue de la Tour
avenue Turnbull
avenue Taché
rue de Claire-fontaine
rue Scott
rue Berthelot
rue du Bon-Pasteur
rue De La Chevrotière
rue Saint-Amable
rue D'Artigny
rue Saint-Augustin
Saint-Simon
Place Montcalm
rue Deligny
rue Sainte-Claire
rue Sainte-Marie
côte Sainte-Geneviève
av. Dufferin
D'Youville
rue Dauphine
Porte Saint-Jean
Porte Kent
Porte Saint-Louis
D'Auteuil
rue Sainte-Ursule
©ULYSSE

infrastructures dans les lointaines banlieues. Elle fut heureusement rouverte en grande pompe et tient lieu aujourd'hui de gare ferroviaire et de gare routière. L'édifice voisin, à droite, est l'ancien bureau de poste, construit en 1938 selon les plans de Raoul Chênevert. Il illustre la persistance du style Château comme emblème de la ville.

★★

La Grande Allée

La Grande Allée apparaît déjà sur les cartes du XVIIe siècle, mais son urbanisation survient dans la première moitié du XIXe siècle, alors que Québec s'étend en dehors de ses murs. D'abord route de campagne reliant Québec au chemin du Roy, qui conduit vers Montréal, la voie était à l'origine bordée par de grandes propriétés agricoles appartenant à la noblesse et aux communautés religieuses du Régime français. À la suite de la Conquête, de nombreux terrains sont aménagés en domaines champêtres, au milieu desquels sont érigées des villas pour les marchands anglophones. Puis la ville néoclassique s'approprie le territoire, avant que la ville victorienne ne lui donne son cachet particulier. La Grande Allée est de nos jours la plus agréable des voies d'accès au centre-ville de Québec et constitue l'épine dorsale de la Haute-Ville hors les murs. Elle relie les différents ministères de la capitale, ce qui ne l'empêche pas d'avoir la mine joyeuse, car plusieurs des demeures bourgeoises qui la bordent ont été transformées en restaurants ou en discothèques.

L'**Hôtel du Parlement** ★★★ *(entrée libre; visites guidées fin juin à début sept lun-ven 9h à 16h30, sam-dim 10h à 16h30, début sept à fin juin lun-ven 9h à 16h30; angle av. Honoré-Mercier et Grande Allée E., ☎643-7239, ≠646-4271)* est mieux connu des habitants de Québec sous le nom d'Assemblée nationale; ce vaste édifice construit entre 1877 et 1886 est en effet le siège du Gouvernement. Il arbore un fastueux décor néo-Renaissance française, reflet de la particularité ethnique du Québec dans le contexte nord-américain. Eugène-Étienne Taché (1836-1912), son architecte, s'est inspiré du palais du Louvre, à la fois pour le décor et pour le plan, développé autour d'une cour carrée. Conçu à l'origine pour loger l'ensemble des ministères ainsi que les deux chambres d'assemblée calquées sur le modèle du système parlementaire britannique, il s'inscrit de nos jours en tête d'un groupe d'immeubles gouvernementaux s'étirant de part et d'autre de la Grande Allée. La façade principale aux nombreuses statues constitue une sorte de panthéon québécois. Les 22 bronzes de personnages marquants de la nation qui occupent les niches et les piédestaux ont été réalisés par des sculpteurs réputés tels que Louis-Philippe Hébert et Alfred Laliberté. Une élévation annotée de la façade, placée à proximité de l'allée centrale, permet d'identifier ces figures. Devant l'entrée principale, un bronze d'Hébert, intitulé *La halte dans la forêt* et représentant une famille amérindienne, honore la mémoire des premiers habitants du Québec.

Hôtel du Parlement

L'œuvre a été présentée à l'Exposition universelle de Paris en 1889. *Le pêcheur à la Nigog*, du même auteur, est disposé dans la niche de la fontaine.

La **place George-V** et le **manège militaire** ★ *(en face du parc de la Francophonie).* Cet espace de verdure sert de terrain d'exercice et de parade aux soldats du manège militaire. Les quelques canons ainsi que le monument Short-Wallick, érigé à la mémoire des deux militaires britanniques qui ont péri en tentant de combattre l'incendie du faubourg Saint-Sauveur en 1889, sont les seuls éléments de décor de ce lieu destiné à mettre en valeur l'amusante façade de style Château du manège militaire, construit en 1888 selon les plans de l'architecte de l'Hôtel du Parlement, Eugène-Étienne Taché.

La **chapelle du Bon-Pasteur** ★★ *(entrée libre; juil et août mar-sam 13h30 à 16h30; 1080 rue de La Chevrotière, ☎648-9710, ≠641-1070).* Derrière l'austère façade de la maison mère des sœurs du Bon-Pasteur, communauté vouée à l'éducation des jeunes filles abandonnées ou délinquantes, se cache une souriante chapelle néobaroque conçue par Charles Baillargé en 1866. Haute et étroite, elle sert de cadre à un authentique tabernacle baroque de 1730 réalisé par Pierre-Noël Levasseur. Cette pièce maîtresse de la sculpture sur bois en Nouvelle-France est entourée de petits tableaux peints par les religieuses et disposés sur les pilastres.

Le **Musée du Québec** ★★★ *(5,75$; début juin à début sept tlj 10h à 17h45, mer jusqu'à 21h45; début sept à fin mai mar-dim 11h à 17h45, mer jusqu'à 20h45; Parc des Champs-de-Bataille; ☎644-6460, ≠646-3330).* À la suite d'une rénovation d'envergure achevée en 1992, le Musée du Québec a été doté de nouveaux espaces. On aperçoit le bâtiment original, à droite, dont la façade est tournée vers l'ouest. La nouvelle entrée, dominée par une tour de verre qui n'est pas sans rappeler celle du Musée de la civilisation, est disposée dans l'axe de l'avenue Wolfe-Montcalm. Elle relie en souterrain l'édifice Renouveau classique de 1933 à l'ancienne prison de Québec du côté gauche (1860), habilement restaurée pour recevoir des salles d'exposition et rebaptisée édifice Baillargé, du nom de son architecte. Certaines des cellules ont même été conservées.

La visite de cet important musée permet de se familiariser avec la peinture, la sculpture et l'orfèvrerie québécoise, depuis l'époque de la Nouvelle-France jusqu'à nos jours. Les collections d'art religieux provenant de plusieurs paroisses rurales du Québec sont particulièrement intéressantes. On y retrouve également des documents officiels, dont l'original de la capitulation de Québec (1759). Le musée accueille fréquemment des expositions temporaires en provenance des États-Unis ou de l'Europe.

Le **parc des Champs-de-Bataille** ★★. Juillet 1759 : la flotte britannique, commandée par le général Wolfe, arrive devant Québec. L'attaque débute presque aussitôt. Au total, 40 000 boulets de canon s'abattront sur la ville assiégée qui résiste à l'envahisseur. La saison avance, et les Britanniques doivent bientôt prendre une décision, avant que des renforts, venus de France, ne les surprennent ou que leurs vaisseaux ne restent pris dans les glaces de décembre. Le 13 septembre, à la faveur de la nuit, les troupes britanniques gravissent le cap Diamant à l'ouest de l'enceinte fortifiée. Pour ce faire, elles empruntent les ravins qui tranchent, çà et là, la masse uniforme du cap, et permettent de dissimuler leur arrivée tout en facilitant leur escalade. Au matin, elles occupent les anciennes terres d'Abraham Martin, d'où le nom de **plaines d'Abraham**, également donné au parc des Champs-de-Bataille. La surprise est grande en ville, où l'on attendait plutôt une attaque directe sur la Citadelle. Les troupes françaises, aidées de quelques centaines d'Autochtones, se précipitent sur l'occupant. Les généraux français et britannique sont tués. La bataille se termine dans le chaos et dans le sang. La Nouvelle-France est perdue!

Saint-Jean-Baptiste

Rendez-vous de la jeunesse avec ses bars, ses théâtres et ses petites boutiques, le quartier Saint-Jean-Baptiste est juché sur un coteau entre la Haute-Ville et la Basse-Ville. Si l'habitat rappelle celui de la vieille ville par l'abondance des toitures mansardées ou pentues, la trame orthogonale des rues est en revanche on ne peut plus nord-américaine. Malgré un terrible incendie en 1845, cet ancien faubourg de Québec a conservé plusieurs exemples de l'architecture de bois, interdite à l'intérieur des murs de la ville.

Le **Capitole de Québec** ★ *(972 rue St-Jean, ☎694-4444)*. Au début du XXe siècle, Québec avait désespérément besoin d'une nouvelle salle de spectacle d'envergure, l'Académie de musique ayant été détruite par un incendie en mars 1900. Le maire, secondé par l'entreprise privée, entreprit des démarches afin de trouver un terrain. Le gouvernement canadien, propriétaire des fortifications, offrit une étroite bande de terre, en bordure des murs de la ville, qui s'élargissait toutefois vers l'arrière, rendant possible l'érection d'une salle convenable. L'ingénieux architecte W.S. Painter de Detroit, déjà occupé à l'agrandissement du Château Frontenac, imagina alors un plan incurvé qui permettrait, malgré l'exiguïté des lieux, de doter l'édifice d'une façade monumentale. Inauguré en 1903 sous le nom d'Auditorium de Québec, ce théâtre constitue l'une des plus étonnantes réalisations de style Beaux-Arts au Canada.

La **place d'Youville** est cet espace public à l'entrée de la vieille ville qui était autrefois la plus importante place du marché de Québec. Elle constitue de nos jours un carrefour très fréquenté et un pôle culturel majeur. Un réaménagement (1987) lui a donné une large surface piétonne, agrémentée d'arbres et de bancs. L'emplacement du mur de contrescarpe, ouvrage avancé des fortifications nivelé au XIXe siècle, a été souligné par l'intégration de blocs de granit noir au revêtement de la place.

L'**église Saint-Jean-Baptiste** ★ *(rue St-Jean, angle rue Deligny)* est sans contredit le chef-d'œuvre de Joseph Ferdinand Peachy. Fidèle à l'éclectisme français, Peachy est un admirateur inconditionnel de l'église parisienne de la Trinité, qui lui servira plus d'une fois de modèle. Ici, la ressemblance est frappante tant dans le portique extérieur que dans la disposition de l'intérieur. L'édifice, achevé en 1885, entraînera la faillite de son auteur, malencontreusement tenu responsable des fissures apparues dans la façade au cours des travaux.

Autres lieux de Québec

La **chapelle** et le **musée de l'Hôpital général** ★★ *(entrée libre; tlj sur rendez-vous 9h30 à 11h30 et 14h à 16h30; 260 boul. Langelier, ☎529-0931)*. Le site de l'Hôpital général est d'abord occupé par les récollets, qui y font construire la première église en pierre de la Nouvelle-France, achevée en 1621, en prévision de la venue de 300 familles que l'on veut établir sur les bords de la rivière Saint-Charles, dans un bourg baptisé Ludovica. Même si ce projet ne se concrétisera jamais, l'institution prendra racine et grandira lentement. En 1673, la chapelle actuelle est construite; puis, en 1682, les récollets dotent leur couvent d'un cloître à arcades, dont il reste quelques composantes intégrées à des aménagements ultérieurs.

En 1693, Mgr Jean-Baptiste de La Croix de Chevrières de Saint-Vallier, deuxième évêque de Québec, achète le couvent pour en faire un hôpital. Les sœurs hospitalières de l'Hôtel-Dieu prennent en charge l'institution, qui accueille les pauvres, les invalides et les vieillards. Aujourd'hui, l'Hôpital général est une institution moderne, ouverte à tous et équipée de toutes les commodités (salles d'urgence, de chirurgie, etc.). On a cependant réussi à conserver, plus que dans toute autre institution du genre, quantité d'éléments des XVIIe et XVIIIe siècles tels que certaines des cellules des récollets, des boiseries, des armoires de pharmacie et des lambris peints. Fait rarissime au Québec, l'hôpital n'a jamais été touché par les flammes, et très peu par les bombardements de la Conquête.

Parcs

«Le» parc de la ville de Québec est sans contredit le **parc des Champs-de-Bataille** ★★ (voir p 278), mieux connu sous le nom de **plaines d'Abraham**. Cet immense espace de verdure d'une centaine d'hectares, qui s'étend jusqu'au cap dévalant vers le fleuve, offre aux Québécois un lieu magnifique pour la pratique de toutes sortes d'activités de plein air. Les promeneurs et les pique-niqueurs abondent sur les plaines en été, mais la grandeur du site permet à tous d'y trouver un peu de tranquillité.

Le **domaine Maizerets** ★*(entrée libre; 2000 boul. Montmorency, ☎691-2385)*, avec ses grands arbres et ses pelouses, offre aux badauds un lieu idéal pour la promenade. Un arboretum ainsi que plusieurs aménagements paysagers feront la joie des amateurs d'horticulture. Le domaine est d'ailleurs membre de l'association «Les Jardins du Québec». On y trouve aussi des bâtiments historiques tels que le château, dans lequel une petite exposition retrace l'histoire de l'endroit. Hiver comme été, on peut y pratiquer plusieurs activités de plein air ou y assister à des concerts en plein air, à des pièces de théâtre ou encore à des conférences sur des sujets comme l'ornithologie.

Activités de plein air

Vélo

Québec ne possède pas beaucoup de pistes cyclables. Certaines sont toutefois dignes de mention, comme celle qui part du Vieux-Port pour se rendre jusqu'à Beauport et celle qui longe une partie de la rivière Saint-Charles. Des voies ont aussi été réservées : les automobilistes doivent y partager l'espace avec les cyclistes. Notez cependant qu'on s'efforce de développer le réseau cyclable de la ville. De plus, les parcs comme les plaines d'Abraham se prêtent bien à la promenade à vélo et possèdent même des sentiers propices au vélo tout-terrain.

On peut louer les vélos de **Cyclo Services Voyages** *(18$/jour; 84 rue Dalhousie, ☎692-4052, ⇄692-4146)* ou **Vélo Passe-Sport Plein air** *(24$/jour; 77A rue Ste-Anne, 100 rue St-André, ☎692-3643, ⇄692-3643).* Ces deux entreprises organisent aussi des excursions à vélo dans la ville et dans ses environs.

Patin à glace

La **place D'Youville** accueille les patineurs dès l'automne et jusque tard le printemps sur une petite patinoire ronde que l'on érige en son centre et qui est, de surcroît, animée par une musique d'ambiance diffusée par des haut-parleurs. Un local, où l'on trouve des toilettes, est ouvert aux patineurs *(tlj 12h à 22h; ☎691-4685).* Ainsi, au cœur de l'hiver, la place D'Youville enneigée offre un spectacle féerique avec, pour toile de fond, la porte Saint-Jean recouverte de givre, le Capitole tout illuminé, les décorations de Noël suspendues aux lampadaires et les patineurs qui y tournoient.

Sur la **terrasse Dufferin**, chaque hiver, on aménage une patinoire qui vous permet de tournoyer au pied du Château Frontenac, avec vue sur le fleuve et ses glaces. On peut chausser ses patins au kiosque de la terrasse *(fin déc à mi-mars tlj 11h à 23h; ☎692-2955)*, qui fait aussi la location *(4$ pour la journée).*

Une belle patinoire serpentant sous les arbres est aménagée au **domaine Maizerets** *(entrée libre; 2000 boul. Montmorency, ☎691-2385).* On peut chausser ses patins et se réchauffer auprès du poêle à bois dans le petit chalet tout près. On y loue aussi des patins *(2$; mi-déc à mi-mars lun-ven 13h à 16h, sam-dim 10h à 16h, certains soirs 18h à 21h).*

Glissade

Les collines des **plaines d'Abraham** se prêtent magnifiquement à la glissade l'hiver venu. Habillez-vous chaudement et suivez les enfants tirant une «traîne sauvage» pour connaître les endroits les plus hauts en couleur!

Sur la **terrasse Dufferin** est érigée, en hiver, une longue glissoire sur laquelle vous pouvez vous laisser descendre confortablement installé dans un toboggan. Vous pouvez vous procurer des billets au petit kiosque au milieu de la terrasse *(1$ la descente; fin déc à mi-mars tlj 11h à 23h; ☎692-2955)* avant d'attraper une «traîne» et d'entreprendre la montée jusqu'au haut de la glissoire. Une fois rendu, n'oubliez pas de jeter un coup d'œil autour de vous : la vue est magnifique!

Hébergement

Hospitalité Canada Tours est un central téléphonique d'hébergement situé à l'intérieur de la Maison du tourisme *(12 rue Ste-Anne, ☎800-665-1528, ⇄415-393-8942).* Selon le type d'hébergement recherché, on vous proposera différentes adresses qui font partie du réseau, en plus de faire les réservations pour vous. Ce service est gratuit.

Le Vieux-Québec

Centre international de séjour
membres 16$
chambre double 48$
bc
19 rue Ste-Ursule, G1R 4E1
☎694-0755 ou 800-461-8585
Pendant la saison estivale, le Centre international de séjour met à la disposition des jeunes 250 lits. Les chambres peuvent accueillir de 2 à 8 personnes et les dortoirs, de 10 à 12 personnes.

Auberge de la Paix
19$ pdj
plus 2$ de frais de literie si vous n'avez pas la vôtre
bc, ℂ
31 rue Couillard, G1R 3T4
☎694-0735
Derrière sa belle façade blanche du Vieux-Québec, l'Auberge de la Paix s'imprègne d'une atmosphère propre aux auberges de jeunesse. Convivialité et découvertes priment dans cet endroit qui porte bien son nom. On y trouve 59 lits répartis dans des chambres pouvant accueillir de 2 à 8 personnes, ainsi qu'une cuisinette et un salon. En été, une jolie cour fleurit à l'arrière. Les enfants sont les bienvenus!

Maison Acadienne
77$
≡, ⊛, ℂ
43 rue Ste-Ursule, G1R 4E4
☎694-0280 ou 800-463-0280
⇌694-0458
Sur la rue Sainte-Ursule se trouvent plusieurs anciennes maisons dans lesquelles ont été aménagés de petits hôtels. Parmi ceux-ci, la Maison Acadienne se démarque aisément grâce à sa grande façade blanche. Les chambres offrent toutefois un décor un peu fade. Heureusement, certaines d'entre elles ont été rénovées.

Au Jardin du Gouverneur
60$ pdj
≡
16 rue Mont-Carmel, G1R 4A3
☎692-1704
⇌692-1713
Au Jardin du Gouverneur est installé dans une mignonne petite maison blanche et bleue en face du tranquille parc des Gouverneurs. Ses chambres sont de dimensions appréciables, mais la décoration est très quelconque. Il s'agit d'un établissement non-fumeurs.

Hôtel Clarendon
89$ pdj
ℜ, ≡
57 rue Ste-Anne, G1R 3X4
☎692-2480 ou 888-556-6001
⇌692-4652
Construit en 1870, l'Hôtel Clarendon est le plus vieil hôtel de Québec. Quoique l'extérieur du bâtiment soit d'aspect très simple, sa décoration intérieure, de style Art déco, se révèle gracieuse. Le hall est d'ailleurs fort beau. Au cours des ans, les chambres ont été rénovées et sont aujourd'hui spacieuses et confortables. Il s'agit d'une excellente adresse dans la vieille ville.

Château Frontenac
375$
≡, ℜ, ≈, ⊙, ⊛, ♿
1 rue des Carrières, G1R 4P5
☎692-3861 ou 800-441-1414
⇌692-1751
Se dressant fièrement dans le Vieux-Québec, près des berges du fleuve Saint-Laurent, le Château Frontenac (voir p 386) est sans doute le bâtiment le plus célèbre de la ville. Son élégant hall aux couleurs chaudes est orné de boiseries. Dommage que l'accueil soit si froid. Les chambres sont aménagées de façon à procurer aux visiteurs le meilleur confort possible. Elles offrent un décor classique et raffiné.

Du Petit Champlain au Vieux-Port

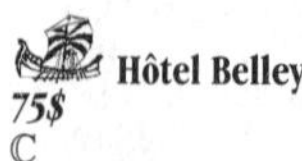
Hôtel Belley
75$
ℂ
249 rue St-Paul, G1K 3W5
☎692-1694 ou 888-692-1694
⇌692-1696
Le sympathique Hôtel Belley s'est établi dans le Vieux-Port, en face du marché, dans un bel édifice qui abrite un hôtel depuis 1877. Il se présente de fait comme un petit hôtel particulier auquel on resterait attaché des années durant! On y trouve huit chambres douillettes décorées avec simplicité et exhibant tantôt un mur de brique, tantôt des poutres en bois et des lucarnes. Elles sont situées au-dessus de la Taverne Belley (voir p 284), qui fait office de bar et sert par ailleurs, dans deux belles salles du rez-de-chaussée, des petits déjeuners et des déjeuners appréciés des gens du quartier. Dans une autre maison de l'autre côté de la rue, on a aménagé des appartements confortables à souhait et joliment décorés. Certains disposent d'une terrasse à même le cap, et l'on peut les louer à la nuitée, à la semaine ou au mois.

Le Priori
145$ pdj
⊛, ℜ
15 rue du Sault-au-Matelot, G1K 3Y7
☎692-3992 ou 800-351-3992
⇌692-0883
Dans la Basse-Ville, sur une rue paisible, se trouve Le Priori . L'hôtel est établi dans une maison ancienne qui a été rénovée avec minutie. La décoration marie harmonieusement les murs d'une autre époque au mobilier très moderne. L'aménagement est fort original, et même l'as-

censeur est innovateur. Il s'agit d'une bonne adresse à retenir.

Auberge Saint-Antoine
219$ pdj
≡, ⊛
10 rue St-Antoine, G1K 4C9
☎692-2211 ou 888-692-2211
≠692-1177
L'Auberge Saint-Antoine est située près du Musée de la civilisation. Cette superbe auberge occupe deux bâtiments. L'entrée a été aménagée dans un ancien immeuble en pierre qui a été magnifiquement rénové. Le hall, garni de poutres de bois, de murs de pierre et d'un foyer, est des plus chaleureux. On y sert le petit déjeuner. Les chambres, quant à elles, sont toutes décorées selon un thème différent. Chacune a un charme bien à elle.

La Grande Allée

Hôtel Loews Le Concorde
125$
≡, ≈, ⊙, ⌂, ℜ, ♿
1225 Place-Montcalm, G1R 4W6
☎647-2222 ou 800-463-5256
≠647-4710
Se dressant aux abords du Vieux-Québec, l'Hôtel Loews Le Concorde dispose de chambres spacieuses offrant une vue magnifique sur tout Québec. Appartenant à la chaîne d'hôtels Loews, il dispose de chambres confortables. Au sommet de la tour se trouve un restaurant tournant (voir «L'Astral», p 284).

Saint-Jean-Baptiste

Hôtel du Théâtre Capitole
180$
≡, ⊛, ℜ
972 rue St-Jean, G1R 1R5
☎694-4040 ou 800-363-4040
≠694-1916
Adjacent au magnifique théâtre, l'Hôtel du Théâtre Capitole est établi dans les pièces qui ceinturent le bâtiment. Sa petite entrée, cachée dans l'imposante structure, se fait fort discrète. Le décor de cet hôtel n'a rien de luxueux, mais il est amusant. Ainsi, le mobilier des chambres rappelle celui qu'on trouve sur une scène de théâtre. À l'entrée, on aperçoit le restaurant Il Teatro (voir p 284).

Restaurants

Le Vieux-Québec

Casse-Crêpe Breton
$
1136 rue St-Jean
Le petit Casse-Crêpe Breton attire les foules. Même depuis qu'on a agrandi ses locaux, la clientèle continue de faire la queue à sa porte pour goûter l'une de ses délicieuses crêpes-repas. Préparées sous vos yeux, elles sont garnies de vos ingrédients préférés et présentées par les serveuses qui réussissent à rester souriantes malgré ce fol achalandage. Avec ses hautes banquettes, l'endroit offre une ambiance chaleureuse.

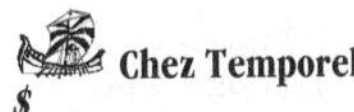

Chez Temporel
$
25 rue Couillard
Chez Temporel, on savoure une cuisine entièrement préparée sur place. Que vous choisissiez un croissant pur beurre, un croque-monsieur, une salade ou le plat du jour, vous êtes assuré que ce sera bon et frais. On y trouve en prime le meilleur *espresso* en ville! Les serveurs et serveuses sont parfois débordés, mais, si vous savez être compréhensif, ils sauront vous le rendre au centuple. Cachés dans un détour de la petite rue Couillard depuis plus de 20 ans, les deux étages du Temporel ont vu défiler une clientèle de tout âge et de toute tendance. Ouvert tôt le matin jusque tard le soir.

Frères de la Côte
$$
1190 rue St-Jean
☎692-5445
Les Frères de la Côte proposent une savoureuse cuisine bistro. On y mange des pizzas à pâte mince cuites au four à bois et garnies de délicieux ingrédients frais, des pâtes, des grillades, etc. Soirées spéciales de moules et frites à volonté! L'atmosphère animée est décontractée, et l'endroit est souvent bondé, reflet de la rue Saint-Jean, que l'on peut observer par ses grandes fenêtres.

Chez Livernois
$$-$$$
1200 rue St-Jean
☎694-0618
Dans la maison Serge-Bruyère, on trouve le bistro Chez Livernois. Cette grande demeure du XIXe siècle est en effet connue pour avoir abrité, à partir de 1889, le studio de photographie de Jules Livernois. On y sert une fine cuisine, composée essen-

tiellement de pâtes et de grillades, dans une atmosphère un peu plus décontractée qu'à La Grande Table (voir p 283).

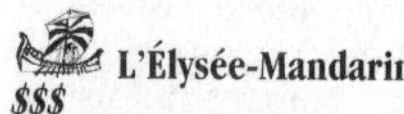

L'Élysée-Mandarin
$$$
65 rue D'auteuil
☎692-0909
L'Élysée-Mandarin propose une fine cuisine sichuanaise, cantonaise et pékinoise dans un décor rehaussé d'un petit jardin intérieur et de sculptures et vases chinois. Les plats sont toujours succulents, et le service, dans ce restaurant qui a aussi pignon sur rue à Montréal et à Paris, est des plus courtois. Si vous êtes plusieurs, essayez un menu dégustation : il serait dommage de ne pas goûter le plus de mets possible!

Aux Anciens Canadiens
$$$-$$$$
fermé Noël et jour de l'An le midi
34 rue St-Louis
☎692-1627
Situé dans une des plus vieilles maisons de Québec, le restaurant Aux Anciens Canadiens propose les spécialités traditionnelles du Québec. On peut y goûter le jambon au sirop d'érable, les fèves au lard et la tarte aux bleuets.

Saint-Amour
$$$
48 rue Ste-Ursule
☎694-0667
Le chef et copropriétaire du Saint-Amour, Jean-Luc Boulay, élabore une succulente cuisine créative qui ravit autant la vue que le goût. Dans la chocolaterie, à l'étage, on confectionne des desserts absolument divins. Une vraie expérience gastronomique! De plus, l'endroit est beau, confortable et chaleureux. Il est égayé par une verrière, ouverte à longueur d'année, et décorée de plantes et de fleurs de toutes sortes. Pendant les beaux jours d'été, on en retire le toit pour en faire une terrasse ensoleillée. Service de voiturier.

Le Champlain
$$$$
1 rue des Carrières
☎692-3861
Le Champlain est le restaurant du Château Frontenac. Son décor est, cela va de soi, des plus luxueux et sied bien au faste de l'endroit. Sa fine cuisine française est, elle aussi, fidèle à la renommée du Château. Son chef, Jean Soular, qui a déjà publié ses recettes, tente toutefois d'ajouter une touche originale à cette cuisine classique. Service impeccable assuré par des serveurs en livrée.

La Grande Table
$$$$
fermé le midi
1200 rue St-Jean
☎694-0618
La Grande Table de la maison Serge-Bruyère a une solide réputation qui s'étend bien au-delà des murs qui ceinturent la vieille ville. Installée au dernier étage d'une maison historique qui s'élève entre les rues Couillard et Garneau, elle sert une cuisine française gastronomique qui réjouit l'œil autant que le palais. L'agréable décor se pare de tableaux de peintres québécois. Service de voiturier.

Du Petit-Champlain au Vieux-Port

Cochon Dingue
$$
46 boul. Champlain
☎692-2013
Le Cochon Dingue est un bistro-café fort sympathique. S'étalant entre le boulevard Champlain et la rue du Petit-Champlain, il présente un décor agréable et rigolo avec ses miroirs et son sol carrelé. Il propose une cuisine bistro avec, entre autres, ses formules steaks-frites et moules-frites. Ses desserts vous rendront... dingue! Il existe deux autres Cochon Dingue, l'un dans le circuit de la Grande-Allée *(46 boul. René-Lévesque O., ☎523-2013)* et l'autre à Sillery, dans les environs de Québec *(1326 av. Maguire, ☎684-2013)*.

Café du Monde
$$-$$$
57 rue Dalhousie
☎692-4455
Dans cette grande brasserie à la parisienne qu'est le Café du Monde, on prépare des plats typiques de ce genre d'établissement tels que le magret de canard et le tartare. Les serveurs, parés d'un long tablier, sont attentionnés.

Laurie Raphaël
$$$-$$$$
fermé Noël et jour de l'An
117 rue Dalhousie
☎692-4555
Le chef et copropriétaire du Laurie Raphaël, Daniel Vézina, a remporté en 1997 le prix du meilleur chef-cuisinier au Québec. Il a aussi, la même année, publié un livre de recettes alléchantes. Pour composer ses délices, le chef s'inspire de toutes les cuisines du monde et apprête ris de veau, pétoncles, viande d'autruche, etc. d'une manière originale. Donc pas besoin de vous préciser qu'au Laurie Raphaël on mange bien! Emménagé depuis mai 1996 dans des locaux spacieux avec mur extérieur formant un demi-cercle entièrement vitré, il présente un décor chic, agrémenté de rideaux blanc crème, de couleurs sable et terre,

ainsi que de quelques objets en fer forgé.

La Grande Allée

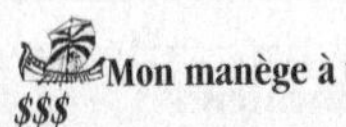**Mon manège à toi**
$$$
fermé sam-dim midi
102 boul. René-Lévesque O.
angle av. Cartier
☎***649-0478***
Mon manège à toi est un troquet belge qui propose une cuisine exquise inspirée du plat pays et de la France. Les mets sont excellents, et le service se veut efficace et chaleureux. Le décor, mi-bistro, mi-bourgeois, crée une atmosphère raffinée. Il s'agit d'une bonne adresse!

Le Louis-Hébert
$$$
668 Grande-Allée E.
☎***525-7812***
Le chic restaurant qu'est Le Louis-Hébert offre un décor soigné et un confort feutré. On y sert une cuisine française et des fruits de mer exquis. À l'arrière se trouve une verrière garnie de verdure. Un service courtois et attentionné vous y attend.

L'Astral
$$$-$$$$
Hôtel Loews Le Concorde
1225 Place-Montcalm
☎***647-2222***
Juché au sommet d'un des plus grands hôtels de Québec, le restaurant tournant L'Astral propose, en plus d'une cuisine française raffinée, une vue imprenable sur le fleuve, les plaines d'Abraham, les Laurentides et la ville. Le tour complet s'effectue en une heure. Son brunch copieux du dimanche vaut le déplacement.

Saint-Jean-Baptiste

Il Teatro
$$$
972 rue St-Jean
☎***694-9996***
Dans l'antre du magnifique Capitole de Québec, Il Teatro sert une fine cuisine italienne. Dans une belle salle au fond de laquelle s'étale un long bar et autour de laquelle miroitent de grandes fenêtres, cette délicieuse cuisine vous sera servie avec courtoisie. En été, on aménage une terrasse protégée du va-et-vient de la place D'Youville.

Sorties

Bars et discothèques

Le Vieux-Québec

La Fourmi Atomik
33 rue D'Auteuil
Terrée sous Le d'Auteuil (voir ci-dessus), La Fourmi Atomik est le bar *underground* de Québec.
Chaque soirée a son thème musical, du *black beat* au *punk rock* en passant par l'«alterno» et le techno des années quatre-vingt jusqu'aux toutes dernières nouveautés. En été, sa terrasse extérieure ne dérougit pas.

Petit Paris
48 côte de la Fabrique
En été, à travers les fenêtres ouvertes du Petit Paris, on entend l'animation qui y règne : des chansonniers se produisent sur sa scène au grand bonheur d'une foule enthousiaste.

Du Petit-Champlain au Vieux-Port

L'Inox
37 rue St-André
Dans un grand local du Vieux-Port, L'Inox brasse et sert, entre autres boissons, une bonne bière maison. Maître brasseur, il fabrique une blonde, une blanche et une rousse savoureuses à souhait. On y trouve en outre un petit économusée de la bière.

Taverne Belley
249 rue St-Paul
La Taverne Belley, en face du marché du Vieux-Port, possède quelques particularités propres aux tavernes telles que jeu de billard et petites tables rondes en métal. Le décor de ses deux salles est chaleureux et amusant avec ses murs de brique parsemés de toiles colorées. Un tout petit foyer diffuse une agréable chaleur l'hiver venu.

La Grande Allée

Chez Dagobert
600 Grande Allée E.
Installé dans une ancienne demeure, le bar est une immense discothèque très fréquentée. Au premier étage, des groupes se produisent tous les soirs.

Chez Maurice
575 Grande Allée E.
Occupant une vieille maison de la Grande Allée, Chez Maurice est une chic et grande discothèque à la mode. Pour voir et être vu ou pour danser sur les grands succès de l'heure. On y tient aussi des soirées spéciales comme ses très courues soirées disco. À l'intérieur se trouve le *cigar room* **Chez Charlotte**, se voulant, à juste titre, un bar à digestif!

Saint-Jean-Baptiste

Fou Bar
519 rue St-Jean
Au sympathique Fou Bar, une clientèle d'habitués vient siroter un verre, discuter ou encore zyeuter les œuvres qui y sont régulièrement exposées.

Bars et discothèques gays

Amour sorcier
789 côte Ste-Geneviève
L'Amour sorcier est un petit bar du quartier Saint-Jean-Baptiste où l'ambiance est parfois des plus *hot*. En été, il dispose d'une jolie terrasse.

Le Ballon Rouge
811 rue St-Jean
La discothèque gay Le Ballon Rouge reçoit une clientèle exclusivement masculine. Elle s'étend judicieusement sur plusieurs salles, chacune offrant une ambiance différente.

Drague
804 rue St-Augustin
Au Drague, cette grande taverne enfumée et bruyante, se presse une clientèle exclusivement masculine.

Théâtres et salles de spectacles

Le Périscope
2 rue Crémazie E.
☎529-2183

Théâtre de la Bordée
1143 rue St-Jean
☎694-9631

Théâtre du Trident,
Grand Théâtre de Québec
269 boul. René-Lévesque O.
☎643-8131

Grand Théâtre de Québec
269 boul. René-Lévesque E.
☎643-8131

Palais Montcalm
995 pl. D'Youville
☎691-2399 billetterie
☎670-9011

Capitole de Québec
972 rue St-Jean
☎694-4444

Fêtes et festivals

Le **carnaval de Québec** *(☎626-3716 ou 888-737-3789)* a lieu tous les ans durant les deux premières semaines de février. Il est l'occasion pour les habitants de Québec et les visiteurs de fêter les beautés de l'hiver. Il a sans doute également pour but d'égayer cette période de l'année où l'hiver semble n'en plus finir. Ainsi, plusieurs activités sont organisées tout au long de ces journées. Parmi les plus populaires, mentionnons le défilé de nuit, la traversée du fleuve en canot et le concours de sculptures sur glace et sur neige. En cette saison, la température est très froide, aussi pour bien profiter de ces festivités faut-il être très chaudement vêtu.

Le **Festival d'été de Québec** *(☎992-5200)* se tient généralement pendant 10 jours au début de juillet. La ville s'égaye alors de musique et de chansons, de danse et de spectacles d'animation venus des quatre coins du monde. Tout est au rendez-vous pour faire de cette activité le plus important événement culturel de Québec. Les spectacles en plein air sont particulièrement appréciés.

Achats

Librairies

La Bouquinerie de Cartier
1120 av. Cartier
☎525-6767

Librairie Générale Française
10 côte de la Fabrique
☎692-2442

Pantoute
1100 rue St-Jean
☎697-9748

Ulysse
(voyage)
Pl. de la Cité, Sainte-Foy
☎654-9979

Le quartier Saint-Jean-Baptiste foisonne de bonnes librairies où l'on trouve des livres de seconde main.

Disques et cassettes

Sillons Le Disquaire
1149 av. Cartier
☎524-8352

Archambault
1095 rue Saint-Jean
☎694-2088

Boutiques d'artisanat et ateliers d'artisans

Atelier La Pomme,
47 rue Sous-le-Fort
Petit-Champlain
☎692-2875
Articles de cuir.

Boutique Sachem
17 rue des Jardins
Vieux-Québec
☎692-3056
Artisanat amérindien et inuit.

Galerie-boutique Métiers d'Art
29 rue Notre-Dame, Place-Royale
☎***694-0267***
Produits d'artisanat du Québec.

Galerie d'art amérindien Cinq Nations,
25½ rue du Petit-Champlain
☎***692-3329***
Artisanat amérindien.

Les Trois Colombes
46 rue Saint-Louis
Vieux-Québec
☎***694-1114***
Produits artisanaux et vêtements de qualité.

L'Oiseau du paradis
80 rue du Petit-Champlain
☎***692-2679***
Papiers et objets de papier.

Pot-en-Ciel
27 rue du Petit-Champlain
☎***692-1743***
Céramiques.

Verrerie d'art Réjean Burns
159 rue St-Paul
☎***694-0013***
Vitraux, lampes.

Verrerie La Mailloche
58 rue Sous-le-fort
Petit-Champlain
☎***694-0445***
Objets de verre fabriqués dans l'atelier.

La jolie rue Saint-Paul aligne plusieurs antiquaires et brocanteurs qui vous promettent de belles trouvailles.

Plein air

L'Aventurier
710 rue Bouvier
☎***624-9088***
Vêtements, accessoires, bateaux.

Azimut,
1194 av. Cartier
☎***648-9500***
Vêtements et accessoires.

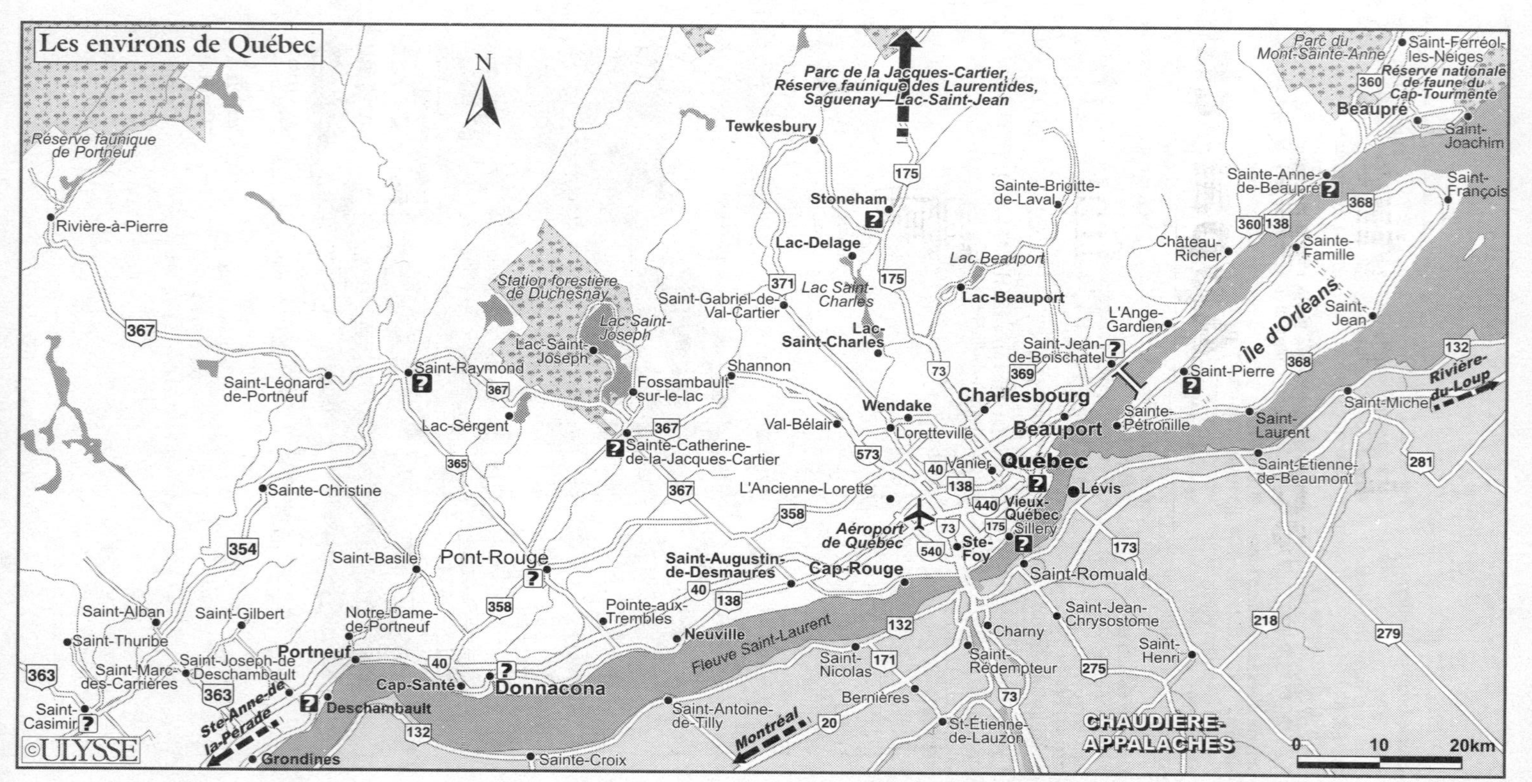

Les environs de Québec
N
Réserve faunique de Portneuf
Rivière-à-Pierre
Parc de la Jacques-Cartier, Réserve faunique des Laurentides, Saguenay—Lac-Saint-Jean
Tewkesbury
Stoneham
Lac-Delage
Lac Saint-Charles
Lac-Saint-Charles
Saint-Gabriel-de-Valcartier
Station forestière de Duchesnay
Lac Saint-Joseph
Lac-Saint-Joseph
Saint-Raymond
Saint-Léonard-de-Portneuf
Lac-Sergent
Shannon
Fossambault-sur-le-lac
Sainte-Catherine-de-la-Jacques-Cartier
Sainte-Christine
Saint-Basile
Pont-Rouge
Saint-Alban
Saint-Gilbert
Notre-Dame-de-Portneuf
Saint-Thuribe
Saint-Marc-des-Carrières
Saint-Joseph-de-Deschambault
Portneuf
Cap-Santé
Donnacona
Deschambault
Saint-Casimir
Ste-Anne-de-la-Pérade
Grondines
Sainte-Croix
©ULYSSE
Pointe-aux-Trembles
Neuville
Saint-Augustin-de-Desmaures
Cap-Rouge
Fleuve Saint-Laurent
Saint-Antoine-de-Tilly
Montréal
Saint-Nicolas
Bernières
St-Étienne-de-Lauzon
Saint-Rédempteur
Charny
Saint-Jean-Chrysostome
Saint-Henri
Saint-Romuald
CHAUDIÈRE-APPALACHES
Val-Bélair
Wendake
Loretteville
L'Ancienne-Lorette
Aéroport de Québec
Ste-Foy
Sillery
Vieux-Québec
Vanier
Québec
Lévis
Charlesbourg
Beauport
Lac-Beauport
Lac Beauport
Sainte-Brigitte-de-Laval
Saint-Jean-de-Boischatel
L'Ange-Gardien
Château-Richer
Sainte-Anne-de-Beaupré
Beaupré
Parc du Mont-Sainte-Anne
Saint-Ferréol-les-Neiges
Réserve nationale de faune du Cap-Tourmente
Saint-Joachim
Saint-François
Sainte-Famille
Île d'Orléans
Saint-Jean
Saint-Pierre
Sainte-Pétronille
Saint-Laurent
Saint-Michel
Rivière-du-Loup
Saint-Étienne-de-Beaumont
0
10
20km

Les environs de Québec et Chaudière - Appalaches

Sous le Régime français, Québec est la principale agglomération du Canada et le siège de l'administration coloniale.

Pour approvisionner la ville et ses institutions, des fermes sont aménagées dans les environs dès le milieu du XVIIe siècle. Cette région, à la périphérie de la ville, constitue aussi la première zone de peuplement rural dans la vallée du Saint-Laurent. Il est donc normal d'y retrouver les vestiges des premières seigneuries concédées en Nouvelle-France et d'y éprouver, plus que partout ailleurs dans la campagne québécoise, le sentiment de l'histoire et du passage du temps. Ainsi, on peut voir les fermes les plus anciennes de la colonie et les maisons où vécurent les ancêtres de familles dont la nombreuse progéniture allait essaimer à travers toute l'Amérique au cours des siècles suivants.

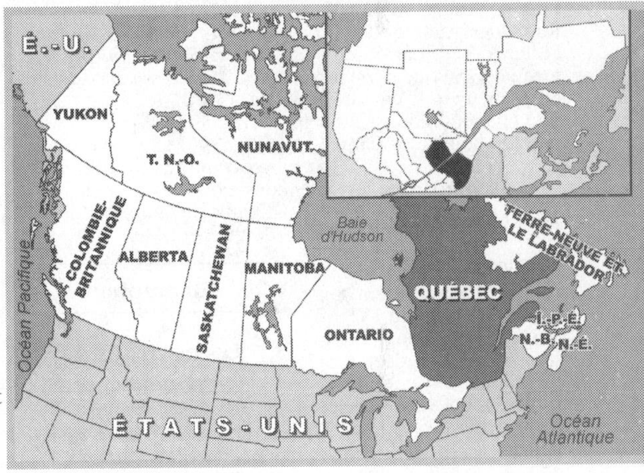

Chaudière-Appalaches regroupe quelques petites municipalités au caractère géographique très distinct. Sur la rive sud du Saint-Laurent, face à Québec, elle s'ouvre sur une vaste plaine fertile avant de lentement grimper vers les contreforts des Appalaches jusqu'à la frontière américaine. La rivière Chaudière, qui prend sa source dans le lac Mégantic, coule au centre de cette région, puis se jette dans le fleuve Saint-Laurent à la hauteur du pont de Québec.

Pour s'y retrouver sans mal

En voiture

Les environs de Québec

De Québec, empruntez l'autoroute Dufferin- Montmorency (440) en direction de Beauport (sortie 24) puis la rue d'Estimauville.

Tournez à droite sur le chemin Royal (route 360), qui devient par la suite l'avenue Royale et que vous suivrez tout au long du circuit.

Pour visiter les villages du chemin du Roy, il faut prendre la route 138, qui longe le fleuve sur sa rive nord.

Pour vous rendre à Charlesbourg, empruntez la côte d'Abraham, tournez à droite sur la rue de la Couronne, puis suivez l'autoroute Laurentienne (73) jusqu'à la sortie 150. Prenez à droite sur la 80e Rue Ouest, qui conduit au cœur du Trait-Carré. L'autoroute 175 vous permettra de poursuivre le circuit et de vous rendre jusqu'au parc de la Jacques-Cartier.

Chaudière-Appalaches

Les villages à visiter dans cette région se situent soit le long de la route 132, qui longe le fleuve sur sa rive sud, soit le long de l'autoroute 173 et de la route 73, qui vont vers les Appalaches, au sud, en laissant le fleuve derrière elles.

En traversier

Chaudière-Appalaches

Le traversier *(1,75$; voiture 5$,* ☎418-644-3704) reliant Québec à Lévis permet d'arriver à destination en seulement 15 min. L'horaire varie grandement d'une saison à l'autre, mais les liaisons sont très fréquentes.

Le traversier vers l'île aux Grues, la **Grue des îles** *(gratuit;* ☎*418-248-3549)*, part du quai de Montmagny et s'y rend en une vingtaine de minutes. La fréquence varie avec les marées.

Les entreprises suivantes peuvent aussi vous conduire à l'île aux Grues ou à la Grosse Île. Le **Taxi des Îles** *(île aux Grues, aller simple 10$; Grosse-Île, 32$ aller-retour, visite 4,5 heures; 124 rue St-Louis, Montmagny, G5V 1M8,* ☎*418-248-2818)*, reconnaissable à ses couleurs jaune et noire, se rend fréquemment aux îles à partir du quai de Montmagny. Les **Croisières Lachance** *(prix variables selon les forfaits; croisières vers Grosse-Île et l'archipel de Montmagny; 110 de la Marina, Berthier-sur-Mer, G0R 1E0,* ☎*418-259-2140 ou 888-476-7734; www.croisiereslachance.qc.ca)* offrent des croisières quotidiennes à partir de la marina de Berthier-sur-Mer.

En autobus

Les environs de Québec

L'autobus n° 53 part de la place Jacques-Cartier *(1,85$; rue du Roi, angle de la Couronne)* et emmène les visiteurs près de la chute Montmorency.

Pour aller à Charlesbourg à partir de Québec, il faut prendre l'autobus n° 801, le métrobus, dont les arrêts sont bien indiqués (par exemple à la place D'Youville). Du terminus de Charlesbourg, on prend l'autobus n° 72, qui mène à la réserve de Wendake. Le village historique de Onhoüa Cheteke étant situé au nord de la réserve, il faut faire les derniers kilomètres en taxi.

En autocar

Les environs de Québec

Vous pouvez vous rendre à Sainte-Anne-de-Beaupré *(9687 boul. Ste-Anne, station-service Irving,* ☎*418-827-5169)* en prenant l'autocar *(320 rue Abraham-Martin,* ☎*418-525-3000)*.

Aucun autobus ni autocar ne dessert l'île d'Orléans. Certaines entreprisent privées organisent des tours de l'île. Pour s'y promener seul et à son gré, ils faut donc se déplacer en voiture ou à vélo.

Gare routière
3001 ch. des Quatre-Bourgeois, Ste-Foy
☎(418) 650-0087

Chaudière-Appalaches

Lévis
5401 boul. de la Rive-Sud
☎(418) 837-5805

Montmagny
5 boul. Taché O.
(Restaurant Bel-Air)
☎(418) 248-1850

Saint-Jean-Port-Joli
10 av. de Gaspé E.
(Épicerie Pelletier)
☎(418) 598-6808

Saint-Georges
☎(418) 228-4040

Thetford Mines
127 rue St-Alphonse O.
☎(418) 335-5120

En train

Les environs de Québec

Sainte-Foy
3255 ch. de la Gare, angle ch. St-Louis
☎***800-835-3037***

Rivière-à-Pierre
470 rue Principale
☎***(418) 323-2117***

Chaudière-Appalaches

Montmagny
4 rue de la Station
☎***800-361-5390***

Renseignements pratiques

Indicatif régional : 418.

Renseignements touristiques

Les environs de Québec

Centre d'information de l'Office du tourisme et des congrès de la Communauté urbaine de Québec
835 av. Wilfrid-Laurier, G1R 2L3 Québec
☎***649-2608***
⇄***522-0830***
www.quebec-region.com

Sainte-Anne-de-Beaupré
9310 boul. Ste-Anne
☎***827-5281***

Île d'Orléans
490 côte du Pont, St-Pierre
☎***828-9411***

Deschambault
12 rue des Pins
☎***286-3002***

Charlesbourg
7960 boul. Henri-Bourassa
☎***624-7722***

Chaudière-Appalaches

Association touristique Chaudière-Appalaches
800 autoroute Jean-Lesage, St-Nicolas G7A 1C9
☎***831-4411 ou 800-831-4411***
⇄***831-8442***
www.chaudapp.qc.ca

Lévis
5995 rue St-Laurent
☎***838-6026***

Montmagny
45 av. du Quai
☎***248-9196 ou 800-463-5643***
⇄***248-1436***
www.montmagny.com

Cap-St-Ignace
9h à 16h30
du 24 juin à la fête du Travail
72 rue du Manoir, rte 132
☎***246-5390***

Saint-Jean-Port-Joli
7 pl. de l'Église
☎***598-3747***

Saint-Georges
8585 boul. Lacroix
☎***227-4642***
⇄***226-2255***

Thetford Mines
682 rue Monfette N.
☎***335-7141***
⇄***338-4984***
www.tourisme- amiante.qc.ca

Attraits touristiques

Les environs de Québec

★
Beauport

Le **manoir Montmorency** *(2490 av. Royale,* ☎*663-3330)*, une grande maison blanche, a été construit en 1780 pour le gouverneur britannique Sir John Haldimand. Elle est parvenue à la célébrité en devenant la résidence du duc de Kent, fils de George III et père de la reine Victoria, à la fin du XVIIIe siècle. Le manoir, qui abritait un établissement hôtelier, a été gravement endommagé lors d'un incendie en mai 1993, mais fut reconstruit selon les plans d'origine. Aujourd'hui, on y retrouve un centre d'interprétation, quelques boutiques et un restaurant (voir p 304, 305) d'où l'on bénéficie de vues exceptionnelles sur la chute Montmorency, le fleuve et l'île d'Orléans. La petite chapelle Sainte-Marie et les jardins qui entourent l'hôtel sont ouverts au public.

Manoir Montmorency

Le manoir est niché dans le **parc de la Chute-Montmorency ★★** *(entrée libre, stationnement 7$, téléphérique: aller 5$, aller-retour 7$; accessible toute l'année, vérifiez les heures d'ouverture des stationnements, ☎663-2877, ⇌663-1666, www.chutemontmorency.qc.ca)*. La rivière Montmorency, qui prend sa source dans les Laurentides, coule paisiblement en direction du fleuve, jusqu'à ce qu'elle atteigne une dénivellation soudaine de 83 m qui la projette dans le vide, ce qui donne lieu à l'un des phénomènes naturels les plus impressionnants du Québec. Une fois et demie plus élevée que celle du Niagara, la chute Montmorency a un débit qui atteint les 125 000 litres d'eau par seconde lors des crues printanières.

Afin de permettre l'observation de ce spectacle grandiose, un parc a été aménagé. Depuis 1995, il est possible de faire le tour de la chute. À partir du manoir Montmorency, empruntez la charmante promenade de la falaise, où se trouve le belvédère de la Baronne, qui donne une vue en plongée sur la chute. Cette courte randonnée vous conduit au pont «Au-dessus de la chute» et au pont «Au-dessus de la faille». Il va sans dire que les panoramas qui y sont offerts sont tout à fait extraordinaires. Arrivé à la section est du parc, vous trouverez une aire de jeux pour les enfants et des tables de pique-nique. Vous pouvez descendre par l'escalier panoramique et ses 487 marches ou par le sentier. En bas, empruntez le sentier du bas de la chute, qui vous ramènera à la gare du téléphérique. Vous pourrez remonter tranquillement en admirant encore ce merveilleux spectacle naturel. En hiver, la vapeur d'eau cristallisée par le gel forme des cônes de glace dénommés «pains de sucre», que les plus audacieux peuvent escalader.

★ Sainte-Anne-de-Beaupré

Ce village tout en longueur est l'un des principaux lieux de pèlerinage en Amérique. Dès 1658, une première église catholique y fut dédiée à sainte Anne, à la suite du sauvetage de marins bretons qui avaient prié la mère de Marie afin d'échapper à la noyade lors d'une tempête sur le fleuve Saint- Laurent. Les pèlerins affluèrent bientôt en grand nombre. À la seconde église, construite en pierre vers 1676, on a substitué en 1872 un vaste temple, détruit par un incendie en 1922. C'est alors que fut entreprise la construction de la basilique actuelle au centre d'un véritable complexe de chapelles, de monastères et d'équipements aussi divers qu'inusités, tel le Bureau des bénédictions ou le Cyclorama. Chaque année, Sainte-Anne-de-Beaupré accueille plus d'un million de pèlerins, qui fréquentent les hôtelleries et les nombreuses boutiques de souvenirs, au goût parfois douteux, qui bordent l'avenue Royale.

La **basilique Sainte-Anne-de-Beaupré ★★★** *(un comptoir d'information est ouvert à proximité de l'entrée du début mai à la mi-sept tlj 8h30 à 17h; 10018 av. Royale, ☎827-3781, ⇌827-8227)*, surgissant dans le paysage des petits bâtiments de bois et d'aluminium colorés qui bordent la route sinueuse, étonne par ses dimensions importantes, mais aussi par l'activité fébrile qui y règne tout l'été. L'église, dont le revêtement de granit prend des teintes variées selon la lumière ambiante, a été dessinée dans le style néoroman français par l'architecte parisien Maxime Roisin, assisté du Québécois Louis Napoléon Audet. Ses flèches s'élèvent à 91 m dans le ciel de la côte de Beaupré, alors que sa nef s'étend sur 129 m de longueur et sur plus de 60 m de largeur aux transepts. On remarquera la statue en bois revêtue de cuivre doré, au sommet de la façade, qui provient de l'église de 1872.

Le **Cyclorama de Jérusalem ★★** *(6$; fin avril à fin oct tlj 9h à 18h, juil à août tlj 9h à 20h; 8 rue Régina, à proximité du stationnement, ☎827-3101, ⇌827-8279)*. Dans cet édifice circulaire, décoré à l'orientale, on peut voir un panorama circulaire de Jérusalem, *Le jour de la Crucifixion*, immense toile en trompe-l'œil de 14 m sur 100 m peinte à Chicago vers 1880 par le Français Paul Philippoteaux et ses assistants. Ce spécialiste du panorama a exécuté là une œuvre remarquable de réalisme, qui fut d'abord exposée à Montréal avant d'être déménagée à Sainte-Anne-de-Beaupré à la toute fin du XIXe siècle. Très peu de ces panoramas et cycloramas, populaires à la Belle Époque, ont survécu jusqu'à nos jours.

Le **Musée de Sainte Anne ★** *(5$; avr à oct tlj 10h à 17h, oct à avr sam-dim 10h à 17h; 9803 boul. Ste-Anne, ☎827-6873, ⇌827-6870)* se voue à l'art sacré qui honore la mère de la Vierge Marie. Ces œuvres, accumulées depuis des années dans la basilique mais nouvellement exposées devant le grand public, sont d'une intéressante diversité. On y trouve des sculptures, des peintures, des mosaïques, des vitraux et des travaux d'orfèvrerie dédiés au culte de sainte Anne, ainsi que des écrits formulant une prière ou un remerciement pour une faveur obtenue. Y sont aussi expliqués des pans de l'histoire des pèlerinages à Sainte-Anne-de-Beaupré. Le tout est exposé sur deux étages d'une façon agréable et aérée.

★★

Cap Tourmente

Ce cap est le dernier soubresaut de la plaine du Saint-Laurent sur la rive nord, avant que le massif laurentien n'entre directement en contact avec le fleuve Saint-Laurent. Sa colonisation, qui commence dès le début du XVIIe siècle, est liée aux premières tentatives de peuplement de la Nouvelle-France. Samuel de Champlain, fondateur de Québec, y établit une ferme en 1626, dont les vestiges ont été mis au jour. Exploitées par la Société des sieurs de Caen, les terres du cap Tourmente sont acquises par M ^gr^ Laval en 1662. Elles passent bientôt entre les mains du Séminaire de Québec, qui aménage au fil des ans une maison de repos pour les prêtres, une école, une colonie de vacances et, surtout, une vaste ferme qui doit subvenir aux besoins alimentaires de l'institution, en plus de lui procurer des revenus appréciables. À la suite de la Conquête, le Séminaire déplace le siège de sa seigneurie de Beaupré au cap Tourmente, laissant derrière les ruines du château Richer. Il fait construire, entre 1777 et 1781, le **Château Bellevue** ★, superbe bâtiment doté d'un portail néoclassique en pierre de taille. La chapelle Saint-Louis-de-Gonzague (1780) s'ajoute à l'ensemble, trop bien dissimulé dans les arbres.

★★

Île d'Orléans

Cette île de 32 km sur 5 km, située au milieu du fleuve Saint-Laurent et en aval de Québec, est synonyme de vieilles pierres. C'est en effet, de toutes les régions du Québec, l'endroit le plus évocateur de la vie rurale en Nouvelle-France. Lorsque Jacques Cartier l'aborde en 1535, elle est couverte de vignes sauvages, d'où son premier nom d'«île de Bacchus». Elle sera toutefois rebaptisée en hommage au duc d'Orléans quelque temps après. À l'exception de Sainte- Pétronille, les paroisses de l'île voient le jour au XVIIe siècle, entraînant une colonisation rapide de l'ensemble du territoire. En 1970, le gouvernement du Québec faisait de l'île d'Orléans un arrondissement historique, afin de la soustraire au développement effréné de la banlieue et, surtout, afin de mettre en valeur ses églises et maisons anciennes, dans le cadre d'un vaste mouvement de retour aux sources des Québécois de souche française. Depuis 1936, l'île est reliée à la terre ferme par un pont suspendu. L'île d'Orléans est également connue comme le pays de Félix Leclerc (1914-1988), le plus célèbre poète et chansonnier québécois.

★

Sainte-Pétronille

Paradoxalement, Sainte-Pétronille est à la fois le site du premier établissement français de l'île d'Orléans et sa plus récente paroisse. Dès 1648, François de Chavigny de Berchereau et son épouse, Éléonore de Grandmaison, y établissent une ferme, qui accueillera également une mission huronne. Mais les attaques incessantes des Iroquois inciteront les colons à s'installer plus à l'est, en face de Sainte-Anne-de-Beaupré. Ce n'est qu'au milieu du XIXe siècle que Sainte-Pétronille voit le jour, grâce à la beauté de son site qui attire de nombreux estivants. Les marchands anglophones de Québec s'y font construire de belles résidences secondaires. Plusieurs d'entre elles ont survécu aux outrages du temps et sont visibles en bordure de la route.

★★

Saint-Jean

Saint-Jean était, au milieu du XIXe siècle, le lieu de prédilection des pilotes du Saint-Laurent, qui guidaient les navires dans leur difficile cheminement à travers les courants et les rochers du fleuve. Certaines de leurs maisons néoclassiques ou Second Empire subsistent le long du chemin Royal, témoignant du statut privilégié de ces marins indispensables à la bonne marche de la navigation commerciale.

On trouve à Saint-Jean le plus important manoir du Régime français encore existant, le **manoir Mauvide-Genest** ★★ Il a été construit en 1734 pour Jean Mauvide, chirurgien du roi, et son épouse,

Marie-Anne Genest. Le beau bâtiment en pierre, revêtu d'un crépi blanc, adopte le style traditionnel de l'architecture normande. Le domaine devient manoir au milieu du XVIIIe siècle, lorsque Mauvide, qui s'est enrichi dans le commerce avec les Antilles, achète la moitié sud de la seigneurie de l'île d'Orléans. Le manoir est présentement en rénovation et donc fermé au public.

★

Saint-François

Le plus petit village de l'île d'Orléans a conservé plusieurs bâtiments de son passé. Certains d'entre eux sont cependant éloignés du chemin Royal et sont donc difficilement perceptibles depuis la route 368. La campagne environnante est charmante et offre quelques points de vue agréables sur le fleuve, Charlevoix et la côte de Beaupré. On trouve encore, à Saint- François, la fameuse vigne sauvage qui avait valu à l'île son premier nom d'«île de Bacchus».

À la sortie du village, une halte routière, avec une **tour d'observation ★★**, offre une vue remarquable vers le nord et l'est. On peut apercevoir les îles Madame et au Ruau, au milieu du Saint-Laurent, qui marquent la limite entre l'eau douce et l'eau salée du fleuve, le mont Sainte-Anne, couvert de pistes de ski, et, dans le lointain, Charlevoix, sur la rive nord, ainsi que les seigneuries de la Côte-du-Sud, sur la rive sud.

★

Sainte-Famille

La doyenne des paroisses de l'île d'Orléans a été fondée par Mgr Laval en 1666 afin de regrouper, en face de Sainte-Anne-de-Beaupré, les colons jusque-là concentrés dans les environs de Sainte-Pétronille. Sainte-Famille recèle plusieurs témoins du Régime français, dont sa célèbre église, l'une des meilleures réalisations de l'architecture religieuse en Nouvelle-France et la plus ancienne église à deux tours du Québec.

La belle **église Sainte- Famille ★★** *(3915 ch. Royal)* a été construite, entre 1743 et 1747, en remplacement de la première église de 1669. Le curé Dufrost de Lajemmerais, s'inspirant de l'église des jésuites de Québec, aujourd'hui détruite, fait ériger deux tours coiffées de toitures à l'impériale en façade. L'unique clocher se trouve alors au faîte du pignon. Autre élément inusité : l'aménagement de cinq niches et d'un cadran solaire (détruit) autour de l'entrée, qui confèrent une grande originalité à l'édifice. Au XIXe siècle, de nouvelles statues sont installées dans les niches, et les toits à l'impériale font place à deux nouveaux clochers, ce qui porte leur nombre à trois, un cas unique au Québec.

★

Neuville

La **rue des Érables ★★** *(visite guidée; ☎286-3002)* se caractérise par une des plus importantes concentrations de maisons en pierre hors des grands centres. Cela s'explique, bien sûr, par l'abondance du matériau, mais aussi par la volonté des propriétaires d'illustrer les talents de constructeurs et de tailleurs de pierre de la main-d'œuvre locale. Au numéro 500, on peut voir le manoir érigé pour Édouard Larue, qui se porte acquéreur de la seigneurie de Neuville en 1828. Cette vaste «Québécoise» est représentative de l'architecture rurale traditionnelle avec son carré de pierres surélevé, sa galerie qui court sur toute la longueur de la façade et sa toiture à larmiers retroussés.

En 1696, les villageois entreprennent la construction toute simple de l'**église Saint-François- de-Sales ★★** *(visites guidées; rue des Érables)*, qui sera augmentée et modifiée au cours des siècles suivants, au point que les composantes du bâtiment initial disparaîtront presque toutes. Ainsi, un nouveau chœur est érigé en 1761, puis c'est au tour de la nef d'être élargie en 1854; enfin, une nouvelle façade est mise en place en 1915.

★

Cap-Santé

Le chantier de l'**église de la Sainte-Famille ★★** *(visites guidées; ☎ 286-3002)* de Cap-Santé, qui s'étire de 1754 à 1764 sous la gouverne du curé Joseph Filion, est grandement perturbé par la Conquête. Ainsi, les matériaux amassés pour compléter l'édifice sont réquisitionnés pour la construction du fort Jacques-Cartier. Néanmoins, l'église, avec ses deux clochers et sa haute nef éclairée par deux rangées superposées d'ouvertures, constitue une œuvre ambitieuse pour l'époque et peut être considérée comme la plus vaste église villageoise construite sous le Régime français. Les trois belles statues de bois, installées dans les niches de la façade en 1775, ont miraculeusement résisté au climat rigoureux. Le revêtement de bois, imitant la pierre de taille, a cependant été ajouté au XIXe siècle. On remarquera, avant de pénétrer dans l'église, le beau cimetière boisé, à l'arrière, et le **presbytère**, réalisé selon les plans de Thomas Baillairgé en 1850.

★★ Deschambault

La **maison Deschambault** *(128 rte. 138)* est visible au fond d'une longue allée bordée d'arbres. Il s'agit d'une grande maison de pierre dotée de murs coupe-feu et probablement construite à la fin du XVIIIe siècle. En 1936, elle n'était plus que ruine. Le gouvernement du Québec, qui en était alors propriétaire, entreprit de la restaurer, démarche fort inhabituelle à cette époque, qui a vu disparaître plusieurs morceaux du patrimoine québécois. Le manoir abrite de nos jours une charmante auberge (voir p 303) ainsi qu'un restaurant de fine cuisine française (voir p 305).

Le **vieux presbytère** *(1,50$; juin à août tlj 9h à 17h, mai, sept, oct sam-dim 10h à 17h; 117 rue St-Joseph, ☎286-6891)* occupe un emplacement privilégié d'où l'on bénéficie d'un beau panorama du fleuve Saint-Laurent et de sa rive sud. Le petit bâtiment, isolé au milieu d'une vaste pelouse, a été érigé à partir de 1815 en remplacement du premier presbytère de 1735. Les fondations de celui-ci sont d'ailleurs visibles au sol devant l'entrée. En 1955, un antiquaire sauvait le vieux presbytère; puis, en 1970, une association de résidants y installait un centre d'exposition, ce qui témoigne de la vitalité de la communauté à l'égard de son patrimoine.

★ Charlesbourg

En Nouvelle-France, les seigneuries prennent habituellement la forme de longs rectangles quadrillés que parcourent les montées et les côtes. La plupart d'entre elles sont également implantées perpendiculairement à un cours d'eau important. Charlesbourg est la seule véritable exception à ce système, et quelle exception! En 1665, les jésuites, à la recherche de différents moyens pour peupler la colonie, tout en assurant sa prospérité et sa sécurité, développent sur leurs terres de la seigneurie de Notre-Dame-des-Anges un modèle d'urbanisme tout à fait original. Il s'agit d'un vaste carré, à l'intérieur duquel des lopins de terre distribués en étoile convergent vers le centre, où sont regroupées les habitations. Celles-ci font face à une place délimitée par un chemin appelé le Trait-Carré où se trouvent l'église, le cimetière et le pâturage communautaire. Ce plan radioconcentrique, qui assure alors une meilleure défense contre les Iroquois, est encore perceptible de nos jours dans le Vieux-Charlesbourg. Deux autres initiatives du genre, Bourg Royal, à l'est, et Petite Auvergne, au sud, ne connaîtront pas le même succès, laissant peu de traces.

L'**église Saint-Charles-Borromée** ★★ *(135 80e Rue O.)* a révolutionné l'art de bâtir en milieu rural au Québec. L'architecte Thomas Baillairgé, influencé par le courant palladien, innove surtout par la disposition rigoureuse des ouvertures de la façade, qu'il coiffe d'un large fronton. En outre, l'église de Charlesbourg a l'avantage d'avoir été réalisée d'un trait et d'être demeurée intacte depuis. Rien n'est donc venu contrecarrer le projet original. La construction est entreprise en 1828, et le magnifique décor intérieur de Baillairgé est mis en place à partir de 1833.

★ Wendake

Chassées de leurs terres ontariennes par les Iroquois au XVIIe siècle, 300 familles huronnes s'installent en divers lieux autour de Québec avant de se fixer définitivement, en 1700, à La Jeune-Lorette, aujourd'hui Wendake. Le visiteur sera charmé par le village aux rues sinueuses de cette réserve amérindienne sur les berges de la rivière Saint-Charles. En visitant ses musées et ses boutiques d'artisanat, il en apprendra beaucoup sur la culture des Hurons, peuple sédentaire et pacifique.

L'**église Notre-Dame-de-Lorette** ★ *(140 boul. Bastien)*, l'église des Hurons-Wendat, terminée en 1730, rappelle les premières églises de Nouvelle-France. L'humble édifice, revêtu d'un crépi blanc, recèle des trésors insoupçonnés que l'on peut voir dans le chœur et dans la sacristie. Certains de ces objets ont été donnés à la communauté huronne par les jésuites et proviennent de la première chapelle de L'Ancienne-Lorette (fin XVIIe siècle). Parmi les œuvres exposées figurent plusieurs statues de Noël Levasseur réalisées entre 1730 et 1740, un parement d'autel représentant un village amérindien, du sculpteur huron François Vincent (1790), et une très belle *Vierge à l'enfant*, d'un orfèvre parisien (1717). À cela, il faut ajouter un reliquaire de 1676, des chasubles du XVIIIe siècle et divers objets de culte signés Paul Manis (vers 1715). L'élément le plus intéressant demeure toutefois le petit tabernacle doré Louis XIII, de style maître-autel, sculpté par Levasseur en 1722. La maison Aroüanne (voir ci-dessous) organise des visites guidées.

Onhoüa Cheteke ★ *(6$; fin-mai à début oct tlj 9h à 17h; 575 rue Stanislas-Kosca, ☎842-4308, ≠842-3473)* est une reconstitution d'un village huron tel qu'il en existait au tout début de la colonisation. On y retrouve l'aménagement du village avec ses longues maisons de bois et ses palissades. Le site a pour but de faire découvrir aux visiteurs le mode de vie et d'organisation sociale de la nation huronne. Sur place, on peut goûter divers mets amérindiens.

Chaudière-Appalaches

★ Lotbinière

La seigneurie de Lotbinière est un des rares domaines à être demeuré entre les mains de la même famille depuis sa concession, en 1672, à René-Louis Chartier de Lotbinière. Même s'il n'habite pas les lieux, car il siège au Conseil souverain, celui-ci voit alors au développement de ses terres et du bourg de Lotbinière, qui devient vite un des plus importants villages de la région. Le cœur de Lotbinière, qui recèle plusieurs maisons anciennes en pierre et en bois, est de nos jours protégé par le gouvernement du Québec.

La monumentale **église Saint-Louis** ★★ *(7510 rue Marie-Victorin)*, disposée parallèlement au Saint-Laurent, compose avec le presbytère et l'ancien couvent un site admirable offrant de belles vues sur le fleuve. L'église actuelle est le quatrième temple catholique érigé dans les limites de la seigneurie de Lotbinière. Sa construction fut entreprise en 1818 selon les plans de François Baillairgé. Les flèches, de même que le couronnement de la façade, sont cependant le résultat de modifications apportées en 1888. La polychromie de l'édifice (blanc pour les murs, bleu pour les clochers et rouge pour la toiture) crée un effet «tricolore» étonnant.

Sainte-Croix

Le **Domaine Joly-De Lotbinière** ★★ *(6$; mi-juin à sept tlj 10h à 19h, mi-mai à fin juin et sept à mi-oct la fin de semaine; rte de la Pointe-Platon, ☎926-2462)* fait partie de l'association des Jardins du Québec. On s'y rend avant tout pour le site, superbe, en bordure du Saint-Laurent. Il faut emprunter les sentiers pédestres qui conduisent à la plage pour contempler le fleuve, les falaises d'ardoise et l'autre rive, sur laquelle on aperçoit l'église de Cap-Santé. De nombreux arbres centenaires d'essences rares, plusieurs aménagements floraux et un jardin d'oiseaux ainsi que divers pavillons ornent le parc du domaine. Dans un de ceux-ci, on a aménagé une boutique-café près d'une terrasse. Le manoir, érigé en 1840, présente l'aspect d'une villa entourée de galeries dominant le fleuve. L'intérieur, décevant, accueille cependant une petite exposition qui nous renseigne sur la famille du marquis de Lotbinière. On y apprend entre autres que le fils de Pierre-Gustave Joly, Henri-Gustave, est né à Épernay (France), qu'il a été premier ministre du Québec en 1878-1879, puis ministre du Revenu au gouvernement fédéral et, enfin, lieutenant-gouverneur de la Colombie-Britannique. Le Domaine Joly-De Lotbinière fut pris en charge par le gouvernement du Québec en 1967, lorsque le dernier seigneur, Edmond Joly de Lotbinière, a dû quitter les lieux.

★★ Lévis

Fondée par Henry Caldwell en 1826, Lévis s'est développée rapidement dans la seconde moitié du XIXe siècle, avec la venue du chemin de fer (1854) et l'implantation de chantiers navals qui s'alimentaient en bois auprès des scieries des familles Price et Hamilton. L'absence de voies ferrées sur la rive nord du fleuve Saint-Laurent à cette époque entraîne en outre un déplacement partiel des activités portuaires de Québec vers Lévis. D'abord baptisée Ville d'Aubigny, Lévis acquiert son nom actuel en 1861, lorsque l'on décide

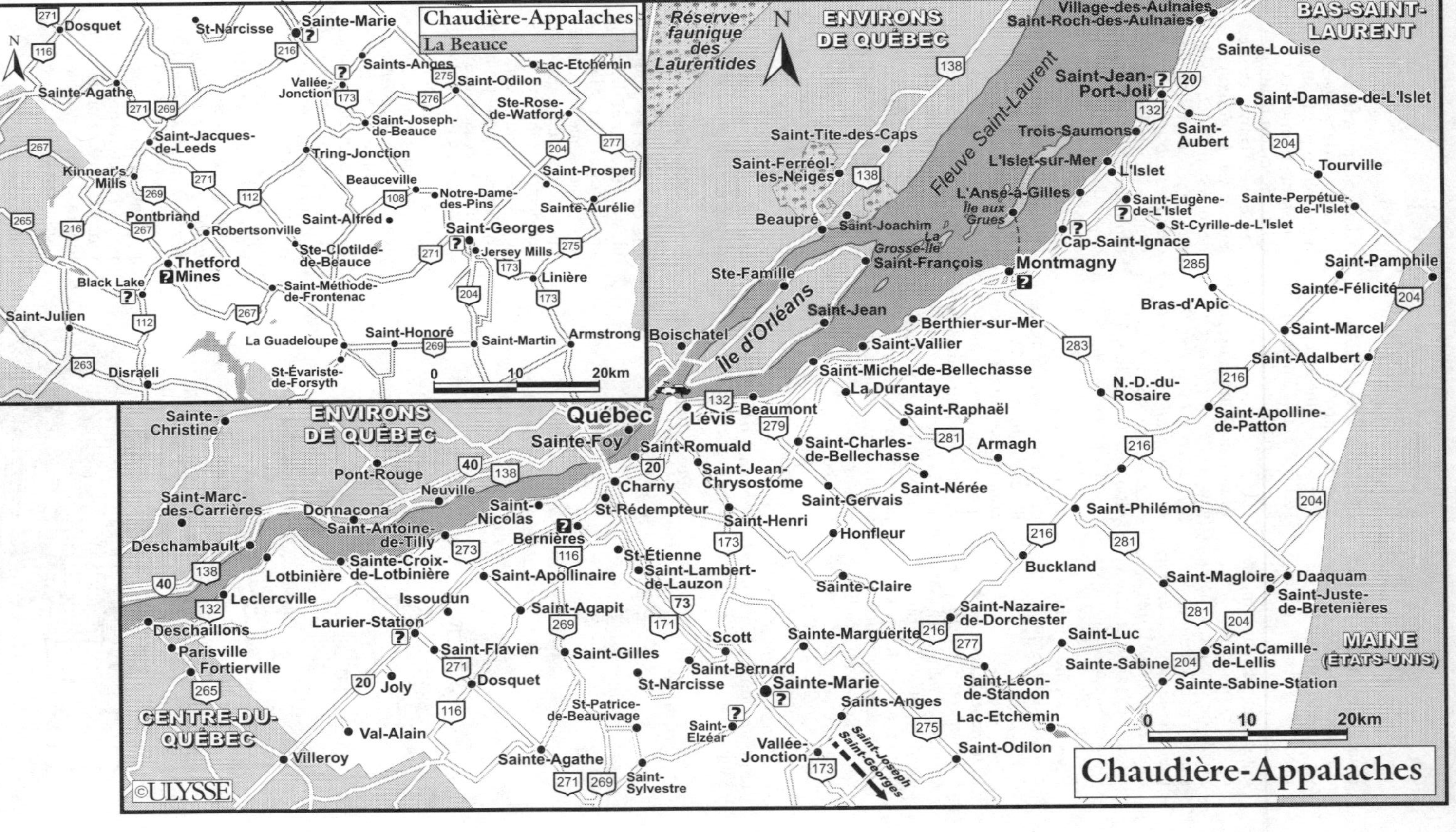
Chaudière-Appalaches
La Beauce
Dosquet
St-Narcisse
Sainte-Marie
Saints-Anges
Lac-Etchemin
Vallée-Jonction
Saint-Odilon
Sainte-Agathe
Ste-Rose-de-Watford
Saint-Joseph-de-Beauce
Saint-Jacques-de-Leeds
Tring-Jonction
Kinnear's Mills
Saint-Prosper
Beauceville
Notre-Dame-des-Pins
Sainte-Aurélie
Pontbriand
Saint-Alfred
Robertsonville
Saint-Georges
Ste-Clotilde-de-Beauce
Jersey Mills
Thetford Mines
Black Lake
Linière
Saint-Méthode-de-Frontenac
Saint-Julien
Saint-Honoré
Armstrong
La Guadeloupe
Saint-Martin
St-Évariste-de-Forsyth
Disraeli
0 10 20km
Réserve faunique des Laurentides
ENVIRONS DE QUÉBEC
Village-des-Aulnaies
Saint-Roch-des-Aulnaies
BAS-SAINT-LAURENT
Sainte-Louise
Saint-Jean-Port-Joli
Fleuve Saint-Laurent
Saint-Damase-de-L'Islet
Saint-Tite-des-Caps
Trois-Saumons
Saint-Aubert
Tourville
Saint-Ferréol-les-Neiges
L'Islet-sur-Mer
L'Islet
L'Anse-à-Gilles
Île aux Grues
Saint-Eugène-de-L'Islet
Sainte-Perpétue-de-l'Islet
Beaupré
Saint-Joachim
St-Cyrille-de-L'Islet
Cap-Saint-Ignace
La Grosse-Île
Saint-François
Montmagny
Saint-Pamphile
Ste-Famille
Sainte-Félicité
Bras-d'Apic
Saint-Jean
Île d'Orléans
Boischatel
Berthier-sur-Mer
Saint-Marcel
Saint-Vallier
Saint-Adalbert
Saint-Michel-de-Bellechasse
N.-D.-du-Rosaire
La Durantaye
Sainte-Christine
Québec
Lévis
Beaumont
Saint-Raphaël
Saint-Apolline-de-Patton
ENVIRONS DE QUÉBEC
Sainte-Foy
Saint-Romuald
Saint-Charles-de-Bellechasse
Armagh
Pont-Rouge
Saint-Jean-Chrysostome
Saint-Nérée
Saint-Marc-des-Carrières
Neuville
Charny
Saint-Gervais
Saint-Nicolas
St-Rédempteur
Saint-Philémon
Donnacona
Saint-Henri
Saint-Antoine-de-Tilly
Bernières
Honfleur
Deschambault
St-Étienne
Lotbinière
Sainte-Croix-de-Lotbinière
Saint-Apollinaire
Saint-Lambert-de-Lauzon
Buckland
Sainte-Claire
Saint-Magloire
Daaquam
Leclercville
Issoudun
Saint-Juste-de-Bretenières
Saint-Agapit
Saint-Nazaire-de-Dorchester
Laurier-Station
Deschaillons
Scott
Sainte-Marguerite
Saint-Luc
Saint-Flavien
Saint-Gilles
MAINE (ÉTATS-UNIS)
Parisville
Saint-Camille-de-Lellis
Saint-Bernard
Fortierville
Sainte-Sabine
Joly
Dosquet
St-Narcisse
Sainte-Marie
Saint-Léon-de-Standon
Sainte-Sabine-Station
St-Patrice-de-Beaurivage
Saints-Anges
CENTRE-DU-QUÉBEC
Saint-Elzéar
Lac-Etchemin
Val-Alain
Vallée-Jonction
Saint-Joseph
Saint-Georges
Villeroy
Sainte-Agathe
Saint-Odilon
Saint-Sylvestre
0 10 20km
©ULYSSE
Chaudière-Appalaches

d'honorer la mémoire du chevalier François de Lévis, vainqueur des Britanniques lors de la bataille de Sainte-Foy en 1760. La ville haute, institutionnelle et bourgeoise, offre des points de vue intéressants sur le Vieux-Québec, de l'autre côté du fleuve, alors que la ville basse, très étroite, accueille la gare et le traversier qui relie Lévis à la capitale québécoise. Lévis et la ville voisine, Lauzon, ont fusionné en 1990.

La **terrasse de Lévis** ★★ *(rue William-Tremblay)*, aménagée pendant la crise de 1929, offre des points de vue spectaculaires, tant sur Québec que sur le centre de Lévis. On distingue notamment, dans le Vieux-Québec, la Place-Royale, au bord du fleuve, que surplombent le Château Frontenac et la Haute-Ville.

Quelques gratte-ciel modernes se profilent à l'arrière, le plus élevé étant l'édifice Marie-Guyart de la Colline parlementaire.

La **maison Alphonse-Desjardins** *(entrée libre; lun-ven 10h à 12h et 13h à 16h30, sam-dim midi à 17h; 6 rue du Mt-Marie, ☎835-2090)*. Alphonse Desjardins (1854-1920) était un homme entêté. Désireux de faire progresser le peuple canadien-français, il s'est battu pendant de nombreuses années pour que soit acceptée l'idée des caisses populaires, ces institutions financières coopératives contrôlées par leurs membres, donc par tous les petits épargnants qui y ouvrent un compte.

La maison néogothique, habitée par les Desjardins pendant près de 50 ans et dans laquelle a débuté la caisse populaire de Lévis, a été construite en 1882.

Maison Alphonse-Desjardins

Admirablement bien restaurée lors de son centenaire, elle a par la suite été transformée en un centre d'interprétation relatant la carrière et l'œuvre de Desjardins. On y présente un documentaire, de même qu'une reconstitution de certaines pièces de la maison. La société historique Alphonse-Desjardins occupe, quant à elle, le premier étage.

Le **lieu historique national du Fort-Numéro-Un** ★ *(3$; mi-mai à mi-juin dim-ven 9h à 16h, mi-juin à fin août tlj 10h à 17h, début sept à fin oct dim midi à 16h; 41 ch. du Gouvernement, ☎835-5182)*. Craignant une attaque surprise des Américains à la fin de la guerre de Sécession, les gouvernements britannique puis canadien font ériger à Lévis, entre 1865 et 1872, une série de trois forts détachés, intégrés au système défensif de Québec. Seul le Fort-Numéro-Un nous est parvenu intact. Fait de terre et de pierre, il illustre l'évolution des ouvrages fortifiés au XIX^e siècle, alors que les techniques de guerre progressent rapidement. On peut y voir notamment le canon rayé, pièce d'artillerie imposante, les casemates voûtées et les caponnières, ouvrage de maçonnerie destiné à protéger le fossé extérieur. Une exposition raconte l'histoire du fort. Du sommet de la muraille, on bénéficie d'une belle vue sur Québec et l'île d'Orléans. Un peu plus loin, on peut cependant visiter les restes du **fort de la Martinière** *(2$; mai à oct tlj 9h à 16h, nov à avr lun-ven 9h à 16h; 9805 boul. de la Rive-Sud, ☎833-6620)*, qui présente aussi une exposition à caractère militaire. On peut aussi y profiter du terrain et des aires de pique-nique.

Montmagny

Le **Centre éducatif des migrations** ★ *(6$; fin avr à mi-nov tlj 9h30 à 17h30; 53 rue du Bassin-Nord, ☎248-4565)* est situé sur le site du camping de la Pointe-aux-Oies; ce lieu est à la fois un centre d'interprétation de la sauvagine (appelée aussi «oie blanche» ou «oie des neiges») et un auditorium où est présenté un spectacle multimédia portant sur la colonisation de la région ainsi que sur l'arrivée des immigrants à la Grosse-Île. Le spectacle son et lumière est une excellente introduction à une visite sur la Grosse-Île.

L'excursion au **lieu historique national de la Grosse-Île-et-le-Mémorial-des-Irlandais** ★★ *(accessible en visite libre ou guidée, mai à oct; service de restauration disponible sur place, il est conseillé de prévoir un pique-nique sur la grève. Tables de pique-nique à la disposition des visiteurs; ☎248-8888 ou 800-463-6769)* est un retour dans le passé douloureux de l'immigration en Amérique. Fuyant les épidémies et la famine, les émigrants irlandais furent particulièrement nombreux à venir au Canada au cours des années 1830-1850. Afin de limiter la propagation du choléra et du typhus dans le Nouveau Monde, les autorités décidèrent d'obliger les passagers des transatlantiques à subir une quarantaine avant de débarquer dans le port de Québec. La Grosse-Île s'impose alors comme un choix logique, étant donné sa position rapprochée et son éloignement des côtes. C'est sur cette «île de la Quarantaine» que chacun des immigrants était scruté à la loupe. Les voyageurs en bonne santé résidaient dans des «hôtels» dont le degré de luxe était lié à la classe qu'ils occupaient sur les navires. Les malades étaient aussitôt hospitalisés.

La visite de la Grosse-Île, dont une partie se fait dans un petit train motorisé, nous entraîne donc autour de l'île, de ses beautés naturelles et de ses installations. Sur la trentaine de bâtiments encore debout, quelques-uns sont désormais ouverts aux visiteurs : le bâtiment de désinfection donne un bon aperçu de la technologie canadienne à la fin du XIXe siècle, et l'intérieur du lazaret, seul témoin de l'épidémie de typhus de 1847, est en voie d'être reconstitué. Ces témoins précieux racontent on ne peut plus clairement une page de l'histoire du continent.

L'**île aux Grues** ★★, seule île de l'archipel de L'Isle-aux-Grues habitée toute l'année, offre aux visiteurs un magnifique cadre champêtre ouvert sur le fleuve. C'est le lieu idéal pour l'observation des oies blanches au printemps, pour la chasse en automne et pour la balade en été. En hiver, l'île est prisonnière des glaces et les habitants doivent alors utiliser l'avion pour avoir accès au continent. Quelques gîtes ruraux parsèment cette île longue de 10 km et vouée à l'agriculture. S'y promener à bicyclette, au milieu des champs de blé dorés et le long du fleuve, est des plus agréables. On peut aussi s'y rendre en voiture grâce traversier baptisé *Grue des îles* (voir p 290). Au centre de l'île se dresse le hameau de **Saint-Antoine-de-l'Isle-aux-Grues**, avec sa petite église et ses jolies maisons. On y trouve une boutique d'artisanat, une fromagerie qui produit, à partir du lait des vaches de l'île, un délicieux fromage, ainsi qu'un tout petit musée où sont racontées les vieilles traditions qui animaient ou animent toujours la vie des insulaires. À l'est, on aperçoit le **manoir seigneurial McPherson-LeMoine**, reconstruit pour Louis Liénard Villemonde de Beaujeu à la suite du saccage de l'île par l'armée britannique en 1759. L'historien James McPherson-LeMoine a fait de cette invitante demeure, précédée d'une longue galerie, sa résidence d'été à la fin du XIXe siècle. Aujourd'hui, c'est le peintre Jean-Paul Riopelle qui en a fait son havre. En haute saison, un petit kiosque d'information touristique vous accueille au bout du quai. Si vous prévoyez y passer quelques jours, n'oubliez pas de vous munir d'argent liquide, car, sur l'île, il n'y a qu'une petite caisse populaire sans guichet automatique.

★

L'Islet-sur-Mer

Du parvis de l'**église Notre-Dame-de-Bonsecours** ★★ *(15 rue des Pionniers E., rte. 132)*, on sent le vent du large, puissant et doux à la fois, et l'on peut bien mesurer l'immensité du fleuve tout proche. L'église actuelle, entreprise en 1768, est un vaste édifice en pierre sans transepts. L'intérieur, réalisé entre 1782 et 1787, est le fruit des enseignements de l'Académie royale d'architecture de Paris, d'où revenait François Baillargé, à qui l'on doit ce décor. Ainsi, contrairement aux églises antérieures, le retable épouse complètement la forme du chœur en hémicycle. Celui-ci est entièrement recouvert de boiseries dorées de styles

Louis XV et Louis XVI. Le plafond plat, découpé en caissons, est cependant un ajout du XIXe siècle, tout comme les flèches des clochers, refaites en 1882. Au-dessus du tabernacle de Noël Levasseur provenant de la première église (1728), on remarquera *L'Annonciation* de l'abbé Aide-Créquy, peint en 1776. À gauche, des portes vitrées s'ouvrent sur l'ancienne chapelle des congréganistes, rattachée à l'église en 1853, où l'on organise parfois des expositions estivales à caractère religieux.

Le **Musée maritime Bernier** ★★ *(9$ pour la visite de tout le site; mi-mai à mi-juin et début sept à mi-oct tlj 10h à 17h, mi-juin à début sept tlj 9h à 18h, reste de l'année mar-ven 10h à midi et 13h à 16h; 55 rue des Pionniers E., ☎247-5001)* retrace, à l'aide d'objets fabriqués, de maquettes, d'un parc d'interprétation de la mer, mais aussi de deux véritables navires, l'histoire maritime du fleuve Saint-Laurent du XVIIe siècle à nos jours. L'institution, fondée par l'Association des marins du Saint-Laurent, est installée dans l'ancien couvent de L'Islet-sur-Mer (1877) et porte le nom d'un de ses plus illustres citoyens, le capitaine J.-E. Bernier (1852-1934), qui fut l'un des premiers à explorer l'Arctique, assurant de la sorte la souveraineté du Canada sur ces territoires septentrionaux.

★ Saint-Jean-Port-Joli

Saint-Jean-Port-Joli est devenu synonyme d'artisanat et de sculpture sur bois grâce à la famille Bourgault, qui, au début du XXe siècle, en a fait sa raison de vivre. La route 132 est bordée, à l'arrivée, d'une formidable concentration de boutiques où l'on peut acheter un «grand-père fumant la pipe» ou une «paysanne qui tricote». Il existe même des musées sur le sujet où sont présentées les plus belles pièces. Outre cet artisanat plus vivant que jamais, le village est connu pour son église ainsi que pour le roman *Les Anciens Canadiens*, écrit au manoir seigneurial par Philippe Aubert de Gaspé.

L'**église Saint-Jean-Baptiste** ★★ *(2 av. de Gaspé O.)*. Cette coquette église, construite entre 1779 et 1781, se reconnaît à son toit rouge vermillon, coiffé de deux clochers, dont l'emplacement, l'un à l'avant, l'autre à l'arrière, au début de l'abside, est tout à fait inusité dans l'architecture québécoise. Autre élément particulier, les chapelles des transepts, à peine suggérés, ne sont que les timides réponses des paroissiens aux exigences d'un évêque, visiblement non partagées. L'église présente un exceptionnel intérieur en bois sculpté et doré, qui aura probablement joué un rôle dans la popularité de cette forme d'art à Saint-Jean-Port-Joli, même s'il constitue une œuvre exécutée par divers artistes du Québec, bien antérieure aux sculptures de la famille Bourgault.

★★ Saint-Roch-des-Aulnaies

La **Seigneurie des Aulnaies** ★★ *(6$; fin mai à début sept tlj 9h à 18h, début sept à mi-oct sam-dim 10h à 16h; 525 ch. de la Seigneurie, ☎354-2800)*. Le domaine des Dionne a été transformé en un captivant centre d'interprétation du régime seigneurial. Le visiteur est d'abord accueilli dans l'ancienne maison du meunier, reconvertie en boutique et en café. On y sert des galettes et des muffins produits à partir de la farine provenant du moulin voisin, vaste bâtiment en pierre reconstruit en 1842 à l'emplacement d'un moulin plus ancien. Des visites guidées du moulin en activité permettent de comprendre le fonctionnement complexe de son engrenage, qui dépend de la force motrice de la rivière Ferrée. Sa roue principale est la plus grande du Québec.

★ Saint-Joseph-de-Beauce

À Saint-Joseph, une plaque *(347 av. du Palais)* commémore la «route du Président-Kennedy», rebaptisée ainsi en 1970. Cette importante voie de pénétration a connu des débuts modestes, lorsque l'on demanda en 1737 aux premiers seigneurs de la Beauce de tracer un sentier pour relier les terres nouvellement défrichées à Lévis, sur la rive sud du fleuve Saint-Laurent, en face de Québec. En 1758, cette première voie fut remplacée par la route Justinienne, plus large et plus droite. Ce n'est qu'en 1830 que la route traversa la frontière pour se rendre jusqu'à Jackman, dans l'État du Maine.

Saint-Joseph est reconnue pour son ensemble institutionnel fort bien conservé de la fin du XIXe siècle. Celui-ci est aménagé sur un coteau à une bonne distance de la rivière; il est donc à l'abri des inondations. Les premières maisons, érigées directement sur les rives, ont depuis longtemps été détruites ou, dans certains cas, déménagées vers les hautes terres, ce qui explique que seuls quelques aménagements légers (terrains de jeu, aires de pique-nique) bordent aujourd'hui la rive.

Saint-Georges

Divisée en Saint-Georges-Ouest et Saint-Georges-Est, de part et d'autre de la rivière Chaudière, la capitale industrielle de la Beauce rappelle les «villes de manufactures» de la Nouvelle-Angleterre. Le marchand d'origine allemande Johann George Pfozer (1752-1848) est considéré comme le véritable père de Saint-Georges, ayant tiré profit de l'ouverture de la route Lévis-Jackman en 1830 pour y faire naître une industrie forestière. Au début du XXe siècle, des filatures (Dionne Spinning Mill) et des manufactures de chaussures sont installées dans la région, favorisant une augmentation importante de la population. Saint-Georges est de nos jours une ville tentaculaire dont la périphérie est quelque peu rébarbative, mais dont le centre recèle quelques trésors.

L'**église Saint-Georges** ★★ *(1re Av. St-Georges O.)* est juchée sur un promontoire dominant la rivière Chaudière. Entreprise en 1900, elle constitue sans contredit le chef-d'œuvre de l'architecte David Ouellet de Québec (réalisé en collaboration avec Pierre Lévesque). L'art de la Belle Époque y trouve ses lettres de noblesse, que ce soit à l'examen de son clocher central culminant à 75 m ou dans son magnifique intérieur à trois niveaux, abondamment sculpté et doré. Devant l'église trône la statue de *Saint Georges terrassant le dragon*. L'original de Louis Jobin, réalisé en bois recouvert de métal (1909), est exposé au Musée du Québec, à Québec (voir p 277). La statue visible à l'extérieur est une copie en fibre de verre qui remplace le modèle devenu trop fragile.

Thetford Mines

La découverte d'amiante dans la région en 1876, cet étrange minerai filamenteux et blanchâtre, allait permettre le développement d'une portion du Québec jusque-là considérée comme fort éloignée. Les grandes entreprises américaines et canadiennes qui ont exploité les mines d'Asbestos, de Black Lake et de Thetford Mines, jusqu'à leur nationalisation au début des années quatre-vingt, ont érigé des empires industriels qui ont hissé le Québec au premier rang des producteurs mondiaux d'amiante.

Souvent dépeinte comme un milieu désolant, où les gens vivent misérablement entre des montagnes de débris noirs (les terrils) provenant des immenses carrières à ciel ouvert, la région a servi de cadre au film *Mon oncle Antoine* de Claude Jutra. Cette grisaille ne manque toutefois pas d'exotisme pour le visiteur qui désire explorer l'Amérique industrielle et connaître les méthodes d'extraction de même que les diverses utilisations de l'amiante dans la recherche et dans l'aérospatiale.

Les **visites minières** ★★ *(11$; mi-juin à début sept tlj départ 13h30, juil 10h30 et 13h30; 682 rue Monfette N., ☎335-7141 ou 335-6511)* sont une occasion unique de découvrir une mine d'amiante en pleine exploitation. En plus de descendre dans un puits à ciel ouvert et de visiter les sites d'extraction, vous aurez droit à une séance d'information sur les produits à base d'amiante.

Parcs

Les environs de Québec

Le **Mont-Sainte-Anne** ★ *(rte. 360, C.P. 400, Beaupré, ☎827-4561, ⇌827-3121, 2000 boul. Beaupré, www.mont-sainte-anne.com)* englobe un territoire de 77 km² et un mont d'une hauteur de 800 m qui compte parmi les plus beaux sites de ski alpin du Québec. Pour héberger les visiteurs, quelques hôtels ont été construits. Par ailleurs, plusieurs autres activités de plein air peuvent y être pratiquées; le parc possède notamment un réseau de plus de 200 km de sentiers de vélo de montagne ou de pistes de ski de fond. Sur le site, des centres de location d'équipement sportif permettent à tous de s'adonner à ces activités vivifiantes.

La **réserve nationale de faune du Cap-Tourmente** ★★ *(570 ch. du Cap-Tourmente St-Joachim, avr à oct ☎827-4591, nov à mars ☎827-3776, ⇌827-6225)* est un lieu pastoral et fertile dont les battures sont fréquentées chaque année par des nuées d'oies blanches (également connues sous le nom de «grandes oies des neiges»). Elles s'y arrêtent pendant quelque temps, en automne et au printemps, afin de reprendre les forces nécessaires pour continuer leur voyage migratoire. La réserve dispose d'installations permettant l'observation de ces oiseaux. Plusieurs autres animaux y viennent : au moins 250 espèces d'oiseaux et 45 espèces de mammifères. Sur place, des naturalistes répondent à vos questions. On peut également profiter des sentiers de randonnée pédestre.

Le **parc de la Jacques-Cartier** ★★ *(rte. 175 N., ☎848-3169, hors saison ☎644-8844)*, qui se trouve enclavé dans la réserve faunique des Laurentides, à 40 km au nord de Québec, accueille toute l'année une foule de visiteurs. Il est sillonné par la rivière du même nom, serpentant entre les collines escarpées qui lui valent le nom de «vallée de la Jacques-Cartier». Le site, qui bénéficie d'un microclimat dû à cette encaissement de la rivière, est propice à la pratique de plusieurs activités de plein air. On y trouve une faune et une flore abondantes et diversifiées qu'il fait bon prendre le temps d'admirer. Les détours des sentiers bien aménagés réservent parfois des surprises, comme un orignal et son petit en train de se nourrir dans un marécage. Un centre d'interprétation, à l'accueil, permet de bien s'informer avant de se lancer à la découverte de toutes ces richesses. On y loue des emplacements de camping et des chalets pour les groupes, le tout étant complété par diverses installations sportives (voir «Activités de plein air»).

Activités de plein air

Ski alpin

Les environs de Québec

Le **Mont-Sainte-Anne** *(45$/jour; lun 9h à 16h, mar-ven 9h à 22h, sam 8h30 à 22h, dim 8h30 à 16h; 200 boul. Beaupré, C.P. 400, Beaupré, ☎827-4561, ⇌827-3121, www.mont-sainte-anne.com)* est l'une des plus importantes stations de ski du Québec. Elle compte 51 pistes pouvant atteindre une dénivellation de 625 m. Il est possible d'y faire du ski de soirée car 14 pistes sont éclairées. Elle fait aussi le bonheur des amateurs de descente en planche à neige. Au lieu d'acheter un billet conventionnel, vous pouvez vous procurer un laissez-passer avec points valides pour deux ans et déduits à la remontée. Il est aussi possible d'y louer de l'équipement *(25$/jour pour le ski, 35$/jour pour la planche à neige)*.

La **Station touristique Stoneham** *(39$; Stoneham, ☎848-2411 ou 800-463-6888)* peut recevoir des visiteurs tout au long de l'année. En hiver, elle propose 25 pistes de ski alpin, dont 16 sont éclairées. Pour plaire aux skieurs de fond, la station dispose de pistes s'étendant sur une trentaine de kilomètres. Ces dernières sont aménagées durant l'été pour accueillir les amateurs de vélo de montagne et de randonnée pédestre ou équestre.

Hébergement

Les environs de Québec

Château-Richer

Auberge Baker
65$ bc
89$ bp; pdj
≡, ⊛, ℑ, ℜ, ℂ
8790 av. Royale, G0A 1N0
☎666-5509
⇌824-4412
Depuis plus de 50 ans, l'Auberge Baker est installée dans une maison centenaire de la côte de Beaupré. Ses murs de pierre, ses plafonds bas, ses planchers de bois et ses fenêtres à large encadrement charment le visiteur. Ses cinq chambres occupent des combles un peu sombres, mais, à cet étage, on trouve aussi une cuisinette, une salle de bain et une terrasse attenante. Elles ont été décorées avec soin, par souci d'authenticité, et meublées d'antiquités. Bonne table.

Beaupré (mont Sainte-Anne)

Hôtel Val des Neiges
90$
160$ ½p
≈, ⊙, ⌂, ℜ, ℑ, ⊛;
201 Val des Neiges, G0A 1E0
☎827-5711 ou 888-554-6005
⇌827-5997
Autour du mont Sainte-Anne, plusieurs chalets ont été construits. L'hôtel Val des Neiges est installé dans un de ces quartiers et côtoie les

résidences des vacanciers. Il dispose de chambres au décor rustique qui sont assez jolies. Le centre possède également de petits condominiums bien équipés. On y propose des forfaits croisière.

La Camarine
105$
113$ et plus ½p
≡, ℜ, ⊛, ℑ
10947 boul. Ste-Anne, G0A 1E0
☎827-5703 ou 800-567-3939
⇌827-5430
La Camarine se dresse en face du fleuve Saint-Laurent. Cette mignonne petite auberge de qualité supérieure loue une trentaine de chambres. Le décor allie harmonieusement l'aspect rustique de la maison à un mobilier de bois aux lignes modernes. L'endroit est charmant.

L'île d'Orléans

Sur l'île d'Orléans, on dénombre près d'une cinquantaine de logements chez l'habitant! On peut s'en procurer la liste au bureau d'information touristique. On y trouve aussi quelques auberges dont la réputation n'est plus à faire, de même qu'un camping. Vous avez donc toutes les possibilités de faire durer le plaisir d'un séjour dans cette île ensorceleuse.

Le Vieux Presbytère
65-75 pdj
118$ -145$ ½p
bp/bc
ℜ
1247 av. Monseigneur-d'Esgly, St-Pierre, G0A 4E0
☎828-9723 ou 888-828-9723
⇌828-2189
L'auberge Le Vieux Presbytère occupe de fait un ancien presbytère juste derrière l'église du village. Ici règnent la pierre et le bois. Les plafonds bas traversés de larges poutres, les fenêtres à large encadrement, les antiquités telles que les catalognes de lit et les tapis tressés, vous transporteront à l'époque de la Nouvelle-France. La salle à manger (voir p 458) et le salon sont invitants. Il s'agit d'un endroit tranquille au charme rustique.

Le Canard Huppé
125$ pdj
175$ ½p
≡, ℜ
2198 ch. Royal, St-Laurent, G0A 3Z0
☎828-2292 ou 800-838-2292
⇌828-0966
L'auberge Le Canard Huppé a acquis, depuis quelques années, une très bonne réputation. Ses huit chambres, propres et confortables, offrent un décor champêtre parsemé de canards de bois. La table du restaurant est tout aussi réputée et agréable. L'accueil est attentionné et, puisque l'établissement est situé sur l'île d'Orléans, il s'entoure de beaux paysages.

Deschambault

Auberge Chemin du Roy
79$ pdj
129$ ½p
ℜ
106 rue St-Laurent, G0A 1S0
☎286-6958
La vieille maison victorienne de l'Auberge Chemin du Roy s'élève sur un beau terrain où coule une chute et où poussent de bons légumes et de multiples fleurs. On y trouve huit chambres décorées de dentelles et d'antiquités, et réparties le long d'un de ces petits couloirs tortueux qu'on retrouve dans les vieilles maisons de ce type. Dans la salle à manger, où le décor est chaleureux, on sert une bonne cuisine variée. Les propriétaires prennent un grand soin du terrain, de l'auberge et de ses hôtes, et ce, dans les moindres détails.

Maison Deschambault
125$ pdj
175$ ½p
ℜ
128 ch. du Roy, G0A 1S0
☎286-3386
⇌286-4064
La Maison Deschambault propose cinq chambres de grand confort, décorées de motifs fleuris dans des teintes pastel. On y trouve aussi un petit bar, une salle à manger servant une fine cuisine (voir p 294), une salle de réunion ainsi que des services de massothérapie. Le tout dans le cadre enchanteur d'une ancienne gentilhommière sur un site paisible invitant à la détente.

Chaudière-Appalaches

Saint-Antoine-de-Tilly

Manoir de Tilly
115$ pdj
⊘, ⊛, ≡, ℑ, ✪, ℜ
3854 ch. de Tilly, C.P. 28 G0S 2C0
☎886-2595 ou 888-862-6647
⇌886-2585
Le Manoir de Tilly est une ancienne résidence datant de 1788. Les chambres ne sont toutefois pas aménagées dans la partie historique, mais dans une aile moderne qui offre cependant tout le confort et la tranquillité voulus. Elles sont toutes munies d'un foyer et offrent une belle vue. L'accueil est empressé, et la salle à manger propose une fine cuisine de qualité (voir p 306). L'auberge possède aussi un relais santé et des salles de réunion.

Beaumont

Manoir de Beaumont
100$ pdj
≈
485 rte. du Fleuve, G0R 1C0
☎833-5635
⇄833-7891
Perché sur le haut d'une colline et entouré d'arbres, le Manoir de Beaumont vous propose la formule «coucher et petit déjeuner» dans le confort et la tranquillité. Les cinq chambres sont joliment décorées dans un style qui respecte l'âge de la maison. Un vaste salon ensoleillé ainsi qu'une piscine sont mis à votre disposition.

Montmagny

La Belle Époque
89$
ℜ, *tv*,
100 rue St-Jean-Baptiste E., G5V 1K3
☎248-3373 ou 800-490-3373
⇄248-7957
L'ambiance cossue et chaleureuse de La Belle Époque laisse un excellent souvenir au visiteur. Le mobilier fait de main de maître, allié au charme de cette maison de 1850, garantit un bon confort.

Manoir des Érables
99$
⊗, ℑ, ≡, ≈, ⊛, ℜ,
220 boul. Taché E.
G5V 1G5
☎248-0100 ou 800-563-0200
⇄248-9507
Le Manoir des Érables est un ancien logis seigneurial à l'anglaise. L'opulence de sa décoration d'époque et son accueil courtois et chaleureux vous assurent un séjour de roi. Les chambres sont belles et confortables, et plusieurs d'entre elles ont un foyer. Au rez-de-chaussée, on a aménagé un agréable *cigar lounge* orné de multiples trophées de chasse où l'on propose une grande variété de scotchs et de cigares. Vous pourrez, de plus, profiter de la salle à manger (voir p 306) ou du bistro (voir p 306), qui servent tous deux une excellente cuisine. On loue aussi des chambres de motel, situées un peu à l'écart sous les érables, et quelques chambres dans un pavillon tout aussi invitant que le manoir lui-même.

Saint-Eugène-de-L'Islet

Auberge des Glacis
82$/pers, ½p
ℜ
46 rte. Tortue
G0R 1X0
☎247-7486 ou 877-245-2247
⇄247-7182
www.aubergedesglacis.com
Aménagée dans un ancien moulin seigneurial au bout d'une petite route bordée d'arbres, l'Auberge des Glacis a un charme bien particulier. Les chambres sont confortables et possèdent chacune un nom et une décoration bien à elle. La salle à manger sert une délicieuse cuisine française (voir p 306). Le tout a conservé les beaux atours du moulin, comme ses fenêtres de bois à large encadrement et ses murs de pierre. Le site est lui aussi des plus agréables; on y trouve un lac, des sentiers aménagés pour l'observation des oiseaux, une petite terrasse et, bien sûr, une rivière. L'endroit est exceptionnellement tranquille et invite à la détente.

Saint-Jean-Port-Joli

Maison de L'Ermitage
58$ pdj
56 rue de l'Hermitage G0R 3G0
☎598-7553
⇄598-7667
Dans une vieille maison rouge et blanche à quatre tours d'angle et entourée d'une galerie avec vue sur le fleuve, le gîte de la Maison de L'Ermitage vous propose cinq chambres douillettes et un bon petit déjeuner. On pourra y profiter de nombreux petits coins ensoleillés, aménagés pour la lecture ou la détente, ainsi que du terrain qui descend jusqu'au fleuve. Juste à côté se tient chaque année la Fête internationale de la sculpture (voir p 308).

Saint-Georges

Auberge-Motel Benedict-Arnold
69$
≈, ⊛, ≡, ℜ,
18255 boul. Lacroix, G5Y 5B8
☎228-5558 ou 800-463-5057
⇄227-2941
Située près de la frontière canado-étasunienne, l'Auberge-Motel Benedict-Arnold est une étape reconnue depuis bien des générations. On y trouve plus de 50 chambres, mais elles sont toutes aménagées avec un souci de respecter l'intimité des gens. On y loue aussi des chambres de motel. Deux salles à manger proposent une bonne cuisine. L'accueil est des plus courtois.

Restaurants

Les environs de Québec

Beauport

Manoir Montmorency
$$$
2490 av. Royale
☎663-3330
Planté en haut de la chute Montmorency, le Manoir

Montmorency (voir p 291) bénéficie d'un site superbe. Depuis la salle à manger entourée de baies vitrées, on a une vue absolument magnifique sur la chute ainsi que sur le fleuve et l'île d'Orléans, en face. Dans cette salle agréablement décorée, on sert une fine cuisine d'inspiration française, préparée à partir des meilleurs produits de la région. Une belle expérience pour la vue et pour le goût! Sur présentation de votre reçu d'addition ou en mentionnant votre réservation, vous éviterez de payer les frais d'entrée et de stationnement du parc de la Chute-Montmorency, où se trouve le manoir.

Beaupré (mont Sainte-Anne)

La Camarine
$$$$
10947 boul. Ste-Anne
☎827-5703
L'auberge La Camarine abrite également un excellent restaurant où l'on sert une nouvelle cuisine québécoise. La salle à manger est un lieu paisible au décor très simple. Toute votre attention sera portée à déguster les petits plats originaux que l'on vous présentera. Au sous-sol de l'auberge se trouve un autre petit restaurant, le **Bistro**, ouvert en hiver et servant le même menu qu'à la grande table. Pourvu d'un foyer, cet endroit chaleureux est particulièrement apprécié après une journée de ski. En fin de soirée, on peut s'y rendre pour prendre un verre.

Île d'Orléans

La Goéliche
$$$-$$$$
22 ch. du Quai, Ste-Pétronille
☎828-2248
La salle à manger de La Goéliche n'a malheureusement plus l'envergure qu'offrait l'ancien édifice. Elle reste quand même agréable, et sa verrière continue de dévoiler l'une des plus belles vues sur la ville de Québec. Vous pourrez y déguster une fine cuisine française : cailles farcies, noisettes d'agneau, râble de lapin.

Moulin de Saint-Laurent
$$$-$$$$
mai à oct
754 ch. Royal, St-Laurent
☎829-3888
Le Moulin de Saint-Laurent propose une cuisine québécoise dans un agréable décor antique. À l'intérieur d'une vaste salle à manger qui accueille régulièrement les groupes de visiteurs, les chaises et les poutres de bois, les murs de pierre ainsi que les ustensiles de cuivre suspendus çà et là mettent en valeur ce vieil édifice. La nourriture est bien présentée et variée. Les beaux jours permettent de s'attabler sur la terrasse avec vue sur la chute qui coule juste à côté du moulin.

Sainte-Foy

La Fenouillère
$$$-$$$$
3100 ch. St-Louis
☎653-3886
À La Fenouillère, le menu de cuisine française raffinée et créative vous promet de succulentes expériences. Qui plus est, le restaurant s'enorgueillit d'une des meilleures caves à vins de Québec. Le tout, dans un décor sobre et confortable.

Michelangelo
$$$-$$$$
3111 ch. St-Louis
☎651-6262
Le Michelangelo sert une fine cuisine italienne qui ravit le palais autant que l'odorat. Sa salle à manger Art déco, bien qu'achalandée, reste intime et chaleureuse. Le service attentionné et courtois s'ajoute aux délices de la table.

Deschambault

Maison Deschambault
$$$
128 rte. 138
☎286-3386
L'auberge de la Maison Deschambault est dotée d'un restaurant réputé pour l'excellence de son menu mettant en valeur la fine cuisine française et certaines des spécialités de la région. Ce restaurant bénéficie d'un cadre tout à fait enchanteur (voir p 294).

Wendake

Nek8arre
$$-$$$
9h à 17h et soir sur réservation
575 rue Stanislas-Kosca
☎842-4308
⇌842-3473
Au «Village Huron» (voir p 448), on trouve un agréable restaurant dont le nom signifie «le repas est prêt à servir». Nek8arre nous initie à la cuisine traditionnelle des Hurons-Wendat. De bons plats tels que truite à l'argile, brochette de caribou ou chevreuil aux champignons, accompagnés de maïs et de riz sauvage, figurent au menu. Les tables en bois ont été incrustées de petits textes expliquant les habitudes alimentaires des Amérindiens. Plusieurs objets disséminés çà et là viennent piquer notre

curiosité, mais les serveuses sont heureusement un peu «ethnologues» et peuvent aussi apaiser notre soif de savoir, le tout dans une douce ambiance. Il est possible d'éviter de payer le droit d'entrée au «Village Huron» s'y l'on désire se rendre uniquement au restaurant.

Chaudière-Appalaches

Saint-Antoine-de-Tilly

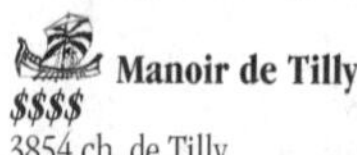

Manoir de Tilly
$$$$
3854 ch. de Tilly
☎886-2407
La table du Manoir de Tilly vous propose une cuisine française raffinée, mariée à des produits d'ici, tels l'agneau et le canard, ou des mets plus inusités, comme l'autruche et le daim. Dans la salle à manger rénovée, il est difficile de s'imaginer qu'on se trouve dans un bâtiment historique. L'endroit est toutefois agréable, et vous pourrez y déguster des plats finement apprêtés et présentés, tout en ayant les yeux rivés sur la vue qui s'offre derrière les grandes fenêtres du mur nord.

Lévis

Piazzeta
$$
5410 boul. de la Rive-Sud
☎835-5545
On trouve à Lévis un restaurant de la populaire chaîne Piazzeta. Il est malheureusement situé dans un environnement plutôt commercial, au bord de la route 132, qui n'a pas le charme du Vieux-Lévis. Mais l'ambiance est agréable, et l'on y sert une pizza à pâte mince garnie de façon originale et délicieuse ainsi que de bons accompagnements comme la salade de prosciutto et melon.

Beaumont

Moulin de Beaumont
$$
fin juin à fin août
2 rte. du Fleuve
☎833-1867
Au moulin de Beaumont, on trouve un sympathique petit café offrant une belle vue sur le fleuve et le moulin. On y mange de bons petits plats tels que croque-monsieur et pâté de viande, servis avec le délicieux pain maison fait à partir de la farine du moulin. On peut d'ailleurs faire provision de ce pain à la boulangerie attenante au café.

Montmagny

Bistro Saint-Gabriel
$$
220 boul. Taché E.
☎248-0100
Le Bistro Saint-Gabriel est installé dans le sous-sol du Manoir des Érables (voir p 304). Les vieux murs de pierre très larges et le plafond bas confèrent une atmosphère particulière à l'endroit. En été, on mange au grand air sur la terrasse, où sont grillés devant vous viandes et poissons.

Manoir des Érables
$$$-$$$$
220 boul. Taché E.
☎248-0100
À la table du Manoir des Érables (voir p 304), le poisson et la viande de gibier sont à l'honneur. L'oie, l'esturgeon, la lotte, l'agneau ou le faisan sont ici mijotés selon la pure tradition française. Servis dans la magnifique salle à manger de l'auberge, ces produits de la région sauront vous enchanter. En automne et en hiver, un feu de foyer réchauffe les convives attablés. Il s'agit d'une des meilleures tables de la région.

Saint-Eugène-de-l'Islet

Auberge des Glacis
$$$-$$$$
46 rte. Tortue
☎247-7486
À l'Auberge des Glacis, vous avez rendez-vous avec une fine cuisine française qui risque bien de faire partie de vos meilleurs souvenirs gastronomiques! La salle à manger, logée dans un moulin historique (voir p 304), est claire et agréablement aménagée. Vous pourrez y déguster des plats de viande ou de poisson tout aussi beaux que bons. À midi, on peut aussi prendre un repas plus léger à la terrasse, au bord de la rivière.

L'Islet-sur-Mer

La Paysanne
$$$
497 rue des Pionniers E.
☎247-7276
Le restaurant La Paysanne est situé tout juste au bord du fleuve. Sa salle à manger offre donc une superbe vue sur le Saint-Laurent et sur sa rive nord. On peut y déguster une fine cuisine française jouant avec les saveurs de la région et présentée de belle façon.

St-Jean-Port-Joli

Coureuse des Grèves
$$
300 rte. de l'Église
☎598-9111
Le café La Coureuse des Grèves, jadis beaucoup plus petit, a su préserver la qualité de tout ce qu'il a à

offrir aux visiteurs. Ambiance chaleureuse de bois clair et cafés mémorables. En été, c'est la terrasse fleurie qui compte. N'oubliez pas de demander qu'on vous raconte la légende de la coureuse...

Saint-Georges

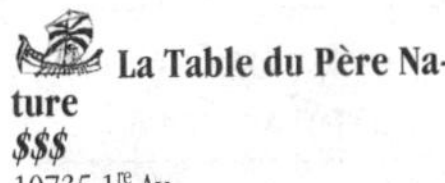 **La Table du Père Nature**
$$$
10735 1re Av.
☎227-0888
La Table du Père Nature est certes l'un des meilleurs restaurants de la ville. On y sert une cuisine française d'inspiration nouvelle, préparée avec art et raffinement. La simple lecture du menu saura vous mettre en appétit. On y propose à l'occasion des plats de gibier.

Sorties

Bars et discothèques

Chaudière-Appalaches

Montmagny

L'Autre Bar
fermé dim-mar
118 rue St-Jean-Baptiste
L'Autre Bar, installé dans l'ancien bureau de poste, avec son décor noir et bleu ainsi que sa terrasse, attire une clientèle de plus de 25 ans toutes les fins de semaine. L'établissement se distingue aussi par la fresque qu'on a peinte sur son mur ouest et qui égaye la terrasse.

Le Pub du Lys
135 rue St-Jean-Baptiste E.
☎248-4088
Le Pub du Lys est un endroit sympathique où vous pourrez siroter une bière tranquillement en discutant entre amis. Le joyeux propriétaire réchauffe chaque soir l'ambiance avec ses spéciaux surprise. La terrasse, très courue en période estivale, est le rendez-vous de la jeunesse magnymontoise.

Saint-Jean-Port-Joli

Coureuse des Grèves
300 rte. de l'Église
À l'étage de la Coureuse des Grèves se trouve un petit bar sous les combles au mobilier de cuir et de bois. On peut y profiter d'un joli «balcon-terrasse» entouré d'arbres.

Saint-Georges

Le Vieux Saint-Georges
11655 1re Av.
Le Vieux Saint-Georges bénéficie d'une magnifique terrasse où il fait bon prendre un verre par les belles soirées d'été.

Théâtres et salles de spectacle

Les environs de Québec

Plusieurs bons théâtres d'été animent les belles soirées de la région. Voici quelques adresses à surveiller (consultez les journaux locaux pour savoir ce qu'on y présente) : **Théâtre de la Fenière** *(1500 rue de la Fenière, L'Ancienne-Lorette, ☎872-1424)*, et **Théâtre d'été de Stoneham** *(1420 av. du Hibou, Stoneham, ☎848-2411)*.

Le **Moulin Marcoux** *(1 boul. Notre-Dame, Pont-Rouge, ☎873-2027)* accueille divers spectacles et expositions.

On présente du théâtre et des spectacles de bonne qualité tout au long de l'année à la **Salle Albert-Rousseau du cégep de Sainte-Foy** *(2410 ch. Ste-Foy, Ste-Foy, ☎659-6710)*.

Chaudière-Appalaches

Lévis

Anglicane
33 rue Wolfe, C.P. 60033, G6V 8W9
☎838-6000
www.surscene.qc.ca/surscene
À Lévis, l'Anglicane est une petite salle de spectacle de 175 places logée dans une ancienne église... anglicane. Datant de la fin du XIXe siècle, elle offre une acoustique particulièrement bonne qui donne aux concerts un côté intimiste des plus agréables. On y présente des artistes de tous milieux. Devant l'église, un arbre gigantesque pousse comme une fleur en éclosion, ajoutant au pittoresque de l'endroit!

Beaumont

Théâtre d'été Beaumont-Saint-Michel
51 rte. 132
☎884-3344
Entre les villages de Beaumont et de Saint-Michel-de-Bellechasse, sur la route 132, se trouve le Théâtre d'été Beaumont-Saint-Michel, qui, grâce à une bonne réputation acquise au fil des années, attire non seulement les villégiateurs et les gens de la région, mais aussi les résidants de la capitale québécoise.

Saint-Jean-Port-Joli

La Roche à Veillon
547 av. de Gaspé E.
☎598-7409
Le théâtre d'été La Roche à Veillon présente, dans une ambiance toute campagnarde créée par la grange dans laquelle il loge depuis plus de 25 ans, des pièces de théâtre de qualité qui sauront ajouter au plaisir de vos vacances.

Fêtes et festivals

Chaudière-Appalaches

Montmagny

En automne, les oies blanches reviennent des régions nordiques où elles ont passé l'été et où elles ont donné naissance, pour se diriger vers le Sud et ses températures plus clémentes. En chemin, elles font halte sur les rives du fleuve Saint-Laurent, surtout à certains endroits leur offrant une nourriture abondante, comme les battures de Montmagny. C'est donc l'occasion pour la ville de célébrer le **Festival de l'oie blanche** *(10 jours en oct; ☎248-3954, www.puissanceinternet.com/festival)* en offrant toutes sortes d'activités reliées à l'observation et à l'interprétation de ce bel oiseau migrateur.

Saint-Jean-Port-Joli

Fête internationale de la sculpture
☎598-7288
www.cam.org/~intscul
Chaque année, à la fin du mois de juin, Saint-Jean-Port-Joli accueille un grand rassemblement de sculpteurs venus de partout dans le monde. L'internationale de la sculpture est un événement qui fait beaucoup de bruit et qui anime la ville de la plus belle des façons. Des artistes reconnus créent des œuvres sous vos yeux, dont certaines seront ensuite exposées tout l'été pour permettre à tous de les admirer.

Achats

Les environs de Québec

Sur l'**île d'Orléans**, vous trouverez quelques boutiques d'artisanat ainsi que des antiquaires et des ateliers d'ébénisterie. On trouve entre autres, dans l'église de Saint-Pierre, la **Corporation des artisans de l'île** *(☎828-2519)*. Une demi-douzaine de galeries d'art parsèment aussi l'île, une bonne quantité se trouvant dans le village de Saint-Jean.

La boutique de la **Forge à Pique-Assaut** *(2200 ch. Royal, St-Laurent, ☎828-9300)* (voir p 308) présente divers objets en fer forgé, depuis les chandeliers jusqu'aux meubles en passant par les bibelots. On y trouve aussi d'autres produits artisanaux.

Chaudière-Appalaches

Saint-Jean-Port-Joli

Saint-Jean-Port-Joli étant reconnue pour son artisanat, de nombreuses petites boutiques proposent les produits des artisans de la région. Si fouiner dans ce genre de commerce est une activité qui vous plaît, vous aurez certes ici de quoi vous amuser. On y trouve de plus quelques boutiques de brocanteurs où l'on peut dénicher des trésors. Vous verrez plusieurs de ces adresses le long de la route 132; en voici quelques-unes:

La **Boutique et Atelier Myriam** *(233 av. de Gaspé O.)* propose les sculptures d'un artiste que vous pouvez parfois voir à l'œuvre.

Entre le Musée des Anciens Canadiens et la maison Médard-Bourgaut se trouve l'atelier du fils de ce dernier. La **Boutique Jacques-Bourgault** *(326 av. de Gaspé O.)* vous propose donc ses œuvres d'art contemporain ou religieux.

Entr'Art *(812 av. de Gaspé O.)*, qui sert à la fois de galerie et de boutique, dispose d'une bonne sélection de sculptures, peintures et vitraux.

Le Bas-Saint-Laurent, la Gaspésie et les Îles-de-la-Madeleine

La région très pittoresque du Bas-Saint-Laurent s'étire le long du fleuve, depuis la petite ville de La Pocatière jusqu'à Sainte-Luce, et s'étend jusqu'aux frontières des États-Unis et du Nouveau-Brunswick.

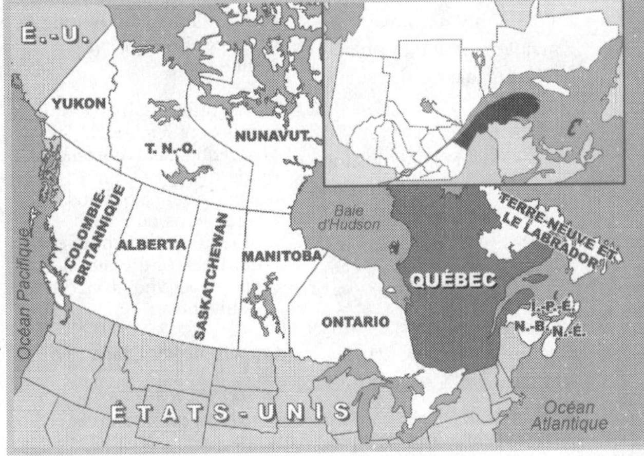

En plus de sa zone riveraine, aux terres très propices à l'agriculture, le Bas-Saint-Laurent comprend également une grande région agro-forestière, aux paysages légèrement vallonnés et riches de nombreux lacs et cours d'eau.

Plus à l'est, la vaste péninsule gaspésienne baigne dans les eaux de la baie des Chaleurs, du fleuve et du golfe du Saint-Laurent. Pour nombre de Québécois, elle évoque d'inoubliables souvenirs de voyage.

Terre un peu mythique à l'extrémité orientale du Québec, elle fait partie des rêves de ceux et celles qui caressent, souvent longtemps à l'avance, le projet d'en faire enfin le «tour», de traverser ses splendides paysages côtiers, là où les monts Chic-Chocs plongent abruptement dans les eaux froides du fleuve Saint-Laurent, de se rendre, bien sûr, jusqu'au fameux rocher Percé, de prendre le large pour l'île Bonaventure et de visiter l'extraordinaire parc national Forillon, enfin de lentement revenir en longeant la baie des Chaleurs et en sillonnant l'arrière-pays par la vallée de la rivière Matapédia. Dans ce beau «coin» du Québec, aux paysages si pittoresques, des gens fascinants et accueillants tirent encore leur subsistance, en grande partie, des produits de la mer. La grande majorité des Gaspésiens habitent de petits villages côtiers, laissant le centre de la péninsule recouvert d'une riche forêt boréale. On y retrouve le plus haut sommet du Québec méridional, dans cette partie de la chaîne des Appalaches que l'on nomme les monts Chic-Chocs.

Le mot «Gaspé» signifie «le bout du monde» dans la langue des Micmacs, qui habitent ces terres depuis des millénaires. Malgré son isolement, cette péninsule a su attirer au cours des siècles des pêcheurs de maintes origines, particulièrement des Acadiens, chassés de leur terres par les Anglais en 1755. On y retrouve maintenant une population à forte majorité de langue française.

Les îles-de-la-Madeleine émergent au cœur du golfe du Saint-Laurent, à plus de 200 km des côtes de la péninsule gaspésienne. Elles constituent un archipel d'environ 65 km de long, composé d'une douzaine d'îles, dont plusieurs sont reliées par de longues bandes de sable qui souvent forment des dunes.

Balayées par les vents du large, ces quelques îles ne manquent pas d'attraits ni de superbes paysages aux multiples coloris. Le blond des dunes et des longues plages sauvages s'y marie au rouge des falaises de grès et au bleu de la mer. Quelques jolies bourgades, aux maisons souvent peintes de vives couleurs, ainsi que des phares et des installations portuaires complètent agréablement les charmants paysages des îles.

Pour s'y retrouver sans mal

En voiture

Pour accéder au Bas-St-Laurent et à la Gaspésie, quittez l'autoroute 20 et prenez la 132 Est, qui, après avoir longé la rive sud du fleuve, fait le tour de la péninsule gaspésienne.

Des sept îles habitées qui composent les îles de-la-Madeleine, six sont reliées par la route 199, qui les traverse toutes. Si vous désirez vous déplacer rapidement, vous pouvez louer une voiture aux îles-de-la-Madeleine aux adresses suivantes :

Cap-aux-Meules Honda
199 rue La Vernière
☎(418) 986-4085
Loue aussi des motocyclettes.

National
Aéroport
☎(418) 969-2590

En traversier

Bas-St-Laurent

Rivière-du-Loup :
adulte 10,20$ voiture 25$
durée :1 heure
☎418-862-5094 *(de Rivière-du-Loup)*
☎514-849-4466 *(de Montréal)*
☎418-638-2856 *(de St-Siméon)*
relie Rivière-du-Loup et Saint-Siméon dans Charlevoix.

L'Isle-Verte
traversier *La Richardière*
mai à nov
durée : 30 min
5$, voiture 20$
☎418-898-2843
quitte L'Isle-Verte pour se rendre à Notre-Dame-des-Sept-Douleurs.

Si vous n'avez pas de voiture, vous pouvez aussi vous embarquer sur un bateau-taxi *(6,50$; ☎418-898-2199).*

Trois-Pistoles
adulte 10$, voiture 26$
durée : environ 90 min
☎418-233-2202
Relie Trois-Pistoles aux Escoumins sur la Côte-Nord et permet, avec un peu de chance, de voir plusieurs mammifères marins. Réservez votre passage en été.

La Gaspésie

Baie-Comeau - Matane : le traversier *(adulte 11,50$, voiture 27,50$; ☎418-562-2500)* quittant Baie-Comeau, sur la rive nord du Saint-Laurent, en direction de Matane permet d'arriver à destination en 2 heures 30 min. L'horaire des traversiers varie grandement d'une année à l'autre; renseignez-vous avant de planifier un voyage. Réservez à l'avance en saison estivale.

Godbout - Matane : le traversier *(adulte 11,50$, voiture 27,50$; ☎418-562-2500)* de Godbout, sur la rive nord du Saint-Laurent, en direction de Matane permet d'arriver à destination en 2 heures 30 min. Réservez à l'avance en saison estivale.

Les Îles-de-la-Madeleine

Traversier le Madeleine
35$
voiture 67$
Moto 23.50$
vélo 8.25$
☎418-986-3278
☎888-986-3278
⇄418-986-5101
www.ilesdelamadeleine.com/ctma
Le traversier le Madeleine, partant de Souris (Île-du-Prince-Édouard) et se rendant à Cap-aux-Meules, permet d'atteindre les Îles en cinq heures. Si vous n'avez pas réussi à réser ver votre place à l'avance, arrivez au quai quelques heures avant le départ ou, pour être plus sûr, rendez-vous à Souris la veille de votre départ, et réservez dès lors votre place; renseignez-vous bien au sujet de l'horaire des tra versées, car il varie gran dement d'une saison à l'autre.

CTMA Voyageur
500$ pour un aller simple en haute saison, incluant les repas
avr à déc
☎418-986-6600
Le cargo mixte CTMA Voyageur quitte le port de Montréal tous les diman ches, descend le fleuve Saint-Laurent et se rend jusqu'aux îles de la Made leine; il peut prendre à son bord une quinzaine de personnes et quelques voitures. Le voyage dure 48 heures.

En autocar

Le Bas-St-Laurent

Rivière-du-Loup
83 boul. Cartier
☎(418)862-4884

Rimouski
90, av. Léonidas
☎(418)723-4923

La Gaspésie

Saint-Anne-des-Monts
90 boul. Ste-Anne
☎(418) 763-3321

Gaspé
20 rue Adams
☎368-1888.

Matane
521 av. du Phare E.
(station-service Irving)
☎(418) 562-4085

Percé
Ultramar, l'Anse au beaufils
☎(418)782-5417

Bonaventure
118 rue Grand-Pré
Motel Grand-Pré
☎(418)534-2053

Carleton
561 boul. Perron
☎(418)364-7000.

Amqui
3 boul. St-Benoit
☎(418)629-4898.

En train

Bas-St-Laurent

La Pocatière
95 rue Principale
☎800-361-5390

Rimouski
57 de l'Évêché E.
☎800-361-5390

Rivière-du-Loup
615 rue Lafontaine
☎800-361-5390

Trois-Pistoles
231 rue de la Gare
☎800-361-5390

La Gaspésie

Gaspé
3 boul. Marina
☎(418) 368-4313

Percé
44 L'Anse au Beaufils
☎800-361-5390
☎Via : 800-361-5390

Bonaventure
217 rue de la Gare

Carleton
116 rue de la Gare

Matapédia
10 rue Mac Donnell

En avion

Les Îles-de-la-Madeleine

Air Alliance *(☎418-969-2888 ou 800-361-8620)* propose des vols quotidiens vers les îles-de-la-Madeleine. La plupart des vols faisant une escale à Québec, à Mont-Joli ou à Gaspé, il faut compter environ quatre heures pour le voyage. Si vous réservez longtemps à l'avance, vous pourrez bénéficier de réductions parfois considérables.

Renseignements pratiques

Indicatif régional : 418

Renseignements touristiques

Le Bas-St-Laurent

Maison touristique du Bas-Saint-Laurent
148 rue Fraser, Rivière-du-Loup
G5R 1C8
☎867-3015 ou 800-563-5268
⇄867-3245
www.tourismebas-st-laurent-.com

Rivière-du-Loup
189 rue Hôtel-de-Ville
☎***862-1981***

Saint-Fabien
33 rte. 132 O.
☎***869-3333***

Rimouski
50, rue St-Germain O.
☎***723-2322 ou 800-746-6875***

La Gaspésie

Association touristique de la Gaspésie
357 rte. de la Mer, Sainte-Flavie, G0J 2L0
☎***775-2223 ou 800-463-0323***
⇌***775-2234***
www.tourisme.gaspesie.com

Sainte-Flavie
voir ci-dessus

Matane
968 av. du Phare O.
☎***562-1065***

Gaspé
27 boul. York E.
☎***368-6335***

Percé
142 rte. 132 O.
☎***782-5448***

Carleton
629 boul. Perron
☎***364-3544***

Pointe-à-la-Croix
1830 rue Principale
☎***788-5670***

Les Îles-de-la-Madeleine

Bureau régional Association touristique des Îles-de-la-Madeleine
128 ch. Débarcadère, Cap-aux-Meules
Adresse postale :
C.P. 1028, Cap-aux-Meules
G0B 1B0
☎***986-2245***
⇌***986-2327***
www.ilesdelamadeleine.com

Service de réservation d'hébergement
début fév à début sept
☎***986-2245***

Attraits touristiques

Le Bas-St-Laurent

★★
Kamouraska

Le 31 janvier 1839, le jeune seigneur de Kamouraska, Achille Taché, est assassiné par un «ami», le docteur Holmes de Sorel. L'épouse du seigneur, Joséphine-Éléonore d'Estimauville, avait comploté avec son amant médecin afin de supprimer un mari devenu gênant, pour ensuite s'enfuir vers de lointaines contrées. Ce fait divers a inspiré Anne Hébert pour son roman *Kamouraska*, porté à l'écran par Claude Jutra.

Le village où s'est déroulé le drame qui devait le rendre célèbre fut pendant longtemps le poste le plus avancé de la Côte-du-Sud. Son nom, qui signifie «il y a des joncs au bord de l'eau» en langue algonquine, est depuis toujours associé au pittoresque de la campagne québécoise. À l'arrivée, une plaine côtière sert de préambule au spectacle étonnant de l'agglomération, répartie sur une série de monticules rocailleux, témoins de la force des formations géologiques dans la région.

★
Rivière-du-Loup

On la dirait voguant sur une mer déchaînée, tant sa topographie de collines disposées à intervalles réguliers, de part et d'autre de l'embouchure de la rivière du Loup, fait valser ses habitants de bas en haut et de haut en bas.

Le **manoir Fraser** ★ *(3,50$; fin juin à mi-oct tlj 10h à 17h; 32 rue Fraser, ☎867-3906),* érigé en 1830 pour Timothy Donahue, est devenu la résidence seigneuriale de la famille Fraser à partir de 1835. Récemment restauré avec l'aide de la population locale, le manoir a rouvert ses portes au public en juin 1997 et vous offre, en plus des visites commentées, une présentation multimédia d'un dîner officiel de l'époque.

L'**église Saint-Patrice** ★ *(121 rue Lafontaine)* fut reconstruite en 1883 sur le site de l'église de 1855. L'intérieur recèle quelques trésors, dont un chemin de croix de Charles Huot, des verrières de la compagnie Castle (1901) et des statues de Louis Jobin. La rue de la Cour, en face de l'église, mène au **palais de justice** *(33 rue de la Cour),* érigé en 1882 selon les plans de l'architecte Pierre Gauvreau. Plusieurs juges et avocats se sont fait construire de belles maisons le long des rues ombragées du voisinage.

Le **Musée du Bas-Saint-Laurent** ★ *(3,50$; tlj 13h à 17h, début sept à fin juin lun et mer 18h à 21h; 300 rue St-Pierre, ☎862-7547)* présente des collections d'objets usuels, semblables à celles de La Pocatière et de Kamouraska, de même que des expositions d'art

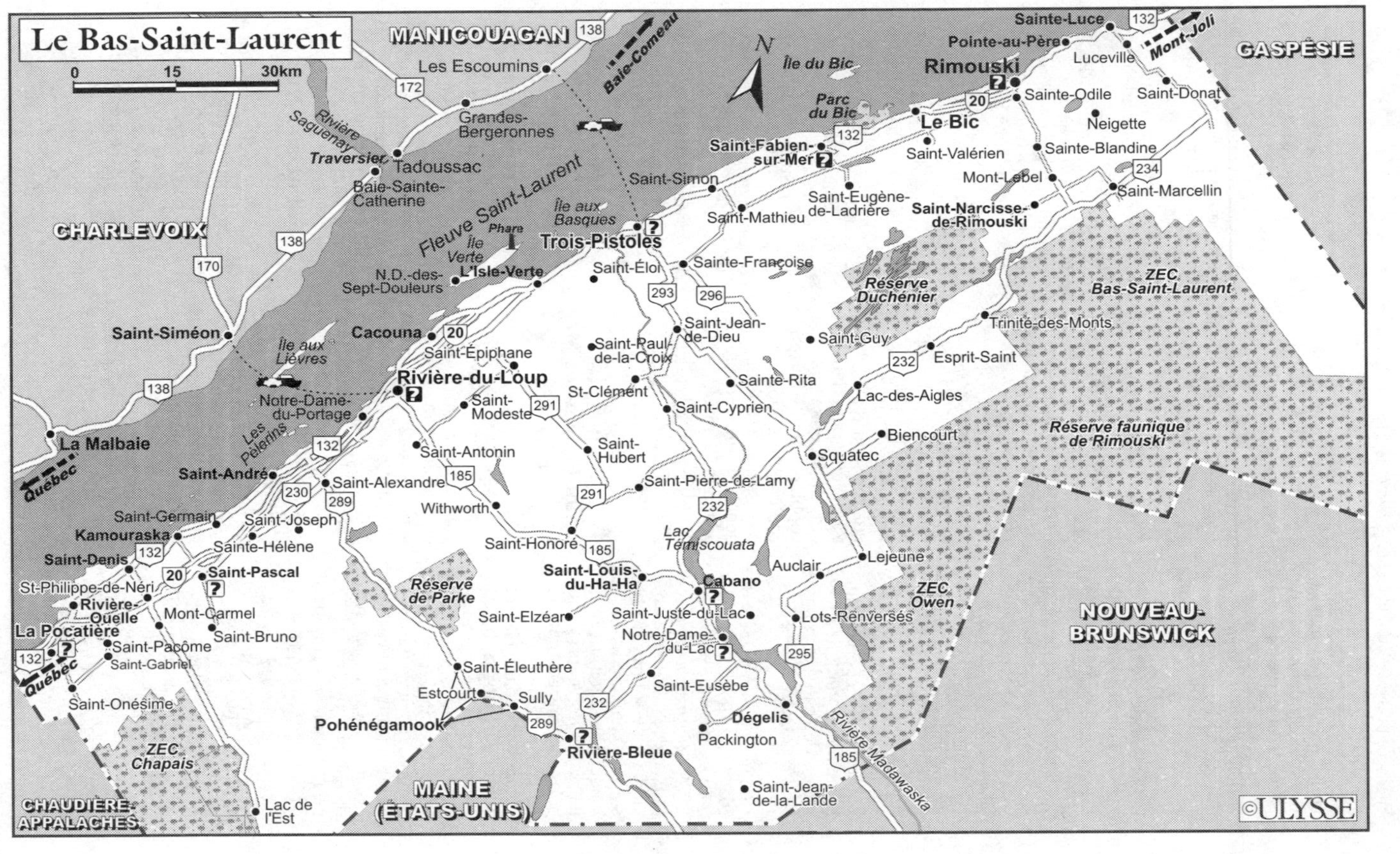
Le Bas-Saint-Laurent
0
15
30km
MANICOUAGAN
CHARLEVOIX
GASPÉSIE
NOUVEAU-BRUNSWICK
MAINE (ÉTATS-UNIS)
CHAUDIÈRE-APPALACHES
Baie-Comeau
Mont-Joli
Québec
Les Escoumins
Grandes-Bergeronnes
Rivière Saguenay
Traversier
Tadoussac
Baie-Sainte-Catherine
Fleuve Saint-Laurent
Île du Bic
Parc du Bic
Île aux Basques
Phare
Île Verte
Île aux Lièvres
Les Pèlerins
Saint-Siméon
La Malbaie
Sainte-Luce
Pointe-au-Père
Rimouski
Luceville
Saint-Donat
Sainte-Odile
Neigette
Le Bic
Saint-Valérien
Sainte-Blandine
Saint-Fabien-sur-Mer
Mont-Lebel
Saint-Marcellin
Saint-Simon
Saint-Eugène-de-Ladrière
Saint-Narcisse-de-Rimouski
Saint-Mathieu
Trois-Pistoles
Saint-Éloi
Sainte-Françoise
Réserve Duchénier
ZEC Bas-Saint-Laurent
N.D.-des-Sept-Douleurs
L'Isle-Verte
Cacouna
Saint-Jean-de-Dieu
Saint-Guy
Trinité-des-Monts
Saint-Épiphane
Saint-Paul-de-la-Croix
Esprit-Saint
Rivière-du-Loup
St-Clément
Sainte-Rita
Lac-des-Aigles
Notre-Dame-du-Portage
Saint-Modeste
Saint-Cyprien
Réserve faunique de Rimouski
Saint-Antonin
Saint-Hubert
Biencourt
Squatec
Saint-André
Saint-Alexandre
Saint-Pierre-de-Lamy
Withworth
Saint-Germain
Saint-Joseph
Kamouraska
Sainte-Hélène
Saint-Honoré
Lac Témiscouata
Lejeune
Saint-Denis
Saint-Pascal
Auclair
Saint-Louis-du-Ha-Ha
Cabano
St-Philippe-de-Néri
Réserve de Parke
ZEC Owen
Rivière-Ouelle
Mont-Carmel
Saint-Elzéar
Saint-Juste-du-Lac
Lots-Renversés
La Pocatière
Saint-Bruno
Notre-Dame-du-Lac
Saint-Pacôme
Saint-Gabriel
Saint-Éleuthère
Saint-Eusèbe
Saint-Onésime
Estcourt
Sully
Dégelis
Pohénégamook
Packington
Rivière Madawaska
Rivière-Bleue
ZEC Chapais
Saint-Jean-de-la-Lande
Lac de l'Est
132
138
172
170
20
234
293
296
232
291
185
230
289
295
©ULYSSE

contemporain, plus intéressantes. Le bâtiment qui abrite le musée est lui-même une réalisation d'architecture moderne «brutaliste» en béton.

★

L'Isle-Verte

Ce village a conservé plusieurs témoins de son passé glorieux, alors qu'il était un centre de services important pour le Bas-Saint-Laurent. Le calme des environs reflète, quant à lui, un mode de vie ancestral, rythmé par les marées. En face apparaît l'île Verte, baptisée ainsi par Jacques Cartier, qui, en apercevant son tapis de verdure au milieu de l'eau, s'exclama *«Quelle île verte!»*.

L'**Île Verte** et son **phare** ★★ *(6$; mi-mai à mi-oct tlj 10h à 17h; rte. du Phare,* ☎*898-2730, www.members.tripod.-com/ileverte/)*. Une quarantaine de personnes vivent sur l'île Verte, pourtant longue de 12 km. L'isolement et les vents qui la balayent constamment ont eu raison de plus d'un colon. Cependant, l'île fut abordée très tôt, d'abord par les pêcheurs basques (l'île aux Basques se trouve à proximité), puis par les missionnaires français, qui fraternisèrent avec les Malécites, lesquels s'y rendaient, chaque année, pour commercer et pour pêcher.

La faune et la flore de l'île attirent de nos jours les visiteurs de partout, qui peuvent alors observer le salage de l'esturgeon et du hareng dans de petits fumoirs, goûter l'agneau des prés salés, observer les bélugas blancs et les baleines bleues, et photographier les sauvagines, les canards noirs ou les hérons. Le phare (1806), situé à la pointe est de l'île, est le plus ancien du fleuve Saint-Laurent. De 1827 à 1964, sa garde fut assurée par cinq générations de la famille Lindsay. De son sommet, on ressent une impression d'espace infini.

Trois-Pistoles

L'**église Notre-Dame-des-Neiges** ★★ *(mi-mai à fin juin et début sept à mi-oct tlj 9h à 17h, fin juin à début sept tlj 9h à 16h; 30 rue Notre-Dame E.,* ☎*851-4949)*. En 1887, lorsqu'elle fut construite, les citoyens de Trois-Pistoles croyaient que leur église allait bientôt devenir cathédrale, ce qui explique la taille et l'opulence de l'édifice, coiffé de trois clochers recouverts de tôle argentée. Le titre échut finalement à Rimouski, au grand désarroi des paroissiens de Notre-Dame-des-Neiges.

★★

Saint-Fabien-sur-Mer et Le Bic

Le paysage devient tout à coup plus tourmenté et plus rude, donnant au visiteur un avant-goût de la Gaspésie, plus à l'est. À Saint-Fabien-sur-Mer, les cottages forment une bande étroite coincée entre la plage et une falaise haute de 200 m. Au village de Saint-Fabien, situé à l'intérieur des terres, on peut voir une grange octogonale érigée vers 1888. Ce type de bâtiment de ferme importé des États-Unis, relativement peu pratique quoique original, n'a connu qu'une diffusion limitée au Québec.

★

Rimouski

Le développement de la seigneurie de Rimouski, nom qui signifie en micmac «le pays de l'orignal», fut laborieusement entrepris par le marchand René Lepage, originaire d'Auxerre en France, dès la fin du XVIIe siècle, constituant de la sorte le point le plus avancé de la colonisation dans le golfe du Saint-Laurent sous le Régime français. En 1919, la ville devient un important centre de transformation du bois grâce à l'ouverture d'une usine de la compagnie Abitibi-Price. Aujourd'hui, Rimouski est considérée comme le centre administratif de l'est du Québec et se targue d'être à la fine pointe de la culture et des arts.

Le **canyon des Portes de l'Enfer** ★★ *(5$; mi-mai à fin oct, tlj 9h30 à 17h; à St-Narcisse-de-Rimouski, parcourez 5,6 km sur une route de terre,* ☎*735-6063)* offre un spectacle naturel fascinant, surtout en hiver. Amorcées par la chute Grand Saut (18 m), les Portes s'étendent sur près de 5 km et encaissent la rivière Rimouski avec des falaises atteignant parfois 90 m. Des excursions guidées en bateau ont lieu dans le canyon.

Pointe-au-Père

Le **Musée de la Mer** et le **lieu historique national du phare de Pointe-au-Père** ★★ *(5,50$; mi-juin à fin août tlj 9h à 18h, sept à mi-oct tlj 10h à 17h; 1034 rue du Phare O.,* ☎*724-6214)*. C'est en face de Pointe-au-Père que l'*Empress of Ireland* fit naufrage en 1914, faisant 1 012 victimes. Le Musée de la Mer présente une fascinante collection

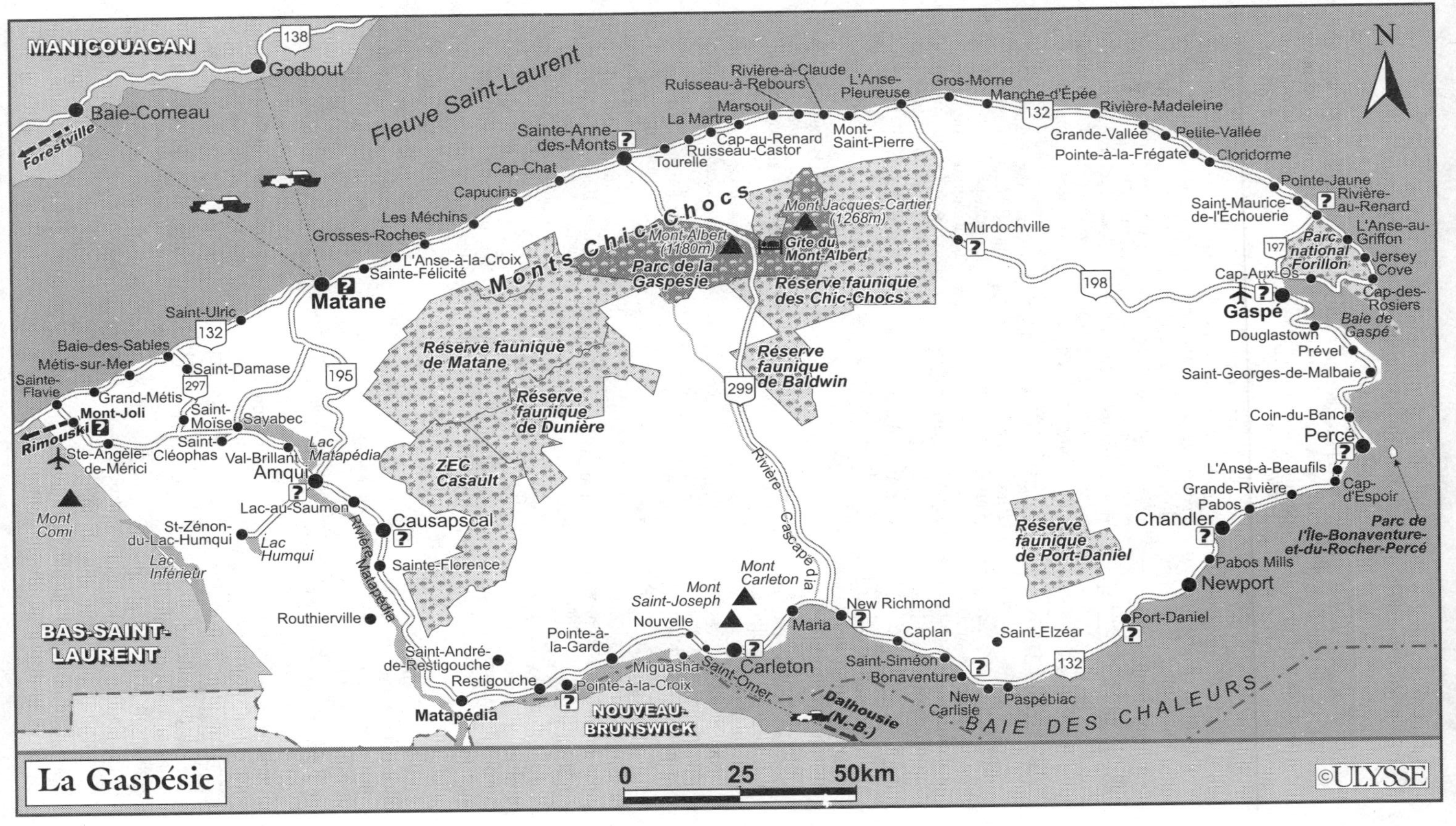

La Gaspésie
MANICOUAGAN
Godbout
Baie-Comeau
Forestville
Fleuve Saint-Laurent
BAS-SAINT-LAURENT
NOUVEAU-BRUNSWICK
Rimouski
Sainte-Flavie
Métis-sur-Mer
Baie-des-Sables
Grand-Métis
Mont-Joli
Ste-Angèle-de-Mérici
Saint-Ulric
Saint-Damase
Saint-Moïse
Saint-Cléophas
Sayabec
Val-Brillant
Lac Matapédia
Amqui
Lac-au-Saumon
St-Zénon-du-Lac-Humqui
Lac Humqui
Lac Inférieur
Mont Comi
Matane
Sainte-Félicité
Grosses-Roches
L'Anse-à-la-Croix
Les Méchins
Capucins
Cap-Chat
Sainte-Anne-des-Monts
Tourelle
Ruisseau-Castor
Cap-au-Renard
La Martre
Marsoui
Ruisseau-à-Rebours
Rivière-à-Claude
Mont-Saint-Pierre
L'Anse-Pleureuse
Gros-Morne
Manche-d'Épée
Rivière-Madeleine
Grande-Vallée
Petite-Vallée
Pointe-à-la-Frégate
Cloridorme
Pointe-Jaune
Saint-Maurice-de-l'Échouerie
Rivière-au-Renard
L'Anse-au-Griffon
Parc national Forillon
Jersey Cove
Cap-des-Rosiers
Cap-Aux-Os
Gaspé
Baie de Gaspé
Douglastown
Prével
Saint-Georges-de-Malbaie
Coin-du-Banc
Percé
L'Anse-à-Beaufils
Cap-d'Espoir
Parc de l'Île-Bonaventure-et-du-Rocher-Percé
Grande-Rivière
Pabos
Chandler
Pabos Mills
Newport
Port-Daniel
Réserve faunique de Port-Daniel
Saint-Elzéar
Paspébiac
New Carlisle
Bonaventure
Saint-Siméon
Caplan
New Richmond
Maria
Carleton
Mont Carleton
Mont Saint-Joseph
Nouvelle
Miguasha
Saint-Omer
Dalhousie (N.-B.)
Pointe-à-la-Garde
Pointe-à-la-Croix
Restigouche
Saint-André-de-Restigouche
Matapédia
Routhierville
Sainte-Florence
Causapscal
Rivière Matapédia
Rivière Cascapédia
Mont Albert (1180m)
Mont Jacques-Cartier (1268m)
Gîte du Mont-Albert
Parc de la Gaspésie
Monts Chic-Chocs
Réserve faunique des Chic-Chocs
Réserve faunique de Baldwin
Réserve faunique de Matane
Réserve faunique de Dunière
ZEC Casault
Murdochville
BAIE DES CHALEURS
132
138
195
197
198
297
299
N
0
25
50km
©ULYSSE

d'objets récupérés de l'épave du navire et raconte la tragédie de manière détaillée. Le phare, situé à proximité, peut être visité. Il indique l'endroit précis où le fleuve devient officiellement le golfe du Saint-Laurent.

La Gaspésie

Grand-Métis

Grand-Métis bénéficie d'un microclimat qui attirait autrefois les estivants fortunés. L'horticultrice Elsie Reford a ainsi pu y créer un jardin à l'anglaise où poussent plusieurs espèces d'arbres et de fleurs, introuvables ailleurs à cette latitude en Amérique, et qui constitue de nos jours le principal attrait de la région. Les Malécites ont baptisé l'endroit *Mitis*, qui signifie «petit peuplier», appellation qui s'est transformée en «Métis» avec les années.

Les **Jardins de Métis** ★★ *(8$; début juin à fin août tlj 8h30 à 18h30, sept et oct tlj 8h30 à 17h; 200 rte. 132, ☎775-2221, ≠775-6201)*. En 1927, Elsie Stephen Meighen Reford hérite du domaine de son oncle, Lord Mount Stephen, qui avait fait fortune en investissant dans le chemin de fer transcontinental du Canadien Pacifique. Elle entreprend l'année suivante d'y créer un jardin à l'anglaise, qu'elle entretiendra et augmentera jusqu'à sa mort, en 1954. Sept ans plus tard, le gouvernement du Québec se porte acquéreur du domaine et l'aménage pour l'ouvrir au public.

La **Villa historique Reford** ★★ *(juin à mi-sept tlj 9h à 17h; à l'intérieur des Jardins de Métis, ☎775-3165)* occupe une villa de 37 pièces au milieu des Jardins de Métis. On y fait revivre la vie des Métissiens du début du siècle. On peut visiter, à travers différentes salles, la chambre des serviteurs, la chapelle, le magasin général, l'école et le cabinet du médecin. On peut aussi s'y restaurer (voir p 328) ou faire des achats dans la boutique d'artisanat.

Matane

Le principal attrait de Matane, nom qui signifie «vivier de castors» en langue micmaque, est sa gastronomie, fondée sur le saumon et sur ses fameuses crevettes, qui font l'objet d'un festival annuel. La ville est le centre administratif de la région et son principal moteur économique grâce à la présence d'une industrie diversifiée, axée à la fois sur la pêche, l'exploitation forestière, les cimenteries et le transport maritime. Les sous-marins allemands se rendirent jusqu'aux abords du quai de Matane pendant la Seconde Guerre mondiale.

★

Gaspé

C'est ici qu'au début de juillet 1534 Jacques Cartier prend possession du Canada au nom du roi de France, François Ier. Il faut cependant attendre le début du XVIIIe siècle avant que ne soit implanté le premier poste de pêche à Gaspé, et la fin du même siècle pour voir apparaître un véritable village à cet endroit. Tout au long du XIXe siècle, Gaspé vit au rythme des grandes entreprises de pêche des marchands jersiais, qui règlent la vie d'une population de pêcheurs canadiens-français et acadiens démunie et peu éduquée. Au cours de la Seconde Guerre mondiale, Gaspé s'est préparée à devenir la base principale de la Royal Navy, en cas d'invasion de la Grande-Bretagne par les Allemands, ce qui explique la présence des quelques infrastructures militaires aménagées à cette fin sur le pourtour de la baie. La ville de Gaspé est de nos jours la principale agglomération de la péninsule gaspésienne de même que son centre administratif. Elle forme un long et étroit ruban qui épouse les contours de la baie.

Le **Musée de la Gaspésie** ★★ *(4$; fin juin à début sept tlj 8h30 à 20h30, début sept à fin juin mar-ven 9h à 17h et sam-dim 13h à 17h; 80 boul. Gaspé, ☎368-1534, ≠368-1535)* fut érigé en 1977, à l'initiative de la société historique locale, sur la pointe Jacques-Cartier dominant la baie de Gaspé. Il s'agit d'un musée d'histoire et de traditions populaires où l'on présente une exposition permanente sur la Gaspésie, des premiers occupants amérindiens de la tribu micmaque jusqu'à nos jours, intitulée «Un peuple de la mer». Des expositions temporaires complètent la vocation de l'institution. On y trouve aussi un centre d'archives et de généalogie.

La **cathédrale du Christ-Roi** ★ *(20 rue de la Cathédrale)*, seule cathédrale en bois d'Amérique du Nord, adopte un parti contemporain, étranger cependant à la Côte Est américaine, puisqu'on peut en parler comme d'un exemple d'architecture californienne de type *shed*. Elle a été érigée en 1968, selon les plans de l'architecte montréalais Gérard Notebaert, sur les fondations de la basilique, entreprise en 1932 pour commémorer le quatrième centenaire de l'arrivée de Jacques Cartier en sol canadien, mais jamais terminée faute de fonds. L'intérieur est baigné d'une douce lumière provenant d'un beau vitrail de Claude Théberge fait de verre ancien. On y trouve aussi une fresque illustrant la prise de possession du Canada par Jacques Cartier, donnée par la France en 1934.

★★ Percé

Célèbre centre de tourisme, Percé occupe un site admirable, malheureusement quelque peu altéré par une industrie hôtelière débridée. Le décor naturel grandiose présente plusieurs phénomènes naturels différents dans un périmètre restreint, le principal étant le fameux rocher Percé, qui est au Québec ce que le Pain de Sucre est au Brésil. Depuis le début du XXe siècle, les artistes, charmés par la beauté des paysages et par le pittoresque de la population, viennent nombreux à Percé chaque été.

En arrivant à Percé, l'œil est attiré par le célèbre **rocher Percé ★★★**, véritable muraille longue de 400 m et haute de 88 m à sa pointe extrême. Son nom lui vient des ouvertures cintrées, entièrement naturelles, à la base de la paroi. Une seule des deux ouvertures subsiste depuis l'effondrement de la partie est du rocher au milieu du XIXe siècle. Il est possible d'en faire le tour à marée basse, depuis la plage du mont Joli, afin d'admirer le paysage grandiose des environs et d'observer les milliers de fossiles enfermés dans le calcaire *(s'informer des heures et de la durée des marées au préalable)*.

Sur le quai de Percé, plusieurs bateliers proposent de vous emmener jusqu'à l'**île Bonaventure**. Les départs se font fréquemment de 8h à 17h en haute saison. La traversée comporte souvent une courte excursion autour de l'île et du Rocher pour vous permettre de bien observer les beautés de ce parc. La plupart des entreprises vous laissent passer le temps que vous voulez sur l'île et revenir avec un de leurs bateaux qui font régulièrement l'aller-retour.

Le **Centre d'interprétation du parc de l'Île-Bonaventure-et-du-Rocher-Percé** *(entrée libre; début juin à mi-oct, tlj 9h à 17h; rang de l'Irlande, Percé; ☎782-2721, ≠782-2241)* présente un court métrage retraçant l'histoire de l'île Bonaventure et de ses fous de Bassan. Il dispose d'une salle d'exposition, d'aquariums d'eau salée ainsi que de deux courts sentiers de randonnée. Une boutique-nature, tenue par le club des ornithologues, vend des livres et des souvenirs.

Paspébiac

Le **Site historique du Banc-de-Paspébiac ★★** *(5$; fin mai à mi-juin tlj 9h à 17h, mi-juin à mi-sept tlj 9h à 18h, mi-sept à début oct tlj 9h à 17h; 3e rue, rte. du Quai; ☎752-6229)*. Un «banc» est une langue de sable et de gravier propice au séchage du poisson. Jouxté d'un port naturel profond et bien protégé, le banc de Paspébiac se prêtait admirablement bien au développement d'une véritable industrie de la pêche. En 1964, il subsistait encore sur le banc quelque 70 bâtiments des entreprises Robin et Le Boutillier. Cette année-là, un incendie en détruisit cependant la majeure partie. Seuls huit bâtiments sont parvenus jusqu'à nous; ils ont été soigneusement restaurés et ouverts au public.

★ New Carlisle

La région de New Carlisle fut colonisée par des loyalistes américains qui s'y fixèrent à la suite de la signature du traité de Versailles, reconnaissant l'indépendance des États-Unis en 1783. Le coquet village, doté de quatre églises de diverses dénominations, n'est pas sans rappeler ceux de la Nouvelle-Angleterre. Il faut faire le tour des trois **églises protestantes ★**, qui sont la fierté des gens de New Carlisle. Elles sont distribuées le long de la route 132, qui devient la «rue Principale» au centre du village. New Carlisle est aussi connu pour être le lieu de naissance de René Lévesque, premier ministre du Québec de 1976 à 1985.

La **maison natale de René Lévesque** (1922-1987) *(on ne visite pas; 16 Mount Sorel)*, premier ministre du Québec de 1976 à 1985, grand responsable de la nationalisation de l'électricité et fondateur du Parti québécois, témoigne des brassages de population dans la région au XIXe siècle, alors que New Carlisle était le centre administratif de la baie des Chaleurs.

Nouvelle

Le **parc de Miguasha ★★** *(entrée libre; début juin à mi-oct tlj 9h à 18h; 231 Miguasha O., Nouvelle, ☎794-2475)* intéressera les amateurs de paléontologie mais aussi tous les voyageurs, car il s'agit du deuxième site fossile en importance dans le monde, d'ailleurs reconnu depuis novembre 1999 par l'Unesco comme faisant partie du patrimoine mondial. Le **Musée paléontologique**, construit dans le parc, expose les fossiles découverts dans les falaises environnantes qui constituaient le fond d'une lagune il y a 370 millions d'années. Le centre d'interprétation abrite une collection permanente de plusieurs spécimens intéressants. Les visites guidées s'avèrent passionnantes. Au laboratoire, vous découvrirez les méthodes employées pour dégager les fossiles et les identifier.

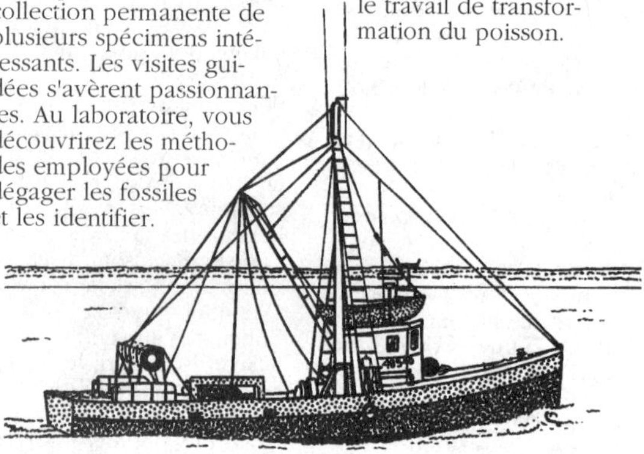

Les Îles-de-la-Madeleine

★ Île du Cap aux Meules

Cap-aux-Meules, seule agglomération urbaine des Îles (la seule aussi à posséder un feu de circulation), a connu depuis quelques années un développement majeur, au cours duquel plusieurs bâtiments ont été érigés rapidement, laissant peu de place à l'esthétisme. Par-ci, par-là, quelques belles maisons traditionnelles se démarquent, ce qui est notamment le cas du complexe d'entrepôts et de boucaneries **Sumarah** *(au bord de la mer, en face de la Banque Nationale)*.

En grimpant sur la **butte du Vent ★★**, vous pourrez admirer le superbe panorama des Îles et du golfe.

Au sud de Cap-aux-Meules, en suivant le **chemin de Gros-Cap ★★**, vous longerez la baie de Plaisance et découvrirez des paysages splendides. Si vous avez un peu de temps, arrêtez aux **Pêcheries Gros-Cap**, où vous pourrez observer tout le travail de transformation du poisson.

Sur la route, remarquez l'imposante **église de La Vernière ★**, qui présente une intéressante architecture de bois.

Longtemps, **L'Étang-du-Nord** comptait plus de la moitié des habitants de l'ensemble des îles-de-la-Madeleine et constituait le plus grand bourg de pêcheurs. Avec la création de Cap-aux-Meules (1959) et de Fatima (1954), il perdit une part importante de sa population et ne compte aujourd'hui qu'un peu plus de 3 000 habitants. La municipalité, pourvue d'un fort joli port, accueille bon nombre de visiteurs qui viennent profiter de la tranquillité et des beautés naturelles de cette région.

Au nord de L'Étang-du-Nord, vous pouvez aller vous promener au bord des magnifiques falaises de **La Belle Anse ★★**, d'où la vue est magnifique. Du haut de cet escarpement rocheux, vous contemplerez l'impressionnant spectacle de la mer, violente et tourmentée, se fracassant sans relâche sur les côtes madeliniennes.

★★★ Île du Havre Aubert

La mignonne île du Havre Aubert, ponctuée de plages, de collines et de bois, a su garder un charme bien pittoresque. Très tôt, elle accueillit des colons, et l'on aperçoit encore, ici et là, quelques bâtiments témoins de ces premières années. Auparavant, elle fut même peuplée de communautés micmaques, et des vestiges découverts sur l'île rappellent cette présence.

S'allongeant au bord de la mer et bénéficiant d'une grande baie idéale pour la pêche, **Havre-Aubert** est le premier arrêt sur cette île. Bien qu'elle dispose de paysages magnifiques, son attrait majeur est sans conteste **La Grave ★★★**, ce quartier des plus typiques qui s'est développé au bord d'une plage de galets. La Grave tire son charme de ses maisons traditionnelles revêtues de bardeaux de cèdre, composant le cœur d'un centre animé où se déroulent plusieurs manifestations culturelles. Boutiques et cafés se succèdent, et vous y passerez, même pendant les jours de pluie,

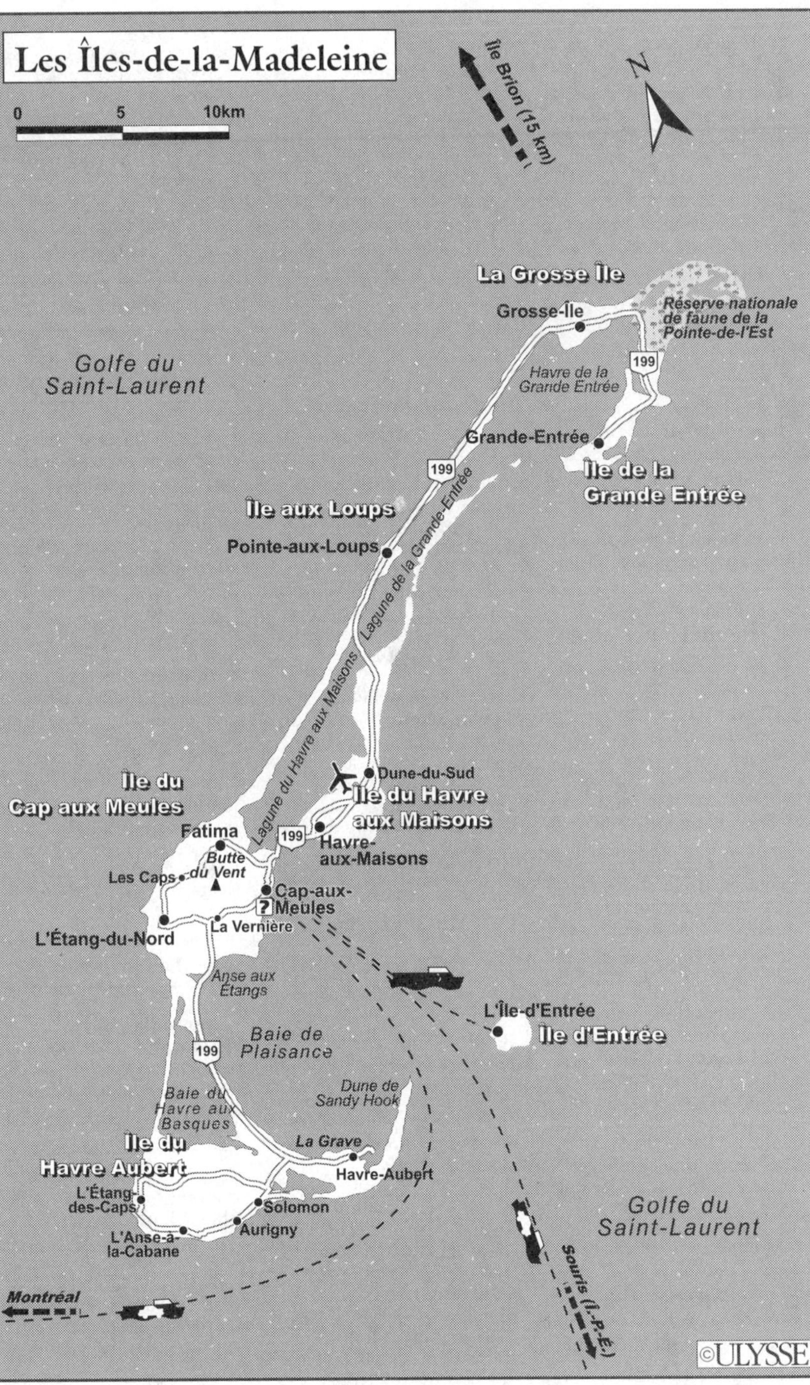

Les Îles-de-la-Madeleine
0
5
10km
Île Brion (15 km)
N
La Grosse Île
Grosse-Île
Réserve nationale de faune de la Pointe-de-l'Est
199
Havre de la Grande Entrée
Golfe du Saint-Laurent
Grande-Entrée
Île de la Grande Entrée
199
Lagune de la Grande Entrée
Île aux Loups
Pointe-aux-Loups
Lagune du Havre aux Maisons
Dune-du-Sud
Île du Havre aux Maisons
Île du Cap aux Meules
Fatima
199
Havre-aux-Maisons
Butte du Vent
Les Caps
Cap-aux-Meules
L'Étang-du-Nord
La Vernière
Anse aux Étangs
L'Île-d'Entrée
Île d'Entrée
Baie de Plaisance
199
Baie du Havre aux Basques
Dune de Sandy Hook
Île du Havre Aubert
La Grave
Havre-Aubert
L'Étang-des-Caps
Solomon
Golfe du Saint-Laurent
L'Anse-à-la-Cabane
Aurigny
Souris (Î.-P.-É.)
Montréal
©ULYSSE

d'excellents moments. Au bord de la mer, vous apercevrez quelques bâtiments qui, à l'origine, abritaient des magasins et des entrepôts dont l'utilité était de recevoir les fruits de la pêche des habitants.

★★★

Dune Sandy Hook

En suivant la route qui longe la mer, entre la pointe à Marichite et L'Étang-des-Caps, vous jouirez d'une vue magnifique ★★ sur le golfe du Saint-Laurent. Du petit village de **L'Étang-des-Caps**, vous pourrez apercevoir, par temps clair, la petite île dénommée Corps Mort, qui flotte au large.

★★

Île du Havre aux Maisons

L'île du Havre aux Maisons, très dénudée, comprend des bourgs fort mignons composés de jolies maisonnettes dispersées le long des routes sinueuses. Au sud de l'île apparaissent d'abruptes falaises, du haut desquelles vous surplomberez le golfe et contemplerez le fascinant spectacle de cet immense bassin. À chaque extrémité de l'île s'étendent de longues bandes de sable, la dune du Nord et la dune du Sud, où se trouvent de belles plages. Portant le même nom que l'île, la ville de **Havre-aux-Maisons**, au centre de laquelle se dressent le vieux couvent et le presbytère, est la principale agglomération de l'île.

Grosse-Île

Les côtes particulièrement accidentées de Grosse-Île furent la cause de bien des naufrages, et nombre de rescapés durent s'y arrêter. C'est ainsi que des individus de descendance écossaise s'y établirent et qu'environ 500 d'entre eux l'habitent encore aujourd'hui. La plupart tirent leurs revenus de la pêche et de l'agriculture; quelques-uns travaillent à la mine de sel Seleine, dont la production débuta en 1983.

★

Île de la Grande Entrée

L'île de la Grande Entrée, colonisée à partir de 1870, fut la dernière des îles-de-la-Madeleine à être habitée. En y arrivant, vous croiserez d'abord la pointe Old Harry, d'où vous aurez une vue saisissante sur le golfe du Saint-Laurent.

Le bourg principal de l'île, **Grande-Entrée,** possède un port très fréquenté d'où partent quantité de belles barques multicolores dont les équipages se spécialisent dans la pêche au homard.

★★

Île d'Entrée

L'île d'Entrée semble faire bande à part, d'abord en raison de sa situation géographique, qui en fait la seule île habitée non rattachée aux autres, mais aussi par sa population, qui compte quelque 200 résidants, tous de descendance écossaise.

Cette petite communauté, vivant presque exclusivement de la pêche, est parvenue à s'établir sur cette terre bercée par les vagues et le vent, et possède aujourd'hui une infrastructure suffisant à ses besoins (électricité, routes et téléphone). Vous ne pourrez que goûter l'incroyable sérénité qui règne sur cet îlot vallonné. Ce sont d'ailleurs ses paysages champêtres qui lui donnent tout son charme.

Parcs

Le Bas-St-Laurent

Le **parc du Bic** ★★ *(entrée libre; fermé aux voitures en hiver; pour l'horaire des activités animées durant l'été, communiquez avec l'accueil, Le Bic, ☎869-3502)* s'allonge sur une superficie de 33 km² et se compose d'un enchevêtrement d'anses, de presqu'îles, de promontoires, de collines, d'escarpements et de marais ainsi que de baies profondes dissimulant tous une faune et une flore des plus diversifiées. Ce parc côtier se prête bien à la randonnée pédestre, au ski de fond de même qu'au vélo de montagne et dispose d'un centre d'interprétation *(juin à mi-oct tlj 9h à 17h)*.

La Gaspésie

Le **parc de la Gaspésie** ★★★ *(entrée libre; 4 juin à début sept tlj 8h à 20h, début sept à mi-sept tlj 8h à 17h; 124 1re Av. O., Ste-Anne-des-Monts, ☎763-7811)* s'étend sur une superficie de 800 km² et abrite les célèbres monts Chic-Chocs; il fut créé en 1937 afin de sensibiliser les gens à la sauvegarde du territoire naturel gaspésien. Le parc est constitué de zones de préservation réservées à la protection des éléments naturels de la région et de la zone d'ambiance, formée d'un réseau de routes, de sentiers ainsi que de lieux d'hébergement. Les monts Chic-Chocs sont la saillie la plus septentrionale de la chaîne appalachienne. Ils s'étendent sur plus de 90 km depuis Matane jusqu'au pied du mont Albert. Les monts McGerrigle se dressent perpendiculairement aux Chic-Chocs et couvrent plus de 100 km^2. Les sentiers traversent trois paysages étagés en se rendant jusqu'aux sommets des quatre plus hauts monts de l'endroit, le **mont Jacques-Cartier**, le **mont Richardson**, le **mont Xalibu** et le **mont Albert**. C'est le seul endroit au Québec où l'on retrouve à la fois des cerfs de Virginie (dans la riche végétation de la première strate), des orignaux (dans la forêt boréale) et des caribous (dans la toundra, sur les sommets). Les amateurs de randonnée doivent s'enregistrer avant le départ.

Le thème du **parc national Forillon** ★★★ *3,75$; toute l'année tlj 13h à 16h30; 122 boul. Gaspé, Gaspé, ☎368-5505)* est «l'harmonie entre l'homme, la terre et la mer». La succession de forêts et de montagnes, sillonnées par des sentiers de randonnée et bordées de falaises le long du littoral, fait rêver plus d'un amateur de plein air. Le parc abrite une faune assez diversifiée : renards, ours, orignaux, porcs-épics ainsi que d'autres mammifères y sont représentés en grand nombre. Plus de 200 espèces d'oiseaux y sont répertoriées, notamment le goéland argenté, le cormoran, le pinson, l'alouette et le fou de Bassan. À partir des sentiers du littoral, on peut apercevoir, selon les saisons, des baleines et des phoques. Il dissimule aussi différentes plantes rares qui aident à comprendre le passé du sol dans lequel elles poussent. On y retrouve donc non seulement des éléments naturels mais aussi des rappels de l'activité humaine. Dans ce vaste périmètre de 245 km^2 se trouvaient autrefois quatre hameaux, dont les quelque 200 familles furent déplacées lors de la création du parc en 1970. Cette expropriation ne s'est d'ailleurs pas faite sans heurt.

Les bâtiments les plus intéressants sur le plan ethnographique furent conservés et restaurés : une dizaine de **maisons de Grande-Grave**, le **phare de Cap-Gaspé**, l'**ancienne église protestante de Petit-Gaspé** et le **fort Péninsule**, partie du système défensif mis en place lors de la Seconde Guerre mondiale pour protéger le Canada contre les incursions des sous-marins allemands.

Le **parc de l'Île-Bonaventure-et-du-Rocher-Percé** ★★ *(entrée libre pour l'île mais transport payant; juin tlj 8h15 à 16h, fin juin à fin sept tlj 8h15 à 17h, fin sept à mi-oct tlj 9h15 à 16h; 4 rue du Quai, Percé, ☎782-2240, ⇄782-2241)* abrite d'importantes colonies d'oiseaux et renferme des maisons rustiques le long de ses nombreux sentiers de randonnée. La longueur des sentiers varie de 2,8 km à 4,9 km et couvre un total de 15 km. Vu l'absence de milieu humide, il n'y a pas d'insectes piqueurs dans l'île. Toutefois, veillez à emporter votre gourde car aucun point d'eau n'est présent le long des sentiers, qui aboutissent tous à la formidable réserve ornithologique, où environ 200 000 oiseaux, dont quelque 55 000 fous de Bassan, constituent une véritable exhibition faunique.

Les Îles-de-la-Madeleine

La pointe de l'Est, constituée de dunes et de plages, est riche d'une faune aviaire typique des Îles; aussi toute cette zone est-elle protégée par la **Réserve nationale de faune de la Pointe-de-l'Est** ★. Si vous vous y rendez pour observer différentes espèces, comme le rare pluvier siffleur (qui niche aux îles-de-la-Madeleine), le canard pilet, le martin-pêcheur d'Amérique, le macareux moine et l'alouette cornue, prenez garde de ne pas endommager les sites de nidification (ils sont généralement clairement indiqués). On y trouve la plage de la Grande Échouerie.

Plages

Les Îles-de-la-Madeleine

La **plage de l'Hôpital**, située le long de la dune du Nord, est un bon endroit pour observer des phoques tout en se baignant. On peut également y voir une épave. Il est à noter que les courants deviennent dangereux du côté de Pointe-aux-Loups.

Telle une longue bande de sable s'allongeant dans le golfe du Saint-Laurent, la **dune Sandy Hook ★★★** est longue de plusieurs kilomètres, et sa plage compte parmi les plus belles des Îles. L'endroit est prisé des amateurs de naturisme qui vont s'y baigner en toute tranquillité.

La **plage de l'Ouest ★** s'étend du nord-ouest de l'île du Havre Aubert jusqu'au sud-ouest de l'île du Cap aux Meules. Parfaite pour la baignade et la cueillette de coquillages, elle est réputée pour ses magnifiques couchers de soleil.

La **plage de la dune du Sud ★** offre des kilomètres de plages, idéales pour la baignade.

À la Réserve nationale de faune de la Pointe-de-l'Est, vous trouverez l'une des plus belles plages des Îles, la **plage de la Grande Échouerie ★★**, qui s'étend sur une dizaine de kilomètres.

Activités de plein air

Croisières et observation de baleines

Le Bas-St-Laurent

Les **Excursions du littoral** *(30$; juin à oct tlj départs 9h et 13h; 518 rte. du Fleuve, Notre-Dame-du-Portage, ☎862-1366)* vous proposent d'observer les phoques gris et les oiseaux migrateurs près des îles Pèlerins. L'excursion dure trois heures.

Diverses croisières et excursions sont organisées par la société **Duvetnor** *(mi-juin à mi-sept tlj; 200 rue Hayward, Rivière-du-Loup, ☎867-1660)*. Vous pourrez visiter les îles du Bas-Saint-Laurent et voir des guillemots à miroir, des eiders à duvet et de petits pingouins. Les départs se font de la marina de Rivière-du-Loup. Les excursions durent de 1 heure 30 min à 8 heures selon la destination choisie. Vous pouvez même séjourner dans le phare de l'île du Pot-à-l'Eau-de-Vie (voir p 324).

Les **Croisières AML** *(35$; mi-juin à fin sept 9h à 13h, jusqu'à 17h en haute saison; sortie 507 de l'autoroute 20, 200 rue Hayward, Rivière-du-Loup, ☎867-3361)* vous emmènent voir les bélugas à bord du *Cavalier des Mers*. Vous découvrirez le béluga, le petit rorqual et peut-être même la baleine bleue. N'oubliez pas d'apporter des vêtements chauds. La croisière dure environ 3 heures 30 min.

Les **Excursions ALIBI-TOURS dans les îles du Bic** *(25$; juin à oct; marina du parc du Bic, ☎736-5232)* vous permettent de découvrir les îlots, les falaises et les récifs du Bic à bord d'un bateau. Durant cette excursion de deux heures, vous aurez l'occasion d'observer de nombreux oiseaux ainsi que des phoques gris ou communs.

Les croisières **Écomertous Nord-Sud** *(606 des Ardennes, Rimouski, ☎724-6227 ou 888-724-8687)* proposent divers forfaits vous entraînant à la découverte des beautés du fleuve et des îles qui le peuplent jusqu'au golfe du Saint-Laurent et à la Basse-Côte-Nord. Ces croisières, dont la durée varie de deux à huit jours, se font à bord de l'*Écho des Mers*, un bateau pouvant accueillir 49 passagers encadrés par une quinzaine de membres d'équipage. Pour les séjours de quelques jours, des cabines confortables sont mises à votre disposition. Ces «écotours» sont guidés par des spécialistes qui ont pour but de vous faire découvrir la flore et la faune du milieu. Si vous vous rendez jusque sur la Basse-Côte-Nord, vous pourrez aussi entrer en contact avec ses habitants. L'entreprise organise en outre des forfaits plus «sportifs» de kayak de mer ou de plongée sous-marine. Les départs se font du quai de Rimouski-Est.

La Gaspésie

Les agences touristiques de Gaspé inc. *(17$; mi-juin à mi-sept; au havre de Cap-des-Rosiers, parc national Forillon, ☎892-5629)* vous propose d'aller voir une colonie de phoques et les oiseaux qui nichent dans la falaise à bord du *Félix-Leclerc*. Un animateur est présent pour chaque croisière, qui dure près de deux heures. On voit des baleines à l'occasion. Il faut s'habiller chaudement car les vents sont souvent très froids. L'heure et le nombre des départs varient énormément selon les dates; il est nécessaire de téléphoner au préalable.

Des excursions d'observation des baleines sont organisées par **Observation Littoral Percé** *(31$ pour une durée de 2h30 à 3h; juin à octobre; près de l'hôtel Normandie; rte. 132, Percé, ☎782-5359.)*. Pendant ces excursions, vous aurez l'occasion de voir des baleines et, avec un peu de chance, vous croiserez peut-être un banc de dauphins à flancs blancs. Il ne faut pas s'attendre à voir des queues de baleine comme sur les photographies; on ne voit généralement que le dos de la baleine, et elle est souvent très loin. Des lois sévères régissent d'ailleurs les organisateurs d'excursions, et de lourdes amendes leur sont imposées lorsqu'ils ne tiennent pas leurs distances. Les départs se font tôt le matin; l'excursion dure toute la matinée (de deux à trois heures). N'oubliez pas de vous munir de vêtements chauds et d'un bon coupe-vent.

Les Îles-de-la-Madeleine

À bord du bateau *Le Ponton III* de l'entreprise **Excursions de la Lagune** *(20$; en été départs tlj à 11h, 14h et 18h; île du Havre aux Maisons, ☎969-2088)*, vous partirez en balade sur les flots et, deux heures durant, vous pourrez, grâce à son fond vitré, observer les fonds marins et peut-être même apercevoir des crustacés.

La Gaspésienne 26 *(40$; en saison lun-sam; marina de La Grave, île du Havre Aubert, ☎937-2213)*, une goélette, est une des seules parmi les 50 *Gaspésiennes* à avoir été rénovée. Véritable œuvre d'art flottante, cette goélette vous emmène contempler les flots dans le silence le plus complet. Le voyage dure quatre heures. Il y a deux départs par jour.

Hébergement

Le Bas St-Laurent

Kamouraska

Motel Cap Blanc
53$
ℂ, tv, 🐕
300 av. Morel, G0L 1M0
☎492-2919
Le Motel Cap Blanc dispose de chambres simples et confortables offrant une belle vue sur le fleuve Saint-Laurent.

Saint-André

La Solaillerie
54$ bc pdj
89$ bp pdj
ℜ
112 rue Principale, G0L 2H0
☎493-2914
Aménagée dans une grande maison de la fin du XIXe siècle, l'auberge La Solaillerie présente une magnifique façade blanche qui est cintrée, à l'étage, d'une large galerie. À l'intérieur, un riche décor évoquant l'époque d'origine de la demeure confère à l'auberge une ambiance chaleureuse. Les cinq chambres sont douillettes et confortables, décorées avec goût dans le respect de la tradition des vieilles auberges. Dans l'une d'entre elles, vous dormirez même dans un lit à baldaquin! Chacune comprend un lavabo ainsi qu'une baignoire sur pieds et offre une belle vue sur le fleuve. Un projet de construction d'un nouveau pavillon non loin de la maison ajoutera à l'établissement six chambres bien équipées. Sa table réserve de belles surprises aux fins gourmets (voir p 327).

Rivière-du-Loup

Auberge de Jeunesse Internationale
19$ pdj
46 boul. Hôtel-de-Ville, G5R 1L5
☎862-7566 ou 800-461-8585
L'Auberge de Jeunesse Internationale de Rivière-du-Loup se présente comme le lieu d'hébergement le moins coûteux en ville. Les chambres sont simples mais propres.

Auberge de la Pointe
80$
fermé mi-oct au début mai
≈, ⌂, ⊙, ℜ, *tv*, ✪
10 boul. Cartier; G5R 3Y7
☎862-3514 ou 800-463-1222
⇄862-1882
En bordure du fleuve Saint-Laurent, l'Auberge de la Pointe se dresse sur un site vraiment exceptionnel et propose, outre des chambres confortables, des soins d'hydrothérapie, d'algothérapie ainsi que de massothérapie. Depuis les belvédères, vous pourrez admirer de superbes couchers de soleil. On y trouve même un théâtre d'été.

Québec

Île du Pot à L'Eau-de-Vie

Phare de l'île du Pot à l'Eau-de-Vie
140$/pers. ½p et croisière
bc
200 rue Hayward, Rivière-du-Loup
G5R 3Y9
☎867-1660 ou 877-867-1660
⇄867-3639
Sur une petite île au milieu du fleuve Saint-Laurent, le Phare de l'île du Pot à l'Eau-de-Vie expose à tous vents sa façade blanche et son toit rouge. Propriété de Duvetnor, organisme sans but lucratif voué à la protection des oiseaux, l'archipel des îles du Pot à l'Eau-de-Vie fourmille d'oiseaux marins que vous pouvez admirer à loisir lors d'un séjour au phare. Duvetnor propose des forfaits qui comprennent l'hébergement, les repas ainsi qu'une croisière sur le fleuve en compagnie d'un guide naturaliste. Le phare, plus que centenaire, a été restauré avec soin. On y trouve trois chambres douillettes dont le décor conserve l'atmosphère historique de l'endroit. Les repas sont délicieux. Si vous avez envie d'un séjour empli de sérénité, voilà l'endroit tout indiqué.

Trois-Pistoles

Motel Trois-Pistoles
50$
≡, 🐕, ℜ, *tv*
64 rte. 132 O., G0L 4K0
☎851-2563
Le Motel Trois-Pistoles compte 32 chambres confortables, dont certaines offrent une belle vue sur le fleuve Saint-Laurent; les couchers de soleil y sont tout à fait splendides.

Le Bic

Auberge du Mange Grenouille
55 bc, pdj
80$ bp, pdj
ℜ
148 rue Ste-Cécile, G0L 1B0
☎736-5656
La réputation de l'Auberge du Mange Grenouille n'est plus à faire, tant au Québec qu'à l'étranger. L'accueil s'avère charmant, la nourriture savoureuse (voir p 328), et ses 15 chambres sont chaleureusement garnies d'antiquités. On y organise également de célèbres soirées «meurtres et mystères».

Rimouski

Hôtel Rimouski
85$
≈, ≡, ℜ, *tv*, ⊙, ♿
225 boul. René-Lepage E., G5L 1P2
☎725-5000 ou 800-463-0755
⇄725-5725
L'hôtel Rimouski est d'un chic assez particulier; son grand escalier et sa longue piscine dans le hall d'entrée en charmeront plus d'un. Les moins de 18 ans partageant la chambre de leurs parents peuvent y séjourner gratuitement.

Pointe-au-Père

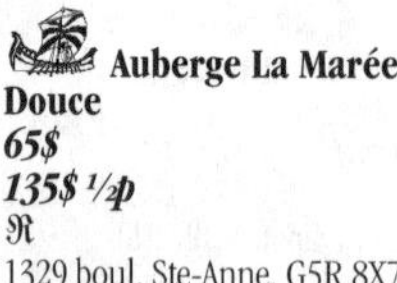

Auberge La Marée Douce
65$
135$ ½p
ℜ
1329 boul. Ste-Anne, G5R 8X7
☎722-0822
⇄736-5167
L'Auberge La Marée Douce se dresse en bordure du fleuve, dans la municipalité de Pointe-au-Père, près du Musée de la Mer. Bâtie en 1860, elle renferme des chambres confortables, décorées chacune de façon différente. Elle dispose aussi de chambres *(85$)* installées dans un nouveau pavillon moderne.

La Gaspésie

Matane

Auberge La Seigneurie
70$ pdj
bc/bp
621 rue St-Jérôme, G4W 3M9
☎562-0021 ou 877-783-4466
⇄562-4455
Vous trouverez un lieu idéal pour vous reposer au confluent du fleuve et de la rivière Matane; l'Auberge de La Seigneurie, située sur l'ancien site de la seigneurie Fraser, vous propose, en effet, des chambres confortables.

Quality Inn Inter Rives
99$
ℜ, ≈, ⌂, ⊙, ⊛, ☏
1550 av. du Phare O., G4W 3M6
☎562-6433 ou 800-463-2466
⇄562-9214
Les élégantes chambres du Quality Inn Inter Rives sont garnies de beaux meubles en bois.

Riotel Matane
120$
ℜ, ≈, ⌂, ⊙, ≡, ⊛
250 av. du Phare E., G4W 3N4
☎566-2651 ou 800-463-7468
⇄562-7365
Le Riotel Matane vous charmera au premier coup d'œil. En arrivant sur place, on constate qu'un effort a été porté à la décoration et au confort. L'escalier de bois en colimaçon et les fauteuils en cuir ne sont qu'un aperçu de ce qui vous attend plus loin. En traversant le restaurant et le bar, vous aurez droit à une superbe vue sur le fleuve. Les chambres du deuxième étage sont parmi les plus récentes. De plus, un court de tennis et un terrain de golf sont également mis à la disposition des clients de l'hôtel.

Parc de la Gaspésie

Dans le parc de la Gaspésie, différents emplacements de **camping** *(17$; mi-juin à fin sept)* sont mis à votre disposition. On y trouve aussi 19 **chalets** *(69$)* pouvant accueillir 2, 4, 6 ou 8 personnes *(☎763-2288 ou 888-270-4483, ⇄763-7803)*.

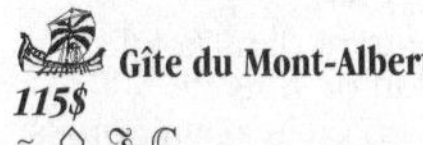
Gîte du Mont-Albert
115$
≈, ⌂, ℑ, ℂ
☎763-2288 ou 888-270-4483
⇄763-7803
Situé dans le parc de la Gaspésie (voir p 325), le Gîte du Mont-Albert offre un panorama splendide. Comme ce gîte est construit en forme de fer à cheval, chaque chambre vous donne, en plus d'un bon confort, une vue imprenable sur les monts Albert et McGerrigle.

Parc national Forillon

Vous trouverez quatre campings dans le parc. Pour réserver un emplacement, composez le ***☎368-6050*** *(tous les campings début juin à mi-oct 122; boul. de Gaspé, G4X 1A9, Parc national Forillon, Gaspé)*. Pour tout le parc, on dénombre 368 emplacements de camping. Notez que seulement 50% de ces emplacements sont disponibles sur réservation; le reste suit la politique du «premier arrivé, premier servi».

Camping Des-Rosiers
16$
secteur Nord
Le Camping Des-Rosiers est doté de 155 emplacements pour tentes et véhicules récréatifs *(42 d'entre eux avec électricité : 18$)*. Il est situé sur un terrain semi-boisé en face de la mer.

Camping Bon-Ami
16$
secteur Nord
Le Camping Bon-Ami compte 42 emplacements, pour tentes seulement, situés sur un terrain semi-boisé.

Camping Petit-Gaspé
16$
Le Camping Petit-Gaspé propose 135 emplacements pour tentes et véhicules récréatifs sur un terrain boisé recouvert de gravier fin.

Gaspé

Résidence du cégep de la Gaspésie et des Îles
22$
ℂ
94 rue Jacques-Cartier G4X 2P6
☎368-2749
www.cgaspesie.qc.ca
La résidence du cégep de la Gaspésie et des Îles loue ses chambres entre le 15 juin et le 15 août. Une cuisinette équipée, la literie, les serviettes et la vaisselle sont fournies.

Motel Adams
49$
ℜ, ≡
2 rue Adams, G4X 2R8
☎368-2244 ou 800-463-4242
⇄368-6963
Situé au centre-ville, le Motel Adams propose des chambres agréables, spacieuses et très propres.

Quality Inn
105$
≡, ⊛, ℜ
178 rue de la Reine, G4X 1T6
☎368-3355 ou 800-462-3355
⇄ 368-1702
Le Quality Inn se dresse au centre-ville à côté d'un centre commercial. Les chambres sont agréables et confortables.

Percé

Camping du Gargantua
16$
222 rte. des Failles
☎782-2852
Le Camping du Gargantua est sans contredit le plus beau camping de Percé et de ses environs. Il offre une vue non seulement sur le rocher Percé et sur la mer mais aussi sur les montagnes verdoyantes environnantes.

Auberge du Gargantua
50$
ℜ
juin à mi-oct
222 rte. des Failles, G0C 2L0
☎782-2852
⇄782-5229
Depuis 30 ans qu'elle domine Percé du haut de son promontoire, l'Auberge du Gargantua n'a plus besoin d'introduction pour les habitués de la péninsule gaspésienne. Sa table (voir p 329) fait partie des meilleures de la région. Le site et la vue qu'elle offre laisseront dans votre mémoire un souvenir impérissable. Le décor des petites chambres de motel est simple, mais elles sont confortables.

Hôtel-Motel La Normandie
60$
ℜ, ⌂
221 rte. 132 O., G0C 2L0
☎782-2112 ou 888-463-0820
⇄782-2337
L'Hôtel-Motel La Normandie a acquis une excellente réputation à Percé. Cet établissement de luxe est complet plus souvent qu'à son tour durant la haute saison; du restaurant et des chambres, vous pouvez admirer le célèbre rocher Percé.

Paspébiac

 **Auberge du Parc**
79$
⌂, ℜ, ≈, ⚙
début fév à fin nov
68 boul. Gérard-D.-Lévesque, G0C 2K0
☎752-3355 ou 800-463-0890
⇄752-6406
L'Auberge du Parc est installée dans un manoir qui fut érigé par l'entreprise Robin au XIXe siècle, au centre d'un bois, dans un cadre parfait pour la détente. Bains thermo-masseurs, enveloppements d'algues, massages thérapeutiques, pressothérapie, ainsi qu'une piscine emplie d'eau de mer, agrémenteront votre séjour.

New Carlisle

 **Maison du Juge Thompson**
70$ pdj
bc/bp
juil et août
105 boul. Gérard-D.-Lévesque
☎752-6308
La Maison du Juge Thompson vous propose de séjourner dans une jolie chambre car elle occupe une très belle villa d'antan (1844). Vous y trouverez des sentiers et un beau jardin anglais d'époque. Vous pourrez vous détendre à votre aise et admirer la mer sur la véranda. On y sert de bons petits déjeuners à l'anglaise.

Carleton

Aqua-Mer Thalasso
1 295$/pers. pour sept jours incluant l'hébergement, les repas et les traitements
⚙, ≈
début mai à fin oct
868 boul. Perron, G0C 1J0
☎364-7055 ou 800-463-0867
⇄364-7351
Aqua-Mer Thalasso, situé dans un cadre enchanteur, est un centre de thalassothérapie. On y propose plusieurs forfaits-traitements d'une semaine, dont une cure de remise en forme qui comprend cinq traitements par jour.

Pointe-à-la-Garde

Auberge de jeunesse Château Bahia de Pointe-à-la-Garde
36$ pdj
ℜ
été seulement
152 boul. Perron, G0C 2M0
☎/⇄788-2048
L'auberge de jeunesse et le Château Bahia de Pointe-à-la-Garde se trouvent en retrait de la route, à mi-chemin entre Carleton et Matapédia; il s'agit d'un lieu de détente par excellence. En haute saison, l'endroit est surtout fréquenté par des Européens. Des mets régionaux de qualité sont servis, tels que saumon frais et jambon à l'érable, tous à prix modique. Vous avez le choix de dormir à l'auberge de jeunesse ou au «château» situé derrière celle-ci.

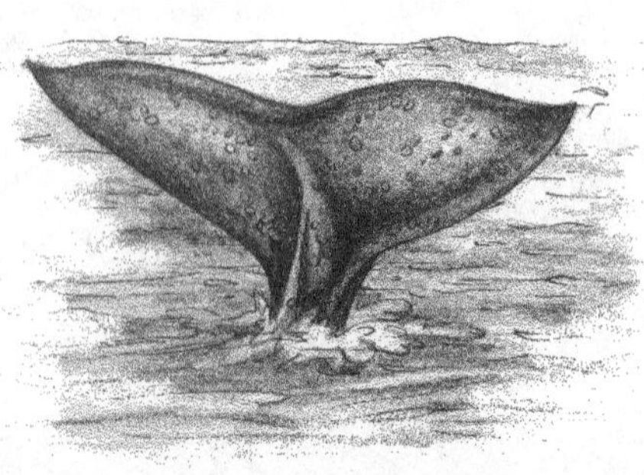

Les Îles-de-la-Madeleine

Île du Cap aux Meules

 **Auberge chez Sam**
45$ pdj
bc
1767 ch. de L'Étang-du-Nord
L'Étang-du-Nord, G0B 1E0
☎986-5780
En entrant dans la jolie maison de bois de l'Auberge chez Sam, on est tout de suite frappé par la gentillesse de l'accueil. On est ensuite ravi de découvrir les chambres, cinq au total, toutes mignonnes et bien tenues, et l'on se sent vite à l'aise.

La Maison du Cap-Vert
49$ pdj
toute l'année
202 ch. L.-Aucoin, C.P. 521, Fatima, G0B 1K0
☎986-5331
L'auberge familiale La Maison du Cap-Vert vous propose quatre chambres tout à fait charmantes dotées de lits douillets dans une ambiance marine. Cette auberge a vite su se tailler une place très enviable parmi les auberges des Îles. Avec le délicieux petit déjeuner servi à volonté tous les matins, cet établissement représente sans contredit une valeur sûre.

 **Château Madelinot**
109$
ℜ, ℝ, ⌂, ⊗, ≈
323 rte. 199, C.P. 44, G0B 1B0
☎986-3695 ou 800-661-4537
⇄986-6437
Vous serez peut-être d'abord surpris d'apercevoir cette grosse maison qui tient lieu de Château Madelinot. Mais le confort des chambres et la vue superbe sur la mer tendent à faire oublier cette première image. Offrant une foule

de services, le Château Madelinot est sans conteste le plus connu des lieux d'hébergement des Îles.

Île du Havre Aubert

La Marée Haute
75$ pdj
bc/bp, ℜ
25 ch. des Fumoirs, G0B 1J0
☎/⇄937-2492
Près de La Grave se trouve La Marée Haute, une jolie petite auberge dans laquelle vous recevrez un accueil des plus chaleureux. Les chambres sont douillettes et offrent un beau décor. Le copropriétaire de l'auberge est aussi cuisinier, donc vous pourrez vous laisser tenter par ses petits plats mijotés avec soin sans le regretter. La vue depuis l'auberge est belle à ravir!

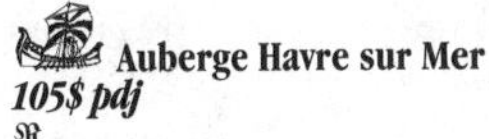

Auberge Havre sur Mer
105$ pdj
ℜ
1197 ch. du Bassin,
L'Ile-du-Havre-Aubert, G0B 1A0
☎937-5675
⇄937-2540
L'Auberge Havre sur Mer, au bord de la falaise, bénéficie d'un site magnifique, et les chambres, donnant sur une terrasse commune d'où chacun peut profiter de cette belle vue, attirent bon nombre de visiteurs amoureux des Îles. L'endroit est garni de beaux meubles anciens.

Île du Havre aux Maisons

Auberge de la Petite Baie
55-70
187 rte. 199, Havre-aux-Maisons, G0B 1K0
auberge.petitebaie@sympatico
Rendez-vous à l'Auberge de la Petite Baie, pour une atmosphère chaude, où le comptoir de poste vous raconte encore ses souvenirs et où la table, ornée de vaisselle anglaise, vous ravit les papilles à coup de loup-marin et de pot-en-pot des Îles. Réjeanne Langford vous accueille avec soin et avec fierté. Cinq chambres.

Île de la Grande Entrée

Camping Grande-Entrée du Club Vacances «Les Îles»
12$
Grande-Entrée, G0B 1H0
☎985-2833 ou 888-537-4537
⇄985-2226
Le Camping Grande-Entrée du Club Vacances «Les Îles» compte une quarantaine d'emplacements, dont huit pour véhicules récréatifs. Un dortoir est en outre mis à la disposition des visiteurs pour les jours de pluie.

Restaurants

Le Bas-Saint-Laurent

Saint-André

La Solaillerie
$$$-$$$$
112 rue Principale
☎493-2914
La salle à manger de l'auberge La Solaillerie est décorée avec soin pour mettre en valeur le cachet historique de la vieille demeure qui l'abrite. Vous pourrez donc vous y attabler dans un décor chaleureux pour déguster une fine cuisine préparée et servie avec soin par les propriétaires. D'inspiration française, cette cuisine est apprêtée selon l'inspiration du chef avec les produits frais de la région tels que cailles, agneau et saumon frais ou fumé. Réservation nécessaire.

Rivière-du-Loup

La Terrasse
La Distinction
$$
171 rue Fraser
☎862-6927
Les restaurants de l'Hôtel Lévesque, La Terrasse et La Distinction, proposent une gamme très variée de mets italiens délicieusement apprêtés. Aux deux tables, vous pourrez déguster du saumon préparé dans les fumoirs de l'hôtel selon une méthode ancestrale.

Saint-Patrice
$$-$$$
169 rue Fraser
☎862-9895
Le Saint-Patrice est sans doute l'une des meilleures tables du Bas-Saint-Laurent, où le poisson, les fruits de mer, le lapin et l'agneau dominent le menu. À la même adresse, **Le Novelo *($$)*** sert des pâtes et une fine pizza dans une ambiance bistro, et **La Romance *($$-$$$)*** se spécialise dans les fondues.

Trois-Pistoles

L'ensoleillé
$-$$
138 rue Notre-Dame O.
☎851-2889
Le café-resto L'ensoleillé est un restaurant végétarien qui propose un menu à la carte très simple. Les menus de trois services du midi et du soir représentent une bonne affaire.

Le Michalie
$$
55 rue Notre-Dame E.
☎851-4011
Le Michalie, un petit restaurant coquet, propose une cuisine régionale des plus appréciées ainsi que les délices de la gastronomie italienne.

Saint-Fabien

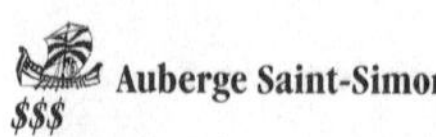

Auberge Saint-Simon
$$$
18 rue Principale
☎***738-2971***
L'Auberge Saint-Simon vous invite à prendre un repas dans un chaleureux décor ancestral. Elle vous offre une des expériences culinaires les plus savoureuses du Bas-Saint-Laurent, alliant lapin, agneau, flétan et fruits de mer aux légumes frais provenant du petit jardin attenant au bâtiment.

Le Bic

Auberge du Mange Grenouille
$$$-$$$$
148 rue Ste-Cécile
☎***736-5656***
L'Auberge du Mange Grenouille est l'une des meilleures tables du Bas-Saint-Laurent. Elle occupe un ancien magasin général, garni de vieux meubles soigneusement choisis afin d'agrémenter les lieux. Tous les jours, on propose un choix de six tables d'hôte, composées de gibier, de poisson, de volaille et d'agneau. Ces créations culinaires sont aussi appétissantes les unes que les autres et sont toujours servies avec attention.

Rimouski

Café-bistro Le Saint-Louis
$$-$$$
97 rue St-Louis
☎***723-7979***
Le Café-bistro Le Saint-Louis possède tous les airs et les arômes de ses cousins parisiens. Vous y trouverez une grande sélection de bières importées et microbrassées. Le menu préparé quotidiennement est délicieux et servi dans une ambiance agréable.

Serge Poully
$$-$$$$
284 rue St-Germain E.
☎***723-3038***
Le restaurant Serge Poully suggère à ses convives des plats de gibier, de fruits de mer, de steaks et de spécialités de la cuisine française. L'atmosphère décontractée de ce restaurant et son service attentionné conviennent parfaitement aux repas en tête-à-tête.

La Gaspésie

Grand-Métis

Les Ateliers Plein Soleil
$-$$
Jardins de Métis
Le restaurant Les Ateliers Plein Soleil se fait un point d'honneur de veiller à ce que tout soit parfait; le service en costume d'époque est attentionné et le décor, pittoresque; les plats métissiens et québécois s'avèrent copieux. On trouve aussi un casse-croûte dans la Villa Reford.

Métis-sur-Mer

Au Coin de la Baie
$$$$
1140 rte. 132
☎***936-3855***
Entre mai et septembre, le restaurant Au Coin de la Baie ouvre ses portes. Vous pourrez vous y régaler de saumon fumé à la royale, de betteraves «illusion» et de sorbets de «cèdre». Le choix des vins est excellent.

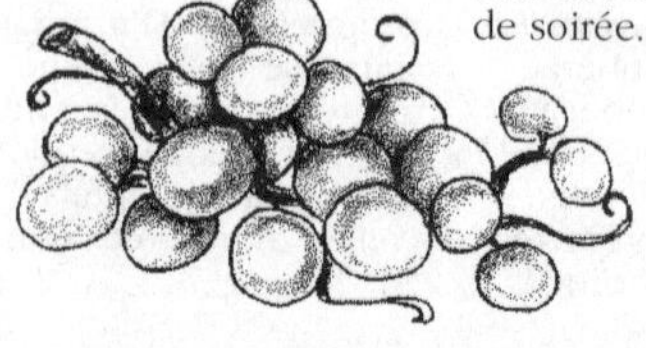

Matane

Le Vieux Rafiot
$$-$$$
1415 av. du Phare, en bordure de la rte. 132
☎***562-8080***
Le restaurant Le Vieux Rafiot attire énormément de visiteurs grâce à son étonnante salle à manger, divisée en trois parties par des cloisons percées de hublots et ornée de tableaux d'artistes locaux. Outre sa décoration originale, il propose des plats variés et délicieux.

Parc de la Gaspésie

Gîte du Mont-Albert
$$$$
☎***763-2288***
Au Gîte du Mont-Albert, il faut absolument vous laisser tenter par les fruits de mer, préparés de façon inventive. Durant le mois de septembre, on y célèbre le Festival du gibier. Vous aurez alors l'occasion de goûter des viandes aussi peu communes que celles de pintade, de bison et de perdrix.

Gaspé

Brise Bise
$-$$
2 côte Cartier, place Jacques-Cartier
☎***368-1456***
Le bistrot-bar Brise Bise est probablement le café le plus sympathique de Gaspé. On y sert des saucisses, des fruits de mer, des salades et des sandwichs. Le choix de bières et de cafés est varié, le «5 à 7» est agréable, des spectacles y sont présentés tout l'été et l'on y danse en fin de soirée.

Fort Prével

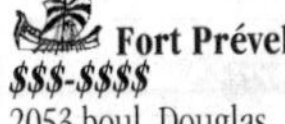
Fort Prével
$$$-$$$$
2053 boul. Douglas
☎*368-2281 ou 888-377-3835*
Au Fort Prével, en plus d'être plongé dans une ambiance historique, on peut savourer une délicieuse cuisine française et québécoise. Dans une vaste salle à manger, vous dégusterez de petits plats apprêtés et présentés avec raffinement. Au menu figurent des plats de poisson et de fruits de mer, bien sûr, mais aussi toutes sortes de spécialités à faire pâlir d'envie tous les gourmets.

Percé

Auberge à Percé
$$$-$$$$
1 promenade du Bord de Mer
☎*782-5055*
La ville de Percé compte un grand nombre de restaurants. Parmi eux cependant, peu méritent le titre de «grande table». L'Auberge à Percé est l'un de ceux-là. On y propose un menu de fine cuisine; on y retrouve pétoncles, homard, poissons et viandes rouges divinement apprêtés. Le bel environnement, souligné par sa jolie adresse, ajoute aux plaisirs de la table.

La Normandie
$$$-$$$$
221 rte. 132 O.
☎*782-2112*
Considéré par plusieurs comme l'une des meilleures tables de Percé, La Normandie propose des mets savoureux dans un lieu tout à fait charmant. On dit grand bien du feuilleté de homard au champagne et des pétoncles à l'ail, au miel et aux poireaux. Un grand choix de vins est proposé.

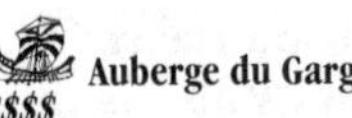
Auberge du Gargantua
$$$$
222 rue des Failles
☎*782-2852*
L'Auberge du Gargantua offre un décor qui rappelle la vieille France campagnarde, d'où sont issus les propriétaires. De la salle à manger, on a une vue superbe sur les montagnes environnantes et il est sage d'arriver assez tôt pour en bénéficier. Les plats sont tous gargantuesques et savoureux, incluant généralement une entrée de bigorneaux, une assiette de crudités puis un potage. Enfin, le plat principal est choisi à partir d'une longue liste allant du saumon au crabe des neiges en passant par le gibier.

Bonaventure

Café Acadien
$$-$$$
début juin à mi-sept
168 rue Beaubassin
☎*534-4276*
Le Café Acadien sert de bons petits plats dans un cadre charmant. Cet établissement, ouvert durant toute la saison estivale, est très populaire, tant auprès des gens de l'endroit que des touristes, ce qui explique peut-être les prix un peu élevés.

Carleton

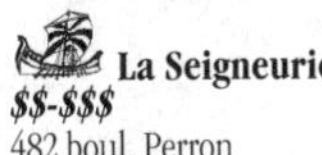
La Seigneurie
$$-$$$
482 boul. Perron
☎*364-3355*
La Seigneurie, le restaurant de l'Hôtel-Motel Baie Bleue, apprête une grande variété de mets délicieux à base de gibier, de poisson et de fruits de mer. La vue depuis la salle à manger est superbe.

Causapscal

Auberge La Coulée Douce
$$-$$$
21 rue Boudreau
☎*756-5270*
Le restaurant de l'Auberge La Coulée Douce propose un menu de mets délicieux tels que la bouillabaisse gaspésienne et de nombreux plats à base de saumon frais. Le service est sympathique.

Les Îles-de-la-Madeleine

Île du Cap aux Meules

P'tit Café
$$
☎*986-2130*
Le P'tit Café du Château Madelinot (voir p 326) sert un brunch le dimanche de 10h à 13h30. La cuisson sur pierre de fruits de mer, de viande rouge et de poulet est une particularité de ce restaurant. Au menu figure un grand choix d'entrées, de potages et de grillades sur charbons de bois. En plus de la vue sur la mer, le décor est agrémenté d'expositions temporaires de peintres locaux et québécois.

La Table des Roy
$$$$
fermé dim
juin à mi-sept à partir de 18h
La Vernière
☎*986-3004*
Depuis 1978, le restaurant La Table des Roy propose une cuisine raffinée qui ne cesse de combler les papilles gustatives des visiteurs. Bien sûr, les fruits de mer, apprêtés de multiples façons, telle cette grillade de pétoncles et de homard sauce coralline, font bonne figure sur ce menu des plus alléchants où l'on propose aussi des plats

agrémentés de fleurs et de plantes comestibles des Îles. La salle à manger, tout à fait charmante, confère un cachet particulier à cet établissement.

Île du Havre Aubert

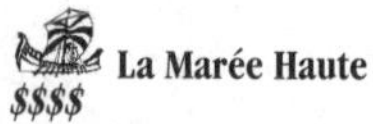

Café de La Grave
$$-$$$
début mai à début oct 8h30 à 3h
Havre-Aubert
☎937-5765

Avec son joli décor d'ancien magasin général, le Café de La Grave offre une atmosphère des plus sympathiques, et l'on y passe des heures à discuter pendant les jours de mauvais temps. Outre les muffins, les croissants et la sélection de cafés, le menu propose des plats santé, parfois inusités, tel ce pâté de «loup marin», qui sont toujours bons. L'endroit, chaleureux à souhait, vous laissera un souvenir durable.

La Marée Haute
$$$$
25 ch. des Fumoirs
☎937-2492

Au restaurant La Marée Haute, le chef et co-propriétaire sait apprêter les poissons et fruits de mer de la meilleure des façons. Dans cette jolie auberge d'où l'on a une vue superbe, vous pourrez goûter au loup marin, au requin ou encore au maquereau en vous laissant envoûter par ces saveurs de la mer divinement relevées. On trouve aussi au menu quelques plats de viande aussi bien préparés et de succulents desserts.

Île du Havre aux Maisons

La P'tite baie
$$$
toute l'année
187 rte. 199
☎969-4073

La P'tite baie sert des mets bien apprêtés tels que grillades, fruits de mer et poissons. Certains plats de bœuf, de porc et de poulet figurent également au menu. En saison, on cuisine du loup marin. En plus du menu à la carte, on trouve une table qui propose deux choix de plats principaux. Le service est courtois et le décor, très soigné.

Sorties

Îles-de-la-Madeleine

Le **Concours des châteaux de sable** a lieu au mois d'août de chaque année sur la plage de Havre-Aubert. Tous les participants s'évertuent pendant des heures à construire le plus beau château de sable. Si vous voulez mettre vos talents à l'épreuve, vous pouvez vous inscrire en appelant Les Artisans du sable, **☎937-2917**.

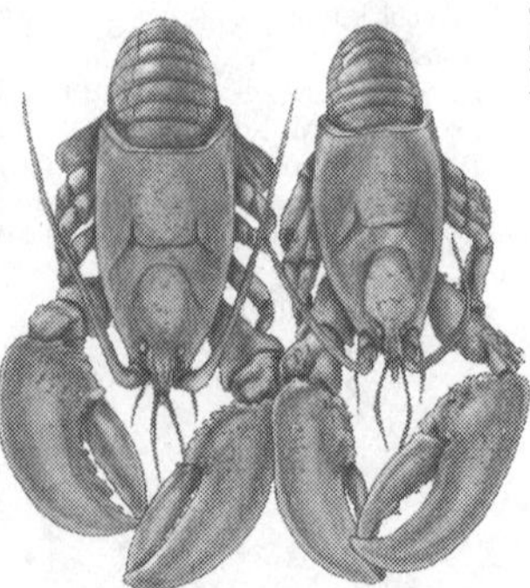

Achats

La Gaspésie

Grand-Métis

Les Ateliers Plein Soleil *(Jardins de Métis, ☎775-3165)*, un groupe d'artisans de Grand-Métis, gèrent la maison Reford; les artisans fabriquent et proposent dans leur boutique tout un assortiment de nappes, napperons et serviettes de table tissés à la main, des herbes salées du miel de la région et même du ketchup maison.

Percé

En raison de la situation très centrale de la Place du Quai, vous ne pourrez pas la manquer. Regroupement de plus de 30 commerces, elle compte de nombreux restaurants, des boutiques, une laverie et un comptoir de la Société des Alcools du Québec.

Vous trouverez nombre de boutiques au centre-ville de Percé. En voici quelques-unes :

La boutique **Cormoran** *(mai à oct; 153 rue Principale, ☎782-2397)* dispose d'une énorme sélection d'idées cadeaux et de souvenirs de toutes sortes reflétant l'artisanat gaspésien.

Le Macareux *(début mai à début nov tlj 8h à 22h; 262 rue Principale, ☎782-2414)* vous propose des souvenirs très variés tels que sculptures sur bois, agates et pierres semi-précieuses, t-shirts ainsi que gravures sur verre.

Les Îles-de-la-Madeleine

Les Artisans du sable
C.P. 336, La Grave, Havre-Aubert
☎937-2917
⇄937-2129
Les Artisans du sable présentent une foule d'objets en sable fabriqués selon une technique particulière par des artisans madelinots. Ces objets, allant des bibelots aux abat-jour, constituent des idées cadeaux typiques des Îles. À visiter aussi pour en apprendre plus sur le sable.

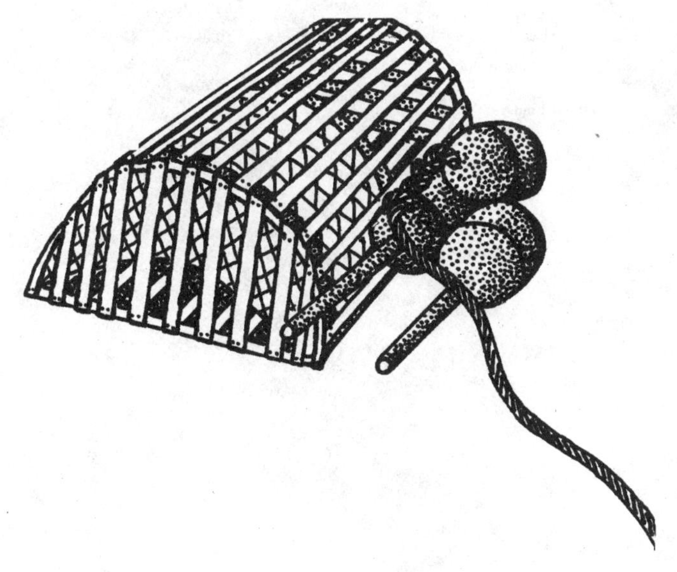

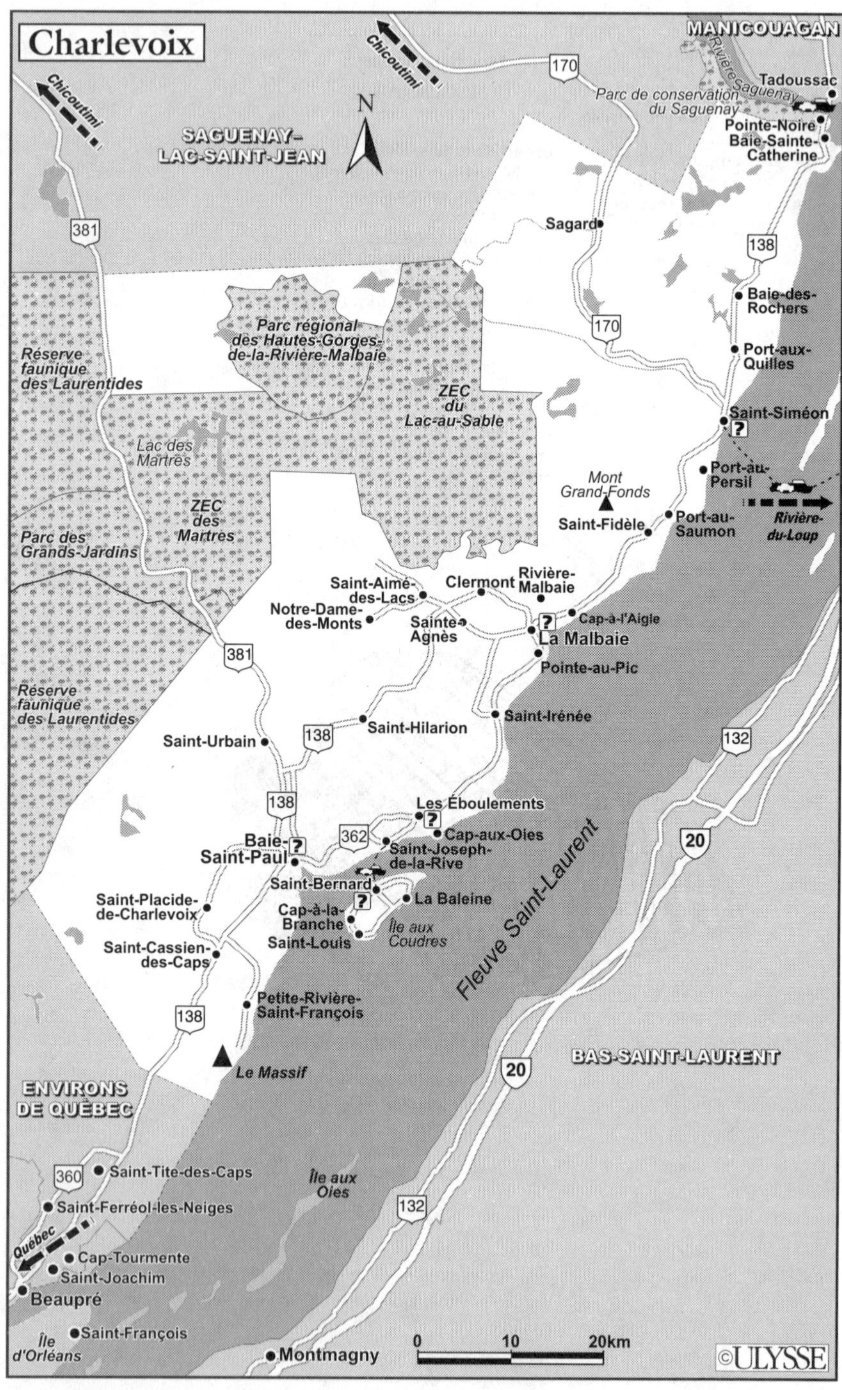
Charlevoix
MANICOUAGAN
Chicoutimi
Chicoutimi
170
Rivière Saguenay
Tadoussac
Parc de conservation du Saguenay
Pointe-Noire
Baie-Sainte-Catherine
SAGUENAY–LAC-SAINT-JEAN
N
381
Sagard
138
Baie-des-Rochers
170
Port-aux-Quilles
Parc régional des Hautes-Gorges-de-la-Rivière-Malbaie
Réserve faunique des Laurentides
ZEC du Lac-au-Sable
Saint-Siméon
Lac des Martres
Port-au-Persil
Mont Grand-Fonds
ZEC des Martres
Saint-Fidèle
Port-au-Saumon
Rivière-du-Loup
Parc des Grands-Jardins
Saint-Aimé-des-Lacs
Clermont
Rivière-Malbaie
Notre-Dame-des-Monts
Sainte-Agnès
Cap-à-l'Aigle
La Malbaie
381
Pointe-au-Pic
Réserve faunique des Laurentides
Saint-Irénée
Saint-Hilarion
138
Saint-Urbain
132
138
Les Éboulements
362
Cap-aux-Oies
Baie-Saint-Paul
Saint-Joseph-de-la-Rive
20
Saint-Bernard
La Baleine
Saint-Placide-de-Charlevoix
Cap-à-la-Branche
Île aux Coudres
Saint-Louis
Saint-Cassien-des-Caps
Fleuve Saint-Laurent
Petite-Rivière-Saint-François
138
Le Massif
BAS-SAINT-LAURENT
20
ENVIRONS DE QUÉBEC
360
Saint-Tite-des-Caps
Île aux Oies
Saint-Ferréol-les-Neiges
132
Québec
Cap-Tourmente
Saint-Joachim
Beaupré
Île d'Orléans
Saint-François
Montmagny
0
10
20km
©ULYSSE

Charlevoix et Saguenay–Lac-St-Jean

De nombreux artistes ont été séduits par la singulière beauté des paysages de Charlevoix.

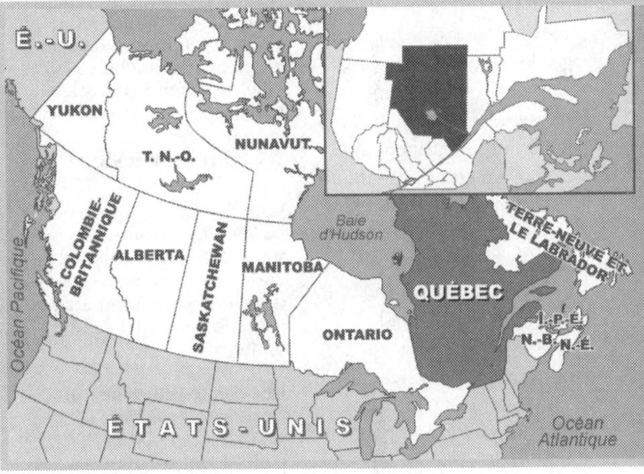

Depuis Saint-Joachim jusqu'à l'embouchure de la rivière Saguenay, la rencontre du fleuve et des montagnes a su y sculpter des paysages envoûtants et poétiques. Tout au long de cette rive, qu'agrémente un chapelet de vieux villages, se succèdent étroites vallées et montagnes tombant abruptement dans les eaux salées du Saint-Laurent. En quittant les berges, on pénètre alors dans un territoire sauvage et montagneux où la taïga se substitue parfois à la forêt boréale.

Les vieilles habitations et églises qui jalonnent le pays, tout comme le lotissement du territoire, hérité de l'époque seigneuriale, rappellent que Charlevoix fut l'une des premières régions de colonisation française.

À la richesse du patrimoine architectural et aux paysages exceptionnels, s'allient une faune et une flore d'une éblouissante variété. Déclarée «Réserve mondiale de la biosphère» par l'Unesco en 1988, la région de Charlevoix abrite des espèces animales et végétales uniques. Près des berges, à l'embouchure de la rivière Saguenay, des baleines de différentes espèces viennent se nourrir tout au long de l'été. Plus à l'ouest, aux abords du cap Tourmente, des centaines de milliers de grandes oies des neiges font escale en automne et au printemps, offrant un étonnant spectacle. Profondément dans l'hinterland, une partie du territoire est constituée d'un environnement ayant les propriétés de la taïga, ce qui est tout à fait remarquable à cette latitude, et abrite différentes espèces animales, entre autres le caribou et le grand loup d'Arctique. En ce qui a trait à la flore, mentionnons que Charlevoix est riche d'innombrables espèces inconnues des autres régions de l'est du Canada.

Occupant le fjord le plus méridional du monde, la rivière Saguenay prend sa source dans le lac Saint-Jean, une véritable mer intérieure de plus de 35 km de diamètre. Ces deux formidables plans d'eau constituent en quelque sorte le pivot de cette superbe région touristique. Gagnant rapidement le fleuve Saint-Laurent, la rivière Saguenay traverse un paysage très accidenté où se dressent falaises et montagnes. En croisière ou à partir des rives, on peut y admirer un défilé de splendides panoramas à la beauté sauvage. Jusqu'à Chicoutimi, le Saguenay est navigable et subit le rythme perpétuel des marées. Sa riche faune marine comprend, en été, des mammifères marins de différentes espèces. Au cœur de cette région, la ville de Chicoutimi est un endroit très animé et le principal centre urbain. Plus au nord, le lac Saint-Jean, qui alimente la rivière Saguenay, impressionne par sa superficie et la couleur de ses eaux. Les jolies plaines, aux abords du lac, sont très propices à l'agriculture et attirèrent les premiers colons au siècle dernier.

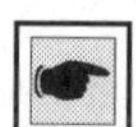

Pour s'y retrouver sans mal

Charlevoix

En voiture

De Québec, empruntez la route 138, qui constitue le principal axe routier de Charlevoix. Il est cependant possible, et même souhaitable, de joindre ce circuit à celui de la côte de Beaupré des «Environs de Québec», qui suit plutôt la route 360 jusqu'à Beaupré. Après avoir traversé les étendues horizontales des battures du fleuve Saint-Laurent, la route 138 grimpe soudainement dans les montagnes de Charlevoix à l'endroit précis où les Laurentides rejoignent le fleuve, refermant ainsi la vallée du Saint-Laurent à l'est. Si l'on jette un regard derrière soi, on aperçoit alors, par temps clair, l'île d'Orléans à gauche et la ville de Québec dans le lointain.

En traversier

Saint-Siméon : le traversier *(adulte 10$, voiture 25$; ☎418-638-5530)* quittant Rivière-du-Loup et se rendant à Saint-Siméon arrive à destination en 1 heure 5 min.

Baie-Sainte-Catherine : un traversier *(gratuit; ☎418-235-4395)* fait la navette entre Tadoussac et Baie-Sainte-Catherine, et permet d'arriver à destination en 10 min.

Pour accéder à l'**île aux Coudres**, il faut prendre le traversier *(gratuit; ☎418-438-2743)* au quai de Saint-Joseph-de-la-Rive. Il faut prévoir une attente d'environ une demi-heure pendant les mois d'été. La traversée elle-même prend une quinzaine de minutes. Les voitures sont admises.

Gares routières

Baie-Saint-Paul
2 rte. de l'Équerre (Centre commercial Le Village)
☎(418)435-6569

Saint-Hilarion
354 rte. 138
☎(418) 457-3855

Clermont
83 boul. Notre-Dame
☎(418) 439-3404

La Malbaie–Pointe-au-Pic
46 Ste-Catherine
☎(418) 665-7193

Saguenay–Lac-St-Jean

En voiture

De Québec, empruntez la route 138 Est jusqu'à Saint-Siméon. Prenez à gauche la route 170, qui traverse le village de Sagard avant de parvenir au parc du Saguenay. Cette même route vous permet de continuer jusqu'à Chicoutimi, où, après avoir traversé la rivière, vous pourrez vous rendre à Sainte-Rose-du-Nord par la route 172. Il est possible et même souhaitable de faire précéder le circuit du Saguenay de celui de Charlevoix, plus au sud. Le tour du lac Saint-Jean peut très bien s'effectuer à la suite d'une visite du Saguenay. Au départ de Jonquière, suivez la route 170 Ouest jusqu'à SaintBruno. Tournez à gauche sur la route d'Hébertville, et poursuivez sur la route 169, qui fait le tour du lac.

Gares routières

Alma
430 rue du Sacré-Cœur (restaurant Coq-Rôti)
☎(418)662-5441

Chicoutimi
Autobus Tremblay et Tremblay
55 rue Racine E.
☎(418)543-1403

Jonquière
Autocar Jasmin
2249 rue St-Hubert
☎*(418)547-2167*

Gares ferroviaires

Chambord
78 rue de la Gare
☎*800-361-5390*

Hébertville
15 rue Saint-Louis
☎*800-361-5390*

Jonquière
2439 rue Sainte-Dominique
☎*800-361-5390*

Renseignements pratiques

Indicatif régional : 418.

Renseignements touristiques

Charlevoix

Association touristique de Charlevoix
630 boul. de Comporté, C.P. 275, La Malbaie, G5A 1T8
☎*665-4454 ou 800-667-2276*
⇄*665-3811*

Baie-Saint-Paul
444 boul. Mgr-De-Laval (Belvédère Baie-Saint-Paul)
☎*435-4160*

Saguenay–Lac-St-Jean

Association touristique du Saguenay–Lac-Saint-Jean
198, rue Racine E., bureau 210, Chicoutimi, G7H 1R9
☎*543-9778 ou 800-463-9651*
⇄*543-1805*

Alma
1385 ch. de la Marina
☎*668-3016 ou 888-289-3016*

La Baie
1171 7e Av.
☎*697-5050*

Chicoutimi
295 rue Racine Est
☎*800-463-6565*

Jonquière
2665 boul. du Royaume
☎*548-4004 ou 800-561-9196*
⇄*548-7348*

Saint-Félicien
1209 boul. du Sacré-Cœur
☎*679-9888*
⇄*679-0562*

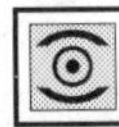

Attraits touristiques

Charlevoix

★★ Baie-Saint-Paul

On découvre l'ensemble de Baie-Saint-Paul au détour de la route. Une longue pente mène au cœur de la ville, qui conserve un air vieillot, ce qui rend agréable la promenade dans les rues Saint-Jean-Baptiste, Saint-Joseph et Sainte-Anne, bordées de petites maisons de bois au toit mansardé qui abritent de nos jours des boutiques et des cafés. L'endroit attire depuis plus de 100 ans des artistes paysagistes nord-américains séduits par les montagnes et la lumière particulière de Charlevoix.

Le **Centre d'art de Baie-Saint-Paul** ★ *(entrée libre; fin juin à fin août tlj 9h à 19h, début sept à fin juin tlj 9h à 17h; 4 rue Ambroise-Fafard, ☎435-3681).* Une sélection de toiles des artistes de Charlevoix est présentée dans ce bâtiment moderne conçu en 1967 par l'architecte Jacques De-Blois. Un symposium de peinture et de sculpture, au cours duquel on peut voir à l'œuvre de jeunes artistes, est organisé par le centre au mois d'août de chaque année.

Le **Centre d'exposition de Baie-Saint-Paul** ★★ *(3$; fin juin à fin août tlj 9h à 19h, début sept à fin juin tlj 9h à 17h; 23 rue Ambroise-Fafard, ☎435-3681).* Ce musée-galerie, achevé en 1992 selon les plans de l'architecte Pierre Thibault, accueille des expositions temporaires provenant du monde entier. Il est complété par la galerie René-Richard, où sont exposés plusieurs tableaux du peintre d'origine suisse René Richard.

Le **Centre d'histoire naturelle de Charlevoix** ★ *(contribution volontaire; fin juin à début sept tlj 9h à 19h, début sept à fin juin tlj 10h à 16h; 444 boul. Mgr-De-Laval/rte. 138, ☎435-6275)* s'inspire de cinq grands thèmes traitant des merveilles naturelles de la région. Ainsi, l'histoire géologique, la flore, la faune, les climats, de même que l'histoire humaine, y sont expliqués à l'aide de présentations et d'un diaporama.

La Laiterie Charlevoix accueille depuis 1997 le quatrième économusée de Charlevoix, l'**Économusée du fromage** ★ *(entrée libre; fin juin à début sept tlj 8h à 19h; sept à juin lun-ven 9h à 17h30, sam-dim 12h à 16h; 1151 boul. Mgr-De-Laval, ☎435-2184).* Fondée en 1948, l'entreprise a conservé le caractère artisanal des méthodes de fabrication du fromage cheddar. Chaque jour, avant 11h, vous pouvez voir les fromagers en action et apprendre les rudiments de la fabrication du fromage ainsi que de son processus de maturation. Depuis 1994, la Laiterie Charlevoix est également associée à la fabrication du savoureux «Migneron de Charlevoix».

★

Saint-Joseph-de-la-Rive

Situé en bordure du fleuve Saint-Laurent, ce village a longtemps vécu au rythme de la mer. Les goélettes échouées sur le rivage en témoignent avec éloquence. Depuis quelques décennies toutefois, la villégiature et l'artisanat ont remplacé la pêche et les constructions navales. À l'est du quai, où s'amarre le traversier menant à l'île aux Coudres, une plage de sable fin invite à la baignade en eau salée (mais souvent très froide). Un petit kiosque de bois, devant l'église, illustre à merveille la fragilité du bâti face à l'immensité du paysage marin de Charlevoix.

La **Papeterie Saint-Gilles** ★ *(entrée libre; mai à déc tlj 8h à 17h, jan à mai tlj 13h à 17h; 304 rue Félix-Antoine-Savard, ☎635-2430).* Cet atelier de fabrication de papier artisanal a été fondé en 1966 par le prêtre-poète Félix-Antoine Savard (1896-1982), auteur de *Menaud maître-draveur*, avec l'aide de Mark Donohue, membre d'une célèbre dynastie de l'industrie papetière canadienne. Pendant la visite de cet économusée du papier, des guides expliquent les différentes étapes de la fabrication du papier selon les techniques du XVIIe siècle (défibrage, encuvage, tamisage, pressage, séchage et calandrage). Le papier de Saint-Gilles est reconnaissable à son grain épais et à ses fleurs ou feuilles d'arbre insérées dans chaque pièce. Il est possible de se procurer sur place divers ensembles de papier à lettres de grande qualité.

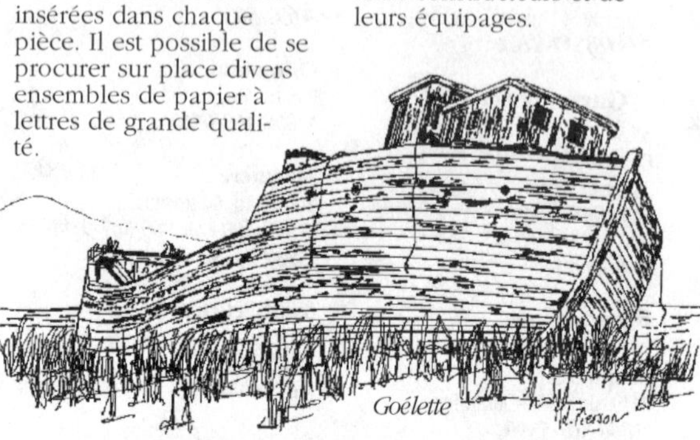

Goélette

L'**Exposition Maritime** ★★ *(2$; mi-mai à mi-juin et début sept à mi-oct lun-ven 9h à 17h, sam-dim 11h à 17h; mi-juin à début sept tlj 9h à 17h; 305 place de l'Église, ☎635-1131 ou 635-2803).* Situé sur le site d'un chantier naval, cet économusée de la goélette raconte la grande époque de ces fameux navires. On peut visiter les bateaux sur place.

★★

Île aux Coudres

L'Île aux Coudres constitue la municipalité formée par la fusion des villages Saint-Bernard et Saint-Louis *(point d'arrivée et de départ dans l'île aux Coudres).* Le traversier s'amarre au quai de Saint-Bernard, où débute la visite de l'île. C'est le meilleur endroit pour contempler les montagnes de Charlevoix. On remarquera sur la grève un des derniers chantiers navals de l'île encore en activité.

Le **Musée Les Voitures d'eau** ★ *(4$; mi-juin à mi-sept tlj 9h30 à 18h, mi-mai à mi-juin et mi-sept à mi-oct sam-dim 9h30 à 17h; 203 ch. des Coudriers, St-Louis ☎438-2208)* raconte l'aventure des goélettes, de leurs constructeurs et de leurs équipages. Il a été fondé en 1973 par le capitaine Éloi Perron, qui a récupéré la goélette *Mont-Saint-Louis*, laquelle peut d'ailleurs être visitée de la cale à la timonerie.

Les **Moulins Desgagné** ★★ ou **Moulins de l'Île-aux-Coudres** *(2,50$; mi-mai à mi-juin et début sept à mi-oct tlj 10h à 17h, mi-juin à début sept tlj 9h à 18h30; 247 ch. du Moulin, St-Louis, ☎438-2184).* Il est extrêmement rare de retrouver moulin à eau et moulin à vent dans un même voisinage. Les moulins de Saint-Louis forment, en fait, un ensemble unique au Québec. Le moulin à eau, érigé en 1825, et le moulin à vent de 1836 se complètent, l'un prenant la relève de l'autre selon les conditions climatiques du moment. L'ensemble, comprenant en outre une forge et une maison de meunier, a été restauré par le gouvernement du Québec, qui a profité du fait que les mécanismes étaient encore en parfait état de marche pour remettre les moulins au travail et en faire des centres d'interprétation des moulins à vent et à eau ainsi qu'un **économusée de la farine**. De plus, un meunier moud de nouveau le blé et le sarrasin, et du pain est cuit sur place dans un antique four à bois.

★

La Malbaie–Pointe-au-Pic

Seul parmi les grands hôtels de Charlevoix à avoir survécu, le **Manoir Richelieu** ★★ *(181 av. Richelieu)* a vu le jour en 1899. Au premier hôtel de bois, a succédé l'hôtel actuel en béton, à l'épreuve du feu et des tremblements de terre, dessiné dans le style Château par l'architecte John Smith Archibald en 1929. Nombre de personnalités y ont séjourné, de Charlie Chaplin au roi de Siam, en passant par les Vanderbilt de New York. Même si l'on ne réside pas au Manoir, il est permis de parcourir discrètement son allée intérieure, bordée d'élégants salons, et de flâner dans ses jardins surplombant le fleuve Saint-Laurent.

Attrait numéro un dans le région, le **Casino de Charlevoix** *(183 av. Richelieu, ☎665-5300 ou 800-665-2274)* est un casino à l'européenne, voisin du Manoir Richelieu, agréablement aménagé et très fréquenté. Une tenue vestimentaire appropriée est de rigueur.

Cap-à-l'Aigle

Depuis le boulevard de Comporté, à La Malbaie, on aperçoit déjà au loin une noble maison de pierre, élevée sur les escarpements du cap à l'Aigle. Il s'agit de l'ancien manoir de la seigneurie de Malcolm Fraser, baptisée Mount Murray. Celle-ci faisait pendant, à l'est de la rivière Malbaie, à la seigneurie de John Nairne, établie à l'ouest du cours d'eau et baptisée simplement Murray Bay en l'honneur du gouverneur britannique de l'époque, James Murray. Le village de Cap-à-l'Aigle, dont la vocation touristique remonte au XVIIIe siècle, forme le cœur de la seigneurie de Mount Murray.

Sur le domaine de la famille Cabot s'étalent les **Jardins aux Quatre Vents** ★★ *(sur rendez-vous à compter de mars; à gauche sur la rte. 138 ☎434-2209)*, parmi les plus beaux jardins privés du Québec. Son propriétaire, qui l'entretient avec minutie et l'augmente chaque été, l'ouvre au public pendant quelques jours chaque année. En espérant que vous serez parmi les quelques chanceux à pouvoir le visiter, en voici une description : le jardin se compose en réalité de 22 jardins individuels, chacun développant un thème particulier. Citons, par exemple, le potager en terrasses, le jardin du Ravin, les Cascades et le lac des Libellules, que franchit un pont chinois. L'aménagement des Jardins aux Quatre Vents a débuté en 1928, avec la plantation du jardin Blanc, dans lequel toutes les fleurs sont, bien entendu, blanches comme neige.

Le Saguenay–Lac-St-Jean

★

Rivière-Éternité

Avec un nom pareil, comment ne pas se laisser emporter par la poésie du Saguenay, d'autant plus que Rivière-Éternité constitue la porte d'entrée du **parc du Saguenay** ★★★ (voir p 342) et du merveilleux **parc marin du Saguenay–Saint-Laurent** ★★★, où l'on peut observer les baleines dans leur habitat naturel.

Sur la première des trois corniches formant le cap Trinité se trouve une statue de la Vierge, baptisée **Notre-Dame- du-Saguenay**. Cette œuvre en bois de pin, sculptée par Louis Jobin, fut installée là en 1881, en guise de remerciement pour faveur obtenue par un commis voyageur sauvé in extremis d'une mort certaine après que la glace eut cédé sous son poids. La statue a une taille suffisamment importante (8,5 m de hauteur) pour la rendre nettement visible depuis le pont des navires remontant la rivière.

★

La Baie

Cette ville à vocation industrielle occupe un site admirable au creux de la baie des Ha! Ha! Ce terme savoureux, désignant une «impasse» en vieux français, aurait été employé par les premiers explorateurs de la région qui, s'étant engagés dans la baie, croyaient avoir affaire à une rivière. La ville de La Baie est le résultat de la fusion, en 1976, de trois municipalités limitrophes, Bagotville, Port-Alfred et Grande-Baie. Cette dernière est la plus ancienne, ayant été fondée en 1838 par la Société des Vingt-et-Un. Jusqu'à La Baie, le Saguenay est sous l'emprise des marées d'eau salée, ce qui confère à l'agglomération un caractère maritime. Elle possède d'ailleurs un important **port de mer** qu'il est possible de visiter.

Le **Musée du Fjord** ★ *(4$; fin juin à début sept lun-ven 9h à 18h, sam-dim 10h à 18h; début sept à fin juin lun-ven 8h30 à 12h et 13h30 à 17h, sam-dim 13 h à 17 h; 3346 boul. de la Grande-Baie S., ☎697-5077, ≠697-5079).* La Société des Vingt-et-Un fut fondée à La Malbaie (Charlevoix) en 1837, dans le but secret de trouver de nouvelles terres agricoles pour déplacer le trop-plein de colons canadiens-français des rives du fleuve Saint-Laurent. Sous le prétexte d'effectuer la coupe de bois pour le compte de la Compagnie de La Baie d'Hudson, elle fit défricher différentes anses du Saguenay, y installant hommes, femmes et enfants. Le 11 juin 1838, la goélette de Thomas Simard, transportant les premiers colons, mouilla dans la baie des Ha! Ha! Les hommes débarquèrent et construisirent, sous la gouverne d'Alexis Tremblay, une première cabane en bois de 4 m sur 6, donnant ainsi naissance à l'actuelle ville de La Baie. Le Musée du Fjord raconte l'aventure de la colonisation du Saguenay dans une intéressante exposition permanente à caractère ethnographique. Des expositions temporaires sont également mises sur pied chaque année.

Au **Palais municipal** ★ *(28,50$; début juil à mi-août 20h; 591 5e Rue, ☎697-5151 ou 888-873-3333),* on présente ***La fabuleuse histoire d'un royaume***, un spectacle historique à grand déploiement comme on en retrouve dans certaines villes de province française. Plus de 200 comédiens, 1 400 costumes, des animaux, des voitures, des jeux de lumière et des décors donnent vie à cette fresque haute en couleur.

★ Chicoutimi

Chicoutimi signifie, en langue montagnaise, «là jusqu'où c'est profond», allusion aux eaux du Saguenay, navigables jusqu'à la hauteur de cette ville, la plus importante agglomération de tout le Saguenay–Lac-Saint-Jean. Lieu de rassemblements, de fêtes et d'échanges pour les tribus amérindiennes nomades pendant plus de 1 000 ans, Chicoutimi deviendra l'un des plus importants postes de traite des fourrures en Nouvelle-France à partir de 1676. Celui-ci demeurera en activité jusqu'au milieu du XIXe siècle, alors que les industriels Peter McLeod et William Price ouvrent une scierie à proximité (1842), permettant enfin l'aménagement d'une véritable ville à cet endroit, favorisé par la présence de trois rivières au fort débit : les rivières du Moulin, Chicoutimi et Saguenay. Le centre de Chicoutimi est dominé par des édifices religieux et institutionnels. La rue Racine en est la principale artère commerciale. De la ville victorienne du XIXe siècle, il ne subsiste que bien peu de choses, la majeure partie de Chicoutimi ayant été détruite lors d'un violent incendie en 1912, le reste ayant été «modernisé» ou banalisé au cours des 30 dernières années. Le long des rues, on retrouvera, sur les enseignes des magasins, des noms typiques du Saguenay, comme Tremblay ou Claveau, mais aussi des noms à consonance anglaise, comme Harvey et Blackburn, symboles d'un phénomène unique au Canada : l'assimilation de familles anglophones aux francophones.

La **Pulperie de Chicoutimi** ★★ *(7$; mi-juin à début sept tlj 9h à 18h, juil tlj 9h à 20h; 300 rue Dubuc, ☎698-3100, ≠698-3158).* Au tournant du XXe siècle naissent quelques entreprises canadiennes-françaises d'envergure dans le Saguenay–Lac-Saint-Jean, les plus grosses étant les usines de pâte à papier de Val-Jalbert et de Chicoutimi. La pulperie de Chicoutimi fut fondée en 1896 par Dominique Guay et agrandie à plusieurs reprises par la puissante North American Pulp and Paper Company, présidée par Alfred Dubuc. L'entreprise fut pendant 20 ans le plus important fabricant de pâte à papier mécanique au Canada, fournissant les marchés français, américain et britannique. Le vaste complexe industriel, aménagé en bordure de la bouillonnante rivière Chicoutimi, comprenait quatre usines de pâte dotées de turbines et de défibreurs, deux centrales hydroélectriques, une fonderie, un atelier de réparation et un centre ferroviaire. L'effondrement du prix de la pâte en 1921 et le krach de 1929 ont entraîné la fermeture de la pulperie, laissée à l'abandon jusqu'en 1980. Entre-temps, des incendies ont laissé la plupart des bâtiments en ruine, mettant cependant en valeur leurs épaisses murailles de pierre.

Depuis 1996, l'ensemble a été transformé en musée de site. Autrement dit, tout le complexe devient un gigantesque musée de plus de 1 ha de superficie. On y retrouve un circuit d'interprétation ponctu. De 12 stations illustrant le site ains qu'une exposition thématique et la **maison Arthur-Villeneuve** *(300 rue Dubuc, à l'intérieur de la Pulperie, ☎698-3100).*

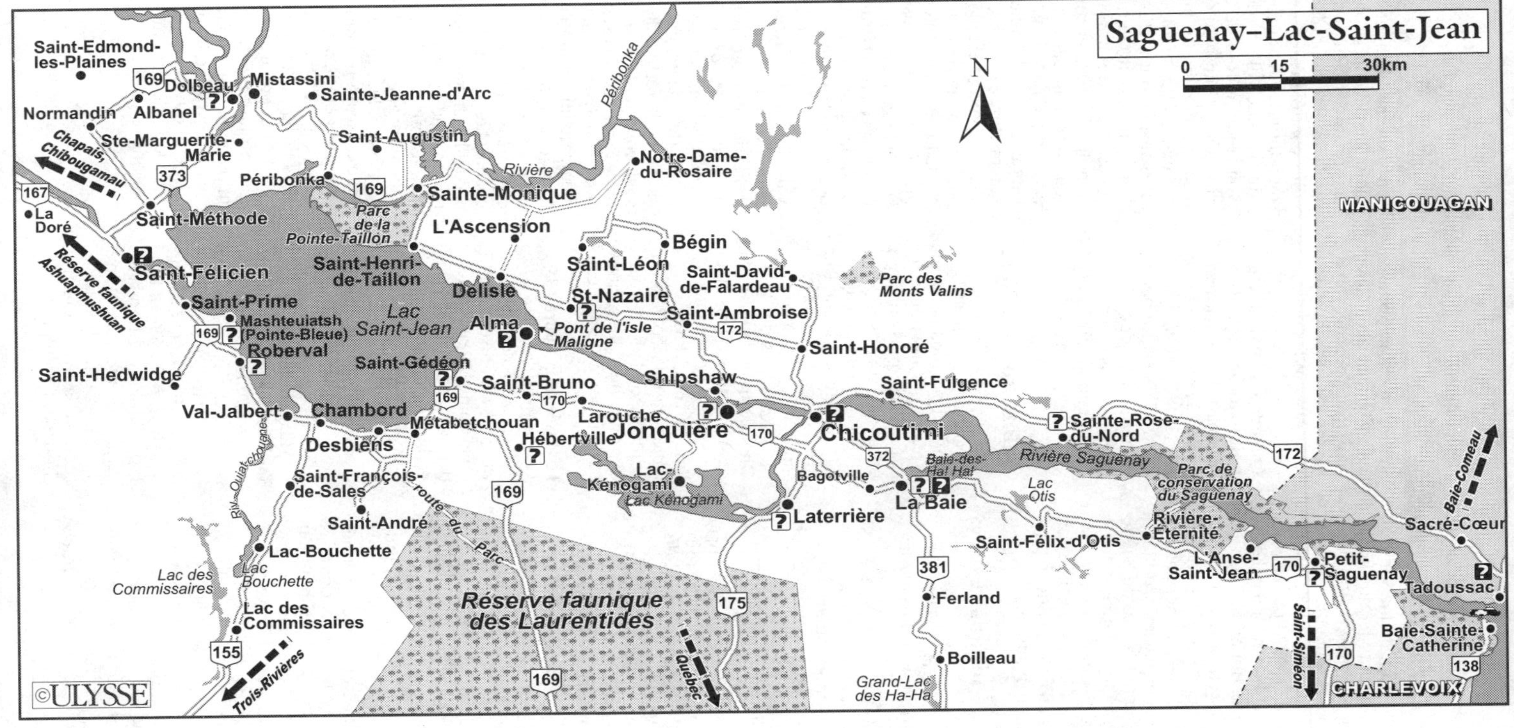
Saguenay–Lac-Saint-Jean
0
15
30km
N
MANICOUAGAN
CHARLEVOIX
Saint-Edmond-les-Plaines
Dolbeau
Mistassini
Sainte-Jeanne-d'Arc
Normandin
Albanel
Ste-Marguerite-Marie
Chapais, Chibougamau
Saint-Augustin
Notre-Dame-du-Rosaire
Rivière Péribonka
Péribonka
Sainte-Monique
La Doré
Saint-Méthode
Parc de la Pointe-Taillon
L'Ascension
Bégin
Saint-Félicien
Réserve faunique Ashuapmushuan
Saint-Henri-de-Taillon
Saint-Léon
Saint-David-de-Falardeau
Parc des Monts Valins
Delisle
St-Nazaire
Saint-Ambroise
Saint-Prime
Mashteuiatsh (Pointe-Bleue)
Lac Saint-Jean
Alma
Pont de l'isle Maligne
Saint-Honoré
Roberval
Saint-Gédéon
Saint-Hedwidge
Saint-Bruno
Shipshaw
Saint-Fulgence
Val-Jalbert
Chambord
Larouche
Chicoutimi
Sainte-Rose-du-Nord
Métabetchouan
Jonquière
Hébertville
Desbiens
Rivière Saguenay
Baie-des-Ha! Ha!
Parc de conservation du Saguenay
Baie-Comeau
Lac-Kénogami
Lac Kénogami
Bagotville
Lac Otis
Saint-François-de-Sales
La Baie
Riv. Ouiatchouane
route du Parc
Saint-André
Laterrière
Rivière-Éternité
Sacré-Cœur
Saint-Félix-d'Otis
Lac-Bouchette
L'Anse-Saint-Jean
Petit-Saguenay
Lac des Commissaires
Lac Bouchette
Tadoussac
Ferland
Réserve faunique des Laurentides
Lac des Commissaires
Saint-Siméon
Baie-Sainte-Catherine
Québec
Boilleau
Trois-Rivières
Grand-Lac des Ha-Ha
169
167
373
172
170
372
381
175
155
138
©ULYSSE

Cette humble maison ouvrière serait le plus important exemple d'art populaire du Québec, sinon du Canada. Elle fut habitée jusqu'en 1990 par le peintre-barbier Arthur Villeneuve, qui en fit une véritable œuvre d'art en recouvrant ses murs, autant extérieurs qu'intérieurs, de fresques naïves racontant la petite histoire du Saguenay. On y trouve un circuit d'interprétation ponctué de 12 stations illustrant le site ainsi qu'une exposition thématique.

Jonquière

En 1847, la Société des défricheurs du Saguenay obtient l'autorisation de s'implanter en bordure de la rivière aux Sables. Le nom de Jonquière est choisi en souvenir de l'un des gouverneurs de la Nouvelle-France, le marquis de Jonquière. Les débuts de cette ville ont été marqués par l'histoire de Marguerite Belley, de La Malbaie, qui alla reconduire à dos de cheval trois de ses fils à Jonquière, pour éviter qu'ils ne soient tentés d'émigrer aux États-Unis. En 1870, tout le territoire compris entre Jonquière et Saint-Félicien, au Lac-Saint-Jean, fut détruit lors une conflagration majeure. La région prendra plus de 40 ans à s'en remettre. De nos jours, Jonquière est considérée comme une ville essentiellement moderne, dominée par son usine d'aluminium Alcan. Cette entreprise multinationale possède plusieurs usines au Saguenay–Lac-Saint-Jean, remplaçant les fils Price et leur empire du bois comme principal employeur de la région. Les villes d'Arvida et de Kénogami ont fusionné avec Jonquière en 1975, formant une agglomération suffisamment importante pour rivaliser avec Chicoutimi, toute proche. Jonquière est reconnue pour ses visites industrielles.

Ouverte en 1931, la **centrale hydroélectrique de Shipshaw** ★★ *(visite gratuite; juin à août lun-ven 13h30 et 15h; 1471 rte. du Pont, ☎699-1547)* est un bel exemple d'Art déco. Elle dessert les usines d'aluminium de la région.

★

Sainte-Rose-du-Nord

Ce charmant hameau, fondé il y a plus de 50 ans, a pourtant l'apparence d'un village plus ancien. Il est adossé aux escarpements rocheux du Saguenay, ce qui lui donne l'air irréel des villages de carton que l'on dispose au pied des arbres de Noël. On s'assurera d'entrer dans ses boutiques d'artisanat et de visiter l'**église Sainte-Rose-de-Lima**, dont l'intérieur est décoré sous le thème de la forêt, avec des branches, des racines et de l'écorce de bouleau.

Le **Musée de la nature** *(3$; toute l'année tlj 8h30 à 21h; 199 rue de la Montagne, ☎675-2348)* présente différents animaux empaillés et des spécimens de la flore de la région regroupés dans six salles aménagées avec originalité.

Val-Jalbert

Le **Village historique de Val-Jalbert** ★★ *(10$; début avr à mi-juin et fin août à fin déc tlj 9h à 17h, mi-juin à fin août tlj 9h à 19h; rte. 169, C.P. 307, ☎275-3132 ou 888-675-3132, ≠275-5875)*. En 1901, l'industriel Damase Jalbert construit une usine de pulpe au pied de la chute de la rivière Ouiatchouane. L'entreprise prospère rapidement, au point de devenir la plus importante société industrielle entièrement placée sous contrôle canadien-français. En quelques années, une ville modèle voit le jour autour de l'usine. On y trouve un couvent, un moulin, un magasin général, un hôtel, des maisons, le tout réalisé selon un plan d'urbanisme précis. La chute du prix de la pulpe en 1921 et son remplacement par la pâte synthétique dans la fabrication du papier entraînent la fermeture de l'usine en 1927. Le village est alors complètement déserté par ses habitants. Le site demeure abandonné, jusqu'à ce que le gouvernement du Québec en fasse une base de plein air, au milieu des années soixante.

Val-Jalbert est un riche morceau du patrimoine industriel nord-américain figé dans le temps. Le site a conservé en partie son aspect de village fantôme, alors que le reste a été soigneusement restauré pour loger certains services d'hébergement de même qu'un centre d'interprétation fort instructif. Il s'inscrit en outre dans un cadre naturel d'une grande beauté. Les visiteurs sont accueillis au stationnement par un guide qui leur fait faire le tour du village en autobus avant de les laisser flâner à leur guise entre les maisons en bois de type boom town. Différents points d'observation, reliés par un téléphérique *(3,75$)*, ont été aménagés pour profiter pleinement du paysage. Un terrain de camping avoisine le village, et il est même possible de séjourner dans des maisons restaurées.

Saint-Félicien

Les terres de la portion sud-ouest du Lac-Saint-Jean furent habitées graduellement entre 1850 et 1870. Saint-Félicien se situait alors à la limite septentrionale du peuplement de la région. C'est ici que débuta le grand feu de 1870, qui détruisit tout sur son passage, jusqu'à Jonquière. On remarquera, au centre de la ville, l'imposante **église néoromane Saint-Félicien** *(boul. du Sacré-Cœur)*, construite en 1913 d'après les dessins de l'architecte Joseph-Pierre Ouellet. Sous ses clochers, hauts de 55 m, se déploie un intérieur éclectique aux multiples galeries et balustrades.

Le **Zoo sauvage de Saint-Félicien** ★★ *(17$; mi oct à fin oct et début mai à mi-mai: sur réservation, mi-mai à fin mai 9h à 17h, début juin à fin août 9h à 18h, début sept à mi-oct 9h à 17h, début nov à fin avr accessibilité pédestre lun-ven, horaire spécifique (balade en train) pour l'hiver; 2230 boul. du Jardin, ☎679-0543 ou 800-667-5687, ⇄679-3647, www.d4m.com/zoosauvage)* abrite plusieurs espèces de la faune du Québec que vous pourrez observer dans leur habitat naturel. En effet, il tient sa particularité du fait que les animaux ne sont pas en cage; ils circulent librement; ce sont plutôt les visiteurs qui font le tour du zoo dans un petit autobus grillagé. La reconstitution d'un camp de bûcherons, d'un campement montagnais, d'un poste de traite des fourrures et d'une ferme coloniale, avec des bâtiments authentiques regroupés sur le site, ajoute un élément historique à la visite de ce zoo non traditionnel.

★ Péribonka

Louis Hémon naît à Brest (France) en 1880. Après des études au lycée Louis-LeGrand à Paris, il obtient une licence en droit de la Sorbonne. En 1903, il s'installe à Londres, où il entame sa carrière d'écrivain. L'esprit aventurier d'Hémon le conduit au Canada. Il vit à Québec puis à Montréal, où il rencontre des investisseurs désireux de construire un chemin de fer dans la partie nord du Lac-Saint--Jean. Il se rend sur place pour faire du repérage, mais c'est davantage la vie quotidienne du pays qui l'intéresse. En juin 1912, il rencontre Samuel Bédard, qui l'invite chez lui, à Péribonka. Hémon participe alors aux travaux de la ferme et recueille secrètement dans un cahier ses impressions de voyage, qui donneront naissance à son chef-d'œuvre, le roman *Maria Chapdelaine*.

Hémon n'aura cependant pas le loisir de goûter à l'immense succès du roman. Le 8 juillet 1913, alors qu'il marche sur une voie ferrée près de Chapleau, en Ontario, il est frappé par un train. L'écrivain décède, quelques minutes plus tard, dans les bras de ses compagnons de voyage.

Le **Musée Louis-Hémon** ★★ *(5,50$; juin à sept tlj 9h à 17h, sept à juin lun-ven 9h à 16h; 700 rte. 169, ☎374-2177, ⇄374-2516)*. La maison de Samuel Bédard et de son épouse, Eva née Bouchard, où a séjourné Louis Hémon durant l'été 1912, subsiste toujours en bordure de la route 169. Il s'agit d'un des trop rares exemples d'habitation de colons du Lac-Saint-Jean ayant survécu à l'amélioration du niveau de vie dans la région. La maison au confort minimal, qui a inspiré Hémon tout en donnant naissance au mythe de la «cabane au Canada», a été construite en 1903. Elle devient un musée dès 1938, ce qui permettra de conserver intact son mobilier, voire la disposition initiale de celui-ci à travers les humbles pièces d'habitation. Un grand bâtiment postmoderne a été érigé à proximité pour abriter les objets personnels de Louis Hémon, différents souvenirs liés aux villageois ayant inspiré l'œuvre d'Hémon, de même que des rappels du succès du roman *Maria Chapdelaine*.

Alma

Cette ville industrielle se situe à l'entrée de la région du Lac-Saint-Jean. On y trouve une vaste aluminerie et un moulin à papier entourés par les quartiers ouvriers et bourgeois. Le parc Falaise nous rappelle qu'Alma est jumelée, depuis 1969, à la ville de Falaise, en Normandie.

Le **Musée d'histoire du Lac-Saint-Jean** *(3$; fin juin à début sept lun-ven 9h à 18h, sam-dim 13h à 17h, début sept à fin juin lun-ven 9h à 12h et 13h30 à 16h30; 54 rue St-Joseph S., ☎668-2606, ⇄668-5851)* présente une exposition permanente sur l'histoire d'Alma de même que des expositions temporaires d'art et d'histoire.

Les personnes qui le désirent peuvent visiter les installations de la **papeterie Alma** ★ *(22 juin au début sept mar-jeu 9h30 à 13h30; 1100 rue Melançon, ☎668-9400, poste 9348)*. Elles sont conduites au département des pâtes et à la salle des

Québec

machines; des explications leur sont données sur tout le processus de fabrication.

Parcs

Charlevoix

Situé à l'extrémité est de la réserve faunique des Laurentides, le **parc des Grands-Jardins** ★★ *(166 boul. de Comporté, Baie-St-Paul, ☎846-2057 ou 457-3945)* est riche d'une faune et d'une flore de taïga et de toundra, tout à fait inusitées pour la région. Des randonnées pédestres, commentées par des naturalistes et visant à faire découvrir ces beautés naturelles, sont organisées tout au long de l'été. Parmi les promenades proposées, certaines permettent l'observation de caribous. En outre, le sentier Mont du lac des Cygnes est classé parmi les plus beaux du Québec. On peut également emprunter des circuits de canot-camping.

Le **parc régional des Hautes-Gorges-de-la-rivière-Malbaie** ★★ *(de Baie-Saint-Paul, prenez la rte. 138 jusqu'à St-Aimé-des-Lacs, ☎439-4402)*, qui s'étend sur 233 km², fut créé afin de protéger ce site de l'exploitation commerciale. Il y a 800 millions d'années, une cassure terrestre forma ces magnifiques gorges qui furent, par la suite, modelées par les glaciers. Aujourd'hui, ce site est d'une grande richesse écologique. Les types de forêts couvrant cette région sont d'une incroyable diversité, allant des érablières à la toundra alpine. Les parois rocheuses, parfois hautes de 800 m, entre lesquelles serpente la rivière offrent plusieurs voies propices à l'escalade. La plus connue est certes la voie nommée «Pomme d'or», de niveau expert et haute de 350 m. Dans ce parc, on peut également s'adonner à la motoneige, à la randonnée pédestre (le sentier «L'acropole» est particulièrement apprécié) et au canot-camping. Le centre de location propose des vélos de montagne (15$/jour) et des canots (18$/jour). Des **croisières en bateau-mouche** *(20,50$; durée 1 heure 30 min; ☎635-1027, ≠635-1028)* sont également proposées. Pour pleinement admirer le site, il faut emprunter la rivière.

Saguenay–Lac-St-Jean

Le **parc du Saguenay** ★★★ *(3415 boul. de la Grande-Baie S., La Baie, G7B 1G3, accès par la rte. 170, ☎544-7388. ≠697-1550)* couvre une partie des berges de la rivière Saguenay. Il s'étend des rives de l'estuaire (situé dans la région touristique de Manicouagan) jusqu'à Sainte-Rose-du-Nord. À cet endroit, d'abruptes falaises se jettent dans la rivière, créant de magnifiques paysages. Des sentiers de randonnée pédestre, s'étendant sur une centaine de kilomètres, permettent de découvrir cette fascinante région. Parmi eux, mentionnons le petit sentier de 1,7 km, situé au bord du Saguenay, qui s'avère assez facile, le sentier de la Statue, d'une longueur de 3,5 km, qui offre une ascension difficile, et le superbe sentier des Caps, long de 25 km, pour lequel il faut compter trois jours de marche. Le réseau de sentiers du parc s'étend désormais, sur la rive sud, de Rivière-Éternité jusqu'aux limites de Petit-Saguenay (100 km), soit l'anse aux Petites-Îles. Sur la rive nord, de récents aménagements permettent de relier Tadoussac au nouveau point d'accueil de la baie Sainte-Marguerite en trois jours environ, avec campings rustiques et refuges. L'enregistrement est obligatoire pour ce dernier. En hiver, ces sentiers se transforment en pistes de ski de fond. Pour loger les visiteurs, des emplacements de camping et des refuges sont aménagés.

Activités de plein air

Croisières

Saguenay–Lac-St-Jean

Les **Croisières La Marjolaine** *(30$; boul. Saguenay Est, C.P. 203, Port de Chicoutimi, ☎543-7630 ou 800-363-7248, ≠693-1701)* organisent des croisières sur le Saguenay. La promenade s'avère des plus agréables pour découvrir le spectacle fascinant du fjord. L'excursion part de Chicoutimi et va jusqu'à Sainte-Rose-du-Nord. Le retour se fait en autocar, sauf aux mois de juin et de septembre (l'aller et le retour se font alors en bateau). La croisière dure toute la journée. On peut également partir de Sainte-Rose-du-Nord pour se rendre à Chicoutimi.

Ski alpin

Charlevoix

Le Massif ★★★ *(32,75$; 1350 rue Principale, C.P. 47, Petite-Rivière-St-François, ☎632-5876, www.lemassif.-com)* est l'une des stations de ski les plus intéressantes du Québec. D'abord parce que Le Massif offre le dénivelé le plus haut de l'est du Canada, soit 770 m, ensuite parce qu'il reçoit chaque hiver des chutes de neige abondantes qui, aidées par la neige artificielle, créent des conditions idéales. Bien qu'en constante modernisation, cette station de ski a choisi de suivre un développement respectant la nature environnante. Et quelle nature! La montagne, qui se jette presque dans le fleuve, offre depuis son sommet une vue époustouflante! Trois remontées mécaniques accommodent maintenant les skieurs, qui peuvent jouir de 20 pentes de niveaux intermédiaires et avancés. Au pied des pistes, on trouve un bar ainsi qu'un restaurant-cafétéria qui sert une bonne cuisine à prix raisonnable.

Le **parc régional du Mont-Grand-Fonds** ★ *(25$; 1000 ch. des Loisirs, La Malbaie, ☎665-0095)* propose 13 pistes de ski alpin d'une dénivellation de 335 m. La plus longue piste descend sur 2 500 m.

Hébergement

Charlevoix

Baie-Saint-Paul

Parc des Grands-Jardins
14-20
166 boul. de Comporté, Baie-St-Paul
Le parc des Grands-Jardins a de petits chalets et des refuges à louer. Pour ce faire, il faut réserver auprès du ministère de l'Environnement et de la Faune au ☎800-665-6527. Par ailleurs, le parc est réputé pour la pêche; donc, si vous voulez louer durant la période estivale, il faut réserver tôt.

Le Genévrier
20$
rte. 138, à la sortie de Baie-Saint-Paul, G0A 1B0
☎435-6520
Le camping Le Genévrier est un vaste complexe récréotouristique qui s'intègre magnifiquement à son milieu naturel. Les campeurs de toute tendance sont assurés d'y trouver chaussure à leur pied. On y dénombre 450 emplacements, principalement en terrain boisé, pour tous types de logis et d'abris, des plus grosses autocaravanes jusqu'aux tentes des amateurs de camping sauvage. Plusieurs chalets tout équipés, modernes et confortables, sont situés au bord du lac ou de la rivière. En été, on offre en location deux chalets plus rustiques en bois rond, tout équipés, avec literie et douche. Un programme étoffé d'activités sportives et de loisirs est proposé chaque jour. Sentiers de randonnée pédestre et de vélo de montagne le long de la rivière.

Auberge La Maison Otis
180$ ½p
≈, ⌂, ℜ
23 rue St-Jean-Baptiste, G0A 1B0
☎435-2255 ou 800-267-2254
L'Auberge La Maison Otis conjugue une ambiance suave et un décor de bon goût à une table divine. L'ancienne section a de petites chambres douillettes, avec le lit au second palier, alors que, dans la nouvelle section, les chambres sont grandes et chaudes. D'une architecture québécoise classique, cette ancienne banque est située au cœur de la ville.

Auberge La Pignoronde
184$ ½p
≈, ℜ
750 boul. Mgr-De-Laval, G0A 1B0
☎435-5505 ou 888-554-6004
L'étrange bâtiment circulaire de l'Auberge La Pignoronde est d'aspect plutôt quelconque. Heureusement, le décor intérieur est des plus charmants. Ainsi, le hall pourvu d'un foyer s'avère fort accueillant. On y jouit d'une vue superbe en plongée sur la baie.

Île aux Coudres

Notez que tous les lieux d'hébergement de l'île sont fermés durant la saison hivernale.

Hôtel-Motel Cap-aux-Pierres
190$ ½p
≈, ℜ
246 rte. Principale, La Baleine, G0A 2A0
☎438-2711 ou 800-463-5250
Un long bâtiment, orné d'une multitude de lucarnes, abrite l'Hôtel-Motel Cap-aux-Pierres. Les chambres, au décor rustique, sont agréables.

Saint-Irénée

Auberge des Sablons
168$ ½p
bc/bp, ℜ
223 ch. Les Bains, G0T 1V0
☎452-3594
⇄452-3240
La jolie maison blanche aux volets bleus abritant l'Auberge des Sablons est tout à fait charmante. Elle se trouve sur un site d'une grande tranquillité voisin du Domaine Forget. Les chambres, au décor vieillot, sont agréables.

La Malbaie–Pointe-au-Pic

Auberge Aux Douceurs Belges
80$
ℜ
121 ch. des Falaises, G0T 1M0
☎665-7480 ou 800-363-7480
L'Auberge Aux Douceurs Belges est installée dans une vieille demeure de bois, malheureusement mal insonorisée. Néanmoins, les chambres qui donnent sur le fleuve, avec leur balcon, font passer des moments très agréables. L'endroit est idéal pour prendre une bière belge tout en contemplant tranquillement le paysage!

Manoir Richelieu
59-200
≡, ⊛, ⌂, ⊘, ≈, ℂ, ℜ
181 av. Richelieu, G0T 1M0
☎665-3703 ou 888-270-0111
⇄665-3093
Véritable institution hôtelière au Québec, le Manoir Richelieu demeure un des lieux de villégiature les plus recherchés et les plus appréciés du Québec. Doté de tourelles, de gâbles et d'un toit aigu, ce joyau architectural d'inspiration normande dispose de 350 chambres et de nombreuses suites dans sa section arrière. Plusieurs boutiques sont aménagées au rez-de-chaussée, de même qu'un lien souterrain avec le casino. Une bonne partie des chambres a été rénovée depuis l'arrivée du casino. Son restaurant fait le bonheur des gourmets (voir «Le Saint-Laurent», p 346).

Auberge Les Trois Canards et Motels
99-225
ℜ, ⊛, ≈
49 côte Bellevue, G0T 1M0
☎665-3761 ou 800-461-3761
⇄675-4727
L'Auberge Les Trois Canards et Motels offre une vue superbe sur toute la région et abrite neuf chambres chaleureusement décorées et munies de foyer, de tapis douillets et d'une baignoire à remous. Son motel est pourvu de chambres moins bien aménagées, mais permettant néanmoins une belle vue sur l'eau.

Cap-à-l'Aigle

Auberge des Peupliers
172$ ½p
ℜ, ⌂
381 rue St-Raphaël, G0T 1B0
☎665-4423 ou 888-282-3743
⇄665-3179
L'Auberge des Peupliers est construite à flanc de colline et surplombe le fleuve Saint-Laurent. Les chambres sont garnies de meubles en bois qui leur donnent un charmant air vieillot. L'auberge dispose de salons paisibles, bien agréables pour se détendre.

La Pinsonnière
275$ ½p
≈, ⌂, ℜ
124 rue St-Raphaël, G0T 1B0
☎665-4431 ou 800-387-4431
⇄665-7156
Le luxueux hôtel La Pinsonnière repose dans un site enchanteur près du fleuve. Les chambres sont décorées avec goût; chacune est différente des autres. L'endroit est paisible et sa table est courue (voir p 346).

Saguenay–Lac-St-Jean

La Baie

La Maison de la Rivière
70$
⊛, ℜ
9122 ch. de la Batture, G7B 3P6
☎544-2912 ou 800-363-2078
⇄544-2912
La Maison de la Rivière bénéficie d'un site enchanteur, entouré d'une belle nature verdoyante, et d'une tranquillité à faire rêver. Elle propose des forfaits spécialisés originaux axés sur la gastronomie régionale et amérindienne, les plantes sauvages, le plein air, les activités culturelles, le romantisme et les médecines douces. Ses chambres confortables et décorées avec goût sont désignées par des noms puisés dans la nature plutôt que par des numéros. Dix d'entre elles ont un balcon privé qui offre une vue extraordinaire sur le fjord. L'accueil est amical.

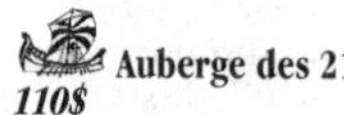
Auberge des 21
110$
⊛, ≈, tv, ℜ, ✪
621 rue Mars, G7B 4N1
☎697-2121 ou 800-363-7298
⇄544-3360
La coquette Auberge des 21 dispose, en plus d'une vue magnifique sur la baie des Ha! Ha!, de chambres confortables et d'un relais santé qui vous aidera à profiter au maximum de vos moments de détente.

Chicoutimi

Hôtel Gouverneur
110$
≈, ℜ, ≡, *tv*
1303 boul. Talbot, G7H 4C1
☎549-6244 ou 888-910-1111
⇌549-5527
Construit au cœur de la ville, l'Hôtel des Gouver neurs est le rendez-vous des gens d'affaires qui recherchent des chambres au confort moderne.

Jonquière

Hôtel Jean Dequen
50$
tv, ℜ
2841 boul. du Royaume, G7X 7V3
☎548-7173
⇌548-9126
Une bonne adresse écono mique à retenir à Jon quière, l'hôtel Jean De quen propose des cham bres rénovées offrant un bon rapport qualité/prix.

Sainte-Rose-du-Nord

Auberge du Presbytère
55$
ℜ
136 rue du Quai, G0V 1T0
☎/⇌675-2503
Grâce à ses chambres tou jours impeccables, l'Au berge du Presbytère a su combler les attentes de plus d'un visiteur et a ainsi acquis une réputation enviable.

Val-Jalbert

Le **camping** *(17,50$; ☎275-3132)* de ce village fantôme est exceptionnel. Son vaste terrain offre de beaux emplacements natu rels qui raviront les ama teurs de camping rustique.

Des **logements** et des **cham bres d'hôtel** *(70,77$; ☎275-3132)* sont disponi bles sur le site du village historique de Val-Jalbert.

Mashteuiatsh (Pointe-Bleue)

Ceux et celles qui veulent en connaître davantage sur la culture montagnaise et rencontrer des gens peu vent **loger chez l'habitant**. Le bureau de renseignements touristiques de Mash teuiatsh *(1516 rue Ouiat chouan,G0W 2H0 ☎275-7200, hiver ☎275-2473)* peut les aider en ce sens.

Saint-Félicien

Camping de Saint-Félicien
20$
≈
☎679-1719
Le Camping de Saint-Féli cien est, comme son nom le laisse supposer, situé à côté du zoo de Saint-Féli cien; aussi, durant la nuit, pourrez-vous entendre les animaux. Il dispose d'un vaste terrain et d'installa tions complètes pour rece voir les campeurs.

Péribonka

Auberge de l'Île-du-Repos
18$/pers. en dortoir
ℜ
115 rte. Île-du-Repos, G0W 2G0
☎347-5649 ou 800-461-8585
⇌347-4810
L'Auberge de l'Île-du-Re pos a acquis, au fil des ans, une belle réputation. Il s'agit d'une grande au berge de jeunesse qui se dresse, seule sur son île au milieu de la rivière, dans un décor enchanteur. Elle offre une belle ambiance et un milieu propice aux échanges et aux activités de plein air. On y présente régulièrement des specta cles en tout genre. Empla cements de camping dis ponibles.

Alma

Complexe Touristique de la Dam-en-Terre
118$ pour 4 pers.
1385 ch. de la Marina, G8B 5W1
☎668-4599 ou 888-289-3016
Le Complexe Touristique de la Dam-en-Terre loue des chalets bien aménagés offrant une belle vue sur le lac Saint-Jean. Les person nes disposant d'une tente peuvent opter pour le camping, qui s'avère plus économique que la loca tion de chalets.

Restaurants

Charlevoix

Baie-Saint-Paul

Mouton Noir
$$$
43 rue Ste-Anne
☎435-3075
Le Mouton Noir est l'une des révélations de Baie-Saint-Paul. Sa cuisine épouse les saisons et les nouveaux arrivages de produits régionaux frais. Le menu est inventif, et les plats sont aussi raffinés que bons. En été, une grande terrasse permet de manger à l'extérieur à proximité de la rivière.

L'Auberge la Maison Otis
$$$-$$$$
23 rue St-Jean-Baptiste
☎435-2255
Les qualificatifs les plus fins et les plus suaves s'appliquent à la cuisine de L'Auberge la Maison Otis, qui a développé un menu gastronomique évo-lué où les saveurs régiona-les prennent de nouveaux accents et suscitent de nouvelles compositions.

Dans le décor invitant de la plus ancienne section de l'auberge, où se trouvait une banque auparavant, le client est invité à une expérience culinaire réjouissante ainsi qu'à une soirée apaisante. Le service est impeccable, et plusieurs éléments du menu sont réalisés sur place. Bonne sélection de vins.

Saint-Joseph-de-la- Rive

La Maison sous les Pins
$$$
352 rue F.-A.-Savard
☎***635-2583***
Dans ses salons intimes et chauds, l'auberge La Maison sous les Pins offre une vingtaine de places à une clientèle venue découvrir les fumets raffinés d'un alliage de cuisine régionale et de cuisine française qui met toutefois en valeur les produits charlevoisiens. Ambiance romantique et accueil sympathique. Non-fumeurs.

Île aux Coudres

La Mer Veille
$
pointe de l'Islet, du côté ouest de l'île
☎***438-2149***
La Mer Veille est un restaurant très couru où l'on propose de la petite restauration et des tables d'hôte attrayantes.

Saint-Irénée

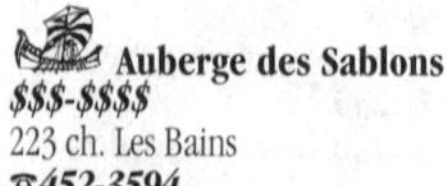

Auberge des Sablons
$$$-$$$$
223 ch. Les Bains
☎***452-3594***
Charme, romantisme et bon goût se marient merveilleusement à la qualité de la table de l'Auberge des Sablons pour assurer une soirée dont toutes les composantes contribuent à une agréable réussite. Vous pourrez y savourer une excellente cuisine française tout en admirant la mer à partir de la terrasse ou du salon.

La Malbaie–Pointe-au-Pic

Aux Douceurs Belges
$$$
121 ch. des Falaises
☎***665-7480***
La cuisine du restaurant Aux Douceurs Belges se veut des plus authentiquement belges, et tout un assortiment de bières du plat pays est proposé pour l'accompagner. Le résultat est exquis, et le service se fait chaleureusement par les propriétaires, une famille bien... québécoise!

Auberge des Trois Canards
$$$$
49 côte Bellevue
☎***665-3761 ou 800-461-3761***
Les maîtres queux de l'Auberge des Trois Canards ont toujours fait preuve d'audace et d'invention pour intégrer à leur cuisine raffinée des éléments du terroir ou des gibiers. Ils y ont toujours réussi avec brio, dotant «Les Trois Canards» d'une réputation nationale enviable. Le service s'y démarque par sa cordialité de bon aloi et l'information qu'on y offre sur les plats servis. Bonne carte des vins.

Le Saint-Laurent
$$$$
181 av. Richelieu
☎***665-3703 ou 888-294-0111***
Depuis quelques années, la salle à manger du Manoir Richelieu, Le Saint-Laurent, a considérablement rehaussé ses normes de qualité, au point de s'imposer comme l'une des quatre ou cinq meilleures tables gastronomiques de la région. La salle de l'allée vitrée offre, en plus de sa vue imprenable sur le fleuve, un superbe menu composé généralement de trois choix de viandes et de trois choix de poissons amenés en cinq services. Le brunch du dimanche matin est une expérience à vivre dans Charlevoix même si vous ne logez pas à l'hôtel.

Cap-à-l'Aigle

Auberge des Peupliers
$$$-$$$$
381 rue St-Raphaël
☎***665-4423 ou 888-282-3743***
La table de l'Auberge des Peupliers réserve de nombreuses et belles surprises à ses convives, fruits des audaces et de l'imagination fertile de son chef. On n'a qu'à s'abandonner à ces découvertes excitantes de saveurs françaises et locales qui ne risquent pas de décevoir.

La Pinsonnière
$$$$
124 rue St-Raphaël
☎***665-4431 ou 800-387-4431***
La table de La Pinsonnière a très longtemps été considérée comme le summum du raffinement gastronomique dans Charlevoix et, malgré une concurrence de plus en plus féroce, elle mérite encore le titre sous plusieurs aspects. La Pinsonnière offre une carte gastronomique classique de très haut niveau, et les repas y sont une véritable expérience gustative qui demande qu'on y consacre la soirée. La cave à vins demeure la plus riche de la région et l'une des meilleures du Québec.

Saguenay–Lac-St-Jean

La Baie

Le Doyen
$$$$
Auberge des 21
621 rue Mars
☎*544-9316*
Le restaurant Le Doyen propose un des meilleurs menus de la région, où figurent de savoureux plats de gibier. La salle à manger bénéficie d'une vue exceptionnelle s'étendant sur toute la baie des Ha! Ha!. Le brunch du dimanche est excellent. Dirigé par un chef de renom, Marcel Bouchard, qui a remporté plusieurs prix régionaux, nationaux et internationaux, Le Doyen contribue tangiblement à l'évolution de la cuisine régionale et à son raffinement, jusqu'à lui valoir ses lettres de noblesse.

La Maison de la Rivière
$$$$
9122 ch. de la Batture
☎*544-2912*
Le chef cuisinier de la superbe auberge La Maison de la Rivière a développé un menu axé sur les traditions autochtones, les mets régionaux et la cuisine internationale. Profitant d'une belle vue sur le fjord, cette auberge offre un site fort agréable.

Chicoutimi

Le Privilège
$$$-$$$$
1623 boul. St-Jean-Baptiste
☎*698-6262*
Le Privilège fait partie des meilleures tables de la région. Dans le décor pittoresque d'une maison centenaire, tous vos sens sont mis à contribution. On sert une cuisine intuitive qui s'inspire des étalage du marché, pour quelques personnes à la fois seulement. L'ambiance et le service sont décontractés et amicaux. Réservation obligatoire.

Jonquière

Chez Pachon
$$$
1904 rue Perron
☎*542-3568*
Le restaurant Chez Pachon, une «institution» bien connue de la ville de Chicoutimi, a déménagé à Jonquière en août 1999. Il occupe désormais la magnifique villa patrimoniale de Price Brothers dans un environnement champêtre vraiment exceptionnel. Son chef, déjà renommé dans toute la région, présente une gastronomie teintée de traditions culinaires françaises et influencée par les saveurs régionales. Spécialités de cassoulet de Carcassonne, confit de magret et foie de canard, filet et carré d'agneau, ris de veau, poissons et fruits de mer. Le soir seulement, sur réservation.

L'Amandier
$$$$
5219 ch. St-André
☎*542-5395*
L'Amandier abrite une étonnante salle ornée de plâtre sculpté et de boiseries surchargées. On y sert une cuisine régionale préparée à partir de produits frais. À la qualité de la table s'ajoute ici une ambiance unique qu'il fait bon partager en groupe puisque la chaleur des matériaux, l'originalité de l'aménagement et l'accueil des hôtes favorisent l'esprit à la fête et les soirées amicales. Un peu en retrait de la ville, le restaurant n'est pas facile à trouver. Réservation obligatoire.

Le Bergerac
$$$-$$$$
fermé dim-lun
3919 rue St-Jean
☎*542-6263*
L'une des meilleures tables de Jonquière, le restaurant Le Bergerac a développé une excellente carte de fine cuisine qu'elle propose en menu du jour pour le repas de midi ou en table d'hôte en soirée.

Sainte-Rose-du-Nord

Auberge du Presbytère
$$-$$$
136 rue du Quai
☎*675-2503*
L'Auberge du Presbytère propose une cuisine française succulente et soigneusement présentée. À midi, il est possible d'y prendre une bouchée rapide.

Saint-Félicien

Hôtel du Jardin
$$-$$$$
1400 boul. du Jardin
☎*679-8422*
L'Hôtel du Jardin propose un menu de fine cuisine régionale qui plaît à tout coup.

Alma

Bar restaurant chez Mario Tremblay
$$-$$$
534 Collard O.
☎*668-7231*
On ne va pas au Bar restaurant chez Mario Tremblay pour y prendre le repas de sa vie, mais à cause de la réputation de cet ex-hockeyeur et entraîneur, surnommé «le Bleuet bionique». Cet endroit, de type brasserie, est un temple populaire à la gloire du hockey.

Sorties

Fêtes et festivals

Charlevoix

Baie-Saint-Paul

Le **Symposium de la nouvelle peinture au Canada** *(☎435-3681)* se tient annuellement à Baie-Saint-Paul durant tout le mois d'août. On peut y admirer les talents d'une quinzaine d'artistes du Québec, du Canada et d'ailleurs qui viennent créer sur place des œuvres de grande dimension à partir du thème suggéré.

Rêves d'automne Baie-Saint-Paul *(☎800-761- 5150)* remporte un succès de plus en plus considérable chaque automne durant la dernière semaine de septembre et la première d'octobre. Ce festival multidisplinaire met tout en œuvre pour permettre au public d'apprécier pleinement les beautés de l'été indien dans Charlevoix avec toute une série de spectacles musicaux et théâtraux en plus de suggestions gastronomiques irrésistibles.

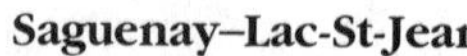

Saguenay–Lac-St-Jean

Chicoutimi

Le **Carnaval-Souvenir de Chicoutimi** *(mi-fév; ☎543-4438)*, c'est une grande célébration pendant laquelle les habitants, en costume d'époque, revivent les us et coutumes qui avaient cours durant les hivers d'antan.

Roberval

Depuis 1955, la dernière semaine de juillet (neuf jours) est consacrée à la **Traversée internationale du Lac Saint-Jean** *(☎275-2851)*. Les nageurs font 40 km en 8 heures entre Péribonka et Roberval, et les plus vaillants, toujours inscrits au marathon, s'offrent l'aller-retour en 18 heures.

Casino

Charlevoix

Casino de Charlevoix
183 av. Richelieu
☎665-5300 ou 800-665-2274
Le Casino de Charlevoix, situé à Pointe-au-Pic, à côté du Manoir Richelieu, est un casino à l'européenne qui attire les foules. Une tenue vestimentaire appropriée est de rigueur.

Achats

Charlevoix

Baie-Saint-Paul

Baie-Saint-Paul est particulièrement intéressante pour son **Circuit des galeries d'art.** On y retrouve de tout, chaque boutique ayant sa spécialité. Huiles, pastels, aquarelles, eaux-fortes, etc, tableaux de grands noms et artistes à la mode, originaux et reproductions, sculptures et poésie, l'idéal quoi! C'est un plaisir de chaque instant que de flâner sur les rues Saint-Jean-Baptiste, Sainte-Anne ou ailleurs, et de s'arrêter dans toutes ces galeries où le personnel ne demande pas mieux que de parler art.

Saguenay–Lac-St-Jean

Bleuetières

Évidemment, au pays où il ne suffit que de trois bleuets pour faire une tarte, nous vous recommandons quelques adresses :

Bleuetière Au Gros Bleuet
226 rang 2, à 3 km de St-David-de-Falardeau
☎673-4558

Bleuetière de Saint-François-de-Sales
ch. du Moulin, à 15 km à l'ouest du village de St-François-de-Sales
☎348-6548

La Côte-Nord

La région de Manicouagan longe le fleuve sur 300 km et s'enfonce dans le plateau laurentien jusqu'au nord des monts Groulx et du réservoir Manicouagan.

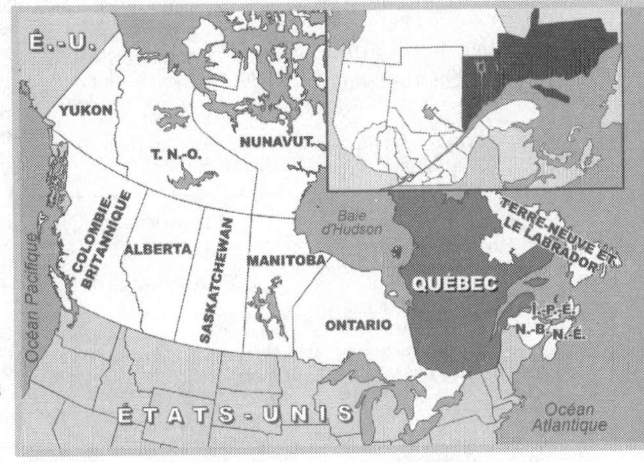

Jumelée à la région de Duplessis, elle forme ce que l'on appelle la «Côte-Nord». Couverte d'une riche forêt boréale, Manicouagan est aussi dotée d'un fabuleux réseau hydrographique servant à alimenter les huit centrales électriques du complexe Manic-Outardes.

Au nord et à l'est, la région de Duplessis couvre un immense territoire sauvage qui, jusqu'au Labrador, longe le golfe du Saint-Laurent sur près d'un millier de kilomètres. Sa population, composée à la fois de francophones, d'anglophones et de Montagnais (Innuat), vit dispersée sur le littoral du golfe du Saint-Laurent et dans quelques villes minières de l'arrière-pays. Cette région étant éloignée des grands centres, son moteur économique est l'exploitation des richesses naturelles. Pendant des milliers d'années, les Amérindiens et les Inuits y vécurent essentiellement de la chasse et de la pêche. Vinrent ensuite les Basques et les Bretons, pêcheurs ou baleiniers, qui, dès le XVIe siècle, y érigèrent des postes saisonniers.

Aujourd'hui, les gens du pays vivent surtout de la pêche, de l'industrie forestière, de l'exploitation des mines de fer ou de titane et d'une importante fonderie d'aluminium, venue s'installer à Sept-Îles pour y bénéficier de la grande disponibilité d'hydroélectricité.

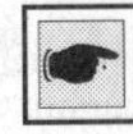

Pour s'y retrouver sans mal

En voiture

Depuis Beauport, dans les environs de Québec, empruntez la route 138, qui longe la rive nord du fleuve Saint-Laurent jusqu'à Natashquan, dans la région de Duplessis. À Baie-Sainte-Catherine, un bateau vous fera traverser la rivière Saguenay pour vous déposer à Tadoussac. Afin de suivre le circuit de la Côte-Nord, continuez toujours sur la route 138. Vous ne pouvez pas vous tromper : il n'y a qu'une seule route!

Depuis 1996, la route 138 a été rallongée jusqu'à Natashquan. Mais, au-delà, seuls l'hydravion et le bateau de ravitaillement hebdomadaire (au départ de Havre-Saint-Pierre) relient au reste du Québec, pendant l'été, les habitants des villages qui jalonnent la côte. En hiver, les glaces et la neige tracent une route naturelle pour les motoneiges; aussi est-il paradoxalement plus simple de se déplacer d'un village à l'autre pendant la saison froide. «Au pays de Gilles Vigneault» est un véritable circuit pour les aventuriers qui recherchent le dépaysement complet.

En traversier

Sauf pour le traversier Baie-Sainte-Catherine–Tadoussac, il vaut mieux réserver votre passage quelques jours à l'avance en été.

Tadoussac

Le traversier *(gratuit, ☎418-235-4395)* partant de Baie-Sainte-Catherine et se rendant à Tadoussac permet d'arriver à destination en seulement 10 min. L'horaire des traversées varie grandement d'une saison à l'autre; renseignez-vous avant de planifier un voyage.

Baie-Comeau

Le traversier *(adulte 11,50$, voiture 27,50$, moto 20.65$; ☎562-2500, ☎877-562-6560, ⇌560-8013)* partant de Baie-Comeau et se rendant à Matane en Gaspésie permet d'arriver à destination en 2 heures 30 min.

Godbout

Le traversier *(adulte 11,50$, voiture 27,50$, moto 20,65$; ☎562-2500, ☎877-562-6560, ⇌560-8013)* partant de Godbout et se rendant à Matane en Gaspésie permet d'arriver à destination en 2 heures 30 min.

Les Escoumins

Il existe un traversier *(adulte 26$, voiture 25$; ☎233-2202 des Escoumins, 851-4676 de Trois Pistoles)* quittant Trois-Pistoles et se rendant aux Escoumins en 1 heure 30 min.

En autocar

Manicouagan

Tadoussac
443 rue du Bateau-Passeur, (Pétro-Canada)
☎(418) 235-4653

Bergeronnes
138 rte. 138 (Irving)
☎(418) 232-6330

Baie-Comeau
212 boul. LaSalle
☎(418) 296-6921

Duplessis

Sept-Îles
126 rue Monseigneur Blanche
☎(418) 962-2126

Havre-Saint-Pierre
1130 rue de l'Escale
☎(418) 538-2033

Natashquan
183 ch. d'En-Haut (Auberge La Cache)
☎(418) 726-3347

En avion

Inter-Canadien *(☎800-363-7530)* dessert l'île d'Anticosti. Les vols ont généralement lieu trois fois par semaine depuis Montréal, via Québec. Les vols arrivent à Port-Menier.

La compagnie aérienne **Air Satellite** *(☎418-589-8923 ou 800-463-8512)* propose des vols quotidiens en été ainsi que durant la période de Noël à partir de Rimouski, de Sept-îles, de Baie-Comeau, de Havre-Saint-Pierre et de Longue-Pointe.

La compagnie aérienne **Confortair** *(☎418-968-4660)* assure le service de vols nolisés vers l'île d'Anticosti.

En été, **Air Scheffervile** *(☎800-361-8620 et 393-3333)* propose des vols directs de Montréal à Schefferville.

En train

QNS&L
(☎418-962-9411)
Le train relie Schefferville à Sept-Îles, et ce, trois fois par semaine l'été et deux fois par semaine l'hiver. Le voyage, d'une durée de 10 à 12 heures, vous fera traverser le Bouclier canadien jusqu'aux abords de la toundra.

Renseignements pratiques

Indicatif régional : 418

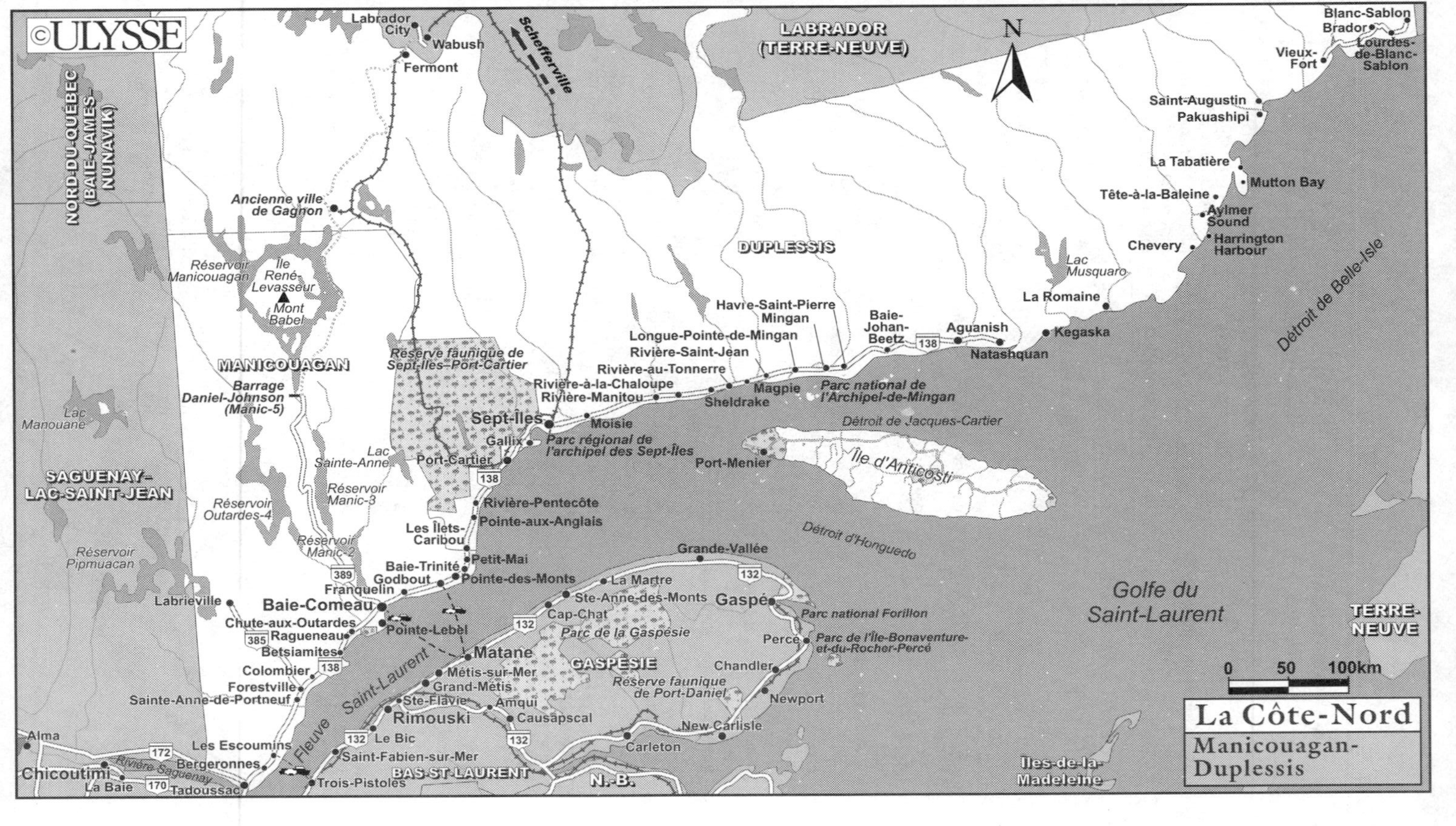

©ULYSSE
La Côte-Nord
Manicouagan-Duplessis
0 50 100km
N
LABRADOR (TERRE-NEUVE)
NORD-DU-QUÉBEC (BAIE-JAMES-NUNAVIK)
SAGUENAY–LAC-SAINT-JEAN
MANICOUAGAN
DUPLESSIS
GASPÉSIE
BAS-ST-LAURENT
N.-B.
TERRE-NEUVE
Îles-de-la-Madeleine
Golfe du Saint-Laurent
Fleuve Saint-Laurent
Détroit de Belle-Isle
Détroit de Jacques-Cartier
Détroit d'Honguedo
Île d'Anticosti
Port-Menier
Labrador City
Wabush
Fermont
Schefferville
Ancienne ville de Gagnon
Réservoir Manicouagan
Île René-Levasseur
Mont Babel
Barrage Daniel-Johnson (Manic-5)
Lac Manouane
Réservoir Pipmuacan
Réservoir Outardes-4
Réservoir Manic-3
Réservoir Manic-2
Lac Sainte-Anne
Réserve faunique de Sept-Îles–Port-Cartier
Sept-Îles
Gallix
Port-Cartier
Parc régional de l'archipel des Sept-Îles
Moisie
Rivière-Manitou
Rivière-à-la-Chaloupe
Rivière-au-Tonnerre
Rivière-Saint-Jean
Longue-Pointe-de-Mingan
Mingan
Havre-Saint-Pierre
Sheldrake
Magpie
Parc national de l'Archipel-de-Mingan
Baie-Johan-Beetz
Aguanish
Natashquan
Kegaska
La Romaine
Lac Musquaro
Chevery
Harrington Harbour
Aylmer Sound
Tête-à-la-Baleine
Mutton Bay
La Tabatière
Pakuashipi
Saint-Augustin
Vieux-Fort
Brador
Blanc-Sablon
Lourdes-de-Blanc-Sablon
Rivière-Pentecôte
Pointe-aux-Anglais
Les Îlets-Caribou
Petit-Mai
Baie-Trinité
Pointe-des-Monts
Godbout
Franquelin
Baie-Comeau
Labrieville
Chute-aux-Outardes
Pointe-Lebel
Ragueneau
Betsiamites
Colombier
Forestville
Sainte-Anne-de-Portneuf
Les Escoumins
Bergeronnes
Tadoussac
Alma
Chicoutimi
La Baie
Rivière Saguenay
Trois-Pistoles
Saint-Fabien-sur-Mer
Le Bic
Rimouski
Ste-Flavie
Grand-Métis
Métis-sur-Mer
Matane
Amqui
Causapscal
Cap-Chat
Ste-Anne-des-Monts
La Martre
Grande-Vallée
Gaspé
Parc national Forillon
Percé
Parc de l'Île-Bonaventure-et-du-Rocher-Percé
Chandler
Newport
New Carlisle
Carleton
Parc de la Gaspésie
Réserve faunique de Port-Daniel
138
132
389
385
172
170

Renseignements touristiques

Manicouagan

Association touristique régionale de Manicouagan
337 boul. Lasalle, bur. 304, Baie-Comeau, G4Z 2Z1
☎294-2876 ou 888-463-5319
⇄294-2345

Tadoussac
197 rue des Pionniers, G0T 2A0
☎235-4744
⇄235-4984

Baie-Comeau
2630 boul. Laflèche
☎589-3610

Duplessis

Association touristique régionale de Duplessis
312 av. Brochu, Sept-Îles, G4R 2W6
☎962-0808 ou 888-463-0808
⇄962-6518
www.tourismecote-nord.com

Sept-Îles
Corporation touristique de Sept-Îles
1401 boul. Laure O., G4R 4K1
☎962-1238 ou 888-880-1238
⇄968-0022
www.vitrine.net/ctsi/ index.html
CTSI@globetrotter.net

Havre-Saint-Pierre
bureau saisonnier
957 rue de la Berge
☎538-2512

Natashquan
33 allée des Galets
☎726-3756

Attraits touristiques

Manicouagan

★★

Tadoussac

L'emplacement stratégique de Tadoussac, à l'embouchure du Saguenay, lui vaudra d'être choisi pour l'établissement du premier poste français de traite des fourrures en Amérique dès 1600, soit huit ans avant la fondation de la ville de Québec. Tadoussac est en fait le plus ancien site d'occupation blanche au nord du Mexique.

En 1615, les récollets y implantent une mission d'évangélisation qui fonctionnera jusqu'au milieu du XIXe siècle. Le village acquiert sa vocation touristique en 1864, lorsqu'on inaugure le premier grand hôtel Tadoussac, au bord du fleuve Saint- Laurent, afin de mieux loger les visiteurs, de plus en plus nombreux à venir profiter de l'air marin et des paysages grandioses de ces deux cours d'eau que sont le fleuve et le Saguenay. Tadoussac est en outre un lieu privilégié pour l'observation des baleines. Bien qu'il ait un âge plus que respectable dans le contexte nord-américain, le village de Tadoussac donne une impression de précarité, comme si un fort vent pouvait un jour tout balayer sans laisser de traces...

Dominant le désordre du village, l'**Hôtel Tadoussac ★** *(165 rue du Bord-de-l'Eau, ☎235-4421)* est à cette communauté ce que le Château Frontenac est à Québec, à savoir son emblème et son point de repère dans les brumes hivernales. L'hôtel actuel, construit entre 1942 et 1949 pour la Canada Steamship Lines, succède au premier hôtel de 1864. Sa forme allongée et son revêtement à clin de bois, dont la blancheur contraste violemment avec sa toiture de tôle peinte en rouge, ne sont pas sans rappeler les hôtels de villégiature de la Nouvelle-Angleterre érigés dans la seconde moitié du XIXe siècle. D'ailleurs, cet hôtel servit de toile de fond au long métrage américain *Hotel New Hampshire*. Cependant, le décor intérieur, composé de boiseries cirées et de meubles anciens, s'inspire davantage du terroir canadien-français.

Le **Centre d'interprétation des mammifères marins ★** *(5$; mi-mai à fin oct tlj 12h à 17h, fin juin à fin sept tlj 9h à 20h; 108 rue de la Cale-Sèche, ☎235-4701)* fut créé afin de faire connaître les mammifères marins qui viennent tous les ans se nourrir dans l'estuaire du Saint-Laurent. La majeure partie de l'exposition traite des baleines et tente de démythifier divers aspects de leur comportement. Le centre s'avère fort instructif. D'ailleurs, sur place, des naturalistes répondent à vos questions. En outre, on y trouve des squelettes d'animaux marins, des vidéos et un aquarium contenant divers poissons vivant dans le fleuve.

Baie-Comeau

Le colonel Robert McCormick, éditeur et rédacteur en chef du quotidien américain *The Chicago Tribune*, en avait assez de dépendre des compagnies papetières étrangères pour son approvisionnement en papier journal. Il a donc choisi de bâtir sa propre usine à papier à Baie-Comeau en 1936, donnant du coup naissance à la ville industrielle que l'on connaît aujourd'hui.

Les premiers barrages hydroélectriques du Québec furent construits par des entreprises privées, que ce soit pour l'usage de l'industrie ou pour l'éclairage des maisons. Certaines de ces entreprises détenaient le monopole de l'énergie électrique sur des régions entières, ce qui a amené le gouvernement québécois à nationaliser la plupart des compagnies d'électricité en 1964. Dès lors, Hydro-Québec a pris la relève et a entrepris un formidable programme d'expansion destiné à attirer les industries énergivores et à exporter une partie de la production d'électricité vers les États-Unis.

Les **centrales Manic 2 et Manic 5 (barrage Daniel-Johnson)** ★★★ *(entrée libre; tlj; Manic 2 : 9h, 11h, 13h30 et 15h30; Manic 5 : 9h, 11h, 13h30 et 15h30; 135 boul. Comeau, ☎294-3923)* se dressent sur la rivière Manicouagan. Un parcours de 30 min de route, à travers des panoramas saisissants du rocheux Bouclier canadien, aboutit au premier barrage du complexe, soit Manic 2. Il s'agit du plus grand barrage-poids à joints évidés du monde. Une visite guidée du barrage vous entraînera à l'intérieur de l'imposante structure, mais sachez qu'un spectacle encore plus surprenant vous attend à trois heures de route plus au nord : Manic 5 et le barrage Daniel-Johnson. Érigé en 1968, ce barrage porte le nom du premier ministre québécois qui mourut sur les lieux le matin de la cérémonie d'inauguration. Doté d'une arche centrale de 214 m, il constitue, avec ses 1 314 m de long, la plus importante structure à voûtes multiples du monde. Il a pour but de régulariser l'alimentation en eau de toutes les centrales du complexe Manic-Outardes.

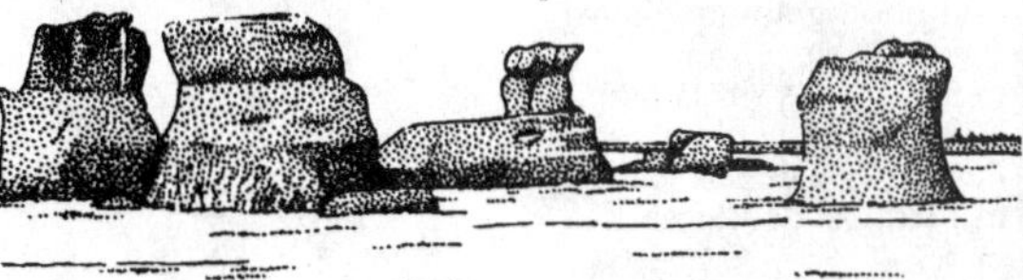

La visite mène les visiteurs au pied du barrage ainsi qu'au sommet de sa crête, d'où l'on a une vue panoramique sur la vallée de la Manicouagan et sur le réservoir de 2 000 km².

Duplessis

Sept-Îles

Le **Musée régional de la Côte-Nord** ★ *(3,25$; fin juin à début sept tlj 9h à 17h; reste de l'année lun-ven 9h à 12h et 13h à 17h, sam-dim 13h à 17h; 500 boul. Laure, ☎968-2070)*, construit en 1986, vise à la fois des objectifs anthropologiques et artistiques. Il présente certaines des 40 000 pièces provenant des fouilles archéologiques réalisées sur la Côte-Nord, quelques animaux naturalisés, des objets amérindiens ainsi que des œuvres d'artistes contemporains (peintures, sculptures, photographies) provenant de différentes régions du Québec.

Mingan

Des Montagnais et des Blancs cohabitent dans ce village situé en face des îles de Mingan, nom d'origine celtique (*Maen Cam*) qui signifie «pierre courbe», en rapport avec la courbure des formations rocheuses des îles de Mingan. Ces rochers auraient impressionné les premiers visiteurs bretons, à qui ils rappelaient les menhirs et les dolmens des temps anciens. On trouve à Mingan un important site de pêche au saumon.

★

Havre-Saint-Pierre

Cette petite ville pittoresque a été fondée en 1857 par des pêcheurs madelinots (originaires des îles de la Madeleine, dans le golfe du Saint-Laurent). En 1948, à la suite de la découverte d'importants gisements d'ilménite (titane), à 43 km à l'intérieur des terres, son économie se voit transformée du jour au lendemain par la firme QIT-Fer-et-Titane. Elle devient, dès lors, un centre industriel et portuaire très fréquenté. Depuis l'ouverture du parc national de l'Archipel-de-Mingan en 1983, elle a également acquis une vocation touristique non négligeable. Havre- Saint-Pierre est un excellent point de départ pour l'exploration des îles de Mingan et de la grande île d'Anticosti.

Le **Centre culturel et d'interprétation de Havre-Saint-Pierre** ★ *(2$; fin-juin à début sept tlj 10h à 22h; 957 rue de la Berge, ☎538-2512 ou 538-2512)* est installé dans l'ancien magasin général de la famille Clarke, restauré avec talent. On y raconte l'histoire locale à travers une exposition et un diaporama.

Au **Centre d'accueil et d'interprétation de la réserve du parc national de l'Archipel-de-Mingan** *(mi-juin à fin août tlj 10h à 17h30; 975 rue de l'Escale, ☎538-3285)*, vous trouverez une exposition photographique ainsi que tous les renseignements voulus sur la faune, la flore et la géologie des îles. **Réserve de parc national de l'Archipel-de-Mingan** ★★.

★★ Île d'Anticosti

La présence amérindienne à l'île d'Anticosti remonte à la nuit des temps. Les Montagnais l'ont fréquentée de façon sporadique, le climat rigoureux de l'île ne leur permettant pas de s'y établir en permanence. Ce sont des pêcheurs basques de passage qui l'ont baptisée «Anti Costa» en 1542, ce qui signifie en quelque sorte «anti-côte», ou «Non! Après tout ce chemin parcouru à travers l'Atlantique, ce n'est pas encore la terre ferme!»

En 1679, Louis Jolliet obtient l'île en concession du roi de France, en guise de remerciement pour ses expéditions révélatrices au centre du continent nord-américain. Bien que quelques colons s'installent alors sur l'île, son isolement et ses terres pauvres battues par les vents donnèrent un air de modestie à l'entreprise de Jolliet. Ses gens furent décimés par les troupes de l'amiral Phipps, au retour de l'attaque ratée sur Québec en 1690. La rage de la défaite fut augmentée lorsque la flotte britannique fit naufrage aux abords de l'île. Anticosti est crainte par les marins, car, depuis le XVIIe siècle, plus de 400 navires s'y sont échoués.

En 1895, l'île d'Anticosti devient le domaine exclusif d'Henri Menier, magnat du chocolat en France au XIXe siècle. Le «baron Cacao» fait transporter sur l'île des cerfs de Virginie et des renards roux afin de se constituer une réserve de chasse personnelle. Il voit, en outre, au développement de l'île en aménageant un premier village modèle à Baie-Sainte-Claire (aujourd'hui abandonné), puis un second à Port-Menier, qui constitue encore la principale agglomération de l'île.

Menier gouvernait l'île comme un monarque absolu régnant sur ses sujets. Il dota l'île d'une entreprise d'exploitation forestière de même que d'une flotte de pêche à la morue. En 1926, après une dizaine d'années difficiles dans l'industrie chocolatière, ses héritiers vendent Anticosti à un consortium de compagnies forestières canadiennes, appelé Wayagamack, qui y poursuivront leurs opérations de coupe de bois jusqu'en 1974, date à laquelle l'île est cédée au gouvernement du Québec pour en faire une réserve faunique.

C'est seulement depuis 1983 que les résidants de l'île ont le droit d'acheter des terrains et des maisons. L'île, encore en partie inexplorée, recèle bien des surprises.

Port-Menier est le seul village habité de l'île. C'est ici qu'accoste le traversier de Havre-Saint-Pierre. La plupart des maisons ont été construites sous l'ère Menier, ce qui donne au village une certaine homogénéité architecturale.

Le long de la route de Baie-Sainte-Claire, on aperçoit les fondations du **château Menier** (1899), extravagante villa de bois apparentée au Shingle Style américain. Bâti à la fin du XIXe siècle pour assurer un grand confort à son entourage, le château renferme un vitrail en forme de fleur de lys, des antiquités norvégiennes, des tapis orientaux et de la fine porcelaine. Avec la vente de l'île en 1926, le mobilier est réparti entre les nouveaux propriétaires, ou tout simplement vendu.

Malheureusement, en 1954, faute de pouvoir l'entretenir adéquatement, les villageois mettent le feu à la superbe demeure de

Menier, réduisant en cendres ce morceau de patrimoine irremplaçable. À **Baie-Sainte-Claire,** on peut voir les restes d'un four à chaux, érigé en 1897, seul vestige de ce village à l'existence éphémère.

★

Baie-Johan-Beetz

La **maison Johan-Beetz** ★ *(3$; tlj début mai à mi-juin 9h à 18h, mi-juin à mi-juil 9h à 17h, mi-juil à mi-oct 9h à 18h, réservation préférable; ☎539-0137).* Johan Beetz est né en 1874 au château d'Oudenhouven, dans le Brabant (Belgique). Le chagrin causé par le décès de sa fiancée l'amène à vouloir partir pour le Congo. Un ami l'incite plutôt à émigrer au Canada. Passionné de chasse et de pêche, il visite la Côte-Nord, où il décide bientôt de s'installer.

En 1898, il épouse une Canadienne et construit cette coquette maison Second Empire, que l'on peut visiter sur réservation. Beetz a peint de belles natures mortes sur les panneaux des portes intérieures. En 1903, il fait figure de pionnier en entreprenant l'élevage d'animaux à fourrure, dont les peaux sont vendues à la Maison Revillon de Paris.

Au cours de sa vie sur la Côte-Nord, Johan Beetz a contribué à améliorer la vie de ses voisins. Grâce à ses études universitaires, pendant lesquelles il apprit les rudiments de la médecine, il fut l'homme de science auquel les villageois faisaient confiance. Muni de livres et d'instruments de fortune, il réussit à soigner, tant bien que mal, les habitants de la Côte-Nord. Il réussit même à préserver le village de la grippe espagnole grâce à une quarantaine savamment contrôlée. Ainsi, si vous demandez aux aînés de vous parler de monsieur Beetz, vous n'entendrez que des éloges.

★

Natashquan

Ce petit village de pêcheurs, aux maisons de bois usé par le vent salé, a vu naître le célèbre poète et chansonnier Gilles Vigneault en 1928. Plusieurs de ses chansons ont pour thème les gens et les paysages de la Côte- Nord. Vigneault vient périodiquement se ressourcer à Natashquan, où il possède toujours une maison. Natashquan signifie, en langue montagnaise, «endroit où l'on chasse l'ours». Le village voisin de Pointe-Parent est surtout peuplé de Montagnais.

Blanc-Sablon

Cette région isolée a pourtant été fréquentée, dès le XVIe siècle, par les pêcheurs basques et portugais, qui y ont établi des sites de pêche, où l'on faisait fondre la graisse des «loups marins» et où la morue était salée avant d'être expédiée en Europe. Les Vikings, dont le principal établissement a été retrouvé sur l'île de Terre-Neuve, toute proche, auraient peut-être implanté un village dans les environs de Blanc-Sablon vers l'an 1000. Les fouilles archéologiques ne font toutefois que commencer. À Brador, le site de pêche français de Courtemanche (XVIIIe siècle) a été mis au jour.

Blanc-Sablon n'est qu'à environ 4 km de la frontière du Labrador, territoire subarctique dont une large portion est constituée de terres amputées au Québec et, aujourd'hui, partie intégrante de la province de Terre-Neuve. Une route y conduit directement. L'ancienne colonie britannique de Terre-Neuve ne s'est jointe au Canada qu'en 1949. Elle est accessible par traversier au départ de Blanc-Sablon.

Parcs

Le **parc marin du Saguenay–Saint-Laurent** ★★★ *(182 rue de l'Église, Tadoussac, ☎235-4703 ou 800-463-6769)* comprend le fjord du Saguenay ainsi qu'une partie de l'estuaire du Saint-Laurent. Il a été créé afin de protéger l'exceptionnelle vie aquatique qui y habite. Ce merveilleux fjord est le plus méridional de l'hémisphère Nord. Creusé par les glaciers, il a une profondeur de 276 m près du cap Éternité et de 10 m à peine à son embouchure. Cette configuration particulière, créée par l'amoncellement de matériaux charriés par les glaciers, a laissé un bassin où l'on retrouve la faune et la flore marines de l'Arctique. En effet, l'eau à la surface du Saguenay, dans les premiers 20 m, est douce et se trouve à une température variant entre 15 et 18°C, alors que l'eau en profondeur est salée et se maintient autour de 1,5°C. Ce milieu, reliquat de la mer de Goldthwait, a conservé ses habitants, comme le requin arctique ou le béluga, qu'on retrouve aussi beaucoup plus au nord dans l'Arctique.

Dauphins

En outre, grâce à une oxygénation constante, y prolifèrent une multitude d'organismes vivants dont se nourrissent plusieurs mammifères marins, comme le petit rorqual, le rorqual commun et le rorqual bleu. Ce dernier pouvant atteindre 30 m, il constitue le plus grand mammifère du monde. Dans le parc, on peut également apercevoir des phoques et parfois des dauphins.

Très tôt, les pêcheurs venus d'Europe tirèrent parti de ces richesses marines. Certaines espèces telles que la baleine franche furent malheureusement trop chassées. Aujourd'hui, on peut s'aventurer sur le fleuve pour contempler de plus près ces impressionnants animaux. Toutefois, afin de les protéger de certains abus, des règles strictes ont été édictées et les bateaux ne peuvent les approcher de trop près.

Duplessis

Le **parc régional de l'Archipel des Sept Îles ★★** est composé des îles Petite et Grande Boule, Dequen, Manowin, Corossol, Grande et Petite Basque.

La morue étant abondante dans cette région, la pêche demeure une activité populaire. Sur l'île Grande Basque, des sentiers d'interprétation de la nature et des emplacements de camping ont été aménagés. Pour participer à une croisière dans l'archipel, voir p 356.

Composée d'une série d'îles et d'îlots s'étendant sur 95 km, la **réserve de parc national de l'Archipel-de-Mingan ★★** *(Havre-St-Pierre, ☎538-3331 ou 538-3285)* recèle de formidables richesses naturelles. Sa particularité vient des falaises composées de calcaire stratifié fort tendre qui ont été façonnées par les vagues.

Ces formations proviennent de sédiments marins qui, aux environs de l'équateur, il y a de cela 250 millions d'années, furent propulsés au-dessus du niveau de la mer, avant d'être recouverts d'un manteau de glace de plusieurs kilomètres d'épaisseur; en fondant, les glaces dérivèrent, et c'est ainsi que les îles émergèrent de nouveau à leur emplacement actuel, il y a 7 000 ans, formant d'impressionnants monolithes de pierre. Outre cet aspect fascinant, le climat et la mer ont favorisé le développement d'une flore rare et variée.

De plus, environ 200 espèces d'oiseaux y nichent. Parmi les espèces qu'on peut apercevoir, mentionnons le joli macareux moine, le fou de Bassan et la sterne arctique. Dans le fleuve, on note la présence de baleines telles que le petit rorqual et le rorqual bleu.

On trouve deux **centres d'accueil et d'interprétation**, un premier à Longue-Pointe Centre d'Interprétation de l'Archipel-de-Mingan *(625 rue du Centre, ☎949-2126)* et un second à Havre-Saint-Pierre *(975 rue de l'Escale, ☎538-3285)*. Ils sont ouverts en été seulement. Il est possible de séjourner sur les îles (voir p 356). Il existe également des sentiers de randonnée pédestre sur certaines îles.

En plus d'offrir des attraits naturels considérables, le parc recèle quelques vestiges d'une occupation humaine très ancienne, remontant à plus de 4 000 ans. Les ancêtres des Montagnais du village de Mingan furent les premiers à visiter régulièrement cet endroit pour y faire la chasse aux baleines et pour y cueillir de petits fruits.

Mesurant 222 km de long sur 56 km de large, la **réserve faunique de l'île d'Anticosti ★★** permet à chaque personne une utilisation rationnelle du territoire afin de s'adonner à son activité préférée. Plusieurs kilomètres de pistes de randonnée sillonnent ce havre de verdure qui se prête bien à la chasse, à la marche, à la baignade ou à la pêche. L'île appartient au gouvernement du Québec depuis 1974, mais la randonnée pédestre récréative n'y est pratiquée que depuis 1986. La réserve est surtout populaire auprès des chasseurs. Réputée pour ses cerfs de Virginie, elle offre également des panoramas à couper le souffle. En effet, plages immenses, chutes, grottes, escarpements et rivières composent son magnifique décor.

La **chute et le canyon de la Vauréal ★★** sont parmi les sites naturels les plus importants de l'île d'Anticosti. La chute, qui se jette dans le canyon du haut d'une paroi de 70 m, offre un spectacle saisissant. Il est possible de faire une courte randonnée (1 heure) le long de la rivière, au creux du canyon, jusqu'à la base de la chute. Vous y découvrirez de magnifiques falaises de calcaire gris striées de schistes rouge et vert. En faisant encore 10 km sur la route principale, vous arriverez à l'embranchement donnat accès à la **baie de la Tour ★★**, qui se trouve 14 km plus loin. Il s'agit d'une longue plage adossée à de superbes parois de calcaire.

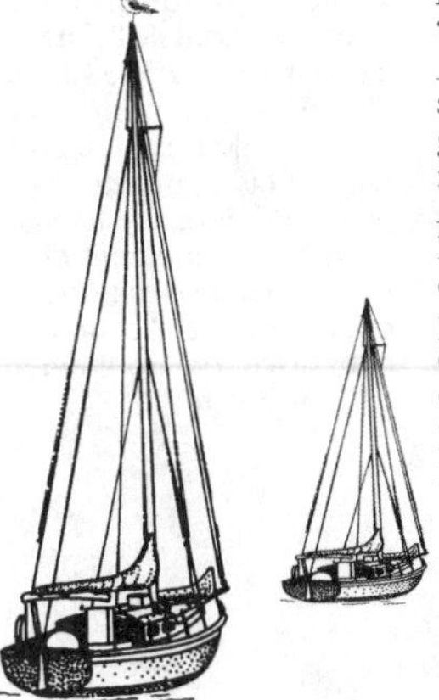

Activités de plein air

Croisières et observation de baleines

Manicouagan

Au quai de la ville de Tadoussac, plusieurs entreprises organisent des excursions sur le fleuve.

On peut observer les baleines à partir de grands bateaux confortables pouvant accueillir jusqu'à 300 personnes ou d'embarcations pneumatiques très sécuritaire. **Croisières AML** *(34$; mi-mai à fin oct, 3 départs par jour, 175 rue des Pionniers, Tadoussac, départ au quai de Tadoussac et de Baie Sainte-Catherine, ☎235-4642)* proposent ce genre d'excursion qui dure en moyenne trois heures.

La **Famille Dufour** *(35$, mai à oct, 3 départ, 165 rue du Bord-de-l'Eau, Tadoussac, ☎235-4421 ou 800-463-5250)* propose des excursions tout confort sur de grands bateaux, notamment le superbe catamaran *Famille-Dufour II*. L'entreprise possède aussi quelques embarcations pneumatiques de grande dimension, performantes et pouvant se rendre plus proches de l'action. Interprétation par des naturalistes. Les croisières peuvent se rendre jusqu'à Québec par le fleuve Saint-Laurent et sur la rivière Saguenay jusqu'à Chicoutimi. Différent forfaits sont offerts.

À bord de canots pneumatiques de 8 m bien équipés, **Les Croisières Neptune** *(30$; mi-mai à mi-oct, départs 9h, 11h30, 14h et 16h30; 507 rue du boisé, durée 2h; C.P. 194, Bergeronnes, ☎232-6716 ou 232-6768)* transportent rapidement les amateurs de sensations fortes au cœur de la fosse marine où s'ébattent les mammifères marins.

Le capitaine **Gérard Morneau** *(25$; 1er juin au 15 oct, tlj départ à 11h et sur demande; durée 3 heures; 539 rte. 138, C.P. 435, Les Escoumins, ☎233-2771 ou 800-921-2771)* privilégie une approche sympathique et détendue sur son bateau de 10 m, l'*Aiglefin*. Comptant plus de 20 ans d'expérience, il repère le rorqual commun et la grande baleine bleue sur son territoire d'alimentation, à l'est des Escoumins.

Les Pionniers des Baleines *(adulte 27$, mi-mai à mi-oct; 3 départs par jour, durée 2 heures 30 min; 42 rue des Pilotes, Les Escoumins, ☎233-3274 ou 233-2727, ≠233-3338)*. Personne ne peut ravir ce titre à la famille Ross, qui dispose aujourd'hui de deux canots pneumatiques accueillant chacun 12 passagers.

Pour découvrir le fleuve et son littoral avec des gens fort sympathiques, pensez aux **Croisières du Grand Héron** *(35$; mi-avr à fin oct, 4 départ, durée 2 heures 30 min, rue du Quai, Ste-Anne-de-Portneuf, ☎587-6006 ou 888-463-6006)*. Les activités suggérées ont pour thèmes la découverte de la mer, l'interprétation du littoral, l'observation des oiseaux et des mammifères marins. On peut y contempler la faune, par exemple les baleines bleues, à différentes heures du jour et de la

Québec

nuit. On peut également assister aux couchers et aux levers de soleil sur le fleuve.

Les sorties nocturnes permettent notamment d'observer un phénomène naturel unique, la bioluminescence du plancton, soit son émission naturelle de lumière. Chaque mouvement de l'eau fait réagir les millions de planctons qui émettent une lumière presque phosphorescente. On assiste alors à un spectacle incroyable, distinguant même les bancs de poissons qui fuient devant le bateau!

Le Gîte du Phare de Pointe-des-Monts *(20$; mi-mai à mi-oct, 2 départs, durée 2 heures, 1684 boul. Joliet, Baie-Comeau, G5C 1P8, ☎939-2332 ou 589-8408 hors saison)* organise quelques excursions fort intéressantes. En canot pneumatique ou en petit bateau de pêche, on observe les mammifères marins ainsi que l'environnement marin de la région à partir de l'endroit même où le golfe du Saint-Laurent prend naissance.

Duplessis

La **Tournée des îles** *(20$; 140 boul. Laure O., Sept-Îles, ☎968-1818 ou 962-1238)* organise des excursions en bateau d'une durée de trois heures dans l'archipel des Sept-Îles. La croisière donne aussi l'occasion de prendre connaissance de la richesse marine du fleuve Saint-Laurent, qui compte plusieurs variétés de mammifères marins, en particulier des baleines. Elle se rend jusqu'à l'île Corossol, une importante réserve ornithologique.

Sur toute la Côte-Nord, la plus belle expérience que puisse vivre quiconque aime les baleines, c'est d'aller à la rencontre des rorquals à bosse en compagnie des biologistes de la **Station de recherche des îles de Mingan** *(70$/pers.; 124 rue du Bord-de-la-Mer, Longue-Pointe, ☎949-2845, ≠ 948-1131)*. À bord de canots pneumatiques à coque rigide de 7 m, les observateurs participent à une journée de recherche qui consiste à identifier les animaux par les marques que l'on distingue sous la queue.

On assiste parfois à des biopsies et l'on recueille des données qui serviront aux chercheurs. Il faut avoir le cœur solide toutefois, puisque les sorties, qui débutent par un rendez-vous matinal à 7h à la station de recherche, durent un minimum de six heures et, parfois, beaucoup plus longtemps, et ce, dans une mer houleuse.

Randonnée pédestre

Les nombreux sentiers de courte et moyenne randonnée qui sillonnent le territoire de Tadoussac ont quelque chose de fantastique : ils traversent des écosystèmes radicalement différents les uns des autres.

Tadoussac est aussi le point de départ de l'un des sentiers de longue randonnée les plus remarquables au Québec : le **sentier du Fjord**, d'une beauté prenante.

D'une longueur de 12 km et de difficulté intermédiaire, il débute près du poste d'accueil du parc du Saguenay *(☎235-4238)*, à côté de la pisciculture. Ce sentier spectaculaire offre une vue presque constante sur l'embouchure du Saguenay, les falaises, les caps, le fleuve et le village. On trouve un terrain de camping sauvage vers le neuvième kilomètre. Il est également possible de poursuivre la marche au-delà des 12 km vers la Passe-Pierre, où est situé un autre terrain de camping, merveilleusement aménagé dans un lieu idyllique.

Tout près de Baie-Comeau, le **Camping de la Mer** *(72 rue Chouinard, Pointe-Lebel, ☎589-6576)* a aménagé 5 km de sentiers agréables et larges, puis en a dressé la carte. On peut également faire 30 km sur la divine plage de la pointe Manicouagan jusqu'à Pointe-aux-Outardes et au parc régional. La péninsule Manicouagan s'étend sur un territoire de 150 km^2 de sable fin recouverts de forêt, de champs en friche, de marais, de dunes et de plages.

Véritable paradis naturel, le **parc régional de Pointe-aux-Outardes** *(4 rue labrie O., ☎567-4226)* protège et met en valeur un milieu naturel fascinant qui regroupe huit écosystèmes sur 1 km^2. Un circuit de randonnée pédestre de 6 km vous permet de découvrir cet environnement extraordinaire.

Hébergement

Manicouagan

Tadoussac

Camping Tadoussac
18$
428 rue du Bateau-Passeur, G0T 1A0
☎235-4501
Aucun panorama ne surpasse celui du Camping Tadoussac, qui surplombe la baie et le village.

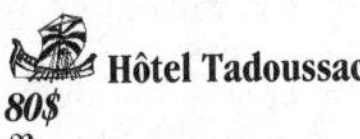 **Hôtel Tadoussac**
80$
ℜ
mi-avr à fin oct
165 rue du Bord-de-l'Eau, G0T 2A0
fermé en hiver
☎235-4421 ou 800-561-0718
⇄235-4607
Faisant face au fleuve, dans un long bâtiment blanc évoquant vaguement un manoir de la fin du XIXe siècle, l'hôtel Tadoussac (voir p 352) se distingue aisément par son toit rouge vif. Cet hôtel, célèbre pour avoir servi de toile de fond au film Hotel New Hampshire, dispose de chambres moins confortables qu'on pourrait l'espérer.

Baie-Comeau

La Caravelle
56$
≈, ℜ, ℑ, 🐕
202 boul. LaSalle, G4Z 1S6
☎296-4986 ou 800-469-4986
⇄296-4622
Tous les voyageurs qui ont régulièrement l'occasion de s'arrêter à Baie-Comeau connaissent l'hôtel-motel La Caravelle, qui domine toute la ville du haut d'une colline. On y trouve 70 chambres rénovées, dont certaines à prix économique et d'autres équipées de lit d'eau. Chambres avec foyer.

Le Petit Château
85$ pdj
ℜ
2370 boul. Laflèche, G5C 1E4
☎295-3100
⇄295-3225
Quelle grande et magnifique résidence, que cette auberge installée dans une oasis en pleine ville! Le Petit Château est un gîte accueillant même s'il privilégie une atmosphère simple et champêtre.

Godbout

Gîte Aux Berges
45$ bc, 55$ bp; pdj
ℂ; ℜ
180 rue Pascal-Comeau, G0H 1G0
☎568-7748
⇄568-7833
L'auberge Aux Berges demeure, à tout point de vue, l'un des meilleurs gîtes de la Côte-Nord. Les chambres sont pourtant aménagées sans prétention et l'endroit est loin d'être luxueux, mais la qualité et la chaleur de l'accueil, les services touristiques proposés ainsi qu'une cuisine régionale raffinée font toute la différence. Vous trouverez ici un lieu de détente et de repos au cœur d'un village fascinant. On y fait aussi la location de chalets en bois rond situés près de l'auberge.

Duplessis

Sept-Îles

Camping sauvage de l'île Grande-Basque
7$
juil à mi-sept
Corporation touristique de Sept-Îles, 1401 boul. Laure O., G4R 4K1
☎962-1238
☎968-1818 en été
⇄968-0022
Camper sur une île sauvage, dans la tranquillité de la nature, c'est le fantasme de plusieurs citadins. Le camping sauvage de l'île Grande-Basque rend ce rêve possible dans l'environnement superbe de la baie de Sept-Îles. Cette île étant la plus rapprochée de la rive, elle représente une belle étape pour les kayakistes et les canoteurs. Foyers, avec bois disponible sur place. Pas d'eau potable.

Havre-Saint-Pierre

Auberge de la Minganie
15$/pers.
ℂ
mai à oct
rte. 138, G0G 1P0
☎538-2944
L'Auberge de la Minganie, une sympathique auberge de jeunesse, se trouve près de la ville, à côté du parc national de l'Archipel-de-Mingan. Si vous venez en autocar, il faut demander au chauffeur d'arrêter devant l'auberge. On peut y participer à plusieurs activités culturelles et de plein air.

Hôtel-Motel du Havre
62$
ℜ, ℂ
970 boul. de l'Escale, G0G 1P0
☎538-2800 ou 888-797-2800
⇄538-3438
Il y a un établissement qu'on ne peut manquer de voir en entrant à Havre-

Saint-Pierre, puisqu'il est situé à l'intersection de la route principale et de la rue de l'Escale, qui traverse le village et mène au quai. L'Hôtel-Motel du Havre est définitivement le grand hôtel de la ville. De récents efforts de rénovation ont permis d'améliorer l'aménagement de plusieurs chambres, mais certaines d'entre elles restent ternes et un peu déprimantes. Accueil sympathique.

Île d'Anticosti

Auberge Au Vieux Menier
17,50$ par pers. en dortoir
35$ pdj en gîte
bc
de juin à septembre
C.P. 112, Port-Menier, G0G 2Y0
☎535-0111
L'Auberge Au Vieux Menier propose une formule d'hébergement entre le gîte touristique et l'auberge de jeunesse. Située sur le site de l'ancienne ferme Saint-Georges, plus vieux bâtiment de l'île, on y retrouve aussi un centre d'interprétation de fossiles. Tarifs économiques.

Auberge Port-Menier
66$
ℜ, tvc
C.P. 160, Port-Menier, G0G 2Y0
☎535-0122
⇌535-0204
L'Auberge Port-Menier est une institution de longue date sur l'île. Dans un décor sommaire, l'auberge propose des chambres propres. Plusieurs circuits de visites guidées sont organisés à partir de l'auberge. Le hall d'entrée est décoré des quelques magnifiques reliefs sur bois provenant du Château Menier. Location de vélos.

Baie-Johan-Beetz

Maison Johan-Beetz
50$ pdj
15 Johan-Beetz
☎539-0137
Vous pouvez loger dans la Maison Johan-Beetz, un hôtel exceptionnel puisqu'il s'agit d'un monument historique décoré de dessins de Johan Beetz. Les chambres sont confortables quoique rudimentaires.

Natashquan

Auberge La Cache
85$
183 ch. d'En Haut, G0G 2E0
☎726-3347
⇌726-3508
L'Auberge La Cache met une dizaine de chambres agréables à la disposition des voyageurs.

Restaurants

Manicouagan

Tadoussac

Restaurant la Bolée
$$-$$$
164 rue Morin
☎235-4750
On va au Restaurant la Bolée pour manger de bons plats simples, comme les crêpes fourrées. En soirée, l'endroit est parfait pour prendre un verre. Juste au-dessous du restaurant se trouve une boulangerie.

Café du Fjord
$$
152 rue du Bateau-Passeur
☎235-4626
Le Café du Fjord est très populaire. À l'heure du dîner, on y propose un buffet de fruits de mer. Plus tard dans la soirée, l'endroit est animé par un spectacle ou par la musique de la discothèque.

Bergeronnes

Auberge La Rosepierre
$$-$$$
66 rue Principale
☎232-6543
Endroit au charme singulier, l'Auberge La Rosepierre abrite une salle à manger aménagée avec beaucoup de goût et propose une table d'hôte où les saveurs et la façon de faire régionales sont à l'honneur. Naturellement, les plats de poisson et de fruits de mer sont au menu et toujours apprêtés avec une touche particulière.

Baie-Comeau

La Cache d'Amélie
$$$$
37 av. Marquette
☎296-3722
La Cache d'Amélie est le relais gastronomique par excellence à Baie-Comeau. Dans le pittoresque ancien presbytère de la plus belle paroisse de la ville, vous aurez droit à une intimité heureuse qui prédispose admirablement aux fins plaisirs de la table.

Le Manoir
$$-$$$
8 rue Cabot
☎296-3391
La renommée de la salle à manger de l'hôtel Le Manoir n'est plus à faire. Dans un décor extrêmement chaleureux et luxueux, on y fait une fine cuisine élaborée, à laquelle on peut attribuer les qualificatifs les plus élogieux. Ce rendez-vous des gens d'affaires et des industriels peut également plaire à la clientèle touristique, qui appréciera le point de vue

unique sur la baie et l'ambiance de vacances qui règne sur la terrasse extérieure. Remarquable choix de vins.

Pointe-des-Monts

Phare de Pointe-des-Monts
$$$
rte. du Vieux Fort
☎939-2332
Le restaurant du Phare de Pointe-des-Monts, situé dans une petite baie tranquille, propose un menu constitué essentiellement de fruits de mer frais. La cuisine est excellente et le service, impeccable.

Duplessis

Sept-Îles

Café du Port
$$
495 av. Brochu
☎962-9311
Le mignon Café du Port propose une bonne cuisine familiale simple et délicieuse. L'endroit est des plus sympathiques.

Chez Omer
$$$
372 av. Brochu
☎962-7777
Le restaurant Chez Omer prépare de délicieux plats de fruits de mer.

Havre-Saint-Pierre

Chez Julie
$-$$
1023 rue Dulcinée
☎538-3070
La réputation du restaurant Chez Julie n'est plus à faire car ses excellents plats de fruits de mer en ont ravi plus d'un. Son décor de coffee shop, avec sièges en vinyle, ne parvient pas à refroidir l'ardeur des inconditionnels, qui y reviennent pour savourer la pizza aux fruits de mer et au saumon fumé.

Île d'Anticosti

Pointe-Carleton
$-$$
SÉPAQ
La salle à manger de Pointe-Carleton est la meilleure et la plus agréable table de l'île. Dans une pièce éclairée ou sur la terrasse, le point de vue est spectaculaire et la cuisine, savoureuse. Chaque soir, on propose une spécialité différente. Si vous êtes ici un soir de «Bacchante» (assiette du pêcheur), ne manquez le repas pour rien au monde.

Auberge Port-Menier
$$
Port-Menier
☎535-0122
L'Auberge Port-Menier abrite une salle à manger qui propose une cuisine populaire de qualité.

Natashquan

Auberge La Cache
$$$
183 ch. d'En Haut
6h30 à 10h et 18h à 20h30
☎726-3347
On peut prendre un bon repas au restaurant de l'Auberge La Cache; des plats de viande et de fruits de mer y sont proposés.

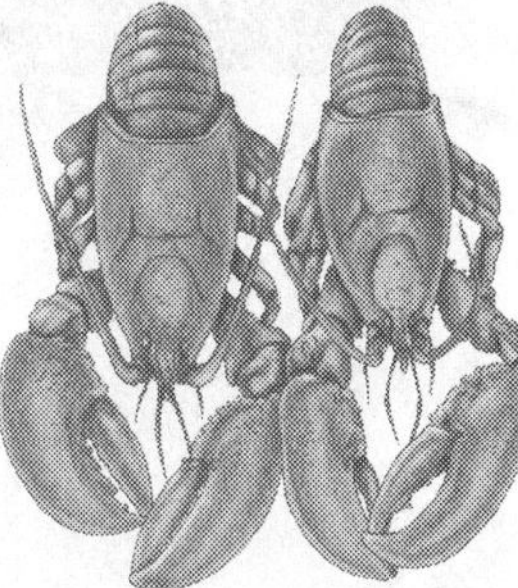

Sorties

Bars et discothèques

Manicouagan

Tadoussac

Café du Fjord
154 rue du Bateau-Passeur
☎235-4626
Surveillez la programmation du Café du Fjord. Des noms importants du rock, du jazz et du blues y passent de juin à la fin août. Les événements spéciaux s'y succèdent. On peut aussi y danser et y prendre un verre.

Baie-Comeau

Discothèque Le Broadway
1850 boul. Laflèche
Pour danser sur les derniers succès rock ou *dance*, les 18-30 ans fréquentent la Discothèque Le Broadway.

Pub en ville
1850 boul. Laflèche
Un chansonnier égaie les soirées de fin de semaine du Pub en ville, qui propose aussi son «5 à 7» quotidien et fait jouer une musique d'ambiance. Écran géant.

Duplessis

Port-Cartier

Graffiti
☎766-3513
Avec sa programmation de spectacles et d'expositions, son bar et son restaurant, le café-théâtre Graffiti reste l'un des endroits les plus animés et les plus courus en ville.

Sept-Îles

Le Matamek
451 av. Arnaud, Hôtel Sept-Îles
accès par l'arrière
En plein cœur de la ville et juste au bord de la magnifique promenade du parc du Vieux-Quai, le bar **Le Matamek** est le rendez-vous des visiteurs et des gens de Sept-Îles pour son «5 à 7» et pour ses soirées animées. L'ambiance y est à la discussion, aux rencontres et à la camaraderie. Clientèle de plus de 30 ans.

Île d'Anticosti

Auberge Au Vieux Menier
Port-Menier
☎535-0111
L'Auberge Au Vieux Menier et son bar-café Vous accueillent chaleureusement. Terrasse.

Achats

Manicouagan

Tadoussac

Dans un village où l'on trouve absolument de tout comme souvenirs, la **Boutique Nima** *(231 rue des Pionniers, ☎235-4858)* propose des objets de qualité. Elle présente de superbes pièces d'art inuit et amérindien.

Duplessis

Sept-Îles

La Côte-Nord vous fascine suffisamment pour que vous ayez le goût de lire encore plus sur le sujet? **La Librairie Côte-Nord** *(Mail Place de Ville, 770 boul. Laure, ☎968-8881)* propose une bonne sélection de livres sur la région. Vous y serez bien conseillé.

Les artisans et artistes régionaux vous proposent leurs produits à la **Boutique de souvenirs de la Terrasse du Vieux-Quai** *(en saison; ☎962-4174)* et dans Les abris de la promenade du Vieux-Quai, situés à l'extrémité ouest de la promenade. Il y a aussi **la boutique Les Artisans du Platin** *(451 av. Arnaud, ☎968-6115)*.

Les amateurs de produits d'artisanat amérindien trouveront un choix intéressant et typiquement montagnais à la **boutique du Musée régional de la Côte-Nord** *(500 boul. Laure, ☎968-2070)*.

Longue-Pointe

La Boutique des Îles *(134 rue du Bord-de-la-Mer E., ☎949-2320)* a de tout sur ses étalages, des vêtements de bonne qualité à l'effigie de la Minganie aux produits d'artisanat montagnais ou local en passant par les petits souvenirs moins coûteux et les belles reproductions animalières.

Île d'Anticosti

Les Artisans d'Anticosti *(juin à sept tlj 9h à 16h, sept à déc tlj 9h à 14h; C.P. 89, Port-Menier, ☎535-0270)* ont une superbe sélection de produits d'artisanat et de vêtements en cuir de chevreuil ainsi que des bijoux en bois de cerf. T-shirts et cartes géographiques.

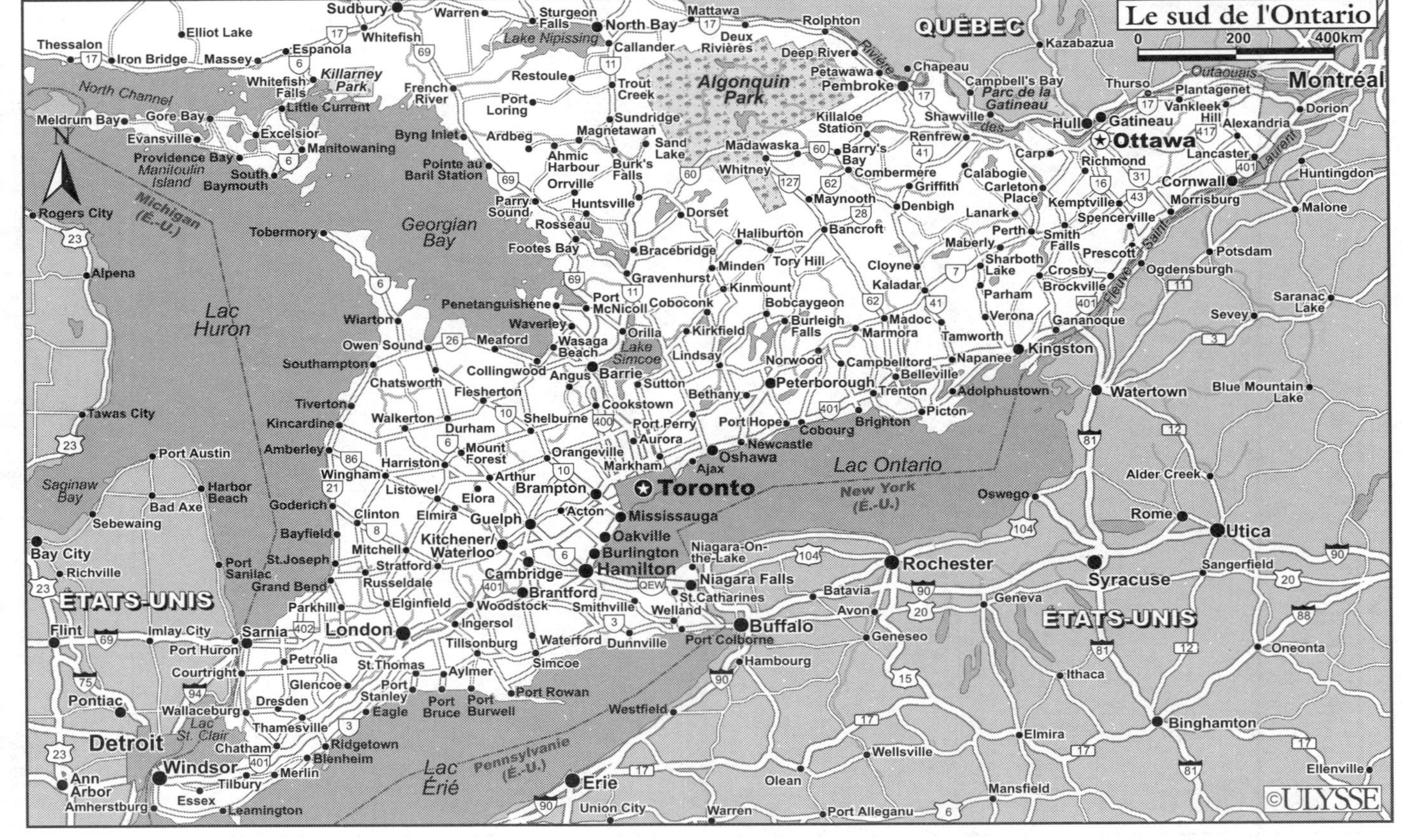

Le sud de l'Ontario
0
200
400km
QUÉBEC
ÉTATS-UNIS
Montréal
Ottawa
Toronto
Lac Huron
Lac Ontario
Lac Érié
Georgian Bay
Saginaw Bay
North Channel
Lake Nipissing
Lake Simcoe
Lac St. Clair
Manitoulin Island
Algonquin Park
Killarney Park
Parc de la Gatineau
Rivière des Outaouais
Fleuve Saint-Laurent
Michigan (É.-U.)
New York (É.-U.)
Pennsylvanie (É.-U.)
N
Sudbury
Warren
Sturgeon Falls
North Bay
Mattawa
Rolphton
Elliot Lake
Thessalon
Iron Bridge
Massey
Espanola
Whitefish
Callander
Deux Rivières
Deep River
Kazabazua
Whitefish Falls
Little Current
French River
Restoule
Port Loring
Trout Creek
Petawawa
Pembroke
Chapeau
Campbell's Bay
Thurso
Plantagenet
Meldrum Bay
Gore Bay
Evansville
Excelsior
Manitowaning
Providence Bay
South Baymouth
Byng Inlet
Ardbeg
Magnetawan
Sundridge
Sand Lake
Killaloe Station
Shawville
Hull
Gatineau
Vankleek Hill
Alexandria
Dorion
Pointe au Baril Station
Ahmic Harbour
Burk's Falls
Madawaska
Barry's Bay
Renfrew
Carp
Richmond
Lancaster
Huntingdon
Rogers City
Parry Sound
Orrville
Huntsville
Whitney
Combermere
Griffith
Calabogie
Carleton Place
Kemptville
Cornwall
Morrisburg
Malone
Rosseau
Dorset
Maynooth
Denbigh
Lanark
Spencerville
Tobermory
Footes Bay
Bracebridge
Haliburton
Bancroft
Perth
Smith Falls
Prescott
Potsdam
Alpena
Minden
Tory Hill
Maberly
Sharboth Lake
Crosby
Ogdensburgh
Gravenhurst
Kinmount
Cloyne
Kaladar
Brockville
Saranac Lake
Port McNicoll
Coboconk
Bobcaygeon
Parham
Penetanguishene
Wiarton
Waverley
Orilla
Kirkfield
Burleigh Falls
Madoc
Verona
Gananoque
Sevey
Wasaga Beach
Meaford
Owen Sound
Marmora
Tamworth
Kingston
Southampton
Lindsay
Norwood
Campbelltord
Napanee
Collingwood
Angus
Barrie
Belleville
Chatsworth
Flesherton
Sutton
Bethany
Peterborough
Trenton
Adolphustown
Watertown
Blue Mountain Lake
Tiverton
Cookstown
Picton
Tawas City
Kincardine
Walkerton
Durham
Shelburne
Port Perry
Port Hope
Cobourg
Brighton
Aurora
Newcastle
Amberley
Mount Forest
Orangeville
Oshawa
Harriston
Markham
Ajax
Port Austin
Wingham
Arthur
Alder Creek
Harbor Beach
Listowel
Brampton
Elora
Bad Axe
Goderich
Oswego
Clinton
Elmira
Guelph
Acton
Mississauga
Rome
Utica
Sebewaing
Bayfield
Oakville
Kitchener/ Waterloo
Mitchell
Burlington
Niagara-On-the-Lake
Bay City
Port Sanilac
St.Joseph
Stratford
Hamilton
Rochester
Syracuse
Sangerfield
Richville
Grand Bend
Russeldale
Cambridge
Niagara Falls
Batavia
St.Catharines
Brantford
Parkhill
Elginfield
Woodstock
Smithville
Welland
Geneva
Avon
Flint
Imlay City
Sarnia
London
Ingersol
Buffalo
Port Huron
Waterford
Dunnville
Port Colborne
Geneseo
Tillsonburg
Oneonta
Petrolia
St.Thomas
Hambourg
Courtright
Aylmer
Simcoe
Ithaca
Glencoe
Port Stanley
Port Rowan
Pontiac
Dresden
Wallaceburg
Port Bruce
Port Burwell
Eagle
Westfield
Thamesville
Binghamton
Detroit
Chatham
Ridgetown
Elmira
Blenheim
Wellsville
Windsor
Merlin
Ann Arbor
Tilbury
Erie
Olean
Ellenville
Essex
Mansfield
Amherstburg
Leamington
Union City
Warren
Port Alleganu
17
69
6
11
60
127
62
28
41
7
401
416
31
43
417
3
12
81
90
20
88
104
15
26
10
400
86
21
8
402
94
75
23
QEW
©ULYSSE

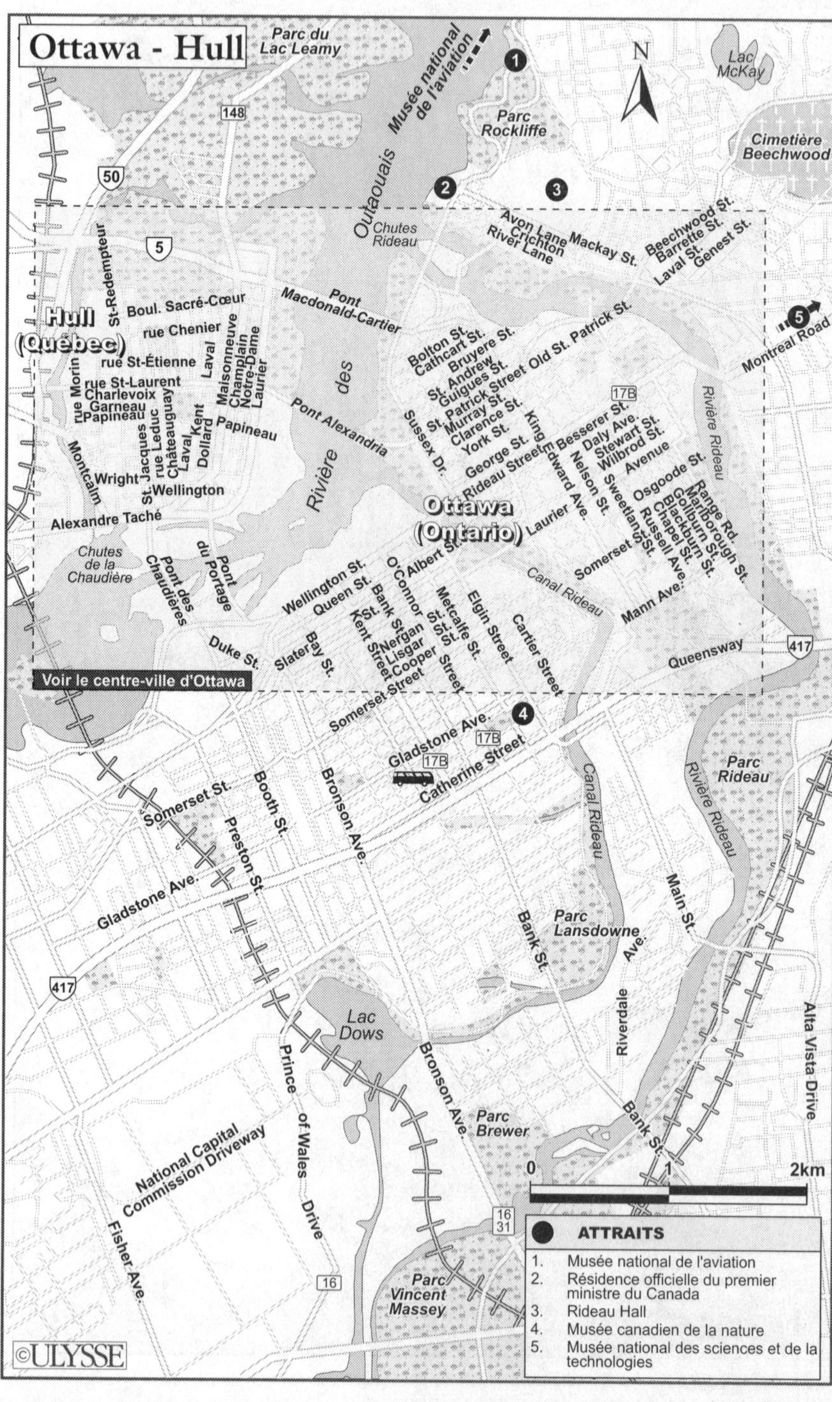

Ottawa - Hull
Parc du Lac Leamy
Musée national de l'aviation
Parc Rockliffe
Lac McKay
Cimetière Beechwood
Outaouais
Chutes Rideau
Hull (Québec)
Ottawa (Ontario)
Rivière des
Pont Macdonald-Cartier
Pont Alexandria
Chutes de la Chaudière
Pont des Chaudières
Pont du Portage
Rivière Rideau
Canal Rideau
Montreal Road
Queensway
Voir le centre-ville d'Ottawa
Parc Rideau
Parc Lansdowne
Lac Dows
Parc Brewer
Parc Vincent Massey
National Capital Commission Driveway
Prince of Wales Drive
Fisher Ave.
Bronson Ave.
Bank St.
Main St.
Alta Vista Drive
Riverdale Ave.
Gladstone Ave.
Catherine Street
Somerset St.
Booth St.
Preston St.
0
1
2km
©ULYSSE
ATTRAITS
1. Musée national de l'aviation
2. Résidence officielle du premier ministre du Canada
3. Rideau Hall
4. Musée canadien de la nature
5. Musée national des sciences et de la technologies

Qui aurait cru,

il y a de ça moins de 200 ans, qu'au confluent des rivières des Outaouais et Rideau, au cœur d'une dense forêt, une ville se développerait un jour et deviendrait même la capitale canadienne?

Au lendemain de la guerre de 1812, pendant laquelle les troupes britanniques installées au Canada se sont opposées aux troupes américaines, les autorités anglaises constatent la nécessité de mieux protéger la voie navigable du Saint-Laurent entre Montréal et Kingston. La défense de cette voie n'est cependant pas de tout repos, car, sur une bonne distance, ce cours d'eau possède une berge au Canada et une autre aux États-Unis. On envisage par conséquent la construction d'un canal entre la rivière des Outaouais et Kingston, qui permettrait d'éviter de remonter le fleuve Saint-Laurent pour se rendre à Kingston. Cette stratégie militaire est à l'origine de la fondation d'Ottawa.

Un premier peuplement agricole dirigé par Philemon Wright s'était amorcé sur le site de l'actuelle ville de Hull, au Québec, sur la rive nord de la rivière des Outaouais, autour des années 1800. Les travaux de construction du canal débutent en 1826; le lieutenant-colonel By en a la charge. Un petit hameau se développe alors, composé des ouvriers amenés pour effectuer le canal ainsi que des dignitaires qui veillent à la bonne marche du projet. Il prend pour nom Bytown en l'honneur du lieutenant-colonel.

Il faut sept ans pour terminer le canal et, en 1832, un petit village est bâti au confluent des deux voies navigables. Bytown s'épanouit essentiellement en raison de la dense forêt qui l'entoure, dont l'exploitation fait vivre nombre d'habitants.

Peu à peu, deux quartiers bien distincts se développent de chaque côté du canal, la Haute-Ville, du côté ouest, où les notables, anglais et protestants, se font construire de somptueuses demeures, et la Basse-Ville, du côté est, où s'établissent les habitants pauvres de la ville, essentiellement les communautés francophones et irlandaises, toutes deux catholiques. Les rivalités entre ces communautés sont nombreuses, et les premières années de Bytown sont tumultueuses, surtout dans les rues de la Basse-Ville. Petite cité ne comptant que quelques milliers d'âmes, Bytown connaît au cours du XIXe siècle de profondes transformations.

De 1841 à 1844, Kingston devient la capitale du Canada-Uni, mais la proximité des États-Unis fait craindre aux autorités d'éventuelles attaques. Aussi les autorités cherchent-elles à trouver un meilleur emplacement pour la capitale.

Bien que les villes de Montréal, de Toronto, de Kingston et de Québec essaient de se qualifier, plusieurs considèrent le site de Bytown attrayant. En fait, bien que d'aucuns affirment qu'elle soit grise et violente, nombre de facteurs la favorisent : elle est à la limite des anciens Bas-Canada et Haut-Canada, elle se compose de francophones et d'anglophones dans une proportion équivalente, et le gouvernement britannique y possède des terres parfaites pour la construction d'édifices gouvernementaux. En raison de ces avantages, le site de Bytown est privilégié comme siège du gouvernement. En 1857, le choix est fait, et Bytown, qui se nomme désormais Ottawa, devient la capitale du Canada-Uni. Au moment de la signature de l'Acte confédératif de 1867, Ottawa demeure la capitale, et elle a depuis toujours gardé sa vocation.

L'industrie du bois, qui a fait vivre les habitants durant tout le XIXe siècle, décline dès le début du XXe siècle. Le statut de capitale nationale d'Ottawa lui permet toutefois d'attirer les bureaux de la fonction publique fédérale, qui devient alors le principal employeur de la ville. Un plan d'urbanisation est également adopté au tournant du XXe siècle afin de l'embellir. C'est véritablement en 1937, alors que l'architecte et urbaniste français Jacques Greber est mandaté pour réaménager le centre-ville, qu'Ottawa se transforme et prend fière allure. Aujourd'hui, les magnifiques bâtiments de la colline du Parlement et les avenues, larges et bordées de splendides demeures victoriennes, témoignent de la réussite de cet aménagement qui a permis d'élever Ottawa au rang des belles cités canadiennes.

Pour s'y retrouver sans mal

En voiture

Ottawa est facilement accessible du Québec et de tous les coins de l'Ontario, car elle est reliée par un excellent réseau d'autoroutes.

De Montréal, il suffit de suivre l'autoroute 40, puis la 417, et de prendre la sortie Nicholas Street pour accéder au centre-ville.

De Toronto, vous pouvez opter de suivre la route 7, qui traverse Peterborough et qui se rend directement à Ottawa. Il est également possible de longer le fleuve Saint-Laurent en prenant l'autoroute 401 jusqu'à Prescott et, de là, d'emprunter la route 16 en direction d'Ottawa.

En autocar

Bien répartis et peu chers, les autocars couvrent la majeure partie du territoire canadien. Excepté pour les transports urbains, il n'existe pas d'entreprise d'État; plusieurs sociétés se partagent le territoire.

Les compagnies d'autocars Gray Coach, Greyhound et Voyageur Colonial desservent le territoire de l'Ontario. L'autocar est le moyen le moins coûteux pour se rendre à Ottawa. En outre, le service, de Montréal et de Toronto, est à la fois rapide et ponctuel, et vous n'aurez aucun souci à vous faire quant aux heures de départ, les autocars faisant la navette plusieurs fois par jour.

Ottawa
265 Catherine Street
☎*238-5900*

De la gare d'autocars, vous pouvez vous rendre au centre-ville en autobus (OC Transpo 4) ou en voiture en suivant les rues Kent ou Bank.

En train

La société VIA Rail assure le transport de passagers entre les différentes provinces canadiennes et dessert plusieurs villes du sud et du nord de l'Ontario. Au départ de Montréal ou de Toronto, il s'agit sans nul doute de la façon la plus agréable de se rendre dans la capitale. Vous voyagerez alors confortablement tout en étant traité aux petits soins par le personnel de bord.

À Ottawa, la gare se trouve près du centre-ville, à une dizaine de minutes en voiture, et elle est desservie par un bon système routier ainsi que par les transports en commun.

Gare d'Ottawa
200, chemin Tremblay
☎*244-8289*

Pour vous y rendre en voiture, prenez l'autoroute 417 en direction est. La gare est située un peu après Riverside Promenade.

Si vous optez pour les transports en commun, l'autobus 95 d'OC Transpo part de la gare et se rend au centre-ville, à deux pas de la colline du Parlement. Il en coûte alors 1,85$.

En avion

L'aéroport Macdonald-Cartier d'Ottawa

L'**aéroport international d'Ottawa** *(50 promenade de l'Aéroport, ☎998-5213, ≠954-2136)* est de petite taille, mais accueille, tous les jours, plusieurs vols venant d'autres villes canadiennes ou d'autres pays. Il est situé à une vingtaine de minutes du centre-ville, et vous pourrez aisément vous y rendre en voiture (nombre d'agences de location de voitures y sont représentées), en taxi ou en autobus (OC Transpo 96).

Renseignements pratiques

Un tout nouveau bureau de renseignements touristiques a ouvert ses portes à deux pas de la colline du Parlement. Brochures, information, centre de réservation de chambres d'hôtels..., vous y trouverez tous les services dont vous pourriez avoir besoin.

Infocentre de la Capitale
fin mai à début sept
tlj, 8h30 à 21h
reste de l'année, tlj, 9h à 17h
90 Wellington Street
☎*239-5000*
☎*800-465-1867*

En parcourant les sites Internet, vous pourrez également vous procurer une foule de renseignements touristiques supplémentaires. En voici quelques-uns :
www.capcan.ca
www.ottawakiosk.com
www.tourottawa.org

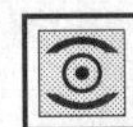

Attraits touristiques

Le canal Rideau constitue le cœur d'Ottawa, tant parce qu'il est à l'origine de sa fondation, que parce qu'il délimite l'est de la ville, formant la Basse-Ville, et l'ouest, où s'étend la Haute-Ville. Un premier circuit longe ce cours d'eau et présente les principaux attraits qui le bordent. Puis, deux circuits, la Haute-Ville et la Basse-Ville, vous entraînent à la découverte des belles réalisations architecturales qui ont transformé le visage d'Ottawa à la fin du XIXe siècle et au début du XXe siècle.

Le canal Rideau

C'est en quelque sorte grâce au conflit entre les Britanniques et les Américains, en 1812, qu'Ottawa voit le jour, car les autorités britanniques prennent alors conscience de la vulnérabilité de la voie navigable du Saint-Laurent, qui relie Montréal aux Grands Lacs. Aussi, une fois le conflit résolu, envisagent-elles des solutions pour pallier ce problème. La construction d'un canal, reliant la rive sud de la rivière des Outaouais (en face du village de Wrightown) à Kingston, apparaît comme la solution.

Au pied de Barrack Hill, juste à côté des écluses, fut érigée en 1827 l'Intendance. Cette maison de pierre, la plus ancienne construction de la ville, renferme toujours le **Bytown Museum** ★ *(2,50$; mi-mai à fin nov lun-sam 10h à 17h, dim 13h à 17h; à côté des écluses, ☎234-4570)*, où sont présentées diverses expositions.

Le **canal Rideau** *(pour des renseignements ☎283-5170 ou 800-230-0016)* serpente toujours au cœur d'Ottawa, pour le grand plaisir des gens qui viennent sur ses berges afin d'y respirer une bouffée d'air frais tout au long de l'année. En été, ses rives se parent de parcs parsemés de tables de pique-nique, et une promenade piétonne et cycliste est mise à la disposition des randonneurs. En hiver, le canal, une fois gelé, se transforme en une vaste patinoire qui traverse la ville. Si l'aventure vous tente, sachez qu'en face du Centre national des Arts se trouve un petit pavillon où vous pourrez enfiler vos patins ou vous réchauffer.

Le **Centre national des arts** *(entre la place de la Confédération et le canal Rideau, 53 Elgin St., ☎996-5051)* est bâti sur la rive ouest du canal, à l'emplacement même où se trouvait, au siècle dernier, l'hôtel de ville, détruit par un incendie. Le centre, tel qu'on le voit aujourd'hui, fut érigé dans les années 1964-1967 par les architectes montréalais Affleck, Desbarats, Dimakopoulos, Lebensol et Sise. On y présente, tout au long de l'année, d'excellents concerts et pièces de théâtre (voir p 381). Il a en outre l'avantage d'être construit au bord du canal Rideau, et l'on a judicieusement tiré parti de son emplacement, d'agréables terrasses y étant aménagées en été.

La Haute-Ville

Dès les premières années de la fondation de Bytown, les belles terres situées sur la rive ouest du canal Rideau attirent les anglo-protestants bien nantis, qui s'installent dans la ville. Quartier bourgeois de la ville s'il en est alors un, la Haute-Ville s'embellit au fil des ans, et quelques demeures nécessaires pour accueillir les familles des nouveaux venus sont construites. Elle connaît cependant son apogée autour des années 1860, alors qu'Ottawa est choisie pour devenir la capitale et que l'on érige, au sommet de Barrack Hill, colline appartenant à la Couronne britannique, les magnifiques bâtiments du Parlement fédéral, qui la parent toujours. Il s'agit, en quelque sorte, du coup d'envoi de la métamorphose de la Haute-Ville, qui, en une cinquantaine d'années, voit ses larges avenues se garnir de beaux bâtiments victoriens.

La balade dans ce quartier d'Ottawa débute aux édifices du Parlement et vous mène à la découverte de quelques-uns des plus beaux bâtiments de la ville. Comptez une demi-journée pour la faire.

Les **édifices du Parlement** ★★★ *(renseignements sur les activités, ☎239-5000 ou 800-465-1867)* dominent véritablement Ottawa. Au sommet de la colline se dressent trois bâtiments répartis autour d'un jardin de 200 m^2. L'édifice central abrite la Chambre des communes et le Sénat, où siège le gouvernemental fédéral. Les deux autres bâtiments, dénommés édifice de l'Est et édifice de l'Ouest, renferment différents bureaux administratifs.

C'est en 1857, alors qu'Ottawa est désignée capitale du Canada-Uni, que la construction de certains de ces splendides bâtiments apparaît nécessaire aux autorités de la ville, qui ne possèdent pas d'endroits pour accueillir les parlementaires. Au terme d'un concours, ce sont les plans conçus par Thomas Fuller et Chilion Jones, proposant l'érection d'un bâtiment de style néogothique, qui sont retenus. Cependant, les délais pour l'élaboration de ces plans sont fort courts, et les travaux débutent avant que tous les problèmes que pose une construction de cette complexité ne soient résolus. Aussi, à peine un an plus tard, l'imposant budget de 250 000 livres sterling alloué est-il déjà dépassé.

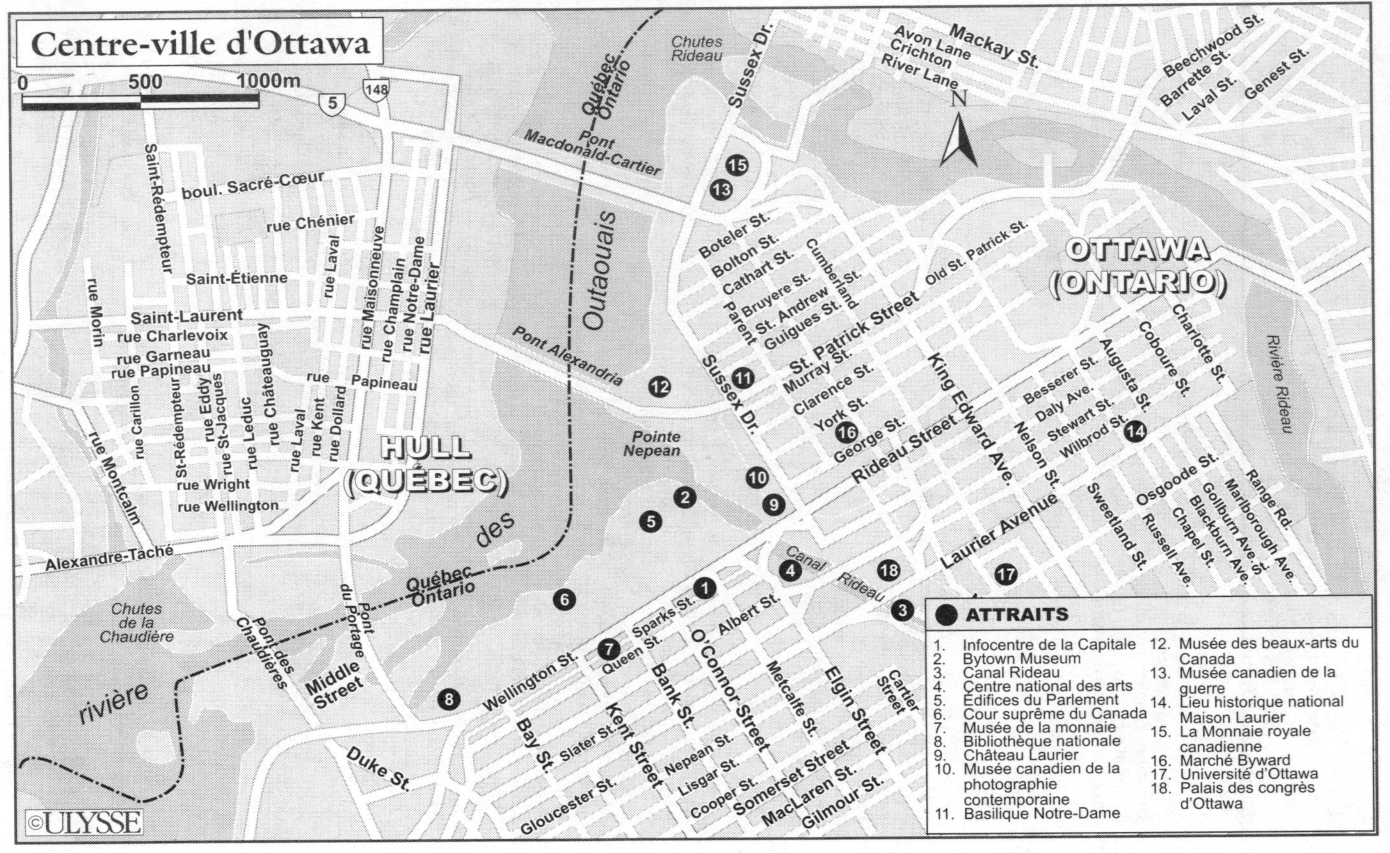
Centre-ville d'Ottawa
0
500
1000m
ATTRAITS
1. Infocentre de la Capitale
2. Bytown Museum
3. Canal Rideau
4. Centre national des arts
5. Édifices du Parlement
6. Cour suprême du Canada
7. Musée de la monnaie
8. Bibliothèque nationale
9. Château Laurier
10. Musée canadien de la photographie contemporaine
11. Basilique Notre-Dame
12. Musée des beaux-arts du Canada
13. Musée canadien de la guerre
14. Lieu historique national Maison Laurier
15. La Monnaie royale canadienne
16. Marché Byward
17. Université d'Ottawa
18. Palais des congrès d'Ottawa
OTTAWA (ONTARIO)
HULL (QUÉBEC)
Outaouais
rivière
des
Rivière Rideau
Chutes Rideau
Chutes de la Chaudière
Pointe Nepean
Pont Macdonald-Cartier
Pont Alexandria
Pont du Portage
Pont des Chaudières
Québec Ontario
Sussex Dr.
Mackay St.
Avon Lane
Crichton
River Lane
Beechwood St.
Barrette St.
Laval St.
Genest St.
Boteler St.
Bolton St.
Cathart St.
Bruyere St.
Cumberland St.
St. Andrew St.
Parent
Guigues St.
St. Patrick Street
Old St. Patrick St.
Murray St.
Clarence St.
York St.
George St.
Rideau Street
King Edward Ave.
Besserer St.
Daly Ave.
Stewart St.
Wilbrod St.
Nelson St.
Augusta St.
Coboure St.
Charlotte St.
Osgoode St.
Sweetland St.
Russell Ave.
Chapel St.
Blackburn Ave.
Gollburn Ave. St.
Marlborough Ave.
Range Rd.
Laurier Avenue
Canal Rideau
Sparks St.
Albert St.
Queen St.
Wellington St.
O'Connor Street
Metcalfe St.
Elgin Street
Cartier Street
Bank St.
Kent Street
Bay St.
Slater St.
Nepean St.
Lisgar St.
Cooper St.
Somerset Street
MacLaren St.
Gilmour St.
Gloucester St.
Duke St.
Middle Street
Alexandre-Taché
Saint-Rédempteur
boul. Sacré-Cœur
rue Chénier
Saint-Étienne
Saint-Laurent
rue Charlevoix
rue Garneau
rue Papineau
rue Morin
rue Carillon
rue Montcalm
St-Rédempteur
rue Eddy
rue St-Jacques
rue Leduc
rue Châteauguay
rue Laval
rue Kent
rue Dollard
rue Papineau
rue Maisonneuve
rue Champlain
rue Notre-Dame
rue Laurier
rue Wright
rue Wellington
5
148
N
©ULYSSE

Les autorités sont alors accusées de mauvaise gestion des fonds publics, et les travaux doivent être interrompus. Trois ans s'écoulent avant que la Commission royale d'enquête, mandatée pour faire la lumière sur la question, ne recommande la reprise des travaux. En 1866, la première session s'y tient, même si la construction n'est pas encore achevée.

Si l'élaboration du bâtiment central ne s'est pas faite sans peine, le résultat a de quoi faire la fierté des habitants d'Ottawa : trois splendides bâtiments de style néogothique dominent l'horizon de leur ville, qui, jusque-là, était essentiellement composée de modestes maisons de bois.

À peine 40 ans plus tard, le 3 février 1916, un terrible incendie se déclare dans le bâtiment central. Ce sont d'abord les locaux de la partie ouest puis ceux de la partie est qui brûlent. Le magnifique édifice est entièrement consumé par les flammes, à l'exception de la bibliothèque, sauvée grâce à un commis qui eut la présence d'esprit de fermer les épaisses portes de fer la séparant du reste du bâtiment. Encore aujourd'hui, vous pouvez voir ce splendide bâtiment néogothique comptant 16 côtés et surmonté d'un toit de cuivre en lanterne.

L'intérieur, richement décoré de boiseries en pin blanc, comprend une vaste salle de lecture éclairée par des fenêtres en ogive, qui ornent chacun de ses côtés, ainsi que de petites alcôves renfermant une partie des collections de la bibliothèque. Au centre se dresse une statue de marbre blanc de la reine Victoria, œuvre de Marshall Wood (1871).

Des tours guidés de l'édifice central *(entrée libre; fin mai à début sept, lun-ven 9h à 19h40, sam-dim 9h à 16h40; sept à mai, tlj 9h à 16h40)* sont organisés. Ils permettent de visiter l'intérieur de l'édifice, dont la Chambre des communes, où les députés élus au suffrage universel débattent et adoptent les lois fédérales. Du côté est de l'édifice, ces tours guidés s'attardent à la grande pièce abritant le Sénat, ou Chambre haute, dont les membres, nommés par le gouvernement, ont pour fonction d'étudier et de donner leur aval aux lois adoptées par la Chambre des communes.

Outre ces deux pièces, les tours guidés de l'édifice entraînent également les visiteurs à l'intérieur de la bibliothèque ainsi que dans la tour de la Paix, où il est notamment possible de voir la chapelle du Souvenir, faite de marbre blanc.

Cour suprême

L'édifice central est, depuis les tout débuts, flanqué de deux autres bâtiments : les édifices de l'Est et de l'Ouest. Ils sont l'œuvre de Thomas Stent et d'Augustus Laver. L'édifice de l'Est, une belle composition aux élévations asymétriques, se compose de pierres taillées aux couleurs allant du crème au ocre et est enjolivé de tours, de cheminées, de pinacles, de fenêtres en ogive, de gargouilles et de diverses sculptures. À l'origine, il fut construit pour recevoir les Services civils du Canada; désormais, il renferme les bureaux des sénateurs et des membres du Parlement. Une visite guidée est offerte et vous fera voir, entre autres locaux, quelques pièces restaurées comme on aurait pu les voir au XIXe siècle. S'y trouvent également le bureau du gouverneur général et la chambre du Conseil privé. L'édifice de l'Ouest n'abrite que des bureaux de députés; on ne peut pas le visiter.

La colline du Parlement est aussi la scène de nombreux événements, notamment la **relève de la garde**, qui a lieu tous les jours de la fin juin à la fin août, à 10h, alors que vous pourrez voir parader les soldats dans leurs costumes de cérémonie. Un **spectacle son et lumière** *(entrée libre; mi-mai à mi-juin)* racontant l'histoire du Canada est également présenté.

En poursuivant votre route sur la rue Wellington, vous croiserez une autre institution canadienne : la **Cour suprême du Canada ★** *(visites guidées ☎995-5361; angle Wellington Street et Kent Street).* Le bâtiment, de style Art déco, a été conçu par l'architecte Ernest Cormier, qui en entreprit la construction en 1939. Une seule modification a dû être apportée au plan d'origine, qui prévoyait un toit plat. En fait, le département des Travaux publics, favorisant encore le style Château, ou peut-être était-ce dû à une exigence du premier ministre Mackenzie King, demanda une modification au toit, pour lui donner l'aspect actuel. Le vaste espace créé par l'intérieur de ce toit pointu est occupé par la bibliothèque.

Au bout de Wellington Street se trouvent les bâtiments de la **Bibliothèque nationale** *(395 Wellington Street)*, qui renferme une impressionnante collection de documents traitant du Canada ainsi que des publications canadiennes. L'ensemble abrite également les Archives nationales du Canada. Des expositions temporaires y sont organisées.

Les changements considérables que connaît Ottawa dans la seconde moitié du XIXe siècle se répercutent sur le développement des artères commerciales. Depuis les tout débuts de la ville, deux secteurs convoitent le titre de centre commercial : les environs du marché Byward, dans la Basse-Ville, et la **rue Sparks**, dans la Haute-Ville. Pour arriver à ces fins, de gros efforts sont faits pour embellir Sparks par les habitants et les commerçants de ce secteur. C'est ainsi que cette élégante artère, qui se pare d'édifices hauts de cinq ou six étages, est l'une des toutes premières à être asphaltée, à être sillonnée par le tramway et à profiter de réverbères. On la dénomme alors la «Broadway» d'Ottawa. Sa vocation commerciale n'a jamais disparu, et elle se présente aujourd'hui comme une belle artère piétonne (entre les rues Kent et Elgin) fort agréable en été. En raison d'une foule de jolies boutiques, les promeneurs y viennent nombreux pour magasiner ou simplement faire du lèche-vitrine.

Le premier arrêt que vous pouvez faire sur Sparks consiste en une visite du **Musée de la monnaie ★** *(2$; mar-sam 10h30 à 17h, dim 13h à 17h; 245 Sparks Street, ☎782-8914)*, qui se trouve à l'intérieur de la Banque du Canada; on y accède par la porte arrière. L'exposition, répartie entre huit salles, retrace l'histoire de la création de la monnaie.

La Basse-Ville

Les terres de la rive est du canal, mal irriguées, n'avaient, dans les premiers temps de Bytown, rien pour attirer la convoitise des nouveaux venus. Des travaux d'irrigation, effectués autour des années 1827, les rendent plus enviables et, peu à peu, elles se peuplent. Ce ne sont cependant pas les personnes bien nanties qui s'y installent, mais plutôt les travailleurs, qui trouvent à y loger à bon prix. Des travailleurs francophones et irlandais, catholiques pour la plupart, composent alors la grande majorité des habitants de ce quartier. Mais les conditions de vie sont difficiles; les escarmouches entre Irlandais et francophones, souvent en concurrence pour les mêmes emplois, sont fréquentes; aussi la vie dans ce quartier n'est-elle pas toujours rose. D'ailleurs, la Basse-Ville garde peu de traces de ces premières et difficiles années, car les bâtiments de cette époque, la plupart faits de bois, ont rarement résisté aux ans. Il en reste encore quelques-uns ici et là qui reflètent, pour la plupart, les origines francophones des habitants de ce quartier. Laissé pour compte durant la seconde moitié du XIXe siècle, ce quartier n'a pas connu le boom de construction de la Haute-Ville. C'est pourquoi on y trouve très peu de bâtiments de style néo-gothique, en vogue durant cette période. Au début du XXe siècle, Sussex Drive, qui borde l'extrémité ouest de ce quartier, s'embellit grâce à la construction de magnifiques bâtiments de style Château. Puis, tout au long de ce siècle, d'autres bâtiments, dont le très beau Musée des Beaux-Arts du Canada, vont parfaire le visage de cette artère.

La rue Wellington enjambe le canal et devient, de ce côté, la rue Rideau, bordée de part et d'autre d'une foule de boutiques où vous pourrez aller magasiner un brin.

Le premier bâtiment que vous croiserez, et que vous ne saurez manquer, est l'imposant **Château Laurier ★★** *(1 Rideau Street)*, qui se dresse au bord du canal Rideau et qui compte, depuis le début, parmi les plus prestigieux hôtels de la ville (voir p 377). Ce sont les architectes Ross et MacFarland qui sont mandatés, en 1908, pour concevoir l'édifice. À l'image des autres hôtels du Canadien Pacifique, ils favorisent le style Château et construisent un élégant hôtel d'allure romantique, doté de façades de pierre relativement dépouillées et pourvu de toits pointus en

Château Laurier

cuivre, de tourelles et de lucarnes. Rien n'est omis pour faire de l'endroit un établissement de grande classe, et la décoration intérieure est somptueuse. Vous pourrez encore l'admirer en pénétrant dans le hall. En 1912, le tout premier client à s'enregistrer est nul autre que Sir Wilfrid Laurier, qui a favorisé la création du chemin de fer et qui laissera son nom à l'établissement.

À côté se trouve le **Musée canadien de la photographie contemporaine** *(entrée libre; mai à sept lun-mar et ven-dim 11h à 17h, mer 16h à 20h, jeu 11h à 20h; sept à avr mer-jeu 11h à 20h, ven-dim 11h à 17h; 1 Rideau Canal, ☎990-8257, ≠990-6542)*, dont la collection s'élève à plus de 158 000 images, laquelle a été créée à partir du fonds de photographies de l'Office national du film du Canada.

Continuez sur Mackenzie Avenue et tournez à droite sur St. Patrick Street.

En 1841, la **basilique Notre-Dame** ★ *(Sussex Drive, angle St. Patrick Street)*, surmontée de deux élégantes flèches, est construite afin de desservir les catholiques de la Basse-Ville, tant ceux parlant français que les Irlandais de langue anglaise. D'ailleurs, vous remarquerez, dans le chœur, la présence d'un **Saint Jean-Baptiste** et d'un **Saint Patrick**. Il s'agit de la plus vieille église de la ville; son magnifique chœur de bois merveilleusement ouvragé et les statues des prophètes et des évangélistes, œuvre de Louis-Philippe Hébert, y sont encore en parfaite condition.

Poursuivez sur Sussex Drive.

Le **Musée des Beaux-Arts du Canada** ★★★ *(entrée libre pour la collection permanente; mai à mi-sept tlj 10h à 18h, jeudi 10h à 20h; fin juin à mi-sept également ouvert ven-sam jusqu'à 20h; mi-sept à mai mer-dim 10h à 17h, jeu 10h à 20h; 380 Sussex Drive, ☎990-1985, www.musee.beaux-arts.ca)* propose un fabuleux voyage à travers l'histoire artistique du Canada et d'ailleurs grâce à une collection de 45 000 œuvres d'art, dont 1 200 sont en montre.

Surplombant la rivière des Outaouais, l'édifice moderne de verre, de granit et de béton, chef-d'œuvre de l'architecte Moshe Safdie, est fort aisément identifiable en raison de son harmonieuse tour, revêtue de triangles de verre évoquant la forme de la bibliothèque du Parlement, qui s'élève au loin.

Les premières salles du musée, au rez-de-chaussée, sont consacrées aux œuvres d'artistes canadiens et américains. Une quinzaine de ces salles retracent l'évolution des mouvements artistiques canadiens. Les salles qui suivent présentent quelques pièces maîtresses des artistes ayant marqué le début du XXe siècle. Une place est également faite aux artistes qui ont su se distinguer en créant des techniques picturales et en traitant de thèmes qui leur sont propres, entre autres l'artiste Emily Carr, de la Colombie-Britannique (*Hutte indienne, Îles de la Reine-Charlotte*). Vous pourrez également y contempler des toiles de grands peintres québécois du XXe siècle, notamment Alfred Pellan (*Sur la plage*), Jean-Paul Riopelle (*Pavane*), Jean-Paul Lemieux (*La visite*) et Paul-Émile Borduas (*Sous le vent de l'île*). Le rez-de-chaussée comprend également les galeries d'art inuit, qui méritent une attention toute particulière. Comptant quelque 160 sculptures et 200 estampes, elles sont l'occasion d'admirer quelques chefs-d'œuvre de l'art inuit. Parmi ceux-ci, mentionnons le *Hibou enchanté* de Kenojuak et la très belle sculpture *Homme et femme assis avec enfant.*

Le musée abrite, de plus, une impressionnante collection d'œuvres américaines et européennes. La collection des toiles de grands maîtres est présentée par ordre chronologique et, au fil de votre visite des salles, vous pourrez contempler quelques-unes des créations de peintres célèbres.

Le chapelet de salles du rez-de-chaussée entoure une galerie bien particulière qui abrite une œuvre inusitée : le bel intérieur de la **Chapelle du couvent Notre-Dame-du-Sacré-Cœur**. Elle fut dessinée par Georges Bouillon en 1887-1888. Lorsque l'on décida de détruire le couvent en 1972, la structure de la chapelle fut défaite pièce par pièce et conservée. Quelques années plus tard, une salle du Musée des Beaux-Arts fut toute spécialement conçue pour l'accueillir. Vous pourrez encore admirer le splendide chœur ainsi que les voûtes de bois en éventail et les colonnes de fonte.

Si vous aimez les musées, vous pouvez continuer votre promenade sur Sussex Drive. Vous arriverez ainsi au Musée canadien de la guerre et à La Monnaie royale canadienne.

Vous ne pourrez manquer l'entrée du **Musée canadien de la guerre** ★ *(3,50$; tlj mai à mi-oct 9h30 à 17h, jeu jusqu'à 20h; mi-oct à mai, fermé lun; 330 Sussex Drive, ☎776-8600 ou 1-800-555-5621)*, un char d'assaut ornant l'entrée. Ce musée est aménagé dans un beau bâtiment conçu au début du siècle par David Ewart pour accueillir les Archives nationales. Les expositions, réparties sur deux étages, retracent l'histoire de l'Armée canadienne, depuis ses tout premiers combats, au début de la colonisation, jusqu'aux grands événements mondiaux qui ont marqué le XXe siècle.

Juste à côté se dresse l'édifice abritant **La Monnaie royale canadienne** ★ *(2$; lun-ven 9h à 16h, sam-dim 10h à 17h; 320 Sussex Drive, ☎993-8990)*, dont les plans ont aussi été conçus par l'architecte Ewart en 1905-1908. C'est ici qu'étaient autrefois frappées les pièces de monnaie canadienne. Aujourd'hui, seules les pièces de collection, en argent, en or ou en platine, y sont fabriquées. Vous pouvez assister à tout le processus de fabrication : la sélection et le découpage des métaux précieux, la frappe des pièces et le contrôle de la qualité. Il est préférable de faire la visite en semaine, car on peut alors voir (derrière de grandes baies vitrées) les artisans à l'œuvre; des visites sont offertes la fin de semaine, mais alors il faut imaginer tout le processus.

Revenez sur vos pas jusqu'à Clarence Street, où vous tournerez à gauche. Tournez à droite sur Byward, et vous arriverez au marché Byward.

Place animée s'il en est une à Ottawa, le **marché Byward** ★★ *(autour de York Street et de George Street)* constitue le centre nerveux de ce quartier, et ce, depuis les tout débuts de la ville. Cet agréable marché en plein air est toujours fréquenté par divers marchands venus y vendre fruits, légumes, fleurs et toutes sortes d'autres marchandises. Tout autour et sur les rues avoisinantes, plusieurs commerces, restaurants, bars et cafés, certains disposant d'une jolie terrasse, ont ouvert leurs portes.

Lieu historique national Maison Laurier ★ *(2,25$; avr à sept mar-sam 9h à 17h, dim 14h à 17h; oct à mars mar-sam 10h à 17h, dim 14h à 17h; 335 Laurier Avenue East, ☎992-8142)*. La maison Laurier, une ravissante demeure construite en 1878, a appartenu à Sir Wilfrid Laurier, qui fut élu premier ministre du Canada en 1896, année où son parti, le Parti libéral du Canada, la lui offrit. Laurier, premier francophone du Canada à accéder à cette haute fonction, fut au pouvoir jusqu'en 1911 et habita cette maison jusqu'à sa mort, en 1919. Par la suite, Lady Laurier la donna au chef du Parti libéral, William Lyon Mackenzie King, qui succéda à son mari. À la mort de celui-ci, en 1950, la maison fut léguée au patrimoine canadien. Aujourd'hui, il est possible de la visiter, et vous pourrez y découvrir plusieurs salles décorées selon les goûts de Mackenzie King et, aussi, quelques autres pièces encore garnies des meubles de la famille Laurier.

D'abord connue sous le nom d'Ottawa College puis d'**Université d'Ottawa**, cette institution d'enseignement, à l'origine dirigée par des religieux, desservait jadis les communautés catholiques d'Ottawa. Cette université est aujourd'hui une maison d'enseignement réputée. Les bâtiments se dressent entre Laurier Avenue, Nicholas Street et King Edward Avenue.

Au bout de Laurier Avenue, vous rejoindrez le canal Rideau.

C'est au bord du canal que se trouve le **Palais des congrès d'Ottawa**, qui accueille tout au long de l'année des événements variés.

À l'extérieur du centre-ville

Il existe à Ottawa quelques autres attraits touristiques dignes de mention, mais, sans être loin, ils sont situés à l'extérieur du centre de la ville, aussi n'est-il pas aisé de les rattacher à un circuit en particulier.

Passé le bâtiment de la Monnaie Royale canadienne, Sussex Drive continue le long de la rivière des Outaouais; vous croiserez alors une succession de magnifiques résidences. Le n° 24 devrait retenir votre attention. Vous y apercevrez, entourée d'un beau jardin, une immense demeure de pierre : la **résidence officielle du premier ministre du Canada**. Construite en 1867 pour l'homme d'affaires Joseph Currier, elle devint la demeure des premiers ministres canadiens en 1949. Il est évidemment impossible de la visiter.

Non loin, votre attention sera attirée par une autre splendide résidence, **Rideau Hall** ★★ *(entrée libre; horaire variant selon la saison et les événements; 1 Sussex Drive, ☎998-7113)*, bordée d'un vaste et agréable jardin de 40 ha. Il s'agit de la résidence officielle du gouverneur général, qui a pour fonction de représenter au Canada la reine d'Angleterre, Elisabeth II.

Les visiteurs sont admis dans le vaste et plaisant jardin qui entoure la demeure, et peuvent y fureter quelque temps. Durant l'été, il est également possible de prendre part à une visite guidée de la demeure, cinq pièces étant ouvertes au public.

En face de Rideau Hall s'étend une fort belle aire de verdure, le **parc Rockliffe**. Ce plaisant jardin est particulièrement beau au printemps, alors qu'il se couvre de mille et une fleurs. Il dispose en outre de belvédères d'où vous aurez une très belle **vue** ★ sur la rivière et, au loin, sur le Québec.

Passé le parc, Sussex Drive prend le nom de Rockliffe Drive.

En pénétrant à l'intérieur du **Musée national de l'aviation** ★★★ *(5$; mai à sept tlj 9h à 17h, jeu jusqu'à 20h; sept à mai mar-dim 10h à 17h; aéroport Rockliffe, ☎993-2010 ou 1-800-463-2038)*, vous serez tout de suite saisi par l'atmosphère bien singulière qui émane de ce gigantesque bâtiment bien aménagé qui abrite une belle collection d'avions. Cette fascinante exposition fait bien prendre conscience de la fulgurante évolution de l'aviation en seulement une centaine d'années. Huit thèmes y sont développés : l'ère des pionniers, la Première Guerre mondiale, le vol de brousse, les lignes aériennes, le plan d'entraînement du Commonwealth britannique, la Deuxième Guerre mondiale, l'aéronavale et l'ère des réactés.

Aménagé dans un vaste édifice de trois étages récemment rénové, le **Musée canadien de la nature** ★ *(5$; mai à sept mar-dim 9h30 à 17h, jeu jusqu'à 20h; sept à mai tlj 10h à 17h, jeu jusqu'à 20h; angle McLoed Street et Metcalfe Street, ☎566-4700)* présente plusieurs petites expositions traitant de différentes facettes de la nature. Une foule de thèmes, dont la géologie, la formation de la planète, les animaux préhistoriques ayant vécu au Canada, les mammifères et les oiseaux originaires du Canada peuplant encore les forêts, ainsi que le monde merveilleux des insectes et de la vie végétale en général, sont abordés de façon intéressante.

Le **Musée national des sciences et de la technologie** ★★ *(6$; mai à sept tlj 9h à 18h, ven jusqu'à 21h; sept à avr mar-dim 9h à 17h; 1867 St. Laurent Boulevard, ☎991-3044)* représente une façon plaisante d'aborder le monde des sciences et de la technologie, un univers qui, à première vue, pourrait sembler ennuyeux. La richesse de ce musée ne se fonde pas sur la mise en valeur d'une quelconque collection, mais sur une présentation interactive d'une foule de sujets variés. L'informatique est l'un des thèmes abordés. Quelque 500 ordinateurs sont exposés, ce qui permet de prendre conscience du bond technologique gigantesque qui s'est opéré en une cinquantaine d'années. Une autre des expositions présentées, «Les technologies domestiques», raconte l'évolution d'une multitude de petites choses de notre quotidien, entre autres les lampes, les toilettes ou les glacières, qui comptent parmi les innovations qui ont grandement contribué à l'amélioration de notre qualité de vie. D'autres thèmes tout aussi fascinants, comme les transports ou l'imprimerie, sont également traités. Grâce à une foule de jeux, de panneaux explicatifs et de maquettes de toutes sortes, les visiteurs parviennent à se familiariser et à mieux comprendre cet univers.

Activités de plein air

Vélo

La région d'Ottawa ne compte pas moins de 150 km de sentiers agréables à sillonner à pied ou à vélo. Que vous optiez pour une balade le long du canal Rideau, sur la promenade Rockliffe ou le long de la rivière des Outaouais, vous profiterez de plaisants paysages, de calme et, surtout, de pistes bien aménagées pour les amateurs de vélo. Le dimanche matin, de la fin mai au début de septembre, les cyclistes sont particulièrement choyés, ces routes étant interdites aux voitures. Vous pouvez obtenir une carte des sentiers en vous rendant à l'Infocentre de la Capitale.

Locations de vélos

Cyco's
5 Hawthorne Avenue
☎***567-8180***

Pavillon du lac Dow
☎***232-1001***

Patin à glace

Qui n'a pas rêvé de chausser ses patins pour filer sur la glace, sans obstacle, et ce, sur 8 km? Tous les hivers en décembre, le **canal Rideau**, une fois gelé, se transforme en une vaste patinoire, l'une des plus longues du monde, la glace étant déblayée et entretenue pour le grand plaisir des patineurs de tous âges. Afin d'attirer les visiteurs, à quelques pas du Centre national des Arts, une cabane chauffée est mise à leur disposition afin qu'ils puissent chausser leurs patins à l'abri du froid. On y loue également des patins.

Le **lac Dow** dispose également d'un pavillon chauffé où les sportifs peuvent mettre leurs patins, se réchauffer et prendre une bouchée.

État de la glace
☎***239-5234***

Hébergement

À Ottawa, vous n'aurez aucun mal à vous loger, car les hôtels, auberges et *bed and breakfasts* sont nombreux et confortables, et proposent une belle gamme de services. Avant de partir, prenez cependant bien le temps de choisir votre lieu d'hébergement selon le quartier de la ville où vous désirez loger et le prix que vous désirer payer. Il est bon de savoir que les prix sont généralement plus élevés en semaine que durant la fin de semaine, une grande partie des visiteurs étant des gens d'affaires.

La Haute-Ville

Doral Inn
69$
C
486 Albert Street, K1R 5B5
☎***230-8055***
Le Doral Inn, installé dans une jolie maison victorienne, renferme une quarantaine de chambres. En pénétrant dans le hall, vous apercevrez deux petits salons décorés de brocantes, qui leur donnent un aspect vieillot qui plaira à certains. Les chambres sont quant à elles simplement meublées et offrent un confort acceptable pour le prix. Toutes sont pourvues d'une salle de bain privée, certaines disposant en plus d'une cuisinette. Il est possible de louer les chambres à la journée, à la semaine ou au mois.

Albert House
80$ pdj
478 Albert Street, K1R 5B5
☎***236-4479***
Juste à côté, également aménagée dans une belle demeure datant du siècle dernier, se trouve l'Albert House. Joliment rénovée, elle n'abrite que 17 chambres coquettes, un nombre suffisant pour conserver une plaisante atmosphère d'auberge familiale. Il n'y a en outre rien à redire à propos des chambres, toutes entretenues avec soin.

Lord Elgin
90$
ℜ, ♿
100 Elgin Street, K1P 5K8
☎***235-3333***
☎***800-267-4298***
⇄***235-3223***
Le Lord Elgin fait partie des institutions d'Ottawa qui ont su garder leur

belle prestance au fil des années. Toutefois, peu de pièces ont conservé des vestiges de ce passé, à l'exception du hall, qui se pare encore d'un beau lustre suspendu et d'un mobilier ancien. Les chambres, pour leur part, sont grandes et garnies de meubles récents, qui, à défaut de leur procurer un charme d'antan, leur permettent d'être tout à fait agréables.

Delta
105$
≈, ⌂, ⊙, ℜ, ♿
361 Queen Street, K1R 7S9
☎238-6000
⇌238-2290
En pénétrant dans le hall du Delta, vous serez à même de constater les efforts qui ont été apportés pour créer une atmosphère plus intime que celle trop souvent rencontrée dans les établissements membres des grandes chaînes hôtelières. Les chambres, d'une bonne taille, garnies de jolis meubles acajou, répondent également aux attentes des voyageurs les plus difficiles. Enfin, même les enfants y logeront avec ravissement, car la piscine comporte une longue glissade d'eau.

Sheraton
130$
≈, ℜ, ⌂, ♿
150 Albert Street, K1P 5G2
☎238-1500
☎800-489-8333
⇌235-2723
Pour certaines personnes, le grand style d'un établissement passe nécessairement par l'âge de l'édifice, la beauté des antiquités et l'élégance de la décoration, alors que d'autres préfèrent les hôtels à la décoration moderne répondant parfaitement aux moindres exigences des voyageurs. Si vous comptez parmi ces gens, vous apprécierez le Sheraton, qui a tous les atouts de la modernité : salles de conférences, grandes chambres pourvues d'un espace bureau, de téléphones avec boîte vocale et de séchoirs, de même que d'un centre sportif avec piscine, sauna et bassin à remous.

Carmichael Inn & Spa
135$ pdj
ℜ
46 Cartier Street, K2P 1J3
☎236-4667
⇌563-7529
Une bonne adresse à connaître dans la Haute-Ville si vous aimez les auberges de charme, l'auberge Carmichael Inn & Spa fait partie du patrimoine de la ville d'Ottawa. Non-fumeurs, l'établissement compte 11 chambres, toutes fort joliment décorées d'antiquités et garnies d'un grand lit.

La Basse-Ville

Pour loger à bon prix en été, vous pouvez louer l'une des chambres au confort sommaire mais correct des résidences étudiantes de l'**Université d'Ottawa** *(85 University Street, ☎562-5771, ⇌562-5157)* et de la **Carleton University** *(1125 Colonel By Promenade, ☎520-5611, ⇌520-3952)*.

Auberge de Jeunesse
17$ par pers.
37$ pour une chambre
ℂ
75 Nicholas Street, K1N 7B9
☎235-2595
Tout à côté du Centre Rideau, au cœur de l'action, vous apercevrez un imposant bâtiment qui abritait jadis la prison de la ville. Entièrement réaménagé, il loge désormais l'Auberge de Jeunesse. Outre des dortoirs et trois chambres, l'auberge comprend une cuisine commune tout équipée.

Auberge McGee
68$ pdj bc
78$ pdj bp
⊛, ≡
185 Daly Avenue, K1N 6E8
☎237-6089
Le quartier de la Côte-de-Sable a vraiment de quoi séduire les personnes aimant le style victorien. Si vous comptez parmi elles, mais n'avez pas le budget pour vous permettre certaines folies somptuaires, allez loger à l'auberge McGee. La maison de briques rouges, érigée en 1886, a su garder son cachet d'origine. Certes, la décoration des pièces est simple, mais témoigne néanmoins d'un bon goût. L'endroit est en outre bien tenu, et toutes les chambres sont climatisées.

Olde Bytown Bed and Breakfast
79$ pdj
bp/bc
459 Laurier Avenue East, K1N 6R4
☎565-7939
⇌565-7981
Situé dans un quartier paisible de la capitale, et offrant une superbe vue sur le parc Strathcona, l'Olde Bytown Bed and Breakfast est une adresse de choix pour qui aime le cachet des maisons victoriennes de la fin du siècle dernier. Toutes les pièces de ce *B&B* méticuleusement entretenu se parent de belles antiquités, de papier peint fleuri et d'objets anciens. Il comprend sept chambres douillettes à souhait et une superbe salle à manger où l'on prend le petit déjeuner.

Auberge King Edward
80$
525 King Edward Avenue, K1N 7N3
☎**565-6700**
L'Auberge King Edward est installée dans une fort belle maison datant du début du siècle et, pour s'harmoniser avec l'âge du bâtiment, toutes les pièces sont garnies d'antiquités et d'une foule de bibelots anciens. Cette décoration quelque peu surchargée a un charme indéniable et parvient à conférer à l'établissement une atmos phère de calme et de bien-être. Elle renferme deux coquets salons ainsi que trois chambres (une avec salle de bain privée) fort bien tenues.

Novotel
105$
ℜ, ≈, ⌂, ⊘
33 Nicholas Street, K1N 9M7
☎**230-3033**
☎**800-NOVOTEL**
⇌**230-7865**
Avec son hall bleu foncé, décoré d'acier et de bois, le Novotel se démarque des hôtels victoriens de la ville. Cette modernité n'est pas sans finesse, même si certains la qualifieront de froide. Cette froideur ne persiste cependant pas dans les chambres, dont la décoration s'avère un peu plus chaleureuse, alors que les couleurs foncées habillent agréablement ces pièces spacieuses, qui ont toutes le privilège de profi ter d'une salle de bain assez grande.

Westin
135$
≈, ℜ, ⌂, ⊛, ⊘, ♿
11 Colonel By Drive
☎**560-7000**
⇌**569-2013**
L'hôtel Westin possède probablement l'emplacement le plus en viable à Ottawa : en face du canal Rideau, de l'autre côté du Centre national des Arts et en plein cœur de l'activité d'Ottawa. De plus, il fait partie d'un complexe qui englobe le Centre Rideau, un très grand centre commercial, et le Centre des congrès d'Ottawa. Les chambres, d'un grand confort, et spa cieuses, profitent de gran des baies vitrées par où entre la lumière à profu sion. L'hôtel renferme éga lement un très bon restau rant, le Daly's (excellente atmosphère, cuisine inté ressante et soignée), une discothèque branchée et un agréable centre sportif. Enfin, on y propose régu lièrement des forfaits de fin de semaine très avanta geux.

Château Laurier
150$
≈, ⌂, ♿, ℜ, ⊘
1 Rideau Street, K1N 8S7
☎**241-1414**
☎**800-441-1414**
⇌**562-7030**
L'opulence et le luxe du Château Laurier, membre de la chaîne hôtelière du Canadien Pacifique, de vraient ravir les âmes sen sibles qui se targuent d'apprécier les belles cho ses. En pénétrant dans le hall, les visiteurs seront ébahis devant un tel éta lage : murs lambrissés, corniches, bas-reliefs, anti quités. Chaque coin de cette somptueuse pièce est aménagé de telle sorte que l'on veut y passer de longs moments. Le hall d'entrée donne une idée assez précise du confort et de l'élégance des chambres, toutes garnies de meubles de bois, de fauteuils douil lets et d'un lit confortable. Plaisantes à souhait, elles combinent l'élégance d'autrefois au confort d'aujourd'hui. Deux déli cieux restaurants ainsi qu'un centre sportif abri tant notamment une belle piscine Art déco ajoutent au bien-être de l'établissement.

Restaurants

La ville d'Ottawa regorge de restaurants de toutes sortes. Que vous soyez friand de steak ou de rôti de bœuf, de poisson ou de spécialités françaises, italiennes, asiatiques ou autres, vous n'aurez aucun mal à combler vos attentes. Plusieurs de ces établissements sont ouverts à midi et le soir; attention cependant, il peut être difficile de se rassasier passé 21h.

Nous vous proposons une sélection de quelques-unes des bonnes tables de la ville. Si vous désirez d'autres renseignements sur les restaurants d'Ottawa, vous pouvez consulter le site Internet www.dine.net.

Le canal Rideau

Ritz on the Canal
$$
375 promenade Queen Elizabeth
angle Fifth Avenue
☎**238-8998**
Au Ritz on the Canal, la carte se distingue quelque peu de celle des autres Ritz, car y figurent en plus des pizzas «gourmet» cuites au four à bois. Les gens apprécient particulièrement cette adresse durant l'été, en raison de son site exceptionnel et de son immense terrasse devant l'endroit où le canal ressemble à une baie. Restaurant non-fumeurs seulement.

Café du Centre national des Arts
$$$
53 Elgin Street
☎594-5127
Le Café du Centre national des Arts offre une vue imprenable sur l'activité fourmillante du canal Rideau, où abondent les bateaux en été et les patineurs en hiver. Pendant la saison estivale, les repas sont servis sur une terrasse très bien aménagée et surtout confortable. C'est sans aucun doute l'une des plus agréables terrasses de la ville. On y propose une cuisine canadienne raffinée : le chef emploie avec beaucoup d'invention des produits de qualité qui proviennent de différentes régions du Canada. Les saumons de l'Atlantique grillés sont une spécialité. De plus, pour ne rien gâcher, les desserts sont réjouissants. C'est tout de même un peu dispendieux, sauf lorsqu'on propose un menu à prix fixe, ce qui est malheureusement trop peu fréquent.

La Haute-Ville

D'Arcy McGee
$$
44 Sparks Street
☎230-4433
S'il est un endroit à Ottawa pour prendre un bon repas dans une atmosphère sans pareille, c'est bien le D'Arcy McGee. Ce pub typiquement irlandais, situé à deux pas de la colline du Parlement, est le rendez-vous par excellence du personnel politique. Chaleureux à souhait et fréquenté par une belle clientèle de tout âge, il est devenu l'une des adresses incontournables de la ville.

Ritz
$$
274 Elgin Street
☎235-7027
Elgin Street abrite une institution connue de tous les habitants de la ville. En effet, qui n'a pas déjà mangé au Ritz, ce restaurant italien où l'on doit presque obligatoirement attendre, car on n'y accepte pas les réservations. Les plats de pâtes sont reconnus ou méritent de l'être. Mais heureusement, ce restaurant a des petits frères : le **Ritz Uptown** *(226 Nepean Street, ☎238-8752)*, qui est aménagé dans une vieille maison et où les réservations sont acceptées, et le Ritz on the Canal.

Métro
$$$
315 Somerset Street West
☎230-8123
Le Métro fait sans contredit partie des meilleurs restos de la ville. C'est toujours avec joie qu'on y retrouve le feuilleté d'escargots au roquefort, le tartare ou simplement le filet de bœuf sauce béarnaise. La décoration opulente, mais harmonieuse, l'ambiance feutrée, mais surtout les fauteuils de cuir larges et confortables, vous assurent une soirée relaxante et délicieuse.

Chez Jean-Pierre
$$$
210 Somerset Street West
☎235-9711
Sur Somerset Street, en direction d'Elgin Street, Chez Jean-Pierre ne présente pas une façade des plus invitantes, mais il faut en faire abstraction; la décoration intérieure n'est également pas des plus réussies, mais la fine cuisine française et le service ne désappointent jamais. C'est un restaurant où la grande qualité est une tradition depuis toujours.

Friday's
$$$
150 Elgin Street
☎237-5353
En pénétrant dans la magnifique maison victorienne datant de 1875 qui abrite le Friday's, vous serez tout de suite envahi par un sentiment de bien-être. La demeure a d'ailleurs tout pour vous séduire. Elle comprend de vastes pièces décorées de meubles anciens, de grandes tables de bois et de fauteuils à haut dossier qui ont conservé leur charme d'antan. Ces pièces ont été transformées en autant de salles à manger où règne une atmosphère paisible. Si la décoration ne vous a pas conquis, son rôti de bœuf (*roast beef*), tendre à souhait, y parviendra certainement. L'endroit en a ravi plus d'un, aussi est-il conseillé de réserver.

La Basse-Ville

Rideau Street

Marché Mövenpick
$
Rideau Street, angle Sussex Drive
☎569-4934
Prendre un bon repas dans un centre commercial peut sembler illusoire... Le Marché Mövenpick du Centre Rideau attire pourtant une foule de gens, tout à fait contents de s'y rendre. La formule de cette réussite est simple : une grande salle à manger joliment décorée de plantes et de tables de bois, ainsi que des plats délicieux préparés rapidement à partir d'ingrédients frais et de qualité. En ce lieu trépidant d'animation, chacun est libre de déambuler à travers le restaurant pour aller
choisir son plat à l'un des divers petits îlots où sont préparés sous ses yeux sushis, salades, pâtes,

quiches et toutes sortes d'autres plats qui plaisent aux palais les plus difficiles.

Santé
$$$
45 Rideau Street
☎241-7113
Situé au deuxième étage d'un immeuble faisant face au Centre Rideau, le restaurant Santé peut passer inaperçu. Et c'est dommage! Les spécialités californiennes, thaïlandaises et caribéennes sont un ravissement, spécialement les nouilles de Bangkok. De plus, l'endroit est une petite oasis de calme et de douceur feutrée qui s'ouvre sur de larges baies vitrées donnant sur quelques attraits courus de la ville. Sans oublier la liste alléchante des desserts et, enfin, le service soigné et attentif.

Autour du marché Byward

Bien que les alentours du marché Byward soient le quartier le plus fréquenté par les touristes et les gens de la place, on y trouve malheureusement peu de restaurants qui en vaillent la peine. Par contre, si l'on a une petite faim ou envie d'un apéro, voilà l'endroit tout indiqué, surtout en été. En effet, les terrasses sympathiques se succèdent, et les gens y circulent beaucoup. Bref, c'est animé et très agréable!

Beavers Tails
angle George Street et William Street
☎241-1230
Pour vous sucrer le bec, vous pouvez essayer les «queues de castor» ou Beavers Tails. N'ayez crainte, il s'agit tout simplement d'une collation délicieuse à mi-chemin entre le beignet et la galette.

Memories
$
7 Clarence Street
☎241-1882
Memories est presque toujours bondé. Pourquoi? Parce que le tout Ottawa s'y retrouve pour déguster l'un des nombreux desserts qui ont fait sa réputation. Choix impressionnant de gâteaux de toutes sortes et de tartes. À n'en plus savoir quoi choisir! Mais la tentation la plus grande se portera peut-être sur la tarte aux pommes, délicieuse, et à la portion mémorable! Repas légers (soupes intéressantes, sandwichs, salades) aussi disponibles. En plus, le café est bon!

Blue Cactus
$-$$
2 Byward Market
☎241-7061
Blue Cactus est un restaurant «tex-mex» qui propose tout le tra-la-la de ce type d'établissements : méga-cocktails, *nachos* (essayez les très substantiels *nachos* Blue Cactus!), *fajitas*, etc. Dans une ambiance animée à l'excès où la jeunesse outaouaise se rencontre.

Clair de lune
$-$$
81B Clarence Street
☎241-2200
Depuis des années, Clair de lune fait le bonheur des personnes appréciant avant tout l'ambiance décontractée qui s'en dégage et le menu affichant des plats simples et bons.

Casablanca
$$
41 Clarence Street
☎789-7855
Une petite incursion pour mieux connaître les saveurs du Maroc vous tente? Vous devez alors vous rendre au restaurant Casablanca, dont les plats succulents sont une belle occasion de découvrir des saveurs et des arômes inhabituels.

Mama Grazzi's
$$
25 George Street
☎241-8656
Aménagé dans un petit local tout à fait mignon où l'on se sent vite à l'aise et où l'on a envie de revenir, le restaurant Mama Grazzy plaît aussi en raison de sa cuisine italienne, à la fois originale et délicieuse, qu'on découvre avec ravissement.

Ritz
$$
89 Clarence Stret
☎789-9797
Si vous comptez parmi ces gens qui affectionnent particulièrement la cuisine du restaurant Ritz, sachez qu'il en existe également un près du marché Byward.

The Fish Market
$$-$$$
54 York Street
☎241-3474
Au nombre des institutions d'Ottawa, le restaurant The Fish Market est installé aux abords du marché Byward depuis 1979, et tout le monde le connaît dans la capitale. Sa salle à manger est décorée de filets, de bouées et d'autres objets relatifs à la pêche, comme il se doit dans un établissement où les spécialités sont le poisson, les coquillages et les fruits de mer, toujours impeccablement frais. Ainsi, vous aurez l'embarras du choix parmi les plats de homard, de crabe des neiges, de vivaneau et de moules à volonté, qui combleront à coup sûr votre envie des produits de la mer. Au premier étage, deux autres salles répondent à d'autres

besoins. La première, **Coasters**, avec ses grandes baies vitrées donnant sur l'effervescence du marché, est tout aussi plaisante; les plats proposés sont cependant moins élaborés (*fish'n'chips*), mais moins chers et bons. Le deuxième, **Vineyards**, est l'endroit où aller si vous voulez prendre un verre (belle sélection de vins vendus au verre) tout en prenant une bouchée; parfois, des spectacles y sont présentés.

Domus Café
$$$
85 Murray Street
☎241-6007
Le Domus Café fait sans contredit partie des meilleurs restaurants d'Ottawa. On y prépare une cuisine raffinée et innovatrice, à partir d'ingrédients toujours frais, dont la réussite réside dans la combinaison originale de saveurs provenant du monde entier. D'ailleurs, les recettes sont puisées des nombreux livres de cuisine que le magasin adjacent vend. La carte change tous les jours, mais certains plats parmi les plus populaires reviennent assidûment. Le menu n'est jamais exhaustif; néanmoins, il est toujours difficile de se décider, tellement le choix est intéressant. Les desserts sont une merveille, limités à quatre ou cinq, mais d'une excellence inégalée à Ottawa. La carte des vins propose entre autres d'excellents vins californiens, parmi lesquels plusieurs sont disponibles au verre. Un dernier point : essayez le brunch du dimanche; il est épatant et vaut l'attente (on n'accepte pas les réservations pour le brunch)!

Wilfrid's
$$
1 Rideau Street
☎241-1414
Passer quelques instants au Château vous plairait? En fait, si vous aimez ce genre de petites gâteries, mais ne désirez pas dilapider votre fortune en un seul repas, rendez-vous au restaurant Wilfrid's à midi. Vous profiterez alors d'une salle à manger chaleureuse, de fauteuils confortables, d'une vue imprenable sur le canal Rideau et d'un menu midi délicieux (le prix des plats à la carte varie autour de 10$) qui ne vous ruinera pas. Le soir, le menu se raffine et les prix augmentent (***$$$-$$$$***). Il peut également être fort agréable d'y passer les premiers moments de la journée, mais alors comptez au moins 10$ pour le petit déjeuner. Le dimanche, toutefois, il faut opter pour le **Zoé**, car on y sert un délicieux brunch *(22,95$)* dans une paisible et élégante atmosphère.

Sorties

Ottawa n'a jamais été réputée pour sa vie nocturne. Bien qu'il soit fréquent que passé 21h ses rues se retrouvent désertes, en connaissant quelques-uns de ses secrets, vous pourrez fort bien terminer la soirée. Outre des pubs chaleureux et des bars animés, notamment installés sur Elgin Street et autour du marché Byward, la ville offre une vie culturelle florissante. D'excellents spectacles sont présentés au Centre national des Arts et diverses troupes de théâtre de la ville s'y produisent.

Enfin, tout au long de l'année, de plaisants festivals sont organisés.

Bars et discothèques

Autrefois, plusieurs personnes de l'Ontario allaient «finir la soirée» à Hull, car, jusqu'à tout dernièrement, seuls les bars de cette ville fermaient à 3h. Depuis avril 1996, les deux villes se sont mises à la même heure, et tant les bars d'Ottawa que de Hull ferment à 2h. Quelle que soit votre préférence, vous trouverez des bars plaisants des deux côtés de la rivière des Outaouais.

Du côté du centre-ville d'Ottawa, il y a quelques bars et pubs sur Elgin Street, très animée le soir.

Maxwell's
340 Elgin Street
☎232-5771
Le Maxwell's occupe l'étage au-dessus d'un restaurant. Fréquenté par des jeunes plutôt BCBG. Balcon-terrasse qui s'ouvre sur l'animation de la rue en été.

D'Arcy McGee
44 Sparks Street
Le pub D'Arcy McGee peut se targuer d'être le seul à Ottawa à pouvoir porter le titre de «vrai» pub irlandais, car il a été entièrement conçu en Irlande, puis reconstruit pièce par pièce dans la ville. Chaleureux à souhait, garni de boiseries et de vitraux, et décoré d'une foule de chouettes bibelots, il ne désemplit pas jour après jour. Certains soirs, des concerts y sont présentés. Belle sélection de bières en fût.

Yuk Yuk's
mer-sam
88 Albert Street
☎*236-5233*
Le Yuk Yuk's est un caba ret de comédies qui fait partie d'une chaîne. Plu sieurs invités anglophones se succèdent sur la scène. Certains sont parfois très drôles. Mais surtout, ça change des bars conven tionnels! Sans fumée le jeudi.

Les environs du marché Byward abritent également quelques bars, nombre d'entre eux s'agglutinant sur George Street et York Street.

Vineyard's Wine Bar Bistro
54 York Street
☎*241-4270*
Le Vineyard's Wine Bar Bistro se présente comme un petit bar sympathique où l'on peut déguster du vin, de la bière et du fro mage. En plus, des musi ciens (de jazz surtout) s'y produisent régulièrement. Ambiance sympathique et chaleureuse.

Hard Rock Café
73 York Street
☎*241-2442*
Le Hard Rock Café d'Ottawa est fidèle à cette chaîne bien connue : mu sique rock et guitares élec triques ornant les murs.

Heart and Crown
67 Clarence Street
Sans avoir la personnalité du D'Arcy McGee, le Heart and Crown est un autre pub irlandais à la mode dans la capitale. Atmos phère relaxe et bonne sélection de bières.

Earl of Sussex
431 Sussex Drive
☎*562-5544*
Ottawa se devait égale ment de posséder un pub anglais : Earl of Sussex s'y est donc établi. Décoration chaleureuse, bière en fût et, au menu, des *fish'n'chips*, comme il se doit dans ce type d'établissement.

Zoe's
1 Rideau Street
Si la simple idée de passer des heures dans un local enfumé où une faune bi garrée se trémousse au son d'une musique assourdis sante vous rebute, optez pour le chic bar Zoe's du Château Laurier. Tout ici respire le calme et l'aisance; la musique est douce à souhait, et les fauteuils sont moelleux.

Activités culturelles et festivals

Haut lieu de la culture à Ottawa, le **Centre national des Arts** *(53 Elgin Street, ☎996-5051, ≠996-9578)* comprend une salle d'opéra et deux salles de théâtre où sont présentés, tout au long de l'année, des spectacles de qualité.

Le **Bal de neige** (en février) n'a plus besoin de présen tation, car sa réputation est désormais bien établie au Canada. Il s'agit de 10 jours de festivités d'hiver de toutes sortes, durant lesquels vous pouvez assister à divers événe ments sportifs.

Le **Festival des tulipes** se tient en mai, au cours de la longue fin de semaine de la fête de la reine Victoria. La ville se pare alors de milliers de tulipes offertes par les Pays-Bas en guise de remerciement au Canada pour avoir hébergé la reine Wilhel mine durant la Deuxième Guerre mondiale. Activités de toutes sortes : specta cles et animations dans différents coins de la ville, entre autres au parc de la Confédération et au lac Dow.

En juillet se tient le **Festival Canada** *(☎996-5051)*. Du rant 4 semaines, la culture est à l'honneur, alors que 70 spectacles de danse, de jazz et d'opéra sont pré sentés au Centre national des arts.

Achats

La Haute-Ville

La rue Sparks, longue artère piétonne ponctuée d'arbres, de bancs et de jolies boutiques, est fort agréable si vous aimez flâner un brin. Pendant les jours de pluie, la balade s'avérant moins plaisante, vous pouvez alors opter pour un arrêt au centre commercial **240 Sparks**.

La rue Sparks, entre les rues Elgin et O'Connor, est un bon endroit où aller se promener si vous désirez vous procurer de l'artisanat canadien. Le premier arrêt que vous devriez alors faire est à la boutique **Snow Goose** *(83 Sparks Street, ☎232-2213)*, dont la sélec- tion de créations d'artisans amérindiens et inuit, no- tamment de sculptures et de gravures, est appré- ciable. Vous pourrez éga- lement y trouver une foule de vêtements de cuir et de fourrure, notamment des mocassins, des gants et des chapeaux.

À deux pas de là, la bou- tique **Canada's Four Corner** *(93 Sparks Street, ☎233-2322)* vend également de l'artisanat autochtone; mais pour dénicher un produit de qualité, il faut savoir fouiller et faire le tri parmi les objets de toc et de plastique.

La librairie **Canada Books** *(Sparks Street)* présente une très belle sélection de livres traitant du Canada, tant en ce qui a trait à la littérature qu'aux arts ou la photographie.

Si votre visite à la boutique Canada Books a été infructueuse, vous pouvez traverser la rue et arrêter voir l'incroyable sélection de livres de la librairie **Smithbooks**. Outre une belle sélection d'ouvrages sur le Canada, elle dispose de livres traitant de sujets variés, de romans, de beaux livres et de guides de voyage.

La Basse-Ville

Galerie marchande par excellence dans la capitale, le **Centre Rideau** *(50 Rideau Street)*, avec ses quelque 200 boutiques, est incontestablement l'endroit où se rendre pour trouver de tout.

Pour le lèche-vitrine et d'éventuelles trouvailles, il n'y a rien de tel que de se balader autour du **marché Byward**, où, en hiver comme en été, le bâtiment qui occupe le cœur du marché – autour duquel les marchands se rassemblent en été – abrite une multitude de stands d'artisans.

La **boutique du Musée des Beaux-Arts du Canada** *(380 Sussex Drive)* est l'endroit tout indiqué pour qui aime fureter, des heures durant, parmi une quantité inimaginable de livres ou de reproductions d'œuvres d'art, qu'il s'agisse d'affiches, de bijoux ou d'objets de décoration.

Chapter *(47 Rideau Street, angle Sussex Drive, ☎241-0073)* fait partie de ces vastes librairies d'Ottawa qui comprennent une quantité incroyable de livres pour tous les goûts, en anglais et en français.

Pour se procurer des livres en français dans la capitale canadienne, il n'existe véritablement qu'une seule adresse : la **Librairie du Soleil** *(321 Dalhousie Street, ☎241-6999).*

Lèche-vitrine sur Bank Street

Par beau temps, vous pouvez décider d'abandonner la rue Sparks pour entreprendre une petite visite d'une autre artère agréable d'Ottawa, la rue Bank. Au fil de votre balade, la rue se fera tour à tour grise et aguicheuse, mais ne manquera pas de vous séduire. Il existe deux sections commerciales distinctes sur cette rue : une première autour de la rue Somerset et une seconde au sud de Queens Way.

Le sud-est de l'Ontario

Le sud-est de l'Ontario, riche plaine entre le fleuve Saint-Laurent et le Bouclier canadien, a de tout temps été propice à l'établissement des populations.

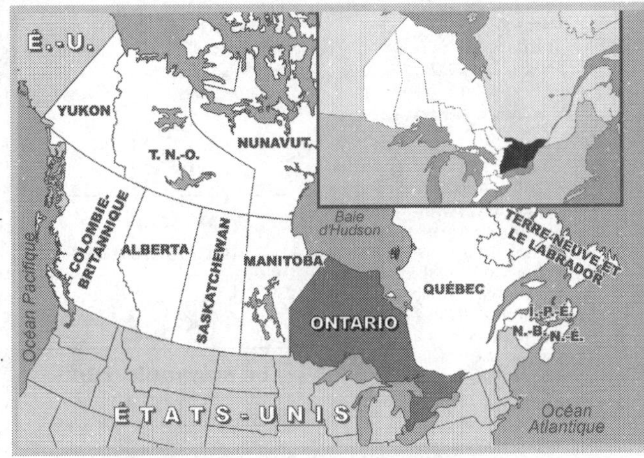

Les premiers Autochtones y sont venus pour profiter des terres fertiles et de l'eau douce en abondance. Les colons français voulaient s'y installer, car ils jugeaient la région stratégique, le long de la fructueuse route des fourrures. Plus tard, les loyalistes quittant les États-Unis, désormais indépendants, y trouvaient de vastes espaces favorables à la fondation de nouveaux villages.

Cette région hospitalière a depuis lors continué d'attirer les habitants, certains villages se transformant en de belles villes, comme c'est le cas de Kingston; d'autres, ayant conservé leur cachet d'antan, sont devenus des sites de villégiature très fréquentés par les vacanciers.

Pour s'y retrouver sans mal

En suivant le Saint-Laurent

Ce circuit couvre une partie du sud-est de l'Ontario par une route naturelle qui longe le fleuve Saint-Laurent.

En voiture

De la frontière québécoise, il suffit de suivre l'autoroute 401, qui se rend jusqu'à Oshawa, aux environs de Toronto. Si vous disposez de plus de temps, nous vous conseillons cependant d'emprunter la route 2, qui longe le fleuve Saint-Laurent et sur laquelle se rencontrent, par endroits, de jolies scènes champêtres et de magnifiques points de vue.

La route 2 traverse les villes de Cornwall, Morrisburg, Prescott, Brockville, Gananoque et Kingston, aussi n'aurez-vous qu'à la suivre pour compléter ce circuit.

Si vous partez d'Ottawa, vous pourrez rejoindre ce circuit en prenant l'autoroute 417, puis la route 138 jusqu'à Cornwall.

Gares routières

L'autocar dessert les moindres petites villes le long de ce circuit.

Cornwall
120 Tolgate Rd. W.
☎(613) 932-9511

Kingston
121 Counter Street
☎(613) 542-5044

Belleville
45 Dundas St. E.
angle Pinnacle Street
☎(613) 962-9544

Oshawa
47 Bond St. W.
☎(905) 723-2241

Gares ferroviaires

La ligne de chemin de fer reliant Montréal et Windsor longe une partie de ce circuit, aussi est-il aisé de se rendre à Cornwall, Kingston et Oshawa par ce moyen de transport.

Cornwall
Station Street

Kingston
800 Counter Street
☎544-5600

Oshawa
Thornton Street

Renseignements pratiques

Indicatif régional : 613, sauf si indiqué.

Renseignements touristiques

En suivant le Saint-Laurent

Central Ontario Association Getaway Country
C.P 539, Bancroft K0L 1C0
☎(613) 332-1513
☎800-461-1912
⇄332-2119

Association touristique de l'Est ontarien
C.P 99
Merrickville K0G 1N0
☎269-3999
☎800-567-3278
⇄269-4885

Prince Edward County Chamber of Tourism and Commerce
P.O. Box 50
Picton, K0K 2T0
☎476-2421
☎800-640-4717
⇄476-7461
www.pec.on.ca

Attraits touristiques

En suivant le Saint-Laurent

Sur la route des Grands Lacs, les rives du fleuve Saint-Laurent comptent parmi les toutes premières zones de colonisation de l'Ontario; dès le XVIIe siècle, des forts français sont bâtis dans la région, notamment le fort Frontenac en 1673 (à l'emplacement de l'actuelle ville de Kingston). Mais bien avant que ces forts ne soient érigés, des tribus iroquoïennes (Hurons et Iroquois) se disputaient les frontières de ce vaste territoire, délimité par la partie sud du fleuve Saint-Laurent et les berges des Grands Lacs. Ce premier circuit vous conduit au bord du fleuve majestueux qui, passé Kingston, devient le lac Ontario et vous permet de visiter quelques belles villes dont Kingston, des reconstitutions historiques comme l'Upper Canada Village, qui vous ramènera plus de 100 ans en arrière, ainsi que des sites naturels exceptionnels, notamment les Mille-Îles.

Cornwall

En 1784, au lendemain de la guerre d'Indépendance américaine, des Écossais quittent les États-Unis, pour venir s'établir le long du fleuve Saint-Laurent, et fondent Cornwall. Aujourd'hui, cette ville industrielle est la première ville ontarienne d'importance le long du fleuve Saint-Laurent, à la frontière du Québec, et compte une population à la fois composée d'anglophones et de francophones. Ses industries de pâtes et papiers, et de coton, de même que les barrages hydro-électriques, lui procurent l'essentiel de ses revenus, mais n'ont jamais apporté à la ville de véritable prospérité. En pénétrant dans la ville, vous serez d'ailleurs à même de constater l'aspect tristounet de certains quartiers, car vous traverserez d'abord la zone industrielle, puis vous trouverez un centre-ville quelconque dont les bâtiments n'ont pas de charme particulier. Plusieurs ne font en fait que la traverser, car il s'agit d'une porte d'entrée vers les États-Unis, un pont la reliant à l'État de New York.

Si vous passez quelque temps dans la ville, vous pourrez visiter quelques sites touristiques ravissants, comme le **Musée-villa de la régence Inverarden** *(entrée libre; avr à nov mar-sam 11h à 17h, dim 14h à 17h; Montreal Rd., à l'est de Boundary,* ☎*938-9585).* Il est aménagé dans une superbe demeure de style Régence, l'un des plus beaux exemples en Ontario, qui fut construite en

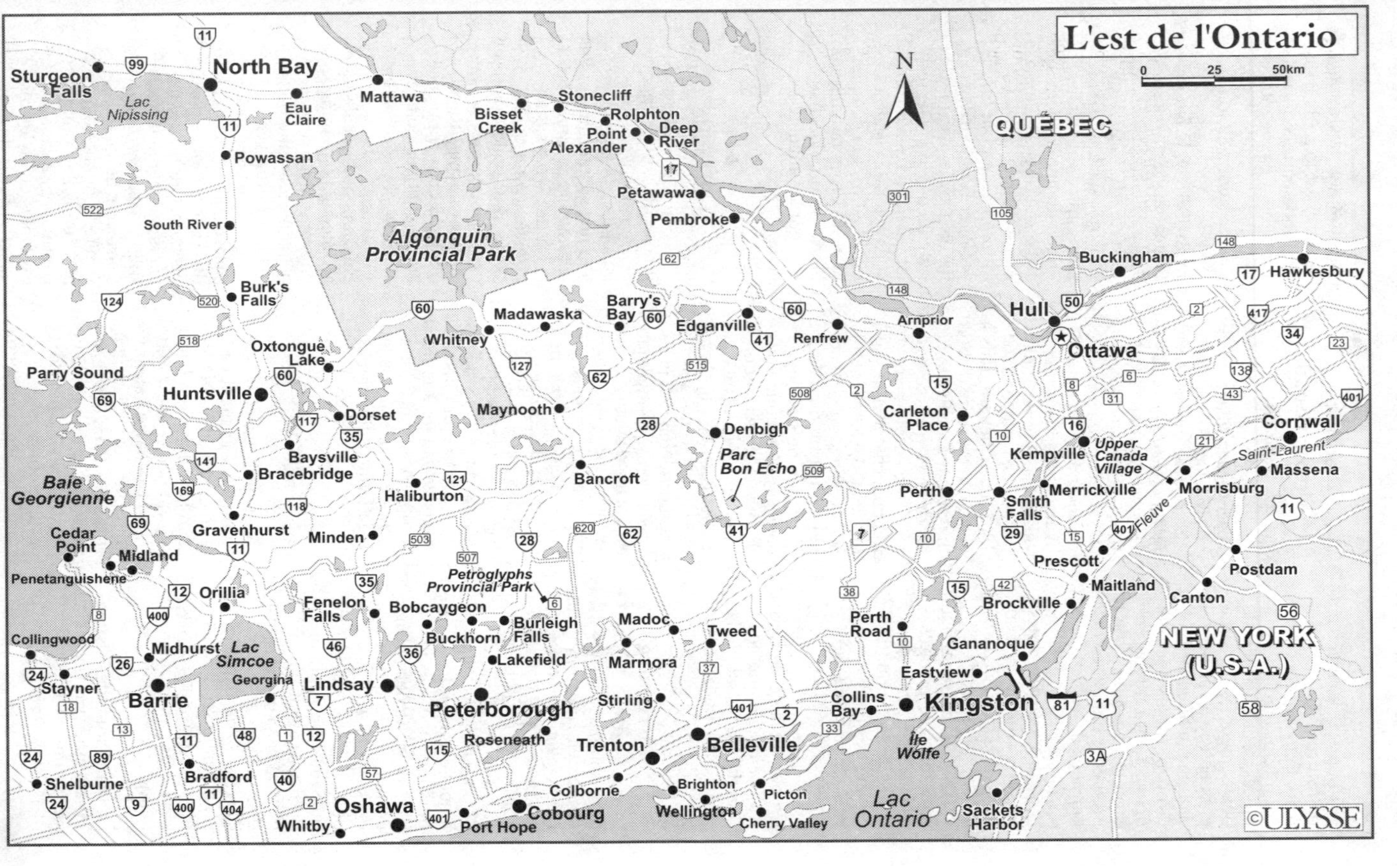

L'est de l'Ontario
0
25
50km
N
QUÉBEC
Sturgeon Falls
North Bay
Lac Nipissing
Eau Claire
Mattawa
Bisset Creek
Stonecliff
Rolphton
Point Alexander
Deep River
Powassan
Petawawa
Pembroke
South River
Algonquin Provincial Park
Buckingham
Hawkesbury
Burk's Falls
Madawaska
Barry's Bay
Edganville
Renfrew
Arnprior
Hull
Ottawa
Whitney
Oxtongue Lake
Parry Sound
Huntsville
Dorset
Maynooth
Denbigh
Carleton Place
Cornwall
Baysville
Bracebridge
Haliburton
Bancroft
Parc Bon Echo
Kempville
Upper Canada Village
Saint-Laurent
Massena
Baie Georgienne
Perth
Smith Falls
Merrickville
Morrisburg
Gravenhurst
Minden
Fleuve
Cedar Point
Midland
Penetanguishene
Prescott
Maitland
Postdam
Canton
Petroglyphs Provincial Park
Orillia
Fenelon Falls
Bobcaygeon
Burleigh Falls
Buckhorn
Madoc
Tweed
Perth Road
Brockville
Collingwood
Midhurst
Lac Simcoe
Lakefield
Marmora
Gananoque
NEW YORK (U.S.A.)
Stayner
Barrie
Georgina
Lindsay
Peterborough
Stirling
Eastview
Collins Bay
Kingston
Roseneath
Trenton
Belleville
Île Wolfe
Shelburne
Bradford
Colborne
Brighton
Picton
Lac Ontario
Sackets Harbor
Oshawa
Cobourg
Wellington
Cherry Valley
Whitby
Port Hope
©ULYSSE

1816 pour le commerçant de fourrures John McDonald. Cette résidence ne compte pas moins de 14 pièces, toutes garnies de beaux meubles d'époque, et bénéficie également d'un magnifique jardin donnant sur les rives du fleuve Saint-Laurent, endroit fort agréable pour se promener durant les belles journées d'été.

Le petit **Musée des comtés unis** *(entrée libre; avr à nov mar-sam 11h à 17h, dim 13h à 17h; 731 Second St. W., ☎932-2381)* présente quelques toiles de peintres canadiens et différents objets de la vie quotidienne des premiers colons, entre autres des jouets et des outils.

Un peu au large de Cornwall se trouve une île, **Cornwall Island**, site de la réserve amérindienne de Saint-Régis.

Morrisburg

Morrisburg serait sans doute demeurée une petite municipalité ordinaire si elle n'avait pas dans son voisinage l'exceptionnel attrait touristique qu'est l'Upper Canada Village, lequel comprend quelques-unes des maisons de huit petits villages dont les terres furent inondées lors de la construction de la voie navigable du Saint-Laurent, le niveau du fleuve ayant dû être élevé. Ces maisons furent déménagées au parc Chrysler Farm Battlefield pour composer une fascinante reconstitution historique. Au parc, vous remarquerez en outre un petit monument commémorant la victoire des troupes canadiennes sur les soldats américains en 1812.

★★★ Upper Canada Village

Upper Canada Village *(12,75$; mai à oct tlj 9h30 à 17h; au parc Chrysler Farm Battlefield, à 11 km à l'est de Morrisburg, sur la route 2, ☎543-3735 ou 1-800-437-2233).* Cette remarquable reconstitution compte 35 bâtiments formant un village typique du Haut-Canada des années 1860-1867. En pénétrant dans le village, vous serez d'abord frappé par le réalisme de l'endroit, et vous ne cesserez d'être surpris par l'aménagement et le souci du détail des concepteurs. Scierie, magasin général, ferme, maison du médecin..., rien ne manque dans ce village que vous découvrez à pied ou en carriole. Les habitants, ces guides costumés aptes à répondre à toutes vos questions, complètent ce tableau presque idyllique du village d'antan, et une attention est même apportée aux costumes qui non seulement reflètent le métier de chacun, mais aussi le rang social. La visite peut prendre plusieurs heures, car vous pouvez observer tous ces habitants vaquer à leurs occupations (fonctionnement de la scierie, travaux de la ferme, utilisation du moulin à farine, etc.).

Prescott

Longtemps, Prescott occupa un emplacement clé sur la voie navigable du Saint-Laurent, car, à cette hauteur du fleuve, des rapides empêchaient les bateaux de passer, les obligeant à y décharger leurs marchandises. Un fort fut d'ailleurs construit pour défendre ce passage obligé. Aujourd'hui, cette mignonne petite ville possède toujours un port très fréquenté, car il est le seul en eau profonde entre Montréal et Kingston. Cependant, les visiteurs s'y arrêtent surtout en raison du fort.

En 1838-1839, le **fort Wellington** ★ *(3$; mai à sept tlj 10h à 17h; suivez la route 2 vers l'est, ☎925-2896)* est construit sur le site d'une autre structure militaire érigée durant la guerre de 1812, qui opposa Canadiens et Américains. Le fort, qui avait pour but de protéger la voie navigable, fut en activité jusque dans les années vingt. Depuis lors, il a été restauré, et vous pourrez visiter les installations, qui comprennent de larges murailles de pierres et un blockhaus. Des guides animent les lieux.

★ Brockville

Il reste de la belle époque de Brockville, celle des loyalistes, de splendides témoins architecturaux. En fait, depuis sa fondation, à la fin du XVIIIe siècle, jusqu'au début du XXe siècle, Brockville, comme bien d'autres cités le long du fleuve Saint-Laurent, ont vécu dans l'opulence, de magnifiques demeures attestant ces riches années.

Plusieurs belles réalisations architecturales témoignent encore de l'opulence d'antan. Au centre de la ville, vous trouverez le magnifique **Court House Square**, autour duquel se dressent quelques beaux bâtiments de pierre, notamment celui qui abritait jadis la **Johnston District Courthouse** (aujourd'hui l'United Counties of Leeds and Grenville). Comptant parmi les plus beaux exemples du style palladien, ce palais de justice

Les rues du Plateau Mont-Royal sont bordées de duplex et triplex dont les appartements sont accessibles par des escaliers extérieurs aux contorsions amusantes.
- E. Dugas

Espoir et promesse de la tombée du jour sur une ville prospère, Vancouver.
- Walter Bibikow

La démesure à la canadienne : la mégapole Toronto, avec ses gratte-ciel et son symbole, la tour du CN. - *Tibor Bognár*

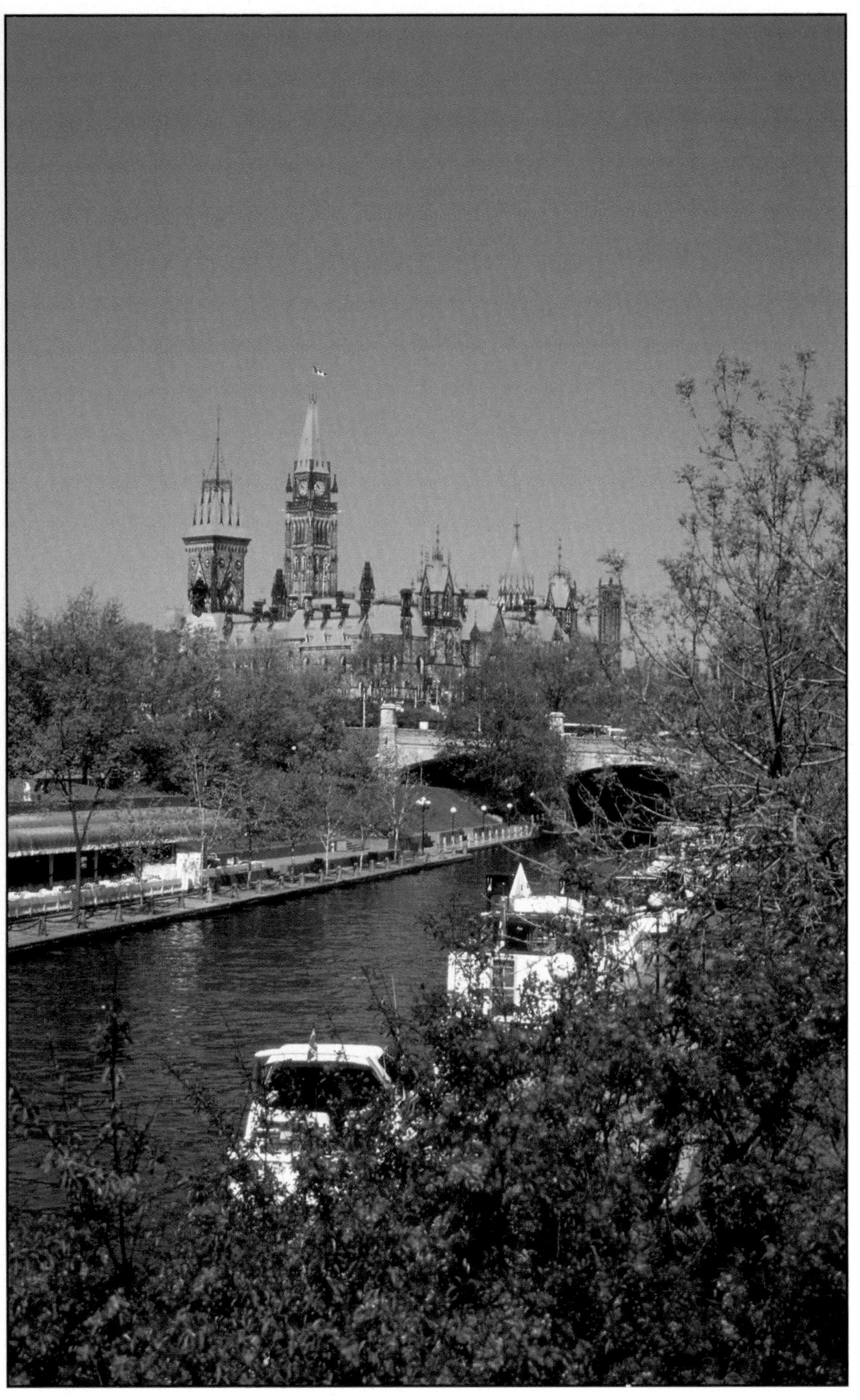

Gardien de la démocratie, le parlement d'Ottawa se dresse sur la berge du canal Rideau.
- P. Quittemelle

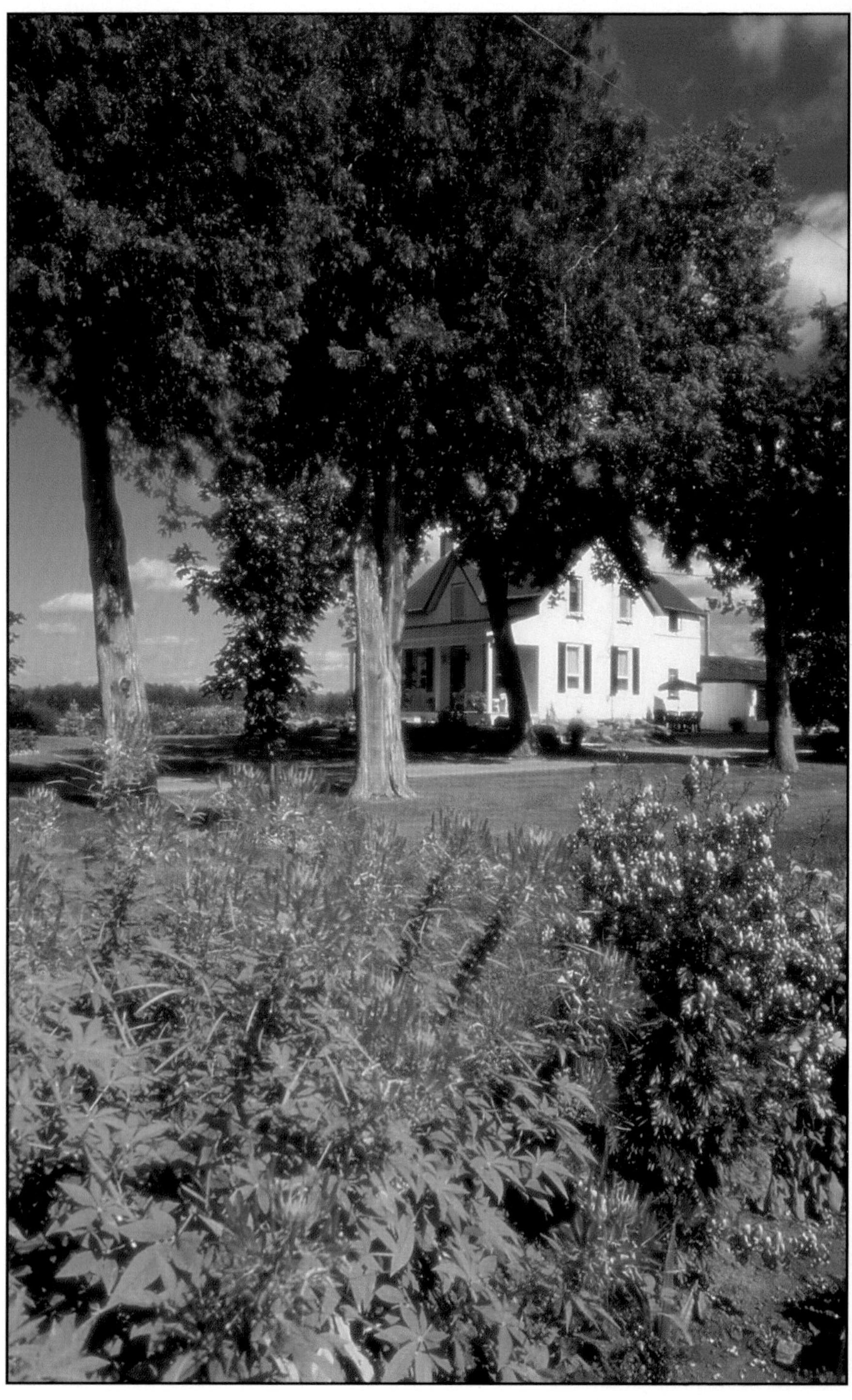

Longeant la rivière des Outaouais, l'Ottawa Valley s'orne, comme beaucoup de régions de l'Ontario, de belles demeures entourées de fleurs. - *Paul Jensen*

fut érigé dans les années 1841-1845.

Si vous êtes amateur de vieilles pierres, vous serez charmé par le **Fulford Place National Historic Site** *(4$; été mer-dim 11h à 15h15, hiver sam-dim 11h à15h15; 287 King St. East, ☎498-3003)*. Vous pourrez admirer ce splendide manoir de style édouardien sous toutes ses coutures, des visites guidées étant organisées. Décoré de meubles d'époque, il constitue une belle occasion de se replonger dans l'atmosphère d'antan.

★★ Les Mille-Îles

Des îles, des îles et encore des îles... Les Mille-Îles, qui sont en réalité au nombre de 1 865, fournissent au visiteur l'occasion d'admirer des paysages d'une singulière beauté. Les Cataraquis, qui, avant l'arrivée des colonisateurs, habitaient cette région, les nommaient «le jardin du Grand Esprit»; en vous y promenant, vous en apercevrez de toutes les sortes, allant des grandes îles où ont été construites de riches demeures, comme c'est le cas de l'île Wellesley, aux îlots minuscules; il ne faut que deux arbres et 2,5 m² de terrain pour désigner une île.

La croisière fort plaisante sur les eaux du fleuve Saint-Laurent vous permettra d'observer de plus près ce véritable dédale de petites îles, dont certaines offrent un intérêt particulier. Outre un fascinant tableau naturel, vous pourrez voir et visiter certains de ces îlots, dont l'île Gordon, qui constitue le plus petit parc national du Canada, ou l'île Heart, sur laquelle a été construit le château Boldt; cependant, n'oubliez pas que cette dernière île fait partie du territoire américain et que les passagers européens doivent montrer leur passeport pour débarquer.

Plusieurs croisières dans les Mille-Îles sont organisées et partent de la marina de Gananoque ou de Kingston (voir p 386).

Ivy Lea

Le pont d'Ivy Lea relie l'Ontario à l'État de New York, au-dessus des Mille-Îles. Si vous l'empruntez, vous pouvez descendre sur l'île Hill. C'est là qu'a été construite la tour d'observation **Skydeck** *(3,95$; juin à août 8h30 au coucher du soleil, mai sept et oct tlj 9h à 18h; ☎659-2335)*, haute de 120 m, d'où vous aurez une vue exceptionnelle ★★ sur la multitude d'îles de la région.

Gananoque

En entrant à Gananoque, vous serez accueilli par une longue artère commerciale, bordée d'une foule de restaurants de type *fast-food* et de motels. Rien de bien invitant certes, mais la ville sert essentiellement de halte aux personnes qui veulent faire une croisière aux Mille-Îles.

Kingston

En 1673, René-Robert Cavelier de La Salle, envoyé par le comte de Frontenac, remonte le fleuve Saint-Laurent en quête d'un endroit clé pour construire un poste de traite. À la jonction du lac Ontario et du fleuve, qu'il juge stratégique, sur la route naturelle qu'empruntent les explorateurs et les coureurs des bois, il décide de bâtir un fort, le fort Frontenac. Des Français tissent dès lors de fructueux liens commerciaux avec les Autochtones et demeurent dans la région une centaine d'années, jusqu'en 1758, année où le fort est conquis par le colonel anglais Bradstreet, mettant fin à la colonisation française dans les environs.

Au lendemain de la Conquête britannique, le site est abandonné jusque dans les années 1783, alors que des loyalistes quittent les États-Unis pour venir s'établir à cet endroit, y fondant Kingston. La ville retrouve alors sa prospérité, servant de point d'arrêt sur la route des Grands Lacs; durant la guerre de 1812, le fort Henry est érigé afin d'assurer la protection de la région. Peu à peu, la ville prend de l'importance et devient même la capitale du Bas-Canada et du Haut-Canada pendant quelques années, soit de 1841 à 1844. Toutefois, en raison de la proximité des États-Unis et des craintes d'invasion américaine, elle perd son statut à l'avantage de Montréal, qui le perdra à son tour en 1849.

De ce passé glorieux, de magnifiques bâtiments d'architecture victorienne attestant les années prospères de la ville subsistent, de même que d'importantes écoles militaires, notamment le Royal Military College et le National Defense College. En outre, Kingston est située au bord du lac Ontario et possède un centre-ville des plus attrayants, où une foule enthousiaste se presse durant les belles journées. Nous vous proposons une balade dans les rues de cette ville, petit bijou de l'Est ontarien.

Le **Fort Henry ★★** *(10,50$; mai à sept tlj 10h à 17h; route 2, ☎1-800-437-2233)* a été construit dans les années 1832-1837, sur un promontoire surplombant le lac Ontario, en vue de protéger le Haut-Canada de toute invasion américaine. Mais cet important poste militaire ne fut jamais attaqué, puis, les risques d'invasion étant improbables, la garde abandonna le fort après les années 1870. Au cours des années trente, des travaux de rénovation furent entrepris.

Dès votre entrée, des guides en costume d'époque vous racontent la vie au fort durant le XIXe siècle. Aussi, vous aurez l'occasion d'assister aux exercices de tir présentés par la garde du fort, vêtus de costumes semblables à ceux que portaient les soldats anglais en 1867. Ces moments seront sans nul doute les plus colorés et les plus marquants de votre visite. Après avoir regardé ces démonstrations, vous pourrez vous rendre dans les bâtiments où logeaient jadis les militaires; vous visiterez des salles encore garnies des meubles et des outils datant du XIXe siècle, vous permettant de bien saisir le quotidien de la garde en ces années. Enfin, vous pourrez aussi prendre le temps d'admirer la belle collection d'équipements militaires anglais datant du XIXe siècle, qui est exposée au musée du fort.

À côté, sur la pointe Frederick, vous apercevrez les bâtiments du Royal Military College. Non loin, une tour Martello, la Frederick Tower, construite en 1846, abrite le **Royal Military College of Canada Museum** *(entrée libre; fin juin à début sept tlj 10h à 17h; ☎541-6000, poste 6664)*, où est relatée l'histoire du collège et des premiers événements militaires de la région. Cette tour de pierre, aux murs épais (15 m de largeur pour la section face au lac Ontario), est la plus grande des six tours Martello qui furent construites au XIXe siècle afin d'assurer la protection de Kingston.

Descendez vers le centre-ville en prenant Lasalle Causeway, et rendez-vous jusqu'à Brock Street, où se trouvent quelques-unes des plus chouettes boutiques de la ville. Puis revenez sur vos pas, et prenez Ontario Street.

La période de prospérité de Kingston, des années1840-1850, correspond à l'apogée du néoclassicisme au Canada. Aussi ne faut-il pas se surprendre d'y retrouver une importante concentration de bâtiments de ce type, la plupart revêtus de pierres calcaires grises extraites des carrières locales. C'est le cas du **Kingston City Hall ★★** *(216 Ontario St.)*, l'hôtel de ville de Kingston. Le vaste édifice fut construit entre 1842 et 1844, à une époque où la ville abritait le siège du gouvernement du Canada-Uni.

À la suite de la décision de déménager la capitale de la colonie à Montréal, les édiles municipaux ont gracieusement offert, sans succès, l'hôtel de ville au gouvernement afin qu'il revienne sur sa décision. Le Kingston City Hall, sur front de mer, n'est pas sans rappeler les prestigieux bâtiments publics de Dublin, en Irlande. À l'étage, la salle du Conseil et l'Ontario Hall figurent parmi les plus beaux décors intérieurs néoclassiques du Canada.

Juste en face s'étend le **parc Confederation**, qui donne sur les berges de la rivière Cataraqui. Vaste jardin de verdure, l'endroit est idéal pour flâner un brin. Juste à côté se dresse le bâtiment de l'office de tourisme. C'est également de l'**office de tourisme** que vous pourrez prendre le ***Confederation Tour Train*** *(8$; mi-mai à sept 10h à 19h)*, un petit train proposant une visite des vieux quartiers de Kingston.

Des croisières aux Mille-Îles partent de la marina située à côté du parc.

Vous pouvez continuer sur **Ontario Street**, la principale rue du centre-ville, bordée d'une foule de petites boutiques et de restaurants aux jolies terrasses.

City Hall

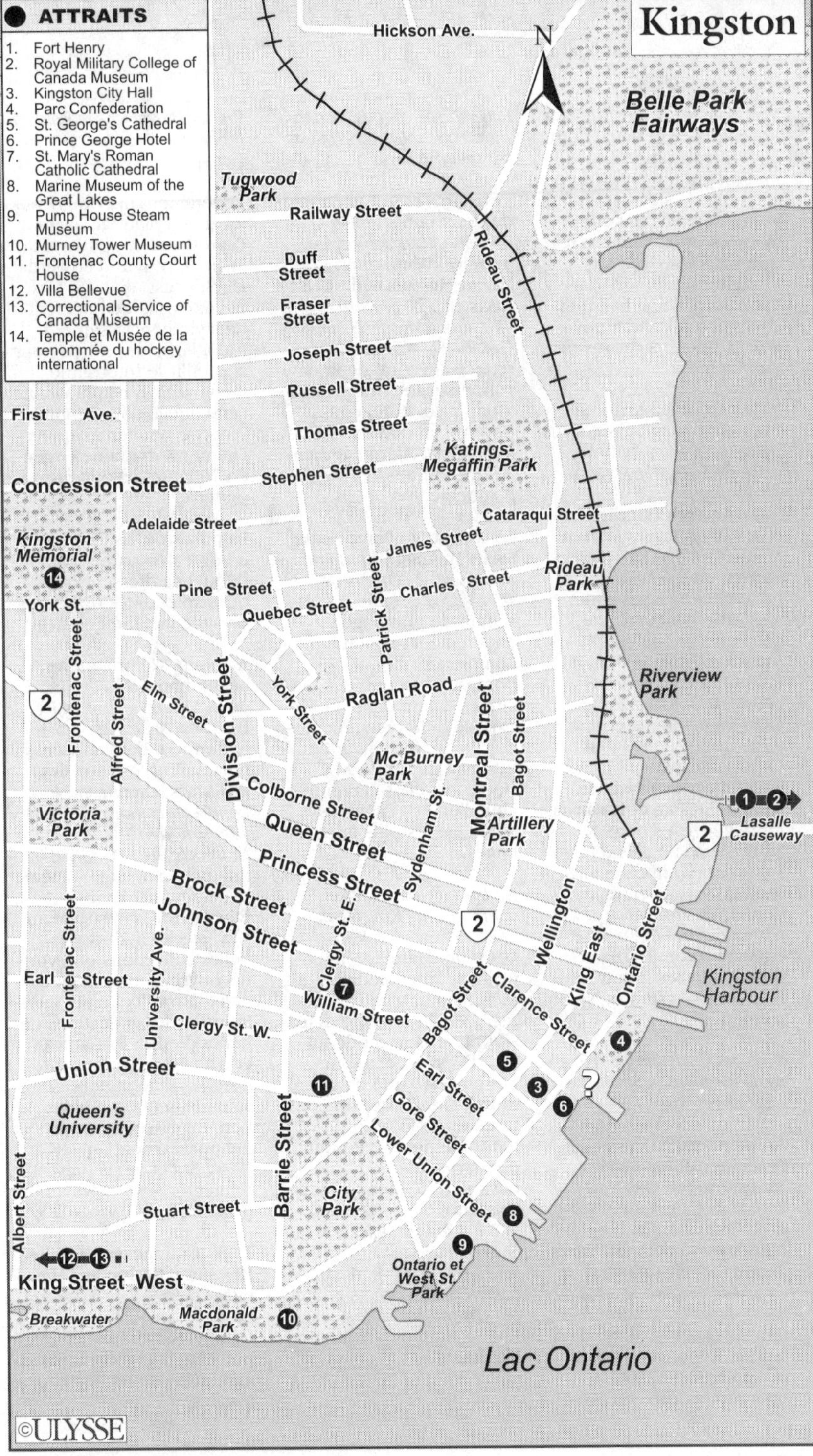
Kingston
ATTRAITS
1. Fort Henry
2. Royal Military College of Canada Museum
3. Kingston City Hall
4. Parc Confederation
5. St. George's Cathedral
6. Prince George Hotel
7. St. Mary's Roman Catholic Cathedral
8. Marine Museum of the Great Lakes
9. Pump House Steam Museum
10. Murney Tower Museum
11. Frontenac County Court House
12. Villa Bellevue
13. Correctional Service of Canada Museum
14. Temple et Musée de la renommée du hockey international
Hickson Ave.
Belle Park Fairways
Tugwood Park
Railway Street
Rideau Street
Duff Street
Fraser Street
Joseph Street
Russell Street
First Ave.
Thomas Street
Katings-Megaffin Park
Stephen Street
Concession Street
Adelaide Street
Cataraqui Street
Kingston Memorial
James Street
Rideau Park
Charles Street
Pine Street
Quebec Street
York St.
Patrick Street
Frontenac Street
Elm Street
York Street
Raglan Road
Riverview Park
Alfred Street
Division Street
Mc Burney Park
Montreal Street
Bagot Street
Colborne Street
Sydenham St.
Victoria Park
Queen Street
Artillery Park
Lasalle Causeway
Princess Street
Brock Street
Johnson Street
Clergy St. E.
Wellington
King East
Ontario Street
Kingston Harbour
Earl Street
University Ave.
William Street
Clarence Street
Clergy St. W.
Union Street
Earl Street
Queen's University
Barrie Street
Gore Street
Lower Union Street
Albert Street
Stuart Street
City Park
Ontario et West St. Park
King Street West
Breakwater
Macdonald Park
Lac Ontario
©ULYSSE

Vous passerez ainsi devant le **Prince George Hotel**, dont la construction de la première partie remonte à 1809. Par la suite, deux autres sections ont été ajoutées et le bâtiment tel que vous le voyez aujourd'hui fut terminé en 1867. En 1978, il fit cependant l'objet d'une rénovation et fut alors reconverti en hôtel.

Plus loin, sur Johnson, à l'angle de King Street, vous passerez devant la belle cathédrale St. George.

La **St. George's Cathedral** ★ *(angle King St. E. et Johnson St.)* est le siège de l'évêché anglican de Kingston. Ce bel édifice néoclassique, tout en longueur, a été entrepris en 1825 selon les plans de Thomas Rogers. Le portique, la tour et l'horloge ont été ajoutés en 1846, alors que la coupole a été installée en 1891. Occupant le même quadrilatère, l'**ancien bureau de poste** et l'**édifice de la douane** rappellent tous deux le XVIIe siècle anglais d'Inigo Jones, qui symbolise ainsi les liens étroits entre le Canada et l'Angleterre. Ces bâtiments ont été réalisés en 1856 selon les plans des architectes montréalais Hopkins, Lawford et Nelson.

Vous pouvez continuer votre route sur Johnson Street jusqu'à Clergy Street.

Au début du XIXe siècle, l'évêché catholique de Kingston couvrait l'ensemble du Haut-Canada (l'Ontario). En 1843, la construction de la **St. Mary's Roman Catholic Cathedral** ★ *(angle de Johnson Street et de Clergy Street)* fut entreprise afin de doter l'évêché d'un temple imposant. La tour néogothique, haute de 60 m, fut ajoutée en 1887.

Revenez sur vos pas et continuez votre route vers l'ouest sur Ontario Street.

Vous arriverez à la hauteur de deux petits musées presque côte à côte. Le premier d'entre eux, le **Marine Museum of the Great Lakes** *(3,95$; lun-ven 10h à 17h, juin à début sept tlj; 55 Ontario St., ☎542-2261)* retrace l'histoire de la navigation sur les Grands Lacs à partir de 1678. Vous pourrez en outre y voir le brise-glace *Alexander Henry*, qui sert aussi d'auberge.

Le second, le **Pump House Steam Museum** *(début juin à début sept; 23 Ontario St., ☎542-2261)*, renferme une station de pompage entièrement restaurée comprenant d'énormes pompes ainsi que des machines datant de 1849. Il expose différents modèles de ces pompes à vapeur qui marquèrent le XIXe siècle, car elles étaient alors l'une des sources d'énergie les plus importantes.

Au bout d'Ontario Street, continuez sur King Street.

Les tours Martello, inventées par l'ingénieur du même nom, sont caractéristiques du système défensif britannique du début du XIXe siècle. La tour Murney est l'une de ces tours Martello qui fut construite en 1846 pour défendre le port. Cette tour de pierres trapue abrite désormais le **Murney Tower Museum** *(2$; mai à sept tlj 10h à 17h; à l'angle de King St. et de Barrie St., ☎544-9925)*, où sont présentés divers objets militaires datant du XIXe siècle. Elle se trouve dans le **parc Macdonald**.

Prenez Barrie Street jusqu'à la Frontenac County Court House.

Entièrement fait de grès local, le **Frontenac County Court House** ★ (palais de justice), œuvre d'Edward Horsey, est un autre très bel exemple de bâtiment de style néoclassique. Il fut, à l'origine, conçu pour accueillir le futur Parlement, mais il n'aura jamais cette affectation. De plus, vous ne pouvez manquer l'immense fontaine érigée en 1903 qui enjolive son parterre.

Le palais de justice domine un agréable parc autour duquel se dressent quelques splendides demeures de style victorien.

À l'ouest s'allongent les beaux bâtiments de pierre de la Queen's University. Les locaux de l'université renferment deux musées, notamment le **centre des arts Agnès Etherington** ★ *(entrée libre; mar-ven 10h à 17h, sam-dim 13h à 17h; University Ave., ☎533-2190)*, qui a été aménagé à même la demeure d'Agnès Etherington, construite au XIXe siècle. Il abrite de belles collections que vous découvrirez avec ravissement. Parmi celles-ci, mentionnons les collections de belles pièces d'art africain et d'art inuit. La demeure d'Agnès Etherington est actuellement en rénovation. Le musée se trouve temporairement au 218 Berry Street, mais prévoit réintégrer ses locaux au printemps de l'année 2000.

Le second musée, le **Miller Museum of Geology and Mineralogy** *(entrée libre; lun-ven 9h à 17h; angle Union St. et Division St., ☎533-6767)*, présente une collection de minéraux, de roches et de fossiles.

Suivez Union Street jusqu'à Centre Street.

Au moment de sa construction, aux alentours des années 1840, la **villa Bellevue** ★ *(2,75$; juin à sept tlj 9h à 18h, avr et mai et sept et oct tlj 10h à 17h; 35 Centre St., ☎545-8666)* fit parler d'elle en raison de son style dit toscan, plutôt inusité pour l'époque, qui lui valut divers surnoms, entre autres celui de «pagode». En 1848 et en 1849, elle logea la famille de John A. McDonald, premier premier ministre canadien de 1867 à 1873. En entrant, vous découvrirez de ravissantes pièces, toutes garnies des meubles de l'époque où y résidait McDonald. Vous y verrez, entre autres, l'élégante salle à manger et la chambre où était alitée la femme de McDonald, alors malade. Autour de la villa, un joli jardin est aménagé, et il est possible de s'y promener.

Villa Bellevue

On aborde inévitablement le **Correctional Service of Canada Museum** ★ *(entrée libre; fin mai à début sept mer-ven 9h à 16h, sam-dim 10h à 16h; 555 King St. W., ☎530-3122)* avec un brin de scepticisme : que peut-il donc y avoir dans un tel musée? L'initiative est pourtant des plus réussies et atteint son but : faire mieux comprendre le milieu carcéral. Afin de démythifier cet univers trop souvent méconnu, plusieurs thèmes sont abordés, comme le travail exécuté par les détenus, car plusieurs peuvent s'adonner à de petits boulots, ainsi que la vie en milieu carcéral; on peut notamment y voir quelques-unes des diverses armes qu'ont pu «bricoler» les prisonniers. Le musée retrace également l'évolution des mentalités entourant les services correctionnels, et l'on apprend les différents châtiments corporels auxquels pouvaient être condamnés les prisonniers jusqu'en 1968. Peut-être la section qui retient le plus l'attention est celle présentant l'évolution de la cellule du prisonnier, du minuscule cachot auquel il avait droit au siècle dernier, à la petite pièce d'aujourd'hui à l'aménagement plus «ergonomique».

La visite est aussi l'occasion de s'interroger sur le rôle des services correctionnels dans notre société.

Si vous êtes un fan de hockey, rendez-vous au **Temple et musée de la renommée du hockey international** *(2$; angle York St. et Alfred St., ☎544-2355)*. Vous pourrez y voir des photographies et des équipements de hockey retraçant l'évolution qu'a connue ce sport au cours des ans. Il est situé un peu à l'écart du centre-ville.

Wolfe Island

Au sud de Kingston, en prenant le traversier (*gratuit*), vous atteindrez Wolfe Island, une île champêtre ne comptant qu'un hameau, Marysville. La route 95 traverse l'île, et un second traversier transporte les gens aux États-Unis.

Île de Quinte

L'île de Quinte vous réserve de belles scènes pastorales qu'elle révèle au détour d'une route ou le long de ses côtes. En effet, cette île composée de hameaux tranquilles, de vastes champs fertiles et de longues plages de sable a de quoi plaire aux citadins en quête de beaux paysages naturels. Pour goûter son calme champêtre, les visiteurs y viennent nombreux en été, et pourtant l'industrie touristique continue à se faire discrète. Quelques routes la sillonnent et s'avèrent parfaites pour les personnes se déplaçant à vélo.

Belleville

Fondée en 1784 par des loyalistes qui fuyaient les États-Unis, Belleville est agréablement située à l'embouchure de la rivière Moïra et donne sur la baie de Quinte. Elle a connu un développement constant tout au long du XIXe siècle, se transformant peu à peu en une jolie ville avec plusieurs belles demeures. Encore aujourd'hui, la ville possède de beaux quartiers résidentiels où il fait bon flâner. Son attrait principal demeure cependant sa plaisante marina, qui s'ouvre sur la baie et qui est le site de nombreuses activités estivales, notamment le Waterfront Festival, pendant lequel la marina devient le théâtre d'une foule d'activités de plein air. Une jolie promenade y est aménagée, et vous pourrez vous y balader tout en contemplant les belles embarcations voguer doucement sur les flots. Belleville constitue également un bon point de départ pour une excursion à l'île de Quinte.

De ces années passées, la ville a conservé de beaux témoignages architecturaux, notamment le **Glanmore Historic Site** *(3$; juin à août mar-dim 10h à 16h30, sept à mai mar-dim 13h à 16h30; 257 Bridge St. E., ☎962-2329)*, aménagé dans une élégante demeure de style Second Empire construite en 1883, dont chacune des pièces a été rénovée puis garnie de beaux meubles victoriens. Outre le mobilier, prenez le temps de contempler les murs et le plafond richement enjolivés. À l'étage, vous pourrez voir quelques petites expositions, notamment une collection de luminaires. Au sous-sol, vous découvrirez un pan de la petite histoire locale, un magasin général et la chambre des domestiques y étant reconstitués.

Trenton

C'est ici, à Trenton, que débute la voie navigable Trent-Severn. En été, une foule de visiteurs se pressent à sa marina, avec des embarcations de toutes sortes, pour partir en excursion sur les cours d'eau qui sillonnent le centre de la province jusqu'à la baie Georgienne.

Cobourg

De prime abord, Cobourg, située au bord du lac Ontario et en pleine campagne, apparaît comme une petite ville bien simple. En traversant son centre-ville, vous remarquerez cependant quelques bâtiments imposants, témoins du passé prospère de la ville, alors que son port était l'un des plus fréquentés de la région et que des moulins à farine, des scieries et des usines d'automobiles y étaient installés. Parmi les élégants édifices anciens, vous ne manquerez pas de remarquer le majestueux **hôtel de ville** ★ *(Victoria Hall, 55 King St. W.)*, de style palladien, qui a été conçu par l'architecte Kivas Tully en 1860.

En ces années, les villes ontariennes sont en pleine expansion et plusieurs ne possèdent pas de bâtiments municipaux adéquats pour accueillir les représentants de la ville.

★

Port Hope

À Port Hope, vous tomberez peut-être sous le charme de son coquet centre-ville, où se succèdent une quarantaine de boutiques d'artisanat et d'antiquités. L'histoire de ce village remonte à 1788, alors que Peter Smith vint s'établir en ces lieux. Quelques années plus tard, en 1793, il est suivi d'un groupe de loyalistes, lesquels fondent véritablement la ville. De son passé, elle a conservé quelques beaux édifices, comme l'**église St. Mark**, érigée en 1822, ainsi que de belles maisons des différents styles architecturaux en vogue au XIXe siècle en Ontario. Ces trésors de brique et de pierre sont rénovés depuis des décennies avec minutie, de sorte que la ville compte nombre de bâtiments parmi les plus jolis et les mieux conservés de la région.

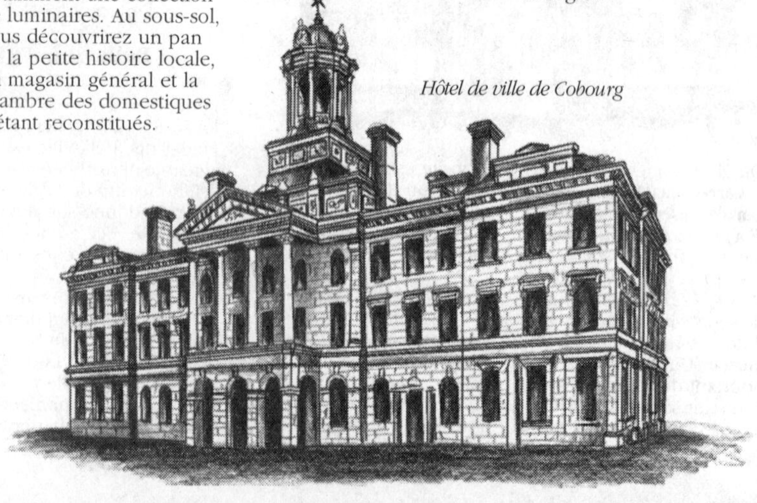

Hôtel de ville de Cobourg

★

Oshawa

Toute dernière ville de ce circuit, Oshawa est située à une cinquantaine de kilomètres de Toronto, dont on sent déjà les tentacules. Cette cité a prospéré grâce à son industrie automobile, la plus développée en Ontario, qui a débuté au début du siècle, alors que Robert McLaughlin commença à y construire des voitures. Son entreprise fut rachetée par la General Motors, dont il devint le directeur de la branche canadienne. Depuis lors, GM est le plus gros employeur de la ville.

La grisaille domine cette ville, ce qui est assez typique des villes industrielles nord-américaines, mais vous n'y trouverez pas moins quelques sites intéressants, la plupart reliés à McLaughlin et à l'industrie automobile.

À la **galerie Robert McLaughlin** ★ *(entrée libre; mar, mer, ven 10h à 17h, jeu 10h à 21h, sam-dim 12h à 16h; 72 Queen St., ☎905-576-3000)*, vous pourrez contempler quelques belles toiles de peintres canadiens contemporains, notamment des œuvres abstraites des membres du Groupe des Onze, qui se fit connaître dans les années cinquante. Ce groupe d'artistes favorisait une technique créatrice particulière, peignant rapidement en ne se fondant que sur l'inspiration du moment afin de recréer un effet général d'intensité.

Aménagé dans un bâtiment qui semble des plus quelconques, le **Musée canadien de l'automobile** ★ *(5$; lun-ven 9h à 17h, sam-dim 10h à 18h; 99 Simcoe St. S., ☎576-1222)* propose une incursion dans le monde de l'automobile, une soixantaine de voitures anciennes y étant exposées.

Trois maisonnettes historiques, les maisons Robinson, Henry et Guy, composent l'**Oshawa Community Museum** *(2$; juil et août lun-ven 12h à 17h, dim 13h à 17h; sept à juin lun-ven 12h à 16h, dim 13h à 17h; fermé sam toute l'année; angle Simcoe St. S. et Henry St., au parc Lakeview, ☎436-7624)*. De petites expositions y sont présentées, notamment une sur l'électricité.

Si vous n'avez le temps de voir qu'une seule attraction à Oshawa, rendez-vous au somptueux **manoir Parkwood** ★ *(6$; juin à sept mar-dim 10h30 à 16h, sept à mai mar-dim 13h30 à 16h; 270 Simcoe St. N, ☎433-4311)*, ancienne propriété de R.S. McLaughlin. Entourant la résidence, le splendide et vaste jardin, harmonieusement composé d'arbres majestueux, de haies et de pelouses verdoyantes, ainsi que d'une fontaine, est tout simplement magnifique. Il donne un avant-goût de la richesse du manoir, qui ne renferme pas moins de 55 pièces, toutes décorées avec bon goût, dont la visite vous ravira.

Parcs

Parc des Îles-du-Saint-Laurent

Les **parcs du Saint-Laurent** *(R.R. 1, Morrisburg, K0C 1X0, ☎543-3704)* sont un regroupement de plusieurs attraits touristiques incluant des sites historiques comme l'Upper Canada Village (voir p 388), la réserve d'oiseaux migrateurs (Upper Canada Birds Sanctuary) et le Fort Henry (voir p 390), ainsi que le parc des Îles-du-Saint-Laurent, véritable jardin naturel composé de 23 îles et d'innombrables îlots qui s'étendent sur quelque 80 km de Gananoque à Lancaster. Ce chapelet d'îles est en fait la crête de montagnes qui ont jadis été submergées au moment du retrait des glaciers, alors que se formait le fleuve Saint-Laurent. Il y pousse une végétation bien singulière; à certains endroits s'y développe une flore septentrionale qui se retrouve généralement plus au nord, alors qu'à d'autres endroits de ces îles croissent des plantes dont l'habitat habituel est bien plus au sud. D'île en île, vous serez ainsi peut-être surpris de constater la présence d'une flore diversifiée créant des tableaux aussi exceptionnels que différents.

Ces îles sont pour la plupart aménagées pour accueillir les visiteurs. Certaines, comme c'est notamment le cas si vous suivez la promenade **Long Sault**, sont accessibles en voiture, tandis que d'autres peuvent être atteintes en bateau. Aires de pique-nique, plages et terrains de camping (Ivy Lea et Mallorytown) se retrouvent çà et là, permettant aux visiteurs, outre de contempler cet environnement naturel fascinant, de s'adonner à diverses activités de plein air. Si vous avez besoin de renseignements, le **quartier général** du parc se trouve à Mallorytown.

La route 2 et la promenade des Mille-Îles longent tour

à tour le fleuve, dévoilant par moments des vues magnifiques sur le Saint-Laurent et ses îles. Des sentiers de randonnée ont été tracés sur certaines îles, promettant de plaisantes balades. Si vous ne disposez que de peu de temps et ne voulez pas vous rendre sur une des îles, empruntez le sentier Mainland Nature, qui part de Mallorytown (du quartier général) et qui vous entraîne à la découverte de la nature des rives du Saint-Laurent. Enfin, si vous avez plutôt une âme de cycliste que de canoteur, sachez qu'une fort belle piste cyclable a été aménagée le long de la promenade des Mille-Îles.

Activités de plein air

Croisières

En suivant le Saint-Laurent

Les **Mille-Îles** constituent le site idéal si vous avez envie d'une agréable balade sur le Saint-Laurent. Les départs ont lieu de Gananoque ou de Kingston, et les balades sont l'occasion de découverte de belles scènes naturelles.

Départ de Ganonoque :
Gananoque Boat Line
☎**382-2144** ou **382-2146**
Croisière de trois heures :
adulte 16$

Départ de Kingston :
Island Queen
☎**549-5544**
Croisière de trois heures :
adulte 18$
Croisière de 1 heure 30 min :
adulte 13$

Baignade

Île de Quinte

Le **Sandbanks Park** ★ *(R.R. 1, Picton, K0K 2T0, ☎393-3319)* est surtout connu pour ses magnifiques plages de sable blond qui s'allongent au bord du lac Ontario et qui sont littéralement prises d'assaut, durant les chaudes journées d'été, par des vacanciers en quête de soleil et d'activités nautiques.

Hébergement

En suivant le Saint-Laurent

Cornwall

En entrant dans la ville, vous aurez tôt fait de trouver les rues Vincent-Massey et Brookdale, où ont été construits bon nombre d'hôtels et de petits motels. Ici, les auberges ont troqué le charme vieillot contre le confort moderne, mais vous pourrez facilement vous loger adéquatement. Les hôtels **Ramada Inn** *(80$; ≡, ≈, ⌂, ⊛, ♞; 805 Brookdale Ave., K6J 4P3, ☎933-8000 ou 800-272-6232, ≠933-3392)*, **Best Western** *(109$; ≡, ≈, ℜ, ⌂, ⊛, ♞; 1515 Vincent-Massey, K6H 5R6, ☎932-0451 ou 800-528-1234, ≠938-5479)* et **Comfort Inn** *(78$; ≡; 1755 Vincent-Massey, K6H 5R6, ☎932-7786 ou 800-4CHOICE, ≠938-3476)* se distinguent par leurs nombreux services.

Morrisburg

Upper Canada Migratory Bird Sanctuary Nature Awareness Campsite
17,75$- 22$
☎**543-3704 ou 537-2024**
≠**543-2847**
L'Upper Canada Migratory Bird Sanctuary Nature Awareness Campsite dispose d'une cinquantaine d'emplacements pouvant accueillir les campeurs dans un bel environnement naturel (il fait partie des **parcs du Saint-Laurent**, ☎*800-437-2233*).

Vous pouvez également camper à l'un des autres terrains de camping des **parcs du Saint-Laurent**, avantageusement situés en bordure du fleuve. Pour réservation :

Glengarry
☎**347-2595**

Mille-Roches, Woodlands et McLaren
☎**534-8202**

Riversite/Cedar
☎**543-3287**

Ivy Lea
☎**659-3057**

Gananoque

Trinity House Inn
90$- 150$ pdj
90 Stone St. S., K7G 1Z8
☎**382-8383**
≠**382-1599**
www.trinityinn.com
Vous pourrez préférer dormir au Trinity House Inn, une élégante maison de brique rouge érigée en 1859. Elle n'a pas, depuis

toutes ces années, perdu de son charme, car elle a été rénovée avec beaucoup d'attention; les chambres marient l'élégance d'antan (mobilier ancien ornant les pièces) et le confort d'aujourd'hui. Une jolie terrasse, une salle de séjour agréable et un joli jardin sont également la promesse d'un séjour réussi.

Victora Rose Inn
80$- 180$
279 King St. W., K7G 2G7
☎382-3368
Si vous entrez à Gananoque par l'autoroute, vous y trouverez une rue principale bordée d'établissements de restauration rapide qui n'a rien de très séduisant. Pourtant, si vous vous enfoncez un peu plus loin dans le village en direction du fleuve, vous dénicherez deux mignonnes auberges. Le Victora Rose Inn, aménagé dans une magnifique demeure victorienne, propose neuf chambres spacieuses tout à fait invitantes.

Kingston

Kingston International Hostel
18$
329 Johnson, K7L 1Y6
☎(613) 531-8237
Le Kingston International Hostel bénéficie d'une situation assez centrale, car il se trouve près du centre-ville. Il propose plusieurs lits en été et quelques-uns en hiver.

Alexander Henry
42$ bc, 65$ bp
mai à oct
55 Ontario St., K7L 2Y2
☎542-2261
⇄542-0043
En passant devant le Musée de la marine, vous aurez certainement remarqué le brise-glace qui flotte juste à côté. Il s'agit du *Alexander Henry*, qui a été rénové et qui accueille les visiteurs, car il a été transformé en une auberge pour le moins singulière. Il ne faut pas s'y rendre en prévoyant dormir dans des chambres particulièrement confortables, mais bien parce qu'il s'agit là d'une expérience assez unique.

Queen University
47$ pdj
Jean Royce Hall, K7M 2B9
☎545-2550
Il est également possible de se loger pour peu aux résidences de la Queen University, qui loue quelques chambres durant l'été.

Queen's Inn
89-139
125 Brock St., K7L 1S1
☎546-0429
Au centre-ville, vous pourrez loger au Queen's Inn, une petite auberge occupant une maison de pierres datant du XIXe siècle, dont le rez-de-chaussée abrite un restaurant. Elle renferme des chambres bien tenues, mais qui n'ont pas de charme vieillot comme on pourrait l'espérer; elles sont plutôt garnies de meubles en imitation de bois.

Du siècle dernier, Kingston a conservé de splendides demeures de style victorien qui, au cours des ans, ont été restaurées avec grand soin; et certaines ont été reconverties en auberges. Autour du centre-ville, vous dénicherez sans difficulté quelques-uns de ces petits chefs-d'œuvre architecturaux qui, outre l'élégance du bâtiment, ont su allier le confort et le charme.

Painted Ladies
95$ pdj
≡
181 Wiliam St., K7L 2E1
☎545-0422
Parmi ces établissements, figure le Painted Ladies, où l'accueil attentionné de la propriétaire, qui cherche par tous les moyens à rendre votre séjour parfait, vous comblera d'abord. Celle-ci vous fournira entre autres une profusion de renseignements sur la ville. Mais la courtoisie n'est pas la seule qualité de l'établissement, qui profite de chambres coquettement ornées d'antiquités, de cadres et de mille petits objets. Certaines ont même l'avantage de disposer d'un foyer ou d'une baignoire à remous. Enfin, d'autres atouts, dont une fort belle terrasse et un petit déjeuner fait maison à partir d'ingrédients de qualité, ne pourront que vous convaincre des qualités de ce gîte.

The Secret Garden
95$ pdj
≡
73 Sydenham St., K7L 3H3
☎531-9884
⇄531-9502
www.the-secret-garden.com
À quelques pas de là, une autre magnifique maison historique a été convertie en gîte : The Secret Garden. En entrant, votre attention sera d'abord attirée par les magnifiques vitraux qui parent les fenêtres ainsi que par les bouquets de fleurs et les jolis objets décoratifs, placés çà et là pour embellir les lieux. L'établissement ne compte que quatre chambres, toutes meublées d'antiquités et décorées selon un thème différent, de sorte qu'il a su conserver son ambiance d'auberge familiale.

Hochelaga Inn
145$ pdj
24 Sydenham St. S., K7L 3G9
☎549-5534
⇄549-5534
Le Hochelaga Inn fait sans nul doute partie des belles auberges de ville. Construite autour des années 1880, cette superbe maison de brique rouge présente une façade verte et blanche où s'entremêlent une profusion de détails, une jolie tourelle et un grand balcon. Elle possède 23 chambres garnies de beaux meubles anciens, toutes décorées avec bon goût. L'endroit est en outre impeccablement tenu et paisible.

Holiday Inn
135$- 165$
≡, ≈, ℜ, ⌂, ⊛
1 Princess St., K7L 1A1
☎549-8400
☎800-465-4329
⇄549-2014
Grand édifice moderne sans charme particulier, le Holiday Inn a été construit juste au bord du lac Ontario; on ne saurait espérer un meilleur site. Les chambres, en plus d'offrir un bon confort, ont l'avantage d'avoir une belle vue sur les flots et l'activité nautique qui règne autour de la marina de Kingston.

Picton (île de Quinte)

Waring House
105$ pdj
R.R. 8, K0K 2T0
☎476-7492
⇄476-6648
À la sortie de Picton, votre attention sera attirée par une belle maison de pierre entourée d'un vaste jardin. La Waring House se dresse ainsi depuis plus de 100 ans. Mais n'ayez crainte, elle a depuis été rénovée avec soin, pour en faire à la fois un gîte splendide et un délicieux restaurant (voir p 399). À l'intérieur, rien n'a été épargné pour en faire une auberge élégante : une table parmi les meilleures de la région, un accueil courtois et des chambres décorées avec goût et garnies de beaux meubles anciens.

Belleville

Clarion Inn
109$
≡, ℜ
211 Pinnacle St., K8N 3A7
☎962-4531
☎800-CLARION
⇄966-5894
Vous apercevrez au centre de Belleville le Clarion Inn, un gros bâtiment de brique rouge d'aspect un peu massif de l'extérieur. On a préféré mettre l'accent sur les suites, pas moins de 50 y étant aménagées. Chacune présente un thème différent (Ethos Suite, Northern Lights Suite...) pour le moins original et plaira aux amateurs.

Ramada Inn on the Bay
100$
≡, ≈, ℜ, ⌂
11 Bay Bridge Rd., K8N 4Z1
☎968-3411
⇄968-5036
Le Ramada Inn on the Bay est une autre bonne adresse à retenir, car il est agréablement construit au bord de la rivière Moira et abrite des chambres tout confort.

Cobourg

Woodlawn Inn
115$ pdj
420 Division St., K9A 3R9
☎(905) 372-2235
⇄372-4673
www.woodlawninn.com
À prime abord, on pourrait déplorer le va-et-vient de la rue où se trouve le Woodlawn Inn. Mais la magnifique maison de brique rouge se dresse à l'extrémité d'un vaste jardin, ce qui parvient certainement à estomper l'activité de la rue, si ce n'est de la faire oublier complètement. Construite en 1835 et soigneusement rénovée depuis, elle compte 16 chambres, toutes décorées avec bon goût et impeccablement tenues. Cet établissement de classe abrite également un restaurant réputé (voir p 400).

Oshawa

Travelodge
100$
≡, ≈, ⊛
940 Champlain Ave., L1J 7A6
☎905-436-9500
☎800-578-7878
⇄436-9544
Ville industrielle, Oshawa n'est certes pas le site idéal pour les vacanciers. Il est tout de même possible d'y loger confortablement en se rendant au Travelodge.

Restaurants

En suivant le Saint-Laurent

Cornwall

Sur la rue Vincent-Massey, vous trouverez plusieurs restaurants de type *fast-food*, dont une rôtisserie Saint-Hubert, qui pourront vous rassasier.

Gemini Café
$
241 Pitt St.
☎936-9440
Si vous restez pendant quelque temps en ville, vous pourrez opter pour un choix plus intéressant que le *fast-food*, soit le Gemini Café, qui présente

chaque jour un menu affichant des plats variés et généralement bons.

Gananoque

Gananoque, à première vue, ne compte que des restaurants de cuisine minute, mais, en s'enfonçant dans la ville, il est possible de dénicher des établissement plus charmants servant une bonne cuisine. Deux auberges permettent aux visiteurs de se rassasier tout en se délectant. Le restaurant du **Victoria Rose Inn** *($$-$$$; 279 King St. W., ☎382-3368)*, ouvert toute la journée, prépare de délicieux plats. Une autre option, si vous désirez prendre votre repas dans un très bel environnement, est le **Trinity House Inn** *($$$; 90 Stone St. S, ☎382-8383)*, qui propose un alléchant menu pour le dîner.

Kingston

Sleepless Goat Café
$
91 Princess St.
☎545-9646
Le Sleepless Goat Café est un endroit tout ce qu'il y a de plus charmant pour se reposer un peu de la grouillante Ontario Street, tout en savourant un délicieux café et du gâteau au fromage.

Curry Village
$$
169A Princess St.
☎542-5010
Kingston a tout pour plaire aux amateurs de mets indiens; alors, si la façade du Darbar vous a fait reculer, vous pouvez tenter votre chance du côté du Curry Village. Les plats de curry et de tandouri ont conquis plus d'un estomac, et d'aucuns affirment qu'il s'agit du meilleur restaurant indien de la ville. À vous d'y voir...

Stoney's
$$
189 Ontario St.
☎613-545-9424
Ontario Street longe le lac, et plusieurs restaurants y sont installés, question d'avoir une terrasse bénéficiant d'un fort beau site. Parmi ceux-ci, vous ne manquerez pas de lorgner du côté de Stoney's, qui possède probablement la plus jolie terrasse de cette rue; à midi, elle est convoitée par des gens qui désirent manger des quiches ou des salades tout en observant le va-et-vient incessant de la rue.

Cafe Max
$$
39 Brock St.
☎547-2233
Au Cafe Max, on propose chaque soir une table d'hôte à bon prix (*autour de 12,95$*), avec choix de soupe ou de traditionnelle salade César, plat principal, comme le poulet tandouri accompagné de pâtes, et café. Les plats sont honnêtes et toujours servis en copieuses portions, aussi cette formule semble-t-elle bien plaire aux habitants de la ville qui sont prêts à faire la file le samedi soir pour y avoir une place.

Chez Piggy
$$
68 Princess St.
☎549-7673
Pour entrer Chez Piggy, vous devrez d'abord traverser une petite cour intérieure où vous apercevrez la terrasse ainsi que les jolis bâtiments de pierre datant du siècle dernier qui abrite le resto. Aménagé dans une superbe maison de pierre rénovée avec beaucoup de goût, Chez Piggy a depuis longtemps conquis le cœur des habitants de la ville qui sont prêts à attendre en ligne pour faire un délicieux repas, tant le midi, pour goûter des plats simples tels que quiches ou salades, que le soir, alors que le menu se raffine, proposant des plats variés, notamment de poulet et d'agneau.

Caveau
$$-$$$
354 King St. E.
☎547-1617
Le Caveau occupe deux étages, soit le rez-de-chaussée et le sous-sol, d'où émane un sentiment de bien-être, sans doute en raison des murs de brique, du nombre limité de tables à chaque étage et des boiseries. Dans cette atmosphère feutrée, vous pourrez savourer des plats délicieux, quelquefois apprêtés avec un certaine dose d'originalité. Des classiques figurent toujours au menu, comme le filet mignon sauce cognac et la darne de thon au poivre rose, et ne déçoivent pas. Pour accompagner chacun des plats, on propose une belle sélection de vins vendus au verre.

Picton (île de Quinte)

The Waring House
$$$
R.R. 8
☎476-7492
The Waring House se présente à la fois comme une jolie auberge et un agréable restaurant occupant une superbe demeure du siècle passé. La salle à manger comporte de grandes baies vitrées donnant sur les champs avoisinants. C'est en profitant de cette atmosphère sereine que vous savourerez votre repas. Au menu figurent en bonne place les mets préparés à partir

d'ingrédients de la région, notamment des poissons provenant des eaux environnantes. Des plats plus classiques sont également proposés, comme le bœuf Wellington.

Bloomfield (île de Quinte)

Mrs Dickenson's
$
55 Main St.
☎*393-3356*
La coquette Bloomfield aura de quoi ravir les estomacs vides. Le café de Mrs Dickenson's, ouvert pendant la journée seulement, propose un menu bien simple où les sandwichs et les succulents desserts occupent une place de choix. L'endroit est parfait pour la détente.

Belleville

Limestone Café
$$
184 Front St.
☎*966-3406*
En marchant dans la rue principale, vous aurez peut-être remarqué la belle maison du Limestone Café. À l'intérieur, on retrouve des murs de pierre qui donnent un certain cachet à la salle à manger. Les fauteuils à haut dossier et les cadres ajoutent à son charme. Tout en profitant d'un environnement plaisant, vous ferez un bon repas, car le menu propose jour après jour de bons mets issus de différentes cuisines d'Europe.

Cobourg

Casey's
$$
1 Strathy Rd.
☎*(905) 372-9784*
Dans l'éventualité où la simple idée de manger encore une fois des frites vous coupe l'appétit, allez chez Casey's , où l'on sert de bonnes grillades accompagnées de légumes.

Woodlawn Inn
$$$
420 Division St.
☎*(905) 372-2235*
Si vous désirez plutôt faire un excellent repas sans avoir à vous soucier des prix, optez plutôt pour la salle à manger du Woodlawn Inn, dont la carte a conquis plus d'un palais. Le décor victorien, un peu chargé mais chaleureux à souhait, vous séduira dès votre entrée. Puis, le menu alléchant et les plats délicieux sauront, à leur tour, vous charmer.

Oshawa

Culture
$
Simcoe St., angle Athol St.
☎*728-5356*
Rien de tel qu'un bon repas santé, c'est ce que vous trouverez chez Culture, où l'on prépare de bons sandwichs ainsi que des salades.

Fazio
$$-$$$
33 Simcoe St.
☎*571-3042*
Les personnes qui préfèrent de bonnes bouffes bien nourrissantes préféreront le Fazio, où elles pourront savourer des spécialités italiennes sans extravagance mais tout de même bonnes dans une grande salle à manger un peu impersonnelle.

Sorties

Bars et discothèques

Kingston

Kingston Brewery Co.
34 Clarence St.
☎*542-4978*
En fin de journée, la terrasse du Kingston Brewery Co. constitue l'endroit par excellence pour prendre une bière fraîche et discuter entre amis.

The Royal Oak
331 King E.
☎*542-3339*
The Oak est fort fréquenté par la jeunesse universitaire de la ville qui s'y rend pour boire une bière (bonne sélection de bières importées en fût) dans un pub anglais.

Toucan-Kirkpatricks
76 Princess St.
☎*544-1966*
Juste à côté, le pub Toucan-Kirkpatricks, dont l'atmosphère et la clientèle sont bien similaires au Dukes, présente parfois des musiciens.

Théâtres et salles de spectacles

Kingston

Le **Grand Théâtre** *(218 Princess St., ☎530-2050)* est le siège des activités culturelles de la ville, car des concerts de musique classique et des pièces de théâtre y sont présentés.

Achats

En suivant le Saint-Laurent

Gananoque

Nouvellement construit au bord du lac Ontario, le **Historic 1000 Islands Village** *(Water St.)* profite d'un très bel emplacement. On s'y rend pour faire un brin de magasinage, car il regroupe plusieurs boutiques proposant une foule de produits, notamment des souvenirs et des livres.

Kingston

Le centre-ville de Kingston s'étend autour de la rue Ontario, notamment sur Brock et Princess Street. En fouinant un peu, vous dénicherez certainement quelques petits trésors.

Pour un petit cadeau ou une pièce d'artisanat, les boutiques **Olden Green** et **Corner Store** *(angle Princess St. et Ontario St.)* ont de quoi plaire.

Si vous vous baladez sur King Street, votre œil sera séduit par les jolies devantures des boutiques **Metalwork**, dont la sélection de bijoux vous fera certainement craquer, et **La Cache** *(208 Princess St. ☎544-0905)*, une chaîne de charmantes boutiques que l'on retrouve un peu partout au Canada et où l'on vend entre autres des vêtements et de la literie.

Les commerçants de Brock Street pourraient se vanter d'avoir quelques-unes des plus belles vitrines qui semblent sorties d'une autre époque. Ainsi **Cookes**, qui a tout du magasin général, comme il en existait au début du siècle, est tout à fait charmant. Il propose en outre des produits fins, comme les chocolats Rogers de Victoria (Colombie-Britannique) ainsi que de délicieuses confitures.

Kingston abrite désormais une belle librairie, **Indigo Book, Music & Cafe** *(259 Princess St., ☎546-7650)*, où vous pourrez bouquiner à votre aise tout en profitant d'un très bel environnement. Un café est aménagé dans la librairie.

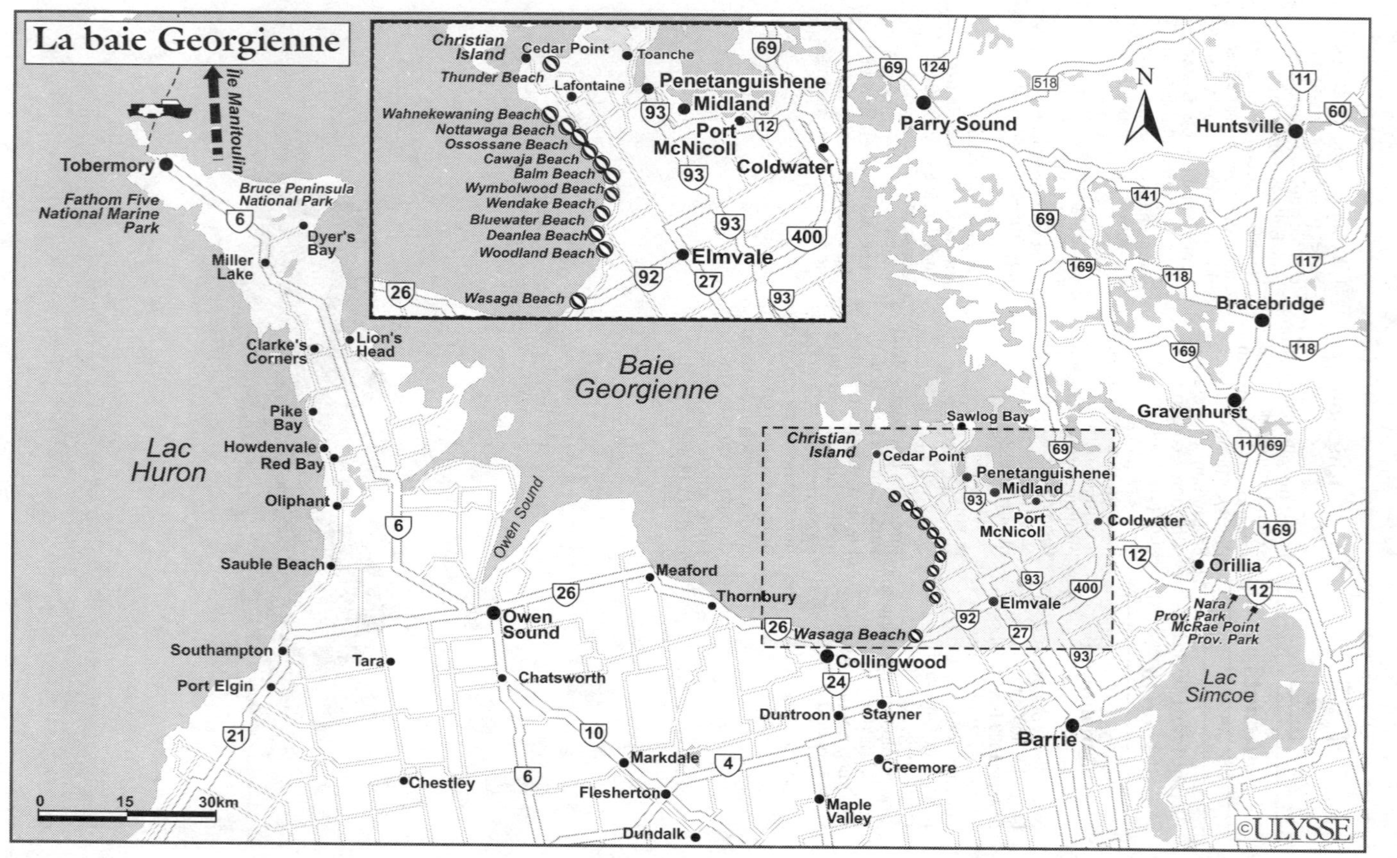
La baie Georgienne
Île Manitoulin
Tobermory
Fathom Five National Marine Park
Bruce Peninsula National Park
Dyer's Bay
Miller Lake
Clarke's Corners
Lion's Head
Pike Bay
Howdenvale
Red Bay
Oliphant
Sauble Beach
Southampton
Port Elgin
Tara
Chestley
Chatsworth
Owen Sound
Meaford
Thornbury
Markdale
Flesherton
Dundalk
Collingwood
Duntroon
Stayner
Creemore
Maple Valley
Barrie
Orillia
Nara Prov. Park
McRae Point Prov. Park
Lac Simcoe
Lac Huron
Baie Georgienne
Sawlog Bay
Christian Island
Cedar Point
Toanche
Thunder Beach
Lafontaine
Penetanguishene
Midland
Port McNicoll
Coldwater
Elmvale
Wahnekewaning Beach
Nottawaga Beach
Ossossane Beach
Cawaja Beach
Balm Beach
Wymbolwood Beach
Wendake Beach
Bluewater Beach
Deanlea Beach
Woodland Beach
Wasaga Beach
Parry Sound
Huntsville
Bracebridge
Gravenhurst
N
0
15
30km
©ULYSSE

Le centre de l'Ontario

Les terres bordant le fleuve Saint-Laurent ont été parmi les toutes premières à être colonisées, par les loyalistes qui fuyaient les États-Unis nouvellement indépendants.

Seulement une mince bande de terre fut ainsi peuplée, et les terres situées à quelques kilomètres au nord, qui étaient couvertes d'une dense forêt et dont le sol était peu fertile, furent longtemps délaissées, seuls quelques hameaux s'y étant développés. Aujourd'hui encore, la présence humaine se fait plus discrète, et une forêt de feuillus et de conifères ponctuée de lacs et de rivières compose l'essentiel du tableau que vous serez à même d'admirer.

Pour s'y retrouver sans mal

En voiture

Les lacs Kawarthas

Le circuit débute à Peterborough, ville située à mi-chemin entre Ottawa et Toronto. Elle est par conséquent facilement accessible. La région des Haliburton Highlands se trouve à l'est de cette zone.

D'**Ottawa** : suivez la route 7.

De **Toronto** : prenez l'autoroute 2, jusqu'à ce que vous croisiez l'autoroute 115, qui se rend à Peterborough.

Les lacs Muskoka

Pour se rendre en voiture dans la région des lacs Muskoka, il suffit de suivre l'autoroute 400 à partir de Toronto, jusqu'à Barrie, puis de poursuivre sur l'autoroute 11.

En autocar

Les lacs Kawarthas et Haliburton Highlands

Peterborough
Simcoe St.
angle George St.
☎(705) 743-1590

Les lacs Muskoka

Barrie
15 Maple Avenue

Orillia
150 Front Street
☎(705) 326-4101

Gravenhurst
Second Street
☎(705) 687-2301

Huntsville
à l'angle des rues Main et Center

La baie Georgienne

Owen Sound
1020 3rd Avenue E.
☎***(519) 376-5375***

Collingwood
70 Hurontario
☎***(705) 445-4231***

En train

Les lacs Muskoka

Le train qui se rend à North Bay traverse cette région en passant par Barrie et Orillia.

Barrie
15 Maple Avenue

Orillia
150 Front Street
☎***(705) 326-4101***

Gravenhurst
150A Second Street
☎***(705) 687-2301***

Huntsville
à l'angle des rues Main et Center.

Renseignements pratiques

Indicatif régional : 705, sauf si indiqué, 519

Ranseignements touristiques

Les lacs Kawarthas et Haliburton Highlands

Kawartha Lakes Tourism Peterborough
175 George St. N.
Peterborough, K9J 3G6
☎***(705) 742-2201***
☎***800-461-6424***
≠***742-2494***
www.quidnovis.com/tourism

Les lacs Muskoka

Muskoka Tourism
Highway 11 North
Kilworthy
☎***800-267-9118***
≠***(705) 689-9118***
www.muskoka.com

La baie Georgienne

Georgian Triangle Tourist Association
601 First St.
Collingwood, L9Y 4L2
☎***(705) 445-7722***
≠***(705) 444-6158***
www.georgiantriangle.org

Attraits touristiques

Les lacs Kawarthas et Haliburton Highlands

Peterborough

En 1825, le gouverneur Peter Robinson arrive sur le site de l'actuelle Peterborough, au bord du lac Little et de la rivière Otonabee, accompagné de 2 000 immigrants irlandais, et fonde la ville qui porte toujours son prénom. En elle-même, Peterborough est une ville plutôt morose qui attire les visiteurs qui désirent faire une pause entre Ottawa et Toronto. Cependant, les personnes qui empruntent la voie navigable Trent-Severn la verront sous un meilleur jour, car elle bénéficie de trois écluses, dont l'étonnante **écluse hydraulique** ★, véritable ascenseur datant de 1904 qui soulève toujours les bateaux à quelque 20 m au-dessus de l'eau pour leur permettre de poursuivre leur route vers la baie Georgienne. Peterborough est également le site de la Trent University.

L'un des chouettes musées de la ville, le **Canadian Canoe Museum** ★ *(910 Monaghan Rd., ☎748-9153)* possède l'une des plus belles collections de canots et de kayaks qui soient. Le canot, cette embarcation qui fut au cœur de la vie des Amérindiens ainsi que des premiers colons, a marqué l'histoire du pays. On y présente l'évolution de la fabrication des canots, des premiers, faits d'écorce, aux canots modernes. Ce musée constitue également un prétexte pour aborder l'histoire du commerce des fourrures et, en quelque sorte, du pays.

Si vous avez un peu de temps, vous pourrez visiter la **maison Hutchison** *(2$; mai à déc mar-dim 13h à 17h, jan à mars lun-ven 13h à 17h; 270 Brock St., ☎743-9710)*, qui abrita jadis le cabinet et les appartements du D^r^Hutchison, premier médecin à habiter Peterborough. Les habitants la lui firent construire en 1837 afin de l'inciter à rester à Peterborough. Aujourd'hui restaurée, elle présente quelques souvenirs rappelant les premiers temps de la ville.

Le **musée Centennial** *(2,50$; lun-ven 9h à 17h, sam-dim 12h à 17h; 300 Hunter St. E., ☎743-5180)* retrace l'histoire de la ville, depuis les débuts de la colonisation jusqu'au XXe siècle, tout en portant une attention particulière à la vie difficile des premiers immigrants.

Lakefield

Lakefield s'est développée au bord du lac Katchenawooka, le premier des lacs le long de la voie navigable Trent-Severn, en un point de jonction avec la rivière Otonabee, où se jettent de tumultueuses cascades désormais contrôlées grâce à une écluse. La ville n'a pour tout attrait qu'un mignon centre-ville composé de jolies maisonnettes de brique rouge.

★

Bobcaygeon

Passé Peterborough, la route serpente à travers la forêt, ne dévoilant, par endroits, que de charmants hameaux qui semblent plantés là pour permettre au visiteur d'oublier le brouhaha de la ville. La sérénité est certainement la caractéristique qui sied le mieux à la région. Bobcaygeon est l'un de ces paisibles hameaux qui ont de quoi séduire les visiteurs avec son adorable centre-ville et son écluse, la première construite le long du canal en 1833. Au bord de l'écluse, un parc plaisant a été aménagé. C'est là que vous pourrez observer le va-et-vient des plaisanciers et le fonctionnement de l'écluse, tout en profitant de bancs et de l'ombrage de grands arbres.

★

Les Haliburton Highlands

À l'est de la région des lacs Kawarthas, les plaines verdoyantes du Saint-Laurent font peu à peu place à une dense forêt, puis à des collines et à des escarpements rocheux, donnant un avant-goût des paysages typiques du Bouclier canadien. Quelque 600 lacs et rivières baignent ce territoire qui accueille les amateurs d'activités de plein air, comme le canot en été et le ski en hiver. Disséminés sur ce vaste territoire, quelques charmants hameaux tranquilles, comme **Minden** ou **Haliburton**, disposent de tous les services d'hébergement et de restauration.

Au nord s'étend le joyau de cette région, l'**Algonquin Provincial Park** ★★★ (voir p 408), avec ses cours d'eau canotables et ses sentiers de randonnée ou de ski de fond.

Les lacs Muskoka

S'allongeant au nord de Toronto, l'élégante région des lacs Muskoka séduit les vacanciers depuis bientôt une centaine d'années, qui y viennent pour profiter de villages coquets et d'une infrastructure touristique qui a su allier le confort à la discrétion. Au départ de Toronto, ce circuit vous mène à Barrie et à Orillia avant de continuer plus au nord, dans la région des lacs Muskoka comme telle, de Gravenhurst à Huntsville.

Barrie

Après avoir quitté Toronto et sa banlieue, la route continue vers le nord tout en longeant le lac Simcoe. Elle doit cependant contourner la baie de Kempenfelt, qui s'étend vers l'ouest, tel un long bras de mer, à l'extrémité duquel est établie la ville de Barrie, la plus peuplée de la région. Bien que les abords de cette ville semblent plutôt austères à première vue, vous serez agréablement surpris par son centre-ville avantageusement situé le long de la baie.

Les personnes qui désirent profiter des eaux de la baie de Kempenfelt, en s'adonnant à diverses activités sportives, peuvent se rendre au **parc Centennial**, où se trouve une belle plage de sable souvent envahie pendant les chaudes journées d'été.

Le **Simcoe County Museum** *(4$; lun-sam 9h à 16h30, dim 13h à 16h30; R.R. 2, Mingesing, ☎728-3721)*, situé à 8 km au nord de la ville, propose un voyage à travers l'histoire de la région, depuis les tout premiers habitants jusqu'au XXe siècle. Parmi les aménagements majeurs de ce grand musée, la reconstitution d'une rue commerçante des années 1840 est sans conteste la plus intéressante.

★

Orillia

Pendant longtemps, ce sont les Ojibways qui ont habité les terres à la jonction des lacs Simcoe et Couchiching, l'actuel site de la ville d'Orillia; mais, en 1838 et 1839, ils sont délogés par des colons européens qui veulent s'établir dans la région. La ville se développe dès lors; située au cœur de la forêt et entourée de cours d'eau, elle a pour vocations l'exploitation de la forêt et l'agriculture. Cependant, dès la fin du XIXe siècle, une autre industrie lucrative commence à fleurir : le tourisme. Depuis, les visiteurs s'y rendent nombreux pour jouir de sa plaisante situation, au bord du lac Couchiching. L'écrivain Stephen Leacock (1869-1944), qui y demeura, la fit également connaître par certains de ses écrits.

C'est en 1908 que Stephen Leacock achète un lopin de terre au bord du lac Couchiching et s'y fait bâtir une ravissante résidence. Le **Stephen Leacock Museum** ★ *(7$; juin à sept tlj 10h à 19h, sept à juin 10h à 17h; 50 Museum Drive, ☎329-1908)* est dorénavant ouvert aux visiteurs, qui peuvent venir découvrir l'endroit où l'auteur écrivit quelques-unes de ses œuvres. Outre divers manuscrits de l'écrivain, il est possible d'y contempler les pièces de la maison, chacune étant garnie de meubles d'époque.

Leacock était professeur d'histoire et d'économie à l'Université McGill (Montréal), mais il est surtout connu pour ses œuvres littéraires qui se démarquent par leur esprit humoristique et leur ironie. Parmi celles-ci, une œuvre retient ici particulièrement l'attention, *Sunshine Sketches of a Little Town*, car ces nouvelles se déroulent à Orillia.

Près de la marina s'allonge un fort beau **parc** ★ bordant le lac Couchiching, et vous pourrez y profiter d'une promenade, de quelques bancs et d'une petite plage. Au quai de la marina, vous pourrez aussi opter pour monter à bord du bateau *Island Princess*, des croisières sur le lac étant organisées.

★

Gravenhurst

Auparavant, Gravenhurst n'était qu'un simple village de bûcherons, mais, à la fin du XIXe siècle, la ville a, à l'instar de ses voisines, bénéficié de l'engouement qu'ont eu les visiteurs pour la région. Ces derniers y sont venus pour profiter de sa belle nature ou s'y sont fait bâtir de ravissantes demeures de style victorien qui encore aujourd'hui embellissent les rues de la ville. Porte d'entrée de la région des lacs Muskoka, la ville accueille chaque été une foule de visiteurs qui viennent y goûter sa tranquillité et ses allures d'autrefois. Gravenhurst s'est développée au bord du lac Muskoka et, si l'envie vous prend d'y faire une petite croisière, vous pourrez monter à bord du **R.M.S. Segwun** (voir p 410).

Gravenhurst fut le berceau de Norman Bethune, cet éminent médecin canadien; si vous désirez en connaître plus sur les réalisations de cet homme, vous pouvez aller visiter la **maison historique de Norman 50** *(25$; mi-mai à oct tlj 10h à 17h, nov à mi-mai lun-ven 10h à 17h; 235 John Street N., ☎687-4261, ont_bethune@pch.qc.ca)*, où ce célèbre médecin a grandi. Elle renferme des souvenirs couvrant divers aspects de sa vie et certaines des innovations techniques qu'il a mises au point, tel le service mobile de transfusion sanguine.

Bracebridge

Bracebridge est établie le long de la rivière Muskoka et présente un fort joli visage, avec ses élégantes demeures, ses jolies boutiques et, en son centre, un magnifique parc planté d'arbres majestueux. À l'entrée de la ville, le cours de la rivière Muskoka est changé, car des cascades se sont formées et se jettent dans le lac Muskoka. Sur ses coquettes rues, la ville dispose d'une foule d'installations pour les visiteurs, hôtels confortables et **bed and breakfasts** y étant nombreux.

Huntsville

La pittoresque Hunstville s'est développée à la jonction des lacs Vernon et Fairy, dont on a fort bien tiré parti, le centre-ville s'allongeant au bord de chacun d'entre eux, où un petit pont fait le lien. D'un côté, vous pourrez profiter de chouettes boutiques et, de l'autre, de plaisantes terrasses où vous pourrez déjeuner au bord de l'eau. La ville comprend quelques lieux d'hébergement tout à fait adéquats, mais ce sont ses alentours qui accueillent surtout les visiteurs, car de superbes complexes hôteliers ont été construits en pleine campagne.

Le **Muskoka Pioneer Village** *(7$; mi-mai à juin et sept sam-dim 10h à 16h, juil et août tlj 10h à 16h; Brunel Road, ☎789-7576)* est une reconstitution d'un village tel qu'il pouvait y en avoir au début du siècle. Il compte 18 bâtiments, notamment la forge, l'auberge et le magasin général, où est évoquée la vie quotidienne des habitants en ces années.

La baie Georgienne

La péninsule de Bruce avance dans le lac Huron, créant ainsi une impressionnante baie, la baie Georgienne, au bord de laquelle se sont développés des villages de vacanciers. Ce circuit vous entraîne dans quelques-uns des plus jolis villages de la région ainsi qu'au cœur de ce qui fut jadis la Huronie.

★★
Bruce Peninsula

La péninsule de Bruce, une longue bande de terre qui est en fait la prolongation de l'escarpement du Niagara, avance dans le lac Huron, se soulevant par endroits pour former des îles, notamment l'île Manitoulin. Cet escarpement peut parfois atteindre une hauteur de 100 m, dessinant des tableaux naturels d'une rare beauté, que vous pourrez contempler si vous faites une randonnée dans un des parcs qui protègent cet environnement bien particulier (voir p 409).

Tobermory

À l'extrémité de la péninsule, le village de Tobermory est le point de départ des excursions au parc national Fanthom Five (voir p ?) et du traversier *Chi-Cheemaun*, qui emmène les visiteurs sur l'île Manitoulin. En luimême, le village n'a rien d'exceptionnel, mais plusieurs visiteurs s'y rendent en raison de sa situation géographique; c'est ici en outre que se termine la Bruce Trail (voir p 465).

Owen Sound

Owen Sound, autrefois Sydenham, fut nommée en l'honneur de l'amiral Owen, qui fit en ces lieux les premiers levés hydrographiques de la baie Georgienne, qui ont permetis d'accroître la sécurité de la navigation sur les Grands Lacs. Cette petite ville bénéficie donc de la proximité de cette superbe nappe d'eau qui compose de jolis paysages. Malheureusement, sur une partie de ses berges, des industries sont établies, conférant à certains quartiers des allures lugubres.

Si vous cherchez à vous balader et à profiter d'une agréable aire de verdure, rendez-vous au **Harrisson Park** ★, qui comprend des étangs où nagent canards et oies sauvages, des tables de pique-nique et un restaurant.

La ville est également connue pour être le lieu où le grand peintre paysagiste Tom Thomson vit le jour en 1877, puis passa son enfance. Le **Tom Thomson Museum** ★ *(contribution volontaire; mar-sam 10h à 17h, mer jusqu'à 21h, dim 12h à 17h; 840 1st Avenue W., ☎376-1932)* est dédié à cet artiste connu pour avoir composé des toiles magnifiques, dans lesquelles se retrouve son interprétation bien personnelle de la nature sauvage du Canada, particulièrement du Bouclier canadien. Le musée présente une belle collection de ses toiles ainsi que des œuvres d'autres peintres canadiens, notamment du Groupe des Sept.

★
Collingwood

Au début du siècle, Collingwood, située aux abords de la baie Georgienne, constituait un centre important pour la construction de navires. Lorsque cette industrie commença à décliner, sa situation géographique, près des belles plages de la baie et non loin des Blue Mountains, lui permit de développer une seconde industrie prospère, le tourisme. Aujourd'hui, cette mignonne petite ville possède en outre toutes les ressources pour séduire les vacanciers : jolies boutiques, auberge au bon confort et délicieux restaurants.

★★
Wasaga Beach

La magnifique plage de Wasaga, une longue bande de sable quasi paradisiaque qui s'étend sur quelque 15 km le long de la baie Georgienne, a tout pour plaire aux vacanciers en quête de sites naturels propices aux activités nautiques. Bien que par endroits elle soit bordée de belles résidences estivales, une portion de cette plage a malheureusement connu un développement touristique trop voyant, les boutiques de souvenirs sans élégance et les motels sans charme se côtoyant et brisant quelque peu la beauté du paysage. L'endroit, propice à la fête, est tout de même fréquenté par les jeunes.

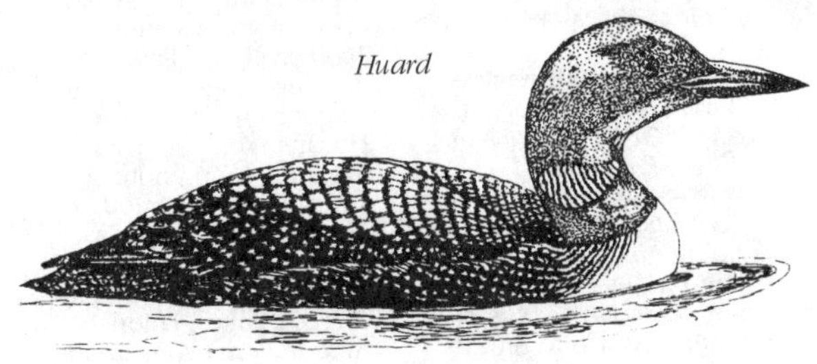
Huard

★★ Midland

Aujourd'hui petite et paisible, Midland fut jadis au centre de la Huronie, à quelques kilomètres à peine des lieux où les Iroquois martyrisèrent et tuèrent nombre de Hurons ainsi que les pères jésuites venus les évangéliser. Des reconstitutions historiques, dont une fascinante, vous permettent de revivre ces premiers temps de la colonie.

Sans avoir l'ampleur du site de Sainte-Marie-au-Pays-des-Hurons, le **Musée de la Huronie et village huron** *(6$, 549 Little Lake Park Rd. www.georgianbaytourism-.on.ca)* tend à vous initier à la société huronne, et vous pourrez y voir une reconstitution d'un village amérindien.

Le ***Miss Midland*** *(13$; au quai de la ville, ☎526-0161)* propose des excursions dans la baie, où les visiteurs découvriront un tableau superbe : un chapelet de 30 000 îles.

Au bord de l'autoroute se dresse le **Martyrs' Shrine** *(autoroute 12, à côté de Sainte-Marie-au-Pays-des-Hurons)*, un sanctuaire catholique dédié aux premiers martyrs canadiens, entre autres Jean de Brébeuf, Gabriel Lalemant et Antoine Daniel. De l'autre côté de la rue se trouve le site passionnant de Sainte-Marie-au-Pays-des-Hurons.

Sainte-Marie-au-Pays-des-Hurons ★★ *(9,75$; mai à oct tlj 10h à 17h; autoroute 12, à 5 km à l'est, ☎526-7838, www.saintemarieamongthehurons.on.ca).* Au moment de la colonisation par les Européens, la région de la baie Georgienne était le territoire des Hurons, l'une des premières nations autochtones de l'Ontario à avoir eu des contacts avec les Européens; Étienne Brûlé s'y rend vers 1610. Les relations qu'entretiennent alors les Amérindiens avec les Français sont à ce point bonnes que des pères jésuites arrivent dès 1620 dans le but d'évangéliser ces Amérindiens et y fondent une mission en 1639. Cet objectif a cependant de profondes conséquences sur la société huronne, qui se voit alors déchirée en deux groupes, convertis et non convertis; des dissensions éclatent, désorganisant leur structure sociale. La société est d'autant plus déstabilisée que plusieurs de ses membres meurent de maladies, comme la grippe et la variole apportées par les Européens.

C'est donc une société grandement affaiblie qui doit affronter les guerriers iroquois entrés en guerre afin de prendre le contrôle du commerce des fourrures. En 1648, les Iroquois attaquent la mission, capturant, torturant et tuant les pères jésuites Jean de Brébeuf, Antoine Daniel et Gabriel Lalemant, et décimant les Hurons. En 1649, les derniers Hurons et jésuites abandonnent la mission et se réfugient à Québec.

Sur le site actuel est reconstituée la mission de Sainte-Marie telle qu'elle était autour des années 1630, avec le village, les maisons longues ainsi que les outils utilisés par les Hurons. Vous pourrez également y prendre connaissance du mode de vie des habitants de la mission, des guides habillés en costume d'époque (pères jésuites, colons, Amérindiens) vous faisant revivre leur quotidien. Après avoir visité la mission, vous pourrez parfaire vos connaissances de la société huronne en vous rendant au musée qui se trouve sur le site.

Wye Marsh Wildlife Center (voir p 410).

Parcs

En 1893, une portion du territoire ontarien, soit 7 700 km², est protégée de l'exploitation forestière par la création de l'**Algonquin Provincial Park ★★★** *(10$/voiture, P.O. Box 219, Whitney, K0J 2M0, ☎633-5572 ou 1-800-ONT-PARK, ⇌633-5581, www.algonquinpark.on.ca)*, un vaste jardin encore sauvage réservant des paysages fabuleux. Ces derniers en ont d'ailleurs séduit plus d'un et, déjà en 1912, le parc est une source d'inspiration pour le peintre canadien Tom Thomson, qui marque à jamais ces lieux, car il y crée parmi ses plus belles toiles, puis y meurt mystérieusement en 1917. Quelque temps après, les peintres paysagistes canadiens connus sous le nom de Groupe des Sept, suivant les traces de Thomson, y viennent à leur tour trouver les sujets de leurs œuvres. Depuis plus de 100 ans, le parc n'a cessé de susciter de l'engouement auprès des amateurs de plein air, qui viennent y retrouver des lacs miroitants habités par quelques huards, des rivières qui serpentent au pied de falaises de roc, une forêt d'érables, de bouleaux et de conifères, des clairières couvertes de bleuetières, des mammifères variés comme l'ours noir, l'orignal, le castor, le chevreuil ou le raton laveur... Partant à pied ou en canot au sein de cette nature encore indomptée, ils s'adonnent à un périple qui ne peut qu'être enchanteur.

Une seule route (l'autoroute 60, qui s'étend sur 56 km), partant de Pembroke et se rendant jusqu'à Huntsville, traverse le sud du parc; sur cette route se trouve le bureau d'information. Vous ne pourrez pénétrer plus profondément au cœur de cette nature qu'à pied, en ski ou en canot, en empruntant un sentier ou en suivant un cours d'eau canotable. Toutes ces beautés attirent certes bien des visiteurs; cependant, le nombre de personnes pouvant accéder à certains sites étant limité, il est recommandé de réserver sa place avant de s'y rendre. Les campeurs sont également les bienvenus au parc, huit terrains étant aménagés.

La baie Georgienne

Le **Parc national de la péninsule de Bruce** ★★ *(P.O. Box 189, Tobermory, N0H 2R0, ☎596-2233)* protège une vaste portion de cette bande de terre longue de 80 km, qui s'enfonce dans les eaux du lac Huron, délimitant en partie la baie Georgienne. Cet immense parc compte, sur son territoire, des terres privées et des jardins naturels encore sauvages, couverts non seulement de diverses essences de la forêt mixte, mais aussi de fleurs singulières; on y dénombre une quarantaine de sortes d'orchidées. Enfin, sa faune n'en est pas moins fascinante, car le parc est entre autres habité par le chevreuil, le castor, le dangereux massauga, un serpent venimeux, et 170 espèces d'oiseaux. Vous pourrez pénétrer au cœur de cette nature en suivant l'un des sentiers de randonnée qui sillonnent le parc, qu'il s'agisse de la Bruce Trail (voir p 465) ou d'un des sentiers du lac Cyprus. Des plages (au lac Cyprus et à la baie Dorcas) et des emplacements de camping sont également à la disposition des visiteurs.

À l'extrémité de la péninsule de Bruce, vous apercevrez une série d'îles, 19 en tout, qui sont en fait les dernières pointes de l'escarpement du Niagara. Ces masses calcaires ont été sculptées au fil des ans et forment aujourd'hui des piliers rocheux bien particuliers, dont le plus connu, aussi celui qui présente les formes les plus inusités, est l'île Flowerpot. Toute cette zone marine a été protégée par le **parc Fanthom Five** ★★ *(P.O. Box 189, Tobermory, N0H 2R0, ☎596-2233).*

Outre ces îlots rocheux dont seule l'île Flowerpot a été aménagée, offrant des emplacements de camping et des sentiers, cette zone cache les épaves des navires qui ont fait naufrage à la fin du XIXe siècle et au début du XXe siècle dans les eaux parfois traîtresses du lac Huron.

Île Flowerpot

Il est possible de les explorer en prenant part à une excursion de plongée ou en montant à bord de bateaux à fond vitré.

Les 30 000 îles s'égrenant dans la baie Georgienne présentent des tableaux typiques du Bouclier canadien : pins tordus et rochers dénudés, ceux-là même qui inspirèrent Tom Thomson et le Groupe de Sept. Ces scènes naturelles en ont d'ailleurs ravi plus d'un et, très tôt, ces petites îles ont fait l'envie de riches vacanciers, qui se les approprièrent une à une jusqu'en 1929, alors qu'on décida de créer un parc, le **Parc national des Îles-de-la-Baie-Georgienne** ★★ *(P.O. Box 28, Honey Harbour, P0E 1E0, ☎756-2415)*, pour garder dans le domaine public 59 d'entre elles. Aujourd'hui, ces terres encore sauvages accueillent les visiteurs, qui ne peuvent y accéder que par bateau. Les personnes ne possédant pas d'embarcation peuvent s'y rendre au moyen de bateaux-taxis, au départ de Honey Harbour, ou d'embarcations privées partant des marinas de villes côtières comme Penetanguishene et Midland. Une seule de ces îles est aménagée, l'île Beausoleil, qui dispose de sentiers de randonnée et d'emplacements de camping. Toutefois, où que vous alliez dans ce parc, vous devrez apporter les vivres nécessaires.

Activités de plein air

Randonnée pédestre

La baie Georgienne

Le long de la voie ferrée reliant Collingwood et Meaford-Heberg, un sentier de randonnée pédestre (transformée en piste de ski de fond en hiver) a été aménagée. S'étendant sur 32 km de long, la **Georgian Trail** longe l'escarpement du Niagara.

Observation d'oiseaux

La baie Georgienne

Longtemps dénigrés, les marais jouent en fait un rôle nécessaire à la survie de tout un écosystème, et le **Wye Marsh Wildlife Center** ★ *(6$; fin mai à sept tlj 10h à 18h, jusqu'à 16h le reste de l'année; autoroute 12, à côté de Sainte-Marie-au-Pays-des-Hurons, ☎(705) 526-7809, wwwéwye-marsh.com)* s'est donné pour objectifs de protéger cet environnement essentiel à de multiples espèces animales et de sensibiliser les visiteurs à l'importance et à la fragilité de ce monde passionnant. Des sentiers sillonnent le bois et les marais, permettant aux promeneurs d'observer à leur aise une foule d'oiseaux; certains, comme la mésange, font d'ailleurs particulièrement bon ménage avec les visiteurs et n'ont aucune crainte à venir prendre les graines qui leur sont tendues.

Croisières

Les lacs Kawarthas et Haliburton Highlands

La **voie navigable Trent-Severn**, longue de 386 km, est sans nul doute une façon à la fois plaisante et différente de découvrir les paysages ontariens; pour plus de renseignements et pour planifier une telle aventure, vous pouvez écrire à C.P. 567, Peterborough, K9J 6Z6, ou composer le ☎742-9267.

Si vous ne disposez pas d'un bateau et désirez suivre la voie Trent-Severn pendant quelques heures, vous pouvez prendre part à des croisières partant de Lindsay ou de Fenelon Falls.

Skylark VIII Boat Tours
15$
Wellington Street
☎324-8335

Fenelon Falls Cruise
14$
billets vendus sur Oak Street
☎887-9313

Lacs Muskoka

Au départ de **Gravenhurst**, vous aurez la chance de monter à bord d'un authentique bateau à vapeur, le ***R.M.S. Segwun*** *(15,75$; quai de la ville, ☎687-6667)*, datant du XIXe siècle, qui vous entraînera à la découverte de quelques superbes panoramas des **lacs Muskoka** (réservation recommandée).

La baie Georgienne

Des croisières au cœur de la baie Georgienne, autour des 30 000 îles, sont proposées au départ de Midland, de Penetanguishene et de Parry Sound, une occasion rêvée de s'emplir les yeux de magnifiques scènes naturelles.

Croisières de PCML
quai municipal
☎526-0161

Croisières sur le *Georgian Queen*
quai municipal
☎549-7795 ou 800-363-7447

Island Queen
quai municipal
☎746-2311 ou 800-506-2628

Ski alpin

La baie Georgienne

Le **Blue Mountain Resort** *(37$; R.R. 3, Collingwood, L9Y 3Z2, ☎445-0231)* s'adresse tout particulièrement aux amateurs de ski alpin, car il propose les plus hautes pistes de la région, certaines pouvant atteindre jusqu'à 219 m de dénivellation. Quelques-unes d'entre elles sont éclairées, permettant de s'adonner à ce sport en soirée.

Autour, plusieurs boutiques sont installées, vendant, louant ou réparant l'équipement de ski alpin; aussi, en cas de besoin, n'aurez-vous aucun mal à trouver ce que vous cherchez.

Hébergement

Les lacs Kawarthas et Haliburton Highlands

Peterborough

Holiday Inn
129$
≡, ≈, ℜ, ⊛, ⌂, ♿, 🐕
150 George St. N., K9J 3G5
☎743-1144
☎800-465-4329
⇄740-6557
Vous n'aurez aucun mal à trouver le Holiday Inn, car il a été construit juste à l'entrée de la ville. Ce grand hôtel dispose en outre de toutes les ressources pour accueillir adéquatement les visiteurs et leur famille, offrant entre autres deux piscines.

Bobcaygeon

Bobcaygeon Inn
80$
≡, ℜ
31 Main St., K0M 1A0
☎738-5433
Ce n'est pas d'hier que les murs du Bobcaygeon Inn accueillent les visiteurs, car, déjà dans les années vingt, ils abritaient un hôtel. Depuis lors, l'endroit a été rénové, et vous y trouverez de belles chambres au décor vieillot qui ont su garder leur cachet d'antan. Vous profiterez également du site unique de cette auberge construite juste au bord de l'eau.

Haliburton

Domaine of Killien
335$ ½p
de Haliburton, prenez l'autoroute 118
en direction ouest
jusqu'à la Country Road 19
que vous suivrez sur 10 km
jusqu'à Carrol Road
P.O. Box 810, Haliburton, K0M 1S0
☎457-1100
⇄457-3853
www.domainofkillien.on.ca
Si vous rêvez de séjourner dans un havre de paix en plein cœur d'une nature généreuse, au bord d'un lac, rendez-vous au Domaine of Killien. Cet établissement ne compte pas plus de 12 chambres, certaines aménagées dans une grande maison, les autres dans de mignons chalets, toutes profitant d'un décor chaleureux où domine le bois. Il offre aux vacanciers une atmosphère paisible, parfaite pour se remettre de la cohue urbaine. Son jardin exceptionnel de plus de 2 000 ha se prête à merveille à la randonnée en été et au ski de fond en hiver, des pistes étant aménagées. En outre, les hôtes ont la chance de profiter d'un délicieux restaurant proposant une cuisine française.

Algonquin Provincial Park

L'autoroute 60 traverse le sud du parc, où, sur 56 km, ne sont répartis pas moins de huit aires de camping. Aménagées de façon à pouvoir accueillir les visiteurs qui veulent découvrir les beautés de la nature sans nécessairement s'enfoncer dans le parc pour plusieurs jours durant, ces aires sont à la disposition de toute la famille. Certaines comptent plus de 250 emplacements pourvus d'électricité; d'autres, plus petits, s'offrent au camping sauvage. Quelle que soit votre préférence, vous serez à coup sûr emballé. Il est possible de réserver (*☎633-5538, ⇄633-5581*).

Arowhon Pines
175$ pc/pers.
P0A 1B0
hiver ☎(416) 483-4393
été ☎(705) 633-5661
⇄(416) 483-5661
Imaginez passer une nuit en plein cœur de la forêt du parc. Vous dormirez alors dans une chambre au décor rustique qui n'a rien à envier au luxe de certains hôtels de la ville. Une expérience unique s'il en est, dont le souvenir vous fera revivre des moments apaisants quand vous reviendrez dans le brouhaha de la vie quotidienne.

Les lacs Muskoka

Orillia

Lakeside Inn
75$
86 Creighton Street, L3V 1B2
☎325-2514
⇄329-2084
Le Lakeside Inn s'apparente plus au motel qu'à l'auberge coquette; mais, installé au bord du lac Couchiching, il vous permet de passer un agréable séjour à Orillia.

Gravenhurst

Muskoka Sand Inn
199$
≡, ≈, ℜ, ⊛, ⌂
Muskoka Beach Road, P1P 1R1
☎687-2233
☎800-461-0236
⇄687-7474
Le complexe hôtelier Muskoka Sand Inn bénéficie d'un environnement particulièrement tranquille au bord du lac Muskoka, en retrait de la ville. Il dispose d'un vaste terrain sur lequel sont répartis les

chalets et les bâtiments abritant les chambres. Outre le logement, vous trouverez de quoi vous divertir, le complexe offrant une plage, des piscines et des courts de tennis.

Bracebridge

Muskoka Riveside Inn
129$
≡, ℜ, ⌂
300 Ecclestone Drive
☎645-8775
☎800-461-4474
⇄645-8455
riverside@muskoka.com
En entrant dans la ville, vous croiserez le Muskoka Riveside Inn, un grand hôtel sans charme mais au confort moderne qui dispose même d'allées de bowling.

Inn at the Falls
130$
≈, ℜ
17 Dominion Street, P1L 1R6
☎645-2245
⇄645-5093
www.innatthefalls.net
Plus élégant, l'Inn at the Falls se compose de plusieurs maisons anciennes toutes plus mignonnes les unes que les autres qui abritent des chambres garnies d'antiquités. Les maisons donnent toutes sur une petite rue paisible, au bout de laquelle coule la rivière Muskoka, qui, en ce point, forme des chutes.

Huntsville

Ce n'est pas dans la ville même que vous trouverez les lieux d'hébergement les plus attrayants, mais dans un vallon situé à quelques kilomètres de Huntsville. En prenant l'autoroute 60, vous croiserez la route 3, qui donne sur une immense étendue de verdure où de grands complexes hôteliers ont été construits.

Grandview
187$
≡, ℂ, ≈, ℜ, ⌂, ⊛
939 autoroute 60, P1H 1Z4
☎789-4417
☎800-461-4454
⇄789-6882
www.clublink.ca
Jadis, l'élégante demeure du Grandview était une résidence privée. Depuis, elle a été transformée en un superbe complexe hôtelier où tout a été conçu de façon à ce que les visiteurs y passent d'excellents moments. Les chambres, toutes coquettement décorées, et les activités variées, allant du golf à la randonnée en forêt, promettent un séjour à la fois reposant et passionnant.

Deerhurst
209$
≡, ≈, ℜ, ⌂, ⊛
1235 Deerhurst Drive, P1H 2E8
☎789-6411
☎800-441-1414
⇄789-2431
Le complexe hôtelier Deerhurst s'étend au bord du lac Peninsula et bénéficie d'un site naturel sans pareil où règnent le calme et l'air pur. Il comprend des bâtiments de bois hauts de trois étages abritant des chambres au confort irréprochable; certaines sont munies d'une cuisinette et d'un foyer. Ici, on ne se soucie pas seulement de loger les visiteurs, mais aussi de les divertir, une foule d'activités étant organisées.

La baie Georgienne

Owen Sound

Best Western Inn on the Bay
115$
ℜ
1800 Second Avenue E.
N4K 2S7
☎371-9200
⇄371-6740
www.deerhurst.on.ca
Pour vous rendre au Best Werstern Inn on the Bay, vous devrez traverser un quartier industriel un peu morose au terme duquel il se dresse tout en dominant la baie d'Owen Sound. Le bâtiment de l'hôtel a été judicieusement conçu pour se tourner vers les flots de la baie, de sorte que chaque chambre bénéficie d'une belle vue. Il s'agit de l'hôtel de la ville profitant de l'emplacement le plus agréable, aussi affiche-t-il souvent complet la fin de semaine.

Collingwood

Blue Mountain Auberge
20$/pour un lit en dortoir
R.R.3, L9Y 3Z2
☎445-1497
⇄444-1497
Vous pourrez loger au pied des Blue Mountains, plusieurs établissements y étant installés. La formule la moins chère consiste à dormir au Blue Mountain Auberge, qui propose des dortoirs rudimentaires mais corrects pour le prix.

Blue Mountain Inn
165$
≈, ℜ, ⊛, ⌂, ⊘
R.R. 3, L9Y 3Z2
☎445-0231
⇄444-5619
Le complexe Blue Mountain Inn bénéficie d'une emplacement de choix pour les skieurs, car il se trouve au bas des pentes de ski. Les chambres sont d'un bon confort. Vous

aurez également le choix de vous loger dans des appartements équipés d'une cuisinette. Des forfaits ski y sont proposés.

Beild House Inn
399$ pc pour deux nuitées
64 Third Street, L9Y 1K5
☎444-1522 ou 888-322-3453
⇌444-2394
www.beildhouse.com
Au centre de la ville, vous n'aurez aucun mal à dénicher la magnifique demeure du Beild House Inn, auquel la façade de brique et de clin de cèdre confère un aspect des plus ravissants. Entouré d'un magnifique jardin planté d'arbres majestueux, il compte 16 chambres, toutes fort élégantes, promesse d'un excellent séjour.

Wasaga Beach

Aux abords de la plage, une multitude de petits motels d'aspect quelconque et sans grand charme sont prêts à vous accueillir. Cependant, si vous cherchez le calme, nous vous conseillons de séjourner dans les villes environnantes plutôt qu'à Wasaga Beach.

Lakeview Motel
75$
44 Mosley St., L0L 2P0
☎429-5155
Sur Mosley Street, vous pourrez essayer le Lakeview Motel, où le propriétaire blasé vous recevra sans sourire; cependant, l'établisse-ment a l'avantage d'être situé près de la plage.

Restaurants

Les lacs Kawarthas et les Haliburton Highlands

Peterborough

Häaselton
$
394 George St.
☎(705) 741-5456
Non loin du centre Eaton, qui domine littéralement le centre-ville de Peterborough, vous trouverez Häaselton, où vous pourrez vous reposer quelques instants en sirotant un bon cappuccino. À midi, des plats simples et bons, comme des sandwichs et des soupes, toujours faits à partir d'ingrédients sains, s'avèrent idéaux.

Hot Belly Mama's
$
angle Simcoe St. et Water St.
L'atmosphère à la fois jeune et sans prétention du Hot Belly Mama's vous plaira certainement, et vous pourrez y prendre un bon repas le midi, des quiches et des brochettes aux crevettes figurant au menu.

Bobcaygeon

Big Tomato
$-$$
Bobcaygeon Inn, 31 Main St.
☎738-5433
Le restaurant Big Tomato est l'endroit tout indiqué pour savourer une pizza, des pâtes ou un hamburger tout en profitant d'une vue sur l'écluse. Rien de très élégant ici : la décoration est banale (nappes de plastique, fenêtre s'ouvrant sur l'eau), mais elle parvient à évoquer l'atmosphère des vacances à la plage.

Algonquin Provincial Park

Arowon Pines
$$$$
ouvert l'été seulement
☎633-5661
Le restaurant de l'hôtel Arowon Pines bénéficie d'un emplacement de choix au bord d'un des lacs du parc Algonquin, où vous pourrez contempler un paysage quasi féerique, avec seulement l'écho de la forêt pour troubler votre repas. Outre le chaleureux foyer qui occupe le centre de la salle à manger, vous profiterez d'un repas mémorable.

Les lacs Muskoka

Barrie

Weber
$
11 Victoria Street
☎734-9800
Weber, véritable institution du hamburger en ville, aura certainement de quoi combler les petites ou grosses fringales.

Tara
$$
128 Dunlop Street E.
☎737-1821
Au centre-ville, Tara est une délicieuse adresse à retenir pour qui aime les mets indiens. Ici, l'emphase est mise sur la cuisine, excellente, parvenant à faire oublier le local au décor plutôt sommaire.

Orillia

Weber
$
16 Front St. N
☎(705) 326-1919
Le long de l'autoroute, à l'entrée de la ville, se

trouve une des institutions d'Orillia, Weber, où vous pourrez manger de bons hamburgers cuits sur charbons de bois.

Frankies
$$
83 Mississaga Street W.
☎***327-5404***
Frankies est un fort beau restaurant que vous devriez essayer si vous avez envie de manger des plats italiens aussi savoureux qu'innovateurs, préparés à partir d'ingrédients frais, que vous dégusterez dans une ambiance détendue.

Bracebridge

Muskokan
$
à l'angle de Kimberley Street
et de Manitoba Street
Quand il fait beau, la terrasse du Muskokan est sans doute l'un des endroits les plus agréables pour prendre le déjeuner. De grands arbres et des parasols parviennent à créer une ombre délicieuse pendant que l'on vous sert des plats simples mais bons.

Inn at the Falls
$$$$
17 Dominion Street
☎***645-2245***
Le restaurant de l'auberge Inn at the Falls bénéficie d'un fort beau site, car il offre une belle vue sur la rivière Muskoka. Tout en profitant de ce cadre sans pareil et confortablement assis dans l'élégante salle à manger, vous pourrez déguster quelques plats qui ne pourront que vous séduire, tels ces tournedos de bœuf sauce aux chanterelles ou ce steak d'espadon grillé.

Huntsville

Aux abords de la rivière Muskoka, une terrasse de bois a été construite, et vous y trouverez côte à côte quelques restaurants qui ont pour principal avantage de se trouver dans un site quasi idyllique, idéal pour prendre le repas du mid. On y propose des plats simples, comme les hamburgers, les pâtes et les salades.

La baie Georgienne

Owen Sound

Inn on the Bay
$-$$
1800 Second Avenue E.
☎***371-9200***
Si vous aimez regarder le soleil se lever sur les flots, allez prendre votre petit déjeuner au restaurant de l'Inn on the Bay.

Norma Jean
$-$$
243 8th Street E.
☎***376-2232***
Ici, Norma Jean, alias Marilyn Monroe, est à l'honneur, des affiches et des statuettes de cette actrice ornant les murs de ce petit resto sympathique. Parfait pour une bouchée entre amis, l'endroit est très fréquenté par les habitués venus y manger un hamburger, une salade ou un plat de bœuf.

Collingwood

Christopher
$$-$$$
167 Pine
☎***445-7117***
Votre œil sera certainement attiré par la superbe demeure du restaurant Christopher, construite en 1902 pour être offerte en cadeau de noce. Elle a su traverser les ans tout en conservant son cachet, et l'endroit s'avère parfait pour y prendre un bon repas en tête-à-tête, tant le midi (***$-$$***), alors que des quiches et des pâtes sont proposées, que le soir, où le menu se raffine.

Sorties

Les lacs Muskoka

Barrie

Le **festival Kempenfest** *(début août; ☎739-9444)* regroupe quelque 200 exposants venus présentés de l'artisanat, des antiquités et des objets d'art.

Orillia

De la fin juillet au début du mois d'août se tient le **Leacock Heritage Festival** *(☎325-3261)*, qui est l'occasion d'assister à des soirées decomédie, à des pièces de théâtre et à des concerts.

Achats

Orillia

En traversant la réserve de Rama, vous croiserez un *Trading Post*, le **Rama Moccasin & Craft Shop** *(☎705-325-5041)*. Ne vous laissez pas influencer par l'aspect pour le moins folklorique du bâtiment, car vous y trouverez de très belles pièces d'artisanat autochtone.

Collingwood

Une vaste et fort belle maison abrite le magasin **Clerkson's** *(94 Pine Street, ☎(705) 445-2212)*, où vous pourrez vous laisser tenter par quelques pièces d'artisanat, des objets décoratifs ou même des meubles de style antique.

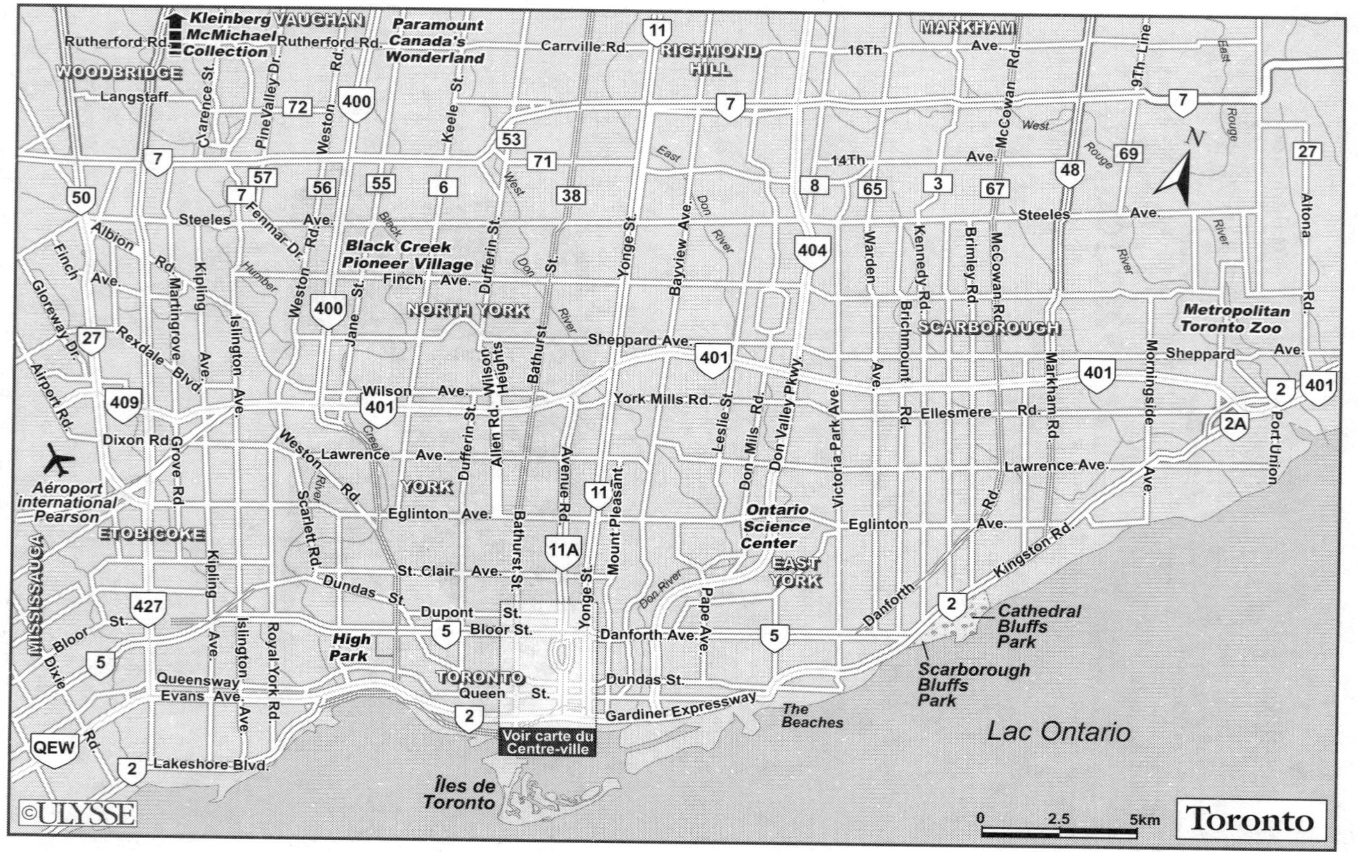
Toronto
Lac Ontario
Kleinberg
McMichael Collection
VAUGHAN
WOODBRIDGE
Paramount Canada's Wonderland
MARKHAM
RICHMOND HILL
Black Creek Pioneer Village
NORTH YORK
SCARBOROUGH
Metropolitan Toronto Zoo
YORK
EAST YORK
ETOBICOKE
MISSISSAUGA
TORONTO
Aéroport international Pearson
Ontario Science Center
High Park
Cathedral Bluffs Park
Scarborough Bluffs Park
The Beaches
Îles de Toronto
Voir carte du Centre-ville
Rutherford Rd.
Carrville Rd.
16Th
Ave.
Langstaff
14Th
Steeles
Finch
Sheppard Ave.
Wilson
York Mills Rd.
Ellesmere
Lawrence Ave.
Eglinton Ave.
St. Clair Ave.
Dundas St.
Dupont St.
Bloor St.
Danforth Ave.
Queen St.
Gardiner Expressway
Lakeshore Blvd.
Queensway
Evans Ave.
Kingston Rd.
Danforth
Port Union
Altona Rd.
9Th Line
McCowan Rd.
Markham Rd.
Morningside
Brimley Rd.
Kennedy Rd.
Brichmount Rd.
Warden Ave.
Victoria Park Ave.
Don Valley Pkwy.
Don Mils Rd.
Leslie St.
Pape Ave.
Bayview Ave.
Yonge St.
Mount Pleasant
Avenue Rd.
Bathurst St.
Allen Rd.
Wilson Heights
Dufferin St.
Keele St.
Jane St.
Weston Rd.
Scarlett Rd.
Royal York Rd.
Islington Ave.
Kipling Ave.
Martingrove Rd.
Grove Rd.
Albion Rd.
Rexdale Blvd.
Dixon Rd.
Airport Rd.
Gloreway Dr.
Dixie Rd.
Fenmar Dr.
PineValley Dr.
Clarence St.
Humber
Black Creek
Don River
Rouge River
Creek
River
East
West
N
0
2.5
5km
©ULYSSE

Toronto

C'est à Étienne Brûlé, un explorateur français envoyé par Samuel de Champlain, que revient l'honneur d'être le premier Européen à découvrir le lac Ontario et à fouler le sol de ce qui est aujourd'hui la plus importante ville canadienne.

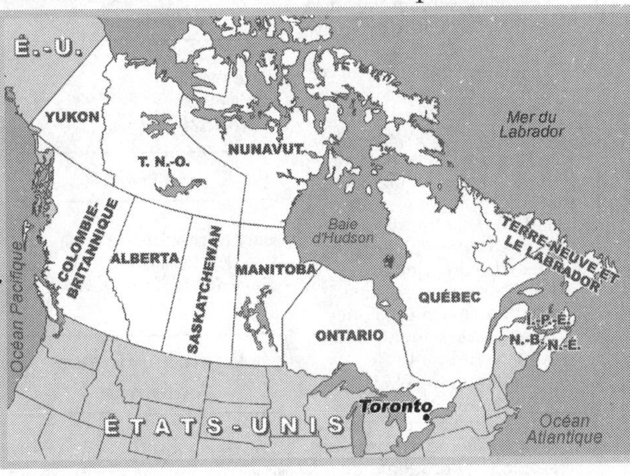

L'expédition de Brûlé a lieu en 1615, au tout début de la colonisation française de l'Amérique du Nord. Comme plusieurs de ses prédécesseurs, Brûlé est alors à la recherche d'une voie navigable qui le mènera à travers le continent jusqu'aux fabuleuses richesses de l'Orient.

À cette époque, sur le site de ce qui est aujourd'hui **Toronto ★★★**, s'élève un village amérindien connu sous le nom de *Teiaiagonon*. Les Amérindiens qui connaissent et habitent cette région depuis plus de 10 000 ans avaient bien saisi les avantages de ce lieu que les Hurons-Wendat appelaient *Toronto* (lieu de rencontre), qui bénéficiait d'un excellent port naturel et permettait d'accéder rapidement du lac Ontario au lac Huron à pied ou en canot.

La croissance de Toronto, depuis ces 20 dernières années, a littéralement redéfini le caractère de la ville. Ce qui frappe en premier lieu, c'est son aspect désormais cosmopolite; nulle part ailleurs au Canada ne trouve-t-on autant de communautés aux origines ethniques différentes, ce qui tranche singulièrement avec le reste de l'Ontario et aussi beaucoup avec le Toronto d'antan. Cette mosaïque culturelle a créé un univers dynamique qui fait de Toronto le principal foyer de la culture au Canada anglais.

Pour s'y retrouver sans mal

En voiture

La plupart des gens qui arrivent de l'est ou de l'ouest pénètrent dans la ville par l'autoroute 401, qui traverse la partie nord de Toronto. Si vous venez de l'ouest, prenez l'autoroute 427 Sud jusqu'à la Queen Elizabeth Way (QEW), puis poursuivez vers l'est jusqu'à la Gardiner Expressway, et enfin empruntez les sorties de York Street, de Bay Street ou de Yonge Street pour accéder au centre-ville. Si vous venez de l'est, le chemin le plus rapide pour atteindre le centre-ville est la Don Valley Parkway;

continuez jusqu'à la Gardiner Expressway, puis empruntez l'une des trois sorties précitées. Si vous venez des États-Unis, longez la rive du lac Ontario sur la QEW jusqu'à la Gardiner Expressway. Notez que la circulation peut s'avérer très dense aux heures de pointe sur les autoroutes de Toronto, et tout particulièrement sur la Don Valley Parkway.

Le quadrillage des rues de Toronto facilitera vos déplacements. La rue Yonge (se prononce *young*) est la principale artère nord-sud, et elle divise les parties est et ouest de la ville. Ainsi le suffixe «East» ou «E.», qui se joint au nom de certaines rues, indique que les adresses en question se trouvent à l'est de Yonge Street; inversement, une adresse se lisant «299 Queen St. W.» se trouve à quelques rues à l'ouest de Yonge Street. Le centre-ville de Toronto est généralement identifié comme le quartier qui s'étend au sud de Bloor Street, entre Spadina Street et Jarvis Street.

En avion

L'**aéroport international Lester B. Pearson** *(renseignements généraux ☎247-7678)* reçoit les vols en provenance de l'Europe, des États-Unis et de l'Asie, de même que des vols intérieurs en provenance d'autres provinces canadiennes. Il s'agit de l'aéroport le plus grand et le plus fréquenté du Canada, et il est desservi par 50 compagnies aériennes. On y dénombre trois aérogares, chacune offrant une variété de services, entre autres une antenne d'Immigration Canada et une autre de Douanes Canada, un comptoir d'objets perdus, un bureau de change, des guichets bancaires automatiques (qui effectuent également des opérations de change), des boutiques de souvenirs, des boutiques hors taxes et un comptoir de la Traveller's Aid Society (société d'assistance aux voyageurs).

En autocar

Gare routière
610 Bay Street
☎(416) 393-7911

En train

Gare ferroviaire
65-75 Front Street West
☎800-361-1235 (service en français)

En transports en commun

Les transports en commun de Toronto, qu'il s'agisse du métro, des autobus ou des tramways, sont gérés par la **Toronto Transit Commission** *(☎416-393-4636 ou 393-8663, www.ttc.ca)* ou **TTC**. Tous les trains du métro sont sûrs et propres. Les autobus et les tramways sillonnent pour leur part les principales artères de la ville. Vous pouvez effectuer des correspondances entre autobus, tramways et métro sans avoir à payer de nouveau, mais n'oubliez pas de vous munir d'un titre de correspondance. Un titre de passage unique s'obtient au coût de 2$ pour un adulte, de 1,40$ pour un aîné ou un étudiant (vous devez posséder une carte d'étudiant de la TTC), et de 0,50$ pour un enfant de moins de 12 ans. Un jeu de cinq billets ou jetons pour adulte vous coûtera 8,50$. Si vous songez à faire plusieurs déplacements à l'intérieur d'une même journée, procurez-vous un laissez-passer d'un jour (Day Pass) au coût de 7$; vous pourrez ainsi vous déplacer autant de fois que vous le voudrez sans avoir à payer de nouveau. L'économie devient encore plus évidente le dimanche, lorsque le laissez-passer en question peut être utilisé par deux adultes ou par une famille (deux adultes et quatre enfants ou un adulte et cinq enfants).

Les conducteurs d'autobus et de tramways ne font pas la monnaie; vous pouvez au besoin vous procurer vos billets aux comptoirs du métro et dans certains commerces (Shopper's Drug Mart).

Renseignements pratiques

Indicatif régional : 416.

Bureaux d'information touristique

Le bureau principal de **Tourism Toronto** se trouve au Queen's Quay Terminal *(207 Queen's Quay, Suite 590, M5J 1A7, ☎203-2500 ou 800-363-1990).*

Visitor Information Centre
toute l'année lun-ven 10h à 21h; sam 10h à 17h, dim 12h à 17h
☎800-668-2746

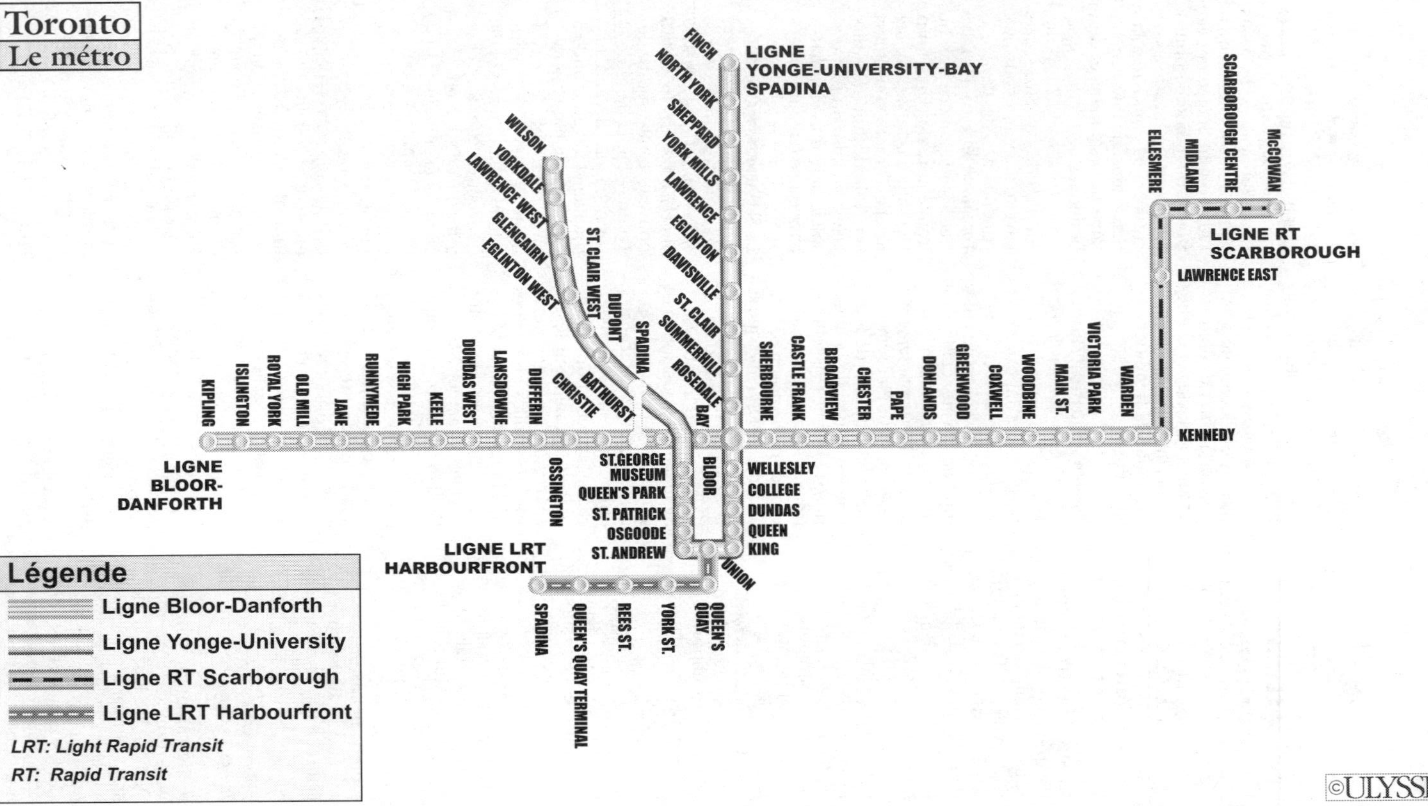
Toronto
Le métro
LIGNE YONGE-UNIVERSITY-BAY SPADINA
FINCH
NORTH YORK
SHEPPARD
YORK MILLS
LAWRENCE
EGLINTON
DAVISVILLE
ST. CLAIR
SUMMERHILL
ROSEDALE
BLOOR
WELLESLEY
COLLEGE
DUNDAS
QUEEN
KING
UNION
ST. ANDREW
OSGOODE
ST. PATRICK
QUEEN'S PARK
MUSEUM
ST.GEORGE
BAY
SPADINA
DUPONT
ST. CLAIR WEST
EGLINTON WEST
GLENCAIRN
LAWRENCE WEST
YORKDALE
WILSON
LIGNE BLOOR-DANFORTH
KIPLING
ISLINGTON
ROYAL YORK
OLD MILL
JANE
RUNNYMEDE
HIGH PARK
KEELE
DUNDAS WEST
LANSDOWNE
DUFFERIN
OSSINGTON
CHRISTIE
BATHURST
SHERBOURNE
CASTLE FRANK
BROADVIEW
CHESTER
PAPE
DONLANDS
GREENWOOD
COXWELL
WOODBINE
MAIN ST.
VICTORIA PARK
WARDEN
KENNEDY
LIGNE RT SCARBOROUGH
LAWRENCE EAST
ELLESMERE
MIDLAND
SCARBOROUGH CENTRE
McCOWAN
LIGNE LRT HARBOURFRONT
QUEEN'S QUAY
YORK ST.
REES ST.
QUEEN'S QUAY TERMINAL
SPADINA
Légende
Ligne Bloor-Danforth
Ligne Yonge-University
Ligne RT Scarborough
Ligne LRT Harbourfront
LRT: Light Rapid Transit
RT: Rapid Transit
©ULYSSE

Attraits touristiques

Le Waterfront

La proximité d'un plan d'eau majeur détermine souvent l'emplacement d'une ville, et Toronto n'y fait pas exception. Cependant, la Ville de Toronto a négligé pendant plusieurs années le quartier qui entoure les berges du lac Ontario. La Gardiner Expressway, les vieux rails de chemin de fer et les nombreux entrepôts qui le défiguraient ne présentaient d'ailleurs aucun attrait aux yeux des citadins. Fort heureusement, des sommes importantes ont été investies dans ce faubourg afin de lui redonner vie. C'est ainsi qu'on y trouve aujourd'hui un hôtel de luxe, plusieurs boutiques et de nombreux cafés qui bourdonnent sans cesse d'activités.

Facilement accessible grâce à la nouvelle ligne de tramway qui relie la station de métro Union aux rives du lac Ontario et qui poursuit ensuite sa route vers Spadina Avenue, le **Harbourfront Centre** ★ *(entrée libre; Queen's Quay West, ☎973-4000, ou 973-3000 pour information sur les événements spéciaux)* est un bon exemple de ces changements qui ont touché le Waterfront de Toronto. Depuis que le gouvernement fédéral a racheté 40 ha de terres situées sur les rives du lac Ontario, les vieilles usines et les entrepôts délabrés du Harbourfront ont été rénovés, si bien que les environs s'imposent aujourd'hui comme un des endroits les plus fascinants de Toronto. Outre les jolis petits cafés et les nombreuses boutiques, on peut même y assister à l'un des nombreux spectacles et événements culturels qui font désormais la fierté des riverains.

Toronto's Waterfront Museum *(8,50$; fermé jan-fév tlj 10h à 18h; 245 Queen's Quay W., ☎338-PIER)* s'impose comme le plus récent attrait voué à l'héritage culturel de la ville. Établi dans un entrepôt de marchandise de 1930 entièrement restauré, The Pier remplace, et surpasse de loin, l'ancien musée de la marine. Les jeunes visiteurs y trouveront des sifflets à vapeur qu'ils pourront actionner, de même que la Discovery Gallery, aménagée dans la cale d'un navire. Parmi les autres éléments d'exposition fascinants des lieux, il convient de retenir ceux qui portent sur le visage changeant du littoral et du port de Toronto, sur les épaves du lac Ontario et sur les batailles historiques de la région, sans oublier une course simulée contre le célèbre rameur Ned Hanlan. On peut en outre y observer le travail d'artisans affairés à construire des bateaux en bois à la façon d'autrefois, de même qu'y apprendre leur art par le biais de cours donnés sur place. Enfin, il est possible de monter à bord d'un de ces navires d'antan pour une promenade autour du port. Les courtes visites à pieds organisées le long du littoral au cours de la saison estivale sont également dignes d'intérêt.

À quelques pas de là, au pied de York Street, s'avance le **Queen's Quay Terminal** ★★★ *(207 Queen's Quay)*, d'où des bateaux proposent des promenades dans la baie et autour des îles de Toronto. En fait, le Queen's Quay est un ancien entrepôt qu'on a modifié pour y aménager un théâtre exclusivement consacré à la danse ainsi qu'une centaine de restaurants et de boutiques.

Au pied de Bay Street, une navette maritime vous conduira aux **îles de Toronto** ★★★ (p 436). L'accès à la navette se trouve juste derrière l'hôtel Harbour Castle Westin. Les îles de Toronto constituent l'endroit idéal pour se relaxer, prendre un peu de soleil, faire du vélo, marcher ou se baigner.

Le **SkyDome** ★★ *(9$; visite guidée tlj 9h à 16h; l'horaire des visites peut varier selon les événements; 1 Blue Jays Way, Suite 3000, ☎341-3663)*, le nouveau centre sportif de Toronto, fait la fierté de ses habitants. Il s'agit du premier stade au monde à posséder un toit entièrement rétractable. En cas de mauvais temps, les quatre panneaux montés sur rails peuvent en effet former le toit du SkyDome en 20 min malgré leurs 11 000 tonnes. Depuis son ouverture en 1989, ce remarquable édifice abrite l'équipe locale de baseball, les Blues Jays, de même que l'équipe de football, les Argonauts de la CFL (Canadian Football League). Il accueille aussi, du moins pour le moment, l'une des deux équipes de basket-ball canadiennes faisant partie de la NBA (National Basket-ball Association), les Raptors. Ces derniers devraient en effet s'installer sous peu dans un nouvel amphithéâtre tout près du SkyDome.

Toronto
Centre-ville
0 0,5 1km
©ULYSSE
1. Harbourfront Centre
2. Toronto's Waterfront Museum
3. Queen's Quay Terminal
4. Îles de Toronto
5. Skydome
6. Tour du CN
7. Air Canada Centre
8. Fort York
9. Ontario Place
10. Princess of Wales Theatre
11. Royal Alexandra
12. Roy Thompson Hall
13. Sun Life Tower
14. First Canadian Place
15. Toronto-Dominion Centre
16. Bank of Nova Scotia
17. National Club Building
18. Bank of Commerce Building
19. Toronto Dominion Bank
20. Number 15
21. Original Toronto Stock Exchange
22. Royal Bank Plaza
23. Union Station
24. Royal York Hotel
25. BCE Place
26. Hockey Hall of Fame
27. Gooderham Building
28. St. Lawrence Hall
29. St. James Cathedral
30. King Edward Hotel
31. The Bay
32. Elgin and Wintergarden Theatres
33. Pantages Theatre
34 Old City Hall
35. New City Hall
36. Nathan Philip Square
37. City TV and MuchMusic
38. Kensington Market
39. Art Gallery of Ontario
40. The Grange
41. Parlement provincial
42. University of Toronto
43. Bata Shoe Museum
44. Royal Ontario Museum
45. Gardiner Museum of Ceramic Art
46. Park Plaza Hotel
47. Yorkville Public Library
48. Firehall No. 10
49. Village of Yorkville Park
Ligne de métro
Station de métro

Pour ceux et celles qui désirent en apprendre davantage sur les différents aspects techniques du SkyDome, une visite guidée est proposée tous les jours *(information : ☎341-2770)*.

La **tour du CN** ★★★ *(plate-forme d'observation, 16$; été tlj 8h à minuit, automne dim-jeu 10h à 20h, ven-sam 10h à 22h, hiver dim-jeu 11h à 20h, ven-sam 11h à 22h; Front Street W., ☎360-8500)*, sans aucun doute l'édifice le plus représentatif de la ville de Toronto, domine la ville du haut de ses 553,33 m, ce qui en fait la tour d'observation la plus élevée du monde. Construit à l'origine par le CN (Canadian National Railways) pour faciliter la transmission des ondes radio et télé au-delà des nombreux édifices du centre-ville, elle est aujourd'hui devenue l'un des principaux attraits de la ville. Pour éviter les longues files, il est préférable de s'y rendre tôt le matin ou vers la fin de la journée, surtout pendant la saison estivale et la fin de semaine; par temps peu clair, il vaut mieux remettre à plus tard la visite de la tour du CN. Le pied de la tour offre par ailleurs une panoplie d'activités.

Vous pouvez facilement accéder à la plateforme d'observation grâce à un ascenseur qui vous arrache du sol à une vitesse de 6 m par seconde, une vitesse équivalente à un avion à réaction lors du décollage. Située à 335,25 m de hauteur et aménagée sur quatre étages, la plateforme d'observation constitue le nerf central de la tour. Évidemment, la vue depuis le sommet est splendide (par temps clair, vous pouvez voir sur une distance de 160 km et même distinguer les chutes du Niagara). Enfin, le quatrième étage s'enorgueillit d'un bar et d'un restaurant pouvant accueillir jusqu'à 400 personnes. Compte tenu de l'altitude à laquelle vous vous trouverez, vous sentirez la tour osciller sous l'effet du vent! Cette oscillation est d'ailleurs tout à fait normale et a pour effet d'accroître la résistance de la structure tout entière.

L'**Air Canada Centre** *(40 Bay St.)* est le nouveau siège des Maple Leafs de Toronto (Ligue nationale de hockey) et des Raptors de Toronto (National Basketball Association). Ce stade de construction tout à fait récente peut accueillir jusqu'à 20 000 spectateurs, et ses concepteurs voulaient tellement s'assurer que les fans ne manquent pas une minute de jeu, qu'ils sont allés jusqu'à installer des téléviseurs dans toutes les salles de bain!

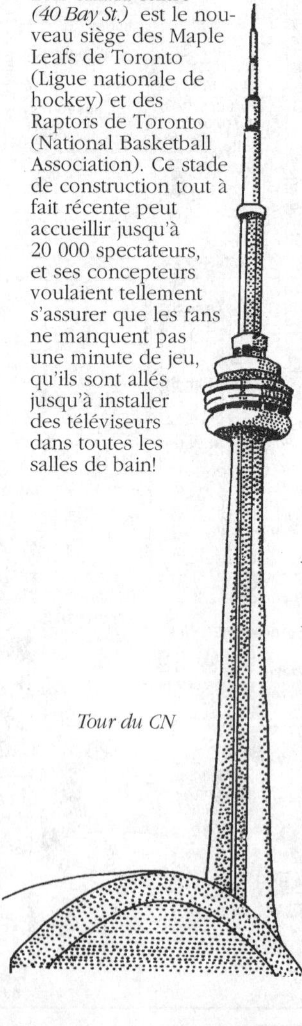

Tour du CN

C'est au **Fort York** ★ *(5$; début oct à mi- mai, mar-ven 10h à 16h; mi-mai à fin sept, mar-dim 10h à 17h)* que Toronto a vu le jour sur les berges du lac Ontario. Érigé en 1783 par le gouverneur Simcoe pour faire face à la menace américaine, le Fort York fut détruit par ces derniers en 1813, puis reconstruit peu de temps après. Les relations avec les États-Unis s'adoucissant rapidement, il perdit peu à peu sa raison d'être. Dans les années trente, il fit l'objet d'une importante rénovation par la municipalité de Toronto, qui avait décidé d'en faire un attrait touristique. Aujourd'hui, Fort York est devenu le site de la plus importante collection canadienne de bâtiments datant de la guerre de 1812. Outre la visite des baraques meublées illustrant le style de vie des officiers et des soldats qui y habitaient, vous pouvez découvrir un petit musée qui présente un court métrage sur son histoire. Vous pourrez aussi y voir des acteurs se livrer à des manœuvres militaires en costume d'époque.

Ontario Place ★ *(entrée libre sauf lors d'événements spéciaux; un laissez-passer d'une journée offre un accès illimité aux différentes attractions à l'exception du benji et de la paravoile; mai à sept, lun-sam 10h30 à minuit, dim 10h30 à 23h; 955 Lakeshore Boulevard W., ☎314-9900; de la fin mai au début septembre, un service d'autobus relie l'Union Station à l'Ontario Place)*. Conçue par Eberhard Zeidler, l'Ontario Place est formée de trois îles reliées entre elles par des ponts. On peut aussi y distinguer cinq structures suspendues à plusieurs mètres au-dessus de l'eau qui regorgent d'activités pour les jeunes et les moins jeunes. Vous remarquerez certainement l'énorme sphère blanche qui se démarque des autres bâtiments, à l'intérieur de laquelle vous retrouverez le **Cinesphere**, un **cinéma IMAX** *(☎965-7711)* possédant un impressionnant écran de six étages de haut. L'Ontario Place possède aussi une marina à même d'accueillir environ 300 bateaux autour du ***HMCS Haida***, un destroyer de la Deuxième Guerre mondiale.

Le quartier des affaires et du spectacle

Entre John Street et Simcoe Street, King Street porte aussi le nom de *Mirvish Walkway* en l'honneur du père et du fils Mirvish, ces deux magnats du magasin de produits bon marché qui redorèrent le blason du quartier en sauvant le Royal Alex du boulet de démolition et en aménageant, dans les entrepôts désaffectés, une foule de restaurants destinés à répondre aux besoins des amateurs de théâtre.

Commencez par le **Princess of Wales Theatre** *(300 King Street W., ☎872-1212)*. Ce théâtre flambant neuf a été construit en 1993 à seule fin d'accueillir la comédie musicale *Miss Saigon* et par nul autre que les Mirvish. Bien qu'aucune visite n'y soit autorisée, prenez la peine de jeter un coup d'œil à l'intérieur afin d'apprécier le décor minimaliste du hall d'entrée, axé sur la lune et les étoiles, et parfaitement adapté à la fameuse comédie musicale qu'on continue de présenter ici à ce jour.

Rendez-vous ensuite au **Royal Alexandra ★★** *(260 King Street W., ☎872-3333)*. Une collection d'articles de journaux attestant les divers exploits d'Ed Mirvish tapisse les murs des nombreux restaurants que le grand entrepreneur a implantés entre ce théâtre et le précédent. Le Royal Alexandra a été nommé ainsi pour rendre hommage à l'épouse du roi Édouard-VII, et tout le monde l'appelle aujourd'hui simplement le *Royal Alex*. Il s'agit d'un des théâtres les plus en vue de la ville, sans cesse fréquenté par l'élite de Toronto depuis son ouverture en 1907. Son fastueux style édouardien et son décor Beaux-Arts, rehaussé de voluptueux velours rouge, de brocarts d'or et de marbre vert, ont retrouvé leur éclat d'antan au cours des années soixante grâce à, vous l'aurez deviné, Ed Mirvish.

De l'autre côté de la rue s'élève le **Roy Thompson Hall ★★★** *(visite guidée de 45 min 4$; lun-sam 12h30; 60 Simcoe Street, ☎593-4822)*, l'une des constructions les plus remarquables du paysage torontois. Son extérieur futuriste, qui arbore 3 700 m^2 de verre réfléchissant, a été conçu par le Canadien Arthur Erickson et lui a valu des critiques mitigées, le comparant tantôt à un champignon renversé, tantôt à un tutu de ballerine. Son intérieur fait par contre l'unanimité, avec son incroyable luminosité, son hall somptueux et son acoustique exceptionnelle, qu'exploitent d'ailleurs à souhait le Toronto Symphony et le Mendelssohn Choir. Appelé à devenir le New Massey Hall au moment de sa construction, il finit par prendre le nom du potentat de l'édition Lord Thompson of Fleet, dont la famille fit la plus importante contribution individuelle au financement du projet.

Une vaste cour s'étend à l'ouest du Thompson Hall et est bordée, à l'ouest, par le **Metro Hall** (en face du Princess of Wales) et, au sud, par la **Simcoe Place** (le grand bâtiment carré à votre gauche) ainsi que par le **CBC Broadcast Centre** (la haute construction qui se dresse à votre droite).

Sur King Street, la première tour d'acier et de miroir, la **Sun Life Tower ★★** *(150-200 King Street W.)*, se dresse en face de l'église St. Andrew, à l'angle des rues Simcoe et King. La sculpture dont se pare sa façade est l'œuvre de Sorel Etrog. Poursuivez votre route sur King Street jusqu'à York Street. À l'angle nord-est apparaît l'auguste tour de marbre baptisée **First Canadian Place ★★**. Bien que son allure austère et sa base massive n'aient rien pour vous charmer, l'espace commercial aménagé à l'intérieur se révèle clair et aéré. Cette construction abrite en outre la **Bourse de Toronto ★★** (Toronto Stock Exchange) *(entrée libre; lun-ven 9h30 à 16h, visite guidée à 14h; 130 King Street, ☎947-4670)*, ce point de mire de la haute finance canadienne où les papiers volent, où les cambistes se lancent des signaux de la main et où des fortunes sont faites et défaites. Le centre d'accueil des visiteurs se trouve au rez-de-chaussée de la tour de la Bourse, près de la réception. Il s'agit là d'une des haltes les plus intéressantes dans le quartier puisque vous pourrez vous imprégner de l'activité du parquet à partir d'une galerie d'observation.

À mi-chemin entre les rues York et Bay, les édifices de la **Standard Life** et du **Royal Trust** dominent la face sud de King Street, tout à côté de l'impressionnant **Toronto-Dominion Centre** ★★★ *(55 King Street W.)*, à l'angle sud-ouest des rues King et Bay. Réalisé par le célèbre moderniste Ludwig Mies van der Rohe, il s'impose comme le premier gratte-ciel d'envergure internationale construit à Toronto; c'était au milieu des années soixante.

À l'angle nord-est, la **Bank of Nova Scotia** ★ *(44 King Street W.)* se profile le long de King Street et a été construite, entre 1949 et 1951, selon des plans Art déco remisés avant la guerre. En remontant Bay Street vers le nord, le prochain bâtiment que vous croiserez est le modeste **National Club Building** *(303 Bay Street)*, de style néogeorgien. Ce club fut fondé en 1874 afin de promouvoir le mouvement **Canada First**, qui s'opposait à l'idée d'une union éventuelle avec les États-Unis.

Revenez sur King Street, où vous serez saisi par la silhouette du **Bank of Commerce Building** ★★★ *(25 King Street W.)*, perçu par beaucoup comme la plus belle banque et tour à bureaux du quartier des affaires de Toronto. L'époustouflant intérieur de ce monumental édifice roman ne pourra qu'emballer les fervents d'architecture. Pénétrez dans l'immense hall de la banque, et admirez la pierre rosée, les moulures dorées et la voûte en berceau à caissons bleus. Cet édifice était pendant de nombreuses années la plus haute construction de tout le Commonwealth britannique. À l'est, du côté de Bay Street, le **Commerce Court** ★ *(243 Bay Street)* englobe le bâtiment précité ainsi qu'un gratte-ciel élancé de verre et d'acier dont la construction remonte au début des années soixante-dix.

La **Toronto Dominion Bank** ★★★ *(55 King Street W.)* repose à l'angle sud-ouest des rues King et Yonge. Son intérieur constitue un véritable festin pour les yeux. Un escalier central descend vers la voûte, réputée la plus grande du Canada à l'époque de sa construction, tandis qu'un autre escalier encore plus majestueux, du côté droit, conduit au hall principal de la banque.

Au 15 Wellington Street, vous verrez le plus vieux bâtiment de tout ce secteur. Après avoir abrité la Commercial Bank of Midland District puis la Merchant's Bank, il porte désormais le simple nom de **Number 15** ★★ ou de marché Mövenpick (p 439), selon votre interlocuteur.

Rendez-vous jusqu'à Bay Street, et découvrez, du côté est, à environ mi-chemin de la distance qui vous sépare de King Street, l'**Original Toronto Stock Exchange** ★★★ *(234 Bay Street)*, soit l'ancienne Bourse de Toronto et le bâtiment le plus typiquement Art déco de la ville. Contemplez la frise de près de 23 m, qui orne le haut du portail, caractérisée par une ironie et un humour que seule une Bourse canadienne pouvait se permettre.

Redescendez Bay Street jusqu'à Wellington pour un dernier arrêt à la **Royal Bank Plaza** ★★★ *(200 Bay Street)*. Grâce en partie à sa façade miroitante enrichie de dorures, elle est de toute beauté. Deux tours triangulaires sont ici réunies par un atrium de verre transparent, inondé de verdure tropicale, alors qu'en sous-sol s'étend un complexe commercial.

Front Street et le quartier St. Lawrence

C'est à l'intérieur du rectangle formé par les rues George, Berkely, Adelaide et Front que le commandant John Graves Simcoe de l'armée britannique a fondé en 1793 la ville de York, mieux connue aujourd'hui sous le nom de Toronto. Cette partie de la ville fut pendant longtemps le centre de l'activité économique, principalement à cause de la proximité du lac Ontario. À la fin du XIXe siècle, le centre économique se déplaça lentement vers ce qui est aujourd'hui le Financial District, laissant ainsi à l'abandon tout un quartier de la cité. Tout comme le Harbourfront, le quartier St. Lawrence a été l'objet d'un réaménagement majeur au cours des 20 dernières années, financé par les gouvernements fédéral, provincial et municipal. On y retrouve aujourd'hui un heureux mélange d'architecture des XIXe et XXe siècles où se croisent les différents groupes socioéconomiques de la métropole.

La gare **Union Station** ★★ *(65-75 Front Street W.)* occupe sans contredit le premier rang des gares canadiennes pour la taille et pour la magnificence des lieux. Conçue dans l'esprit des grands terminaux américains, elle emprunte ses colonnes et ses plafonds à caissons aux basiliques romaines de l'Antiquité. La gare, dont la construction a été entreprise en 1915 mais achevée en 1927 seulement, est l'une des œuvres maîtresses des architectes Ross et Macdonald de Montréal. Sa façade sur Front Street fait plus de 250 m de longueur, dissimulant ainsi complètement le port et le lac Ontario, situés à l'arrière.

Le **Royal York Hotel** ★★ *(100 Front Street W.)* constitue une introduction de taille au centre-ville de Toronto pour qui descend du train à l'Union Station. Il envoie clairement au visiteur le message que la Ville-Reine est une grande métropole qui ne s'en laisse imposer par personne. Le plus vaste des hôtels du Canadien Pacifique renferme plus de 1 500 chambres réparties sur 25 étages. Tout comme la gare, l'établissement a été dessiné par les architectes montréalais Ross et Macdonald. Ils ont combiné à l'habituel style Château des hôtels ferroviaires des éléments lombards et vénitiens semblables à ceux de leurs réalisations montréalaises.

Entrez dans la **BCE Place** ★★★ *(à l'angle de Front Street et de Bay Street)* par la cour située à l'est de la Canada Trust Tower. Composée de deux tours jumelles reliées par une magnifique galerie de verre de cinq étages supportée par une énorme structure de nervures métalliques blanches, la BCE Place s'étend de Bay Street jusqu'à Young Street. Il est très agréable de s'y arrêter quelques moments pour s'y reposer ou encore pour y manger. Vous retrouverez des comptoirs de restauration rapide installés au rez-de-chaussée; mais pour quelque chose de différent et d'unique, rendez-vous au **marché Möevenpick**, un heureux mélange de restaurant et de marché où vous circulez d'étal en étal en choisissant les plats qui vous semblent les plus alléchants.

C'est aussi par la BCE Place que vous pourrez accéder au célèbre **Hockey Hall of Fame** ★ *(12$; en été, lun-ven 10h à 17h, sam 9h30 à 18h; dim 10h30 à 17h; 30 Yonge Street, ☎360-7765)*, le paradis des amateurs de hockey. Vous y trouverez tout ce qui a marqué l'histoire de ce sport jusqu'à aujourd'hui. Ne manquez surtout pas le Bell Great Hall, où vous attend la Coupe Stanley originale, offerte par Lord Stanley of Preston en 1893, le plus vieux trophée dans le domaine du sport professionnel en Amérique du Nord. Une fois à l'intérieur, rendez-vous à la reconstitution de la chambre des joueurs du Canadien de Montréal, ou encore observez sur un des nombreux écrans vidéo les extraits des moments marquants de l'histoire du hockey.

Sortez sur Yonge Street, et vous apercevrez la façade extérieure de la **Bank of Montreal** ★★. Cette construction abrite en réalité le Hockey Hall of Fame, dont l'entrée se trouve à l'intérieur de la BCE Place. Le Hockey Hall of Fame en fait aujourd'hui partie intégrante. Érigée en 1886 par les architectes Darling & Curry, la Bank of Montreal est un des plus vieux bâtiments du XIXe siècle encore debout aujourd'hui. Conçue au cours d'une époque prospère et optimiste, son architecture évoque ce sentiment de puissance et d'invulnérabilité qu'éprouvaient les gens de l'époque : maçonnerie imposante, portiques splendides et fenêtres gigantesques. Ce magnifique bâtiment fut, jusqu'à la construction d'un nouvel édifice en 1982, le siège social de la Banque de Montréal à Toronto.

Un peu plus loin sur Front Street, vous verrez derrière le Berczy Park la fresque en trompe-l'œil peinte à l'arrière du **Gooderham Building** ★ *(49 Wellington Street)*. Cette murale, créée par Derek Besant en 1980, est devenue une attraction très populaire à Toronto.

Hockey Hall of Fame

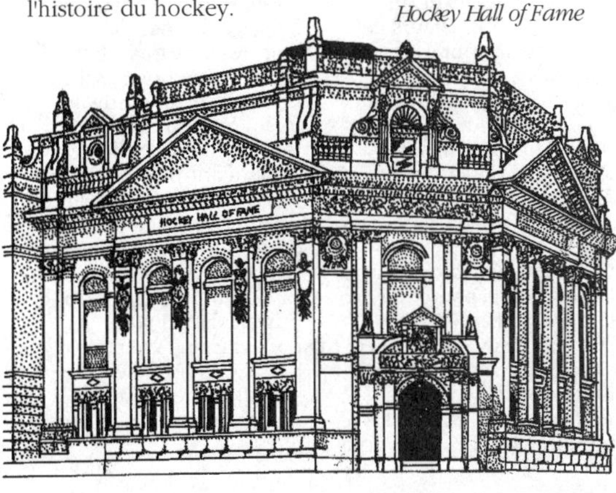

Elle ne représente pas, contrairement à ce beaucoup de gens croient, les fenêtres du Gooderham Building, mais plutôt la façade du Perkins Building, situé de l'autre côté de la rue au 41-43 Front Street East. L'édifice est souvent appelé le *Flatiron Building* à cause de sa structure triangulaire qui rappelle la forme de son fameux cousin de New York, qu'il précède d'ailleurs de quelques années. Le Gooderham Building se dresse sur un terrain de forme triangulaire, à l'intersection de Wellington Street, qui suit le quadrillage des rues imposé par les Britanniques lors de la fondation de la ville de York, et de Front Street, parallèle à la rive nord du lac Ontario. Construit pour George Gooderham, un homme d'affaires qui a fait fortune dans le domaine de la distillerie, cet édifice étonne autant par sa murale que par son architecture de château. Il abrite encore aujourd'hui plusieurs bureaux.

Dirigez-vous vers le **St. Lawrence Hall** ★ *(151 King Street E.)*, le centre communautaire de Toronto dans les années 1850-1900. De style victorien, il a été construit pour la présentation de concerts et de grands bals. Plusieurs célébrités y ont donné des spectacles, entre autres Jenny Lind, Andelina Patti, Tom Thumb et P.T. Barnum. Pendant plusieurs années, le St. Lawrence Hall logea aussi le National Ballet of Canada.

Continuez votre route vers l'ouest. Vous apercevrez le très joli **St. James Park**, un jardin du XIXe siècle avec sa fontaine et ses buissons de fleurs saisonnières. Asseyez-vous sur un des nombreux bancs d'où vous verrez, à l'angle de Church Street et de King Street, la **St. James Cathedral** ★★, la première cathédrale anglicane à être construite à Toronto. Érigée en 1819 avec l'aide d'un prêt du gouvernement d'une part et d'une contribution des nombreux fidèles d'autre part, elle fut détruite par l'incendie de 1849 qui avait alors ravagé une partie de la ville. La St. James Cathedral que vous voyez aujourd'hui fut reconstruite sur les ruines de la précédente. Elle possède d'ailleurs le plus haut clocher de tout le Canada et le deuxième en Amérique du Nord, derrière l'église St. Patrick's de New York. La façade de brique jaune souligne les formes gothiques de la cathédrale, ce qui lui confère un caractère plutôt sobre. À l'intérieur, le décor est beaucoup plus élaboré, le chœur de l'église en marbre où repose l'évêque Stachan étant tout à fait magnifique.

Le **King Edward Hotel** ★★ *(37 King Street E.)* (voir p 438), entre Church Street et Leader Lane, a été conçu en 1903 par E.J. Lennox, l'architecte de l'Old City Hall (voir p 428), du Massey Hall et de la Casa Loma. Avec son style édouardien, ses merveilleuses colonnes de faux marbre au rez-de-chaussée et ses magnifiques salles à manger, le King Edward Hotel fut l'un des hôtels les plus luxueux de Toronto pendant près de 60 ans, jusqu'à ce que le déclin du quartier entraîne la baisse de se popularité. Aujourd'hui, avec la renaissance du quartier, le King Edward Hotel attire de nouveau une clientèle huppée grâce à ses superbes chambres et à ses deux merveilleux restaurants.

Queen Street West et le quartier chinois

On découvre ce secteur à partir de l'angle des rues Yonge et Queen, là où débute Queen Street West. Le grand magasin à rayons **The Bay** occupe l'angle sud-ouest de cette intersection de même que tout le côté sud de la rue Queen jusqu'à Bay Street. Par ailleurs, une extension de style Art déco, adjointe à l'ensemble en 1928, donna lieu dans tout le magasin à une somptueuse rénovation que reflète bien l'entrée située à l'angle des rues Richmond et Yonge.

Les **Elgin and Wintergarden Theatres** ★★ *(4$, visite d'une heure; mar 17h, sam 11h; 189 Yonge Street, billetterie: ☎872-5555)* forment ensemble le dernier complexe théâtral à deux étages encore en activité sur la planète. Inaugurés en 1914, ils furent d'abord des théâtres de vaudeville; l'Elgin, au rez-de-chaussée, représentait l'opulence même, alors que le Wintergarden, à l'étage, s'imposait comme l'un des premiers théâtres «atmosphériques», avec ses murs à treillis et ses colonnes déguisées en troncs d'arbre sous un plafond de feuilles véritables. Après avoir servi de cinémas pendant quelque temps, ces purs joyaux ont été restaurés par l'Ontario Heritage Centre et accueillent de nouveau des troupes théâtrales.

À une certaine époque le plus grand théâtre de vaudeville de tout l'Empire britannique, le **Pantages Theatre** *(4$, visite d'une heure; lun mar et ven 11h30, sam 10h30; 263 Yonge Street, ☎364-4100)* eut nombre de vocations différentes, tantôt comme palais d'images tantôt comme cinéma de six salles, avant de retrouver toute sa splendeur d'antan en 1988-1989. Mais on le connaît sans doute surtout mieux comme le lieu où est présenté *Le fantôme de l'opéra* d'Andrew Lloyd Webber.

Lorsque vous aurez vu suffisamment de boutiques, quittez le centre Eaton par le Trinity Square, à l'angle nord-ouest du centre commercial. Ce charmant havre a bien failli ne jamais exister. La **Church of the Holy Trinity** ★★ (1847), le **Rectory** (1861) et la **Scadding House** (1857) font partie des plus vieux monuments de Toronto, et les premiers plans du centre Eaton prévoyaient leur démolition. Fort heureusement, suffisamment de gens se sont opposés à ce projet pour qu'on décide de construire l'immense centre commercial autour de ces trois structures.

Descendez James Street jusqu'à l'arrière de l'**Old City Hall** ★★ *(60 Queen Street W.)*, dessiné par E.J. Lennox en 1889. Alors que vous contournez le bâtiment par Queen Street, remarquez les avant-toits sous lesquels l'architecte a gravé les lettres *E.J. Lennox Architect* afin de s'assurer que son nom passe à la postérité. Lennox avait obtenu ce contrat par voie de concours, mais les conseillers municipaux refusèrent d'accéder à sa requête d'apposer son nom sur une des pierres angulaires du bâtiment. Pour se venger d'eux, il fit sculpter des espèces de gargouilles à leur image au-dessus de l'escalier extérieur, de manière à ce qu'ils soient quotidiennement confrontés à une forme défigurée d'eux-mêmes! Lorsqu'on nota la présence de ces touches personnelles de l'architecte, il était déjà trop tard pour y remédier.

En 1965, l'administration municipale de Toronto quitte son hôtel de ville victorien pour emménager dans le **New City Hall** ★★ *(100 Queen Street W.)*, une œuvre moderniste qui a su acquérir en peu de temps une notoriété qui en fait, avec la tour du CN, le principal symbole de Toronto. Réalisé à la suite d'un concours international, l'édifice est l'œuvre du Finlandais Viljo Revell, le maître à penser du rationalisme scandinave de l'après-guerre. Ses deux tours courbées de hauteur inégale sont comme deux mains entrouvertes protégeant la structure en forme de soucoupe qui abrite la salle du Conseil.

Devant le nouvel hôtel de ville s'étend le **Nathan Phillips Square** ★, un vaste espace public baptisé ainsi en l'honneur du maire qui dota Toronto de plusieurs nouvelles installations au début des années soixante. On y retrouve un grand bassin d'eau franchi par trois arches qui se transforme en patinoire très fréquentée l'hiver venu. À proximité prennent place *L'Archer* du sculpteur Henry Moore et le *Peace Garden* ou jardin de la Paix, conçu en 1984 par l'Urban Design Group.

Poursuivez sur Queen Street West, une rue flanquée de boutiques, de cafés et de bars à la mode où se trouve en outre **CityTV and MuchMusic** *(299 Queen Street W.)*, «la station musicale du Canada». L'ancien Wesley Building a été construit pour le compte d'une maison d'édition en 1913-1915 (remarquez les lecteurs et scribes grotesques qui ornent la façade) et a été rénové en 1986 pour accueillir MuchMusic, une chaîne de télévision qui présente des vidéoclips musicaux. Une autre attraction inusitée des lieux est la cabine d'enregistrement vidéo mise au service du public *(Speaker's Corner)*, où vous pouvez glorifier ou critiquer n'importe quelle cause.

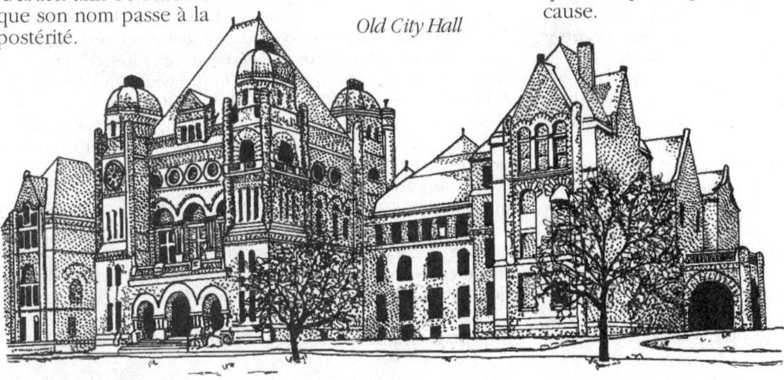
Old City Hall

Vous pouvez peut-être même passer en ondes à la télévision nationale.

Prenez bien le temps d'arpenter **Queen West ★★** pour admirer ses boutiques à la mode et avant-gardistes. Vous y découvrirez même quelques perles d'architecture, car la majorité des commerces sont installés dans des bâtiments du XIXe siècle.

À ce point, vous pouvez prendre vers le nord sur Spadina Avenue. Les cinq bouts de rues que vous arpenterez entre Queen et Dundas ne paient peut-être pas de mine, mais vous y trouverez certaines des meilleures aubaines en ville, qu'il s'agisse de vêtements signés, de mets fins, de tenues de soirée ou d'articles de cuisine. À l'intersection de Spadina Avenue et Dundas Street, vous vous retrouverez en plein cœur du **quartier chinois ★★★** (Chinatown) de Toronto. La communauté chinoise déploie ses tentacules d'ici à College Street, puis jusqu'à Queen Street au sud et Bay Street à l'est, ce qui en fait le plus grand quartier chinois d'Amérique du Nord. Après avoir planté ses racines autour d'Elizabeth Street, où se dresse l'actuel hôtel de ville, il s'est graduellement déplacé vers l'ouest jusqu'à Spadina Avenue, quoiqu'on trouve encore des signes de sa présence sur Dundas Street. Le meilleur moment pour explorer les fascinants salons de thé, les herboristeries et les épiceries du quartier est sans conteste le dimanche, lorsque la musique populaire cantonaise, les montagnes de légumes frais, les étals de canards grillés et les effluves de thé de gingembre n'attendent que de vous transporter dans un autre monde. Le dimanche est en outre le jour où la majorité des familles chinoises sortent pour bruncher (bien qu'ils remplacent le mot «brunch» par *dim sum*), et le fait de vous joindre à elles vous changera des œufs brouillés et des fèves au lard.

Avant de trop vous éloigner de Dundas Street cependant, faites un saut au **Kensington Market ★★**, aménagé sur toute la longueur de Kensington Street. Ce bazar fait ressortir on ne peut mieux le caractère multiethnique de Toronto. Au départ, il s'agissait principalement d'un marché est-européen, mais aujourd'hui s'y mêlent Juifs, Portugais, Asiatiques et Antillais. La moitié inférieure de Kensington Street présente surtout des boutiques de vêtements d'une autre époque, tandis que la partie supérieure s'enorgueillit d'épiceries internationales proposant à qui mieux mieux de fraîches et savoureuses denrées de tous les coins du monde. Un endroit rêvé pour préparer un pique-nique!

Que vous optiez pour un pique-nique ou un *dim sum*, vous devez toutefois vous réserver un après-midi édifiant à l'Art Gallery of Ontario et à The Grange.

L'Art Museum of Toronto a été fondé en 1900, mais il n'eut un siège permanent qu'en 1913, lorsque The Grange (voir ci-dessous) fut cédée au musée. Un nouveau bâtiment lui fut adjoint en 1918, et la première exposition du célèbre Groupe des Sept eut lieu en 1920 à l'intérieur de ce qui était d'ores et déjà devenu l'Art Gallery of Toronto (AGO). Un important chapitre de l'histoire culturelle aussi bien ontarienne que canadienne s'écrivait ainsi. En 1966, le musée reçut l'appui financier de la province et fut officiellement rebaptisé **Art Gallery of Ontario ★★★** *(5$; mai à oct, mar et jeu-dim 10h à 17h30, mer 10h à 22h, lun et fêtes 10h à 17h30; oct à mai, mer 10h à 22h, jeu-dim 10h à 17h30, lun et fêtes 10h à 17h30; 317 Dundas Street W., ☎977-0414)*. Des travaux de rénovation et des ajouts successifs au fil des années ont tour à tour contribué à réinventer l'AGO en cachant d'anciens éléments et en en faisant apparaître de nouveaux. Vous y verrez des œuvres contemporaines, des sculptures inuits et le magnifique Tanenbaum Sculpture Atrium, où est exposée l'une des faces de The Grange. Le Henry Moore Sculpture Centre fait partie, pour sa part, des plus grands trésors du musée. Les collections canadiennes historiques et contemporaines renferment, quant à elles, des pièces de premier plan signées par des artistes aussi notoires que Cornelius Krieghoff, Michael Snow, Emily Carr, Jean-Paul Riopelle, Tom Thomson et le Groupe des Sept – Frederick Varley, Lawren Harris, A. Y. Jackson, Arthur Lismer, J.E.H. MacDonald, Franklin Carmichael et Frank H. Johnson. Le musée possède également des chefs-d'œuvre de Rembrandt, Van Dyck, Reynolds, Renoir, Picasso, Rodin, Degas et Matisse, pour ne nommer que ceux-là.

Adjacente à l'Art Gallery of Ontario, subsiste sa première demeure, **The Grange ★** *(droit d'entrée inclus dans le prix du billet de l'AGO; mai à oct, mar et jeu-dim 12h à 16h, mer 12h à*

21h; oct à mai, mer 12h à 21h, mar-sam 12h à 16h; Grange Park, au sud de l'AGO, ☎977-0414 ou 979-6648). Cette ancienne résidence georgienne fut construite en 1817-1818 par D'Arcy Boulton Jr., alors membre de l'élite dirigeante de Toronto, le très détesté «Pacte de famille». La ville de Toronto avait à peine 30 ans d'existence à cette époque, mais en 1837, l'année de la rébellion de Mackenzie, The Grange était déjà devenue le siège symbolique du pouvoir politique et incarnait dès lors le régime colonial opprimant du Haut-Canada. En 1875, Goldwin Smith, un érudit d'Oxford, s'y établit. Alors qu'il était perçu comme un intellectuel libéral en son temps, la suspicion qu'il entretenait à l'égard des autres races et religions a depuis fait la lumière sur sa bigoterie. Il n'en reçut pas moins de très éminentes personnalités dans sa demeure, y compris Winston Churchill, le prince de Galles (appelé à devenir Édouard VII) et Matthew Arnold. À sa mort, en 1910, Smith légua par testament sa résidence à l'Art Museum of Toronto, qui l'occupa au cours des 15 années qui suivirent. Puis, on y installa des bureaux attachés au musée jusqu'en 1973, alors qu'elle retrouva toute sa splendeur des années 1830 avant d'être ouverte au public. Sa face arrière fut enfin intégrée à la galerie de sculptures de l'AGO en 1989. Il faut aussi noter que cette résidence de gentilhomme, pourvue d'un grand escalier circulaire et d'étonnants quartiers réservés aux employés de la maison, fait partie des premières constructions de brique de Toronto.

Queen's Park et ses environs

Chacune des 10 provinces canadiennes possède sa propre assemblée législative. Situé au centre de Queen's Park, dans l'axe de l'avenue University, le **parlement provincial ★★** *(1 Queen's Park) abrite celle de l'Ontario. L'édifice de grès rose (1886-1892)* a été dessiné dans le style néoroman de Richardson (voir «Old City Hall», p 428) par l'architecte Richard A. Waite de Buffalo, à qui l'on doit plusieurs bâtiments canadiens dont l'ancien siège du Grand Tronc de la rue McGill, à Montréal (édifice Gérald-Godin).

Les quelque 40 pavillons de l'**University of Toronto ★★** *(entre Spadina Road à l'ouest, Queen's Park Crescent à l'est, College Street au sud et Bloor Street W. au nord)* sont disséminés sur un vaste campus de verdure à la mode anglaise. Dotée d'une charte dès 1827, l'institution ne prendra véritablement son envol qu'avec la construction du premier pavillon en 1845 (aujourd'hui démoli). De nos jours, l'université de Toronto est considérée comme une des plus importantes en Amérique du Nord.

Le plus ancien bâtiment du campus est l'**University College** *(15 Kings College Circle)*, conçu en 1859 par les architectes Cumberland et Storm. Ceux-ci ont créé un pittoresque ensemble néoroman dont les détails de sculpture sur pierre méritent un examen attentif. Le magnifique portail Norman se révèle particulièrement exceptionnel.

Partant de Hoskin Avenue, un chemin serpente où le Taddle Creek coulait jadis et «où marche aujourd'hui le philosophe». La **Philosopher's Walk ★** (promenade du philosophe) est une agréable promenade qui vous permet de déambuler au milieu de chênes récemment plantés jusqu'à l'Alexandra Gates. Vous y constaterez que les clameurs de la rue Bloor, tout près, s'estompent pour céder le pas aux harmonies des étudiants en musique qui font leurs gammes au **Royal Conservatory of Music** *(273 Bloor Street)*.

Bloor Street et Yorkville Avenue

Ce secteur couvre les environs des rues Bloor et Yorkville, deux noms désormais synonymes de cher, de huppé et d'à la mode. Mais tout le monde y trouvera quelque chose, aussi bien certains des plus beaux musées de Toronto que d'excellentes adresses de magasinage.

Le quartier qui s'étend au nord et à l'ouest des rues Bloor et Bedford formait jadis le village de Yorkville, constitué en municipalité en 1853 et demeuré localité distincte jusqu'en 1883, date à laquelle il fut annexé à la ville de Toronto. Il s'agissait d'une élégante ville-dortoir située à faible distance de la métropole, en pleine expansion un peu plus au sud. L'empiètement de celle-ci sur son territoire entraîna cependant la transformation de nombreuses demeures parmi les plus coquettes des rues Bloor et Yorkville en espaces à bureaux, puis l'exode de l'élite citadine vers des quartiers plus sélects du nord de la région. Pendant toute la première moitié de notre siècle, ce secteur a conservé son statut de banlieue de classe moyenne. Les premiers signes de sa mutation vers une identité plus avant-gardiste sont apparus dès après la guerre, lorsque ses résidences du XIXe - siècle ont peu à peu été reconverties en cafés et en boutiques, et que Yorkville est devenue le point de convergence des artisans de la musique folk canadienne. L'embourgeoisement final du quartier a pris son envol au cours des années soixante-dix et quatre-vingt, et depuis ce temps, les propriétaires des gratte-ciel et des complexes à vocations multiples de la rue Bloor se sont efforcés de tirer le meilleur parti de la situation en faisant grimper les coûts de location, aujourd'hui devenus astronomiques.

Partez de l'angle des rues St. George et Bloor, à quelques pas seulement de la station de métro St. George. Cette intersection se trouve à l'extrémité sud-ouest de The Annex (voir p 434), un secteur qui recèle encore de nombreuses demeures magnifiquement préservées du XIXe siècle.

De biais avec le York Club, découvrez les nouveaux locaux du **Bata Shoe Museum** ★★★ *(6$; mar-sam 10h à 17h, jeu jusqu'à 20h, dim 12h à 17h; 327 Bloor Street W., ☎979-7799).* Voici le point de départ fantaisiste d'une tournée sérieuse des musées, par ailleurs un excellent endroit pour faire le plein d'idées avant de vous lancer à corps perdu dans le magasinage. Ce musée, le premier du genre en Amérique du Nord, renferme 10 000 paires de chaussures et offre une perspective incomparable sur les différentes cultures de la planète. Ce nouveau bâtiment a été dessiné par l'architecte Raymond Moriyama de manière à ressembler à une boîte à chaussures, et le cuivre oxydé qui orne la bordure du toit vise à créer l'impression d'un couvercle posé sur cette boîte. On distingue ici quatre collections permanentes : **All About Shoes** (tout ce qui a trait aux chaussures), vantée comme un riche festin de «couvre-pieds» agrémenté d'histoire, de renseignements futiles et de chaussures ayant appartenu à des gens riches et célèbres; *Inuit Boots* : A Woman's Art (les bottes inuits : un art féminin), qui traite des «Kamiks» et de l'importance d'être chaussé convenablement dans l'Arctique; *The Gentle Step* : 19th Century Women's Shoes (le pas léger : la chaussure féminine au XIXe siècle), consacrée à l'évolution de la chaussure féminine à l'aube des temps modernes; et *One, Two, Buckle My Shoe* (un, deux, lace mes souliers) présente des illustrations de chaussures tirées de livres pour enfants. Parmi les plus mémorables pièces exposées, retenons les bottes des astronautes des missions Apollo, les hautes sandales de geisha et une superbe paire d'escarpins en cuir verni ayant appartenu à Elvis Presley.

Le **Royal Ontario Museum** ★★★ *(10$; lun-sam 10h à 18h, mar 10h à 20h, dim 11h à 18h; métro Museum; 100 Queen's Park Avenue, ☎586-5549 ou 586-5551)* est en fait deux musées en un, puisque l'entrée au ROM, ainsi qu'on l'appelle communément, couvre également l'accès au George R. Gardiner Museum of Ceramic Art (voir ci-dessous). À la fois le plus grand musée public du Canada et un centre de recherche, le ROM veille sur six millions de trésors artistiques, archéologiques et naturels. À la suite d'importants travaux de rénovation et de restauration, de même que de l'ouverture de nouvelles galeries, le ROM est désormais en mesure d'exposer ses richesses de manière à rendre justice à leur valeur inestimable. À l'intérieur du bâtiment vaguement romanisant, vos yeux seront captivés par le plafond de verre vénitien représentant une mosaïque de cultures. Puis vous lèverez de nouveau les yeux, cette fois pour admirer les deux grands totems qui encadrent le hall d'entrée, l'un d'eux faisant près de 25 m de hauteur, si bien qu'il ne lui manque qu'une dizaine de centimètres pour toucher le plafond! Devant la variété des expositions présentées ici, des chauve-souris jusqu'aux dinosaures et des Romains jusqu'aux Nubiens, vous devriez d'abord et avant tout opter pour la Mankind Discovering Gallery (galerie de la découverte de l'humanité), où vous seront présentés le plan d'aménagement et le mode d'exploitation du ROM.

Du côté est de Queen's Park Avenue, le **George R. Gardiner Museum of Ceramic Art** ★★★ *(5$, gratuit le premier mar du mois; toute l'année mar-sam 10h à 17h, dim 11h à 17h; en été mar jusqu'à 19h30; 111 Queen's Park Avenue, ☎593-9300)* renferme une étonnante collection de porcelaines et de poteries. Quatre galeries y retracent l'histoire de l'humanité à travers des ouvrages mayas et olmèques de l'ère précolombienne jusqu'aux trésors européens des cinq derniers siècles.

Le luxueux **Park Plaza Hotel** *(4 Avenue Road)*, construit en 1926, se dresse à l'angle nord-ouest d'Avenue Road et de Bloor Street.

La partie de Bloor Street qui s'étend de Queen's Park Avenue jusqu'à Yonge Street présente une série d'édifices à bureaux modernes et de centres commerciaux, ainsi que de boutiques et galeries ultrachics où vous retrouverez des noms aussi prestigieux que Holt Renfrew, Chanel, Hermès, Tiffany's et Hugo Boss. D'aucuns affirment que Bloor Street est la Fifth Avenue de Toronto; vous voilà prévenu! À vous donc de la parcourir en toute hâte ou au contraire de vous y attarder...

En marchant vers l'ouest sur Yorkville Avenue, vous atteindrez cette fois la grandiose **Yorkville Public Library** *(22 Yorkville Avenue)*, construite en 1907 et remodelée en 1978. L'imposant portique de l'entrée domine encore la façade, comme aux jours où cette bibliothèque répondait aux besoins du village de Yorkville.

À la porte voisine, c'est le vieux **Firehall No. 10 ★** *(34 Yorkville Avenue)*, une caserne de pompiers d'abord érigée en 1876 puis reconstruite (à l'exception de la tour, utilisée pour faire sécher les boyaux d'incendie) en 1889-1890. Ce bâtiment de brique rouge et jaune assurait jadis la protection des citoyens de Yorkville, et la caserne demeure encore en activité à ce jour. Les armoiries posées sur la tour proviennent de l'ancienne mairie, et les symboles qui y figurent représentent les métiers des premiers conseillers du village : un tonneau de bière pour le brasseur, un rabot pour le charpentier, un moule à brique pour le maçon, une enclume pour le forgeron et une tête de bœuf pour le boucher.

Un regroupement exceptionnel de galeries, de boutiques et de cafés bordent les rues Yorkville, Hazelton et Cumberland. D'autres joyaux architecturaux, trop nombreux pour que nous les énumérions ici, vous attendent sur Hazelton Avenue. Tous ont été rafraîchis avec fidélité, tant et si bien que certains bâtiments semblent neufs; mais le résultat n'en est pas moins esthétique et mérite d'être vu.

Le côté nord de Cumberland Street entre Avenue Road et Bellair Street est bordé de chics boutiques et galeries, tandis que le côté sud est récemment devenu le **Village of Yorkville Park ★★**. Ce parc urbain, aménagé au-dessus d'une station de métro, s'impose comme un exemple peu commun d'écologie urbaine, d'histoire locale et d'identité régionale. Il se divise en 13 zones représentant respectivement une facette de la géographie de la province. L'énorme rocher en marge de son centre est de granit et provient du Bouclier canadien.

Toronto : ville de quartiers

Nombreux sont ceux et celles qui voient Toronto comme un bastion de la culture anglo-saxonne, comme le nerf financier du Canada ou comme la ville des Blue Jays et de la tour du CN, mais bien peu ont conscience de ce qu'elle est aussi une ville de quartiers. De Rosedale à Cabbagetown, des plages à la Petite Italie et aux multiples quartiers chinois de la ville, les différents quartiers de Toronto en sont devenus les plus récents attraits. Alors que certains secteurs se définissent à la lumière de leur extravagance architecturale ou de leur manque de caractère à ce chapitre, quelques autres se distinguent par les gens qui y vivent, ce qui les rend peut-être encore plus intéressants. La composition ethnique de Toronto est d'ailleurs une pure merveille; avec 70 nationalités et plus de 100 langues, elle incarne on ne peut mieux la fameuse mosaïque canadienne, et ce ne sont sûrement pas les amateurs de restaurants qui vont s'en plaindre.

Le quartier ethnique le mieux connu de Toronto est le **Chinatown**. Il existe en fait sept quartiers chinois dans l'agglomération de Toronto, mais le plus fascinant et le plus animé est sans doute celui que délimitent les rues University, Spadina, Queen et College. Le jour, les trottoirs s'encombrent de légumes frais autour de l'intersection de Spadina Street et de Dundas Street, au cœur même du quartier, tandis que, le soir venu, les brillantes lumières jaunes et rouges qui scintillent un peu partout font penser à Hong Kong. Le pittoresque **Kensington Market** voisin est par ailleurs souvent associé au quartier chinois, et ses étalages de vêtements anciens, de même que ses épiceries européennes, antillaises, moyen-orientales et asiatiques, valent incontestablement un coup d'œil.

Les Italiens représentent le plus important groupe ethnique de la ville, et leur chez-soi dans l'âme est la Petite Italie (**Little Italy**) sur College Street, près de Bathurst Street, là où les trattorias et les boutiques colorées confèrent un air méditerranéen à cette métropole canadienne. Le quartier s'étend jusqu'au **Corso Italia**, sur St. Clair Avenue, à l'ouest de Bathurst Street. Ce riche mélange de commerces traditionnels et de boutiques italiennes tout ce qu'il y a de plus design est l'endroit rêvé pour siroter un vrai cappuccino ou un *gelato* italien.

Greektown porte aussi le nom de *The Danforth*, soit le nom de l'artère qui le parcourt. La désignation de *Greektown* (quartier grec) n'est peut-être d'ailleurs pas tout à fait appropriée, car on trouve aussi bien ici des Italiens que des Grecs, des Indiens de l'Inde, des Latino-Américains et des Chinois. Les Grecs continuent toutefois de dominer la scène de la restauration, si bien que le Greektown constitue une véritable expérience culinaire avec ses marchés de fruits ouverts tard le soir, ses épiceries fines, ses tavernes et ses cafés-terrasses.

Entre le Lakeshore et Dundas Street West, l'avenue Roncesvalles devient la Petite Pologne (**Little Poland**), un agréable quartier parsemé d'arbres majestueux et d'imposantes maisons victoriennes. Profitez-en pour voir un film est-européen ou pour déguster les traditionnelles roulades de chou farcies et pirojkis maison dans un des nombreux cafés du quartier.

Les légendaires azulejos (carreaux de céramique) et un verre de porto vous transporteront au Portugal lorsque vous visiterez le secteur délimité par Dundas Street West, Ossington Avenue, Augusta Avenue et College Street, un quartier connu sous le nom de **Portugal Village**. Les boulangeries d'ici vendent des pains parmi les meilleurs en ville, mais il ne faut pas non plus oublier les fromageries, les poissonneries et les boutiques de crochet et de dentelle qui surgissent de toutes parts.

La Petite Inde (**Little India**) réunit des boutiques d'épices, des magasins de vêtements, des restaurants et des cinémas sur Gerrard Street, à l'est de Greenwood Avenue. Ces établissements sont fréquentés par la communauté indienne de Toronto, qui vit maintenant aux quatre coins de la ville.

Le quartier qui s'étend autour de Bathurst Street, au nord de Bloor Street, est le district commercial de la communauté antillaise (**Caribbean Community**). De merveilleuses boutiques d'alimentation y proposent toutes sortes de délices des îles, y compris des bouchées salées (*savoury patty*, ou chausson feuilleté farci de viande épicée) et du *roti* (galette garnie de viande, de poisson ou de légumes).

Toronto possède la plus vaste population de gays et lesbiennes de tout le Canada et s'avère incroyablement accueillante, compte tenu de la réputation dure et froide qu'on lui attribue parfois. Le **Gay Village** se concentre autour de l'intersection des rues Church et Wellesley. Un autre rendez-vous populaire est celui de Hanlan's Point, sur les îles de Toronto.

Les deux quartiers les plus riches et les plus huppés de Toronto se trouvent immédiatement au nord du centre-ville. **Rosedale** est délimité par Yonge Street à l'ouest, l'autoroute de la Don Valley à l'est, Bloor Street au sud et St. Clair Avenue au nord. Au nord de St. Clair Avenue débute le chic quartier de Forest Hill, qui s'étend au nord jusqu'à Eglinton, à l'est jusqu'à Avenue Road et à l'ouest jusqu'à Bathurst Street.

Rosedale était à l'origine le domaine du shérif William Jarvis, et ce nom lui fut donné par son épouse Mary en raison des roses sauvages qui y poussaient en abondance à l'époque. Les roses sauvages et la maison qui dominait le ravin ne sont plus, puisqu'elles sont aujourd'hui remplacées par une série de rues en lacets bordées d'exquises demeures rendant hommage à une variété intéressante de styles architecturaux. On tenait autrefois Rosedale pour trop éloignée de la ville, mais son ravin naturel fait aujourd'hui partie de ses plus grands atouts. Certaines des plus belles résidences se trouvent sur South Drive, Meredith Crescent, Crescent Road, Chestnut Park Road, Elm Avenue et Maple Avenue.

L'ancien village de **Forest Hill** a été annexé à la ville de Toronto en 1968. Sans doute pour lui permettre de rester fidèle à son nom, l'un des premiers règlements du village, promulgué dans les années vingt, stipulait qu'un arbre devait être planté sur chaque parcelle de terrain. Ce havre de verdure accueille certaines des résidences les plus prestigieuses de la ville, plusieurs d'entre elles pouvant être contemplées sur Old Forest Hill Road. Cette communauté est en outre le siège d'une des écoles privées les plus réputées du pays, l'Upper Canada College, où ont étudié des sommités tels que les écrivains Stephen Leacock et Robertson Davies.

Cabbagetown fut à une certaine époque décrit comme le «plus grand quartier pauvre anglo-saxon», un secteur à éviter pendant de nombreuses années. Il s'est toutefois transformé depuis ces derniers temps et incarne aujourd'hui le summum de l'embourgeoisement torontois. Son nom lui vient des immigrants écossais qui s'y installèrent au milieu du XIXe siècle et qui cultivaient le chou directement devant leur maison. La partie résidentielle de Cabbagetown rayonne autour de Parliament Street (son artère commerciale) et s'étend jusqu'à la Don Valley à l'est, puis du nord au sud entre les rues Gerrard et Bloor. Vous y verrez de beaux grands arbres et de pittoresques maisonnettes victoriennes dont plusieurs portent des plaques commémoratives. Les rues Winchester, Carlton, Spruce et Metcalfe sont, quant à elles, flanquées de véritables perles.

Au nord et à l'ouest de l'intersection de Bloor Street et d'Avenue Road, soit jusqu'aux rues Dupont et Bathurst, s'étend un quartier qui a été annexé à la ville de Toronto en 1887 et qui porte d'ailleurs fort à propos le nom de **The Annex**. Comme il s'agissait d'une banlieue au développement planifié, il y règne une certaine homogénéité architecturale, à tel point que même ses distingués pignons, tourelles et corniches s'alignent tous à distance égale de la rue. Promenez-vous sur Huron Street, Lowther Avenue et Madison Avenue pour bien vous imprégner du caractère architectural propre à The Annex, que ses résidants cherchent en outre à préserver par tous les moyens depuis longtemps déjà. Exception faite de quelques tours d'habitation horribles sur St. George Street, il faut d'ailleurs reconnaître que leurs efforts ont été plutôt fructueux.

Les Canadiens sont connus pour leur retenue, leur modestie, leur discrétion. Il fallait tout de même une exception à cela, et c'est la **Casa Loma** ★★ *(9$; tlj 9h30 à 16h; 1 Austin Terrace, ☎923-1171)*, cet immense «château» écossais de 98 pièces construit en 1914 pour l'excentrique colonel Sir Henry Mill Pellatt (1859-1939), qui s'est enrichi en investissant dans les compagnies d'électricité et de transport. Pellatt possédait entre autres les tramways de São Paulo, au Brésil! Sa demeure palatiale, dessinée par l'architecte du vieil hôtel de ville de Toronto, E.J. Lennox, comprend un vaste hall doté d'un orgue à tuyaux et pouvant accueillir plus de 500 invités, une bibliothèque de 100 000 volumes et un cellier en souterrain. Au cours de la visite autoguidée, on repérera plusieurs passages secrets et pièces à la dérobée. Du sommet des tours, on y a de belles vues sur le centre de Toronto.

À l'est de la Casa Loma, au sommet de la colline Davenport, accessible par les Baldwin Steps (escalier Baldwin), se trouve **Spadina** ★ *(5$; juin à déc, mar-ven 9h30 à 17h, sam-dim 12h à 17h; jan à mai, mar-ven 9h30 à 16h, sam-dim 12h à 17h; 285 Spadina Road, ☎392-6910)*, une autre «maison-musée» de la haute société torontoise, moins vaste que la Casa Loma mais sûrement plus enrichissante pour qui veut s'imprégner de l'ambiance de la Belle Époque au Canada. Construite en 1866 pour James Austin, premier président de la banque Toronto Dominion, elle comprend notamment un solarium à la végétation luxuriante et un charmant jardin victorien, en fleurs de mai à septembre. La demeure, maintes fois modifiée, présente de curieuses avancées vitrées qui permettaient à ses propriétaires de jouir de vues panoramiques sur les environs, que les Amérindiens auraient baptisé il y a longtemps *Espadinong*, déformé par les Anglais en *Spadina*. Les guides du Toronto Historical Board offrent des visites du domaine depuis le départ en 1982 du dernier membre de la famille Austin.

Le dernier quartier, mais non le moindre, est celui des plages, **The Beaches** (Toronto a vraiment tout pour plaire!). Il s'agit sans doute là du plus charmant de tous les quartiers de la ville, et pour des raisons évidentes : le soleil, le sable, une promenade au bord de l'eau, des cottages classiques revêtus de clins de bois et coiffés de bardeaux, sans oublier le vaste lac Ontario, vous attendent à distance de tramway du centre-ville enfiévré. Délimité par Kingston Road, la piste de course de Greenwood, Victoria Park Avenue et le lac Ontario, The Beaches est plus qu'un simple quartier; c'est un mode de vie en soi. Les voyageurs fatigués apprécieront de pouvoir prendre un bain de soleil dans le sable chaud, faire trempette dans les eaux rafraîchissantes du lac et, au coucher du soleil, faire du lèche-vitrine ou s'attabler sur une jolie terrasse.

Autres attraits

Ontario Science Centre ★★★ *(10$; tlj 10h à 17h; 770 Don Mills Road, ☎429-4100, www.osc.on.ca).* Depuis son ouverture le 27 septembre 1969, il a attiré plus de 30 millions de personnes. Conçu par l'architecte Raymond Moriyama, il abrite 650 différentes expositions. Ce qui est particulier au centre, et ce qui le rend par la même occasion si intéressant, ce sont les différentes démonstrations et expériences auxquelles vous pouvez vous prêter afin de mieux comprendre comment fonctionne notre univers. L'ajout récemment du cinéma OMNIMAX, qui constitue une version améliorée du cinéma IMAX, peut recevoir 320 personnes sous un énorme dôme de 24 m de diamètre doté d'un système sonore haute-fidélité.

Pour une balade dépaysante à souhait au cœur de Toronto, il faut se rendre au **Jardin zoologique de Toronto** ★★ *(12$; suivez l'autoroute 401 jusqu'à la sortie 389, puis prenez Meadowvale Drive, ☎392-5900)*, où vous pourrez observer quelque 4 000 animaux tout en profitant d'un magnifique parc de près de 300 ha. Vous aurez la chance d'y voir des animaux de tous les coins du globe. La visite du pavillon d'Afrique se révélera particulièrement intéressante, car il s'agit d'une grande serre dans laquelle le climat et la végétation ont été recréés.

Premier du genre au pays, le **Paramount Canada's Wonderland** ★★ *(passeport tout compris : 7 à 59 ans 39.99$; simple accès au site 19,95$; mai sept et oct, sam-dim 10h à 20h; juin à la fête du Travail, tlj 10h à 22h; 9580 Jane Street, Vaughan, ☎905-832-7000; à 30 min du centre-ville, sortie Rutherford de l'autoroute 400, suivez les indications; du métro Yorkdale ou York Mills, prenez l'autobus express spécialement marqué GO)* est l'endroit tout indiqué si vous disposez d'une journée libre et désirez faire plaisir à vos enfants. Parmi les manèges à vous mettre sens dessus dessous, retenons le Vortex, soit les seules montagnes russes suspendues au Canada, et le célèbre Days of Thunder, qui vous met au volant d'un stock-car le temps d'une course simulée. Vous trouverez également ici un parc aquatique, le Splash Works, qui compte 16 manèges et toboggans, sans oublier les spectacles du nouveau Kingswood Theatre *(☎905-832-8131)*. Les restaurants aménagés sur les lieux ne feront peut-être pas votre bonheur, de sorte que vous feriez bien de songer à emporter vos provisions.

Paisible hameau à la limite de la grande banlieue de Toronto, Kleinberg attire essentiellement les visiteurs en raison du **musée McMichael** ★★★ *(7$; mi-oct à mai, mar-dim 10h à 16h; mai à mi-oct, tlj 10h à 17h; 10365 Islington Ave, Kleinburg, ☎893-1121)*, qui renferme l'une des plus belles collections d'art canadien et autochtone au Canada. Une superbe maison en rondins et en pierre, construite autour des années cinquante pour les McMichael, abrite le musée. Grands amateurs d'art, ils commencèrent à collectionner des toiles de grands maîtres canadiens, aujourd'hui le cœur de la collection du musée. Les galeries, vastes et claires, présentent une fort belle rétrospective des œuvres de Tom Thomson ainsi que du Groupe des Sept. La visite, essentiellement contemplative, vous donnera l'occasion d'admirer quelques-uns des plus beaux tableaux de ces peintres qui se sont efforcés de reproduire et d'interpréter à leur façon la nature ontarienne. Une place est également faite aux œuvres d'artistes inuits et autochtones, notamment au peintre d'origine ojibway Norval Morrisseau, qui a su créer son propre style dit «pictographique».

Parcs

Le **High Park** *(pour information en français, ☎392-7306)*, situé dans l'ouest de la ville et délimité par Bloor Street au nord, The Queensway au sud, Parkside Drive à l'est et Ellis Avenue à l'ouest, s'impose comme le Central Park de Toronto. Vous pouvez aussi bien vous y rendre en métro (stations Keele ou High Park) qu'en tramway (College ou Queen). Ce parc, le plus vaste de la métropole, offre des courts de tennis, des terrains de jeu, des pistes cyclables et des sentiers pédestres; vous pouvez aussi y pratiquer le patin ou la pêche sur le Grenadier Pond; sa flore cache même des espèces rares, et sa faune se compose d'espèces indigènes de la région, sans parler des enclos de bisons, de lamas et de moutons; on l'a doté d'une piscine et d'une plage sur le lac Ontario, et c'est enfin ici que vous pourrez voir l'historique Colborne Lodge de même que le Howard Tomb and Monument. L'événement «Shakespeare Under the Stars» (Shakespeare sous les étoiles) fait partie des grandes attractions des lieux au cours de la saison estivale *(pour information, ☎392-1111)*.

Le **Scarborough Heights Park** et le **Cathedral Bluffs Park** offrent des vues à couper le souffle sur le lac Ontario du haut de falaises panoramiques, tandis que le **Bluffer's Park** dispose de belles plages spacieuses ainsi que d'aires de pique-nique.

Le **Toronto Islands Park** ★★★ *(toute l'année; information générale auprès de Metro Parks, ☎392-8186; traversier aller-retour 4$; horaire de mai à sept : premier départ de la ville à 8h, puis toutes les 30 min ou aux 15 min aux heures de pointe, dernier départ de Hanlan's Point à 21h30, de Centre Island à 23h45 et de Ward's Island à 23h30; pour connaître l'horaire pendant les autres périodes de l'année, composez le ☎392-8193)* regroupe 17 îles connues sous le nom d'**îles de Toronto** à 8 min de bateau du port de Toronto. Les traversiers, qui partent tous du Mainland Ferry Terminal, au pied de Bay Street, desservent les trois îles les plus importantes, soit Hanlan's Point, Centre Island et Ward's Island; les autres îles se trouvent reliées par des ponts et parsemées de résidences privées et de clubs de yachting, sans oublier un petit aéroport. On vous laisse monter avec votre bicyclette à bord de tous les traversiers, sauf à l'occasion en ce qui concerne celui de Center Island, qui peut devenir passablement bondé les fins de semaine. Vous pouvez en outre louer une bicyclette à Hanlan's Point ou au quai d'embarquement, tandis que vous trouverez des canots, des chaloupes et des pédalos autour du Long Pond, à l'est du pont Manitou.

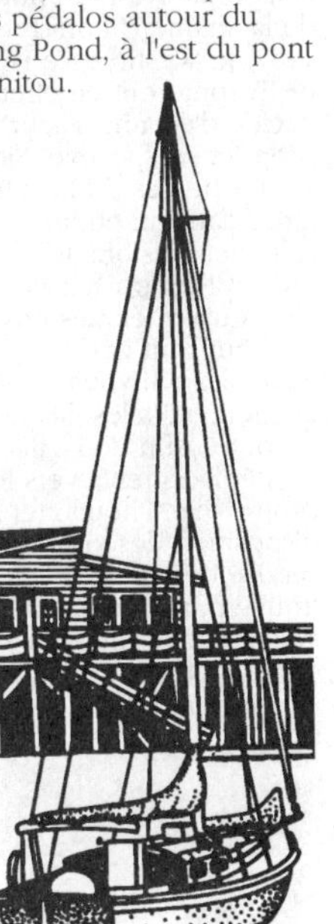

Activités de plein air

Vélo

La **Martin Goodman Trail**, un sentier de jogging doublé d'une piste cyclable de 22 km, longe la rive du lac Ontario depuis l'embouchure de la rivière Humber, à l'ouest du centre-ville, jusqu'au Balmy Beach Club des Beaches, en passant par l'Ontario Place et le Queen's Quay. Composez le ☎367-2000 pour obtenir un plan de la piste.

Toronto Islands Bicycle Rental
5$ l'heure
Centre Island
☎203-0009

Patin à glace

Plusieurs sites enchanteurs se prêtent à la pratique du patin à glace à l'intérieur des limites de la ville. Il s'agit entre autres de la patinoire qui se trouve en face du nouvel hôtel de ville, du Grenadier Pond du High Park et du York Quay de Harbourfront. Pour de plus amples renseignements sur les patinoires municipales, composez le ☎392-1111.

Golf

Pour un parcours difficile, faites un saut à Oakville, où se trouve le **Glen Abbey Golf Club** *(droits de jeu et voiturette 145$, prix réduit à 85$ hors saison et les fins de semaine après 14h; ☎905-844-1800).* Ce parcours spectaculaire est la première création de Jack Nicklaus. Les tarifs sont élevés, mais quel plaisir de jouer là où les professionnels mesurent leur talent. C'est ici que se tient l'Omnium canadien.

Hébergement

Le Waterfront

SkyDome Hotel
179-529
≡, ℜ, ≈, ♿, 🐕, ⊙, △, *tv*
1 Blue Jays Way, M5V 1J4
☎341-7100
☎800-228-9290
⇌341-5090 ou ***341-5091***
Le Skydome Hotel, qui compte 346 chambres bénéficiant d'une vue panoramique, propose aussi à sa clientèle 70 chambres donnant sur l'intérieur du stade. Ces dernières se louent plus cher, mais quelle vue! Vous profiterez également d'un choix de restaurants et d'un bar-salon qui offre aussi une vue sur le terrain de jeu. Les chambres, décorées dans un style moderne, se révèlent très confortables. Valet et services aux chambres sont disponibles jour et nuit.

Radisson Plaza Hotel Admiral
279$
≡, ♿, ⊛, ≈
249 Queen's Quay W., M5J 2N5
☎364-5444
☎800-333-3333
⇌364-2975
Si vous aimez la mer, vous vous sentirez chez vous au Radisson Plaza Hotel Admiral. Toute la décoration de ce charmant hôtel a une connotation maritime, si bien que les chambres elles-mêmes donnent l'impression que l'on se trouve à bord d'un bateau de croisière. La vue sur la baie que vous offre la piscine du cinquième étage est tout à fait magnifique. Une navette fait régulièrement la liaison entre l'hôtel et le centre-ville.

Westin Harbour Castle
290$
≡, ≈, ℜ, ⊙, △, 🐕, ♿, *tv*
1 Harbour Square, M5J 1A6
☎869-1600
☎800-228-3000
⇌869-0573
Le Westin Harbour Castle était auparavant un hôtel de la chaîne Hilton. En 1987, le Westin et le Hilton de Toronto ont en effet décidé d'échanger leur propriété respective. Situé sur les berges du lac Ontario, dans un endroit calme et paisible, le Westin Harbour Castle n'est qu'à quelques pas du Harbourfront et du traversier qui vous emmène vers les îles de Toronto. Afin de faciliter les déplacements vers le centre-ville, l'hôtel met à la disposition des visiteurs un service de navette et se trouve par ailleurs relié au système de transports en commun de la métropole par le LRT (Light Rail Transit).

Le quartier des affaires et du spectacle

Strathcona Hotel
129$
≡
60 York St., M5J 1S8
☎363-3321 ou 800-268-8304
⇌363-4679
Pour profiter d'un hôtel plaisant, situé en plein centre-ville, à deux pas du Royal York Hotel et à quelques minutes de marche du Waterfront, allez au Strathcona Hotel.

Front Street et le quartier St. Lawrence

Royal York
159-299
≡, ℜ, ≈, ⊙, △, *tv*
100 Front Street W., M5J 1E3
☎863-6333
☎800-828-7447
☎800-441-1414
⇌368-2884
Avec ses chambres maintenant rénovées, ses 34 salles pour banquets toutes décorées différemment et ses quelque 10 restaurants, on comprendra que le Royal York soit l'un des hôtels les plus fréquentés de Toronto. À votre arrivée, vous serez accueilli dans un hall impressionnant, au somptueux décor, qui donne une bonne idée de l'élégance des chambres.

Novotel
260$
≡, ⊛, ℜ, ⊙, △, *tv*
45 The Esplanade, M5E 1W2
☎367-8900
☎800-668-6835
⇌360-8285
L'hôtel de la chaîne française Novotel bénéficie d'un emplacement des plus agréables, à quelques minutes à peine du Harbourfront, des salles St. Lawrence et O'Keefe et

de la station Union. Il n'y a rien à redire sur le confort de cet hôtel, sauf peut-être pour les chambres donnant sur l'esplanade, car, en été, leur tranquillité est troublée en raison des bars-terrasses qui l'avoisinent.

Royal Meridien King Edward Hotel
290$
≡, ℜ, ♿, 🐕, ⊙, *tv*
37 King Street E., M5C 1E9
☎863-9700
☎800-225-5843
⇄367-5515
Construit en 1903, en faisant le plus vieil hôtel de la cité, le Royal Meridien King Edward Hotel fait partie encore aujourd'hui des plus beaux hôtels de Toronto. Fort élégant, il renferme des chambres ayant leur caractère propre, mais n'offrant malheureusement pas une vue des plus jolies. Cet inconvénient est cependant largement compensé par le magnifique hall d'entrée et les deux grandes salles de bal. Une navette pour l'aéroport y passe régulièrement.

Queen Street West et le quartier chinois

Bond Place Hotel
95$
≡, ℜ, *tv*
65 Dundas Street E., M5B 2G8
☎362-6061 ou ***800-268-9390***
⇄360-6406
Le Bond Place Hotel est sans doute l'hôtel le mieux situé si vous voulez vivre au rythme de la ville et vous mêler à la foule bigarrée qui fourmille à l'angle de Dundas Street et de Yonge Street.

Toronto Marriot Eaton Centre
179$
≡, ≈, ℜ, ♿, ⊛, ⌂, ⊙, *tv*
525 Bay Street, M5G 2L2
☎597-9200
☎800-905-0667
⇄598-9211
Si vous aimez tout avoir sous un même toit, le tout nouveau Toronto Marriot Eaton Centre a tout pour vous plaire. Relié au fameux Eaton Centre, La Mecque du magasinage et l'un des attraits majeurs de la ville, l'hôtel Marriot met à votre disposition de très grandes chambres tout équipées (il y a même une planche et un fer à repasser). Si vous désirez vous détendre, vous trouverez deux salons au rez-de-chaussée, dont un comptant de nombreuses tables de billard et télévisions.

Queen's Park et ses environs

Hostelling International
26,50$
ℂ, *tv*, ℜ
76 Church Street, M5B 1Y7
☎971-4440
☎800-668-4487
⇄971-4088
Le Hostelling International, ouvert jour et nuit, propose 175 lits dans des chambres semi-privées ou des dortoirs, et ce, à prix très abordable. Vous y trouverez aussi un salon avec télévision, une laverie, une cuisine et un restaurant avec table de billard et jeu de fléchettes, de même qu'une petite terrasse.

Bloor Street et Yorkville Avenue

Hotel Inter-Continental Toronto
375$
≡, ≈, ♿, ℜ, ⊙, ⌂, *tv*
220 Bloor Street W., M5S 1T8
☎960-5200
☎800-267-0010
⇄920-8269
À deux pas du Royal Ontario Museum (voir p 431) et de Yorkville Avenue, vous serez séduit par l'Hotel Inter-Continental Toronto, dont les chambres sont vastes et décorées avec goût, et dont le service est exemplaire.

Four Seasons Hotel Toronto
385$
≡, ⊛, ≈, ℜ, ♿, ⊙, *tv*
21 Avenue Road, M5R 2G1
☎964-0411
☎800-268-6282
⇄964-2301
Si vous êtes à la recherche d'un hôtel de grand luxe, le Four Seasons Hotel Toronto, l'un des hôtels les plus cotés d'Amérique du Nord, est sans nul doute un incontournable. L'endroit est d'ailleurs fidèle à sa réputation, le service y étant impeccable et les chambres présentant un fort beau décor. En outre, il abrite une somptueuse salle de bal garnie de tapis persans et de chandeliers en cristal. Enfin, même le restaurant de l'hôtel, le Truffle, avec à l'entrée les sculptures d'Uffizi représentant deux sangliers sauvages, saura vous combler, car il s'agit vraisemblablement d'une des meilleures tables du tout Toronto.

The Annex

Global Guest House
62$bc, 72$bp
non-fumeurs, ≡
9 Spadina Road, M5R 2S9
☎923-4004
⇌923-1208
singer@inforamp.net
La Global Guest House s'impose comme une option fort prisée, peu coûteuse et respectueuse de l'environnement, sans compter qu'elle est merveilleusement bien située, tout juste au nord de la rue Bloor. Ses neuf chambres irréprochables présentent un décor simple.

Lowther House
75$bc pdj
100$ bp pdj
tv, ≡
72 Lowther Avenue, M5R 1C8
☎323-1589
☎800-265-4158
⇌962-7005
La Lowther House est une charmante résidence victorienne magnifiquement restaurée et située en plein cœur de The Annex, à quelques minutes seulement de plusieurs des attraits les plus intéressants de la ville. Bassin à remous, solarium, foyer, baignoire sur pattes zoomorphes et délicieuses gaufres belges ne sont que quelques-unes des agréables surprises qui vous attendent dans cet établissement où vous vous sentirez comme chez vous.

Près de l'aéroport

Sheraton Gateway at Terminal Three
190$
≡, ♿, ⊛, ℜ, ⊘, *tv*
Toronto AMF, P.O. Box 3000
L5P 1C4
☎905-672-7000
☎800-565-0010
⇌672-7100
L'hôtel Sheraton Gateway at Terminal Three, relié directement à l'aérogare n° 3, est sans aucun doute le mieux situé pour les voyageurs en transit. Il compte 474 chambres joliment décorées et entièrement insonorisées avec vue panoramique sur l'aéroport ou sur la ville.

Best Western Carlton Place Hotel
99$- 245$
≡, ⊛, ♿, ≈, ℜ, △, *tv*
33 Carlson Court, M9W 6H5
☎675-1234
☎800-528-1234
⇌675-3436
Si vous cherchez à vous loger à proximité de l'aéroport, le Best Western Carlton Place Hotel dispose de chambres correctes et confortables à prix raisonnable.

Restaurants

Le Waterfront

Wayne Gretzky's
$$
99 Blue Jays Way
☎979-PUCK
Le Wayne Gretzky's constitue le restaurant sportif par excellence avec son décor chargé de chandails, de trophées et de patins ayant appartenu à l'un des plus grands joueurs de hockey. Le restaurant ne sert que des hamburgers goûtés et approuvés par Wayne lui-même et propose une bonne sélection de pâtes ainsi que le menu traditionnel d'un pub.

360 Revolving
$$$$
CN Tower, 301 Front Street
☎362-5411
Imaginez de prendre votre repas tout en ayant Toronto à vos pieds... C'est ce qui vous attend au sommet de la tour du CN, au restaurant 360 Revolving, qui, outre une bonne cuisine, propose une des plus belles vues sur la ville.

Le quartier des affaires et du spectacle

La Fenice
$$
319 King Street W.
☎585-2377
La Fenice vous invite à déguster de délicieux plats italiens, préparés à partir d'ingrédients toujours frais, et à profiter d'une atmosphère chaleureuse à souhait; vous savourerez votre repas en vous laissant bercer au son de la musique classique.

Mövenpick Market
$$-$$$
à l'intérieur de la BCE Place
☎366-8986
Au Mövenpick Market, vous aurez à choisir parmi une foule de comptoirs proposant des plats de qualité, tous plus alléchants les uns que les autres. Après être parvenu à faire votre choix parmi cette variété de plats, vous aurez un autre problème à résoudre : où vous trouver une table, car l'endroit est très fréquenté.

Acqua
$$$
10 Front Street W., BCE Place
☎368-7171
Chez Acqua, comme le laisse sous-entendre son nom, tout le décor intérieur tourne autour du thème de l'eau. Tout en contemplant le beau décor quelque peu inusité de ce restaurant très à la mode, vous dégusterez de succulents plats issus des traditions culinaires méditerranéennes et californiennes.

Front Street et le quartier St. Lawrence

C'est What
$$
67 Front Street E.
☎867-9499
C'est What propose un merveilleux mélange de cuisines. On peut y aller jusqu'à tard dans la nuit, ou encore avant ou après le théâtre. D'excitantes salades ainsi que des sandwichs innovateurs sont au menu. L'ambiance ressemble beaucoup à celle d'un pub avec ses chaises confortables, ses jeux de société et sa musique d'ambiance.

Le Papillon
$$-$$$
16 Church Street
☎363-0838
Au restaurant Le Papillon, vous serez comblé, car le menu affiche une alléchante variété de plats combinant les délices des cuisines française et québécoise; les crêpes sont particulièrement réussies.

Cafe Victoria
$$$-$$$$
The King Edward Hotel
37 King Street E.
☎863-4125
Le Cafe Victoria, avec son décor classique et ses tables intimes équitablement distribuées à l'intérieur de la vaste salle à manger, vous enchantera à coup sûr. Votre repas, un véritable festin que vous terminerez par un non moins savoureux dessert, sera mémorable.

Senator
$$$$
fermé lun
249 Victoria Street
☎364-7517
Le Senator a survécu à la récente multiplication des restaurants torontois, sans doute parce qu'il sert encore un des meilleurs steaks en ville. Décor chic et raffiné.

Queen Street West et le quartier chinois

Future Bakery
$
739 Queen Street W.
☎504-8700
La Future Bakery est un énorme café rempli d'un délicieux arôme de pain frais et de café fraîchement moulu. Certains s'y arrêtent pour choisir quelques viandes froides en vue d'un pique-nique; d'autres y vont pour un délicieux gâteau ou une tarte; d'autres encore s'y offrent un copieux repas de *varenyky*, des cigares au chou ou tout simplement un savoureux café accompagné d'une bonne lecture.

Swatow
$
309 Spadina Avenue
☎977-0601
Le Swatow, un petit restaurant sans prétention, propose un menu varié capable de satisfaire tous les appétits. Malgré toute sa simplicité, rien ne peut se comparer à l'authenticité de la délicieuse cuisine cantonaise, servie rapidement, tout comme en Chine.

La Hacienda
$-$$
640 Queen Street W.
☎703-3377
Le mignon restaurant La Hacienda, au décor rétro qui rappelle les années soixante, propose un menu où figurent surtout des plats mexicains, dont plusieurs feront le plaisir des gourmets végétariens.

Bamboo
$$
312 Queen Street W.
☎593-5771
Queen Street West est l'une des rues les plus animées de Toronto une fois la nuit tombée, et le resto Bamboo en est sans doute l'élément le plus coloré. Pour accéder aux salles à manger, vous devrez vous engager dans un étroit passage reliant le «temple» à la rue. Vous aurez alors le choix entre la terrasse extérieure, aménagée sur deux niveaux, ou l'une des deux salles intérieures. Ce restaurant unique en son genre, où la cuisine prend tour à tour des arômes caribéens, malais, thaïlandais et indonésiens, présente également des spectacles. Ainsi, vous pourrez déguster des spécialités, tel le *satay* (brochettes de poulet sauce aux arachides), avant de vous élancer sur la piste de danse et de vous déhancher sur des airs endiablés de reggae ou de salsa.

Left Bank
$$
567 Queen Street W.
☎504-1626
Décor caverneux et austère, présentation exquise, attitude de mise, éclairage d'ambiance et interprétation intéressante de la cuisine du Sud-Ouest

américain, voilà qui résume assez bien l'expérience culinaire qui vous attend au Left Bank.

Margaritas
$$
14 Baldwin Street
☎977-5525
Quel dépaysement que le Margaritas! Avec sa musique latine entraînante, ses plats savoureux, comme les *nachos*, les meilleurs de Toronto, et son délicieux *guacamole*, c'est véritablement le Mexique en plein cœur de Toronto. Vous y passerez à coup sûr une excellente soirée, plaisante à souhait, et vous vous sentirez loin de la ville et de sa grisaille.

The Tempest
$$-$$$
468 College Street W.
☎944-2440
Une trentaine de personnes à peine peuvent prendre place dans la toute petite salle à manger du The Tempest, au décor quelque peu surprenant. Vous y passerez un excellent moment, mais pourrez déplorer le service parfois un peu lent. Fort heureusement, les desserts, particulièrement le gâteau au fromage, récompenseront grandement votre patience.

Peter Pan
$$$
373 Queen Street W.
☎593-0917
Le Peter Pan offre un très beau décor qui rappelle les années trente. Plus encore, on y propose une cuisine imaginative et délicieuse : pâtes, pizzas et poissons prennent ici des allures inédites. Le service est même distingué.

The Annex

Kensington Kitchen
$$$
124 Harbord Street
☎961-3404
À la Kensington Kitchen, vous dégusterez quelques plats issus de la cuisine méditerranéenne, confortablement assis dans une jolie salle à manger au décor Nouvel Âge. Il s'agit d'une bonne adresse à retenir pour les belles journées d'été, car vous pourrez savourer ces spécialités à la terrasse aménagée sur le toit.

Paradis
$$$
166 Bedford Road
☎921-0995
Le Paradis, un petit bistro, propose une cuisine française authentique à des prix tout à fait abordables. Le décor est simple, et le service réservé, mais sa délicieuse cuisine, comme en témoigne sa clientèle dévouée, en fait un restaurant à ne pas manquer.

Queen's Park et ses environs

Kalendar's Coffee House
$
546 College Street
☎923-4138
Le décor décontracté du Kalendar's Coffee House se prête fort bien à un tête-à-tête intime autour d'un café et d'une pâtisserie, à moins que ce ne soit un déjeuner léger. Le menu affiche tout un assortiment de sandwichs intéressants et de plats sans façon.

College Street Bar
$$
574 College Street
☎533-2417
Le chaleureux College Street Bar s'enorgueillit d'une savoureux menu méditerranéen et d'une atmosphère animée. Cet établissement branché est fréquenté par une clientèle jeune, et nombreux sont ceux et celles qui y font un saut simplement pour prendre un verre et s'imprégner de l'ambiance.

Barberian's
$$$$
7 Elm Street
☎597-0225
Il n'y a rien de tel qu'un bon steak de surlonge grillé et tendre à souhait, comme on en prépare si bien au Barberian's. Le steak occupe d'ailleurs une place de choix au menu, qui pourra paraître peu étoffé aux yeux des personnes souhaitant s'offrir autres choses. Il est préférable de réserver à l'avance.

Bloor Street et Yorkville Avenue

Flo's Diner
$
10 Bellair Street
☎961-4333
Dans le quartier Yorkville, en face du chic magasin Harry Rosen, vous aurez la surprise de découvrir un *diner* dans la plus pure tradition : Flo's Diner. Comme tous les établissements de ce genre, il s'agit d'une bonne adresse pour les hamburgers. À noter qu'en été, on peut s'installer sur la terrasse aménagée sur le toit.

Jacques l'Omelette
$$-$$$
126 A Cumberland Avenue
☎961-1893
Il faut vraiment se donner la peine de trouver le restaurant Jacques l'Omelette, aussi appelé **Jacques Bistro du Parc.** Ce tout petit endroit au charme indubitable est situé à l'étage d'une belle maison de Yorkville. Français jusqu'au bout des doigts, le propriétaire est des plus sympathiques. Il propose une cuisine simple mais de qualité. Le saumon frais de l'Atlantique et la salade d'épinards font partie des bonnes surprises que réserve le menu.

Bistro 990
$$$$
990 Bay Street
☎921-9990
Le Bistro 990 fait sûrement partie des meilleures adresses de Toronto. On y propose, dans un décor méditerranéen, une délicieuse nouvelle cuisine où les préparations d'agneau, de saumon et de canard se distinguent tout particulièrement.

L'est de Toronto

Whitlock's
$$
1961 Queen Street E.
☎691-8784
Le Whitlock's est une tradition depuis longtemps à la plage. Situé dans un vieil édifice, ce charmant petit restaurant baigne dans une atmosphère sans prétention.

Sorties

Bars et discothèques

The Big Bop
650 Queen Street W.
The Big Bop s'emplit chaque fin de semaine d'une jeune clientèle (il peut accueillir jusqu'à 800 personnes!) qui se laisse aller sur de bonnes vieilles mélodies au rez-de-chaussée ou qui s'ébattent au son du rock et de la house music à l'étage. Le décor se veut à tout le moins éclectique. Un lieu de drague par excellence pour les 19-25 ans.

Whiskey Saigon
250 Richmond Street W.
Le Whiskey Saigon fait partie des hauts lieux de la danse à Toronto. Rétro, rap, reggae et rock y ont tous leur place.

Brunswick House
481 Bloor Street W.
Le rendez-vous favori de la gent estudiantine est la Brunswick House. De grands écrans de télévision, un jeu de palets, des tables de billard, de la bière à profusion et un personnage coloré du nom de «Rockin' Irene» sont ici les pièces de résistance. À l'étage, le jazz et le blues tissent une atmosphère plus suave à l'**Albert's Hall**.

Bars gays

Woody's
467 Church Street
Au cœur du village gay, Woody's est fréquenté par une clientèle exclusivement masculine qui s'y rend pour profiter d'une atmosphère sans prétention et amicale.

Boots/Kurbash
592 Shelbourne Street
Le Boots/Kurbash attire un public mixte venu se trémousser sur des airs endiablés. Les soirées thématiques, parfois intriguantes, comme les nuits fétichistes, sont particulièrement populaires.

Activités culturelles

Salles de concerts et théâtres

Roy Thompson Hall
60 Simcoe Street
☎593-4828
C'est dans cette salle à l'acoustique exceptionnelle que vous pourrez assister aux concerts du Toronto Symphony et du Toronto Mendelssohn Choir.

Vous pourrez également assister à des concerts et des représentations théâtrales dans les salles suivantes :

Royal Alexandra
360 King Street W.
☎872-3333

Princess of Wales Theatre
300 King Street W.
☎872-1212

Pantages Theatre
263 Yonge Street
☎872-3333
On y présente la méga-production *The Phantom of the Opera*.

Théâtre Français de Toronto
231 Queen's Quay W.
☎534-6604

Hummingbird Centre
1 Front Street E.
☎872-2262

Canadian Opera Company
Front Street
☎363-8231 ou 393-7469

Les billets pour assister à ces représentations sont en vente chez :

Ticketmaster
☎*870-8000*

Fêtes et festivals

Benson & Hedges International Fireworks Festival (feux d'artifice)
Mi-juin à juillet
☎*442-3667*

Du Maurier Downtown Jazz
Fin juin
☎*928-2033*

Caribana (parade caribéenne)
Fin juillet ou début août

Canadian National Exhibition
Fin août à début septembre
☎*393-6000*

Toronto International Film Festival
Début septembre
☎*967-7371*
Pour des billets
Film Festival Box Office
☎*968-FILM*

Achats

Les centres commerciaux

Kensington Market
Kensington Street
au nord de Dundas Street W.

Queen's Quay Terminal
207 Queen's Quay.

Eaton Centre
Yonge Street, entre Queen Street et Dundas Street.

Holt Renfrew
50 Bloor Street W.
☎*922-2333*

Hazelton Lanes
Hazelton Street, près de Yorkville Avenue.

Les librairies

World's Biggest Bookstore
20 Edward Street
☎*977-7009*

Open air Books and Maps (voyage)
25 Toronto Street
☎*363-0719*

Maison de Presse Internationale (journaux)
124-126 Yorkville Avenue
☎*928-2328*

Ulysses Travel Bookshop (voyage)
101 Yorkville Avenue
☎*323-3609*

Les disquaires

HMV Superstore
333 Yonge Street
☎*596-0333*

Sam the Record Man
347 Yonge Street

Les antiquaires

Harbourfront Antique Market
390 Queen Quay W.
☎*260-2626*

Antiques — Michel Taschereau
176 Cumberland Street
☎*923-3020*

L'art autochtone

The Arctic Bear
125 Yorkville Avenue
Queen's Quay Terminal
☎*203-7889*

The Guild Shop
118 Cumberland Street
☎*921-1721*

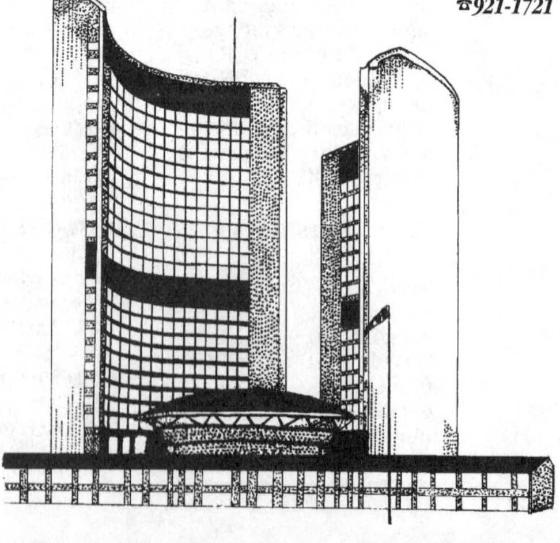

Le sud-ouest de l'Ontario

Les terres du sud-ouest de l'Ontario, habitées par les Hurons, les Pétuns, les Ériés et les Neutres, ont à maintes reprises été au centre des convoitises des Iroquois, dont le territoire s'étendait au sud du lac Érié.

Avec l'arrivée des Européens, ces querelles se transforment en une guerre sanglante qui atteint son apogée de 1645 à 1655, alors que les Iroquois, armés de fusils, attaquent ces nations amérindiennes; au terme de ce conflit, des dizaines de milliers de Hurons, de Pétuns, d'Ériés et de Neutres qui vivaient sur ces terres, seule une poignée subsistent. Vainqueurs, les Iroquois s'approprient le territoire. Ils n'y demeurent cependant pas très longtemps, car, au cours des années qui suivent, d'autres nations amérindiennes, notamment les Mississaugas, parviennent à reprendre ces terres, repoussant les Iroquois sur leurs terres d'origine. Bien que victimes de conflits armés et de maladies, entre autres la grippe et la variole apportées par les Blancs, les Autochtones restent maîtres de ce territoire jusqu'à la fin du XVIIIe siècle, au moment où les Anglais commencent à coloniser la région. Aujourd'hui, les Amérindiens qui y résident sont relativement peu nombreux, mais plusieurs sites touristiques ont été mis sur pied afin de familiariser les visiteurs avec la culture des premières nations qui ont peuplé cette partie de l'Ontario.

Les premiers colons, des cultivateurs pour la plupart, y ont trouvé à leur tour des terres fertiles qui ont permis de faire de cette région le grenier de l'Ontario. Ils sont en outre parvenus à y cultiver vignes et vergers, en raison du microclimat bien particulier des rives du lac Érié. Peu à peu, les habitants à s'établir sur ces terres se sont faits plus nombreux, et de belles villes se sont développées, notamment London, Kitchener-Waterloo, Windsor et Hamilton. Enfin, cette région comprend également un formidable site naturel : les chutes du Niagara.

Pour s'y retrouver sans mal

En voiture

En terre mennonite

De Toronto :
prenez l'autoroute 401 en direction de Kitchener-Waterloo.

Hamilton et ses environs

De Toronto :
empruntez la Queen Elizabeth Way (QEW).

La route des vins

De Toronto : il suffit de prendre la Queen Elizabeth Way (QEW), qui se rend à Hamilton et à St. Catharines.

London et ses environs

De Toronto :
la route 2 en direction ouest passe par Brantford et se rend jusqu'à London.

L'extrême sud-ouest

De Toronto :
empruntez l'autoroute 401 en direction ouest, vers Chatham, puis prenez la route 40, qui mène à la route 3, le point de départ de ce circuit.

Gares routières

En terre mennonite

Kitchener-Waterloo
15 Charles St.
☎*(519) 741-2600*

Stratford
101 Shakespeare
☎*(519) 271-7870*

Hamilton et ses environs

Hamilton
36 Hunter Street
☎*800-387-7045*

La route des vins

St. Catharines
7 Carlisle Street

Il existe une liaison en autocar entre Niagara-on-the-Lake et St. Catharines ainsi que Niagara Falls tous les jours durant l'été. Le reste de l'année, si vous ne possédez pas de voiture, vous ne pourrez vous rendre à Niagara-on-the-Lake qu'en taxi.

Niagara Falls
4555 Erie Avenue
☎*(905) 357-2133*

London et ses environs

Brantford
64 Darling Street
☎*(519) 756-5011*

London
101 York
☎*(519) 434-3245*

L'extrême sud-ouest

Windsor
44 University Street E.
☎*(519) 254-7575*

Gares ferroviaires

En terre mennonite

Kitchener-Waterloo
126 Weber Street

Stratford
101 Shakespeare Street

Hamilton et ses environs

Hamilton
1199 Waterdown Road
☎*(800) 361-1235*

London et ses environs

Brantford
5 Wadworth Street

London
197 York

L'extrême sud-ouest

Windsor
298 Walker Road
☎*(800) 361-1235*

Renseignements pratiques

Indicatif régional : 519
régions de Hamilton et de Niagara Fall : 905

Renseignements touristiques

Southern Ontario Tourism Organization
180 Greenwich Street
Brantford, N3S 2X6
☎*756-3230 ou 800-267-3399*
⇄*756-3231*

Southwestern Ontario Travel Association
4023 Meadowbrook Drive
Bureau 113
London, N6L 1E7
☎*652-1391 ou 800-661-6804*
⇄*652-0533*

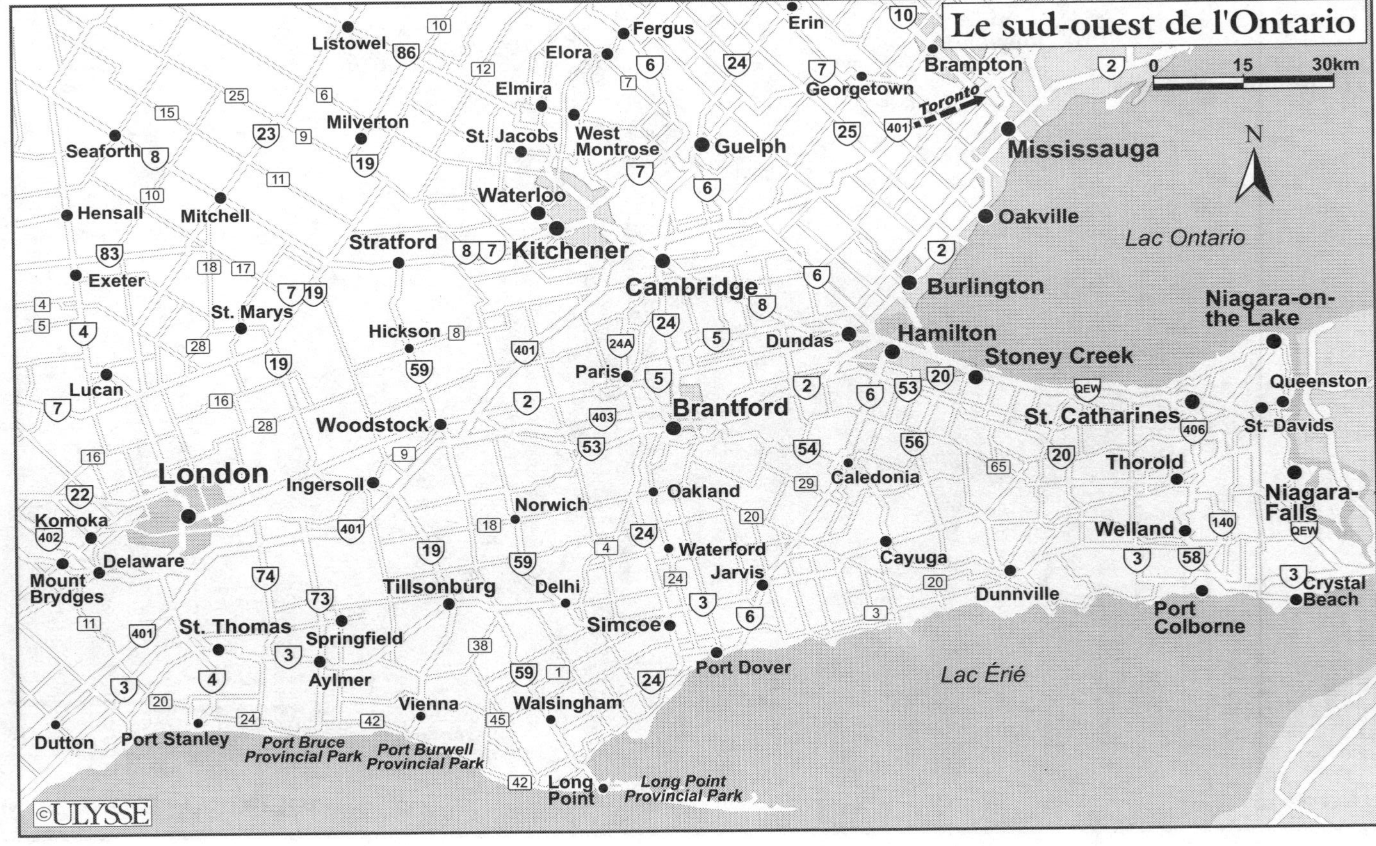

Le sud-ouest de l'Ontario
0
15
30km
N
Lac Ontario
Lac Érié
Toronto
Listowel
Fergus
Erin
Brampton
Elora
Elmira
Georgetown
Milverton
St. Jacobs
West Montrose
Guelph
Mississauga
Seaforth
Hensall
Mitchell
Waterloo
Kitchener
Oakville
Stratford
Cambridge
Burlington
Exeter
St. Marys
Hickson
Dundas
Hamilton
Stoney Creek
Niagara-on-the Lake
Paris
Brantford
Queenston
St. Davids
St. Catharines
Lucan
Woodstock
London
Ingersoll
Caledonia
Oakland
Thorold
Norwich
Niagara-Falls
Komoka
Welland
Waterford
Cayuga
Delaware
Mount Brydges
Jarvis
Tillsonburg
Delhi
Dunnville
Crystal Beach
Port Colborne
St. Thomas
Springfield
Simcoe
Aylmer
Port Dover
Vienna
Walsingham
Dutton
Port Stanley
Port Bruce Provincial Park
Port Burwell Provincial Park
Long Point
Long Point Provincial Park
©ULYSSE

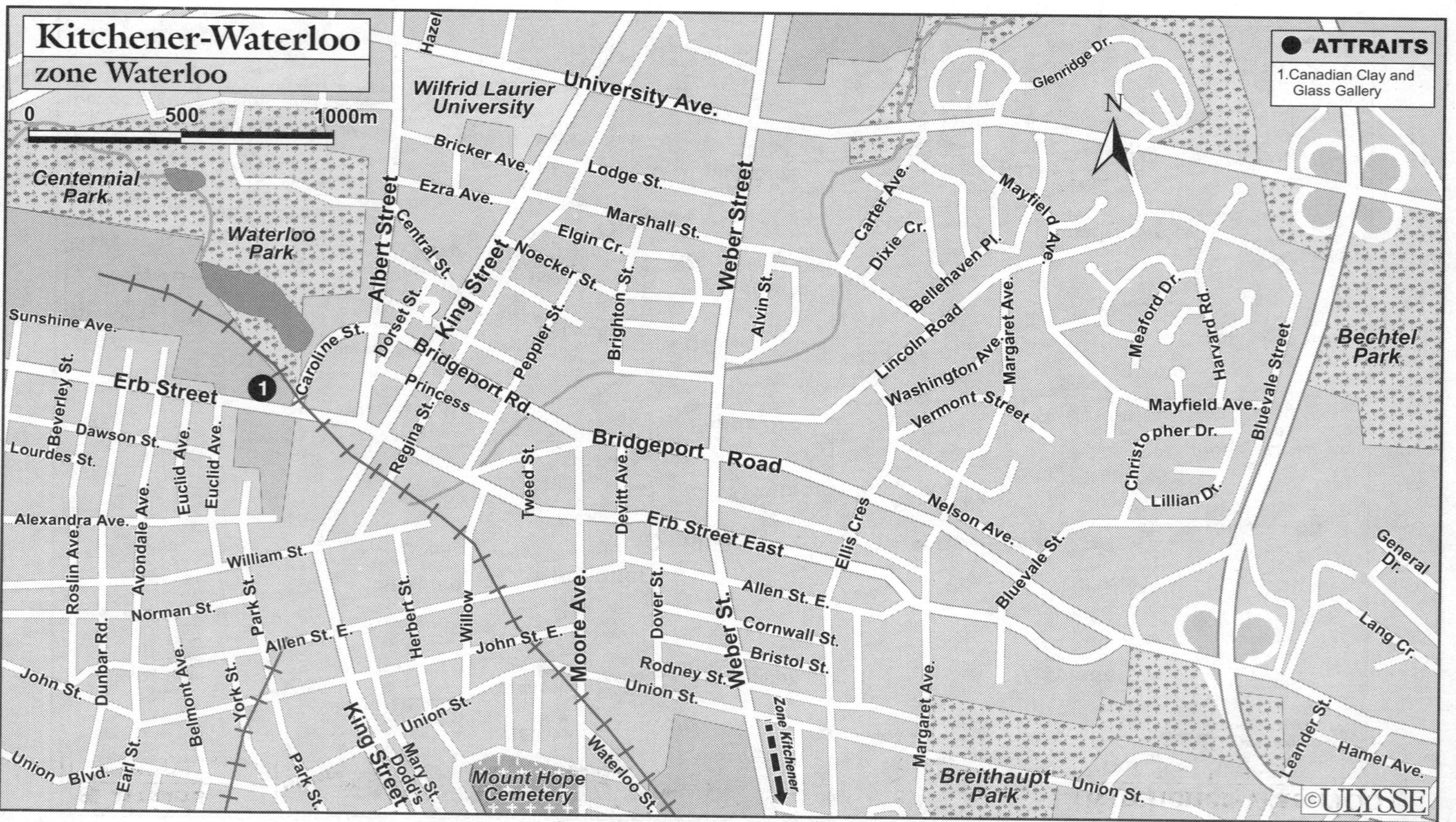

Kitchener-Waterloo
zone Waterloo
0
500
1000m
ATTRAITS
1.Canadian Clay and Glass Gallery
N
Centennial Park
Waterloo Park
Wilfrid Laurier University
Bechtel Park
Breithaupt Park
Mount Hope Cemetery
Zone Kitchener
University Ave.
Hazel
Bricker Ave.
Ezra Ave.
Lodge St.
Marshall St.
Elgin Cr.
Noecker St.
Central St.
Albert Street
King Street
Weber Street
Glenridge Dr.
Carter Ave.
Dixie Cr.
Bellehaven Pl.
Mayfield Ave.
Lincoln Road
Washington Ave.
Margaret Ave.
Vermont Street
Meaford Dr.
Harvard Rd.
Christopher Dr.
Lillian Dr.
Bluevale Street
Alvin St.
Brighton St.
Peppler St.
Dorset St.
Caroline St.
Bridgeport Rd.
Princess
Regina St.
Sunshine Ave.
Erb Street
Beverley St.
Dawson St.
Lourdes St.
Euclid Ave.
Euclid Ave.
Avondale Ave.
Alexandra Ave.
Tweed St.
Bridgeport Road
Devitt Ave.
Erb Street East
Ellis Cres
Nelson Ave.
Bluevale St.
General Dr.
William St.
Roslin Ave.
Norman St.
Park St.
Allen St. E.
Herbert St.
Willow
John St. E.
Moore Ave.
Dover St.
Weber St.
Allen St. E.
Cornwall St.
Bristol St.
Rodney St.
Union St.
Lang Cr.
John St.
Dunbar Rd.
Belmont Ave.
York St.
Union St.
Earl St.
Union Blvd.
Park St.
King Street
Mary St.
Dodd's
Waterloo St.
Margaret Ave.
Union St.
Leander St.
Hamel Ave.
©ULYSSE

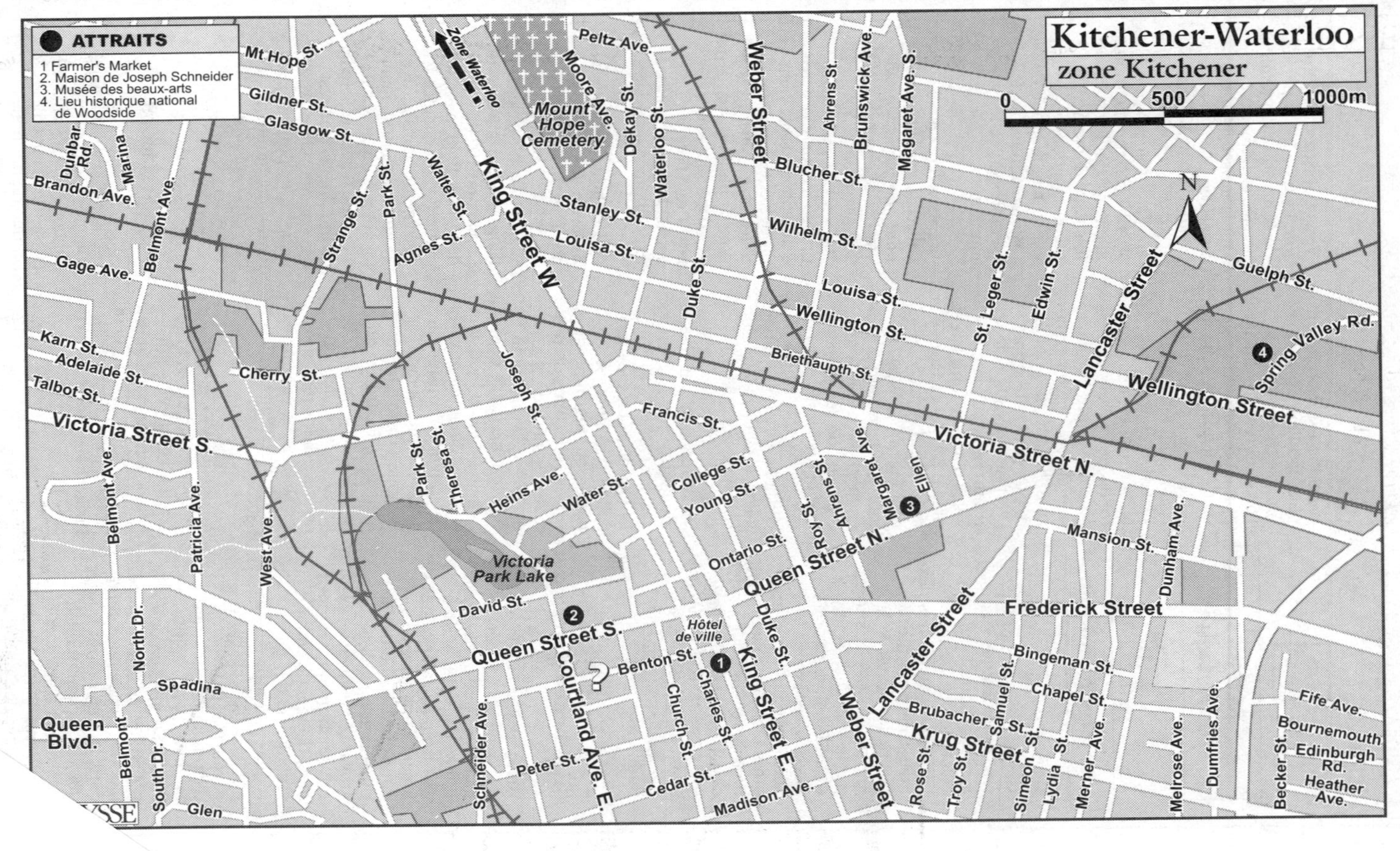
Kitchener-Waterloo
zone Kitchener
0
500
1000m
N
ATTRAITS
1 Farmer's Market
2. Maison de Joseph Schneider
3. Musée des beaux-arts
4. Lieu historique national de Woodside
Zone Waterloo
Mount Hope Cemetery
Victoria Park Lake
Hôtel de ville
King Street W
King Street E.
Victoria Street S.
Victoria Street N.
Queen Street S.
Queen Street N.
Weber Street
Lancaster Street
Wellington Street
Frederick Street
Krug Street
Courtland Ave. E.
Queen Blvd.
Mt Hope St.
Gildner St.
Glasgow St.
Peltz Ave.
Moore Ave.
Dekay St.
Waterloo St.
Ahrens St.
Brunswick Ave.
Magaret Ave. S.
Blucher St.
Stanley St.
Wilhelm St.
Louisa St.
Wellington St.
Briethaupth St.
St. Leger St.
Edwin St.
Guelph St.
Spring Valley Rd.
Dunbar Rd.
Marina
Brandon Ave.
Belmont Ave.
Gage Ave.
Strange St.
Park St.
Walter St.
Agnes St.
Duke St.
Karn St.
Adelaide St.
Talbot St.
Cherry St.
Joseph St.
Francis St.
Margaret Ave.
Ellen
Theresa St.
Heins Ave.
Water St.
College St.
Young St.
Roy St.
Ontario St.
Patricia Ave.
West Ave.
David St.
Mansion St.
Dunham Ave.
North Dr.
Spadina
Benton St.
Church St.
Charles St.
Bingeman St.
Chapel St.
Brubacher St.
Samuel St.
Fife Ave.
Bournemouth
Edinburgh Rd.
Heather Ave.
Becker St.
Dumfries Ave.
Melrose Ave.
Merner Ave.
Lydia St.
Simeon St.
Troy St.
Rose St.
Madison Ave.
Cedar St.
Peter St.
Schneider Ave.
Belmont
South Dr.
Glen

Attraits touristiques

En terre mennonite

Ce circuit vous entraîne sur les traces des premières communautés à coloniser le sud-ouest de l'Ontario, les mennonites, ces cultivateurs venus des États-Unis pour profiter des riches terres de la région. Ces paysans sont par la suite imités par d'autres colons, d'origine anglaise, écossaise et allemande pour la plupart, qui à leur tour s'établissent dans la région pour fonder de jolies villes. Les années ont passé, mais les habitants ont su conserver quelques-unes de leurs traditions.

★★

Kitchener-Waterloo

Au lendemain de la guerre d'Indépendance américaine, les personnes ayant refusé de prêter main-forte aux troupes américaines se voient persécutées; c'est ainsi que des mennonites qui, en respect de leurs croyances religieuses ont refusé de prendre les armes, décident d'émigrer en Ontario, où des terres fertiles à bon prix les attendent. Il s'agit d'une première vague d'immigrants qui arrivent à la toute fin du XVIIIe siècle. D'autres colons, notamment d'origine allemande, viennent s'établir dans la région pour fonder des villes comme Kitchener. Aujourd'hui encore, une bonne partie de la population de Kitchener-Waterloo est de cette origine. D'ailleurs n'y fête-t-on pas, tous les ans, l'Oktoberfest, le plus important festival de ce genre en dehors de l'Allemagne?

À l'origine, Kitchener et Waterloo étaient deux villes voisines; mais s'étant toutes deux étendues, elles en sont venues à former une grande agglomération, aussi les autorités ont-elles décidé de les fusionner. C'est pourquoi la ville comprend deux centres-villes, l'un sur King Street, près d'Erb Street East (Waterloo), et l'autre, le long de King Street West, autour de Queen Street (Kitchener). Bien que, par endroits, on sente encore que la fusion n'a pas permis de complètement effacer la limite entre les deux villes, Kitchener-Waterloo constitue une ville plaisante qui offre quelques sites touristiques dignes de mention.

La **Canadian Clay and Glass Gallery** *(Erb Street)* ★ est un musée qui regroupe diverses collections de produits céramiques et d'objets en verre, dont celle offerte par la compagnie de silice Indusmin. On peut notamment y voir des œuvres d'artistes canadiens comme Denise Bélanger-Taylor, Irene Frolic, Joe Fafard et Sadashi Inuzuka. Depuis 1993, le musée loge dans un nouvel édifice réalisé par les architectes vancouverois John et Patricia Patkau.

À l'angle de King Street et de Queen Street se dressent l'hôtel de ville ainsi que la galerie marchande Market Square, où se tient, tous les samedis matin, le **Farmer's Market** (voir p 474).

Vous pourrez vous faire une idée de la simplicité de la maison mennonite au siècle dernier en visitant la **maison de Joseph Schneider** *(2,25$; fermé six semaines après Noël, mer-sam 10h à 17h, dim 13h à 17h; 466 Queen Street S., ☎742-7752)*, un mennonite allemand qui habita autrefois cette demeure. Des guides animent les lieux et expliquent le mode de vie rustique et austère des membres de cette communauté.

Vous arriverez ainsi à l'**Art Gallery** *(contribution volontaire; mar-mer et ven-sam 10h à 17h, dim 13h à 17h; 101 Queen Street N., ☎579-5860)*, qui possède une collection d'œuvres d'art somme toute bien modeste. Les œuvres, des toiles d'art contemporain pour la plupart, sont réparties dans sept salles. De façon régulière, la galerie accueille également des expositions temporaires.

Le **Lieu historique national de Woodside** ★ *(2,50$; mai à déc tlj 9h à 17h; 528 Wellington Street N., ☎571-5684)*. William Lyon Mackenzie King, premier ministre du Canada de 1921 à 1930 et de 1935 à 1948, passa une partie de son enfance ici, de l'âge de 5 ans à l'âge de 11 ans. Sa maison, maintenant restaurée et remeublée telle qu'elle était quand il y habitait, est ouverte au public. Après la visite, vous pourrez profiter du magnifique parc boisé qui entoure la demeure.

★

St. Jacobs

St. Jacobs, ou Jacobstettel comme il se nommait naguère, tire ses charmes de sa rue principale, bordée de boutiques d'artisans, dont les vitrines forment à elles seules un tableau captivant qu'on pourrait contempler durant des heures sans se lasser. Ce village mennonite, qui a su conserver des allures d'une autre époque, est envahi tout au long de l'année par une foule de flâneurs attirés par les jolies boutiques et par l'atmosphère paisible qui émane de ses rues.

Les personnes curieuses d'en savoir plus sur les mennonites devraient aller au **Visitors Centre** *(3$; mai à oct lun-ven 11h à 17h, sam 10h à 17h, dim 13h30 à 17h; nov à avr sam 11h à 16h30, dim 14h à 16h30; 33 King Street, ☎664-3518)*, où elles pourront voir un film d'une trentaine de minutes sur cette communauté religieuse.

Deux fois par semaine, les fermiers de la région se rendent au **marché agricole de St. Jacobs** *(Farmer's Market)* pour y vendre leurs produits ainsi que de l'artisanat. Il s'agit alors d'une occasion rêvée de se procurer de délicieuses denrées locales et d'assister à un spectacle pittoresque.

★

Elora

Fondée en 1832, Elora s'est développée au bord de la rivière Grand en un point propice à la construction d'un moulin. Cette magnifique construction de pierre a depuis lors été reconvertie en une charmante auberge, autour de laquelle gravite une bonne partie de la vie touristique de la ville, des commerçants proposant mille et une petites choses dans les maisonnettes de pierre la côtoyant.

★

Guelph

Le romancier écossais John Galt, connu pour ses ouvrages sur Lord Byron, fit divers voyages dans le Haut-Canada pour le compte de la Canada Company. Il y demeure d'ailleurs de 1826 à 1829 et fonde Guelph (1827) au bord de la rivière Speed. Afin que cette ville soit agréable, il prévoit un aménagement bien particulier pour l'époque en créant de vastes parcs et de larges artères. Aujourd'hui, cette ville dynamique est connue pour son université, l'**University of Guelph**, dont les magnifiques bâtiments sont situés au sud de la rivière Speed.

Sur le campus de l'université, le **Centre des arts MacDonald Stewart** ★ *(358 Gordon Street, ☎837-0010)* dispose d'une fort belle collection d'objets d'art canadiens et inuit, exposée dans des salles vastes, bien aménagées et présentant des explications claires sur les œuvres.

Le centre-ville de Guelph, aux rues sinueuses, comprend plusieurs bâtiments commerciaux et publics d'intérêt, dont le **Guelph City Hall** ★ *(59 Carden Street)*, dominant une petite place publique. Cet élégant hôtel de ville au vocabulaire néo-Renaissance, atténué par l'architecte William Thomas, a été construit en 1857.

Il est en outre dominé par l'imposante église **Our Lady of the Immaculate Conception** ★★. Les Irlandais fuyant la maladie de la pomme de terre et les Canadiens français venus du Québec dans l'espoir d'un avenir meilleur constituaient le principal bassin de paroissiens pour les églises catholiques de l'Ontario au XIXe siècle. Cette église est d'ailleurs le chef-d'œuvre d'un architecte d'origine irlandaise, Joseph Connolly, réalisé pour un curé canadien-français entreprenant, le père Hamel. Les familles de ces communautés étant plus nombreuses que la moyenne, il fallait voir grand. Connolly a choisi le style néogothique de la cathédrale de Cologne, en Allemagne, pour l'édifice, dont la construction s'est étalée de 1876 à 1926.

Our Lady of the Immaculate Conception

On remarquera plus particulièrement la haute abside entourée de multiples absidioles à l'arrière de l'édifice, seul élément de l'église qui peut véritablement s'apparenter au modèle germanique.

★★ Stratford

C'est un commerçant, Tom Patterson, grand amateur de Shakespeare, qui eut l'idée de mettre sur pied un festival Shakespeare en 1951. Jusqu'alors un simple hameau, Stratford est devenue une séduisante petite ville qui attire, chaque année, une foule de visiteurs venus pour assister à l'une des pièces de théâtre et pour profiter d'une ville coquette à souhait. Outre un centre-ville attrayant, la ville bénéficie d'un parc splendide, le **Queen's Park** ★★, aménagé au bord de la rivière Avon, dans laquelle nagent canards, bernaches et cygnes. Dans le parc se dresse le **Festival Theatre**, où sont présentées quelques-unes des œuvres dramatiques.

Stratford

★ St. Marys

Ayant pour surnom Stonetown (la ville de pierre), St. Marys a su préserver de magnifiques édifices qui rappellent son passé cossu. Au centre-ville, Church Street est bordée de quelques-uns de ces magnifiques bâtiments, dont l'**hôtel de ville**, érigé en 1891 avec des pierres extraites des carrières de la région. Un peu plus loin, l'**Opera House** attirera sûrement votre attention. Construite en 1879 par James Elliott, elle abritait à l'origine des boutiques au rez-de-chaussée et un théâtre à l'étage; elle fut par la suite transformée en moulin. Aujourd'hui rénovée, elle renferme des boutiques et des appartements privés.

Hamilton et ses environs

À l'ouest du lac Ontario, deux villes importantes se sont développées : Toronto et Hamilton. Toute cette zone où se succèdent la banlieue torontoise et les abords industriels de Hamilton n'a rien de particulièrement attirant, mais vous devrez la traverser si vous vous rendez à Niagara Falls. Elle n'en recèle pas moins quelques attraits dignes de mention, dont les Royal Botanical Gardens (jardins botaniques royaux) de Hamilton.

Burlington

À l'extrémité ouest du lac Ontario se trouvent au nord Burlington et au sud Hamilton, deux villes côte à côte formant pratiquement une seule agglomération et reliées entre elles par le Beach Boulevard. Burlington, la moins peuplée des deux, est une ville résidentielle paisible qui a peu à offrir aux visiteurs, si ce n'est son petit **musée Joseph Brant** *(2,75$; mar-ven 13h à 16h, dim 13h à 16h; 1240 North Shore E. Boulevard., ☎905-634-3556)*, dernière demeure de ce capitaine mohawk, qui renferme quelques souvenirs et objets.

★ Hamilton

Jusqu'à l'arrivée des premiers colons, qui ne peuplèrent la région que vers la fin du XVIIIe siècle, le site de Hamilton fut au cœur des rivalités autochtones, les Iroquois ayant en fait décimé la nation neutre qui s'était établie en premier sur ces terres. Mais les Autochtones ne résistent pas face à la colonisation des Blancs et, en janvier 1815, George Hamilton élabore les plans de la ville. Elle prospère au XXe siècle grâce à diverses industries, notamment l'acier, l'électroménager et l'automobile. Toutes ces industries ont d'ailleurs fortement marqué les paysages aux abords de la ville, vastes, sombres et austères.

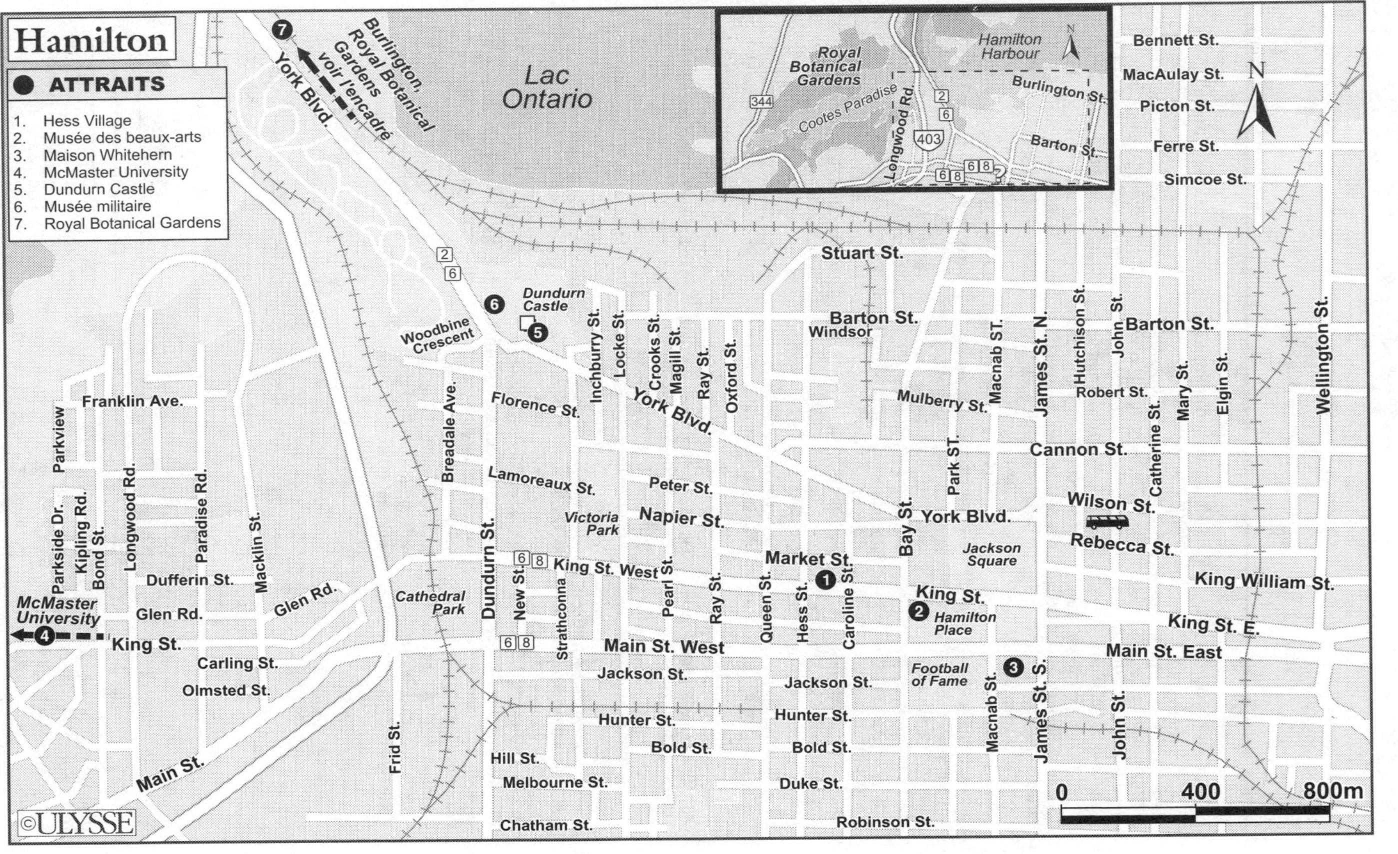
Hamilton
ATTRAITS
1. Hess Village
2. Musée des beaux-arts
3. Maison Whitehern
4. McMaster University
5. Dundurn Castle
6. Musée militaire
7. Royal Botanical Gardens
Burlington, Royal Botanical Gardens voir l'encadré
York Blvd.
Lac Ontario
Royal Botanical Gardens
Cootes Paradise
Longwood Rd.
Hamilton Harbour
Burlington St.
Barton St.
Bennett St.
MacAulay St.
Picton St.
Ferre St.
Simcoe St.
Stuart St.
Dundurn Castle
Woodbine Crescent
Barton St.
Windsor
Inchbury St.
Locke St.
Crooks St.
Magill St.
Ray St.
Oxford St.
Macnab ST.
James St. N.
Hutchison St.
John St.
Robert St.
Catherine St.
Mary St.
Elgin St.
Wellington St.
Franklin Ave.
Parkview
Breadale Ave.
Florence St.
Mulberry St.
Cannon St.
Park ST.
Lamoreaux St.
Peter St.
Victoria Park
Napier St.
Bay St.
Wilson St.
Rebecca St.
Jackson Square
Parkside Dr.
Kipling Rd.
Bond St.
Longwood Rd.
Paradise Rd.
Macklin St.
Dufferin St.
Dundurn St.
King St. West
Market St.
Pearl St.
Ray St.
Queen St.
Hess St.
Caroline St.
King St.
Hamilton Place
King William St.
King St. E.
Main St. East
McMaster University
Glen Rd.
Glen Rd.
Cathedral Park
New St.
Strathcona
King St.
Main St. West
Carling St.
Olmsted St.
Jackson St.
Jackson St.
Football of Fame
Macnab St.
James St. S.
John St.
Hunter St.
Hunter St.
Frid St.
Bold St.
Bold St.
Hill St.
Melbourne St.
Duke St.
Main St.
Chatham St.
Robinson St.
0
400
800m
©ULYSSE

Hamilton est tout de même agréablement installée au bord du lac Ontario, le long duquel de fort beaux parcs ont été aménagés, dont les parcs **Bayfront** et **Dundurn**, où vous pourrez vous balader à pied ou à vélo, profiter de bancs et de tables de pique-nique et contempler l'animation de la marina. Cette partie de la ville ainsi que le quartier résidentiel situé à flanc de colline, où ont été construites de superbes demeures victoriennes, offrent sans doute les plus jolis attraits. Le centre-ville et ses abords, le long de King Street, n'ont pour leur part rien pour attirer les promeneurs, si ce n'est le plaisant **Hess Village** ★, composé d'élégantes demeures, de boutiques et de restaurants.

Le centre-ville n'en possède pas moins des sites intéressants, comme le **Musée des beaux-arts** ★*(9h30 à 18h, jeu 11h à 21h, mar-dim 11h à 17h; 123 King Street W., ☎905-527-6610)*. Ouvert en 1914, il renferme des œuvres variées, notamment des peintures et des gravures. C'est cependant sa collection d'objets d'art contemporain qui est la plus riche; vous la découvrirez avec ravissement, mais déplorerez peut-être l'insuffisance des explications relatives aux œuvres exposées, qui ne sont pas à la portée de chacun.

La **maison Whitehern** *(3,50$; mar-dim13h à 16h; 41 Jackson Street W., ☎905-546-2018)*, de style georgien d'inspiration classique, fut érigée vers la fin des années 1840. En 1852, le D[r] McQueston l'acheta, et cette splendide demeure resta entre les mains de sa famille jusqu'en 1968. Désormais ouverte aux visiteurs, la maison a été restaurée et remeublée comme à l'origine, dans un décor qui reflète désormais les goûts d'une famille prospère en ces années.

La **McMaster University** a été fondée à Toronto au milieu du XIXe siècle avant d'être transférée à Hamilton en 1928. L'année suivante, on entreprenait la construction de son **University Hall** ★, un beau pavillon dans le style des bâtiments des campus d'Oxford et de Cambridge, en Angleterre. On remarquera plus particulièrement sur sa façade les multiples gargouilles et mascarons symbolisant les différentes disciplines enseignées à l'université.

Un peu à l'écart du centre-ville se cachent les plus intéressants attraits de la ville.

Considéré comme le joyau de Hamilton, le **Dundurn Castle** ★★ *(7$; fin mai à sept tlj 10h à 16h30, reste de l'année 12h à 16h, fermé lun; 610 York Boulevard.., ☎905-546-2872)* peut justement être qualifié de «château» par ses dimensions imposantes et son architecture, une adroite combinaison du palladianisme anglais et de l'architecture de la Renaissance italienne dans le genre des villas toscanes. Il fut bâti en 1835 pour Sir Allan MacNab, premier ministre des provinces unies du Canada de 1854 à 1856. Restauré, meublé et décoré tel que vous auriez pu le voir en 1855, ce château de 35 pièces somptueuses vous fera connaître tout un pan de la bourgeoisie du XIXe siècle. Les pièces les plus fascinantes sont peut-être celles situées au sous-sol, autrefois habitées par les domestiques, car elles permettent de se faire une idée de leur difficile vie de château.

Sur le terrain du château, vous remarquerez un autre bâtiment, plus petit, abritant le **Musée militaire** *(2$; juin à sept tlj 11h à 17h, sept à juin, mar-sam 11h à 17h, dim 12h à 17h, fermé lun; ☎905-546-4974)*. Une collection de différents costumes qu'ont portés les soldats canadiens au fil des ans y est présentée.

Les **Royal Botanical Gardens** ★★ *(7$; tlj 9h30 à 17h; chemin Plains, à l'intersection de la route 6 et de l'autoroute 403, ☎905-527-1158)* offrent l'occasion d'une balade unique, à deux pas du centre-ville de Hamilton, dans des parterres où s'épanouissent une multitude de fleurs et à travers des habitats naturels merveilleusement conservés. Ainsi, une bonne partie de ce parc, qui s'étend sur quelque 1 000 ha, est composée d'un jardin dénommé le «paradis des foulques» qui comprend des sentiers sillonnant marais et ravins boisés. Outre cette aire naturelle, vous pourrez vous balader dans différents jardins, dont la roseraie, la rocaille, où s'égayent de milliers de fleurs au printemps, et le jardin de lilas, le plus grand du monde. Ce parc pourra vous séduire en toute saison, car, bien qu'en hiver les jardins extérieurs perdent de leurs attraits, des serres présentent diverses expositions florales.

La route des vins

Ce circuit aborde la région située à l'ouest de la rivière Niagara, frontalière avec les États-Unis, dont le contrôle, autrefois, était impératif afin d'assurer la navigation sur les lacs Ontario et Érié. Deux forts y avaient d'ailleurs été érigés, et ils gardent encore chaque extrémité de la rivière. Aujourd'hui, cette région est surtout connue pour ses vignes et ses vergers, ainsi que pour un site naturel extraordinaire, les chutes du Niagara, qui n'ont cessé d'ébahir les jeunes et les moins jeunes, les amoureux et les intrépides depuis des décennies.

St. Catharines

St. Catharines a connu son essor avec la réalisation des canaux de Welland; quatre canaux ont été creusés, le premier ayant été construit en 1829, et l'actuel, le quatrième, en 1932. Ce canal, qui relie les lacs Ontario et Érié, a été conçu afin de surmonter un obstacle naturel de taille, l'escarpement du Niagara, dont la dénivellation de 99,5 m serait infranchissable autrement. Long de 42 km et comportant huit écluses, il permet aux bateaux de se rendre de St.Catharines à Port Colborne. Des sites d'observation aménagés au long du canal, celui de St.Catharines offre certainement le plus captivant : le **complexe d'observation de l'écluse 3 du canal de Welland** ★ *(entrée libre; le canal est fermé à la navigation de déc à mars; du QEW, prenez la sortie Glendale Avenue, et suivez les indications, ☎684-2361)*. Une vaste terrasse d'observation permet aux visiteurs de se poster devant l'écluse et d'y observer le passage des bateaux. Le **musée de St. Catharines à l'écluse 3** *(3$; tlj, été 9h à 21h, reste de l'année lun-ven 9h à 17h; ☎905-984-8880)* l'avoisine et relate l'histoire de la construction du canal. Vous pourrez en outre voir un court documentaire expliquant le fonctionnement de l'écluse.

★★ Niagara-on-the-Lake

L'histoire de Niagara-on-the-Lake remonte à la fin du XVIIIe siècle, alors que la ville se nomme *Newark* et qu'elle est choisie, de 1791 à 1796, pour être la capitale du Haut-Canada. Il ne demeure cependant rien de cette époque, car, au cours de la guerre de 1812, qui opposa les colonies britanniques aux États-Unis, elle est incendiée. Au lendemain de cette invasion, la ville est reconstruite, et d'élégantes demeures de style anglais y sont alors érigées, lesquelles ont été merveilleusement bien conservées, et confèrent encore aujourd'hui tout le charme à ce village situé à l'embouchure de la rivière Niagara. Ces résidences, dont certaines ont été reconverties en auberges élégantes, accueillent, chaque année, des vacanciers venus profiter de l'atmosphère très anglaise de la ville ou assister à l'une des représentations théâtrales durant le réputé festival Shaw.

Au lendemain de la guerre d'Indépendance américaine, les Britanniques cèdent le fort Niagara, qui s'élève du côté est de la rivière Niagara; aussi, pour assurer la protection des colonies demeurées britanniques, les autorités envisagent-elles la construction d'un autre fort. De 1797 à 1799, le fort George est construit du côté ouest de la rivière. Quelques années s'écoulent à peine avant que les deux pays entrent de nouveau en guerre. En 1812, la guerre éclate, et la région de Niagara-on-the-Lake, frontalière aux États-Unis, est au cœur des hostilités. Le fort George est alors conquis, puis détruit en 1813. Il est cependant reconstruit en 1815.

Aujourd'hui, il est possible de visiter ces installations en se rendant au **parc historique du fort George** ★ *(6$; juil et août tlj 10h à 17h, mi-mai à fin juin et sept à fin oct tlj 9h30 à 16h30, nov à mars lun-ven 9h à 16h, avr à mi-mai aussi fin de semaine 9h30 à 16h30; Niagara Parkway S., ☎905-468-4257)*, le fort ayant été restauré. Dans l'enceinte, vous pourrez découvrir entre autres les quartiers des officiers, la salle des gardes et les casernes.

La région de Niagara-on-the-Lake compte plusieurs vignobles et, tout au long de la route, vous apercevrez ces vastes champs zébrés. Certains producteurs proposent des visites de leurs installations.

Queenston

Un joli hameau qui s'est développé le long de la rivière Niagara, Queenston comprend quelques maisonnettes et des jardins verdoyants. Il est surtout connu pour être le lieu où habita Laura Secord.

En poursuivant votre route vers le sud, vous arriverez au pied de Queenston Heights. Si vous vous sentez en forme, vous pourrez gravir les marches menant au monument Isaac Brock, général britannique qui mourut en ces lieux durant la guerre de 1812, alors qu'il menait ses troupes à la victoire. Vous y aurez, en outre, une **vue splendide** ★ sur la région.

Niagara Falls

Les chutes Niagara, spectacle naturel saisissant, attirent une foule de visiteurs depuis, dit-on, que le frère de Napoléon y serait venu avec sa jeune épouse. Juste à côté, la ville de Niagara Falls est entièrement vouée au tourisme, et son centre-ville se compose d'une succession de commerces sans charme : motels quelconques, musées sans intérêt, comptoirs de restauration rapide, le tout rehaussé d'une ribambelle d'enseignes colorées. Ces commerces ont poussé anarchiquement, et jamais on ne s'est préoccupé d'un quelconque esthétisme. À n'en point douter, les chutes du Niagara sont un véritable trésor de la nature, mais la ville mérite qu'on la boude.

Les **chutes Niagara** ★★★ furent formées il y a quelque 10 000 ans, au moment où le recul des glaciers dégageait l'escarpement du Niagara en détournant les eaux du lac Érié vers le lac Ontario. Cette formation naturelle offre un tableau d'une rare beauté de deux chutes côte à côte : la chute américaine, haute de 64 m et large de 305 m, avec un débit de 14 millions de litres d'eau par minute, et la chute canadienne, qui a la particularité d'avoir la forme d'un fer à cheval. Cette dernière est haute de 54 m et large de 675 m, et a un débit de 155 millions de litres d'eau par minute. L'escarpement rocheux des chutes étant constitué de pierres tendres, les chutes rongeaient la paroi rocheuse d'environ 1 m chaque année avant qu'on ne détourne une partie de cette eau pour alimenter les centrales hydro-électriques situées non loin. Aujourd'hui, la paroi recule d'environ 0,3 m par an.

Qui peut rester impassible face à ces flots en furie se précipitant en ce gouffre dans un vrombissement de tonnerre? Cette nature qui semble indomptable en a inspiré plus d'un. Ainsi, au début du XXe siècle, quelques intrépides voulurent montrer leur bravoure en sautant dans les chutes à bord d'un simple tonneau ou en marchant au-dessus de celles-ci sur un fil tendu de part et d'autre; plusieurs en moururent. Une loi votée en 1912 interdit depuis lors ce genre d'exploits afin de protéger le site des spéculateurs.

Dès 1885, la nature environnant les chutes fut aussi protégée du développement commercial trop rapide, grâce à la création du **parc Victoria** ★★, un délicieux jardin de verdure qui longe la rivière. Des sentiers de randonnée pédestre et des pistes de ski de fond y sont tracés.

Outre les **points d'observation** ★★★ qui font face aux chutes, vous pourrez regarder les chutes sous à peu près tous les angles.

Le ***Maid of the Mist*** ★ *(10,65$; mai à oct, départ aux 30 min; 5920 River Road, ☎905-358-5781)* est un bateau qui vous emmène au pied des chutes et qui vous semblera alors bien petit. Pourvu d'imperméable, qui vous évitera de sortir trempé de cette expédition, vous pourrez d'abord observer la chute américaine, puis la chute canadienne, en plein cœur du fer à cheval.

En grimpant au sommet de la **tour Skylon** *(7,95$; tlj 8h à 1h; 5200 Robinson Street, ☎905-356-2651)*, vous aurez à vos pieds le spectacle des chutes ★★, un tableau unique et mémorable s'offre alors à vous. Vous pourrez également contempler ce fabuleux panorama de la **tour Minolta** *(6,95$; tlj à partir de 8h30; 6732 Oakes Prom., ☎905-356-1501)*.

Le **téléphérique espagnol** *(5,50$; tlj 9h à 21h lorsque la température le permet; Niagara Parkway, ☎905-356-2241)* vous emmène contempler les chutes à 76,2 m.

Il est également possible de se rendre derrière la chute canadienne grâce aux **tunnels panoramiques Table Rock** *(6,50$; tlj à partir de 9h; Victoria Park, ☎905-358-3268)*, au nombre de trois, d'où vous pourrez sentir de plus près ces trombes d'eau.

Que diriez-vous d'une balade dans les airs au-dessus des chutes? De telles expéditions sont organisées par l'entreprise **Hélicoptère Niagara** *(85$; tlj à partir de 9h, si le temps le permet; 3731 Victoria Avenue, ☎905-357-5672)*.

Vous pourrez aussi opter pour une **descente dans la gorge** *(5$; tlj à partir de 9h lorsque la température le permet; 4330 River Road, ☎905-374-1221)*, un ascenseur vous permettant d'aller jusqu'aux rapides.

Niagara compte également d'innombrables musées, certains d'un intérêt plutôt douteux. Plusieurs d'entre eux ont poussé dans le quartier Clifton Hill, le centre-ville de Niagara Falls.

Si vous avez du temps, vous pourriez visiter le **musée de Niagara Falls** *(6,75$; mai à sept tlj 9h à 22h, oct à avril 10h à 17h;*

5651 River Rd), qui présente des collections diverses allant des momies égyptiennes aux souvenirs des intrépides ayant tenté de vaincre les chutes.

Le **Cinéma Imax** *(7,50$; mai à oct tlj; 6170 Buchanan Avenue, ☎905-374-4629)* projette sur écran géant un film sur les chutes.

Les personnes souhaitant oublier quelques instants les chutes et assister à des spectacles d'otaries, de dauphins et de baleines pourront aller au **Marineland** *(27,95$; avril à oct 10h à 17h, juil et août 9h à 18h; 7657 Portage Road, ☎905-356-9565)*. En outre, un petit zoo et des manèges sauront amuser les enfants.

London et ses environs

Foyer important de la culture iroquoise en Ontario, la région de London offre des attraits touristiques fascinants permettant de mieux se familiariser avec l'histoire, les coutumes et les traditions de cette nation amérindienne. Cette présence autochtone côtoie, depuis maintenant plus de 150 ans, les colons anglais venus s'établir dans la région pour profiter des terres fertiles. Naguère un simple hameau, London possède aujourd'hui un riche patrimoine architectural, en faisant une des belles villes de la région.

Brantford

Thayendanegea, mieux connu sous le nom de Joseph Brant, a donné son nom à cette ville plutôt morose dont le centre-ville semble aujourd'hui avoir été déserté par ses commerçants. Ce n'est cependant pas pour contempler ses édifices qu'on s'y rend, mais pour mieux connaître la culture iroquoise.

Au XVIIe siècle, la confédération iroquoise des Cinq Nations parvient à anéantir les tribus autochtones vivant dans le sud-ouest de l'Ontario et à s'approprier leurs terres. Mais elle n'y demeure que jusqu'à la fin du XVIIe siècle, alors que les Mississaugas les repoussent sur leur territoire d'origine, au sud des Grands Lacs.

Au moment de la guerre d'Indépendance américaine, la confédération iroquoise des Six Nations (une sixième nation, les Tuscaroras, s'étant confédérée), installée dans le nord-est de États-Unis, opte pour la neutralité. Quelques guerriers font exception, tel Joseph Brant, et combattent auprès des Britanniques. Au lendemain de la défaite anglaise, ils doivent toutefois s'exiler, mais la Grande-Bretagne, reconnaissante de l'aide que leur ont apportée ces guerriers iroquois, leur accorde 202 350 ha de terres le long de la rivière Grand. C'est ainsi que 2 000 Amérindiens reviennent s'établir dans la région, 450 d'entre eux s'établissant sur le site de l'actuelle Brantford. En 1841, une partie de ces terres leur sont rachetées par des colons britanniques venus s'y établir.

Aux limites de la ville, vous apercevrez une petite église blanche, la **Royal Chapel of the Mohawks ★**, qui constitue la plus vieille église protestante de l'Ontario et qui fut érigée par le roi George III en remerciement de l'aide des Iroquois durant la guerre d'Indépendance américaine.

Le **centre culturel Woodland ★** *(4$; lun-ven 8h30 à 16h, sam-dim 10h à 17h; 184 Mohawk Street, ☎759-2650, poste 241)* retrace l'histoire de la confédération iroquoise des Six Nations. Vous pourrez y voir différents objets, comme des outils, des vêtements, des *wanpum* (ceintures traditionnelles) et de l'artisanat. Racontant sans façon quelques pans des traditions et coutumes iroquoises, il mérite une petite visite.

Alexander Graham Bell, né à Edimburg (Écosse) en 1847, vint s'établir à Brantford avec ses parents en 1870. La maison où il habita de 1870 à 1881, la **Bell Homestead** *(2,75$; mar-dim 9h30h à 16h30; 94 Tutela Heights, ☎756-6220)* est aujourd'hui ouverte au public. Vous la trouverez décorée comme autrefois, lorsqu'il y demeurait, et pourrez y voir diverses inventions qu'il a mises au point.

Pour en connaître plus sur l'histoire de la colonisation dans la région et voir différents outils et objets ayant appartenu aux premiers colons, allez faire une visite au **Brant County Museum** *(2$; mer-ven 9h à 16h, sam 13h à 16h, juil à août aussi dim 13h à 16h; 57 Charlotte Street, ☎752-2483)*. En outre, une attention particulière est apportée à la mémoire du capitaine iroquois Joseph Brant (1742-1807).

London

L'énergique colonel John Graves Simcoe, premier lieutenant-gouverneur du

Haut-Canada, a joué un rôle marquant pour le développement de la jeune colonie britannique. C'est lui qui opte pour diviser le territoire de la région de London en *townships* (plan en damier). Son plan prévoit, en outre, la fondation d'une ville, London (1793), qui doit devenir le siège de la capitale du Haut-Canada, mais qui ne le sera jamais. Il attire également les colons dans la région, des agriculteurs venus des États-Unis, en leur offrant des terres fertiles à bons prix. Parmi ces loyalistes de la «onzième heure» comme ils furent appelés, qui arrivèrent après 1791, des quakers et des mennonites (particulièrement dans la région de Kitchener-Waterloo) viennent s'établir dans la région.

Contrairement à la plupart des villes, qui connaissent une évolution lente et progressive, avant de voir apparaître des édifices publics prestigieux, London est née de façon soudaine, grâce à la construction d'un édifice gouvernemental imposant, le **Middlesex County Building** *(399 Ridout Street N.)*, sur un emplacement vierge, mais pressenti depuis la fin du XVIIIe siècle pour l'établissement d'une grande cité. Cet édifice pittoresque, entrepris dès 1828, est à l'origine de la ville, qui a grandi tout autour dans les années qui ont suivi son érection. Du XIXe siècle, la ville a gardé de superbes témoignages architecturaux, et nous vous proposons une promenade à travers la ville qui vous fera voir les plus beaux d'entre eux.

La balade commence au **parc Victoria**, ce grand et délicieux jardin en plein cœur de la ville. Au lendemain de la rébellion de 1837, c'est en ces lieux que les troupes britanniques envoyées dans la ville s'installent. Leur départ en 1868 va permettre à la Ville de l'acquérir et de l'aménager en un magnifique parc.

À l'angle des rues Richmond et Fullarton, vous apercevrez le **Grand Theatre** *(471 Richmond Street, ☎672-8800)*, érigé en 1901 sur le site du Masonic Temple et du Grand Opera House, dont la structure d'origine brûla en 1900. Depuis 1982, ce bâtiment a fait l'objet d'importants travaux de restauration, et vous pourrez vous y rendre pour assister à une pièce de théâtre.

Au bord de la rivière Thames, vous apercevrez une élégante demeure blanche, la **Eldon House** ★*(3$; mar-dim 12h à 17h; 481 Ridout Street N., ☎672-4580)*, la plus ancienne résidence privée de la ville, maintenant ouverte aux visiteurs, qui la verront telle qu'elle était au siècle dernier, avec son mobilier et dans son décor. La famille Harris se la fit bâtir en 1834. Sur Ridout, vous remarquerez plusieurs autres belles maisons datant des toutes premières années de la ville.

Si vous continuez sur Ridout vers le sud, vous verrez un grand bâtiment aux formes plutôt inusitées, il s'agit de la **London Regional Art Museum** *(entrée libre; mar-dim 12h à 17h; 421 Ridout Street N., ☎672-4580)*. Conçue par l'architecte Raymond Moriyama, la galerie cruciforme arbore de grandes baies vitrées offrant aux salles d'exposition un bon éclairage. Elle renferme une collection d'œuvres d'art principalement composée de toiles de peintres canadiens. Les salles de l'étage présentent une exposition sur l'histoire de la ville.

Si Londres a sa Tamise et sa tour (appelés respectivement *London*, *Thames* et *Tower of London* en anglais), London, Canada, a sa *Thames River* et sa **Middlesex County Courthouse** ★ *(399 Ridout Street N.)*, un ancien palais de justice comprenant une prison dont l'architecture néogothique n'est pas sans rappeler les châteaux forts du Moyen Âge, avec leurs nombreuses tours crénelées.

La Middlesex County Courthouse s'avère être une solide construction de briques recouvertes de stuc texturé pour imiter la pierre de taille. Il s'agit d'un excellent exemple des premiers balbutiements de l'architecture historicisante au Canada, à l'instar de la basilique Notre-Dame de Montréal, réalisée à la même époque. On peut donc en parler comme d'un bâtiment foncièrement néoclassique sur lequel est apposé un décor médiéval. La tour centrale, ajoutée en 1878, prend modèle sur la tour du parlement canadien, à Ottawa.

Les palais de justice canadiens et américains du XIXe siècle faisaient habituellement appel aux vocabulaires de l'Antiquité grecque et romaine. Le caractère davantage moyenâgeux du palais de justice de London tient à l'association entre le bâtiment et le nom de la ville où il est situé, de même qu'à sa présence dominante au sein d'une communauté autrefois dirigée par des citoyens d'origine rurale et écossaise, habi-

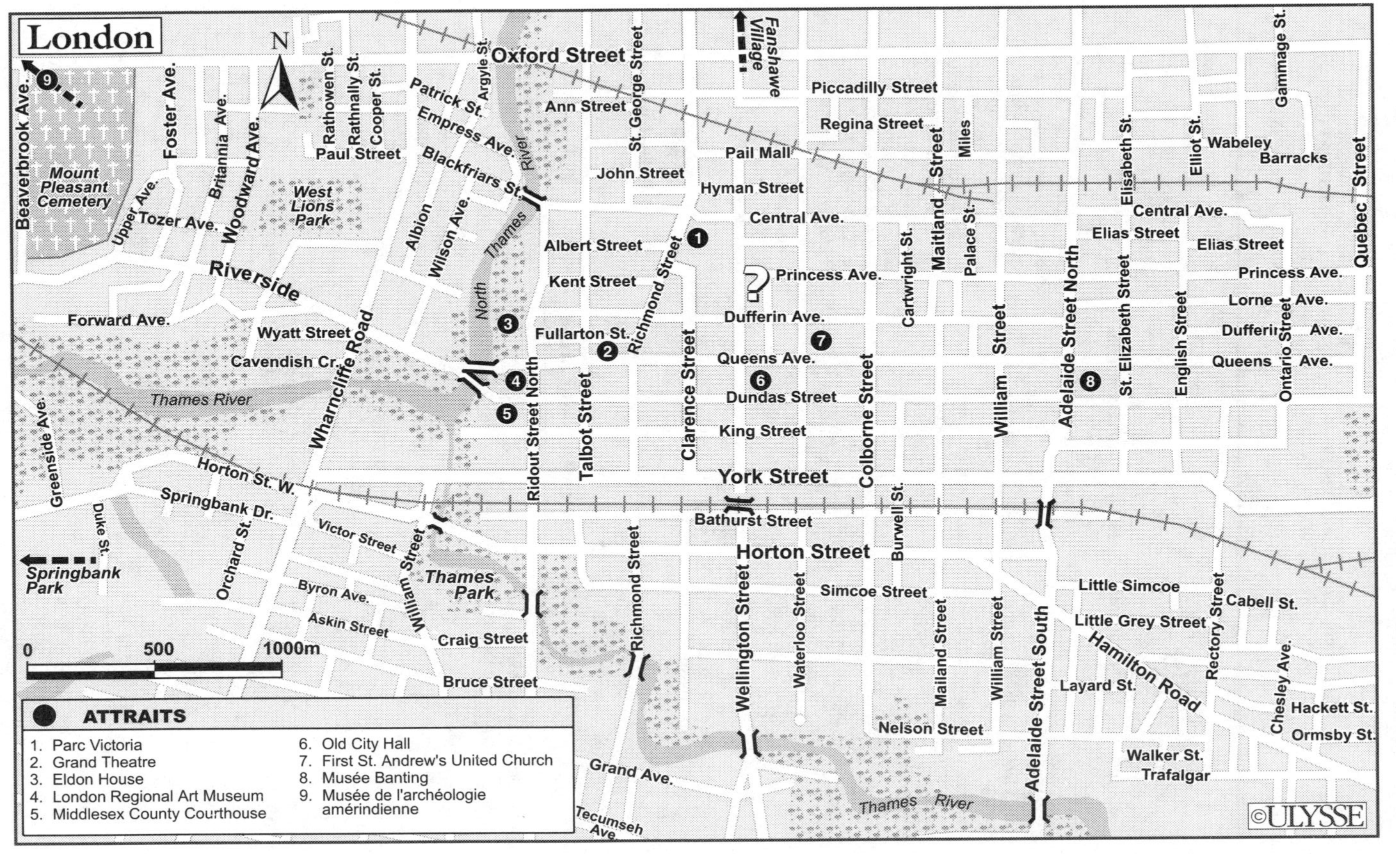

ATTRAITS

1. Parc Victoria
2. Grand Theatre
3. Eldon House
4. London Regional Art Museum
5. Middlesex County Courthouse
6. Old City Hall
7. First St. Andrew's United Church
8. Musée Banting
9. Musée de l'archéologie amérindienne

tués aux traditionnels chefs de clans vivant dans des châteaux médiévaux perdus dans les brumes des Highlands.

À l'angle de Wellinton se dresse l'**Old City Hall**, de style néoclassique, qui fut construit en 1918. Il fut agrandi par T.C. McBride en 1927.

Située au centre d'un agréable parc de verdure, la **First St. Andrew's United Church** ★ *(350 Queens Avenue)* a d'abord été construite pour desservir une des nombreuses communautés presbytériennes de London. L'édifice de briques, érigé entre 1868 et 1871, reprend l'habituel vocabulaire néogothique des églises protestantes, caractérisé par des ouvertures en ogive et un clocher à flèche. La nef intérieure arbore une sobre charpente apparente en bois. Non loin se trouve l'ancienne «Manse» néo-Renaissance, sorte de presbytère où vivait le pasteur de la communauté appelé *Reverend Doctor*.

En poursuivant votre route sur Waterloo Street, prenez le temps d'admirer les splendides demeures victoriennes datant du XIXe - siècle et du début du XXe - siècle.

Si vous avez un peu de temps, au lieu de tourner sur Waterloo Street, vous pouvez poursuivre votre route sur Dundas Street, jusqu'à Adelaide Street. Vous arriverez alors au petit **musée Banting** *(3$; mar-sam 12h à 16h; 442 Adelaide N., ☎673-1752)*, qui présente la vie et les réalisations d'un illustre médecin, Frederick Grant Banting (1891-1941), qui remporta le prix Nobel de médecine en 1923 avec le médecin écossais John Macleod, tous deux ayant découvert l'insuline.

Avant d'arriver au **musée de l'archéologie amérindienne** ★ *(3,50$; musée, été, lun-sam, 10h à 17h; automne, mer-dim 10h à 16h30; hiver sam-dim 13h à 16h; village, mai à août 10h à 17h; 1600 Attawandaron Road, ☎473-1360)*, ne soyez pas surpris de traverser un paisible quartier résidentiel. Le musée met l'emphase sur les travaux d'archéologie qui ont permis de mettre au jour certains vestiges des tribus amérindiennes qui habitent le Canada depuis plus de 10 000 ans. Le survol de ces recherches est un prétexte pour raconter aux visiteurs l'histoire des premières nations et pour évoquer leur mode de vie et quelques-unes de leurs traditions. À l'extérieur, un village iroquois comprenant une grande maison (*long house*) et les installations qu'on y retrouvait y est reconstitué.

L'extrême sud-ouest

Ce circuit sillonne la pointe de terre bordée par les lacs Érié et St. Clair, ayant pour voisin les États-Unis, une proximité qui a laissé des traces profondes dans l'histoire, puisque cette région a souvent été au cœur des conflits opposant Britanniques et Américains. C'est également par ici que les Noirs entraient au Canada dans l'espoir de se libérer du joug de l'esclavage. L'influence de cet imposant voisin est aujourd'hui encore grande, et certaines villes dont Windsor semblent vivre dans son ombre.

Kingsville

Chaque année, Kingsville reçoit une foule de visiteuses, les bernaches, qui s'y arrêtent durant leur migration. À l'origine de ce phénomène, Jack Miner chercha dès 1904 à attirer ces gracieux volatiles sur ses terres. Son entreprise porta fruit, et ce site, un des premiers au Canada conçu pour protéger les oiseaux, devint une réserve ornithologique nationale en 1917. Aujourd'hui, la **Jack Miner Birds Sanctuary** ★ *(entrée libre; toute l'année, lun-sam 9h à 17h; au nord de Kingsville, à l'ouest de Division Road, ☎733-4034 ou 1-877-289-8328, www.jackminer.com)* (voir p 465), est encore accessible à tous, et vous pouvez vous y rendre pour observer ces oies sauvages.

★ Amherstburg

La petite bourgade d'Amherstburg, à l'embouchure de la rivière Détroit, joua un rôle marquant dans la région durant la guerre de 1812, alors que les troupes britanniques postées en son fort, le **fort Malden** ★ *(2,75$; mai à oct10h à 17h, nov à avr dim-ven 13h à 17h, fermé le samedi; 100 Laird Avenue, ☎736-5416)*, eurent pour mission de protéger les colonies anglaises de la région. Malheureusement, elles ne purent faire le poids face aux troupes adverses, qui parvinrent à le prendre et à le détruire en partie. Remis au Canada en 1815 et reconstruit par la suite, il veille encore sur la rivière, bien que son affectation soit dorénavant purement théorique.

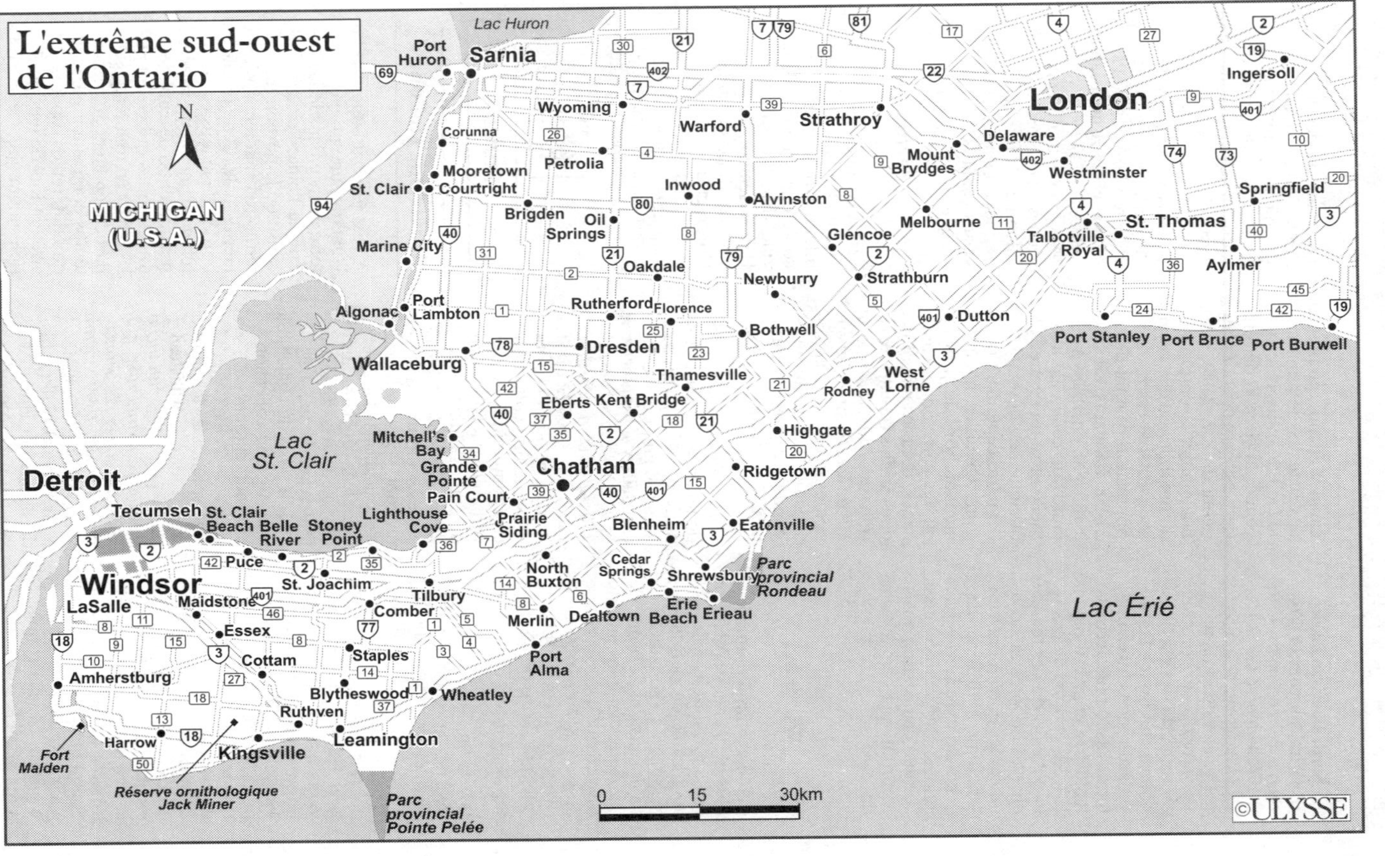

L'extrême sud-ouest
de l'Ontario
N
MICHIGAN
(U.S.A.)
Lac Huron
Lac St. Clair
Lac Érié
Port Huron
Sarnia
Corunna
Mooretown
St. Clair
Courtright
Marine City
Algonac
Port Lambton
Wallaceburg
Wyoming
Petrolia
Brigden
Oil Springs
Warford
Inwood
Oakdale
Rutherford
Florence
Dresden
Strathroy
Alvinston
Newburry
Bothwell
Thamesville
Eberts
Kent Bridge
Mitchell's Bay
Grande Pointe
Pain Court
Chatham
Prairie Siding
Lighthouse Cove
Detroit
Tecumseh
St. Clair Beach
Belle River
Stoney Point
Puce
St. Joachim
Windsor
LaSalle
Maidstone
Essex
Tilbury
Comber
Cottam
Staples
Amherstburg
Blytheswood
Ruthven
Wheatley
Harrow
Kingsville
Leamington
Fort Malden
Réserve ornithologique Jack Miner
Parc provincial Pointe Pelée
North Buxton
Merlin
Port Alma
Cedar Springs
Dealtown
Blenheim
Erie Beach
Shrewsbury
Erieau
Eatonville
Parc provincial Rondeau
Ridgetown
Highgate
Rodney
West Lorne
Glencoe
Strathburn
Mount Brydges
Melbourne
Dutton
Delaware
London
Westminster
Talbotville Royal
St. Thomas
Springfield
Aylmer
Ingersoll
Port Stanley
Port Bruce
Port Burwell
0 15 30km
©ULYSSE

Le **North American Black Historical Museum** *(4,50$; mi-avr à fin oct mer-ven 10h à 17h, sam-dim 13h à 17h; 277 King Street, ☎736-5434, www.blackhistoricalmuseum.com)* a été construit en souvenir des esclaves noirs ayant fui les États-Unis afin de trouver une terre d'asile plus accueillante au Canada. Il raconte la triste épopée de ces hommes et de ces femmes, enlevés de force des côtes africaines et emmenés en Amérique pour servir de main-d'œuvre sur les plantations. On y retrace aussi la route clandestine qu'ils empruntèrent vers le Canada.

★ Windsor

Certains affirment que le plus bel attrait de Windsor est le profil de la ville américaine de Détroit se dessinant à l'horizon. Il ne s'agit sans doute là que de mauvaises langues, mais il est vrai que Détroit, qui se dresse de l'autre côté de la rivière du même nom, a quelque chose de féerique vue d'ici.

Dès la fin du XVIIe siècle, les Français choisissent d'ériger un petit poste de traite au bord de la rivière Détroit. En raison des bonnes relations qu'ils ont avec les Amérindiens vivant dans la région, le fort français prospère; mais, lorsqu'en 1763 la France perd ses colonies d'Amérique à l'avantage des Britanniques, le poste est abandonné. Plus tard, en 1834, des Anglais s'installent à leur tour sur la rive est de la rivière, fondant un village qu'ils nomment d'abord Sandwich et qui deviendra Windsor. La ville connaît une première prospérité avec la construction du canal Welland, qui permet aux bateaux de remonter le lac Érié, puis avec la venue du chemin de fer. Ce n'est cependant qu'au début du XXe siècle, grâce notamment à son industrie automobile, qu'elle connaît son véritable essor, sa population passant de 21 000 habitants, en 1908, à 105 000, en 1928. Aujourd'hui, cette ville industrielle offre un centre-ville quelque peu désolant. Il demeure cependant des coins agréables, notamment au bord de la rivière, où des parcs ont été aménagés, dont les magnifiques **jardins Coventry** ★ *(Riverside Drive, à l'angle de Pillette Road)*, ornés de superbes fleurs et de la fontaine de la Paix. En outre, Windsor dispose maintenant d'un **casino** (p 473).

Si vous ne restez que peu de temps à Windsor et ne pouvez visiter qu'un seul attrait, il faut que ce soit l'**Art Gallery of Windsor** ★★ *(entrée libre; mar-ven 10h à 17h, sam 10h à 17h, dim 12h à 17h; 3100 Howard Avenue, ☎969-4494)*, qui présente une collection étonnamment riche de véritables chefs-d'œuvre de grands maîtres canadiens. Outre des tableaux et des sculptures qui vous raviront, vous profiterez d'explications claires et détaillées révélant différentes facettes de la vie artistique canadienne. Le musée possède également une superbe collection d'art autochtone.

Une splendide demeure de style Tudor, le **Willistead Manor** *(4$; 1er et 3e dimanche du mois pendant l'hiver, juil-août dim et mer, téléphoner avant la visite, 1899 Niagara Street, ☎523-2365)*, bâtie pour Edward Walker, fils du distillateur Hiram Walker, fait partie des plus beaux témoignages architecturaux du début du siècle. Vous y découvrirez des pièces somptueuses, élégamment décorées d'un mobilier datant des années 1900.

Pour passer une journée en plein air sans quitter la ville, rendez-vous au **Parc Ojibway et centre de la nature** *(entrée libre; tlj 10h à 17h, ☎966-5852)*. Il offre des sentiers d'interprétation qui sillonnent la forêt et la prairie, où s'étendent de vastes champs d'herbe longue.

Sarnia

Sarnia est une ville plutôt morne; l'industrie pétrochimique prospère lui confère, aux abords de la ville, des allures futuristes. Heureusement, les parcs situés en bordure du lac Huron et de la rivière St. Clair parviennent à faire oublier ces usines utiles certes, mais combien détonnantes dans le paysage.

Parcs

L'extrême sud-ouest

À l'extrême sud-ouest de l'Ontario, une pointe de terre avance dans le lac Érié, la Pointe Pelée, qui constitue la portion du territoire canadien la plus méridionale. Cette pointe bordée de marais est le refuge d'une faune variée, notamment d'oiseaux de toutes sortes qui viennent la hanter en tout temps et particulièrement au printemps et en automne, alors que différentes espèces s'y arrêtent lors de leur périple migratoire. Ce site est maintenant protégé par un parc national, le **parc de la**

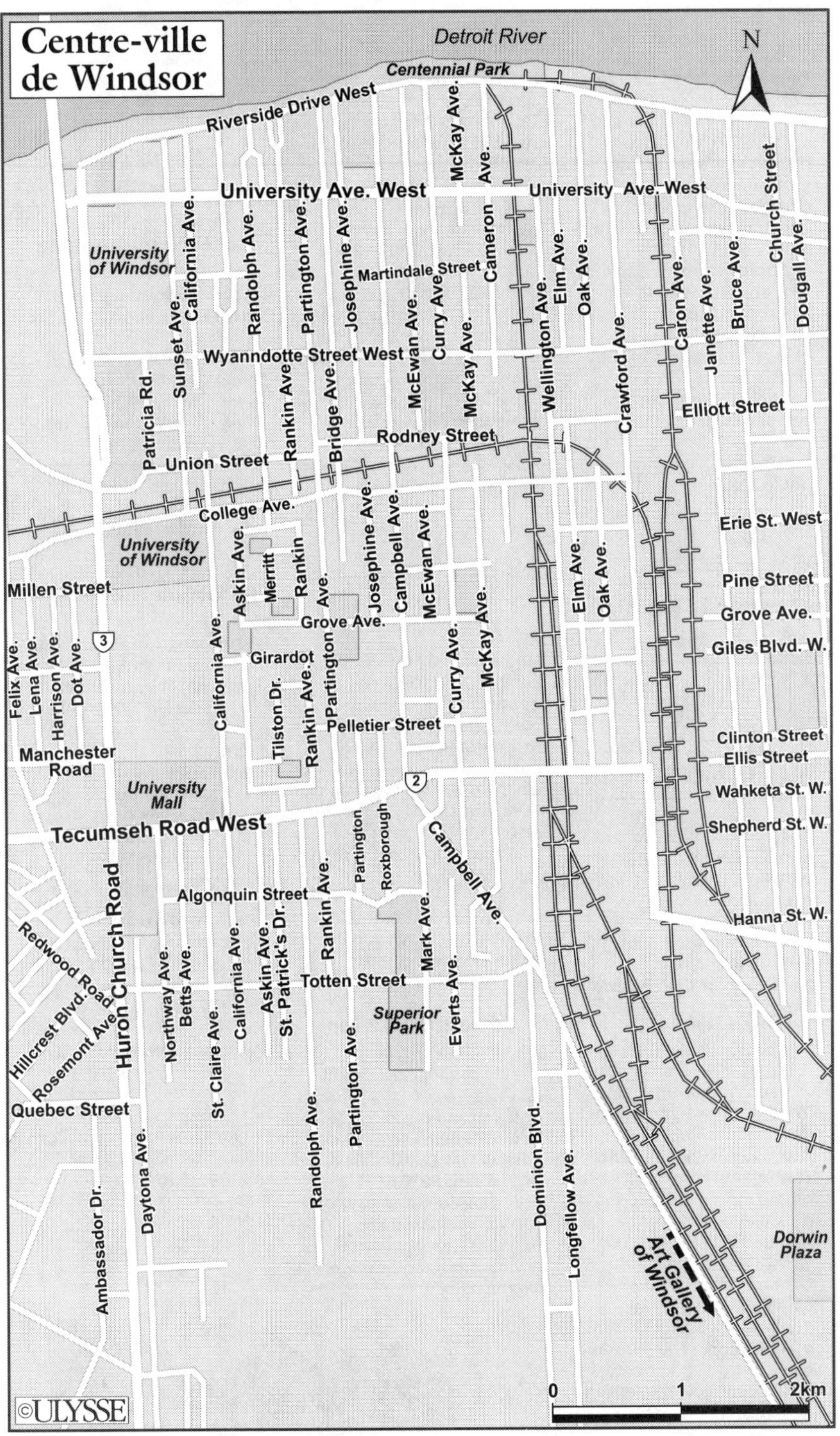
Centre-ville de Windsor
Detroit River
Centennial Park
N
Riverside Drive West
University Ave. West
University Ave. West
University of Windsor
California Ave.
Randolph Ave.
Partington Ave.
Josephine Ave.
McKay Ave.
Ave.
Cameron
Martindale Street
Curry Ave.
McEwan Ave.
McKay Ave.
Wellington Ave.
Elm Ave.
Oak Ave.
Crawford Ave.
Caron Ave.
Janette Ave.
Bruce Ave.
Church Street
Dougall Ave.
Sunset Ave.
Wyanndotte Street West
Patricia Rd.
Rankin Ave.
Bridge Ave.
Elliott Street
Rodney Street
Union Street
College Ave.
Erie St. West
University of Windsor
Askin Ave.
Merritt
Rankin
Ave.
Josephine Ave.
Campbell Ave.
McEwan Ave.
McKay Ave.
Elm Ave.
Oak Ave.
Pine Street
Millen Street
Grove Ave.
Grove Ave.
Giles Blvd. W.
Felix Ave.
Lena Ave.
Harrison Ave.
Dot Ave.
California Ave.
Girardot
Tilston Dr.
Rankin Ave.
Partington
Curry Ave.
Pelletier Street
Clinton Street
Ellis Street
Manchester Road
University Mall
Wahketa St. W.
Shepherd St. W.
Tecumseh Road West
Partington
Roxborough
Campbell Ave.
Algonquin Street
Rankin Ave.
Mark Ave.
Hanna St. W.
Redwood Road
Huron Church Road
Northway Ave.
Betts Ave.
St. Claire Ave.
California Ave.
Askin Ave.
St. Patrick's Dr.
Totten Street
Everts Ave.
Superior Park
Partington Ave.
Hillcrest Blvd.
Rosemont Ave.
Quebec Street
Randolph Ave.
Daytona Ave.
Dominion Blvd.
Longfellow Ave.
Ambassador Dr.
Art Gallery of Windsor
Dorwin Plaza
0
1
2km
©ULYSSE

Pointe Pelée ★★ *(de Leamington, suivez la route 33, R.R.1, N8H 3V4, ☎322-2365, ⇄322-1277)*, qui offre d'agréables sentiers de randonnée. Les longs quais de bois qui s'enfoncent dans les marais et qui permettent l'observation de multiples espèces dans leur environnement naturel ajoutent à l'attrait de ce parc fascinant, où l'on a observé près de 350 espèces d'oiseaux. En septembre, des monarques, ces papillons orangés, envahissent le parc. Vous y trouverez également quelques plages.

Activités de plein air

Randonnée pédestre

Outre les sentiers de randonnée situés dans les parcs provinciaux et nationaux, le sud-ouest de l'Ontario compte plusieurs sentiers serpentant sur plusieurs kilomètres. L'association **Hike Ontario** *(1185 Eglinton Avenue E., North York, M3C 3C6, ☎416-426-7362)* voit à l'entretien de ces sentiers et peut vous fournir une foule de renseignements.

Parmi ces pistes, la **Bruce Trail** est certainement la plus connue, car elle est la plus vieille et la plus longue de l'Ontario. Longeant l'escarpement du Niagara, elle part de Niagara Falls et se rend quelque 736 km plus loin, à Tobermory. Une promenade qui ne se fait certes pas en une journée et qui demande une bonne

préparation, mais qui réserve de belles surprises. Débutant à Niagara, elle suit le lac Ontario jusqu'à Hamilton, puis remonte vers le nord en direction de Collingwood. Elle sillonne alors les champs jusqu'à Owen Sound. De là, elle se poursuit sur la péninsule de Bruce, longeant les falaises et révélant des scènes spectaculaires. Pour de plus amples renseignements, communiquez avec la **Bruce Trail Association** *(P.O. Box 857, Hamilton, L8N 3N9, ☎905-529-6821, www.brucetrail.org)*.

Vélo

La péninsule sud-ouest compte une foule de petites routes de campagne paisibles et coquettes, parfaites pour une balade à vélo, qu'il s'agisse de traverser les champs de la région de St. Jacobs, de se balader le long de la route des vins ou de suivre la berge du lac Huron. Dans la majorité des villes, vous n'aurez aucun mal à trouver une boutique de vélos pouvant réparer votre véhicule au besoin.

La route des vins

Un chemin spécialement aménagé pour les cyclistes et les promeneurs longe la rivière Niagara (et la Niagara Parkway), de Niagara-on-the-Lake à Fort Erie. Fort plaisante et paisible à souhait, cette balade longue d'une quarantaine de kilomètres est accessible à tous.

Observation d'oiseaux

En terre mennonite

Le **parc d'oiseaux aquatiques Kortright** *(2$; mars à oct, sam-dim 9h à 17h; à 8 km au nord de l'autoroute 401, prenez la sortie 195 et suivez les indications, ☎(519) 824-6729)* est à la fois une réserve naturelle et un centre de recherche. Bien aménagé, ce bel endroit est idéal pour observer près d'une centaine d'espèces.

L'extrême sud-ouest

Les oiseaux qui effectuent un périple migratoire s'arrêtent en grand nombre le long du lac Érié, reprenant les forces nécessaires à la traversée de cette gigantesque nappe d'eau. Aussi les rives du lac comptent-elles de nombreux sites extraordinaires pour observer plusieurs espèces.

La **réserve d'oiseaux Jack Miner** *(au nord de Kingsville, à l'ouest de la Division Rd., ☎519-733-4034)* a été créée en 1904 dans le but de protéger certaines espèces d'oiseaux, notamment les canards et les bernaches qui s'arrêtent en grand nombre dans la région. Ouverte toute l'année, la réserve attire un grand nombre d'oiseaux à la fin mars et de la fin octobre à la fin novembre.

Hébergement

En terre mennonite

Kitchener-Waterloo

La ville comprend plusieurs hôtels tout confort, mais, si vous préférez les coquettes auberges, les villages des alentours ont plus à offrir.

Sheraton
99$
≈, ⊛, ⌂, ♿, 🐕
105 King Street E., N2G 3W9
☎(519) 744-4141
⇌578-6889
À côté du Market Square se dresse l'édifice moderne abritant le complexe hôtelier tout confort Sheraton, sans conteste l'un des plus élégants de la ville. Outre des chambres spacieuses, il renferme une superbe piscine intérieure que vous apercevrez en entrant dans le hall, de grandes baies vitrées la dévoilant.

Walper Terrace Hotel
89$ pdj
ℜ, ♿
1 King Street W., N2G 1A1
☎745-4321
Le Walper Terrace Hotel se distingue de son voisin par ses allures anciennes; il est aménagé dans un beau bâtiment datant de 1893, au charme peut-être quelque peu désuet. Il n'a peut-être pas le luxe des hôtels plus modernes, mais il est tout de même confortable.

St. Jacobs

Countryside Manor
70 pdj
39 Henry Street, N0B 2N0
☎664-2622
Le Countryside Manor est une de ces adresses où l'on a envie de revenir, car l'accueil des propriétaires est gentil, puis vous vous sentirez bien dans cette maison bien mignonne qui renferme quelques chambres agréables. Les petits déjeuners, aussi copieux que délicieux, sont eux aussi mémorables.

Benjamin's Inn
95$ pdj
ℜ
17 King Street, N0B 2N0
☎664-3731
Au centre de la ville depuis plus de 100 ans, le joli bâtiment Benjamin's Inn, maintenant rénové et transformé en auberge, propose des chambres meublées d'antiquités et ayant un cachet feutré, si agréable quand on est en vacances.

Jakobstettel Guest House
125$ pdj
ℜ
126 Isabella Street, N0B 2N0
☎664-2208
De grands arbres ornent le jardin de la Jakobstettel Guest House, une ravissante auberge aménagée dans une splendide demeure victorienne datant du XIXe siècle. Elle abrite une douzaine de chambres toutes fort coquettes et garnies de meubles anciens.

Elora

Elora Mill Country Inn
150$ pdj
77 Mill Street W., N0B 1S0
☎846-5356
⇌846-9180
Un ancien moulin de pierre se dressant au bord des chutes fut à l'origine du développement de la ville. Aujourd'hui reconverti en une splendide auberge, l'Elora Mill Country Inn est encore en quelque sorte au cœur de la ville, car son excellente réputation attire depuis longtemps les visiteurs qui viennent pour profiter des chambres décorées avec goût et de son délicieux restaurant.

Stratford

Durant les plus beaux mois de l'année, alors que le festival de théâtre bat son plein, les établissements hôteliers de la ville affichent souvent complet. Heureusement, Stratford dispose d'une foule de *bed and breakfasts* tous plus attrayants les uns que les autres. Il est possible de réserver dans plusieurs d'entre eux par l'entremise du Stratford Festival Accommodation Bureau : P.O. Box 520, Stratford, N5A 6V2, ☎273-1600 ou 800-567-1600, ⇌273-6173.

Maples of Stratford
85$- 95$ pdj
220 Church Street
☎273-0810
Sur la paisible Church Street, vous pouvez essayer le modeste mais tout de même charmant Maples of Stratford.

Victorian Inn
125$
≈, ℜ, ⊘, ♿
10 Romeo Street, N5A 5M7
☎271-4650
⇌271-2030
Le Victorian Inn n'a rien de très victorien malgré ce que son nom laisse supposer. Ce grand bâtiment de brique blanche, une construction d'allure quelconque profitant cependant d'une superbe vue sur la rivière Avon, abrite des chambres tout confort et des installations sportives.

Bentley's Inn
145$
ℜ
99 Ontario Street, N5A 3H1
☎271-1121
⇄272-1853
En plein centre-ville, le Bentley's Inn, une belle construction de brique datant du début du siècle, renferme des chambres bien tenues ayant un cachet vieillot, sans grand luxe mais tout de même assez sympathique.

St. Marys

Westover Inn
95$
≈, ℜ
300 Thomas Street, N4X 1B1
☎284-2977 ou **1-800-COTTAGE**
⇄284-4043
www.westoverinn.com
Le site du Westover Inn, un véritable havre de tranquillité, vous laissera pantois, l'auberge étant située en pleine campagne et entourée d'arbres majestueux. Si l'environnement ne parvient pas à vous séduire complètement, les chambres aux grandes fenêtres d'où entre la lumière à profusion et aux beaux meubles anciens vous fascineront certainement.

Hamilton et ses environs

Hamilton

Pour une ville de sa taille, Hamilton possède incroyablement peu d'hôtels ou de motels. Vous n'y trouverez essentiellement que des établissements membres de grandes chaînes hôtelières qui ne sont pas particulièrement coquets, mais qui proposent des chambres procurant un bon confort. Pour les voyageurs à petit budget qui ne dédaignent pas les motels sans charme, il peut être préférable de loger à Burlington.

Admiral Inn
95$
ℜ
149 Dundurn Street N.
☎905-529-2311
⇄529-9100
L'Admiral Inn propose des chambres modernes et confortables, assez typiques de ce type d'établissement installé le long des routes principales à l'entrée des villes. Il présente cependant l'avantage de posséder une façade bien particulière, dont les baies vitrées occupent une bonne partie en permettant au hall ainsi qu'au resto d'être inondés de lumière.

Si vous préférez loger au centre-ville, vous aurez le choix entre trois hôtels, tous de bonne réputation. Le bâtiment ancien du **Howard Johnson Plaza Hotel** *(90$; ≈, ℜ, ⌂, ⊛, ♿, ✈; 112 King Street E., L8N 1A8, ☎905-546-8111, ⇄546-8144)* laisse présumer que cet hôtel a naguère connu de meilleures années. Il n'en abrite pas moins des chambres plaisantes. Si cet aspect vieillot ne vous séduit pas et qu'il a même un effet rébarbatif sur vous, vous pourrez plutôt choisir de dormir juste à côté, au **Ramada Hotel** *(99$; ≈, ⌂, ⊛, ♿, ✈; 150 King Street E., ☎905-528-3451 ou 800-228-9898, ⇄522-2281)*, dont vous préférerez peut-être l'aspect plus moderne du hall et du bâtiment. Les chambres procurent un confort équivalent à celles du Royal Connaught.

La route des vins

Niagara-on-the-Lake

Si vous disposez d'un bon budget, vous serez choyé à Niagara-on-the-Lake, qui bénéficie d'une foule d'auberges de qualité supérieure. La recherche sera cependant plus ardue pour les personnes voyageant avec un petit budget.

Relativement abordables (il faut tout de même compter plus de 60$ pour deux personnes), les *bed and breakfasts* de la ville peuvent représenter une bonne solution. Vous pourrez obtenir la liste de ces établissements en écrivant à :

L'Association des chambres chez l'habitant
(B&B)
P.O. Box 1515
Niagara-on-the-Lake, Ont., L0S 1J0
☎(905) 468-4263

Moffat Inn
89$
ℜ
60 Picton Street, L0S 1J0
☎905-468-4116
Non loin du centre-ville, le Moffat Inn, installé dans un mignon bâtiment blanc orné de volets verts, propose une vingtaine de chambres fort bien tenues, certaines étant dotées d'un agréable foyer.

Prince of Wales
275$
≈, ℜ, ⌂, ⊛, ♿
6 Picton Street, L0S 1J0
☎905-468-3246
☎800-263-2452
⇄468-5521
Véritable institution au village, le Prince of Wales se dresse à la limite de la commerciale Queen Street. Ce superbe bâtiment, érigé en 1864, a traversé les ans tout en conservant son charme d'antan. Et, malgré toutes ces années, l'endroit demeure fort élégant, les salons et les salles à manger étant richement décorés, et les chambres, confortables. Pour redonner du lustre à l'établissement, des

rénovations ont été entreprises en 1999.

Pillar and Post Inn
220$
⊘, ≈, ℜ, ⊛, △, ♿
48 John Street, L0S 1J0
☎905-468-2123
⇄468-3551
En entrant au Pillar and Post Inn, vous serez tout simplement séduit par le hall, une vaste pièce garnie de plantes vertes, d'antiquités et de grands puits de lumière d'où émane une atmosphère feutrée. Vous aurez envie d'y rester des heures. Il ne s'agit que d'un avant-goût de ce qu'offrent les chambres : de beaux meubles de bois, des fauteuils à motifs de fleurs et même un foyer (dans certaines). Vous y passerez un séjour d'autant plus reposant, car il dispose d'un centre de conditionnement physique.

Queens Landing Inn
220$
≈, ℜ, ⊛, △, ♿
155 Byron Street, L0S 1J0
☎905-468-2195
☎800-361-6645
⇄468-2227
Avec sa large façade ornée de quatre colonnes blanches, le Queens Landing Inn a quelque chose d'ostentatoire tout en étant élégant. Il se dresse fièrement au bord de la rivière Niagara avec ses 137 chambres, vastes, décorées avec goût et profitant d'une baignoire à remous ou d'un foyer. À n'en point douter, cet établissement est de classe supérieure.

Niagara Falls

Haut lieu du tourisme dans la région, Niagara Falls ne compte pas moins d'une centaine d'établissements hôteliers, la plupart membres de grandes chaînes hôtelières nord-américaines, ainsi qu'une foule de *bed and breakfasts*. Les hôtels de la ville sont pris d'assaut durant les vacances d'été, mais sont déserts en basse saison, aussi les prix alors proposés sont-ils particulièrement avantageux.

Auberge de Jeunesse
21$ pour un lit/ 36$
bc
4549 Cataract Ave.
☎905-357-0770
L'endroit le moins cher en ville est sans conteste l'Auberge de Jeunesse, qui en vaut vraiment la peine si vous ne disposez que d'un petit budget.

Si vous longez la rivière avant d'entrer dans la ville, vous croiserez une succession d'hôtels au confort moderne offrant une belle vue sur les rapides. Le **Comfort Inn** *(229$; ≈, 🐕, ℜ; 4009 River Road, L2E 3E4, ☎905-356-0131 ou 800-565-0035)*, le **Days Inn** *(170$; ≈, ℜ, ⊛, △; 4029 River Road, L2E 3E4, ☎905-356-6666 ou 800-263-2543, ⇄356-1800)* et le **Best Western Fireside** *(225$; ≈, ℜ, △; 4067 River Road, L2E 3E4, ☎905-374-2027 ou 800-661-7032, ⇄774-7746)*, tous trois côte à côte, disposent tous de chambres similaires; cependant chacune des chambres du Fallsview renferme un foyer à combustible artificiel.

D'autres hôtels sont situés à quelques pas de l'animation, sans en être directement au centre, offrant ainsi l'avantage d'être sur une rue relativement plus tranquille que Clifton Hill. Le **Travelodge** *(129$; ≈, ℜ, △; 5234 Ferry Lane, L2G 1R5, ☎905-374-7771 ou 800-578-7878)* et le **Quality Hotel** *(189$; ≈, ℜ, △; 5257 Ferry Lane, L2G 1R6, ☎905-356-2842)* renferment tous deux des chambres propres et même agréables.

Old Stone Inn
189$
≈, ℜ, ⊛
5425 Robinson Street, L2G 7L6
☎905-357-1234 ou ***800-263-6208***
⇄357-9299
www.oldstoneinn.on.ca
L'Old Stone Inn est peut-être l'un des rares hôtels ayant un peu de cachet à Niagara Falls, car il est aménagé en partie dans un ancien moulin datant de 1904 qui renferme le hall ainsi que le restaurant. Une annexe y a été ajoutée afin d'abriter des chambres au confort respectable.

Days Inn Overlooking The Falls
249$
6361 Buchanan Avenue, L2G 3V9
☎905-357-7377
Les plus beaux hôtels ont été construits au sommet de la colline qui domine les chutes, de sorte que les personnes y résidant peuvent profiter d'une belle vue. En outre situés en retrait du centre-ville, ils bénéficient d'un secteur paisible. Le Days Inn Overlooking The Falls abrite 239 chambres procurant un bon confort; de plus, quelques-unes offrent une vue sur les chutes (il faut alors payer un supplément).

Sheraton Fallsview Hotel
159$
6755 Oakes Street, L2G 3W7
☎905-374-1077
⇄374-6224
Tout au bout de la rue Oakes se dresse le très bel édifice du Sheraton Fallsview Hotel, qui profite sans nul doute du meilleur emplacement, aucune construction ne lui faisant obstruction; plusieurs chambres offrent ainsi une vue magnifique.

London et ses environs

London

Rose House B&B
50$ bc, 65$ bp
526 Dufferin Avenue, N6B 2A2
☎433-9978
Si vous désirez loger à deux pas du centre-ville tout en bénéficiant de la tranquillité d'un quartier résidentiel, rendez-vous au Rose House B&B, qui propose de jolies chambres bien tenues. Au cas où il n'y aurait plus de place, sachez que la ville compte bien une vingtaine de *bed and breakfasts* dont vous pourrez vous procurer la liste au bureau d'information touristique (*300 Dufferin Avenue, ☎432-2211*).

Les personnes préférant les hôtels, mais ne voulant pas payer trop cher, pourront se rendre un peu à l'écart du centre-ville, sur Wellington Street, où se côtoient plusieurs hôtels modernes proposant des chambres au décor un peu froid, mais tout à fait adéquates. Dans cette catégorie, vous pouvez essayer le **Days Inn** *(110$; ≈; 1100 Wellington Street, N6E 1M2, ☎681-1240)* ou le **Best Western Lamplighter** *(110$; 591 Wellington Street, N6C 4R3, ☎681-7151, ⇄681-3271)*.

Idlewyld Inn
120$
36 Grand Avenue, N6C 1K8
☎433-2891
L'Idlewyld Inn n'a rien à voir avec les hôtels modernes, car il a été aménagé dans une splendide demeure construite au siècle dernier. Depuis ce temps, la maison a bien sûr fait l'objet d'une rénovation, mais elle a gardé tout son charme d'autrefois, et vous pourrez y dormir dans une des 27 chambres, chacune présentant un décor bien particulier.

Delta London Armouries
135$
≈, ℜ, ⊛, ⌂, 🐕
325 Dundas Street, N6B 1T9
☎679-6111
☎800-668-9999
⇄679-3957
La ville dispose d'un autre hôtel de qualité supérieure, le Delta London Armouries, qui comprend deux sections : une ancienne caserne et une haute tour de verre. L'ensemble, quelque peu surprenant au premier abord, est fort harmonieux; il abrite en outre des chambres impeccables.

L'extrême sud-ouest

Windsor

La ville ne possède ni association de *bed and breakfasts* ni auberge de jeunesse; il pourra donc s'avérer difficile de se loger à prix modique. Cependant, vous trouverez nombre d'hôtels de catégorie intermédiaire proposant des chambres à relativement bon prix, surtout en dehors de la haute saison touristique. Ils sont pour la plupart situés sur Huron Church Drive, une rue passante et sans attrait.

Holiday Inn
115$
⊛, ⌂, ♿
1855 Huron Church Drive, N9C 2L6
☎966-1200
⇄966-2521
Plus près du centre-ville, à deux pas du pont reliant les États-Unis et le Canada, le Holiday Inn abrite de jolies chambres tout confort et propose une foule d'installations, comme un agréable restaurant et une piscine intérieure. En basse saison touristique, les chambres sont proposées à des prix intéressants si vous réservez trois jours à l'avance.

Hilton
160$
ℜ, ≈, ⌂, ⊛
277 Riverside Drive W., N9A 5K4
☎973-5555 ou 800-445-8667
⇄973-1600
Bel édifice de brique rouge et de verre, le Hilton bénéficie d'une situation particulièrement plaisante : à deux pas du casino et du centre-ville, il fait face à la rivière.

Quality Suites
184$
🐕
250 Dougall Avenue, N9A 7C6
☎977-9707 ou 800-668-4200
⇄977-6404
Les personnes désireuses de profiter de leur propre cuisinette pourront choisir de loger au Quality Suites, dont les chambres, au décor moderne qui ne parvient cependant pas à créer une atmosphère chaleureuse, sont fort bien tenues. Non loin du centre-ville.

Restaurants

En terre mennonite

Kitchener-Waterloo

Pour faciliter votre recherche de restaurants, nous avons mentionné, pour chacun d'eux, s'ils se trouvent dans la portion Waterloo ou Kitchener de la ville.

Harmony Lunch
$
90 King N., Waterloo
☎*886-4721*
La façade du Harmony Lunch ne semble pas avoir été refaite depuis l'ouverture, il y a près de 50 ans. Bien qu'au premier abord ce petit resto soit peu invitant, il est fréquenté assidûment par des amateurs de vrais «ham»burgers (faits avec du jambon).

Kings Bridge Crossing
$$
77 King N., Waterloo
☎*886-1130*
La salle à manger du Kings Bridge Crossing est tout à fait chaleureuse avec ses fauteuils confortables, son papier peint et ses boiseries. Tout en profitant d'une atmosphère feutrée, si agréable quand on fait un bon repas, vous pourrez savourer des plats sans extravagance, comme des pâtes, du rôti de bœuf et des hamburgers.

Golf's Steak House
$$$
598 Lancaster W., Kitchener
☎*579-4050*
Avez-vous déjà mangé un vrai bon steak juteux et tendre à souhait, comme on n'en fait qu'en Amérique? Le Golf's Steak House vous donnera l'occasion d'en savourer un excellent. Vous dégusterez votre steak (essayez le *New York Sirloin*) dans une des vastes salles à manger au joli décor. Le repas comprend en outre le comptoir à salades (à volonté) et la soupe du jour.

St. Jacobs

Stone Crock
$$
41 King Street
☎*664-2286*
La formule du restaurant mennonite Stone Crock est simple : un repas tout compris qui vous donne le choix parmi trois plats principaux; dinde rôtie, poulet frit ou *spareribs* (côtes de porc), incluant la soupe, le comptoir à salades et le dessert, le tout servi à volonté. Pour 13,95$ par personne, vous mangerez jusqu'à satiété dans une salle à manger sans prétention d'où émane une atmosphère familiale sympathique.

Benjamin's Inn
$$-$$$
17 King
☎*664-3731*
L'ambiance chaleureuse du restaurant Benjamin's Inn a quelque chose d'envoûtant et, une fois assis dans la salle, vous aurez envie d'y rester des heures. Peut-être est-ce en raison du cachet rustique de l'endroit, ou est-ce la belle cheminée, ou encore est-ce le repas, une délicieuse succession de plats... Toujours est-il que vous y passerez d'excellents moments.

Elora

Desert Rose Café
$
Metcalfe Street
Le resto sans prétention Desert Rose Café est parfait pour prendre une bouchée à midi, soit une quiche ou une salade, ou pour se gâter en après-midi, les desserts étant également délicieux, notamment la *butter tart* et le gâteau aux carottes.

La Cachette
$$$
13 Mill Street East
☎*846-8346*
En longeant la rivière, vous dénicherez une petite perle, La Cachette, un restaurant français aménagé dans une fort jolie maison qui abrite deux mignonnes salles à manger, au rez-de-chaussée pour les non-fumeurs et à l'étage pour les fumeurs. Tout ici séduit, le décor certes, mais surtout la carte où figurent des plats succulents, dont le magret de canard aux pommes et calvados ou l'agneau grillé aux herbes de Provence. En été, il est possible de savourer son repas confortablement assis à la terrasse au bord de l'eau.

River Mill Inn
$$$-$$$$
77 Mill Street W.
☎*846-5356*
Elora est vraiment choyée en termes de bons restaurants, car outre La Cachette, vous pourrez faire un délicieux repas au restaurant du River Mill Inn, dont la salle à manger s'ouvrant sur les chutes dévoile de fort beaux paysages. Le menu est également alléchant, affichant des plats variés dont le chateaubriand ou l'agneau fourré au fromage.

Guelph

Guelph compte une foule de coquets et délicieux restos; la ville se targue d'ailleurs d'en avoir une centaine. Nous vous en proposons quelques-uns parmi les plus agréables et les meilleurs.

Bookshelf Café
$
41 Quebec Street
☎*821-3333*
À l'avant se trouve une librairie; à l'arrière, le Bookshelf Café, un café tout ce qu'il y a de plus plaisant, avec ses grandes baies vitrées, son atmosphère jeune et décontractée, et son menu appétissant.

Woolwich Arms Pub
$-$$
176 Woolwich Street
☎*836-2875*
Le Woolwich Arms Pub est réputé pour ses délicieux *speciality burgers* ainsi que pour sa terrasse plaisante où il fait bon manger pendant les belles journées d'été.

Georgian Creed's
$$-$$$
16 Douglas Street
☎*837-2692*
À quelques pas du centre-ville, sur une rue paisible et peu passante, se cache le Georgian Creed's, au ravissant décor et aux délicieux plats qui ne pourront que vous plaire.

Stratford

Down the Street
$-$$
Ontario Street
Le resto Down the Street, avec ses bancs de bois, ses tables en fer forgé et ses dessins d'artistes qui ornent les murs, s'apparente plus au café sympa où l'on va pour bavarder qu'au restaurant. Son menu est cependant alléchant; vous aurez le choix parmi des plats comme les *linguini* au poulet ou le *Santa Fe Spicy Grilled Cheese*, simples mais bons.

Fellini's
$$
107 Ontario Street
☎*271-3333*
Fellini's, ce chouette resto italien sans prétention, décoré de nappes à carreaux, est une bonne occasion de goûter quelques délicieuses spécialités de cette cuisine, le menu affichant des plats de pâtes variés.

The Church
$$
à l'angle de Waterloo Street
et de Brunswick Street
☎*273-3424*
Logeant dans une église plus que centenaire, The Church offre une ambiance unique qui vous séduira à coup sûr. Avec un succulent repas, vous y passerez une soirée particulièrement réussie.

Hamilton et ses environs

Hamilton

Toby
$
King Street
square Jackson
Au centre-ville, sur King Street, vous parviendrez aisément à remplir votre estomac, les restaurants qui servent une cuisine minute étant nombreux. Parmi ceux-ci, vous pourrez essayer le Toby, connu pour servir de bons et copieux hamburgers.

Sundried Tomatoes
$$
à l'angle des rues St. John et Main E.
☎*905-522-3155*
Faisant une cuisine un peu plus raffinée, le Sundried Tomatoes a certainement plus de classe. Le restaurant, avec sa grande salle à manger où vous ne vous sentirez pas trop serré les uns contre les autres, vous semblera des plus agréables. Le repas sera d'autant plus plaisant si vous aimez les huîtres, car celles-ci occupent une place de choix au menu.

La route des vins

St. Catharines

Beantrees
$
204 St. Paul Street
☎*905-682-3357*
Endroit éclectique s'il en est à St. Catharines, Beantrees, qui n'est en fait qu'un petit bistro parfait à midi, parvient à faire le bonheur des étudiants en quête d'un endroit pour bavarder et laisser couler le temps, des gens d'affaires qui s'arrêtent quelques instants, question de se rassasier, et des personnes venues magasiner un brin et qui se sont laissées tenter par l'impressionnante sélection de thés.

Niagara-on-the-Lake

Prince of Wales
6 Picton Street
☎*905-468-3246*
L'élégant Prince of Wales compte deux salles à manger. La première (*$$$$*), la plus chic des deux, offre un harmonieux décor composé d'antiquités et présente un menu raffiné. La seconde pièce (*$$*), à l'atmosphère plus décontractée, a des allures de pub et propose un menu sans extravagance, parfait à midi; vous pourrez notamment y manger du poulet frit (*chicken fingers*) ou des salades.

The Oban
160 Front Street
☎*905-468-2165*
Une bonne partie du rez-de-chaussée d'une magnifique maison

renferme les salles à manger du restaurant The Oban. Une longue véranda pourvue de grandes baies vitrées abrite plusieurs tables, et c'est dans cette section du restaurant (***$$$-$$$$***) que vous pourrez goûter quelques-uns des mets savoureux qui ont conquis le cœur et l'estomac de tant de gens. À l'intérieur se trouve une autre salle (***$$***), à mi-chemin entre le restaurant et le pub, délicieusement chaleureuse, aux murs couverts de cadres et garnie de meubles anciens, de milliers de bibelots, d'un piano et d'un foyer. Assis sur une chaise capitaine ou dans une causeuse, l'assiette posée sur les genoux ou sur une table à café, vous vous sentirez un peu comme si vous étiez dans votre salon. Le menu propose des plats simples comme le poulet *cacciatore* et les crevettes frites.

Niagara Falls

Le long de Clifton Hill se succèdent une foule d'établissements de restauration rapide sans charme ni raffinement, mais qui conviendront aux ventres affamés.

Tony's Place
$
5467 Victoria Avenue
Pour des *ribs* ou du poulet rôti, vous pourrez vous rendre chez Tony's Place.

Old Stone Inn
$$-$$$
5425 Robinson Street
☎905-357-1234
Pour un repas raffiné, vous pouvez essayer le restaurant de l'Old Stone Inn, à l'intérieur d'une belle salle à manger aménagée dans un bâtiment datant du début du siècle, dont le menu affiche une belle variété de mets de divers pays.

Skylon
$$$-$$$$
5200 Robinson Street
☎905-356-2651
Enfin, les personnes qui désirent avant tout admirer les chutes pourront aller manger au restaurant de la tour Skylon, dévoilant une vue splendide. Au menu figurent des plats de poisson et de viande. Certes on paie un peu pour la vue, mais quelle vue!

London et ses environs

London

Mario's
$
428 Clarence
☎433-4044
Mario's vous tentera peut-être par son agréable combinaison : des *spareribs* et du jazz.

Jewel of India
$$
390 Richmond
☎434-9268
D'aspect modeste, le Jewel of India porte bien son nom, car il s'agit vraiment d'un petit bijou pour qui aime la cuisine indienne. Plats de currys, tandouris, pain *nan*, tout est au rendez-vous pour que vous fassiez un véritable petit festin sans vous ruiner.

L'extrême sud-ouest

Kingsville

Vintage Goose
$$$
24 Main Street
Le mignon Vintage Goose est sans doute le resto le plus plaisant en ville à cause de son menu alléchant et de sa coquette salle à manger garnie de bibelots et de statuettes en tout genre, où quelques tables en bois sont joliment couvertes de nappes fleuries.

Windsor

Old Fish Market
$$
156 Chatham Street W.
☎253-3474
L'Old Fish Market arbore une décoration pour le moins original : filets de pêche, bouées, ancres et autres objets marins ornent les murs, question de vous mettre dans l'ambiance. Vous vous sentirez alors peut-être inspiré par le menu, qui propose bien sûr des plats de poisson poché, grillé ou frit, servis en copieuses portions.

Plunkette Bistro
$$-$$$
28 Chatham Street E.
☎252-3111
La façade du Plunkette Bistro, avec ses colonnes orangées, a quelque chose d'inusité dans ce coin de la ville. Le premier effet de surprise passé, vous vous trouverez devant de bons plats de pâtes et de bœuf sans trop d'extravagance.

Sorties

Bars et discothèques

Kitchener-Waterloo

Kings Bridge Crossing
77 King Street N.
Waterloo
À la tombée du jour, le Kings Bridge Crossing s'emplit de gens venus prendre un bon repas,

puis terminer la soirée autour d'un verre. Les personnes qui ne désirent pas manger peuvent s'asseoir dans la partie du restaurant faisant office de bar. Certains soirs, des musiciens s'y produisent.

Stratford

Down the Street
Ontario Street
Down the Street est à la fois un petit resto sympathique et un pub, où vous pourrez prendre une bière (bonne sélection de bières en fût) tout en profitant d'un local sans prétention qui se prête à merveille au bavardage.

Hamilton

Gown and Gavel
Hess Street
Aménagé dans une des belles maisons victoriennes du village Hess, le Gown and Gavel, par son décor chaleureux, est en quelque sorte l'une des institutions de la ville; une faune estudiantine le fréquente assidûment.

Niagara-on-the-Lake

The Oban
160 Front Street
The Oban est l'endroit par excellence en ville pour prendre un verre entre amis, ou même seul, confortablement assis dans un fauteuil au bord de la cheminée.

Fêtes et festivals

Le festival d'octobre, l'**Oktoberfest**, est un événement majeur dans la région; il rappelle les origines allemandes d'une bonne partie de la population. Ce festival, le plus gros de ce genre en dehors de l'Allemagne, est alors l'occasion d'aménager des comptoirs et d'y servir saucisse, choucroute et bière dans une ambiance de fête. De nombreuses activités sont aussi organisées.

Stratford

Le **Festival de Stratford** a lieu tous les ans, de mai à novembre, et il présente diverses pièces tirées du répertoire de Shakespeare ainsi que d'autres œuvres d'auteurs classiques. Afin d'accueillir un public nombreux, la ville compte trois scènes, le **Festival Theatre** *(55 Queen Street)*, l'**Avon Theatre** *(99 Downie)* et le **Tom Patterson Theatre** *(Lakeside Drive)*.

Pour réserver ses places ou pour obtenir des renseignements concernant le calendrier du festival : **Stratford Festival Box Office** *(P.O. Box 520, N5A 6V2, ☎273-1600 ou 800-567-1600, ⇌273-6173)*.

Niagara-on-the-Lake

De renommée internationale, le **Festival Shaw** *(21$ à 60$, pour réservation ☎905-468-2172 ou 800-511-7429, ⇌468-3804)* a lieu tous les ans depuis 1962 et, du mois d'avril au mois d'octobre, vous aurez l'occasion d'assister à de nombreuses pièces de théâtre tirées de l'œuvre de Bernard Shaw à l'un des trois théâtres de la ville : les **Festival Theatre**, **Court House Theatre** et **Royal George Theatre**.

Casinos

Niagara Falls

Les personnes qui voyagent à Niagara Falls et qui désirent se distraire un peu tout en mettant la chance de leur côté peuvent accéder au **casino de Niagara Falls** *(5705 Falls Avenue, ☎905-374-5964 ou 888-946-3255, ⇌374-5998)*. Vaste et aménagé dans un beau bâtiment moderne, il renferme des tables de black-jack et de baccara, ainsi que nombre de machine à sous, de quoi plaire aux joueurs de tout acabit.

Windsor

Windsor est fière de bénéficier de **casinos** *(337 et 445 Riverside Drive W., ☎258-7878)*, dont le bâtiment sans élégance ni charme se dresse au bord de la rivière Détroit et fait face aux États-Unis, d'où proviennent la majeure partie de ses visiteurs.

Théâtres et salles de spectacles

London

L'**orchestre symphonique** de la ville présente à l'Aeolian Hall des concerts tout au long de l'année. Pour réservation, ☎679-8778.

La ville compte également de superbes salles de théâtre, notamment le **Grand Theatre** *(471 Richmond Street, ☎672-8800)*, où des pièces sont présentées toute l'année.

Achats

En terre mennonite

Kitchener-Waterloo

À l'angle de King Street et de Queen Street se trouve le Market Square, qui semble être un centre commercial comme les autres, mais qui, en fait, renferme les locaux où se tient tous les samedis matin le **Farmer's Market** sur deux étages. Au rez-de-chaussée, vous aurez l'embarras du choix parmi les pièces d'artisanat, les courtepointes et les tricots et vêtements en tout genre. Au sous-sol sont vendus des produits alimentaires variés : miel et confiture, saucisse et saucisson, pain et fromage, etc.

St. Jacobs

Le village compte une foule de **boutiques d'artisanat**, et nous préférons vous laisser le plaisir de fouiner parmi ce dédale de petits magasins, aussi tentants les uns que les autres, plutôt que d'essayer d'influencer votre visite.
St. Jacobs possède aussi son **Farmer's Market** *(route 17, sortie ouest de la ville)*, où sont proposés artisanat, produits alimentaires et bétail. Il s'agit d'une occasion unique d'assister à un spectacle différent.

Guelph

Sur Quebec Street, vous trouverez quelques mignonnes boutiques dont la librairie-restaurant **Bookshelf Café** ainsi que la **Maison de Madeleine**, pour des objets de décoration intérieure à la fois un peu excentriques, mais très jolis.

Stratford

Vous pourrez vous procurer de superbes pièces d'art autochtone, sculptures ou gravures, à la boutique **Indigena** *(151 Downie Street)*.

Enfin, si vous désirez un quelconque souvenir du festival, il ne faut pas manquer de faire un saut à la boutique **Theatre Store** *(96 Downie Street)*.

La route des vins

Niagara-on-the-Lake

Le centre de Niagara-on-the-Lake est composé d'une foule de boutiques toutes plus tentantes les unes que les autres, et votre visite de la ville ne sera pas complète si vous n'entrez pas dans quelques-unes d'entre elles.

Au premier abord, **J.W. Outfitters** *(Queen Street)* ne semble être qu'une simple boutique de souvenirs, mais à l'intérieur vous trouverez de beaux t-shirts ainsi que de belles affiches représentant des œuvres d'artistes autochtones.

Greaves *(Queen Street)* est spécialisé dans les gelées, les marmelades et les confitures, toutes délicieuses.

Pour un mémorable morceau de *fudge*, cette friandise sucrée à souhait, rendez-vous chez **Maple Leaf Fudge** *(Queen Street)*.

London et ses environs

Brantford

La petite boutique du **Centre culturel Woodland** *(184 Mohawk Street)* propose une belle sélection de pièces d'artisanat autochtone, des livres et des affiches.

London

Sans conteste l'une des plus belles galeries d'art autochtone de la région, **Innuit** *(201 Queen Avenue, ☎672-7770)* propose des sculptures et des lithogravures d'artistes provenant de tous les coins du Canada ou qui vous feront au moins rêver si vous n'avez pas de quoi les acheter.

Novacks Travel Bookstore *(211 King Street, ☎434-2282)* possède une vaste collection d'articles de plein air et de guides de voyage.

L'extrême sud-ouest

Windsor

Le centre-ville de Windsor s'étend le long de Ouellette Avenue, où se succèdent des boutiques en tout genre. Parmi celles-ci, la boutique **AGW**, de l'Art Gallery of Windsor, propose une surprenante et belle sélection d'objets inusités. Deux adresses en ville, l'une au 500 Ouellette Avenue et l'autre au musée *(3100 Howard Avenue)*.

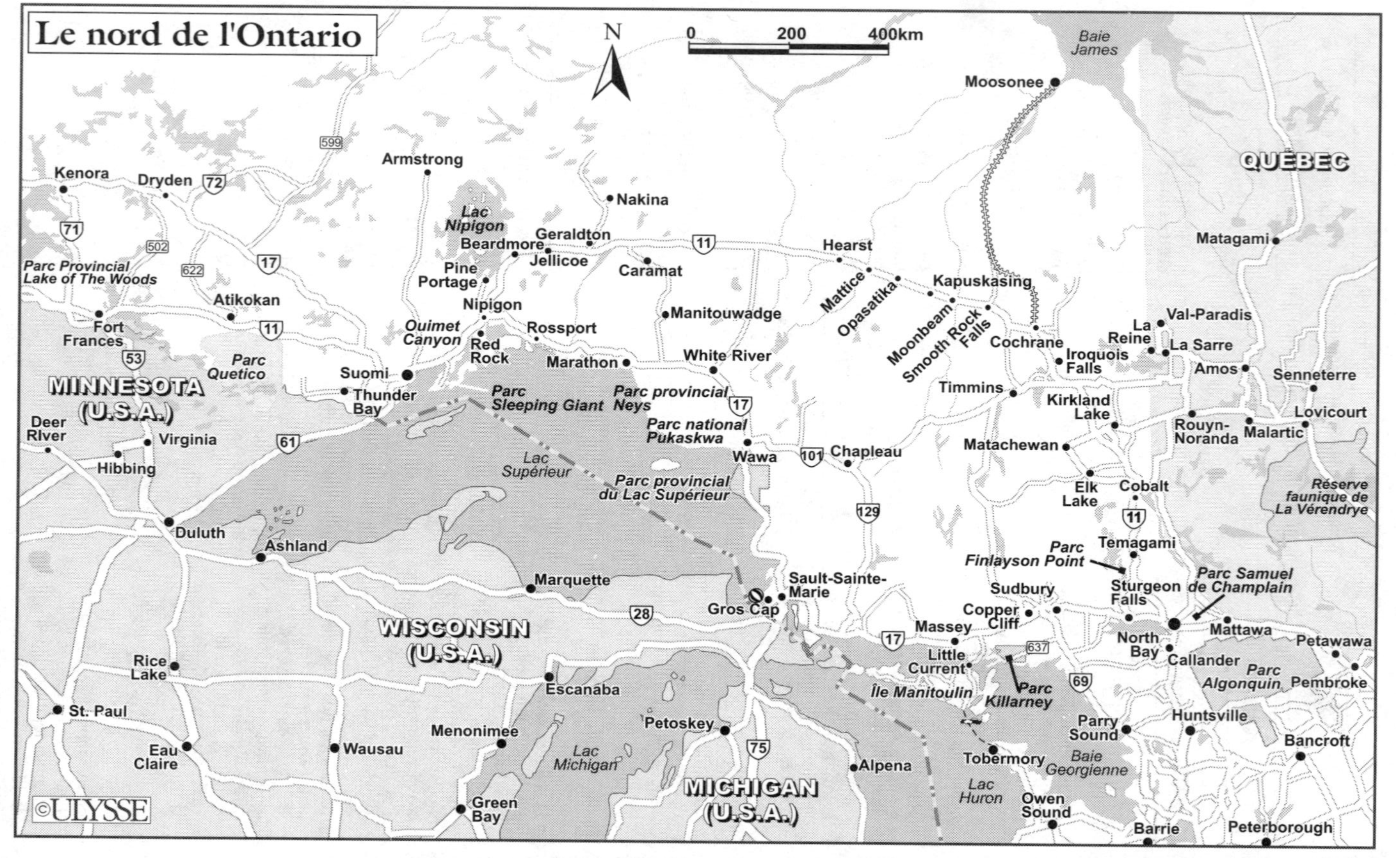
Le nord de l'Ontario
N
0
200
400km
Baie James
Moosonee
QUÉBEC
Armstrong
Kenora
Dryden
Nakina
Lac Nipigon
Geraldton
Beardmore
Jellicoe
Caramat
Hearst
Matagami
Parc Provincial Lake of The Woods
Pine Portage
Atikokan
Nipigon
Manitouwadge
Mattice
Opasatika
Kapuskasing
Moonbeam
Smooth Rock Falls
Val-Paradis
La Reine
La Sarre
Fort Frances
Ouimet Canyon
Red Rock
Rossport
Cochrane
Iroquois Falls
Amos
Senneterre
Parc Quetico
Suomi
Marathon
White River
Timmins
MINNESOTA (U.S.A.)
Thunder Bay
Parc Sleeping Giant
Parc provincial Neys
Kirkland Lake
Lovicourt
Deer River
Parc national Pukaskwa
Rouyn-Noranda
Malartic
Virginia
Wawa
Chapleau
Matachewan
Hibbing
Lac Supérieur
Parc provincial du Lac Supérieur
Elk Lake
Cobalt
Réserve faunique de La Vérendrye
Duluth
Ashland
Temagami
Parc Finlayson Point
Marquette
Sault-Sainte-Marie
Sudbury
Sturgeon Falls
Parc Samuel de Champlain
Gros Cap
Copper Cliff
WISCONSIN (U.S.A.)
Massey
North Bay
Mattawa
Petawawa
Rice Lake
Little Current
Callander
Parc Algonquin
Pembroke
Escanaba
Île Manitoulin
Parc Killarney
St. Paul
Petoskey
Parry Sound
Huntsville
Menonimee
Bancroft
Eau Claire
Wausau
Lac Michigan
Alpena
Tobermory
Baie Georgienne
MICHIGAN (U.S.A.)
Lac Huron
Owen Sound
Green Bay
Barrie
Peterborough
©ULYSSE

Le nord de l'Ontario

Au nord du 46e parallèle s'étend un espace démesuré, encore indompté, où triomphent la forêt, les lacs et les rivières.

C'est à la faveur de l'exploration de ces rivières que les premiers Européens ont pu pénétrer plus profondément dans ces terres sauvages et y découvrir de véritables mers intérieures, soit les lacs Huron et Supérieur. Ils y rencontrèrent également des peuplades autochtones qui tiraient leur subsistance de la chasse et de la pêche, et ils s'intéressèrent rapidement à un produit de luxe très prisé sur le vieux continent : la fourrure. Dès le XVIIe siècle, les Européens décident d'y établir des postes de traite afin de transiger avec les tribus du Nord, passées maîtres dans l'art de la chasse. Cependant, ce n'est qu'au XIXe siècle que de petites villes naissent de ces postes éparpillés aux quatre coins du territoire.

Dans le présent ouvrage, le Nord ontarien englobe plus de la moitié des terres ontariennes, un territoire immense quasi inhabité. Partout, la forêt domine le paysage, et il n'est pas rare que des centaines de kilomètres séparent deux villages. Pour apprécier cette contrée sauvage, il faut aimer la solitude, la nature et les longues distances.

Pour s'y retrouver sans mal

Le territoire couvert par ce chapitre est vaste, aussi faut-il parfois parcourir des dizaines de kilomètres pour parvenir à un village. La voiture constitue le moyen de transport idéal, bien que l'autocar desserve la plupart de ces villes et villages.

Il est également possible de prendre le train vers North Bay et Sudbury, de même que vers certaines villes plus au nord.

En voiture

Une seule route, l'autoroute 17, traverse tout ce territoire; elle débute à Ottawa et se rend jusqu'à la frontière du Manitoba en passant par North Bay, Sudbury, Sault-Sainte-Marie, Wawa, Thunder Bay et Kenora.

Si vous arrivez de Toronto, vous devrez prendre l'autoroute 440 jusqu'à Barrie et poursuivre sur l'autoroute 11 pour rejoindre North Bay.

En autocar

Vous pourrez facilement vous rendre d'une ville à l'autre en voyageant par autocar, mais la route pourra alors vous sembler plus longue, car les arrêts sont fréquents.

Voici les adresses des gares routières :

Mattawa
Pine St.
à la station-service Shell

North Bay
100 Station Rd.
☎(705) 495-4200

Sudbury
854 Notre Dame Avenue
☎(705) 524-9900

Île Manitoulin : vous pouvez vous rendre jusqu'à **Little Current** (*sur la route 540*) en autocar. Pour parcourir le reste de l'île, vous devrez avoir recours à vos propres moyens (voiture louée, auto-stop, vélo).

Sault-Sainte-Marie
73 Brock St.
☎(705) 949-4711

Thunder Bay
815 Fort William Rd.
☎(807) 345-2194

Kenora
610 Lakeview Dr.
☎(807) 468-7172

En train

Une ligne de chemin de fer relie Toronto et North Bay; une seconde, longeant la baie Georgienne, va de Toronto à White River en passant par Sudbury.

North Bay
100 Station Rd.
☎(705) 495-4200

Sudbury
233 Elgin St.
au centre-ville
☎800-361-1235
ou, si vous arrivez de Toronto, de l'ouest ou du Québec :
2750 bd LaSalle Est

En traversier

Si vous arrivez par le sud de la province, vous pourrez vous rendre sur l'île Manitoulin grâce au traversier *Chi-Cheemaun (voiture 24,50$, adulte 11,20$, enfant 5,50$; ☎800-265-3163)*, qui relie Tobermory (à l'extrémité nord de la péninsule de Bruce) à South Baymouth. La traversée, qui a lieu à partir du printemps jusqu'à l'automne, dure 1 heure 45 min. Il est possible de réserver; vous devrez alors vous présenter une heure avant l'embarquement.

Horaire d'été :

Tobermory-South Baymouth
7h, 11h20, 15h40, 20h

South Baymouth-Tobermory
9h10, 13h30, 17h50, 22h

Horaire du printemps et de l'automne :

Tobermory-South Baymouth
8h50, 13h30, 18h10 (ven seulement)

South Baymouth-Tobermory
11h10, 15h50, 20h15 (ven seulement)

Les visiteurs en provenance du nord de la province par l'autoroute 17 pourront se rendre sur l'île par l'autoroute 6, qui relie Espanola et Little Current.

Renseignements pratiques

Indicatif régional : 705
Pembroke : 613.
Région de Thunder Bay et de Kenora : 807.

Renseignements touristiques

Almaquin Nipissing Travel Association
À l'angle de Seymour Street et de l'autoroute 11
C.P. 351
North Bay, P1B 8H5
☎(705) 474-6634
☎800-387-0516

Rainbow Country Travel Association
2726, Whippoorwill
Sudbury, P3G 1E9
☎(705) 522-0104
☎800-465-6655

Algoma Kinniwabi Travel Association
553, Queen St. E., Suite 1
Sault-Sainte-Marie, P6A 2A3
☎(705) 254-4293
☎800-263-2546

North of Superior Tourism
1119, Victoria Ave. E.
Thunder Bay, P7C 1B7
☎(807) 626-9420
☎800-265-3951

Ontario's Sunset Country Travel Association
102, Main St., 2e étage, Suite 201
C.P. 647M
Kenora, P9N 3X6
☎(807) 468-5853
☎800-665-7567

Attraits touristiques

Sur la route des premiers explorateurs

En 1615, deux explorateurs français, Samuel de Champlain et Étienne Brûlé, accompagnés de Hurons, remontent la rivière des Outaouais, jusqu'à la rivière Mattawa, traversent le lac Nipissing et se rendent en Huronie, au bord de la baie Georgienne (lac Huron). Pendant une vingtaine d'années, les relations entre ces deux peuples sont bonnes, et les incursions sur cette partie du territoire sont relativement fréquentes, aussi les Français acquièrent-ils une bonne connaissance de toute cette zone allant jusqu'au lac Supérieur. Toutefois, la colonisation de cette région est fort lente, et il n'y aura pas de réelle implantation, tant française qu'anglaise, avant plusieurs décennies.

Cette route naturelle située dans le moyen Nord ontarien a néanmoins joué un rôle majeur très tôt dans l'histoire de la province, car c'est en la suivant que les coureurs des bois établirent des relations commerciales très fructueuses avec les Autochtones. Ce circuit vous entraîne sur la route de ces premiers explorateurs, dont les principales villes sont North Bay, Sudbury, Sault-Sainte-Marie et Thunder Bay.

Pembroke

Cette ville est bâtie au bord de la rivière des Outaouais. Bien qu'elle soit une ville sans charme particulier, son principal attrait demeure la rivière qui la borde, notamment les rapides qui se trouvent à cette hauteur et qui attirent les amateurs de rafting (voir p 487).

North Bay

En arrivant à North Bay, vous serez accueilli par de longs boulevards bordés de motels et de vastes centres commerciaux qui n'ont rien de charmant. Cependant, ils ne sont pas représentatifs de cette ville du Nord qui cache quelques belles demeures ainsi qu'un centre-ville pittoresque (Main Street entre Cassell's et Fisher), malheureusement trop souvent délaissé à l'avantage des grands centres commerciaux. La beauté de cette ville tient à sa simplicité, à ses maisons proprettes au jardin toujours bien entretenu et surtout au magnifique lac Nipissing, qui la borde. Une agréable **promenade ★**, ponctuée de bancs, longe les berges du lac et, en été, à la tombée du jour, elle s'anime d'une foule tranquille qui vient goûter les derniers rayons de soleil qui disparaissent doucement dans les eaux miroitantes du lac. Des croisières sont organisées, partant du quai de North Bay et allant jusqu'à la rivière des Français. Les habitants de la ville peuvent également profiter d'un second beau lac, le lac Trout, qui s'étend à l'est de la ville. Il n'y a pas si longtemps, les notables de North Bay faisaient construire leur chalet autour du lac Trout.

À côté du bureau de renseignements touristiques, vous remarquerez une modeste maison en rondins, qui abrita jadis la famille Dionne. Déménagée de Callander, cette maison abrite aujourd'hui le **Musée des quintuplées Dionne** *(adulte 2,75$, étudiant/ainés 2,25$ enfant 1,50$; mai à oct 9h à 17h, juil et août tlj 9h à 19h; Seymour St., ☎472-8480; renseignements et réservations C.P. 747, P1B 8J8)*, qui présente des photos de Cécile, Émilie, Yvonne, Annette et Marie, ainsi que divers objets leur ayant appartenu.

★ Sudbury

Au début de la colonisation, quelques postes de traite ont été établis dans la région, mais ce n'est qu'avec l'arrivée du chemin de fer en 1883 que Sudbury connaît vraiment son envol. Durant les travaux, d'importants gisements minéralogiques sont découverts, notamment de nickel (les plus riches au monde), d'uranium et de cuivre, à l'origine du développement important que connaît alors la ville. Ces métaux proviennent du bassin de Sudbury, qui fut probablement créé par l'impact d'un météorite. Les activités minières se poursuivent encore aujourd'hui, alimentant une bonne part de l'économie locale.

Partout dans la ville, vous sentirez bien la présence de cette importante calotte minéralogique, les verdoyantes forêts de feuillus et de conifères faisant place à des paysages désolés quasi lunaires. Depuis quelques années, de nombreuses mesures ont été prises pour redonner à la ville un peu de verdure, mais son industrie minière semble avoir laissé des traces indélébiles. Par conséquent, la ville n'a pas beaucoup de cachet. Heureusement, d'intéressantes initiatives ont été entreprises pour faire oublier toute cette grisaille, et des sites comme Science Nord méritent certainement une visite.

Science Nord ★★ *(15$; juin à début sept 9h à 18h, mai et oct 9h à 17h, nov à avr 10h à 16h; 100 chemin du lac Ramsey, ☎705-522-3701 ou 800-461-4898, www.sciencenorth.on.ca)* Ce site est aménagé dans un bâtiment dont la forme est pour le moins inusitée : un gigantesque flocon de neige. Il illustre bien ce qu'il renferme, car ce remarquable complexe vise à faire connaître au public les mystères de la nature et de la science. Vous pourrez y découvrir toute une gamme de petites expositions thématiques, de courts films et de jeux interactifs et éducatifs, qui sont autant de moyens utilisés pour vulgariser une information scientifique souvent fort complexe. Des thèmes comme la biosphère, l'atmosphère et la géosphère sont abordés, et répondent aux questionnements des jeunes et des moins jeunes. Le dernier étage, avec ses laboratoires à la portée de tous, constitue une occasion unique d'expérimenter divers phénomènes naturels ou scientifiques. Le centre renferme également un **cinéma IMAX** *(8$)*, où sont projetés des films d'un réalisme saisissant. Science Nord profite également d'un bel environnement au bord du lac Ramsey, et vous pourrez bénéficier de ses berges, car un agréable parc a été aménagé. En outre, des quais de bois traversent toute une zone de marécages et sont l'occasion d'une promenade au cœur de grandes herbes où habitent une foule de petits animaux et d'oiseaux. Enfin, vous pourrez prendre part à une croisière sur le lac à bord du ***Cortina*** *(adulte 7,95$)*.

Le **sentier de la découverte** *(départ de Science Nord, ☎800-461-4898)* est une visite guidée de la ville et de ses environs qui vous entraîne à la découverte de l'histoire géologique du bassin de Sudbury. Il se rend également à la mine de nickel Inco, l'un des plus grands producteurs du monde.

Quelques petits musées exposent plusieurs objets de la vie quotidienne du début du siècle. Ils plairont aux amateurs de culture locale, mais ne renferment aucun trésor. Il est toujours préférable de téléphoner avant de vous y rendre.

Le **musée de Copper Cliff** *(entrée libre; juin à août 11h à 16h; à l'angle de Balsam et de Power St.)* présente une panoplie d'outils qui se retrouvaient dans la cabane d'un mineur au début du siècle.

Île Manitoulin

Il y a fort longtemps que l'île Manitoulin est habitée par des tribus autochtones; des fouilles archéologiques ont permis d'attester leur établissement sur cette terre depuis près de 10 000 ans. Cette présence humaine connaît cependant un intermède, car, dans les années 1700, et pour des raisons encore obscures, les Amérindiens de l'île décident de la délaisser pour aller s'établir plus au sud. Il s'écoule plus d'une centaine d'années avant qu'ils ne reviennent à l'île (autour des années 1820), car ces Autochtones sont alors repoussés par les nouveaux colons qui peuplent de plus en plus le sud de l'Ontario. Pendant des années, seule une poignée d'Autochtones s'installent sur cette île démesurée, l'une des plus grandes en eau douce au monde avec 1 600 km² de côte. Mais, peu à peu, elle est convoitée par les colons anglais et, au cours du XIXe siècle, les tribus doivent s'entendre avec les nouvelles autorités pour le partage des terres.

Sur l'île, la présence amérindienne se fait bien sentir, les tribus odawas, potawotamies et ojibways s'y étant dispersées, et l'on dénombre plusieurs villages et lacs tirant leur nom des langues amérindiennes. Ces noms tels que *Sheguiandah*, *Manitowaning* ou *Mindemoya* proviennent des légendes qui hantent encore ces lieux. D'ailleurs, l'île elle-même doit son nom à une légende autochtone, selon laquelle cette terre était celle du grand esprit *Gitchi Manitou*.

Terre paisible renfermant une centaine de lacs, de mignons villages et de pittoresques hameaux, l'île a de quoi plaire aux personnes à la recherche d'endroits champêtres et d'une nature sereine, mais n'est cependant d'aucun intérêt pour les âmes urbaines n'appréciant que les villes fébriles. L'île, avec ses longues plages de sable blanc, ses côtes bordées par des eaux où abondent les poissons et ses sentiers de randonnée, offre bien des ressources naturelles pour divertir l'amateur d'activités de plein air.

★★

Sault-Sainte-Marie

Déjà les Ojibways surnommaient le site de l'actuelle Sault-Sainte-Marie, *Bawating*, en référence à son emplacement au bord de la rivière St. Mary's, qui relie en tumultueuses cascades les lacs Huron et Supérieur. C'est d'ailleurs en raison de ces chutes (sault) que le père jésuite Jacques Marquette nomma la mission qu'il venait d'y fonder «Sainte-Marie-du-Sault». Son emplacement clé pour le commerce des fourrures, à la jonction des deux grands lacs, en fait un important poste de ravitaillement, mais, jusqu'en 1840, le poste est surtout utilisé comme dépôt pour les marchandises. C'est l'exploitation de la mine de Bruce, vers les années 1850, qui entraîna l'essor de la ville.

Aujourd'hui, la ville vit au rythme de ses importantes industries de bois et de sidérurgie ainsi que de la navigation, car ses écluses sont empruntées par nombre de navires chaque jour. Vous pourrez observer le passage des immenses navires dans ces écluses, car une plaisante promenade piétonne a été aménagée le long de la rivière St. Mary's. Ce parc attire également nombre d'oiseaux, notamment des bernaches. Si le cœur vous en dit, vous pourrez voir de plus près les écluses et leur fonctionnement en prenant part à une croisière organisée par Locks Tour Canada.

Afin de permettre aux bateaux de relier les lacs Huron et Supérieur, et de contourner les rapides qui les séparent, la construction d'un canal fut entreprise en 1895. Avec les ans, le canal, devenu trop étroit pour les navires et nécessitant une remise en état, a dû être remis en état et a été reconverti pour permettre le passage des plaisanciers. On en a profité pour réaménager les abords du canal et les transformer en un parc attrayant, le **Sault Canal National Historic Site**. Un sentier de plus de 2 km y est entretenu.

Sault-Sainte-Marie ou *The Soo*, comme elle est communément appelée, a de quoi ravir. Belle ville paisible aux longues artères joliment arborées et bordées de somptueuses demeures aux allures d'antan, elle a un charme singulier et fait sans doute partie des plus agréables villes du Nord. Outre la beauté de son centre-ville et de ses quartiers résidentiels, que vous découvrirez au gré de vos promenades, elle possède quelques attraits touristiques intéressants et, surtout, elle est le point de départ de la magnifique excursion au canyon Agawa.

Le **musée de Sault-Sainte-Marie** *(2$; oct-mai mar-dim 10h à 17h, juin-sept tlj; 690 Queen St. E., ☎759-7278)* est l'occasion de faire un bond de 10 000 ans en arrière, car il présente une rétrospective historique des premières nations autochtones ayant habité la région jusqu'au XXe siècle. Vous pourrez entre autres observer une reconstitution d'un *wigwam* ainsi qu'une exposition de différents objets évoquant le mode de vie au début de la colonisation. Les objets n'ont pas une grande valeur, mais la visite du musée offre un certain intérêt.

La **maison Ermatinger** ★ *(2$; juin à sept tlj 10h à 17h, mi-avr à mai lun-ven 10h à 17h, oct et nov 13h à 17h; 831 Queen St. E., ☎759-5443)* fut bâtie en 1824 pour un riche commerçant de fourrures, Charles Oakes Ermatinger, et offerte à son épouse d'origine ojibwaye. Fort jolie, cette maison de pierres, construite avant que la ville ne se développe, est la plus ancienne du nord-ouest de l'Ontario. La visite vous permet de revivre au temps passé, car vous serez reçu par des guides en costume d'époque dans cette maison garnie de meubles anciens.

La **galerie d'art Algoma** *(contribution volontaire appréciée; lun-sam 9h à 17h, sept à déc sam 13h à 16h; 10 East St., ☎949-9067, www.artgalleryofAlgoma.on.ca)* comprend deux salles d'exposition présentant des œuvres d'artistes du Canada et d'ailleurs. Elle renferme quelques toiles seulement, mais certaines sont fort belles. On y présente aussi des expositions temporaires.

En hommage à Roberta Bondar, cette première astronaute canadienne native de Sault-Sainte-Marie, le **parc Roberta Bondar** a été aménagé au bord de la rivière St. Mary's, à deux pas du centre-ville. Une gigantesque tente de

1 347 m² s'y dresse en permanence, où une foule d'événements se déroulent en été comme en hiver, dont le Winter Carnival.

À l'extrémité de Bay Street, vous ne pourrez manquer le grand hangar, qui abrite **The Canadian Bushplane Heritage Centre** *(7,50$; été 9h à 21h, hiver 10h à 16h; 50 Pim St., ☎945-6242, www.bushplane. com).* Plusieurs avions de brousse y sont exposées, notamment le Beaver, ce solide avion qui a permis l'exploration des régions canadiennes éloignées. Les avions de brousse ne sont pas les seuls modèles en vedette, car vous pourrez également voir les appareils servant à combattre les feux de forêt, monter dans certains et mieux comprendre le travail des pilotes.

Afin de connaître le développement de la forêt canadienne, des recherches sont entreprises au **Centre de foresterie des Grands Lacs** *(entrée libre; juil lun-ven 10h à 16h; 1219 Queen St. E., ☎759-5740, poste 2222)*, le plus gros centre de ce genre au Canada. Vous aurez l'occasion de visiter les serres et les laboratoires où s'effectuent les études et de vous familiariser avec quelques aspects de cette richesse naturelle. Réservation nécessaire.

À l'est de la ville, le **parc Bellevue** s'allonge au bord de la rivière St. Mary's. Il est fréquenté par les habitants qui viennent s'y promener et observer les quelques bêtes du **zoo** (entre autres des bisons et des chevreuils). L'endroit attire également une foule de bernaches qui cacardent à qui mieux mieux et qui lui enlèvent quelque peu de sa tranquillité.

Chevreuil

Pour faire une excursion mémorable au cœur de la nature sauvage du nord de l'Ontario, il faut monter à bord du train d'Algoma et partir à la découverte du **Agawa Canyon Park** ★★★ *(54$; mai à sept tlj 8h, jan à mars sam-dim 8h; la gare se trouve au centre commercial Station, ☎705-946-7300 ou 800-242-9287, ≠705-541-2989).* Confortablement assis dans un charmant petit train d'époque, vous sillonnerez la forêt en passant à flanc de colline et en longeant des rivières, et contemplerez ce tableau naturel d'une saisissante beauté qui se transforme au gré des saisons, passant du vert intense en été à la palette d'orangé et de rouge en automne, et à une éclatante blancheur en hiver. Vous partirez tôt le matin et roulerez plus de trois heures à travers bois avant d'arriver à destination : en pleine forêt, où vous aurez deux heures pour vous promener, voir des chutes ou escalader les collines. Puis vous reviendrez à la ville, les yeux emplis de scènes grandioses. Il est recommandé de réserver ses places, tout particulièrement pour les excursions d'automne.

Wawa

Tous les ans, la région de Wawa attire une incroyable quantité de bernaches (oies sauvages) qui viennent pour nicher et, au moment de leur périple migratoire, il est fréquent que le ciel de Wawa se couvre de ces grands volatiles. Ces oies sauvages sont présentes dans la région depuis fort longtemps, et la ville en tire d'ailleurs son nom, car Wawa signifie «bernache» en langue ojibwaye. En hommage à ces gracieux oiseaux, vous pouvez voir une statue d'acier haute de 9 m représentant une bernache. Elle commémore également l'ouverture de l'autoroute transcanadienne en 1960.

Nipigon

Cette ville située à l'embouchure de la rivière Nipigon fut le premier site colonisé par les Français sur la rive nord du lac Supérieur, un poste de traite y ayant été établi en 1678. Nipigon a l'avantage de se trouver non loin d'un site naturel fascinant, **Red Rock** ★, constitué de hautes falaises rouges (200 m) dont la couleur confirme la présence d'hématite dans la roche.

★★ Ouimet Canyon

Ce canyon profond de 107 m et large d'environ 150 m a de quoi faire frémir, d'autant plus que vous pourrez l'admirer de près grâce aux deux belvédères de bois aménagés au bord du gouffre. Tout au fond du canyon et le long des parois abruptes, le froid perdure, et il n'y pousse qu'une chétive flore arctique.

★★ Thunder Bay

Il y a plus de 10 000 ans que la région de Thunder Bay est habitée, des Amérindiens s'y étant déjà installés. D'ailleurs, au moment de l'arrivée des premiers Européens, les tribus ojibways occupent encore ce territoire. Au fil des ans, ces tribus n'ont jamais délaissé ces terres, et elles composent toujours une part importante de la population.

Le site apparaît stratégique aux colonisateurs et, en 1679, le fort français de Caministiquoyan est fondé afin de faciliter le travail des commerçants dans cette région. Mais le développement du nord de l'Ontario évolue lentement, et il faut attendre 1803, année d'implantation de la compagnie du fort William, pour qu'une communauté d'origine européenne s'installe de façon permanente en cette partie du territoire. Le fort devient rapidement le centre de commerce des fourrures, et c'est ici que les trappeurs viennent échanger leurs prises aux «voyageurs» venus de Montréal pour se les approprier. Ce commerce a bien sûr des retombées favorables sur l'essor de la région, car des colons s'y établissent de plus en plus nombreux. Au cours du XIXe siècle, on assiste au développement de deux villes, Fort William et Port Arthur, côte à côte. Ce n'est cependant qu'en 1970 qu'elles se fusionnent pour ne former qu'une seule ville : Thunder Bay. En raison de l'origine de sa fondation, la ville possède toujours deux centres-villes; le centre-ville sud est situé aux alentours des rues Victoria et Brodie, et le centre nord, entre les rues Algoma, Water et Keskus.

À une centaine de kilomètres du Manitoba, Thunder Bay est une ville unique, dernière ville d'importance dans l'ouest du territoire ontarien, et allie les avantages d'une ville moderne, dynamique et multiculturelle à proximité d'étendues naturelles encore indomptées par l'être humain que vous pourrez conquérir à pied, en canot ou à skis.

Elle s'est développée au bord du superbe lac Supérieur et en tire d'ailleurs une part de sa prospérité, son port étant l'un des plus actifs au Canada, car il s'agit du dernier pouvant accueillir les cargos qui remontent la voie maritime du Saint-Laurent. Au **port**, vous pourrez observer les gigantesques navires de même que les 15 élévateurs de grains servant à l'entreposage qui le bordent sur plusieurs kilomètres. Vous remarquerez notamment le plus gros de tous, le **Saskatchewan Wheat Pool Terminal**. Vous pourrez voir une petite partie du port en vous baladant sur la promenade aménagée près de la marina, derrière l'office de tourisme.

La promenade autour de la marina est certes fort belle, mais si vous avez envie de voir de plus près ces imposants navires ou de voir le port sous un autre angle, prenez place à bord du ***MV Welcome*** ★ *(12,50$; départ de la marina 10h)*. Le bateau longe d'abord la marina, suit la rivière Kaministikwia et traverse la ville en direction du fort William. Il s'agit d'une plaisante balade de deux heures (aller seulement), le retour se faisant par autobus.

Old Fort William ★★ *(10$; mi-mai à mi-oct tlj 10h à 17h; Broadway Ave. S., ☎577-8461, ≠473-2327)* se présente comme une reconstitution passionnante de l'ancien fort William, tel qu'il existait au début du XIXe siècle, et vous ne pourrez qu'être enchanté par cette réplique du plus grand poste de traite de fourrures du monde. Il renferme une quarantaine de bâtiments, et des guides en costume d'époque évoquent la vie des habitants d'alors (trappeurs, commerçants et Ojibways) et vous entraînent dans un fascinant voyage à travers le temps, quelque 200 ans en arrière.

Le **Thunder Bay Museum** *(5$; 425 East Donald St., ☎623-0801)* présente toute une variété d'objets relatifs à l'histoire locale, objets utilisés par les premiers habitants, instruments militaires ou médicaux, ainsi qu'une collection de vestiges amérindiens. Il s'agit d'une belle occasion de mieux saisir la réalité quotidienne des premières tribus autochtones et des premiers colons.

Pour contempler quelques belles pièces d'artisanat autochtone, rendez-vous au **Thunder Bay Art Gallery** *(2$; mar-jeu 12h à 20h, ven-sam 12h à 17h; 1080 Keewatin St., sur le campus du Confederation College, ☎577-6427)*.

Une **statue de Terry Fox** a été élevée à la sortie est de la ville pour souligner le courage de ce jeune héros canadien qui, atteint du cancer et ayant dû être amputé d'une jambe, entreprit son «marathon de l'espoir», une traversée du Canada à la course, afin d'amasser des fonds pour la recherche visant à vaincre cette maladie. Parti de Terre-Neuve, il parcourut une partie du Canada, mais dut abandonner ici, la maladie l'empêchant de continuer.

À la sortie nord-est de la ville s'étend le joli **Centennial Park**, qui borde le lac Boulevard, et vous pourrez vous balader le long de l'eau ou dans la forêt, des sentiers étant aménagés. La journée promet également d'être plaisante pour toute la famille, car vous y trouverez des aires de pique-nique et la reconstitution d'un camp de bûcherons de 1910. Non loin du parc, le lac vous réserve une belle plage où vous pourrez louer des canots et des pédalos.

Le **parc Chippewa** *(au sud de l'autoroute 61B)* est aménagé le long du lac Supérieur et attire des familles entières venues y pique-niquer ou s'amuser dans un des manèges du parc d'attractions. Camping.

La tour du **Mount McKay Lookout** ★, haute de 183 m, se dresse à côté de la ville, au cœur de la réserve ojibway de Fort William. Au sommet, vous découvrirez une superbe vue sur la ville et les environs. Vous pourrez en outre y acheter des pièces d'artisanat autochtone.

L'Ontario possède de riches **gisements d'améthyste**, qui est d'ailleurs la pierre officielle de la province. Ces gisements présents dans la région de Thunder Bay ont été formés il y a quelques millions d'années par l'intrusion, dans le granit, d'un liquide bouillant riche en silice. En refroidissant, ce liquide a formé les cristaux de cette pierre semi-précieuse, une variété de quartz. Des visites du **Thunder Bay Amethyst Mine Panorama** *(3$; mi-mai à oct 10h à 19h; à 58 km à l'est de Thunder Bay, East Loon Rd., ☎807-622-6908)* sont organisées, et il est même possible de louer les outils nécessaires à l'extraction de quelques morceaux d'améthyste.

Vous pouvez également vous rendre à la **mine d'agates** *(prendre l'autoroute 17 en direction est, puis emprunter l'autoroute 527 vers le nord, ☎683-3595)*, la seule de ce genre au Canada. Outre une visite des installations, vous pourrez tenter d'y extraire votre propre agate.

Kenora

Kenora est située à l'extrémité ouest de l'Ontario et à quelques kilomètres de la frontière du Manitoba. Au XIXe siècle, cette portion du territoire fut d'ailleurs l'objet de disputes entre ces deux provinces, toutes deux voulant se l'approprier. C'est l'Ontario qui eut gain de cause, et ces terres lui furent officiellement concédées en 1892. Mais Kenora est véritablement née en 1905 de la fusion de trois petites municipalités : Keewatin, Norman et Rat Portage. Son nom provient d'ailleurs de l'utilisation des deux premières lettres du nom de chacune d'entre elles (Ke-No-Ra).

La région de Kenora dispose de ressources naturelles, notamment le bois, et les usines de pâtes et papiers sont une des composantes majeures de l'économie locale. Les forêts et les lacs ont également permis le développement d'une autre industrie prospère, le tourisme, car il s'agit d'un réel paradis pour la chasse et la pêche, de même que pour les belles balades en pleine nature sur les rives du lac des Bois.

Parcs

★

Samuel de Champlain Provincial Park

Le **Samuel de Champlain Provincial Park** *(autoroute 17 entre Mattawa et North Bay, ☎705-744-2276)* est situé le long des berges de la rivière Mattawa, qu'empruntaient jadis les premiers colons faisant la traite des fourrures alors qu'ils se rendaient plus profondément dans les terres ontariennes en direction des Grands Lacs. En souvenir de ces explorateurs, le **Musée du voyageur** présente quelques objets relatifs à leur mode de vie, et vous pourrez notamment y voir une intéressante réplique du type de canot d'écorce avec lequel ils se déplaçaient.

La rivière Mattawa est véritablement le centre nerveux de ce parc, car c'est autour d'elle que s'organisent la plupart des activités sportives. Les personnes qui désirent se promener en forêt y trouveront des sentiers de randonnée menant à la rivière et la longeant sur une bonne distance, et celles qui savent un tant soit peu canoter s'en donneront à cœur joie en descendant ses flots. Les moins audacieux suivront la rivière sur une courte distance, alors que les aventureux entreprendront une excursion s'étendant sur quelques jours; des emplacements de camping sauvage sont d'ailleurs aménagés le long du parcours. Le parc compte également trois terrains de camping.

★★

Killarney Provincial Park

Vous pouvez faire un détour si vous empruntez la route 637 en direction de la petite ville de Killarney. Vous passerez alors en bordure du très beau **Killarney Provincial Park** *(☎705-287-2800)*, s'avançant dans la baie Georgienne. Ce vaste jardin naturel, traversé par une foule de rivières et de lacs aux eaux claires, se présente comme un véritable paradis pour l'amateur de canot. En le parcourant, vous aurez la chance d'admirer des tableaux quasi féeriques, typiques du Bouclier canadien, où s'entrecroisent les lacs et les rivières, les falaises des montagnes La Cloche, et les forêts de bouleaux et de pins. Le parc a tout pour plaire, tant aux personnes qui désirent descendre en canot ces flots parfois tumultueux qu'à celles qui préfèrent les balades à travers bois, des sentiers de randonnée et de ski étant tracés. Un terrain de camping proposant des emplacements avec électricité de même que des emplacements de camping sauvage y sont aménagés. Vous pourrez louer l'équipement nécessaire aux excursions en canot au petit village de Killarney.

★★

Superior Lake Provincial Park

Le **Superior Lake Provincial Park** *(autoroute 17, au sud de Wawa, ☎705-856-2284)* s'étend aux abords du lac Supérieur sur quelque 80 km; en suivant l'autoroute 17, vous le traverserez. Vaste étendue de verdure, il comprend entre autres de magnifiques plages ainsi que des sentiers de randonnée qui vous permettront de vous enfoncer plus profondément au cœur de la forêt qui couvre cette partie de son territoire. Le parc renferme également des pétroglyphes, témoins de la présence ojibway dans la région du lac Supérieur depuis plus de 9 000 ans. Le meilleur endroit pour les contempler est Agawa Rock. Plusieurs autres sentiers de randonnée sillonnent le parc, dévoilant parfois quelques secrets des Ojibways qui habitent ces terres depuis les temps anciens. En outre, l'amateur de pêche ne sera pas en reste, car il est possible de plonger sa ligne dans les limites du parc, truites et brochets abondant dans les rivières et les lacs.

Les personnes qui désirent passer quelques jours au parc pourront s'installer sur les terrains de camping **Agawa Bay** ou **Interior** *(réservation : P.O. Box 267, P0S 1K0, ☎705-856-2284).*

★

Pukaskwa National Park

Aucune route ne traverse le **Pukaskwa National Park** *(suivez l'autoroute 17 jusqu'à la jonction de la route 627, quelques kilomètres avant Marathon, ☎807-229-0801, poste 242)*, encore relativement vierge, à l'exception peut-être de l'aménagement de sentiers de randonnée. Quelques-uns dévoilent des paysages d'une rare beauté, comme c'est le cas de la magnifique **Coastal Hiking Trail** ★★, longue de près de 60 km. Le parc s'étend sur 1 878 km² et est sillonné de multiples rivières que vous pourrez descendre en kayak ou en canot. Il protège un vaste territoire recouvert d'une forêt boréale; mais le lac qui le borde, générant des températures très froides, a parfois influencé le type de végétation qui y pousse : par endroits, les épinettes dominent, et même ailleurs seule une flore alpine parvient à croître. Pour en connaître plus sur la végétation de ce parc, vous pouvez visiter l'intéressant **centre d'interprétation Hattie Cove**. De ce centre partent également des voies canotables. Camping.

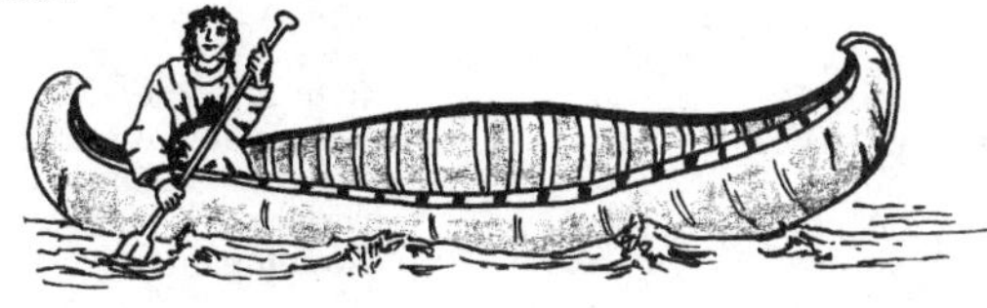

★

Neys Provincial Park

Un chemin mène au **Neys Provincial Park** *(suivez l'autoroute 17, quelques kilomètres passée Marathon, vous apercevrez des indications menant au parc, ☎807-229-1624)*, un petit territoire qui semble à première vue bien quelconque; cependant, il abrite une des plus belles plages du Nord ontarien, et un troupeau de caribous y habite.

★

Sleeping Giant Provincial Park

À deux pas de Thunder Bay, le **Sleeping Giant Provincial Park** *(prenez l'autoroute 17, puis tournez sur la route 587)* protège une péninsule rocheuse s'avançant dans le lac Supérieur. Une péninsule qui aurait été créée par nul autre que Nanibijou... le «Grand Esprit» des Ojibways. Une légende ojibway raconte en effet que Nanibijou, désirant récompenser les Ojibways de leur loyauté, leur aurait indiqué l'emplacement d'une riche mine d'argent. Il exigea cependant d'eux que l'existence de cette mine ne soit pas révélée à l'«Homme Blanc» à défaut de quoi il serait lui-même transformé en pierre et les laisserait périr. Malheureusement, un bavard ébruita le secret. Les hommes de la tribu moururent alors noyés, engloutis par les flots du lac Supérieur; quant à Nanibijou, il s'endormit et se transforma en une péninsule de pierre. Voilà ce qui explique la présence de cette presqu'île et son nom (le géant endormi). Chacun est libre de croire à la légende, mais il demeure que la mine d'argent existe réellement. Le parc constitue un lieu privilégié, à une quarantaine de kilomètres de Thunder Bay, pour apprécier la saisissante nature de cette région. Des sentiers vous révéleront des paysages enchanteurs, et vous pourrez découvrir de superbes **points de vue** ★★ sur le lac. Le parc dispose également de plages des plus agréables, parfois prises d'assaut par les gens de la ville pendant les chaudes journées d'été. Enfin, il est possible d'y camper. Même en hiver, quand le parc se recouvre d'une bonne couche de neige, vous pouvez profiter de ce magnifique territoire, car une quarantaine de kilomètres de pistes de ski de fond sont entretenues.

Kakabeka Falls Provincial Park

Le **Kakabeka Falls Provincial Park** *(de Thunder Bay, suivez l'autoroute 17, ☎807-473-9231 ou 800-667-8386)*, situé à une vingtaine de kilomètres à l'ouest de Thunder Bay, a été créé afin de préserver les impressionnantes chutes Kakabeka, qui se jettent dans la rivière Kaministiquia en un saut de 39 m. Dès 1688, les coureurs des bois qui voyageaient de l'est vers l'ouest empruntaient un chemin qui les menait à ces chutes, un obstacle naturel qui leur attirait bien des ennuis. En effet, ils se voyaient alors obligés de faire un portage ardu, matériel et canots devant être transportés pour remonter l'escarpement rocheux de ces chutes. Aujourd'hui, les visiteurs s'y rendent pour contempler ces vrombissantes chutes d'eau toujours impressionnantes, bien que les flots soient désormais contrôlés par des installations hydrauliques. Outre le spectacle saisissant des chutes, le parc dispose de sentiers de randonnée, de pistes de ski de fond en hiver, d'aires de pique-nique et d'emplacements de camping.

★

Quetico Provincial Park

Le **Quetico Provincial Park** *(à partir de Shabaqua Corners, suivez l'autoroute 11, ☎807-597-2735 ou 597-4602)* s'allonge à la frontière de l'État américain du Minnesota. Sur l'ensemble des lacs et rivières de ce vaste territoire de quelque 4 800 km², les visiteurs n'ont pas le droit de se déplacer en embarcation motorisée (une permission spéciale est accordée seulement aux Autochtones de la région), ce qui explique que le parc soit en quelque sorte devenu le royaume du canoteur. En effet, pas moins de 1 500 km de voies canotables, d'un calme parfait, sont à sa disposition. Pour les personnes préférant la marche, des sentiers de randonnée sont également aménagés.

★

Lake of the Woods Provincial Park

Le **Lake of the Woods Provincial Park** *(au sud de Kenora, à Bergland, suivez l'autoroute 71 puis la route 600, ☎807-488-5531)* protège ce magnifique lac, une vaste étendue d'eau pure de 105 000 km de rives qui attire une faune ailée inusitée. En effet, avec un peu de chance, il vous sera possible d'y observer de surprenantes colonies de pélicans blancs ou un magnifique aigle à tête blanche. Si le cœur vous en dit, vous pourrez emprunter un des nombreux sentiers de randonnée longeant le rivage ou voguer sur les flots pour apercevoir quelques-unes des 15 000 îles du lac.

Activités de plein air

Rafting

Dans la région de **Pembroke**, les rivières des Outaouais et Petawawa se transforment en tumultueuses cascades que les personnes avides d'expériences excitantes pourront descendre en *raft*. Au moment des crues printanières, les eaux sont à leur plus haut niveau, et la descente promet alors d'être particulièrement mouvementée. Plusieurs centres organisent de telles excursions, notamment :

Esprit Rafting Adventures
P.O. Box 463
Pembroke, K8A 6X7
☎ ***(819) 683-3241***
⇄ ***(819) 683-3641***

River Run
P.O. Box 179
Beachburg, K0J 1C0
☎ ***(613) 646-2501***
☎ ***800-267-8504***

Wilderness Tour
P.O. Box 89
Beachburg, K0J 1C0
☎ ***(613) 646-2291***
☎ ***800-267-9166***

 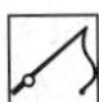

Chasse et pêche

Saumon, truite, perchaude, maskinongé, corégone... voici une courte liste des quelques espèces de poissons que vous pourrez pêcher dans un des lacs ou rivières du nord de l'Ontario. Quelques-uns d'entre eux sont particulièrement réputés, notamment les lacs Nipissing et Trout, à **North Bay**, ainsi que les multiples lacs protégés par les parcs et réserves du nord de la province.

L'île Manitoulin est également particulièrement fréquentée par les pêcheurs, car il est possible d'y faire de belles prises dans les eaux la bordant, notamment de saumon.

Les amateurs de chasse pourront également se donner rendez-vous dans quelques-uns des parcs de ce vaste territoire où cette activité est permise. L'ours noir, le chevreuil et l'orignal font partie des prises que le chasseur peut espérer ramener selon la région où il se rend. Certaines régions du Nord ontarien ont acquis une bonne réputation auprès des chasseurs; parmi celles-ci, mentionnons la région de Kenora.

Bien sûr, pour s'adonner à ces deux activités, il est nécessaire de détenir un permis de chasse ou de pêche. Pour en faire la demande ou pour avoir des renseignements concernant la réglementation, vous pouvez écrire au :

Ministère des Ressources naturelles
Centre d'information
Édifice MacDonald
Bureau M1-73
900, rue Bay
Toronto, M7A 2C1
☎ ***(416) 314-1177 (pêche)***
☎ ***(416) 314-2225 (chasse)***

Motoneige

Un réseau de quelque 33 000 km de sentiers de motoneige serpentent à travers l'immense territoire du Nord ontarien. Ces sentiers qui se joignent permettent d'aller de ville en ville, d'accéder à de petits villages et de traverser la forêt tapissée de neige révélant des tableaux majestueux. Pour préparer une telle excursion et obtenir plus de renseignements, composez le ☎800-263-7533 ou 800-263-2546.

Hébergement

Sur la route des premiers explorateurs

North Bay

Il s'agit de la plus grande ville de la région, et vous n'aurez aucune difficulté à vous loger, les motels et les hôtels y étant nombreux.

Days Inn
105$
≡, ⌂
255 McIntyre St. W., P1B 2Y9
☎*705-474-4770*
Bien peu d'hôtels ont été construits au centre-ville de North Bay. C'est cependant le cas du Days Inn, qui occupe un bâtiment plutôt austère, mais avec des chambres tout à fait adéquates.

Travelodge
95$ pdj
≡, ♿, 🐕
718 Lakeshore Dr., P1A 2G4
☎*705-472-7171*
☎*888-483-6887*
⇄*472-8276*
Le long de la Lakeshore Drive se succèdent une foule de motels et d'hôtels, fort bien adaptés pour les personnes munies d'une voiture et désireuses d'y passer quelques jours. Parmi ceux-ci, mentionnons le Venture Inn, dont les chambres ont toutes un certain cachet et sont bien entretenues. Il se trouve en outre près des plages du lac Nipissing.

Sunset Motel Park and Cottages
99$
⊛, ⌂, ℜ
641 Lakeshore Dr., P1A 2E9
☎*705-472-8370*
☎*800-463-8370*
⇄*476-5647*
Non loin, vous apercevrez le Sunset Motel Park and Cottages, qui propose des chambres et de petits chalets à la décoration coquette, le foyer parvenant à créer une atmosphère chaleureuse. En outre, il se trouve à deux pas du lac Nipissing et de la plage Sunset.

Sudbury

Sudbury ne compte ni auberge de jeunesse ni logement chez l'habitant charmant. Elle dispose cependant de plusieurs hôtels confortables, membres de chaînes hôtelières de réputation internationale, comme le Sheraton.

Parc provincial Fairbank
20$
suivez l'autoroute 144 sur 55 km
☎*705-965-2702*
Si vous désirez camper, vous pourrez aller planter votre tente sur le terrain de camping du Parc provincial Fairbank, non loin de la ville.

Université Laurentienne
30$/pers.
Ramsey Lake Rd.
☎*705-675-4814*
En été, il est possible de louer une chambre aux résidences de l'Université Laurentienne. Certes, le confort est rudimentaire, mais, pour le prix, il est tout à fait acceptable.

Travelodge
112$
≡, ≈, ⊛, ♿, 🐕
1401 Paris St., P3E 3B6
☎*705-522-1100*
☎*800-578-7878*
⇄*522-1668*
Il peut être agréable de loger autour du complexe Science Nord, d'autant plus que nombre d'hôtels ont été érigés et rivalisent tous entre eux pour offrir le plus de services divers aux visiteurs et des chambres modernes et agréables. Parmi ceux-ci, le Travelodge dispose de forfaits incluant la chambre et des billets pour Science Nord. La clientèle aura en outre l'avantage de bénéficier d'une piscine intérieure.

Travelway Inn
82$
≡, ℜ
1200 Paris St., P3E 3A1
☎*705-522-1122*
☎*800-461-4883*
⇄*522-3877*
Toujours dans ce secteur de la ville, vous pourrez opter pour le Travelway Inn, où vous trouverez des chambres correctement décorées et confortables.

Venture Inn
95$
≡, 🐕
1956 Regent St., P3E 3Z9
☎*705-522-7600*
☎*888-483-6887*
⇄*522-7648*
Vous pourrez également vous loger adéquatement sur Regent Street. Ici, pas de charmantes auberges, mais plutôt une succession d'hôtels dont quelques-uns proposent des chambres convenables. C'est notamment le cas du Venture Inn, situé non loin de l'autoroute, ce qui plaira aux personnes ne voulant faire qu'une halte à Sudbury.

Sheraton
81$
≡, ≈, ⌂, ⊛, ℜ, ♿
1696 Regent St., P3E 3Z8
☎*705-522-3000*
☎*800-461-4822*
⇄*522-8067*
Tout près se dresse le bâtiment du Sheraton; cet établissement réputé abrite de belles chambres et une foule d'installations, dont une piscine et un sauna.

Île Manitoulin

Sur l'île, vous ne trouverez pas de grands complexes hôteliers ou des hôtels membres de chaînes nord-américaines; ils font plutôt place aux *bed and breakfasts* et aux terrains de camping.

Little Current

Hawberry Motel
78$
≡
P.O.Box 123, P0P 1K0
☎*705-368-3388*
⇄*368-3824*
Le Hawberry Motel, avec ses longs bâtiments de

brique surmontés d'un toit écarlate, est pour le moins voyant, aux portes de Little Current. Quoi qu'on pense de son apparence extérieure, il referme de grandes chambres, avec bureau de travail, séchoir à cheveux, grands espaces de rangement et vaste salle de bain, bref, tout ce qui peut être utile pendant un séjour loin de la maison. Le charme n'a pas sa place, mais les chambres sont tout à fait adéquates.

Gore Bay

Queen's Inn
70$
fermé l'hiver
19 Water St., P0P 1H0
☎705-282-0665
La marina de Gore Bay profite d'une douce animation, particulièrement à la tombée du jour, alors que les bateaux arrivent au quai. Si ce va-et-vient vous plaît et que vous aimiez contempler la mer, vous vous devez de séjourner au Queen's Inn. Cette auberge est aménagée dans une splendide maison qui se dresse face à la baie depuis 1880. Depuis lors, elle a été rénovée, mais elle a su conserver son cachet d'antan. Elle dispose de cinq chambres, entretenues avec soin, et fort élégamment décorées. L'endroit est on ne peut plus charmant.

Sault-Sainte-Marie

Algonquin Hotel
28$ non-membres
21,25$ membres
864 Queen St. E., P6A 2B4
☎705-253-2311
La ville dispose de quelques établissements proposant des chambres à bons prix. Ainsi, les chambres de l'Algonquin Hotel font certainement partie des moins chères en ville. Il en vaut d'autant plus la peine que les chambres, bien que modestes, sont bien tenues et que l'hôtel est facilement accessible, étant situé non loin de la gare routière.

Bed & Breakfast Brockwell Chambers
75$ pdj
non-fumeurs
183 Brock St., P6A 3B8
☎/⇄949-1076
S'il est un endroit charmant où loger à Sault-Sainte-Marie, c'est bien le Bed & Breakfast Brockwell Chambers. Aménagé dans une fort belle demeure construite au début du siècle, et rénovée avec soin, il renferme 3 chambres mignonnes, décorées d'antiquités. Toutes sont vastes et possèdent une salle de bain privée, conférant suffisamment d'intimité pour qu'on se sente bien. Le petit déjeuner est servi dans une élégante salle à manger. Cet établissement a en outre l'avantage d'être situé non loin du centre-ville, sur une rue paisible, bordée de grands arbres.

Bay Front Quality Inn
114$
≡, ≈, ℜ, △, ⊛
180 Bay St. E., P6A 6S2
☎705-945-9264
☎800-228-5151
⇄945-9766
Le Bay Front Quality Inn présente le double avantage d'être situé à deux pas du centre-ville et d'avoir une belle vue sur la rivière St. Mary's. Malgré que les chambres offrent un décor un peu fade, elles sont parfaitement convenables.

Holiday Inn
135$
≡, ≈, ℜ, △, ⊘, ⊛
208 St. Mary's River Dr., P6A 4V5
☎705-949-0611
☎800-HOLIDAY
⇄945-6972
À l'été 98, des travaux de rénovation majeurs ont été entrepris, afin de redonner au Holiday Inn le cachet que les années lui avaient ravi et de lui permettre de demeurer parmi les établissements plaisants de la ville. L'aménagement intérieur est certes des plus agréables, mais c'est avant tout son site, au bord de la rivière St. Mary's, qui constitue son atout premier. En pénétrant dans le hall, vous apercevrez la piscine, ainsi que le piano-bar et le restaurant donnant sur la rivière. Plusieurs chambres ont une vue sur les flots.

Thunder Bay

Dernière grande ville dans le nord de la province, Thunder Bay est une fort belle ville qui dispose d'une foule d'établissements pouvant accueillir les voyageurs.

Lakehead
30$
20$/pers.
955 Oliver Rd., P7B 5E1
☎807-343-8612
En été, vous pourrez loger aux résidences de l'université Lakehead.

Best Western Nor'Westers
99$
⊘, ≈
R.R. 4, 2080 autoroute 61
P7C 4Z2
☎807-473-9123
☎888-473-2378
⇄807-473-9600
Le Best Western Nor'Westers est une autre bonne adresse en ville pour les personnes qui cherchent un établissement au confort moderne, car il dispose d'une foule

d'installations : salle d'exercices, piscine et chambres avec foyer.

White Fox Inn
129$ pdj
1345 Mountain Rd.
☎807-577-FOXX
☎800-603-FOXX
Le White Fox Inn fait partie des *bed and breakfasts* dont on se souvient longtemps. Les chambres, toutes décorées selon un thème différent et avec goût, invitent au repos.

Valhalla Inn
109$
1 Valhalla Inn Road, P7E 6J1
☎577-1121
☎800-964-1121
≠475-4723
L'une des bonnes adresses où loger à Thunder Bay est le Valhalla Inn. L'établissement a en effet de quoi plaire aux voyageurs, car il renferme des chambres nouvellement rénovées, vastes et joliment décorées. Outre son bel aménagement, il possède un agréable centre sportif.

Kenora

Comfort Inn
88$
1230 autoroute 17, P9N 3W8
☎807-468-8845
☎800-228-5150
Vous trouverez à vous loger convenablement au Journey's End Motel, qui propose des chambres somme toute assez confortables pour le prix.

Restaurants

Sur la route des premiers explorateurs

North Bay

El Greco
$$
344 Algonquin
Au décor sans façon et à la clientèle de tout âge, El Greco ne présente pas un menu des plus originaux, les spaghettis et lasagnes composant l'essentiel des plats proposés mais ne décevant pas. Il tire en outre sa popularité de son atmosphère détendue et sympathique.

Churchill's
$$$
631 Lakeshore Dr.
☎476-7777
Si vous souhaitez passer une soirée un peu plus habillée, le Churchill's saura sûrement vous combler. D'autant plus que vous pourrez y déguster de délicieuses *prime ribs*, sans doute les meilleures en ville.

Kabuki House
$$$
349 Main St. W.
☎495-0999
La Kabuki House, aménagée dans un petit local coquettement décoré, propose des spécialités japonaises qui remplacent délicieusement les traditionnels hamburgers et frites. Dans une atmosphère élégante et détendue, vous y mangerez fort bien des plats savoureux tels que le *sukiyaki*.

Sudbury

La **Cooke House** *($; 65 Elm St., ☎673-9274)* offre un décor des plus quelconques, mais on y sert une bonne cuisine de type familiale.
Dans le centre-ville, occupant une maisonnette d'aspect fort simple, le **Vesta Pasta** *($$; 49 Elgin, ☎674-4010)* est une de ces charmantes adresses que l'on découvre avec plaisir, non seulement parce que la salle à manger est mignonne, mais parce qu'on y concocte des plats italiens absolument délicieux. Ici, il n'y a plus de secrets pour les plats de pâtes ou de veau, tous réussis avec art.

Little Current

Old English Pantry
$
13 Water St.
☎368-3341
Il est de ces endroits détendus et chaleureux où il fait bon s'arrêter prendre un thé et un sandwich qu'on savoure en toute tranquillité. L'Old English Pantry est de ceux-là. Une bonne adresse pour prendre le petit déjeuner.

Anchor Inn Hotel
$$
1 Water St.
☎368-2023
L'Anchor Inn Hotel propose une cuisine sans extravagance, mais où les plats de poisson frais occupent une place de choix au menu. Certes, on y mange bien, mais la décoration gagnerait à être plus charmante. Il a toutefois l'avantage de posséder une agréable terrasse.

Sault-Sainte-Marie

Smart
$
473 Queen St.
☎949-8484
C'est avec soulagement qu'on aperçoit les grandes baies vitrées du restaurant Smart, car, dans ce mignon petit local orné de quelques tables et de meubles anciens, on prépare de délicieux sandwichs et salades à partir d'ingrédient frais. L'ambiance est chaleureuse, parfaite pour un repas à midi.

Lone Star Café
$$
360 Great Northern Rd.
☎945-7610
a vraiment sa personnalité propre. Avec ses grands cactus de plastique, ses iguanes de caoutchouc et ses nombreuses photos qui ornent les murs, il a tout du chouette resto. On y sert de bonnes spécialités «tex-mex», comme les *quesadillas* et les *fajitas*. L'ambiance est amicale et les portions sont copieuses, de telle sorte qu'on y passe à coup sûr d'agréables moments.

Thymely Manner
$$$-$$$$
531 Albert St.
☎759-3262
Le Thymely Manner compte sans contredit parmi les plus coquets restos en ville. Aménagé dans une fort jolie maison de briques rouges, décorée avec goût, il se prête à merveille au repas en tête-à-tête. Son menu a également de quoi ravir les palais difficiles, affichant jour après jour de bonnes spécialités italiennes telles que les pâtes aux fruits de mer ou le saumon aux herbes. Le service est plein d'attention.

Thunder Bay

Hoito Restaurant
$$
314 Bay St.
☎345-6323
Le Hoito Restaurant se présente comme un de ces restaurants dont le menu à la fois délicieux et original a permis de le faire connaître dans toute la ville. Mais qu'a donc de particulier ce menu : il affiche des plats d'une cuisine combinant avec brio les traditions culinaires canadiennes et finlandaises. Au petit déjeuner, les crêpes sont véritablement succulentes.

Armando Fine Italian Cuisine
$$$
☎344-5833
☎807-344-5833
Il est de ces restaurants dont l'atmosphère romantique concourt à vous faire passer une belle soirée. Ainsi, l'Armando Fine Italian Cuisine est l'endroit tout indiqué pour savourer une excellente cuisine italienne que vous dégusterez en vous laissant bercer au son du violon dans une atmosphère romantique.

Harrington Court
$$$
170 North Algoma St.
☎345-2600
Le Harrington Court est aménagé dans une ancienne maison restaurée avec soin qui n'a pas son pareil pour recréer une atmosphère propice à la dégustation d'un excellent repas.

White Fox Inn
$$$-$$$$
prenez l'autoroute 61
jusqu'au 1345 Mountain Rd.
☎577-FOXX
La table du White Fox Inn mérite que vous fassiez ce petit détour, car vous y ferez un excellent repas tout en profitant d'une atmosphère raffinée. Même la cave à vins aura de quoi combler les amateurs les plus exigeants.

Sorties

Bars et discothèques

Sudbury

Pat et Mario
1463 bd LaSalle
☎560-2500
Le restaurant Pat et Mario est reconnu pour ses mets italiens, mais son bar attire également bien du monde en soirée et est un bon endroit pour s'amuser en ville.

Sault-Sainte-Marie

Lone Star Café
$$
360 Great Northern Rd.
☎945-7610
En plus de proposer un bon repas, le Lone Star Café se prête à merveille aux soirées entre amis pendant lesquelles on prend une bière en discutant ferme.

Thunder Bay

Port Arthur Brasserie and Brew Pub
901 Red River Rd.
☎767-4415
Le plaisant Port Arthur Brasserie and Brew Pub propose une intéressante sélection de bières importées. En été, il est le centre d'une activité intense, sa jolie terrasse étant fréquentée par bien des gens.

Théâtres et salles de spectacles

North Bay

Le **Centre des Arts** de North Bay *(angle des rues Main et Wyld)* présente fréquemment des spectacles qui sauront vous divertir.

Sudbury

Au **Sudbury Theatre Centre** *(170 Shaughnessy, ☎674-8381)*, vous pouvez tout au long de l'année assister à des pièces de théâtre et à des comédies.

Sault-Sainte-Marie

On peut obtenir des renseignements sur les diverses activités culturelles de la ville en téléphonant au **Arts Council of Sault-Sainte-Marie** *(☎945-9756)*. On peut se procurer des billets pour les différents événements en se rendant au **Station Mall** *(293 Bay St., ☎945-5323)*.

Thunder Bay

Des spectacles de qualité sont présentés au **Thunder Bay Community Auditorium** *(450 Beverly St., ☎807-684-4444 ou 800-463-8817)*.

Fêtes et festivals

Île Manitoulin

Le ***Pow Wow*** de la réserve Wikwemigong attire chaque année, durant les premières journées du mois d'août, les familles autochtones à nombre de cérémonies et de danses.

Achats

Sur la route des premiers explorateurs

North Bay

Si vous désirez acheter de belles pièces d'artisanat autochtone, la boutique **North Western** *(440 Wyld)* en propose.

Île Manitoulin

Sheguiandah

Ten Mile Point Trading Post *(sur la route entre Little Current et South Baymouth, Sheguiandah)* propose parmi les plus belles sélections de pièces d'artisanat autochtone que l'on puisse espérer trouver. Mocassins, bijoux, sculptures et gravures ne sont qu'un court éventail de ce que vous pourrez vous y procurer. Si vous aimez ce genre d'établissement, il faut y faire un saut.

Sault-Sainte-Marie

Le train pour l'Agawa Canyon Park part du stationnement du centre commercial **Station Mall** *(293 Bay St.)*, où vous trouverez des boutiques variées, certaines proposant des articles intéressants, comme c'est le cas dans la boutique **Loon Nest**, qui vend de l'artisanat et divers souvenirs.

Manitoba

Cela fait maintenant plus d'un siècle qu'on visite le Manitoba – et qu'on y reste – si bien que sa capitale, Winnipeg, est devenue l'une des plus grandes villes du Canada.

Elle présente par ailleurs une étonnante mosaïque ethnique et offre une plus grande diversité culturelle que toute autre ville entre Vancouver et Toronto.

À l'origine, la province n'était peuplée que de quelques bandes autochtones, qui lui ont d'ailleurs donné son nom : Manitou était le grand chef des esprits de la religion autochtone, et l'on croyait, à l'époque, que les rapides du lac Manitoba représentaient sa voix.

Puis, avec l'arrivée des Français et des Anglais, l'histoire du Manitoba devint très rapidement celle d'une querelle constante entre deux compagnies de pelleteries : la Compagnie de la Baie d'Hudson, qui appartenait aux Anglais, et la Compagnie du Nord-Ouest, qui appartenait aux Français. Cette dernière vit le jour plus tard que la première, mais elle parvint néanmoins à la supplanter pendant un certain temps.

À cet égard, l'explorateur canadien-français Pierre Gauthier de Varennes et de La Vérendrye a exercé une influence pour le moins marquante sur le commerce des fourrures. Il fut entre autres le premier Blanc à pénétrer à l'intérieur des prairies du Manitoba, et ses comptoirs de traite ont rassemblé des populations appelées à créer les communautés de Dauphin, La Pas, Selkirk et Portage la Prairie. Cette influence française perdure d'ailleurs encore de nos jours; de fait, St. Boniface, banlieue est de Winnipeg annexée à la capitale provinciale en 1972, possède la plus importante concentration de francophones au Canada à l'extérieur du Québec.

Les Métis comptaient pour une part importante de cette population francophone. Descendants de trappeurs français et d'Autochtones, les Métis, catholiques et francophones, vivaient aux abords de la rivière Rouge et des territoires assiniboines, qui furent annexés au Canada en 1869. Craignant de perdre leur langue, leurs traditions d'enseignement, leur liberté religieuse et, surtout, leur terre, ils nommèrent Louis Riel à leur tête pour les guider dans leur quête d'une forme de gouvernement responsable sur leur territoire. Mais le peu qu'ils parvinrent à obtenir leur fut peu à peu retiré, ce qui poussa les Blancs et les Métis à former ensemble leur propre gouvernement provisoire. Le tollé soulevé par le procès et l'exécution de l'Ontarien Thomas Scott, accusé d'avoir défié l'autorité dudit gouvernement, a cependant obligé Riel à s'exiler aux États-Unis. Il devait toutefois revenir au Canada, en Saskatchewan cette fois, pour poursuivre sa lutte et mener la rébellion du Nord-Ouest. Riel, l'homme qui aurait pu devenir le premier premier ministre du Manitoba, fut finalement pendu pour trahison en 1885, et beaucoup le considèrent comme un martyr depuis cette date.

Les influences ukrainienne et mennonite, ces peuples s'installant au Manitoba au moment de la «découverte» de l'Ouest canadien, se font également sentir dans cette province, de même que celles des nombreux immigrants islandais. En 1875, une succession d'éruptions volcaniques a en effet conduit en Amérique du Nord de nombreux Islandais à la recherche d'une terre hospitalière. Or, beaucoup d'entre eux s'établirent dans l'est du Manitoba, aux abords des lacs Winnipeg et Manitoba, où ils mirent à profit leur expérience de la pêche en eau salée pour faire valoir leur aptitude à capturer le corégone. Les Manitobains ont déployé moult efforts pour préserver l'histoire de tous ces immigrants, qu'ils font aujourd'hui revivre dans de nombreux musées et parcs historiques.

Il est vrai que, aplatie par les grands glaciers de la dernière époque glaciaire, la partie sud de la province ne comporte aucune dénivellation. Là où des milliers de kilomètres carrés de hautes prairies ininterrompues ondulaient autrefois sous l'effet du vent, poussent aujourd'hui des champs colorés couverts de blé dur, de lin, de canola et de tournesol. Et dans les régions humides, des milliers de petits marais accueillent une variété d'espèces aquatiques d'ici et d'ailleurs.

Cependant, la topographie de la province présente aussi des terres agricoles fertiles et d'immenses lacs autour desquels d'innombrables oiseaux ont élu domicile. En réalité, la partie plane de la province ne compte que pour 40% de sa superficie totale; le reste se compose de collines et de cours d'eau sculptés dans le Bouclier canadien, un immense anneau de roche dure et ancienne qui entoure la baie d'Hudson et qui se fait plus visible ici et dans le nord de l'Ontario. De profondes forêts de pins, des falaises et des lacs se disputent cette surface, et il n'est pas rare d'y voir des élans, des caribous et des ours, à condition de regarder aux bons endroits.

Dans le Grand Nord peu peuplé, la taïga devient prédominante et la faune, plus spectaculaire encore, puisque bélugas et ours polaires y envahissent les lumineux étés subarctiques.

Pour s'y retrouver sans mal

En avion

L'**aéroport de Winnipeg** se trouve à environ 5 km du centre-ville.

Deux lignes aériennes majeures transportent les passagers en provenance des deux côtes du pays : **Air Canada** *(☎204-943-9361)* et **Canadian Airlines** *(570 Ferry Rd, ☎204-632-1250)*, qui ont toutes des bureaux à l'intérieur de l'aéroport.

En voiture

La Transcanadienne (autoroute 1) traverse tout le sud du Manitoba en passant par Winnipeg. Un bon réseau routier sillonne la province.

En autocar

Greyhound Canada *(☎800-661-8747)* dessert très bien les principales villes et les villages. À Winnipeg, la

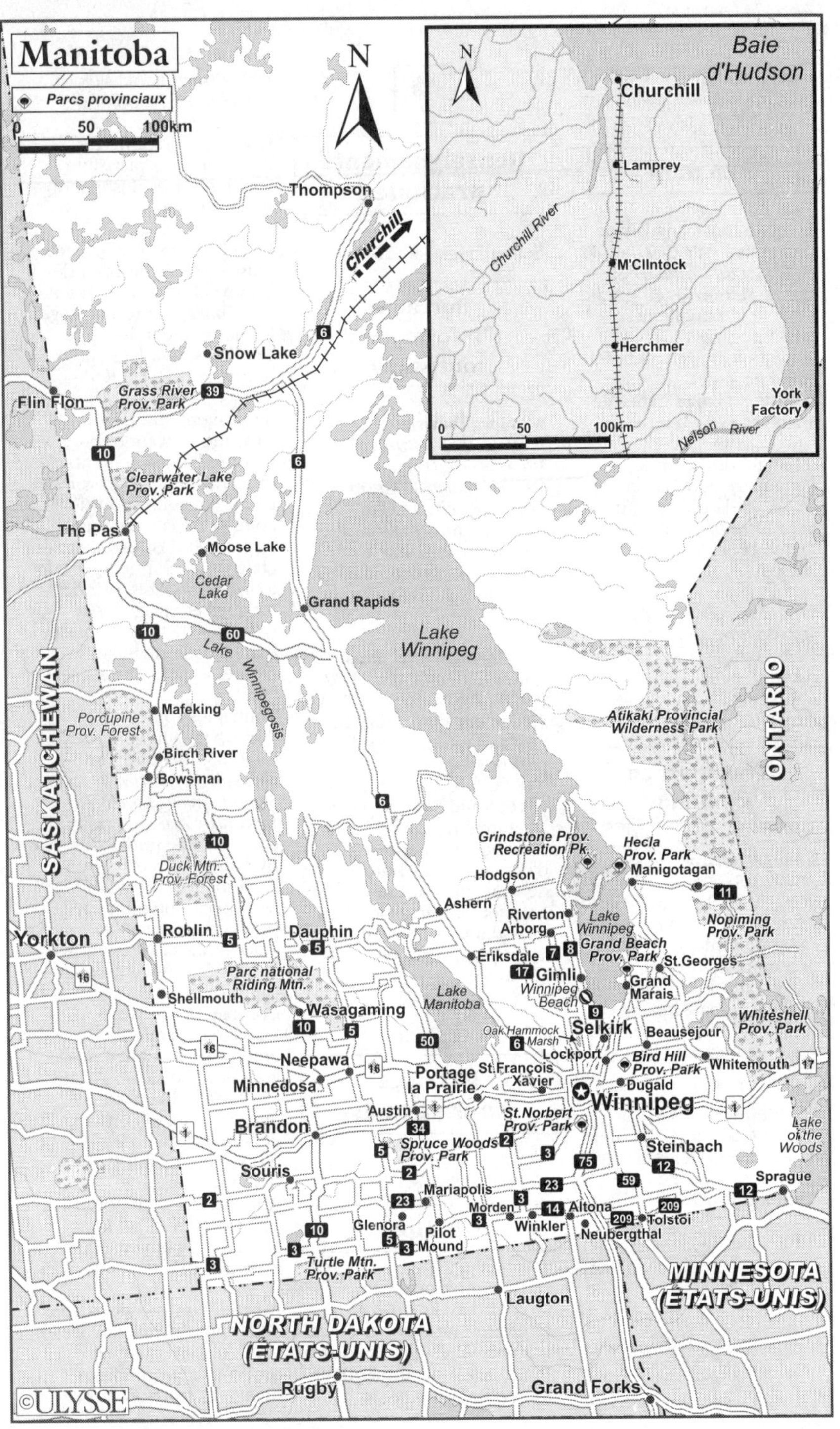

Manitoba
Parcs provinciaux
0 50 100km
N
Baie d'Hudson
Churchill
Lamprey
Churchill River
M'Clintock
Herchmer
York Factory
Nelson River
Thompson
Churchill
Snow Lake
Flin Flon
Grass River Prov. Park
Clearwater Lake Prov. Park
The Pas
Moose Lake
Cedar Lake
Grand Rapids
Lake Winnipeg
Lake Winnipegosis
SASKATCHEWAN
ONTARIO
Porcupine Prov. Forest
Mafeking
Birch River
Bowsman
Atikaki Provincial Wilderness Park
Duck Mtn. Prov. Forest
Grindstone Prov. Recreation Pk.
Hecla Prov. Park
Manigotagan
Hodgson
Ashern
Riverton
Arborg
Lake Winnipeg
Nopiming Prov. Park
Yorkton
Roblin
Dauphin
Eriksdale
Grand Beach Prov. Park
St.Georges
Gimli
Grand Marais
Parc national Riding Mtn.
Shellmouth
Wasagaming
Lake Manitoba
Winnipeg Beach
Selkirk
Whiteshell Prov. Park
Oak Hammock Marsh
Beausejour
Lockport
Neepawa
Bird Hill Prov. Park
Whitemouth
Minnedosa
Portage la Prairie
St.François Xavier
Dugald
Winnipeg
Austin
St.Norbert Prov. Park
Lake of the Woods
Brandon
Spruce Woods Prov. Park
Steinbach
Souris
Sprague
Mariapolis
Morden
Altona
Tolstoi
Glenora
Winkler
Neubergthal
Pilot Mound
Turtle Mtn. Prov. Park
MINNESOTA (ÉTATS-UNIS)
Laugton
NORTH DAKOTA (ÉTATS-UNIS)
Rugby
Grand Forks
©ULYSSE

gare d'autocars se trouve à l'angle de l'avenue Portage et de la rue Colony.

En train

La ligne transcanadienne de **VIA Rail** *(☎800-561-8630 de l'ouest du Canada)* passe par le Manitoba, et le train s'arrête habituellement à Winnipeg vers 17h (direction ouest) ou 0h50 (direction est). La grandiose **Union Station de Winnipeg** *(132 Main St.)*, située en plein centre-ville à l'angle de l'avenue Broadway et de la rue Main, est la plus grande gare ferroviaire du Manitoba et le point d'arrêt habituel.

Des gares plus modestes se trouvent à Brandon, à Portage la Prairie et dans d'autres petits villages parallèles à l'autoroute transcanadienne.

Transport en commun

Winnipeg Transit *(☎204-986-5054)*, qui occupe des bureaux souterrains à l'angle de l'avenue Portage et de la rue Main, assure un service d'autobus efficace; le droit de passage est de 1,55$, ou un peu moins si vous achetez une lisière de billets.

La ville met en outre à votre disposition une ligne d'information téléphonique sur le transport en commun *(☎204-986-5700)*.

Renseignements pratiques

Indicatif régional : 204

Bureaux d'information touristique

Winnipeg Tourism *(279 Portage Ave., Winnipeg, ☎800-665-0204 ou 943-1970, www.tourism. Winnipeg.mb.ca)* a un bureau d'information. Il est ouvert en semaine à longueur d'année, mais sept jours sur sept durant l'été.

Le **Manitoba Travel Ideas Centre** *(21 Forks Market Rd., ☎945-1715 ou 945-3777)*, également voisin du The Forks Market, a pour sa part des heures d'ouverture plus longues, et ce, toute l'année. Dans les autres régions de la province, les heures d'ouverture des bureaux de tourisme varient grandement, mais les plus importants restent ouverts à longueur d'année.

Attraits touristiques

Winnipeg

Le Manitoba peut se targuer d'avoir sur son territoire une des plus grandes villes des Prairies, Winnipeg, une authentique métropole de plus de 700 000 habitants s'élevant des plaines au point de convergence de deux rivières, et le point de départ le plus plausible vers les autres destinations de la province.

La ville doit son existence à un Écossais du nom de Thomas Douglas, 5e comte de Selkirk, qui fonda sur les lieux une colonie de 187 000 km² à laquelle il donna le nom de Red River Colony (un monument au bout de l'avenue Alexander en marque l'emplacement exact). Douglas agissait à titre d'émissaire pour le compte de la Compagnie de la Baie d'Hudson, et ses charges lui permettaient de lotir des *river lots*, soit de longues et étroites parcelles de terre dont une extrémité donnait sur la rivière.

Toutes les routes de Winnipeg semblent, depuis toujours, mener à **The Forks** ★★ *(derrière l'Union Station, angle Main St. et Broadway Ave.)*, ce point de convergence fertile des rivières Rouge et Assiniboine choisi comme lieu de campement par les premiers peuples autochtones des environs, et plus tard devenu le camp de base de la Compagnie du Nord-Ouest, la première entreprise de pelleterie de la région. Le siège social *(77 Main St.)* s'en trouve encore d'ailleurs en face de son emplacement d'origine, de l'autre côté d'une rue passante. Aujourd'hui, toutefois, on associe plutôt The Forks au marché couvert du même nom.

À l'intérieur, des douzaines de comptoirs révèlent des vendeurs en tous genres, propo-sant à qui mieux mieux du poisson frais,

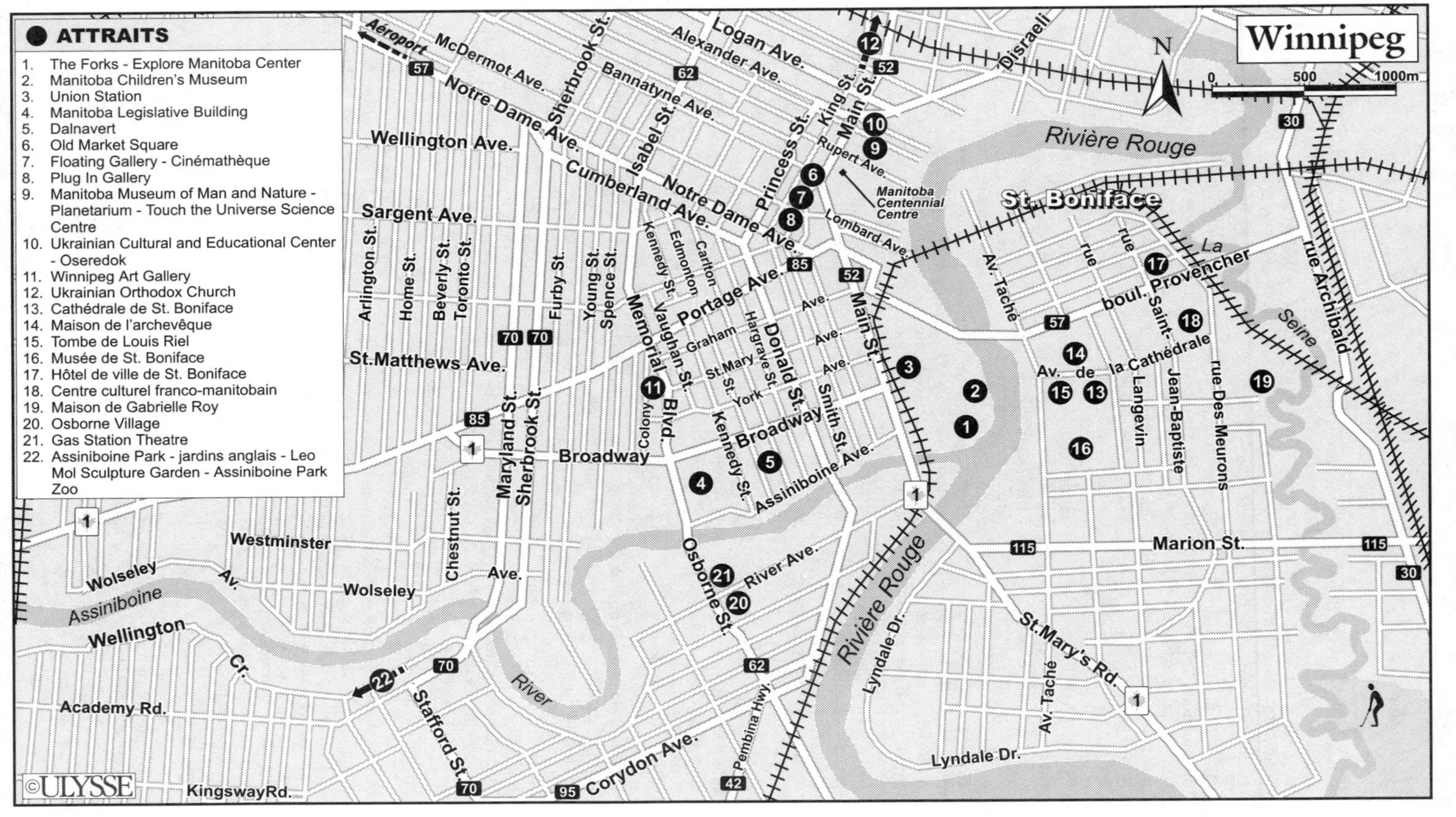

Winnipeg
ATTRAITS
1. The Forks - Explore Manitoba Center
2. Manitoba Children's Museum
3. Union Station
4. Manitoba Legislative Building
5. Dalnavert
6. Old Market Square
7. Floating Gallery - Cinémathèque
8. Plug In Gallery
9. Manitoba Museum of Man and Nature - Planetarium - Touch the Universe Science Centre
10. Ukrainian Cultural and Educational Center - Oseredok
11. Winnipeg Art Gallery
12. Ukrainian Orthodox Church
13. Cathédrale de St. Boniface
14. Maison de l'archevêque
15. Tombe de Louis Riel
16. Musée de St. Boniface
17. Hôtel de ville de St. Boniface
18. Centre culturel franco-manitobain
19. Maison de Gabrielle Roy
20. Osborne Village
21. Gas Station Theatre
22. Assiniboine Park - jardins anglais - Leo Mol Sculpture Garden - Assiniboine Park Zoo
Rivière Rouge
St. Boniface
Manitoba Centennial Centre
Logan Ave.
Alexander Ave.
McDermot Ave.
Bannatyne Ave.
Notre Dame Ave.
Cumberland Ave.
Wellington Ave.
Sargent Ave.
St.Matthews Ave.
Portage Ave.
Broadway
Assiniboine Ave.
Main St.
Marion St.
Osborne St.
River Ave.
Corydon Ave.
Pembina Hwy.
St.Mary's Rd.
Av. Taché
boul. Provencher
rue Archibald
rue Des Meurons
Av. de la Cathédrale
Lyndale Dr.
Westminster
Wolseley Av.
Academy Rd.
KingswayRd.
Stafford St.
Assiniboine River
Seine
Aéroport
©ULYSSE

des friandises, de la nourriture amérindienne, du yogourt glacé et des bijoux confectionnés à la main. Il y a même une voyante!

On peut faire de belles promenades le long des sentiers au bord de la rivière Rouge, tout en profitant d'une belle vue sur la ville de St.Boniface et, surtout, sur sa basilique (voir p 500), juste de l'autre côté de la rivière. Il y a une petite marina où l'on peut louer des canots en été et beaucoup d'espaces verts qui sont parfaits pour un pique-nique au centre-ville. Beaucoup d'événements se déroulent sur cette place à proximité du marché, et plusieurs restaurants sont agrémentés de terrasses très agréables.

Dans le Johnson Terminal adjacent, une ancienne gare ferroviaire, le bureau touristique de la ville diffuse une foule de renseignements utiles. L'**Explore Manitoba Centre** ★ donne quant à lui peu d'information, mais il n'en est pas moins très inspirant, surtout pour les enfants qui adorent les fascinants dioramas (si hétéroclites soient-ils). Le Johnson Terminal abrite également de nombreux magasins et cafés.

À l'intérieur du même complexe, mais dans un autre édifice, le **Manitoba Children's Museum** ★★★ *(4$; 45 Forks Market Rd., ☎956-5437)* s'impose comme l'unique musée pour enfants dans l'Ouest canadien. Le bâtiment a jadis servi d'entrepôt ferroviaire et regroupait à l'époque un hangar de locomotives, des ateliers de réparation ainsi qu'une forge. Aujourd'hui, une main fantaisiste y crée des éléments d'exposition variés, tels un studio de télévision opérationnel et une locomotive diesel des années cinquante.

Voisine du complexe The Forks, face au centre-ville, se dresse l'**Union Station** ★ *(132 Main St.)*, créée par la même équipe d'architectes que la Grand Central Station de New York. La station a été construite pendant l'âge d'or de Winnipeg, à l'époque où la ville était considérée comme la «porte de l'Ouest», et donc un centre économique important. Aujourd'hui, la démesure de cette gare semble un peu déplacée. Elle arbore un immense dôme dont l'intérieur est tapissé de rose et de blanc, et percé de fenêtres en forme de demi-cercle. Les murs se parent quant à eux du célèbre calcaire local dolomitique de Tyndall.

Quelques rues plus à l'ouest par l'avenue Assiniboine, le long de la rivière, surgit le **Manitoba Legislative Building** ★★★ *(entrée libre; juil à sept tlj 9h à 18h, oct à juin lun-ven sur réservation; 450 Broadway, ☎945-5813)*. C'est à l'intérieur de cet impressionnant édifice, rehaussé d'accents intéressants (chemins de fer en pierres fossilisées, deux bisons de bronze et un buste de Cartier), que se déroulent les sessions parlementaires de la province. Son dôme est surmonté du *Golden Boy*, une sculpture française haute de 4 m à l'effigie d'un jeune garçon portant une gerbe de blé sous un bras et levant de l'autre un flambeau vers le ciel. Durant l'été, des tours guidés ont lieu en français et en anglais toutes les heures.

Un peu plus loin sur l'avenue Assiniboine, **Dalnavert** ★ *(4$; juin à août lun-ven midi à 16h30, sept à déc et mars à mai midi à 16h30; jan et fév sam- dim midi à 16h30, 61 Carlton St., ☎943-2835)* se présente comme une vieille résidence de style néo-Reine-Anne construite pour Sir Hugh John Macdonald, fils de l'ex-premier ministre John A. Macdonald. Son intérêt tient à son mobilier d'époque et au fait qu'elle fut l'une des toutes premières résidences de la ville à être dotée de l'eau courante.

L'**Exchange District** ★★★, à proximité du centre-ville, au nord-ouest de Portage et Main, constitue l'ancien quartier des entrepôts de Winnipeg. Aujourd'hui cependant, ses immeubles industriels de style sont recouverts de peinture fraîche et abritent de nouveaux occupants, entre autres des imprimeries, des librairies et des compagnies théâtrales.

Le quartier se trouve près de l'**Old Market Square**, un petit parc où sont souvent présentés des concerts en plein air. Le Winnipeg Fringe Festival s'y déroule également en juillet (voir p 518).

Vous découvrirez certains des plus beaux bâtiments en vous baladant dans les environs de la rue Albert et de l'avenue Notre-Dame. Le **Paris Building** *(269 Portage Ave.)* arbore de nombreux ornements architecturaux, comme des voûtes, des urnes, des cupidons et d'autres éléments décoratifs en terre cuite. Tout près, de l'autre côté de l'avenue Portage, le **Birks Building** *(angle Smith St. et Portage*

Ave.) révèle une mosaïque égyptienne.

À proximité, mais loin de l'incessante circulation de l'avenue Portage, se trouve l'**Alexander Block** *(78-86 Albert St.)*, la première construction de style édouardien du quartier et la seule résidence représentative de ce style. Finalement, à quelques pas de là, sur la rue Albert, se dressent les spectaculaires **Notre Dame Chambers** *(213 Notre Dame Ave.)*, aussi connues sous le nom d'Electric Railway Chambers Building. Il s'agit d'un immeuble ocre brun au sommet voûté et illuminé de quelque 6 000 ampoules blanches la nuit.

L'Exchange District recèle également nombre de petites galeries indépendantes qui se spécialisent dans l'art contemporain. Entre autres, la **Floating Gallery** *(218-100 Arthur St., ☎942-8183)* se distingue par ses expositions de photographies. Cette galerie se trouve directement sur l'Old Market Square, à l'intérieur de l'édifice Artspace, qui abrite aussi la **Cinémathèque**, où sont projetés des films produits par des réalisateurs indépendants. Vous trouverez par ailleurs des expositions multimédias tout à fait avant-gardistes dans l'entrepôt dépouillé de la **Plug In Gallery** *(286 McDermot Ave., ☎942-1043, www. plugin.mb.ca)*, à quelques rues de là.

Les plus beaux musées de la ville se trouvent tout près de l'Exchange District. Aménagé dans l'enceinte d'un complexe abritant des attraits scientifiques à l'intérieur d'un même édifice, le **Manitoba Museum of Man and Nature** ★★★ *(5$; 10h à 18h en été, 10h à 17h le reste de l'année; 190 Rupert Ave., ☎956-2830)* s'impose comme le plus beau de tous, un véritable tour de force mettant l'accent sur l'histoire naturelle et sociale du Manitoba. Diverses galeries instruisent les visiteurs sur la géologie de la province, l'écologie des Prairies, l'écologie arctique – le clou en est un diorama sur les ours polaires – et l'histoire amérindienne. D'autres salles d'exposition spéciales illustrent le voyage du navire anglais *Nonsuch* (qui a permis à la Compagnie de la Baie d'Hudson de s'implanter dans l'Ouest canadien en 1670), une réplique de ce navire permettant aux visiteurs de visiter les cabines et le pont principal, ainsi que la construction du chemin de fer menant à la ville portuaire de Churchill, dans le nord du Manitoba.

La visite se termine par une reconstitution historique très appréciée et bien conçue du centre-ville de Winnipeg à la fin du XIXe siècle, intégrant une cordonnerie, une chapelle, une salle de cinéma et beaucoup plus encore. Les administrateurs du musée sont en outre très fiers d'une nouvelle exposition qui débutera en mai 2000, présentant une collection impressionnante d'objets reliés à la Compagnie de la Baie d'Hudson. Cela dit, ce musée reste à voir. Parmi les autres attraits qui vous attendent au niveau inférieur du même immeuble, retenons le **Planetarium** *(4$; mar-ven 10h à 16h, sam-dim 11h à 16h, haute saison tlj 11h à 18h; ☎943-3142)* et le **Touch the Universe Science Centre** *(3,50$)*, où les visiteurs s'instruisent à propos de la science et des technologies à l'aide d'activités spécialement conçues à cet effet. Les enfants apprécient grandement.

Tout près, l'**Ukrainian Cultural and Educational Centre** ★★ *(entrée libre; mar-sam 10h à 16h, dim 14h à 17h; 184 Alexander Ave. E., ☎942-0218)*, également connu sous le nom d'**Oseredok**, regroupe sous un même toit de nombreux services et des expositions ukrainiennes, y compris une bibliothèque, une galerie d'art, une boutique de souvenirs et des bureaux de services communautaires. Le musée, situé au cinquième étage, présente des œufs de Pâques décorés de façon typiquement ukrainienne et d'autres œuvres d'art populaire comme des broderies et des gravures.

La **Winnipeg Art Gallery** ★★★ *(4$, entrée libre mer 11h à 21h; fermé lun en hiver; tlj 11h à 17h; 300 Memorial Blvd., ☎786-6641)*, aménagée dans un bâtiment spectaculaire de forme triangulaire, est reconnue pour sa vaste collection d'art et de sculptures inuites. Fondé en 1912, ce musée présente de tout, des tapisseries flamandes du XVIe siècle aux arts modernes; il est particulièrement riche en œuvres d'artistes canadiens, en porcelaines décoratives, en argenterie et en collections acquises auprès de la Compagnie de la Baie d'Hudson et de l'ancien ministère fédéral des Affaires indiennes et du Nord. Des œuvres autochtones sont aussi présentées sur la mezzanine dans le cadre d'expositions temporaires. Un restaurant au niveau supérieur sert le déjeuner.

À l'extrémité nord de la ville, sur North Main Street, l'**Ukrainian Orthodox Church** ★★ est un des points d'intérêt les plus distinctifs de la ville avec ses jolis tons bordeaux et dorés ainsi qu'avec son dôme typiquement ukrainien.

St. Boniface

Juste de l'autre côté de la rivière Rouge, à St. Boniface, les murs facilement reconnaissables de la **cathédrale de St. Boniface** ★★★ *(190 av. de la Cathédrale)* doivent absolument être vus. Ils constituent en effet la seule partie de l'église qui n'a pas été détruite pendant l'incendie qui l'a rasée en 1968, mais ils demeurent toutefois très impressionnants, d'autant qu'il s'agissait de la quatrième cathédrale à être érigée à cet endroit. Il n'est donc pas surprenant que ce temple demeure une sorte de lieu de pèlerinage pour les francophones. L'immense ouverture circulaire que vous apercevez dans la pierre accueillait autrefois une grande rosace. La **maison de l'archevêque** *(141 av. de la Cathédrale)* est située juste à côté et elle est un des plus vieux bâtiments en pierre de l'ouest du Canada encore debout.

Située dans le cimetière de la cathédrale St. Boniface, la **tombe de Louis Riel** est marquée d'une simple pierre rouge sur la pelouse frontale, un bien maigre hommage à l'hom-me célèbre qui y repose. D'autres pierres tombales dispersées tout autour appartiennent à des colons français et à des Métis, entre autres le chef One Arrow. Ce poste d'observation offre également une vue spectaculaire sur la rivière et la silhouette de la ville. Derrière la cathédrale surgit le dôme argenté du **St. Boniface College** *(200 av. de la Cathédrale)*, dont la fondation remonte au XIXe siècle. Une sculpture de Louis Riel se dresse devant son entrée nord.

À la porte voisine de la cathédrale se trouve le **Musée de St. Boniface** ★★ *(2$; juil à sept lun-ven 9h à 17h, sam 10h à 16h, dim 10h à 18h; oct à juin fermé les fins de semaine; 494 av. Taché, ☎237-4500)*, construit en 1846. Cet ancien couvent raconte des histoires fascinantes sur les racines françaises de la ville; il s'agit du plus vieux bâtiment de Winnipeg et de sa plus grande structure en bois rond. Le récit des quatre Sœurs Grises qui ont fondé le couvent est particulièrement prenant, en ce qu'elles ont parcouru quelque 2 400 km en canot de-puis Montréal, et mis presque deux mois à terminer leur périple.

Parmi les autres points saillants du musée, il convient de noter ses bénitiers et ses objets liturgiques, de même qu'une Vierge Marie en papier mâché vêtue d'une écharpe bleue; réalisée par sœur Lagrave, une religieuse artiste membre du groupe initial des Sœurs Grises, cette Vierge Marie est la plus ancienne statue de l'Ouest canadien.

En marchant vers le nord le long de la rivière, vous atteindrez le pont Provencher, où vous pourrez vous arrêter pour casser la croûte à la crêperie qui occupe l'ancienne cabine de contrôle aménagée au beau milieu du pont. De l'autre côté, vous déboucherez sur le boulevard Provencher, la principale artère commerciale et ludique de St. Boniface, d'ailleurs bordée de quelques boutiques et établissements d'intérêt. L'ancien **hôtel de ville de St. Boniface** *(219 boul. Provencher)* et le récent **Centre culturel franco-manitobain** *(340 boul. Provencher)* se trouvent également sur cette rue.

Les mordus de Gabrielle Roy peuvent voir au passage la maison où elle a grandi et où se déroule l'action de plusieurs de ses romans, entre autres un de ses plus célèbres, *Rue Deschambault*. Marquée d'une plaque commémorative, la **maison de Gabrielle Roy** *(375 rue Deschambault)* ne peut toutefois être visitée puisqu'il s'agit d'une résidence privée.

À l'est de St. Boniface, aux abords de la ville, s'élève l'ultramoderne **Royal Canadian Mint** ★ *(entrée libre; sept à avr lun-sam 10h à 14h, mai à août 10h à 16h; 520 boul. Lagimodière, ☎257-3359 ou 983-6429)*, l'endroit où toute la monnaie ca-nadienne en circulation est produite. Des visites guidées et des galeries d'observation permet-tent d'apprécier les techniques de fabrication utilisées.

L'agglomération de Winnipeg

Au sud de la rivière Assiniboine, quoiqu'il soit facilement accessible par des voies pé-destres et le Memorial Boulevard, l'**Osborne Village** est reconnu comme le secteur le plus à la mode en ville, boutiques et restaurants fusant de partout. On vient ici pour fureter, prendre un café ou assister à l'un ou l'autre des spectacles variés du **Gas Station Theatre** *(454 River Ave., ☎284-9477)*, qui présente un peu de tout, du théâtre à proprement parler aux concerts, en passant par les spectacles de danse et les improvisations à saveur humoristique.

L'**Assiniboine Park** ★★ *(☎986-6921)* est une destination populaire auprès des marcheurs et des cyclistes.

Tout près, les **jardins anglais** ★★ vous réservent une merveilleuse surprise lorsqu'ils sont en fleurs; vous y verrez des tapis floraux de marguerites, de soucis, de bégonias et autres, disposés de façon artistique sous de sombres colonnes d'épinettes broussailleuses.

Le jardin se confond avec le **Leo Mol Sculpture Garden** ★★ *(entrée libre; début juin à fin sept, midi à 20h; ☎986-6531)*, une section adjacente regroupant les œuvres d'un seul sculpteur, soit Mol, un Ukrainien qui a immigré à Winnipeg en 1949 et créé, entre autres, des ours, des chevreuils et des silhouettes nues qui se baignent, tous plus fantaisistes les uns que les autres. Une **galerie** vitrée expose d'autres de ses œuvres par centaines, un bassin réfléchissant capture la grâce de plusieurs de ses créations et les curieux peuvent visiter son atelier, récemment déménagé derrière la galerie.

L'attrait le plus prisé du parc est l'**Assiniboine Park Zoo** ★★★ *(3$; tlj 10h à 16h, en été jusqu'au coucher du soleil; ☎986-6921)*. Plus de 1 300 animaux y vivent, y compris un lynx russe, un ours polaire, un kangourou, des harfangs des neiges et des grands ducs; on y trouve même des espèces aussi exotiques que la vigogne sud-américain et des tigres de Sibérie. De plus, une statue de l'ours *Winnie* sur le site du zoo honore les origines du célèbre *Pooh*, un ourson acheté en Ontario par un soldat de Winnipeg et amené en Angleterre, où l'auteur A.A. Milne le vit et diffusa son histoire au grand bonheur des enfants du monde entier.

Harfang des neiges

On dit du **Living Prairie Museum**, situé dans la banlieue ouest de Winnipeg, qu'il renferme les derniers vestiges des hautes prairies du Canada. Si tel est bien le cas, ces 14 ha témoignent brutalement de la perte des vastes prairies d'antan, puisqu'il s'agit d'un petit terrain peu impressionnant entouré d'un aérodrome, d'une école et d'ensembles résidentiels. Bref, on ne s'y sent nullement au cœur d'une vaste prairie.

Toutefois, le **Nature Centre** ★ *(entrée libre; juil et août tlj 10h à 17h; 2795 Ness Ave., ☎832-0167)*, situé juste à côté, recrée et explique bien ce qui existait ici auparavant, et un festival annuel, tenu en août, attire davantage l'attention sur cet écosystème particulier.

Quelque peu au sud-ouest du centre-ville, le **Fort Whyte Nature Centre** ★★ *(4$; juin à oct lun-mar 9h à 17h, mer-ven 9h à 21h, sam-dim 10h à 21h; nov à mai lun-ven 9h à 17h, sam-dim 10h à 17h; 1961 McCreary Rd., ☎989-8355)* s'impose comme un refuge naturel un peu plus vivant : sa faune comprend des renards et des rats musqués, de même que de nombreux oiseaux. Son centre d'interprétation renferme en outre un aquarium, une ruche d'enseignement et d'autres expositions conçues pour favoriser la participation des enfants.

La minuscule **Riel House** ★★ *(contribution de 2$ suggérée; mi-mai à début sept tlj 10h à 18h; 330 River Rd., au sud de Bishop Grandin Blvd., St. Vital, ☎257-1783)* se dresse sur un étroit lotissement en bordure de la rivière Rouge. Ce logis a accueilli le fameux chef métis Louis Riel et sa famille pendant de nombreuses années et a ensuite appartenu à ses descendants jusqu'en 1969. La dépouille de Riel y repose en l'état depuis son exécution en 1885. Par ailleurs, outre l'emphase accordée à Riel, le musée aménagé sur les lieux dépeint de façon troublante la vie des Métis à l'époque de la colonie de la rivière Rouge. Des visites guidées sont offertes en français et en anglais.

Le **St. Norbert Farmers Market** *(fin juin à l'Action de grâce sam 8h à 21h, en plus juil et août mer 15h à la tombée de la nuit; 849 Elise St., ☎275-8349)* se trouve au sud de Winnipeg, dans le périmètre du côté est de l'autoroute Pembira. Durant la saison estivale, on y vient de tout le sud du Manitoba pour vendre divers produits sur des étals en plein air, entre autres des fruits et légumes cultivés dans la région, des produits de boulange maison, des plantes, de l'artisanat et des saucisses de fabrication mennonite traditionnelle.

Est du Manitoba

Dugald

Juste à l'est de Winnipeg, dans le petit village de Dugald, se trouve le **Costume Museum of Canada** ★ *(4$; juin à août 10h à 17h; mai à sept mer-ven 10h à 17h, sam-dim midi à 17h; angle de l'autoroute 35, Dugald Road et l'autoroute 206, ☎853-2166, ⇌853-2077)*, le premier musée du genre au Canada. Une collection de 35 000 vêtements, dont certains datent de 400 ans, y est présentée sous forme de tableaux à l'intérieur d'une maison de pionniers de 1886. Des expositions spéciales illustrent par ailleurs divers aspects de la confection des costumes; une exposition récente, par exemple, racontait la longue histoire du commerce de la soie. Le musée a également acquis quelques serviettes de table ayant appartenu à la reine Élisabeth Ire et datant de la fin du XVIe siècle.

Oak Hammock

Les oiseaux sont les visiteurs les plus satisfaits de l'**Oak Hammock Marsh and Interprative Centre** ★★ *(3,75$; mai à sept tlj 10h à 20h, oct à avr tlj 10 à 16h30; direction nord sur l'autoroute 8, puis direction est sur l'autoroute 67, ☎467-3300)*, un marais protégé où s'étendaient jadis des terres agricoles à quelques kilomètres au nord de l'actuel centre-ville de Winnipeg. Parmi les arrivants annuels, on retrouve les bernaches, des canards et plus de 295 autres espèces ailées; les mammifères aiment aussi ce parc, et vous pourrez tous les voir en vous baladant le long des promenades (construites de façon à ne pas perturber la vie des marais) et des digues aménagées sur les lieux. Visites guidées et excursions en canot disponibles.

Un excellent **centre d'interprétation** ★ explique l'importance du marais et permet aux visiteurs de l'admirer à distance grâce à des caméras télécommandées disposées autour du marais. Le siège canadien de Ducks Unlimited se trouve également ici.

Red River Heritage Road

En vous dirigeant vers le nord sur la route 9, la **Red River Heritage Road** ★★ offre un beau détour hors des sentiers battus. Le territoire qui l'entoure était autrefois au cœur des «lotissements inférieurs» gérés par Thomas Douglas pour le compte de la Compagnie de la Baie d'Hudson. Cette route de terre historique longe somptueusement la rivière, et divers sites historiques y sont clairement identifiés. Elle mène à de vieux bâtiments en pierre calcaire, y compris la ferme de William Scott et le **Captain Kennedy Museum and Tea House** ★★ *(entrée libre; lun-sam 10h30 à 16h30, dim 10h30 à 18h; à 300 m de St. Andrews Rd., sur River Rd. Heritage Pkwy, ☎334-2498 ou 945-6784)*, construit en 1866 par le Captain William Kennedy, négociant, et présentant trois pièces d'époque restaurées, un jardin anglais et une vue splendide sur la rivière. Vous pouvez aussi vous offrir un *scone* avec un thé au restaurant du musée.

De l'autre côté du chemin, l'église anglicane **St. Andrews-on-the-Red** ★★★ est la plus ancienne église en pierre de l'Ouest canadien encore utilisée pour des offices publics. Cette charmante structure se pare de fenêtres en pointe typiquement anglaises (les vitraux en auraient été transportés d'Angleterre dans de la mélasse afin d'en empêcher le bris) et de murs en pierre massifs. À l'intérieur, les bancs sont toujours recouverts de leurs peaux de bison d'origine.

Au sud de l'église se dresse le **lieu historique national Presbytère-St. Andrews** ★★ *(C.P. 37, boîte 343, RR3, ☎334-6405 ou 785-6050)*, un étonnant petit presbytère. Des affiches disposées çà et là racontent son histoire, et des interprètes sont disponibles tout l'été pour vous éclairer quant au rôle de cet établissement.

Selkirk

Sur la route 9, Selkirk, un petit village riverain identifié par un immense poisson-chat, recèle plusieurs attraits importants. Le **lieu historique national Lower Fort Garry** ★★★ *(5,50$; mai à sept 10h à 18h; C.P. 37, autoroute 9, au sud de Selkirk,* ☎*785-6050)*, juste au sud de l'agglomération, est un village de pionniers et de traite des fourrures entièrement reconstitué. Il rappelle l'importance passée de ce poste créé pour remplacer le premier fort Garry de Winnipeg, emporté par une forte crue de la rivière. Parmi les constructions qui s'y trouvent, retenons la boulangerie, le cabinet de médecin, la poudrière, le campement autochtone et la forge. Des personnages costumés interagissent avec les visiteurs tout en jouant leurs rôles de boulanger, de commerçant ou autre. Une maison de pierre, construite sur la propriété pour le gouverneur de la Compagnie de la Baie d'Hudson, présente des articles ménagers et un ancien piano amené en canot de Montréal.

Plusieurs ponts de la région enjambent la rivière Rouge et offrent une excellente vue sur les paysages environnants. Au centre-ville, le **Selkirk Park** (voir p 510) borde la rivière. Vous y trouverez la plus grande charrette à bœufs de la rivière Rouge qui fait 6,5 m de haut et 13,7 m de long, de même que le **Marine Museum of Manitoba** ★★ *(3,50$; tlj 9h à 17h; 490 Evelyn St.,* ☎*482-7761)*, aménagé à l'entrée du parc sur six navires dont le plus ancien vapeur du Manitoba, sans oublier un authentique phare du lac Winnipeg. Cet endroit offre une belle vue sur la **St. Peter's Dynevor Church** ★ d'East Selkirk, de l'autre côté de la rivière Rouge. Cette église de pierre, construite en 1854, rappelle la première colonie agricole de l'Ouest canadien, où œuvraient missionnaires et Autochtones. Les dépouilles du chef **Peguis** et d'autres colons reposent dans l'enclos paroissial.

Au nord de Selkirk

Au nord de Selkirk, sur la route 9, la **Little Britain United Church** ★ est une des cinq églises de pierre datant des colonies de la rivière Rouge encore intactes de la province. Elle fut érigée entre 1872 et 1874.

Lockport

À l'est du village, au pied du grand pont de Lockport, s'étire un parc accueillant le **Kenosewun Centre** *(entrée libre; mi-mai à mi-sept, 11h à 18h30; autoroute 44, sur la rive sud de la rivière Rouge,* ☎*757-2902)*, ce nom signifiant «il y a beaucoup de poissons» dans la langue crie. Le centre présente des outils agricoles autochtones, de même que des écrits sur l'histoire du village et divers renseignements touristiques. Des sentiers mènent à l'écluse de St. Andrews et à la digue du même nom.

En filant en voiture vers le nord-est au départ de Selkirk, vous atteindrez une série de magnifiques plages de sable blanc parmi les plus belles de la province, y compris **Winnipeg Beach** (voir p 509) et Camp Morton.

Gimli

Situé sur la rive du lac Winnipeg, Gimli demeure le cœur battant de la population islandaise du Manitoba, et une statue viking accueille les visiteurs en son centre-ville. Ce village fut jadis, avant la création du Canada, la capitale d'une république souveraine connue sous le nom de New Iceland. Une ambiance maritime règne encore dans les rues, et ce, même si ce sont aujourd'hui surtout des voiliers de plaisance et des planches à voile qui partent de la marina et de la plage. L'histoire des pêcheries de la ville et de la formation géologique du lac vous est, pour sa part, racontée au **Lake Winnipeg Visitor Centre** *(dans le port,* ☎*642-7974)*.

L'héritage islandais de la région se voit célébré par un festival annuel (voir p 519) de même que par l'exposition du **New Icelandic Heritage Museum** *(*☎*642-7974)*, qui doit inaugurer son nouvel emplacement au Betel Waterfront Centre vers la fin de l'été 2000. Ce musée retracera l'histoire des premiers colons islandais à s'être installés sur les rives du lac Winnipeg, et sa collection comprendra divers objets façonnés d'intérêt historique. D'ici là, vous pouvez admirer une petite exposition temporaire sur les Vikings à l'école de Gimli *(entrée libre; 2e étage, 62 Second Ave.)*.

Autour du lac Winnipeg

Plus à l'est, sur les rives du lac Winnipeg, la route 59 traverse des villages touristiques bordés par certaines des plus belles plages de la province : **Grand Beach** ★★ (voir p 509), **Grand Marais** et **Victoria Beach**, où il fait bon se retrouver dans leur surprenant sable blanc pendant l'été. Si vous vous dirigez une fois de plus vers le sud-est sur la route 11, en direction de la frontière ontarienne, vous verrez les plaines infinies de la province disparaître soudainement pour céder le pas aux rochers, aux rivières et aux arbres; tandis que la route poursuit sa course vers l'est, les villages deviennent de plus en plus boisés, et la pêche, le canot et la randonnée, plus spectaculaires.

Pine Falls est reconnue pour son usine de papier et son festival du papier, de l'énergie hydroélectrique et du poisson. Le **lac du Bonnet** accueille pour sa part un centre souterrain de recherche nucléaire, et une série de parcs provinciaux de plus en plus éloignés tentent d'attirer l'attention des voyageurs en quête du Manitoba profond.

Sud du Manitoba

Directement au sud de Winnipeg, entre la ville et la frontière américaine, s'étend la **vallée de la Pembina**, royaume mennonite de la province. La route est absolument plate, et la vue sur les champs sans fin est interrompue par les villages verts comme **Altona**, rendu célèbre par le tournesol et un festival annuel en son honneur (voir p 519).

Voiture hippomobile Mennonite

Steinbach

Steinbach, légèrement au sud-est de Winnipeg, est le plus grand village de la région et s'enorgueillit de son populaire **Mennonite Heritage Village** ★★ *(5$; juil et août lun-sam 10h à 19h, dim midi à 17h; mai, juin, sept, lun-sam 10h à 17h, dim midi à 17h; oct à mai, sur réservation seulement, en semaine au centre d'interprétation, 10h à 16h; ☎326-9661)*. Ce complexe de 16 ha à été conçu selon le modèle traditionnel du village mennonite. Les édifices représentent la vie des mennonites hollandais qui, après avoir longuement vécu en Russie, se sont installés dans la province à partir de 1874. Parmi ses attraits, mentionnons un restaurant servant d'authentiques mets mennonites (prunes et viandes en primeur); un magasin général offrant, entre autres, de la farine moulue sur pierre et des friandises à l'ancienne; des maisons en bois rond et en brique de terre; un centre d'interprétation, des galeries d'exposition et un moulin à vent doté de volants de 20 m.

Mariapolis

À Mariapolis, une église d'une beauté peu commune rappelle aux visiteurs les fortes influences françaises et belges dans la province. Outre sa maçonnerie soignée, l'église catholique romaine **Our Lady of the Assumption** ★★★ arbore un clocher remarquable dont l'alternance de bandes noires et blanches attire le regard sur une simple croix perchée tout au sommet.

Morden

Morden, un autre bassin mennonite, est connu pour son intéressant centre de recherche agricole et les gracieux châteaux en pierres des champs qui se dressent le long de ses rues; pour un prix modique, divers excursionnistes locaux s'offrent d'ailleurs à vous les faire découvrir. Le **Morden and District Museum** ★ *(2$; sept à mai mer-dim 13h à 17h, juin à août tlj 13h à 17h; réservation nécessaire; 111B Gilmour Ave., ☎822-3406)* présente une belle collection de fossiles préhistoriques rappelant la vaste mer fermée qui recouvrait jadis l'Amérique du Nord. L'**Agriculture Canada Research Station** *(lun-ven 8h à 17h; ☎822-4471)*, également située dans le village, possède d'impressionnants jardins paysagers.

Winkler

Le très original **Pembina Thresherman's Museum ★** *(3$; fermé en hiver; lun-ven 9h à 17h, sam-dim 13h à 17h; ☎325-7497)*, rempli d'outils et de machines datant d'une autre époque, se trouve à Winkler, légèrement plus à l'est sur la route 14.

Neubergthal

Immédiatement au sud-est d'Altona, Neubergthal constitue l'un des villages mennonites les mieux préservés de la province. Son aménagement est pour le moins singulier (une seule longue rue bordée de maisons) et son architecture présente des caractéristiques non moins uniques avec ses toits de chaume et ses granges rattachées aux demeures.

Tolstoï

Juste à l'est du petit village de Tolstoï, sur la route 209, s'étend une **haute prairie ★★** *(☎945-7775)* d'une superficie de 130 ha, entretenue par la Manitoba Naturalists Society. Il s'agit du plus important lopin du genre encore protégé au Canada.

Centre du Manitoba

Deux routes principales traversent le centre du Manitoba. La **Transcanadienne** (route 1) est la plus rapide; bien que moins agréable à l'œil, elle traverse les grands centres de Brandon et Portage la Prairie. La **Yellowhead Highway** (route 16) offre pour sa part un parcours un peu plus pittoresque.

Saint-François-Xavier

Par la route transcanadienne au départ de Winnipeg, la distance à parcourir est très courte. Saint-François-Xavier, un véritable village canadien-français, offre deux des restaurants les plus intéressants du Manitoba, sans oublier la mystérieuse légende crie du cheval blanc. C'est là la plus ancienne colonie métisse de la province, établie en 1820 par Cuthbert Grant, un personnage légendaire pour son habileté à chasser le bison dont la dépouille repose à l'intérieur de l'église catholique du village.

Son cadre pittoresque, au détour de la rivière Assiniboine, en fait une excellente destination pour une courte excursion hors de la ville.

D'ici, la route 26 offre un bref détour pittoresque le long de la rivière Assiniboine, bordée d'arbres et jadis ponctuée d'un chapelet de comptoirs de traite.

Portage la Prairie

Un peu plus à l'ouest se trouve la petite ville de Portage la Prairie, fondée par l'explorateur canadien-français Pierre Gaultier de Varennes et de La Vérendrye en 1738 pour servir de relais sur la voie canotable menant au lac Manitoba. L'attrait naturel le plus intéressant de la ville est son lac en croissant de lune – en fait une branche de la rivière Assiniboine –, qui entoure presque entièrement le centre-ville.

L'**Island Park ★** repose à l'intérieur de ce croissant et offre de magnifiques espaces ombragés par les arbres où il fait bon pique-niquer au bord de l'eau, mais aussi une multitude d'autres attraits, parmi lesquels figurent un terrain de golf, un terrain de jeu, un refuge de chevreuils et d'oiseaux aquatiques grégaires (gardez les yeux ouverts pour les bernaches), un champ de foire et une ferme où vous pourrez vous- même cueillir vos fraises.

L'**hôtel de ville ★★** en pierre calcaire, un ancien bureau de poste planté dans la rue principale, fut dessiné par l'architecte responsable des premiers édifices parlementaires du Canada. Il bénéficie d'ornements étonnants, et on l'a même classé monument historique fédéral.

Le **Fort la Reine Museum and Pioneer Village ★★★** *(3$; mai à mi-sept lun-ven 9h à 18h; angle autoroute 1A et autoroute 26, ☎857-3259)* n'est pas vraiment un fort, mais plutôt un regroupement hétéroclite d'anciennes constructions occupant un petit terrain immédiatement à l'est de la ville. Cela ne veut toutefois nullement dire que les lieux ne méritent pas une visite, bien au contraire; sa petite taille rend en effet ce musée plus facile à explorer que d'autres, et sa collection variée se révèle souvent étonnante.

Austin

Vers l'ouest, la route traverse d'autres champs et villages qui rappellent la riche fertilité des terres agricoles de la région. À quelques kilomètres au sud du village à rue unique d'Austin se trouve le **Manitoba Agricultural Museum** ★ *(5$; mi-mai à début oct 9h à 17h; P.O. Box 10, R0H 0C0, ☎637-2354, ≠637-2395)*. Le musée se spécialise plus particulièrement dans l'équipement et les anciens véhicules agricoles; les tracteurs John Deere et les anciennes motoneiges reflètent bien la collection, d'ailleurs la plus importante du genre au Canada. Pour ajouter à l'atmosphère, une ancienne école, un magasin général, une gare et un musée consacré à la radio amateur ont également été installés ici.

De plus, l'été venu, le **Trusherman's Reunion and Stampede** anime l'endroit par ses concours agricoles et une course entre un bon vieux tracteur et une tortue (il arrive même que la tortue gagne!).

Glenboro

Un détour de 40 km au sud de la Transcanadienne mène le voya-geur à Glenboro, porte d'entrée du **Spruce Woods Provincial Park** (voir p 511) mais aussi le siège de la **Grund Church** ★, la plus ancienne église luthé-rienne islandaise au Canada. Le seul trans-bordeur à câble encore en activité dans la pro-vince se trouve en ou-tre dans cette région et permet de franchir la rivière Assiniboine.

Brandon

Brandon est la deuxième ville en importance du Manitoba. Elle dépend tellement de la réussite des cultures de blé de la région que l'on y fait encore pousser la précieuse denrée à des fins expérimentales juste à côté du centre-ville. De nombreuses maisons victoriennes honorent le quartier résidentiel qui se trouve immédiatement au sud du centre-ville. La jolie **caserne de pompiers** ★ *(Central Fire Station, 637 Princess Ave.)*, qui date de 1911, et le néoclassique **palais de justice** *(Courthouse, angle Princess Ave. et 11th St.)* vous attendent tous deux sur Princess Avenue, une des principales artères de la ville.

Tournez à droite pour atteindre le **Daly House Museum** ★★ *(2$; mer-dim 10h à 17h, dim midi à 17h; 122 18th St., ☎727-1722)* pour avoir le meilleur aperçu de l'histoire de Brandon. Autrefois la résidence du maire de Brandon, l'immeuble renferme aujourd'hui une épicerie, une reconstitution de l'ancienne chambre du Conseil municipal et un centre de recherche.

Un peu plus loin vous attend le joli campus de l'**université de Brandon**.

En prenant vers le nord sur 18th Street, vous arriverez à Grand Valley Road, qui vous conduira à l'**Experimental Research Farm** ★, dont la propriété panoramique et l'étonnant bâtiment moderne en verre bénéficient d'un emplacement idyllique en surplomb sur la vallée. Des visites guidées sont offertes les mardis et jeudis à 13h30 et à 15h30.

Pour une agréable balade au fond de la vallée, continuez vers l'ouest sur Grand Valley Road, qui rejoint la Highway 1 environ 10 km plus loin.

Enfin, le hangar n° 1 de l'aéroport municipal, situé à la périphérie nord de Brandon, renferme un intéressant musée de l'aviation. Le **Commonwealth Air Training Plan Museum** ★ *(3$; oct à avr 13h à 16h, mai à sept 10h à 16h; P.O. Box 3, RR5, Brandon, ☎727-2444)* présente des avions utilisés par les écoles de pilotage de l'Aviation royale du Canada au cours de la Seconde Guerre mondiale; un ancien simulateur de vol restauré, des plaques commémoratives, des télégrammes officiels annonçant la disparition d'aviateurs et des biographies de pilotes comptent parmi les pièces les plus intéressantes.

Souris

Au sud-ouest de Brandon, Souris est réputée pour son **pont à suspension libre** ★, long de 177 m; il fut construit au tournant du XIXe siècle et restauré après qu'une inondation l'eut emporté en 1976. Le **Hillcrest Museum** *(2$; juin dim 14h à 17h, juil à oct 10h à 18h; ☎483-2008 ou 483-3138)*, situé à proximité, conserve des objets d'intérêt historique pour la région.

Neepawa

La Yellowhead Highway (route 16) offre une autre possibilité pour visiter le centre du Manitoba. En partant de Winnipeg et en vous dirigeant vers l'ouest, vous rencontrerez Neepawa, qui se veut le plus beau village du Manitoba – ce qui n'est pas une mince prétention; cela dit, il est réellement joli – et l'on peut y voir des lis en fleur en saison. Le plus ancien tribunal du Manitoba encore en fonction occupe la

Margaret Laurence Home *(2$; début mai à août, lun-ven 10h à 17h, sam-dim midi à 18h; sept et oct tlj midi à 17h; 312 First Ave., ☎476-3612)*, véritable hommage à l'auteure adorée née ici même. La machine à écrire et les meubles de Margaret Lawrence y ont la vedette.

Minnedosa

Minnedosa, un tout petit village plus à l'ouest, étonne par sa population tchécoslovaque. Sur la route 262, au sud du village, une succession de cuvettes des Prairies – autant de dépressions créées par les glaciers qui se remplirent ensuite d'eau de pluie – offre des conditions idéales aux oiseaux aquatiques tels que canards, colverts et sarcelles. En poursuivant sur la route 262, au nord de Minnedosa, vous atteindrez une vallée où s'ébattent des cerfs de Virginie; un observatoire permet de les observer encore mieux.

Wasagaming

Wasagaming, une petite ville touristique dont les origines remontent aux années quarante, se trouve à l'extrémité sud du parc national Riding Mountain (voir p 511). Construite à l'époque de la Grande Dépression à titre de projet ouvrier, elle arbore des bâtiments d'un luxe inattendu dans ces forêts septentrionales du Manitoba. C'est d'ailleurs sans doute là le seul endroit où l'on puisse trouver une station d'essence et un Chicken Delight dans des structures en rondins!

Le **Visitor Centre** ★ *(☎848-7275)* diffuse une foule de renseignements sur tous les attraits et activités de la région, entre autres le vélo, le canot, la randonnée pédestre, l'équitation, le golf, le ski et la baignade. Faites-vous un devoir de visiter l'adorable jardin à l'anglaise aménagé derrière le bâtiment, et songez à parcourir l'intéressante exposition sur la faune locale.

Dauphin

Immédiatement au nord de la Yellowhead Highway, Dauphin se transforme pour devenir le célèbre **Selo Ukraina** («village ukrainien») dans le cadre du National Ukrainian Festival (voir p 519), qui attire des milliers de personnes en juillet chaque année.

Également à Dauphin, le merveilleux **Fort Dauphin Museum** ★ *(3$; mai à sept lun-ven 9h à 17h, juil et août sam-dim; 140 Jackson St., ☎638-6630)* recrée l'un des comptoirs français de la Compagnie du Nord-Ouest et présente des vitrines sur la traite des fourrures ainsi que sur le mode de vie des pionniers. Les expositions et les structures en montre comprennent une cabane de trappeur, un atelier de forgeron, une école rurale à salle de classe unique, une église anglicane et le comptoir de traite à proprement parler. On y trouve même un canot d'écorce entièrement fait de matériaux naturels et une collection de fossiles révélant une corne de bison, une défense de mammouth et un crâne canin d'une époque reculée.

Nord du Manitoba

The Pas

La route dite «des bois et des lacs» fait voir le Manitoba sous un autre angle. The Pas, dont la population est à forte composante autochtone, se fait l'hôte d'un grand rassemblement annuel de trappeurs près d'un lac d'une clarté exceptionnelle. La plupart des visiteurs se dirigent sans hésiter vers le **Sam Waller Museum** ★★ *(2$; mi-mai à août lun-sam 10h à 17h, dim midi à 17h; sept à mi-mai tlj 13h à 17h; 306 Fischer Ave., ☎623-3802)*. Construit en 1916 et occupant l'ancien palais de justice du village, il relate l'histoire naturelle et culturelle de la région, et renferme la collection éclectique de Sam Waller. Des visites à pied des lieux sont offertes.

Sur une des façades de la **Christ Church** ★★ *(Edwards Ave., ☎623-2119)*, on peut lire les 10 commandements dans la langue crie. L'église fut construite en 1840 par Henry Budd, le premier Amérindien ordonné par l'Église anglicane, et abrite encore certains meubles fabriqués par des charpentiers de marine et amenés ici lors d'une expédition en 1847.

Flin Flon

Flin Flon, la municipalité canadienne au nom le plus fantaisiste, accueille les visiteurs dans un dédale de rues tracées au flanc de collines rocheuses. En partie au Manitoba et débordant quelque peu en Saskatchewan, Flin Flon constitue le plus important centre minier de cette région du Canada, et a crû jusqu'à devenir aujourd'hui la sixième ville en importance de la province.

Flin Flon fut ainsi baptisée en 1915 par un groupe de prospecteurs d'or qui avaient trouvé un exemplaire du populaire livre de science-fiction du même nom lors d'un portage dans le Nord manitobain. Plus tard, sur les rives d'un lac situé près d'ici, ils jalonnèrent une concession minière et lui donnèrent le nom du personnage principal du livre, Josiah Flintabbatey Flonatin, ou «Flinty» pour les intimes. Ainsi la verte statue de **Josiah Flintabbatey Flonatin**, haute de 7,5 m, marque-t-elle sans équivoque l'entrée de la ville; elle fut conçue par le célèbre créateur de bandes dessinées américain Al Capp pour le compte de la ville.

Une balade à pied révèle d'anciens hôtels datant des jours glorieux de la ville, des chevalements rouge vif marquant l'emplacement de puits de mine et de vieilles cabanes en bois de séquoia. De tous ces sites historiques toutefois, le **Flin Flon Station Museum** ★★ *(2$; mi-mai à début sept 11h à 19h; ☎687-2946)* est probablement le plus intéressant. Il renferme une belle petite collection d'objets miniers de la région, y compris une tenue et un casque de plongée pour la prospection sous-marine de l'or, un tracteur Linn, un appareil servant à nettoyer les trains et un wagon de transport de minerai. Vous y verrez également une truite de lac empaillée de 29 kg pêchée près d'ici.

Churchill

Des démarches spéciales doivent être entreprises pour se rendre dans le Grand Nord manitobain. Bien qu'éloignée et froide, la petite ville de Churchill fascine le voyageur par son isolement et son étonnante faune. Cet endroit présente en outre une grande importance sur le plan historique, puisque c'est ici que les Anglais se sont tout d'abord établis au Manitoba, ayant choisi ce lieu en raison de son superbe port naturel donnant dans la baie d'Hudson. Il est donc approprié qu'un immense **silo à céréales** érigé près des quais domine aujourd'hui la ville.

Incidemment, l'emplacement de la ville se trouve en plein couloir de migration des **ours polaires** de la région, ce qui constitue en quelque sorte un cadeau empoisonné pour ses habitants. En effet, s'il est vrai que ces majestueux représentants de la faune attirent chaque automne des visiteurs du monde entier, il leur arrive parfois de s'aventurer dans les rues de la ville même, ce qui met en danger quiconque croise leur chemin. Outre les ours, les gens peuvent voir aussi des caribous, des phoques, des oiseaux et, en été, des bélugas, sans compter le spectacle toujours possible d'une sensationnelle aurore boréale.

Le **Visitor Reception Centre** de la Bayport Plaza oriente les visiteurs en leur offrant une description des forts et des comptoirs de traite de la région. Le **lieu historique national Fort-Prince-de-Galles** ★★ *(5$, tours guidés 5$; C.P. 127, R0B 0E0, ☎675-8863)*, une immense structure de pierre en forme de diamant située à l'embouchure de la rivière Churchill, revêt un intérêt historique considérable puisque, après quatre décennies de construction continue à l'instigation des Anglais, il fut cédé aux troupes canadiennes-françaises sans résistance aucune. Le fort n'est accessible que par bateau ou hélicoptère; au cours de l'été, les employés du parc offrent des visites d'interprétation.

Le **lieu historique national Sloop's Cove** ★★ *(☎675-8863)*, à 4 km en amont du fort, est un port naturel ayant servi de havre à d'immenses voiliers de bois à compter de 1689 à tout le moins. Lorsque la Compagnie de la Baie d'Hudson s'établit ici, ses sloops étaient amarrés aux rochers du port, qu'on avait pourvus d'anneaux en fer; certaines pierres portent d'ailleurs encore des inscriptions laissées par les hommes postés ici, comme l'explorateur Samuel Hearne, qui a présidé aux destinées de la compagnie à ses heures glorieuses. Tout comme le fort Prince-de-Galles, ce site n'est accessible que par bateau ou hélicoptère.

Sur l'autre rive de la rivière Churchill, le **lieu historique national Cape Merry** ★ *(☎675-8863)* préserve une poudrière, seul vestige d'une batterie aménagée ici en 1746. Le Centennial Parkway y donne accès.

L'**Eskimo Museum** ★★★ *(entrée libre; été lun 13h à 17h, mar-sam 9h à midi et 13h à 17h; hiver lun et sam 13h à 16h30, mar-ven 10h30 à 16h30h et sam 13h à 16h30; 242 La Vérendrye Ave., R0B 0E0, ☎675-2030)* possède une des plus belles collections d'objets inuits au monde. Fondé en 1944 sous les auspices diocésaines locales, il renferme des pièces archéologiques remontant jusqu'à l'an 1700 av. J.-C. Une paire de défenses de morse adroitement sculptées compte parmi les pièces les plus impressionnantes.

Le **Northern Studies Centre** *(dons appréciés; Launch Rd., ☎675-2307)*, à 25 km à l'est de Churchill proprement dite, se trouve dans une ancienne base de lancement de missiles expérimentaux. Aujourd'hui les étudiants y viennent pour étudier les aurores boréales et l'écologie, la botanique, la météorologie, la géologie de l'Arctique et plus encore. Il est possible d'y faire une visite commentée *(5$)*. Il est préférable de téléphoner à l'avance.

Le **lieu historique national York Factory** ★★★ *(C.P. 127, R0B 0E0, ☎675-8863, ⇌675-2026)*, à 240 km au sud-est de Churchill, représente ce qui reste du comptoir de la Compagnie de la Baie d'Hudson qui permit initialement aux Anglais de s'établir dans l'Ouest canadien. Un entrepôt de bois construit en 1832 demeure en place, de même que les ruines d'une poudrière en pierre et un cimetière dont certaines inscriptions datent du XVIIIe siècle. Toutefois, l'endroit n'est accessible que par avion nolisé ou avec Air Canada; Parcs Canada offre également des visites guidées pendant l'été.

Enfin, il y a les merveilleux **ours polaires**, sans conteste le principal attrait de Churchill. L'automne est le moment tout indiqué pour les observer, et le seul moyen d'y parvenir consiste à prendre part à une visite guidée. Au moins une douzaine d'agences de tourisme de Churchill proposent des visites (voir p 513).

Parcs

Agglomération de Winnipeg

Le **Birds Hill Provincial Park**, juste au nord de Winnipeg, se situe sur une douce inclinaison érodée par les glaciers au moment de se retirer. Cette caractéristique fait du parc une destination populaire de ski de fond (niveau facile). En été, les visiteurs se baladent le long des sentiers du parc (dont l'un est même accessible aux fauteuils roulants) afin d'admirer les fleurs sauvages des Prairies (y compris plusieurs espèces d'orchidées rares) ou de se diriger vers une petite plage. Le parc se fait également l'hôte d'un important et distingué festival annuel de musique folklorique (voir p 519).

Le **Grand Beach Provincial Park** ★★ abrite sans contredit la plage la plus courue du Manitoba. Située sur la rive orientale du lac Manitoba, elle est recouverte d'un beau sable blanc et de dunes herbeuses hautes de 8 m qui semblent avoir été transportées directement de Cape Cod. De plus, la plage est accessible aux fauteuils roulants. Trois sentiers pédestres sillonnent le parc – la Spirit Rock Trail, la Wild Wings Trail et l'Ancient Beach Trail – et inspirent les visiteurs avant qu'ils ne se couvrent d'écran solaire. L'endroit est également propice à la planche à voile. Les installations sont complètes et comprennent un restaurant, un terrain de camping et un amphithéâtre où sont donnés des spectacles en plein air. Enfin, un terrain de golf vous attend juste à l'extérieur du parc.

Le **St. Norbert Provincial Park** *(entrée libre; mi-mai à sept jeu-lun 10h30 à 17h30; 40 Turnbull Dr., ☎269-5377)* se présente comme un complexe d'édifices de South Winnipeg aménagés sur 7 ha à la jonction des rivières Rouge et La Salle; il s'agit d'une an-cienne colonie métisse puis canadienne-française. La maison de ferme Bohémier, au comble brisé, et deux autres habitations s'of-frent ici à la vue; ce parc possède égale-ment un sentier pédestre.

Est du Manitoba

Le **Winnipeg Beach Provincial Park** ★★ *(☎389-2752)* constitue depuis longtemps une destination privilégiée pour les habitants de Winnipeg en quête d'escapades au cours de l'été. En plus de sa plage bien connue et de sa promenade, le parc compte une marina, un terrain de camping et une baie appréciée par les véliplanchistes.

Le **Whiteshell Provincial Park** ★★★ *(à partir de Winnipeg, empruntez l'autoroute 1 vers l'est jusqu'à Falcon Lake ou West Hawk Lake; ou, plus au nord, empruntez la route provinciale 307 à Seven Sisters Falls ou l'autoroute 44* *à Rennie, www.whiteshell.mb.ca)* est un des plus grands et des plus beaux parcs du Manitoba. D'une superficie d'environ 2 600 km^2, il est cousu de lacs, de rapides et de cascades, et hanté par une multitude de poissons et d'oiseaux. Il a de tout pour tous. L'**Alf Hole Goose Sanctuary** ★ constitue l'un des meilleurs endroits pour voir des bernaches, surtout durant leur migration; au **Bannock Point** ★, les roches disposées par les Autochtones, de façon à représenter des serpents, des poissons, des tortues et des oiseaux, revêtent un intérêt archéologique; quant aux falaises du **Lily Pond** ★, à Caddy Lake, elles sont âgées de 3,75 milliards d'années. De plus, c'est à West Hawk Lake que se trouve le lac le plus profond de la province, fort populaire auprès des amateurs de plongée sous-marine. Whiteshell offre en outre de bonnes possibilités de randonnée grâce, entre autres, à la Forester's Footsteps Trail (un sentier facile qui traverse une forêt de pins gris jusqu'au sommet d'une crête granitique), à la Pine Point Trail (qui se prête également bien au ski de fond) et à la White Pine Trail.

Un **Visitor Centre** et le **Whiteshell Natural History Museum** *(entrée libre; mai à sept tlj 9h à 17h; ☎348-2846,* www.whiteshell.mb.ca) orientent les voyageurs et expliquent l'écologie, la géologie ainsi que la faune et la flore du parc.

Le **Nopiming Provincial Park** *(depuis Winnipeg, empruntez l'autoroute Nord jusqu'à l'autoroute 44; prenez ensuite l'autoroute 11 vers l'est, puis la route provinciale 313 vers le nord, et finalement la route provinciale 315 vers l'est qui mène à Bird Lake, situé au sud du parc)* expose un Manitoba tout à fait différent, un lieu ponctué d'immenses affleurements de granit et de centaines de lacs. L'étonnante présence de caribous des forêts, comme les camps de pêche répartis à travers le parc et accessibles par avion ou en voiture, constitue une valeur ajoutée. Nopiming est un mot local autochtone qui signifie «entrée de la nature».

L'**Atikaki Provincial Wilderness Park** ★★★ *(depuis Winnipeg, empruntez l'autoroute 59 Nord, puis la route provinciale 304; www.gov.mb.ca/natres/parks/eastern/atikaki.html)*, situé le long de la frontière ontarienne, consiste en un assemblage hétéroclite de falaises, de formations rocheuses, de lacs vierges et de rivières sur plus de 50 ha. Toutefois, il demeure très difficile de s'y rendre puisqu'un canot, un hydravion ou une randonnée de plusieurs jours s'avèrent nécessaires pour atteindre son centre; dès lors, il n'est pas étonnant qu'il présente la nature la plus sauvage et inviolée de tous les parcs de la province. Une série de peintures murales rocheuses exécutées par les Autochtones et une chute de 20 m idéale pour le canot en eau vive comptent parmi ses principaux attraits. Étant donné qu'*Atikaki* signifie «pays du caribou», il est fort possible que vous aperceviez ici des caribous ou des orignaux.

Le **Hecla Provincial Park** ★★ *(depuis Winnipeg, empruntez l'autoroute 8 Nord en longeant le lac Winnipeg jusqu'à Gull Harbour; www.gov.mb.ca/natres/parks/central/hecla.html)* est un magnifique parc des plus intéressants avec son mélange d'écologie lacustre, de géologie insulaire pour le moins impressionnante, de couleurs variées et de faune forestière. Des programmes d'interprétation sont organisés tout au long de l'année, et un observatoire permet d'admirer et de photographier la nature. **Hecla Village** ajoute un court sentier ponctué de points d'intérêt historique relatifs à la culture et à l'architecture islandaises, de même qu'un **musée patrimonial** ★★ *(jeu-lun 11h à 17h)* aménagé dans une maison des années vingt entièrement restaurée.

Le **Grindstone Provincial Park** ★★ *(www.freespace.virgin.net/john.clethroe/usa_can/mb/hecla.htm)* voisin reste pour sa part en développement, ce qui en fait d'ailleurs toute la beauté puisque beaucoup moins de visiteurs s'y rendent.

À l'ouest du lac Winnipeg, la **Narcisse Wildlife Management Area**, sur la route 17, devient très populaire en avril, alors que des milliers de couleuvres rayées quittent leurs abris de calcaire pour se livrer au rituel de la reproduction.

Le **Selkirk Park**, un parc riverain du centre-ville de Selkirk, offre de nombreuses possibilités récréatives, entre autres des terrains de camping, des rampes de mise à l'eau et une piscine extérieure. Il est possible d'y faire de la pêche blanche ou de la raquette pendant l'hiver; en été et au printemps, le parc devient un refuge d'oiseaux pourvu d'un observatoire permettant d'admirer les bernaches et d'autres espèces.

Centre du Manitoba

Le **Grand Valley Provincial Park** ★ *(à l'ouest de Brandon sur l'autoroute 1)* est surtout connu en raison du **Stott Site** ★★, figurant au registre provincial du patrimoine. Des ossements et des objets fabriqués datant d'au moins 1 200 ans y ont en effet été découverts, et l'on y a reconstruit un campement amérindien ainsi qu'un enclos à bisons.

Au nord de Portage la Prairie, sur les berges du lac Manitoba, s'étend le **Delta Marsh**, un des plus vastes marais de transit pour oiseaux aquatiques grégaires en Amérique du Nord. D'une superficie de 18 000 ha, il s'étire sur 8 km en bordure du lac et constitue un lieu d'observation privilégié pour tous ceux qui songent à se munir de bonnes jumelles. Plus précisément à **Delta Beach**, un centre de recherche sur les oiseaux aquatiques et les terres marécageuses se penche de plus près sur l'écologie des habitats naturels.

À 23 km au sud de Roblin, la **Frank Skinner Arboretum Trail** célèbre les travaux de Frank Leith Skinner, un célèbre horticulteur canadien. Ce secteur servit en effet de laboratoire expérimental à Skinner, et il y croisa plusieurs nouvelles espèces végétales. Vous pourrez y monter sur une ancienne digue, visiter la serre de Skinner et parcourir la Wild Willow Trail.

Ouest du Manitoba

Les «Spirit Sands», d'énormes dunes composant un décor on ne peut plus désertique à l'intérieur du **Spruce Woods Provincial Park** ★★ *(suivez la Transcanadienne 1 Ouest au-delà de Carberry, et prenez la Highway 5 Sud; mai à sept ☎827-2543, sept à mai ☎834-3223)*, ne manquent jamais de surprendre les visiteurs. Des sentiers autoguidés y entraînent les randonneurs à travers les dunes, mais aussi à travers les forêts d'épinettes et la prairie avoisinante, jusqu'au «Devil's Punch Bowl», un curieux étang formé par des cours d'eau souterrains. Ses terrains de camping et sa plage sablonneuse, propice à la baignade, font de ce parc une destination fort prisée pendant la saison estivale.

Le **Turtle Mountain Provincial Park** ★★ *(depuis Brandon, empruntez l'autoroute 10 Sud pendant 100 km jusqu'au parc)*, dont la montagne est composée tantôt de charbon pilonné, tantôt de sédiments glaciaires, s'élève à plus de 250 m au-dessus des prairies avoisinantes. La Vérendrye l'avait surnommée «le joyau bleu des plaines», et ses pentes clémentes se prêtent bien à la randonnée pédestre, équestre et cycliste. Mais n'oublions pas pour autant les très nombreuses et magnifiques «tortues peintes» qui lui ont donné son nom. On peut ici faire du camping autour de trois lacs.

Le **parc national Riding Mountain** ★★★ *(☎848-2433 ou 800-707-8480)* s'élève au-dessus des plaines sans relief et en brise merveilleusement la monotonie. Les flancs du sommet qui donne son nom à ce parc offrent en outre une oasis de choix à divers animaux sauvages, tels l'élan, l'orignal, le cerf, le loup et le lynx. Le plus gros ours noir jamais vu en Amérique du Nord a par ailleurs été abattu ici par un braconnier en 1992, et des bisons y sont gardés dans un grand **enclos** ★★ situé près du lac Audy. La route 10, qui file du nord au sud, traverse le centre du parc et croise les rives de ses plus beaux lacs. La tour d'observation en bois d'Agassiz, haute de 12 m, y offre une vue sans pareille sur les territoires environnants, et les ruines d'une ancienne scierie se trouvent également à l'intérieur des limites du parc, tout comme une succession de formations géologiques désignées sous le nom de «crêtes de plage» (il s'agit de l'ancien pourtour d'un lac géant).

La route 19 débute au milieu du parc et emprunte un tracé sinueux jusqu'au sommet de la plus haute crête. Le naturaliste **Grey Owl**, un Anglais qui renonça à la civilisation pour vivre à la manière des Autochtones, vécut ici pendant six mois, au cours desquels il donna des conférences en compagnie de ses deux castors – bien qu'il ait en fait passé la plus grande partie de son temps à l'intérieur du parc national Prince Albert (voir p 537) – et vous pourrez voir sa **cabane** ★ isolée au kilomètre 17 d'un sentier qui part de la route 19.

Le parc national Riding Mountain s'enorgueillit de plus de 400 km de sentiers, entre autres la North Escarpment Loop Trail (qui offre les plus beaux panoramas), la Whitewater Lake Trail (qui relate l'histoire d'un camp de prisonniers de guerre jadis établi en ces lieux) et la Strathclair Trail (empruntée par les coureurs des bois à travers les collines boisées). Le parc est en outre émaillé d'un certain nombre de lacs cristallins qui se prêtent merveilleusement bien à la baignade, et c'est autour de la plage sablonneuse du **lac Clear ★★** que vous trouverez la plus forte concentration d'activités humaines. Il y a également un superbe terrain de golf.

Le **Duck Mountain Provincial Park ★★★** *(depuis Dauphin, empruntez l'autoroute 5 Ouest, puis l'autoroute provinciale 366 Nord; www.gov.mb.ca/natres/parks/parkwest/duckmtn.html)* présente un long relief inégal près de la frontière de la Saskatchewan, là où le sol ponctué de forêts, de prés et de lacs de l'«escarpement du Manitoba» a subi un important plissage. Vous y trouverez la **Baldy Mountain ★★** (831 m), le plus haut sommet de la province, par ailleurs surmonté d'une tour offrant une vue plus étendue sur la région, de même que six sentiers de randonnée et un lac d'une limpidité telle que son fond reste visible à travers 10 m d'eau.

Nord du Manitoba

Au **Clearwater Lake Provincial Park ★** *(depuis The Pas, empruntez l'autoroute 10 Nord jusqu'à l'autoroute provinciale 287 et dirigez-vous vers l'est jusqu'au parc)*, les eaux du lac sont si limpides qu'on en distingue le fond sous 11 m d'eau. Il s'agit d'ailleurs d'un des lacs les plus cristallins du monde, en outre réputé pour ses truites et ses grands brochets. Il convient aussi de noter la présence d'énormes blocs de calcaire amoncelés sur sa face méridionale; détachés des falaises voisines, ils donnent lieu à des formations qu'on désigne communément sous le nom de «grottes» *(caves)* et vous pourrez les atteindre grâce à un sentier.

Le tout nouveau **Wapusk National Park** est situé entre la **Cape Churchill Wildlife Management Area ★★**, qui, avec la **Cape Tatnam Wildlife Management Area ★★**, occupe le littoral de la baie d'Hudson de Churchill à la frontière de l'Ontario, et constitue un fabuleux pan de terres sauvages (au total près de 6 000 000 ha) où vivent des ours blancs, des caribous ainsi que d'autres animaux et des oiseaux à profusion. Ces deux zones protégées ne sont toutefois accessibles que par avion.

Le **Grass River Provincial Park ★★** *(depuis Flin Flon, empruntez l'autoroute 10 vers le sud, tournez à gauche et prenez l'autoroute 39, qui se rend jusqu'au parc)* a été sillonné par les Autochtones pendant des milliers d'années avant que les Européens ne l'explorent à leur tour. D'innombrables îles et quelque 150 lacs interrompent la course de la rivière. Jaillissant d'une montagne, la source Karst est l'un des sites intéressants du parc.

Activités de plein air

Observation d'oiseaux

Est du Manitoba

Le **Netley Marsh Provincial Recreational Park ★** *(route 320, 16 km au nord de Selkirk)* est reconnu comme un des plus importants lieux de nidification au Canada pour les oiseaux migrateurs, et il est réputé pour être un des plus importants lieux de nidification des oiseaux de marais en Amérique du Nord. Au moins 18 espèces de canards et de bernaches viennent chaque automne s'y engraisser en vue de leur long trajet hivernal.

Nord du Manitoba

Bird Cove ★, à 16 km à l'est de Churchill, pourrait fort bien être le meilleur endroit pour observer les centaines d'espèces d'oiseaux qui transitent ici, y compris la rare mouette rosée. L'épave de l'*Ithaca*, coulé par une tempête en 1961 alors qu'il transportait du minerai de nickel vers Montréal, repose à l'extrémité ouest de l'anse.

Sports nautiques

Est du Manitoba

Gimli possède une bonne agence de location d'équipement nécessaire à la pratique des sports aussi bien nautiques que terrestres. **H2O Beach and Adventure Sports** (☎*642-9781*), situé directement sur la plage sablonneuse du lac Winnipeg, loue en effet vélos, patins à roues alignées, voiliers, kayaks, ballons de volley-ball, équipement de planche à voile... en fait, tout ce dont vous pouvez avoir besoin.

Bien qu'il n'offre qu'un divertissement purement artificiel, le **Skinner's Wet 'N' Wild Waterslide Park** (☎*757-2623*) de **Lockport** ne cesse d'attirer les foules. Ce parc nautique renferme quatre grands toboggans, deux autres plus petits, un bassin à remous géant, un minigolf, des cages d'exercice au bâton (baseball) et bien plus encore. Le complexe est impossible à manquer puisqu'il se trouve à l'extrémité ouest du pont de Lockport.

Observation d'animaux

Nord du Manitoba

North Star Tours and Travel Agency (*P.O. Box 520, Churchill,* ☎*800-665-0690 ou 675-2629,* ⇄*675-2852*). Mark Ingebrigtson offre des forfaits portant sur l'histoire naturelle, et parfois sur la culture autochtone, le long des rives de la baie d'Hudson.

Tundra Buggy (*P.O. Box 662, Churchill,* ☎*800-544-5049 ou 675-2121,* ⇄*675-2877*). Len et Beverly Smith dirigent des safaris d'ours polaires en français et en anglais; les véhicules sont spécialement conçus pour accueillir les photographes.

Seal River Heritage Lodge (*P.O. Box 1034, Churchill,* ☎*888-326-7325 ou 675-8875,* ⇄*675-2386, www.virtualnorth.com/seal*). Mike Reimer organise des «écotours» à partir d'une auberge éloignée du Grand Nord; on peut y observer caribous, ours polaires, bélugas et phoques.

Hébergement

Bed and Breakfast of Manitoba (☎*661-0300, www.bedandbreakfast.mb.ca*) coordonne les réservations d'environ 40 *bed and breakfasts* membres à travers la province.

La **Manitoba Country Vacations Association** (☎/⇄ *776-2176, www.countryvacations.mb.ca*) de Winnipeg fournit un service comparable, mais dans un tout autre rayon, puisqu'elle réserve des chambres dans quelque 40 fermes ou autres destinations rurales de vacances.

Centre-ville de Winnipeg

Ivey House International Hostel
14$ membre, 18$ non-membre
ℂ
210 Maryland St.
☎***772-3022***
Cette auberge de jeunesse on ne peut plus accueillante et bien tenue, membre du réseau Hostelling International, se trouve à proximité du centre-ville. Hébergement de classe, grande cuisine, personnel exemplaire et chambres parfois pourvues d'un pratique bureau.

Guest House International
14-34
168 Maryland St.
☎***772-1272***
⇄***772-4117***
Cette vieille maison originale est située dans un quartier résidentiel quelque peu dangereux, tout près du centre-ville de Winnipeg. Les murs se parent d'œuvres réalisées par des enfants autochtones, et diverses formules d'hébergement s'offrent à vous. La salle de jeu du sous-sol quelque peu encombré ne fait qu'ajouter au charme des lieux, et il n'y a rien à redire sur les prix.

Casa Antigua
50$ pdj
bc
209 Chestnut St.
☎***775-9708***
Ce paisible *bed and breakfast* à prix raisonnable, établi dans un quartier résidentiel, a été construit en 1906 et renferme de belles antiquités. On y parle aussi bien l'espagnol que l'anglais, et ses trois chambres partagent une salle de bain commune.

Ramada Marlborough
89$
⊙, *S*, 🐕
Grâce à sa situation centrale et à sa magnifique façade, le Ramada Marlborough fait d'emblée une vive impression. Le raffinement se poursuit jusque dans la salle à manger lambrissée de bois et l'agréable salle à petit déjeuner, quoique les chambres, légèrement sombres et exiguës, ne soient pas tout à fait à la hauteur. Il n'en reste pas moins qu'il s'agit là d'une établissement confortable.

The Lombard
89$- 119$
⊙, 🐕, ,♿
2 Lombard Ave.
☎957-1350 ou 800-441-1414
⇌956-1791
Ayant désormais changé de mains (il appartenait autrefois à la chaîne Westin), cette institution de Winnipeg compte parmi les établissements hôteliers les plus huppés de la ville. À l'angle de la célèbre intersection des rues Portage et Main, plutôt passante.

Crowne Plaza Winnipeg Downtown
99$- 150$
⊗, ≈, ℜ, *tv*
350 St. Mary Ave.
☎942-0551 ou 800-2CROWNE
⇌943-8702
Cet hôtel à proximité de tout ne manque de rien puisqu'il renferme quatre restaurants, exploite un service de buanderie, s'enorgueillit d'une ravissante piscine et bénéficie d'une aire de récréation fort attrayante, sans oublier son hall accueillant. Il propose même à ses clients des leçons d'aérobie.

Place Louis-Riel All-Suite Hotel
⊙, ♿, *S*, ℂ
100$
190 Smith St.
☎947-6961
⇌947-3029
Toutes les unités d'hébergement de cet hôtel en hauteur sont des suites comptant plusieurs pièces et, habituellement, une cuisinette. Seize d'entre elles ont même deux chambres à coucher. Un choix indiscutable pour les séjours prolongés.

Hotel Fort Garry
119$
⊙, ≈, ⌂, *S*, ℜ
22 Broadway
☎800-665-8088 ou 842-8251
⇌942-7036
Cet hôtel néogothique trapu, un des plus facilement reconnaissables dans le paysage de Winnipeg, a été construit par le Canadien National en 1913. L'impressionnant hall d'entrée et les non moins remarquables salles de réception vous donneront sans doute des idées de grandeur, bien que les chambres s'avèrent quelque peu décevantes pour un hôtel de ce calibre. On procède actuellement à d'importants travaux de rénovation qui devraient être terminés d'ici 2003.

St. Boniface

Gîte de la Cathédrale Bed and Breakfast
50$ pdj
≡, *S*
581 rue Langevin
☎233-7792
Il se trouve tout juste en face du parc Provencher, dans le vieux St. Boniface. On y propose cinq chambres d'hôte, toutes climatisées et fleuries, et le petit déjeuner canadien-français traditionnel de la propriétaire, Jacqueline Bernier, peut aussi bien comporter des crêpes au sirop d'érable qu'une omelette ou du pain doré servi sur une table bien mise. Service chaleureux en français.

Est du Manitoba

Selkirk

Daerwood Motor Inn
65$
ℂ, *S*, 🐕, ,♿, ⊗
162 Main St.
☎482-7722 ou 800-930-3888
Hébergement à un coût raisonnable dans le centre de Selkirk, non loin de plusieurs attraits locaux importants. Chambre avec cuisinette moyennant un supplément de 5$, de même qu'avec magnétoscope sur demande (contre un autre supplément).

Riverton

Gull Harbor Resort
90$
S, ♿, *tv*
P.O. Box 1000, Riverton, ROC 2RO
☎279-2041 ou 800-267-6700
⇌279-2000
Ce magnifique complexe hôtelier se trouve sur la pointe d'une île. Il s'agit en fait d'un centre de congrès particulièrement prisé en raison des terrains de golf voisins et des beautés naturelles des parcs Hecla et Grindstone (il se trouve d'ailleurs tout près du Hecla Island Heritage Home Museum).

Gimli

Lakeview Resort
86$
tv, 🐕, ♿, *S*,
10 Centre St.
☎800-456-4000 ou 642-8565
⇄642-4400
Dans cet établissement donnant directement sur le port de Gimli, vous pourrez choisir une chambre ou une suite «rustique» avec vue sur le village ou sur le grand lac dont la localité tire la plus grande partie de sa subsistance. On rompt ici avec la tradition des chambres impersonnelles offertes par les hôtels de la plupart des grandes chaînes, et les chambres arborent des courtepointes, de fraîches senteurs, des planchers de bois dur ainsi que des minibars. Le chaleureux foyer du hall fait également le bonheur des clients. Chaque chambre possède un balcon.

Sud du Manitoba

Winkler

Winkler Inn
70$
≈, ℜ, *bar*, ℂ, 🐕, ♿
851 Main St.
☎800-829-4920 ou 325-4381
⇄325-9656
La fertile vallée de la Pembina attire tout particulièrement les visiteurs à Winkler, et son auberge leur propose une variété de formules d'hébergement, des chambres à grand lit à celles qui donnent sur la piscine. Un bassin à remous pouvant accueillir 10 personnes complète les installations.

Centre du Manitoba

Lake Audy

Riding Mountain Guest Ranch
75$ pc
≡, ⌂
à 20 km de Clear Lake sur l'autoroute 354
☎848-2265
C'est l'un des meilleurs ranchs de vacances de la province. Votre hôte, Jim Irwin, vous accueille, seul ou en groupe, dans sa maison de ranch de trois étages et demi, les repas étant servis dans la salle à manger, et organise des excursions d'observation de bisons. Une table de billard, un bassin à remous avec vue sur les champs, la climatisation en été et un sauna chauffé au bois en hiver ne sont que quelques-unes des attentions qui vous attendent ici. Le ranch se trouve relativement près du parc national Riding Mountain, et la propriété offre égale-ment des pistes de ski de fond et de luge bien entretenues. Irwin se spécialise dans les sorties de groupes. Minimum de deux nuitées, réservations recommandées.

Roblin

Harvest Moon Inn
64$ pdj
ℂ, *tv*, ♿
25 Commercial Dr. ***☎937-3701 ou 888-377-3399***
⇄937-3701
Cet hôtel n'offre que des suites spacieuses où il fait bon se délasser. Chacune d'elles renferme un four à micro-ondes, un réfrigérateur, un téléviseur et un magnétoscope (la réception met gratuitement à votre disposition une petite sélection de films). En prime, la famille qui gère l'établissement peut vous donner une foule de conseils sur la pêche et vous intéresser au récit de ses voyages.

Brandon

Comfort Inn by Journey's End
78$
tv, *S*, ♿
925 Middleton Ave.
☎727-6232 ou 800-228-5150
⇄727-2246
Gestion sans reproche. Directement situé sur la Transcanadienne, au nord du centre-ville de Brandon. Ses superbes chambres renferment des tables de travail et des fauteuils, ce dont les gens d'affaires ne se plaignent nullement. Le seul désavantage de l'endroit tient à sa popularité, de sorte qu'il est souvent complet des mois à l'avance.

Nord du Manitoba

Churchill

Northern Nights Lodge
88$
tv, 🐕
P.O. Box 70
☎675-2403
⇄675-2011
Cet établissement des confins nordiques de la province attire les visiteurs en quête d'ours polaires, qu'on peut habituellement voir gambader sur les rives de la baie d'Hudson.

Polar Inn
100$
tv
15 Franklin St.
☎675-8878
⇄675-2647
La présence des ours blancs a fait naître une kyrielle d'auberges et de motels à Churchill, entre autres celui-ci. Ses chambres ont récemment été rénovées et offrent désormais toutes les commodités modernes,

comme la télévision et le téléphone. Les amateurs de plein air apprécieront tout particulièrement de pouvoir y louer des vélos tout-terrain, tandis que les acheteurs invétérés trouveront sur place une agréable boutique de souvenirs.

Restaurants

Centre-ville de Winnipeg

Alycia's
$
559 Cathedral Ave.
☎582-8789
Sans doute le plus populaire des six ou sept restaurants ukrainiens de Winnipeg. L'endroit est bien connu pour ses soupes épaisses, ses pirojkis bien consistants, ses roulades de chou farcies et bien d'autres mets encore qui ne manqueront pas de vous réchauffer. Les boissons pétillantes rouges et crémeuses, de même que les décorations qui égayent la salle (œufs de Pâques ukrainiens), ajoutent à l'atmosphère festive des lieux. Les propriétaires exploitent ar ailleurs, une charcuterie fine où ils proposent aussi des plats d'accompagnement à emporter.

Le Café Jardin
$
seulement le midi
340 Provencher Blvd.
☎233-9515
Ce café rattaché au Centre culturel franco-manitobain sert des mets canadiens-français de même que des plats légers et des pâtisseries faites sur place. Sa terrasse extérieure est fort recherchée durant l'été.

Nucci's Gelati
$
643 Corydon Ave.
☎475-8765
Ce comptoir de glaces fait le bonheur des passants en quête de rafraîchissement lorsque le soleil plombe. Et ne vous laissez surtout pas rebuter par les longues files d'attente, car les 30 saveurs de délicieux *gelato* maison qu'on y propose valent largement le détour! Servies en d'énormes portions, ces glaces italiennes sauront vous ravir tout au long de votre promenade à travers le quartier italien de Winnipeg, qui s'anime d'une ambiance festive à la tombée de la nuit.

Blue Note Cafe
$-$$
875 Portage Ave.
☎774-2189
Un bar local où l'on avale hamburgers, *chili con carne* et autres plats caractéristiques de ce genre d'établissement. Les enceintes acoustiques diffusent du bon jazz jusqu'à 21h, heure à laquelle une formation locale monte sur scène. L'histoire est elle-même au rendez-vous, puisque la star du rock Neil Young et les Crash Test Dummies ont fait leurs débuts dans ce bar à l'époque où il se trouvait encore sur la rue Main au centre-ville.

Tap & Grill
$$
fermé dim
137 Osborne St.
☎284-7455
Ce restaurant qui a pignon sur rue dans le quartier très à la mode d'Osborne Village s'imprègne d'une atmosphère méditerra-néenne plutôt déten-due. Chaises en osier, persiennes et sols carrelés de céramique y composent un intérieur méridional rafraîchissant, tandis que sa terrasse extérieure à l'arrière, entourée de treillages et de plantes, en font un rendez-vous idyllique et d'ailleurs très couru au cours de la saison estivale. Au menu, des plats de viande, de fruits de mer et de pâtes, auxquels s'ajoute un choix de salades fraîches. Saveurs dominantes de citron, d'ail et de tomates séchées.

Carlos & Murphy's
$$
129 Osborne Ave.
☎284-3510
Ce petit restaurant ténébreux donne une impression de bout du monde avec ses planches clouées aux murs de façon à créer un motif de coucher de soleil, ses selles et ses accessoires caractéris-tiques de l'Ouest sau-vage. Une cuisine Tex-Mex y est servie en de gé-néreuses portions et s'accompagne merveilleusement bien d'un *margarita* à la limette ou d'une bière mexicaine.

Da Mamma Mia Ristorante
$$
631 Corydon Ave.
☎453-9210
Parmi les nombreux restaurants italiens de l'avenue Corydon, celui-ci mérite une visite pour sa terrasse bordée de plants de basilic et d'autres herbes fraîches utilisées dans la cuisine; elle est en outre agrémentée, comme il se doit, de parasols colorés, de nappes à carreaux et même d'une petite fontaine. L'intérieur, par contre, en est plutôt sombre et présente un décor un tant soit peu kitsch, richement orné et rehaussé de dorures; cela dit, d'aucuns l'apprécient

tout particulièrement par les chaudes journées d'été. On y sert de simples plats de pâtes, des pizzas et des salades.

Elephant and Castle
$$
350 St. Mary Ave.
☎942-5555
Situé dans le hall du chic Holiday Inn Crown Centre, ce charmant pub de style anglais ne vous réserve aucune surprise : pâté de dinde *(turkey pot pie)*, saucisses et pommes de terre en purée *(bangers and mash)*, poisson-frites *(fish and chips)*, soupes et sandwichs. Les plats sont toutefois assez bien réussis et servis avec le sourire. L'assortiment de desserts, par contre, ne vous laissera pas indifférent avec, entre autres, des mousses, des bagatelles au sherry, une croustade de pommes à l'anglaise, des tartes maison et bien plus encore. Bar bien garni.

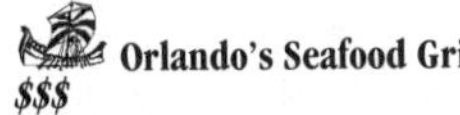 **Orlando's Seafood Grill**
$$$
709 Corydon Ave.
☎477-5899
Si vous êtes en quête d'un établissement un peu plus raffiné, rendez-vous dans cet élégant restaurant portugais au décor contemporain que complète une charmante terrasse. L'endroit est réputé pour ses plats de poisson apprêtés de main de maître, et mettant parfois en vedette des raretés telles que le requin. Service attentionné et éclairé.

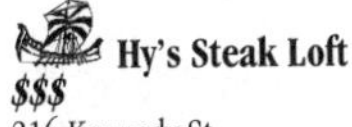 **Hy's Steak Loft**
$$$
216 Kennedy St.
☎942-1000
L'apparence de simple entrepôt en brique de cette institution du centre-ville est pour le moins trompeuse, puisqu'il s'agit d'un de ces endroits où se brassent discrètement les affaires de la province devant une côte de bœuf de l'Alberta. Politiciens et autres personnalités fréquentent en effet volontiers cette grilladerie lambrissée de bois, où ils peuvent admirer le travail des chefs apprêtant chaque pièce de viande à la perfection sur un gril ouvert. Ceux qui ont réellement du pouvoir demandent à être attablés dans l'une des salles à manger privées du Loft pour y discuter à l'aise des changements à apporter aux lois sur l'assurance ou de tout autre sujet dont ils préfèrent traiter loin des oreilles curieuses du public. Cet établis-sement possède égale-ment un fumoir et un bar-salon, propices à la détente avant et après un copieux repas.

The Velvet Glove
$$$$
2 Lombard Place
☎985-6255
Situé dans le prestigieux hôtel Lombard, ce restaurant sert les grands dépensiers de Winnipeg. Les repas comprennent, entre autres plats, les dernières créations du chef, que ce soit à base de viande, de fruits de mer ou d'agneau, quoique, peu importe votre choix, vous débuterez toujours par une simple soupe et une salade.

Est du Manitoba

Gimli

Seagull's
$$
10 Centre St.
☎642-8565
Le plus grand atout de ce restaurant est sans doute sa terrasse, aménagée directement sur la plage. Cela dit, poisson pané et *gyros* se laissent aussi déguster dans une vaste salle à manger, et vous pourrez même y faire l'essai d'une *vinetarta* islandaise au dessert. Cet établissement n'a rien de réellement particulier, si ce n'est qu'il s'agit du meilleur endroit en ville à offrir le service aux tables.

Centre du Manitoba

Brandon

Casteleyn Cappuccino Bar
$
fermé dim
908 Rosser Ave.
☎727-2820
Cet endroit représente une oasis dans les Prairies et vaut à lui seul le détour par Brandon. Les Casteleyn, d'origine belge, confectionnent ici des chocolats maison depuis presque une dizaine d'années; or, depuis quelques temps, ils ont aménagé une nouvelle salle bien éclairée qui leur a permis d'ajouter à leurs spécialités des glaces *(gelato)*, des boissons italiennes et un bar à cappuccino. Plus café que restaurant, cet établissement propose tout de même au quotidien une savoureuse gamme de sandwichs à la viande, aux légumes ainsi que des *focaccia*. Truffes au Grand Marnier, gâteau au fromage et à l'Amaretto ainsi que gâteau aux pêches et au chocolat contribuent pour leur part à la carte des desserts. Bref, voilà une expérience fabuleuse, que ce soit au déjeuner ou pour un simple goûter.

Humpty's
$
route 1
☎729-1902
Ce restaurant aménagé dans une station-service en

bordure d'une voie de desserte de la Transcanadienne sert des repas consistants : des hamburgers, des œufs et tout un assortiment de sandwichs copieux. Les habitants de Brandon ne jurent que par lui.

Saint-Francois- Xavier

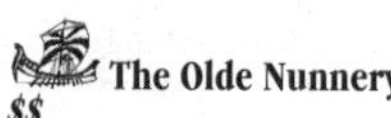 **The Olde Nunnery**
$$
1033 route 26
☎864-2300
Établi dans un ancien couvent, ce restaurant sert une bonne cuisine dans un petit village francophone à la périphérie de Winnipeg. Les plats varient du bison à la quiche et du poulet aux côtes levées, et les prix sont étonnamment raison-nables. La salle à manger offre une très belle vue sur la campagne environnante.

Medicine Rock Cafe
$$$
990 autoroute 26
☎864-2451
Cet endroit propose un des menus les plus intéressants de la province, sur lequel on retrouve entre autres des plats d'autruche, d'émeu, de sanglier et de lapin. Ce restaurant étant très populaire, il est recommandé de réserver.

Shellmouth

The Church Caffee
$$-$$$
25 km au nord de Russel sur l'autoroute 83, 10 km à l'ouest de l'autoroute 482 et direction nord sur l'autoroute 549
☎564-2626
Installé dans un ancien temple de l'Église unie, cet établissement sert des mets autrichiens en bordure d'un lac miroitant. Il faut le trouver, mais le jeu en vaut la chandelle puisque vous y découvrirez une savoureuse sélection de plats de bœuf, de porc et de dinde servis avec soupe et salade.

Sorties

Winnipeg

Bars et discothèques

King's Head Pub
120 King St.
☎957-7710
C'est probablement le meilleur bar de Winnipeg. Situé dans l'Exchange District, il offre plusieurs bières importées et une grande variété de scotchs, sans oublier ses tables de billard et ses jeux de fléchettes, histoire de se divertir un peu. On y sert également de la nourriture.

The Club Regent
1425 Regent Ave. W.
☎957-2700
Palmiers et cascades confèrent à l'établissement une ambiance tropicale. Ici, ce sont les jeux électroniques qui priment : bingo, poker et Keno; vous y trouverez aussi des machines à sous.

Times Change Blues Bar
jeu-dim
234 Main St.
☎957-0982
Le temps semble presque s'être arrêté au Times Change Blues Bar, une petite boîte intime où le blues demeure à l'honneur.

Toad in the Hole
112 Osborne St.
☎284-7201
Le Toad in the Hole, qui a pignon sur rue dans le pittoresque Osborne Village, est un pub offrant plusieurs sortes de bières importées. On peut également y jouer au billard ou aux fléchettes.

Salles de spectacle

Royal Winnipeg Ballet
380 Graham Ave.
☎800-667-4792 ou 956-2792
Cette compagnie de danse la plus connue au Canada possède sa propre salle de spectacle en plein centre-ville. La troupe a remporté une médaille d'or dans le cadre du Concours international de ballet et offre parfois des visites de ses installations.

Centre culturel
340 Provencher Blvd.
☎233-8972
Le mardi, une foule enjouée se presse au Centre culturel pour entendre du jazz, quoiqu'il accueille aussi des musiciens sur scène les jeudis et vendredis.

Festivals

Folkorama
☎800-665-0234 ou 982-6210
Le gigantesque festival d'été de Winnipeg dure deux semaines en août et affiche une grande variété de spectacles et d'autres activités culturelles; des représentants des nombreuses communautés culturelles de la ville – française, ukrainienne, hongroise, chinoise et japonaise, pour n'en nommer que quelques-unes – préparent la nourriture, entonnent des chansons et dansent suivant les traditions de leur pays d'origine dans les nombreux pavillons qui se répandent autour de la ville pour l'occasion.

Le **Winnipeg Fringe Festival** *(juil; ☎956-1340, fringe@mtc.mb.ca)*, qui met en vedette diverses troupes de théâtre locales et internationales sur de petites scènes du centre-ville, est un des plus importants festivals en son genre. Vous y ferez de véritables découvertes au fil des pièces présentées, qui vont du simple divertissement familial aux œuvres expérimentales. Des représentations gratuites en plein air sont également offertes à l'Old Market Square tout au long du festival.

En juillet, quelque 30 000 amateurs de musique acoustique convergent vers le Bird's Hill Park (voir p 509), dans les environs de Winnipeg, pour une fin de semaine de bonheur sous le signe de la chanson et de la danse, à moins que ce ne soit simplement pour s'imprégner de l'atmosphère du **Winnipeg Folk Festival** *(☎231-0096)*, un des meilleurs événements du genre en Amérique. S'y produisent en plein air des musiciens talentueux des quatre coins du monde, au plus grand plaisir d'une foule de tout âge.

St. Boniface

Festival du Voyageur
76 av. Taché
☎237-7692
voyageur@festivalvoyageur.mb.ca
Le Festival du Voyageur est une grande fête de rue qui se déroule en février à St. Boniface, célébrant l'hiver et les voyageurs qui ont colonisé la province. Les activités regroupées sous le grand pavillon extérieur comprennent des courses d'attelages de chiens, des concours de sculpture de neige et des divertissements pour les enfants, pendant que les performances musicales divertissent la foule toute la nuit.

Cercle Molière
340 boul. Provencher et 825 rue St-Joseph
☎233-8055
Le Cercle Molière incarne la plus ancienne compagnie théâtrale à demeure du Canada. Elle monte chaque année trois grandes productions et une «série Café-Théâtre» de moindre envergure. Les représentations se donnent en français.

Notez qu'une des meilleures façons de se familiariser avec l'histoire et l'architec-ture du centre-ville de Winnipeg consiste à prendre part à l'un ou l'autre des **Exchange District Walking Tours** *(5,50$; mai à sept lorsque la température le permet; ☎942-6716, ⇄943-8741, exchbiz@mb.sympatico.ca)*. Ces visites à pied guidées, d'une durée variant entre une heure trente minutes et deux heures, sont offertes en anglais, quoique vous puissiez vous informer de la possibilité d'obte-nir un guide franco-phone.

Est du Manitoba

Gimli

Islendingadagurinn (le festival islandais du Manitoba) dure trois jours à la fin d'août et célèbre l'héritage local de ce pays lointain en plein centre-ville de Gimli. Il comprend un défilé, de la musique, de la poésie, des mets islandais et bien d'autres choses encore.

Sud du Manitoba

Altona

Le **Manitoba Sunflower Festival** célèbre la haute fleur jaune qu'est le tournesol durant trois jours en juillet de chaque année. Au programme de cette fête de rue : des festins, des défilés et des danses mennonites.

Morris

Le **Morris Stampede and Exhibition** transforme une ville indolente en un véritable paradis du rodéo pendant cinq jours au début du mois de juillet. Il s'agit du deuxième rodéo en importance au Canada (seul l'immense Stampede de Calgary parvient à le surpasser), et l'on y présente des courses de chariots et de cantines ambulantes, une foire agricole et, bien sûr, des concours de monte de taureau ainsi que d'autres activités de rodéo.

Centre du Manitoba

Dauphin

L'immensément populaire **National Ukrainian Festival** *(119 Main St. S., ☎638-5645, ⇄638-5851)* a lieu à Dauphin pendant trois jours au milieu de l'été et débute un vendredi matin. Les festivités tournent autour d'un concours de boulangerie, d'un concours de broderie, d'un concours de décoration d'œufs de Pâques, d'expositions d'art populaire, de danses à profusion et d'un café en plein air.

Brandon

Tout le village de Brandon participe à la préparation de l'**International Pickle Festival**, qui se tient en septembre dans le centre-ville. À part les dégustations de cornichons, on peut y voir de grands spectacles musicaux, des expositions de voitures classiques, des compétitions de *kick-boxing* et une gamme complète d'activités pour enfants. Bizarre à souhait, mais tout de même représentatif de la vie des Prairies.

Portage la Prairie

À Portage la Prairie, c'est le **Strawberry Festival** annuel qui attire des visiteurs de toute la province. Se tenant à la mi-juillet, ce festival est l'occasion de nom-breuses danses dans les rues, de spectacles et d'un marché aux puces, sans oublier les friandises aux fraises.

Nord du Manitoba

The Pas

Le **Northern Manitoba Trappers' Festival** de The Pas dure cinq jours pendant le mois de février. Parmi les activités au programme, il y a une fameuse course d'attelages de chiens.

Achats

Centre-ville de Winnipeg

Les possibilités de magasinage se regroupent dans le centre-ville, et il suffit de franchir quelques quadrilatères pour atteindre sans mal les trois grands magasins d'ici, à savoir l'Eaton Centre, la Hudson's Bay Company et la NorthWest Company. Le réseau de passerelles couvertes et surélevées du centre-ville est largement utilisé et grandement apprécié l'hiver venu; il relie les centres commerciaux aux immeubles de bureaux, à la bibliothèque et à d'autres destinations.

La **Hudson's Bay Company de Winnipeg** *(angle Portage Ave. et Memorial Blvd.)* était jadis le porte-étendard de cette illustre chaîne de grands magasins qui a vu le jour en 1610 à titre de compagnie de traite de fourrures. On y vend toujours les fameuses couvertures originales de La Baie de même que d'autres articles uniques.

Portage Place, un autre centre commercial du centre-ville, celui-là plus conventionnel, s'étend sur trois quadrilatères et abrite environ 160 boutiques, un cinéma Imax et une troupe de théâtre à demeure.

Polo Park *(1485 Portage Ave.)*, qui se trouve plutôt sur le chemin de l'aéroport, compte plus de 180 boutiques haut de gamme.

Et parmi les autres boutiques du centre-ville, il faut retenir la **Bayat Gallery** *(163 Stafford St., ☎888-88INUIT ou 475-5873)*, particulièrement intéressante du fait qu'il s'agit de la meilleure galerie d'art inuite en ville.

L'**Osborne Village** abrite nombre de merveilleuses petites boutiques que vous ne sauriez ignorer. Vous y trou-verez, sur Osborne Street entre River Avenue et Stradbrook Avenue, papeterie, ca-deaux, vêtements, articles de cuisine et plus encore.

Le **Toad Hall** *(54 Arthur St., ☎956-2195 ou 888-333-TOAD)* est un de ces endroits à faire rêver les enfants. Ses étagères regorgent de jouets de qualité, aussi bien traditionnels que contemporains, dans une atmosphère fantaisiste qui transporte jeunes et moins jeunes au royaume magique de l'imaginaire. Vous y trouverez de tout, des théâtres de marionnettes tchécoslovaques faites main aux trains électriques, en passant par les cerfs-volants colorés et les ensembles de magie.

McNally Robinson *(1120 Grant Ave., ☎475-0483, info@mcnallyrobinson.ca)* s'impose sans contredit comme la meilleure librairie de la ville. Le choix y est impressionnant dans toutes les catégories, quoique les auteurs des Prairies y soient tout particulièrement en honneur. Un escalier en spirale enroulé autour d'un majestueux tronc d'arbre conduit par ailleurs les enfants à la section qui leur est réservée à l'étage. Le restaurant de la maison, le Café au Livre, sert des déjeuners légers et des desserts.

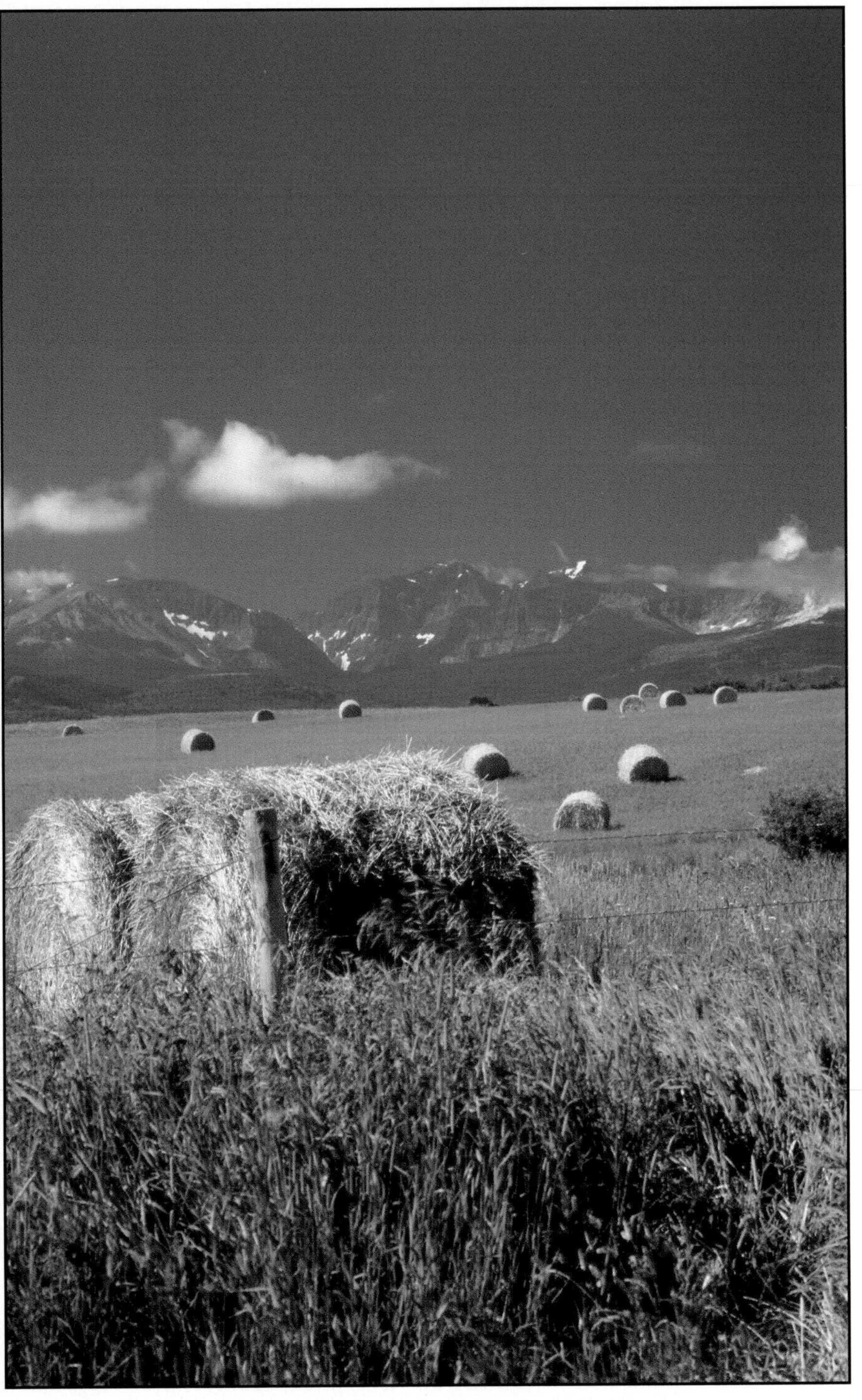

Aux confins des Prairies, les champs sont parsemés de bottes de foin fraîchement coupé, tandis qu'à l'horizon apparaît la silhouette des Rocheuses. - *Troy & Mary Parlee*

L'orge qui danse au vent se presse en rangs serrés dans les champs qui peuplent les Prairies.
- *Anne Gardon*

Comme les autres capitales des provinces de l'Ouest, Edmonton possède un fier parlement.
- *Troy & Mary Parlee*

Le crépuscule dissipe tranquillement la brume enveloppant le parc national Pacific Rim, ses forêts denses, ses plages et la mer qui les baigne. - *Sean O'Neill*

Sur la banquise animée par la neige soulevée par le vent et par le chaud chatoiement de la lumière du soleil, le roi du Grand Nord fait une pause...
- Rosing Mauritius

Un symbole de la présence catholique se dresse au centre du village de Pound Inlet, au Nunavut, tandis que derrière se profilent les montagnes et les glaciers de l'île Bylot.
- Jacqueline Grekin

Saskatchewan

Selon la croyance populaire, la Saskatchewan n'est qu'un champ de blé à perte de vue.

Ne s'agit-il pas, après tout, du grenier du Canada, produisant un bon soixante pour cent du blé de la nation sur des hectares et des hectares de champs dorés qui s'étendent, pratiquement, jusqu'à l'horizon? C'est d'ailleurs pour cette raison qu'on dépeint le plus souvent cette terre comme une prairie froide et monotone perdue entre les lacs du Manitoba et les montagnes de l'Alberta, sans plus. D'autant que la province entière connaît des hivers si amèrement froids que les «raccords électriques» (ces dispositifs qui gardent les batteries d'automobiles au chaud toute la nuit) font partie des services réguliers des bons hôtels.

Cela dit, il suffit de gratter quelque peu la surface pour percer le masque du stéréotype. La spectaculaire vallée de Qu'Appelle s'étend sur près des deux tiers de la largeur de la province en creusant dans la plaine un large sillon ponctué de profondes dépressions glaciaires qui se frayent un chemin jusqu'à la rivière. Aventurez-vous un peu plus au nord, jusqu'aux deux principales villes de la Saskatchewan, et d'étonnants accents architecturaux s'offriront à votre regard. Dans d'autres régions, c'est la prépondérance des églises est-européennes qui saute aux yeux avec leurs dômes peints, tels de somptueux et délicats œufs de Pâques, qui s'élèvent au-dessus de la prairie, vibrants témoignages à l'incontournable influence ukrainienne sur la province.

Plus au nord, les prairies cèdent abruptement le pas aux collines, puis aux montagnes, aux forêts et aux lacs, atténuant quelque peu la surprise d'apprendre qu'ici les terres boisées recouvrent la moitié de la province et occupent davantage d'espace que les terres cultivées! Enfin, tous les cours d'eau majeurs de la province coulent vers l'est, en direction du Manitoba, où ils se jettent dans la baie d'Hudson.

Les premiers peuples de la Saskatchewan formaient des tribus, tels les Assiniboines et les Blackfoot ou Pieds-Noirs. Par la suite, les Cris sont devenus les plus influents, poussant toujours plus à l'ouest pour satisfaire l'appétit vorace des négociants en fourrures. Tôt ou tard, la plupart des terres autochtones de la province ont été vendues ou cédées au gouvernement par voie de traité, mais il reste tout de même ici plus de réserves amérindiennes que n'importe où ailleurs au Canada.

Louis Riel et les Métis, descendants de voyageurs français et d'Autochtones, ont grandement marqué l'histoire des Prairies dans les collines et les vallées de la Saskatchewan. En 1884, après avoir défendu les droits des Métis et s'être réfugié aux États-Unis, Riel a été rappelé par les colons de l'actuelle Saskatchewan, qui faisait alors partie des vastes Territoires du Nord-Ouest. Sa petite bande, qui combattait pour le statut provincial de la Saskatchewan ainsi que pour un meilleur traitement des Autochtones et des Métis, eut d'entrée de jeu le meilleur sur les troupes du Dominion à l'occasion d'escarmouches répétées. Mais il faut savoir que Riel n'a jamais voulu d'un conflit armé; il espérait plutôt des négociations, cependant que les Canadiens, menés par Macdonald, anticipaient l'inévitable. Sans compter qu'ils étaient supérieurs en nombre, et que le nouveau chemin de fer transcontinental leur amenait continuellement des renforts. Les Métis ont finalement été défaits à Batoche lors du dernier conflit armé en sol canadien, tandis que Riel, déclaré traître, fut pendu. Il n'en demeure pas moins un héros dans certaines régions de la province, entre autres pour sa détermination inébranlable à préserver la souveraineté des siens. La Saskatchewan a adhéré à la Confédération canadienne en 1905.

Depuis l'époque de Riel, peu d'individus ont aussi profondément marqué les destinées de la province, exception faite de John Diefenbaker. Après avoir grandi sur une minuscule ferme à proximité de la rivière North Saskatchewan, ce simple avocat de campagne s'est en effet hissé au rang de premier ministre du Canada au début des années soixante. Son cabinet juridique, sa maison d'enfance, sa résidence principale et son bureau universitaire sont d'ailleurs aujourd'hui de populaires attraits dont la population est fière. Un lac porte également son nom. Plus près de nous, la chanteuse populaire Joni Mitchell (née Joan Anderson) est probablement la plus célèbre fille de la province; elle a grandi à Saskatoon, et l'on raconte qu'elle fait encore une apparition occasionnelle dans une boîte de cette ville, où elle chante volontiers une mélodie ou deux.

Tout compte fait, cependant, le temps s'écoule toujours aussi lentement en Saskatchewan. Les fermiers cherchent à diversifier leur production en faisant pousser entre autres du lin, tandis que les mines de potasse et les barrages hydroélectriques fournissent des emplois réguliers. Mais ce sont essentiellement le blé et le pétrole qui continuent de soutenir l'économie. Les deux principales villes de la province comptent l'une comme l'autre un peu plus de 200 000 habitants, et tâchent de meubler leurs courts étés de festivités. Regina l'élégante s'impose comme la capitale de la province, si anglaise qu'elle semble ne jamais avoir quitté le giron de la Couronne britannique. Saskatoon, pour sa part, accueille une grande université, une scène culturelle florissante et est située à proximité des attraits naturels de la province.

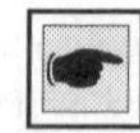

Pour s'y retrouver sans mal

En voiture

Il est facile de traverser le sud de la Saskatchewan par la Transcanadienne (autoroute 1).

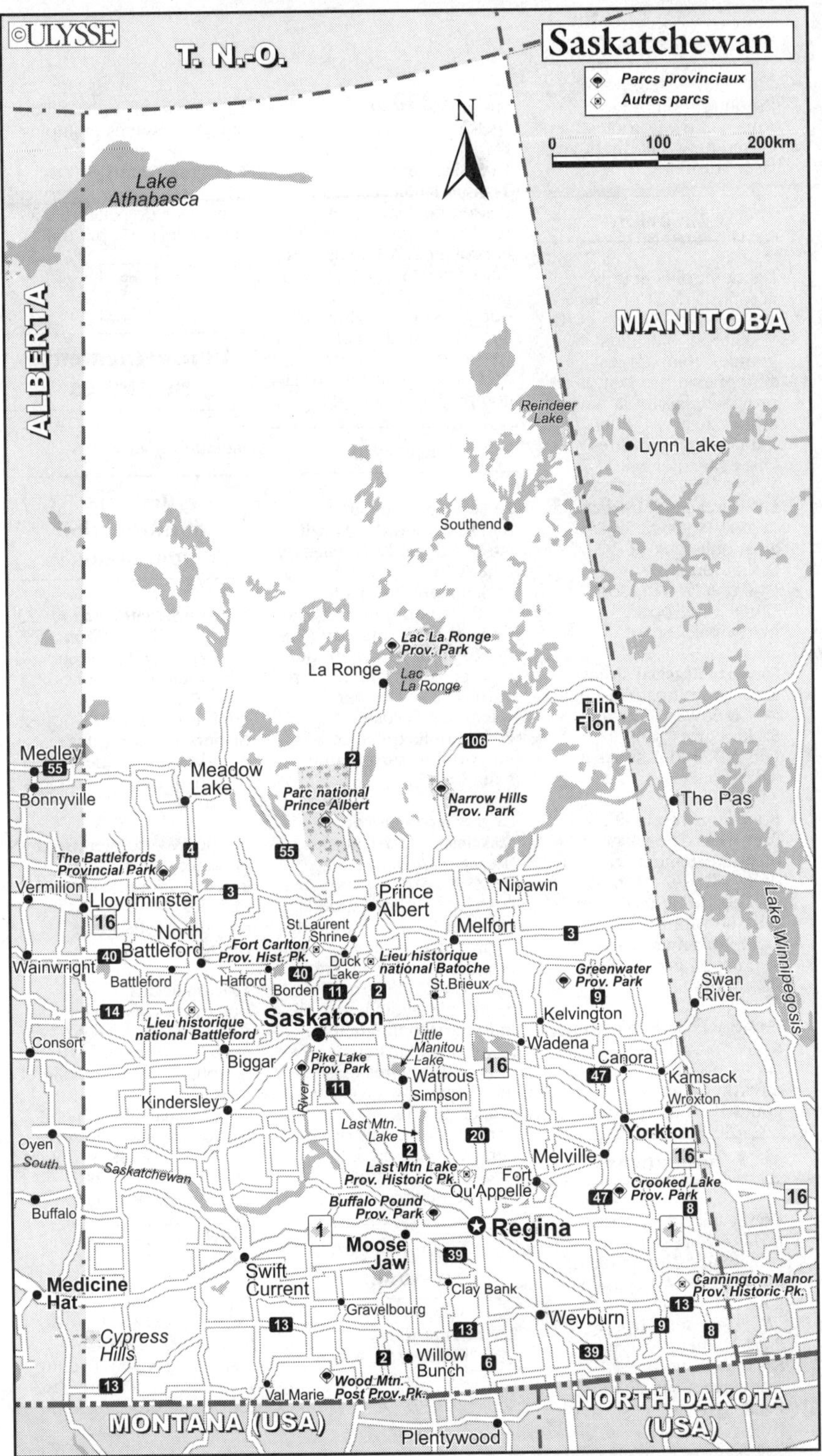

©ULYSSE
Saskatchewan
Parcs provinciaux
Autres parcs
0
100
200km
N
T. N.-O.
ALBERTA
MANITOBA
Lake Athabasca
Reindeer Lake
Lynn Lake
Southend
Lac La Ronge Prov. Park
La Ronge
Lac La Ronge
Flin Flon
106
Medley
55
Bonnyville
Meadow Lake
2
Parc national Prince Albert
Narrow Hills Prov. Park
The Pas
4
55
The Battlefords Provincial Park
Vermilion
Lloydminster
3
Prince Albert
Nipawin
16
North Battleford
St.Laurent Shrine
Melfort
3
Lake Winnipegosis
Wainwright
40
Fort Carlton Prov. Hist. Pk.
Duck Lake
Lieu historique national Batoche
Battleford
Hafford
40
Borden
11
2
St.Brieux
Greenwater Prov. Park
9
Swan River
14
Lieu historique national Battleford
Saskatoon
Kelvington
Consort
Biggar
Little Manitou Lake
Wadena
Pike Lake Prov. Park
Watrous
16
Canora
47
Kamsack
11
Simpson
Wroxton
Kindersley
River
Last Mtn. Lake
20
Yorkton
Oyen
2
16
South
Saskatchewan
Last Mtn Lake Prov. Historic Pk.
Melville
Fort Qu'Appelle
Crooked Lake Prov. Park
47
16
Buffalo
Buffalo Pound Prov. Park
8
1
Regina
1
Moose Jaw
39
Swift Current
Medicine Hat
Clay Bank
Cannington Manor Prov. Historic Pk.
13
Gravelbourg
Weyburn
13
13
9
8
Cypress Hills
2
Willow Bunch
39
6
13
Wood Mtn. Post Prov. Pk.
Val Marie
NORTH DAKOTA (USA)
MONTANA (USA)
Plentywood

En outre, nombre de routes et d'autoroutes bien entretenues sillonnent ce vaste territoire.

En avion

Les deux plus grands aéroports de la province sont ceux de Regina et de Saskatoon; plusieurs grandes compagnies aériennes desservent la province, faisant la navette entre Calgary, Toronto, Vancouver et d'autres villes canadiennes.

Les bureaux d'**Air Canada** à Regina *(☎306-525-4711)* ainsi que ceux de Saskatoon *(☎306- 525-4181)* sont situés à l'aéroport municipal.

Canadian Regional Airlines a aussi des bureaux à Regina *(☎306-569-2307)* et à Saskatoon *(☎306-665-1177)*, tous situés à l'aéroport.

Pour vous rendre à l'aéroport de Saskatoon, filez directement au nord de la ville sur 7 km. Une succession de motels en indique l'approche. Comptez environ 12$ pour le trajet en taxi au départ du centre-ville.

L'aéroport de Regina se trouve aux abords sud-ouest de la ville à environ 5 km; un taxi coûte 10$ ou un peu plus.

En autocar

Greyhound Canada *(☎800-661-8747)* dessert les principales destinations de la province. À Regina, la gare d'auto-cars *(☎306-787-3340)* se trouve au 2041 Hamilton Street. À Saskatoon, vous la trouverez à l'angle de Pacific Avenue et de 23rd Street East *(☎306-933-8019)*.

La **Saskatchewan Transportation Company** dessert également les régions moins visitées de la province. À Regina, ses autocars *(☎306-787-3340)* partent de la même gare que ceux de Greyhound, au 2041 Hamilton Street; à Saskatoon, composez le ☎933-8000 pour joindre la compagnie d'autocars.

En train

Le service ferroviaire transcanadien de **VIA Rail** *(☎800-561-8630 de l'ouest du pays)* vous amène en Saskatchewan dans la soirée, ce qui rend un arrêt difficile, bien que non impossible; en venant de l'est, par exemple, le train s'arrête trois fois par semaine à Saskatoon à 2h40, tandis qu'en sens inverse il y marque une halte à 2h45.

La **gare ferroviaire de Saskatoon** *(angle Cassino Ave. et Chappell Dr., ☎800-561-8630)*, située à l'extrême sud-ouest de la ville, est la plus grande de la province et, dès lors, le point habituel d'embarquement ou de débarquement en Saskatchewan (le train transcontinental ne passe plus par Regina). De plus petites gares existent par contre à Watrous et à Biggar, le train ne s'arrêtant toutefois qu'à la demande des passagers. Aucun train ne dessert la ville de Regina.

Transport en commun

Regina Transit *(333 Winnipeg St., ☎306-777-7433)* couvre la capitale et offre des rabais sur les passages multiples.

Saskatoon Transit *(☎306-975-3100)* assure le service d'autobus de cette ville à raison de 1,10$ par trajet.

Renseignements pratiques

Indicatif régional : 306

Bureaux d'information touristique

Tourism Saskatchewan *(1922 Park St., ☎787-2300 ou 800-667-7191)* peut être joint toute l'année. Les centres provinciaux d'information touris-tique, dispersés le long des grands axes rou-tiers de la province, ont des horaires variables.

Les heures d'ouverture des bureaux de tourisme locaux varient beaucoup, mais les plus grands restent ouverts toute l'année.

Tourism Regina *(route transcanadienne ☎789-5099 ou 800-661-5099)* se trouve à l'extrême périphérie est de la ville et n'est accessible qu'en voiture, mais il est bien approvisionné et le service y est courtois. Il est ouvert toute la journée en semaine durant toute l'année, de même que les fins de semaine de mai à août.

Tourism Saskatoon *(305 Idylwyld Dr. N., n° 6, ☎242-1206 ou 800-567-2444)* se trouve au centre-ville dans l'ancienne gare ferroviaire du Canadien

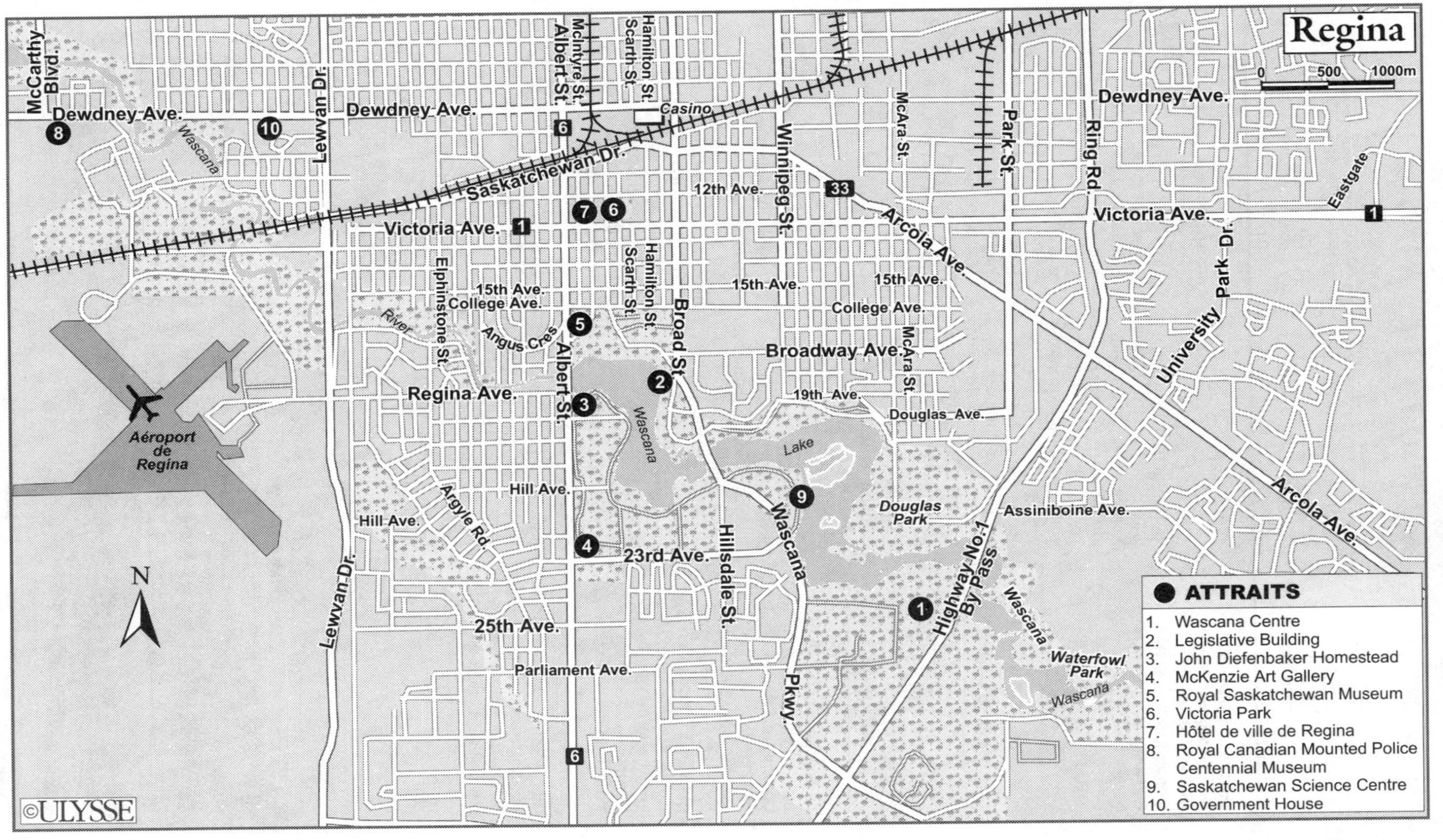
Regina
0
500
1000m
Dewdney Ave.
McCarthy Blvd.
Lewvan Dr.
McIntyre St.
Albert St.
Hamilton St.
Scarth St.
Casino
Saskatchewan Dr.
Winnipeg St.
McAra St.
Park St.
Ring Rd.
Eastgate
Victoria Ave.
12th Ave.
Arcola Ave.
University Park Dr.
15th Ave.
College Ave.
Elphinstone St.
Angus Cres.
River
Wascana
Broad St.
Broadway Ave.
Regina Ave.
19th Ave.
Douglas Ave.
Aéroport de Regina
Lake
Hill Ave.
Argyle Rd.
Douglas Park
Assiniboine Ave.
23rd Ave.
Hillsdale St.
Wascana Pkwy.
Highway No.1 By Pass
25th Ave.
Parliament Ave.
Waterfowl Park
N
©ULYSSE
ATTRAITS
1. Wascana Centre
2. Legislative Building
3. John Diefenbaker Homestead
4. McKenzie Art Gallery
5. Royal Saskatchewan Museum
6. Victoria Park
7. Hôtel de ville de Regina
8. Royal Canadian Mounted Police Centennial Museum
9. Saskatchewan Science Centre
10. Government House

Pacifique et est ouvert tous les jours entre mai et septembre ainsi que du lundi au vendredi le reste de l'année.
Internet :
www.sasktourism.com
www.cityregina.com
www.saskatoon.com
www.city.saskatoon.sk.ca/tourism/

Attraits touristiques

Regina

Le **Wascana Centre ★★★** ne s'impose pas d'emblée comme un attrait du centre-ville. Il s'agit en fait d'un immense espace vert, réputé pour être le plus grand parc urbain en Amérique du Nord (plus grand encore que le Central Park de New York!), et du point de départ logique d'une visite de la ville. Ce complexe de quelque 400 ha réunit un lac, une université, des ponts, des pelouses, des jardins, un centre de congrès et même une réserve ornithologique. Des sentiers pédestres et équestres se profilent en tout sens, et vous trouverez partout du stationnement et des toilettes publiques bien tenues.

Une institution locale particulièrement intéressante est le **Speaker's Corner ★★**, un podium dressé en bordure du lac où chacun peut publiquement exprimer ses opinions. Et pas n'importe quel podium, puisque les lampadaires à gaz et les bancs de parc qui l'entourent viennent d'Angleterre!

Le **Legislative Building ★★★** *(entrée libre; mai à sept 8h à 21h, oct à avr 8h à 17h; angle Albert St. et Legislative Dr., ☎787-5358)*, l'édifice cruciforme qui abrite l'Assemblée législative de la Saskatchewan, fait face au lac Wascana ainsi qu'à des pelouses et jardins paysagers. Il s'agit sans doute du bâtiment gouvernemental provincial le plus impressionnant au Canada. Son énorme dôme s'élève au-dessus de la ville, et la fontaine qui pare son entrée est une de celles qui appartenaient jadis au Trafalgar Square de Londres (l'autre se trouvant maintenant à Ottawa). À l'intérieur, les députés traitent les affaires de la province et, au cours des séances parlementaires, il est possible d'assister à leurs débats. Une galerie patrimoniale d'origine canadienne et divers ornements architecturaux, dont une rotonde, agrémentent également le bâtiment; les visites guidées partent toutes les demi-heures du comptoir d'accueil.

Le **Wascana Waterfowl Park ★** abrite des cygnes, des pélicans et des oies, dont certaines migratrices et d'autres qui vivent ici toute l'année. La petite taille de l'étang qui agrémente les lieux permet aux visiteurs de voir de très près plusieurs des oiseaux.

La **John Diefenbaker Homestead ★★** *(mai à sept 9h à 18h; ☎522-3661)* honore cet homme natif du nord de la Saskatchewan qui fut premier ministre du Canada. La maison de ferme familiale, que Diefenbaker a de fait aidé son père à construire alors qu'il n'était âgé que de 10 ans, renferme d'authentiques pièces de mobilier ayant appartenu à la famille. Un plus petit bâtiment se dressant également sur la propriété a pour sa part appartenu à l'oncle de Diefenbaker.

Legislative Building

La **McKenzie Art Gallery** ★ *(entrée libre; ven-mar 11h à 18h, mer-jeu 11h à 22h; 3475 Albert St., ☎522-4242)*, située dans le centre de Wascana, à l'angle de la rue Albert et de la 23e Avenue, présente des expositions temporaires de même qu'une collection permanente. La galerie d'art, financée par le legs d'un juriste local, abrite entre autres une statue en bronze peint de John Diefenbaker debout sur une chaise.

En passant le pont du Prince-Albert en direction du centre-ville, vous découvrirez, joliment niché dans un coin de parc, le **Royal Saskatchewan Museum** ★ *(entrée libre; tlj 9h à 16h30; angle College Ave. et Albert St., ☎787-2815)*. C'est là le musée d'histoire naturelle de Regina, et ses salles possèdent une abondance de présentoirs de type diorama sur les dinosaures, rehaussés de caverneuses voix hors-champ. Vous y trouverez en outre plus de renseignements sur la géologie de la Saskatchewan que vous ne pourriez rêver d'en obtenir. Quoi qu'il en soit, il s'agit du meilleur endroit en ville pour voir des objets façonnés par les Autochtones du Canada et pour entendre des enregistrements amérindiens. Un impressionnant assortiment de photographies noir et blanc de chefs autochtones, ainsi que des séquences filmées sur bande vidéo de danse et de cérémonies amérindiennes, clôturent on ne peut mieux la visite.

Toujours en direction du centre-ville, à quelques rues au nord du musée, s'étend le charmant **Victoria Park** ★★★, un parc urbain exceptionnel – d'ailleurs le plus beau des Prairies – planté en plein centre de Regina, dont il offre une vue fantastique sur les gratte-ciel. Une série de sentiers se dessinent tels les rayons d'une roue à partir du cénotaphe érigé en son centre, et les épinettes qui agrémentent le site offrent un joli contraste avec les pelouses et les jardins.

Tout près, le City Hall, soit l'**hôtel de ville de Regina** ★★ *(entrée libre; lun-ven 8h à 16h30; 2476 Victoria Ave., ☎777-7305)*, vaut également le coup d'œil, d'autant que les lumières de son toit sont conçues pour rappeler la couronne d'une reine à la tombée de la nuit. Les visites, pour lesquelles vous devez réserver à l'avance, offrent un aperçu de la salle du Conseil, du foyer et de la tribune. Une boutique de souvenirs est également aménagée sur les lieux.

Scarth Street est le mail piétonnier du centre-ville, débouchant sur le grand ensemble commercial qui a pour nom Cornwall Centre et qu'on préférerait oublier. À quelques portes seulement du centre commercial, le **Regina Plains Museum** ★★ *(2$; avr à sept 10h à 16h, oct à mars lun-ven 10h à 16h; 1801 Scarth St., ☎780-9435)* est un peu difficile à trouver, mais vaut le déplacement. Aménagé au quatrième étage de l'édifice qui loge le Globe Theatre, il constitue une bonne introduction à la vie dans les plaines.

Le musée présente les incontournables chapelle, école, chambre à coucher et bureau de poste typiques des Prairies, mais vous serez sans doute davantage intéressé par un petit présentoir décrivant les migrations autochtones à travers la province, une élégante sculpture de verre représentant un champ de blé, une vitrine sur le procès de Louis Riel et les outils d'arpenteur jadis utilisés pour lotir la plaine (sur papier, tout au moins), sans oublier un ancien registre de police contenant des photographies de criminels; les délits des malfaiteurs, consignés dans une écriture cursive («a triché aux cartes», «vit dans une maison close» et autres semblables infractions), font l'objet d'une lecture divertissante.

Les deux seuls attraits majeurs nécessitant un déplacement en voiture se trouvent à seulement quelques minutes à l'ouest du centre-ville, l'un étant presque à côté de l'autre.

Le **Royal Canadian Mounted Police Centennial Museum** ★★★ *(entrée libre; juin au 15 sept 8h à 18h45, 15 sept à mai 10h à 16h45; Dewdney Ave. W., ☎780-5838)*, aménagé sur la base de formation de la Gendarmerie royale du Canada, se veut populaire et témoigne d'une conception intéressante.

Les objets exposés dans ce musée convention-nel comprennent beau-coup de fusils, d'unifor-mes rouges et de vestiges datant de l'époque (1873) où la Gendarmerie royale fut créée, pour maintenir l'ordre et réprimer les trafiquants d'alcool du Nord-Ouest canadien. L'histoire de la mise sur pied de la célèbre force d'intervention, de sa «marche vers l'ouest» à travers les Prairies (y compris sa marche inaugurale de 3 200 km au départ de Montréal) et de son installation définitive au poste militaire de Regina y est retracée en détail pour la postérité.

Le musée met naturellement une emphase particulière sur la chose militaire à travers les âges, mais il renferme également en prime certains éléments d'un indéniable intérêt concernant les plus obscures facettes de l'entreprise pionnière dans l'Ouest canadien : les traités d'attribution des terres autochtones, une peau de bison gravée de victoires, l'étui du fusil de Sitting Bull, un crâne de bison accompagné d'une citation ironique sur la chasse telle que la pratiquaient les Autochtones, les effets personnels de Louis Riel et bien d'autres curiosités encore.

Le **Saskatchewan Science Centre** ★ *(angle Winnipeg St. et Wascana Dr., Wascana Centre, ☎800-667-6300 ou 352-5811)* est surtout reconnu pour son cinéma Imax avec écran de plus de 15 m et son numérique. La **Powerhouse of Discovery** *(6.50$)*, une autre section, présente des expositions ainsi que des conférences.

Enfin, la **Government House** ★ *(entrée libre; mar-dim 13h à 16h; 4607 Dewdney Ave. W., ☎787-5773)*, située tout près de l'école militaire de la Gendarmerie royale, a logé certains des plus hauts fonctionnaires de la province depuis la fin du XIXe siècle. Elle sert d'ailleurs encore de résidence au lieutenant-gouverneur de la Saskatchewan, quoiqu'on puisse la visiter. En été, certains après-midi de fin de semaine, le personnel y sert en outre le thé.

Sud de la Saskatchewan

La route transcanadienne parcourt la Saskatchewan méridionale d'est en ouest, à travers les champs de blé et de rares villages. À l'est de Regina, rien ne laisse présager le panorama spectaculaire qui vous attend à peine quelques kilomètres plus au nord dans la vallée de Qu'Appelle, dont la configuration lui est parallèle à cette hauteur. À l'ouest de Regina, le relief est parfaitement plat et révèle les paysages qu'on associe le plus souvent à la Saskatchewan, réduisant l'humain à la taille d'un vulgaire insecte au milieu d'un océan.

★★★ Vallée de la rivière Fort Qu'Appelle

La vallée de la rivière Fort Qu'Appelle constitue cependant un détour étonnant, puisque la rivière y a creusé une dépression au beau milieu d'un territoire autrement complètement plat. La **route 247** (au nord de la route transcanadienne entre Whitewood Grenfell), à peine connue des touristes, longe la rivière au fil de son tracé plongeant parmi les collines brunes et vertes. Elle croise **Round Lake** ★★, puis le **Crooked Lake Provincial Park** ★★, où se nichent de beaux lacs propres à la baignade, à la pêche et au simple tourisme d'agrément. Un chapelet de minuscules villages balnéaires ombragés par des arbres propose des terrains de camping et quelques magasins de campagne épars.

À un détour de la vallée, là où la rivière s'approvisionne à une série de lacs, la petite ville de **Fort Qu'Appelle** charme les visiteurs par son cadre naturel au milieu des collines, mais aussi par les quelques sites historiques qu'on y trouve. Le centre d'information touristique se trouve à l'intérieur d'une vieille gare ferroviaire, et une ancienne cabane en rondins de la Compagnie de la Baie d'Hudson – qui a d'ailleurs donné ce nom à la ville – abrite aujourd'hui un petit **musée** ★ *(2$; début juil à fin août 10h à 17h; angle Bay Ave. et Third St., ☎332-6443 ou 332-4319)*. C'est en outre dans ce fort que fut signé un traité historique cédant de vastes pans de terres tribales de la Saskatchewan au gouvernement canadien.

Moose Jaw

Moose Jaw, un ancien haut lieu de la contrebande d'alcool sous la Prohibition américaine, surgit des terres planes qui s'étendent à l'ouest de Regina et présente aux visiteurs un aperçu des aspects moins connus du passé de la province. Bien qu'il ne s'agisse plus que d'une petite ville endormie dont les parcomètres acceptent encore les pièces de 5¢, ses imposants édifices bancaires et son hôtel de ville richement orné témoignent d'antécédents plus glorieux.

Le **Western Development Museum** ★ *(5$; jan à mars tlj 9h à 18h; 50 Diefenbaker Dr., ☎693-5989)*, situé au nord du centre-ville dans un endroit quelque peu perdu, raconte l'histoire des transports au Canada, des canots d'écorce aux chalands et aux chevaux de trait de la rivière Rouge, aux voitures de chemin de fer, aux automobiles et aux avions d'antan. Derrière le musée, un train roulant sur voie étroite accueille des passagers les fins de semaine et jours fériés de la fin mai à la fête du Travail. Les visiteurs apprécient également la **Snowbirds Gallery**, consacrée à l'équipe acrobatique aérienne nationale du Canada. Dans le simulateur de vol qui se trouve à l'intérieur du cinéma du musée, les spectaculaires manœuvres des pilotes prennent en effet vie sur un écran géant *(1,50$)*.

Le **Crescent Park ★**, immédiatement à l'est du centre-ville, borde la rivière Moose Jaw et se veut l'occasion d'une courte et plaisante promenade sous des arbres et sur un pont pittoresque.

Les passages secrets du sous-sol de Moose Jaw faisaient figure de simples rumeurs jusqu'à ce qu'une voiture se retrouve à 4 m sous le niveau de la rue à la suite d'un affaissement de la chaussée. On désigne aujourd'hui ces passages sous le nom de **Tunnels of Little Chicago** *(7$; 108 Main St. N., ☎693-5261)*. Une visite guidée permet d'explorer une petite partie de ce vaste réseau souterrain, et des interprètes vous expliqueront comment il a été créé par des ouvriers chinois venus travailler à la construction du chemin de fer et ayant résolu de vivre dans la clandestinité après que le Canada fut revenu sur sa décision de leur accorder la citoyenneté une fois la tâche achevée.

Claybank

Au sud-est de Moose Jaw, sur l'autoroute 339, apparaissent la petite Claybank et sa briqueterie historique, la **Claybank Brick Plant ★** *(3$; juil et août, sam-dim 10h à 16h; ☎868-4774)*. L'usine a fonctionné de 1914 à 1989 et a compté parmi les deux briqueteries les plus importantes du Canada au cours de cette période, ses briques ayant même paré la façade de bâtiments tels que le Château Frontenac de Québec. Le complexe de hautes cheminées et de fours aux allures de dômes peut être visité sur rendez-vous, et vous trouverez même un salon de thé sur les lieux.

Gravelbourg

Au sud-ouest de Moose Jaw, en vous éloignant de 115 km de la Transcanadienne par les routes 2 et 43, vous atteindrez Gravelbourg, le noyau par excellence de la culture francophone en Saskatchewan. Un centre culturel et une troupe de danse, tous les deux canadiens-français, y ont d'ailleurs élu domicile.

Le plus impressionnant des bâtiments du centre-ville est la **cathédrale Notre-Dame de L'Assomption ★★** *(entrée libre; visites guidées 2$ juil et août; tlj 9h à 17h; ☎648-3322)*. Construite en 1918, cette église fait partie du patrimoine et arbore de magnifiques fresques peintes sur une période de 10 ans par Charles Maillard, le pasteur qui l'a fondée.

Sur la 5e Avenue Est, le **Musée de Gravelbourg ★** *(juil et août 13h à 17h; ☎648-3301)* préserve des souvenirs des premiers colons de langue française de la région, parmi lesquels on retrouvait le père missionnaire L.P. Gravier, de qui la ville tient son nom.

Autres attraits

Non loin de là, le **Wood Mountain Post Provincial Historic Park ★★** *(juin à mi-août tlj 10h à 17h; ☎694-3659)*, un ancien poste de la «police montée», est intéressant pour ses liens avec le chef sioux Sitting Bull et son peuple. Sitting Bull est en effet venu ici au printemps de 1877 après avoir mis en déroute l'armée des États-Unis pendant la bataille de Little Big Horn, survenue alors que 5 000 Sioux se cachaient déjà dans les collines environnantes.

Le chef amérindien s'est rapidement lié d'amitié avec le major de police James Walsh, mais des pressions politiques des gouvernements canadien et américain ont conduit au remplacement de Walsh par un autre officier qui a aussitôt entrepris d'assiéger les Sioux. Les deux bâtiments du parc, où vous accueillent des interprètes, expliquent toute l'histoire plus en détail.

L'ancien camp de Sitting Bull se trouve près du village de Willow Bunch, à l'intérieur du **Jean-Louis-Legare Park ★**. Legare, un commerçant métis, fournit de la nourriture aux Sioux pendant leur exil et les approvisionna également avant leur longue marche de retour aux États-Unis en 1881.

À environ 40 km au nord de Regina, sur la route 20, s'étend le **Last Mountain House Provincial Park** ★*(entrée libre; juil à sept; ☎787-2080)*, une modeste mais tout de même intéressante reconstitution d'un poste de traite de la Compagnie de la Baie d'Hudson qui ne fut utilisé que bien peu de temps. Construit avec du bois et de l'argile blanche de la région, ce poste a en effet été établi en 1869 tout près d'une vallée riveraine où vivait un troupeau de bisons; mais les bisons migrèrent vers l'ouest dès l'année suivante et ne revinrent jamais plus par ici.

Aujourd'hui, les attraits de ce parc balayé par les vents comprennent une presse à fourrure, un magasin général, une glacière où l'on conservait la viande, des baraquements à l'usage des trappeurs et des quartiers plus spacieux à l'intention des officiers. Au cours de l'été, des interprètes employés par le parc se tiennent à votre disposition pour vous faire revivre cette époque.

Saskatoon

Campée sur les berges de la rivière Saskatchewan Sud, Saskatoon s'impose comme le nid branché de la province. En plus de posséder une grande université et d'être un chef de file mondial dans le domaine de la biotechnologie agricole, la ville recèle une foule d'activités de plein air et d'événements culturels répartis au fil de l'année, qu'il s'agisse de ses festivals (jazz, folk et autres) ou de sa réputée célébration du théâtre shakespearien sur les rives de la Saskatchewan. Autrefois une halte de premier plan sur la route du chemin de fer transcontinental, son centre-ville renferme encore quelques bâtiments impressionnants de cette époque.

L'**Ukrainian Museum of Canada** ★★ *(2$; mar-sam 10h à 17h, dim 13h à 17h; 910 Spadina Cr. E., ☎244-3800)* offre, sous un toit relativement modeste, une leçon d'histoire étonnamment édifiante. À travers une succession de salles de plain-pied, le musée fait appel à des objets et à un langage simples pour dépeindre les origines et les persécutions est-européennes du peuple ukrainien, sa migration vers l'Amérique du Nord, sa colonisation des Prairies et son endurance subséquente.

Parmi les points saillants de l'exposition, retenons l'excellente section qui traite de la signification religieuse profonde de l'art *pysanka* (décoration somptueuse des œufs de Pâques), l'étude soignée des églises ukrainiennes, au dôme si distinctif, et l'explication des motifs qui ont poussé les Ukrainiens à s'installer là où ils sont. Quelques pains ornementaux savamment façonnés et de beaux exemples de *rozpys* (peintures décoratives sur les meubles, les murs et les portes des demeures) comptent également parmi les détails dignes d'être mentionnés.

Le **Mendel Art Gallery and Arts Centre** ★★★ *(entrée libre; été tlj 9h à 21h, hiver tlj midi à 21h; 950 Spadina Cr. E., ☎975-7610)* s'impose comme le meilleur musée d'art de la province. Ses expositions varient régulièrement, et les œuvres présentées sont toujours d'un grand intérêt, peu importe qu'elles proviennent de la collection permanente ou qu'elles aient été prêtées pour les besoins de la cause. Vous pourriez ainsi y admirer tout ensemble les acryliques étonnamment épaisses de l'Américain James Walsh dans une galerie, différents montages multimédias dans une autre et, parsemés par- ci, par-là, une collection de gravures, de peintures et d'autres créations modernes réalisées par des artistes autochtones. Le musée propose en outre diverses installations appréciables telles qu'une salle de jeu pour enfants, un café, une bonne boutique de souvenirs et une vérenda, petite mais charmante.

Une voie piétonnière aménagée derrière le centre descend jusqu'à la rivière, où elle rejoint un vaste réseau étendu de sentiers courant du nord au sud le long des deux rives de la South Saskatchewan. Les sentiers de la **Meewasin Valley** ★★ *(www.lights.com/meewasin)* parcourent plus de 50 km en bordure de la rivière et font aussi bien le bonheur des cyclistes que des marcheurs. Les autres installations de la vallée comprennent une patinoire extérieure et une zone de plaine protégée en milieu urbain. Les bureaux de la **Meewasin Valley Authority** ★ *(402 Third Av. S., ☎665-6888)* proposent une introduction à la rivière et à la ville.

Au sud-est, de l'autre côté de la rivière, repose le grand et joli campus de

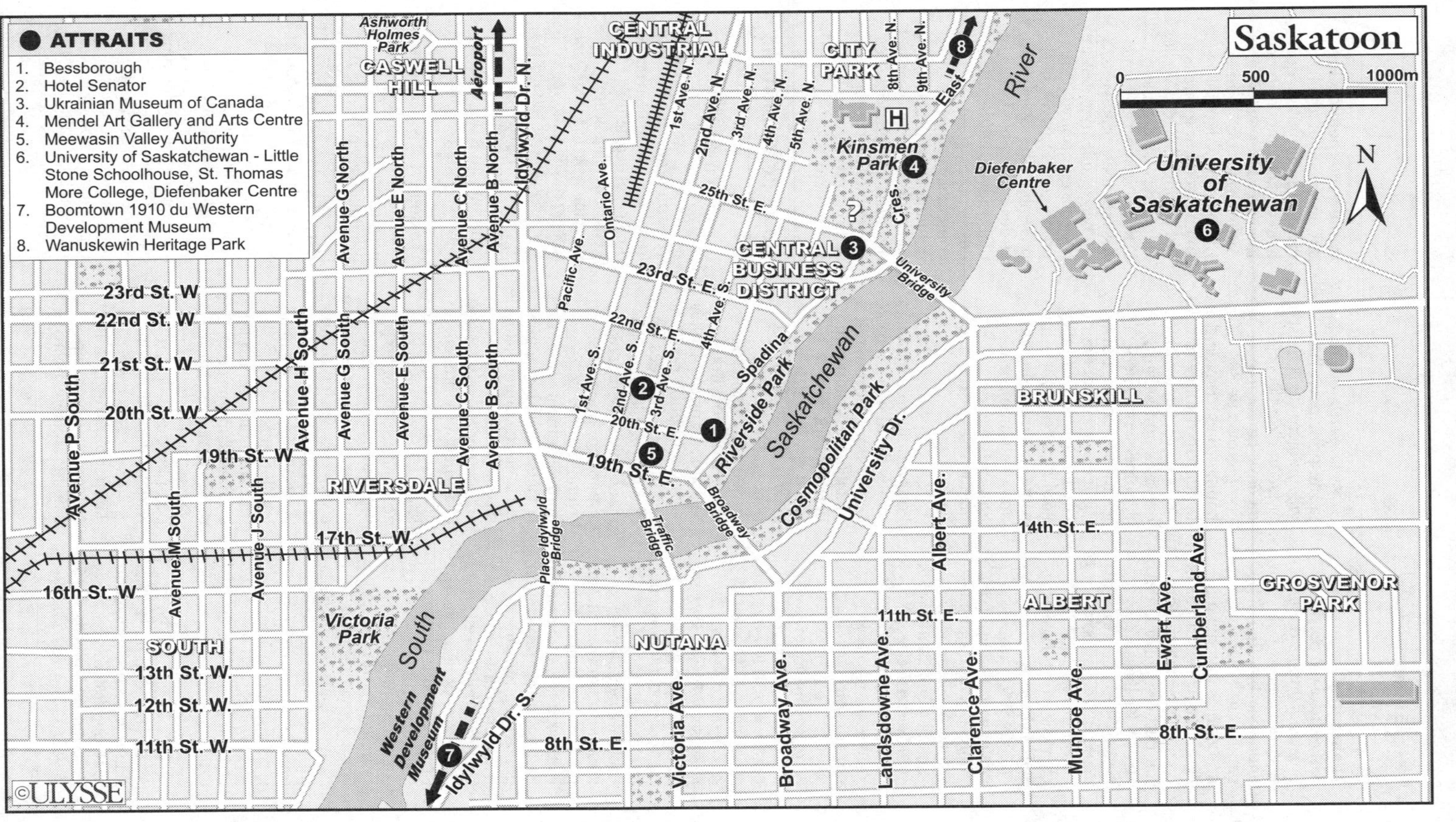
Saskatoon
0
500
1000m
N
ATTRAITS
1. Bessborough
2. Hotel Senator
3. Ukrainian Museum of Canada
4. Mendel Art Gallery and Arts Centre
5. Meewasin Valley Authority
6. University of Saskatchewan - Little Stone Schoolhouse, St. Thomas More College, Diefenbaker Centre
7. Boomtown 1910 du Western Development Museum
8. Wanuskewin Heritage Park
Ashworth Holmes Park
CASWELL HILL
Aéroport
CENTRAL INDUSTRIAL
CITY PARK
Kinsmen Park
Diefenbaker Centre
University of Saskatchewan
CENTRAL BUSINESS DISTRICT
University Bridge
River
Saskatchewan
South
Riverside Park
Cosmopolitan Park
Spadina
Broadway Bridge
Traffic Bridge
Place Idylwyld Bridge
RIVERSDALE
Victoria Park
Western Development Museum
BRUNSKILL
NUTANA
ALBERT
GROSVENOR PARK
SOUTH
Idylwyld Dr. N.
Idylwyld Dr. S.
East
Cres.
University Dr.
Ontario Ave.
Pacific Ave.
1st Ave. N.
2nd Ave. N.
3rd Ave. N.
4th Ave. N.
5th Ave. N.
8th Ave. N.
9th Ave. N.
25th St. E.
23rd St. E.
22nd St. E.
20th St. E.
19th St. E.
1st Ave. S.
2nd Ave. S.
3rd Ave. S.
4th Ave. S.
23rd St. W
22nd St. W
21st St. W
20th St. W
19th St. W
17th St. W.
16th St. W
13th St. W.
12th St. W.
11th St. W.
Avenue B North
Avenue C North
Avenue E North
Avenue G North
Avenue B South
Avenue C South
Avenue E South
Avenue G South
Avenue H South
Avenue J South
Avenue M South
Avenue P South
14th St. E.
11th St. E.
8th St. E.
Victoria Ave.
Broadway Ave.
Landsdowne Ave.
Albert Ave.
Clarence Ave.
Munroe Ave.
Ewart Ave.
Cumberland Ave.
©ULYSSE

l'**University of Saskatchewan** ★★. Plusieurs attraits d'intérêt historique vous y attendent, bien que certains ne soient accessibles que durant l'été, lorsqu'il n'y a pas de cours. Entre autres, tout à fait pittoresque, la **Little Stone Schoolhouse** ★ *(☎966-8384)*, la première école de Saska-toon, construite en 1887. La chapelle du **St. Thomas More College** ★ *(☎966-8900)* vaut également le coup d'œil pour sa peinture murale signée par l'artiste canadien William Kurelek, et l'**observatoire de l'université** *(☎966-6429)* s'ouvre au public le samedi soir.

À ne pas manquer non plus, le **Diefenbaker Centre** ★ *(2$; lun et ven 9h30 à 16h30, mar-jeu 9h30 à 20h, dim 12h30 à 17h, fermé sam; ☎966-8384)*, qui conserve une grande partie des papiers et effets personnels de Diefenbaker, sa pierre tombale se trouvant tout près, sur le campus de l'université. Également en montre, une reproduction de l'ancien bureau du premier ministre et de la chambre du Conseil privé. Le centre, dont le site privilégié offre une vue splendide sur la rivière et sur le centre-ville, est en outre connu du fait qu'il abrite le meuble sans doute le plus réputé de la province : un simple bureau en érable qui a jadis appartenu à John A. Macdonald, considéré comme le père de la Confédération cana-dienne.

À la périphérie de la ville s'étire la section **Boomtown 1910** du **Western Development Museum** ★ *(5$; tlj 9h à 17h; 2610 Lorne Ave. S., ☎931-1910)*, qui recrée la rue principale d'une ville minière de l'Ouest à la façon d'un décor de cinéma. Le complexe compte plus de 30 bâtiments et, comme dans beaucoup d'autres musées de la province, les objets exposés portent sur l'équipement agricole et les instruments aratoires. Également à l'extérieur de la ville, à 4 km, la **Valley Road** *(☎386-9544)* est une route rurale conduisant à un certain nombre de fermes fruitières, maraîchères et céréalières de la région.

Pour terminer ce circuit, à moins de 10 min de route vers le nord, découvrez le magnifique **Wanuskewin Heritage Park** ★★★ *(6$; mai à sept 9h à 21h, oct à avr tlj 9h à 17h; ☎931-6767)*, peut-être le meilleur musée autochtone des Prairies. Les environs de Saskatoon ont été habités sans interruption pendant des milliers d'années avant que les premiers colons blancs n'y fassent leur apparition; une vallée riveraine située immédiatement au nord de la ville a ainsi longtemps été utilisée comme «saut de bison» par les tribus autochtones locales, qui y chassaient et y dressaient leurs quartiers d'hiver. Les lieux sont désormais accessibles au public et présentent une variété de sites archéologiques (entre autres des cercles de tipis et des quadrants symboliques représentant les éléments fondamentaux de la vie), en plus d'un musée et d'un centre d'interprétation traitant de l'histoire des peu-ples des Premières Nations dans la région.

«Un peuple sans histoire est comme un champ d'herbe à bisons balayé par le vent», peut-on lire sur un panneau affiché à l'intérieur du musée, qui jette de fait beaucoup de lumière sur les Autochtones des Prairies. Une vitrine y dépeint soigneusement les traits qui distinguent les Cris, les Dénés, les Lakotas, les Dakotas et les Assiniboines, dont vous pouvez d'ailleurs entendre les voix en appuyant sur un bouton. D'autres salles présentent des objets d'art et des projections de diapositives, tandis que des exposés et des conférences sont régulièrement organisés, sans oublier le café servant des mets amérindiens. Les recherches archéologiques se poursuivent en outre sur les lieux.

Route de Yellowhead

Yorkton

Yorkton serait franchement inintéressante si ce n'était du **Story of People** du **Western Development Museum** ★★ *(5$; mai à mi-sept, 9h à 18h; route 16, ☎783-8361)*, qui retrace les diverses populations d'immigrants ayant contribué au kaléidoscope culturel de la province.

Yorkton est aussi connue comme le siège de la première église ukrainienne en brique de l'ouest du Canada, la **St. Mary's Ukrainian Catholic Church** ★★ *(155 Catherine St., ☎783-4594)*. Construite en 1914, elle arbore un dôme cathédrale de 21 m peint par Steven Meush entre 1939 et 1941, qui en a d'ailleurs fait un des plus beaux du genre sur le continent. À l'intérieur, vous pourrez en outre apprécier les somptueuses icônes d'Ihor Suhacev. Si l'église n'est pas ouverte, adressez-vous au presbytère adjacent pour qu'on vous laisse jeter un coup d'œil à l'intérieur. L'église accueille enfin, en juin, une célébration du nom de «Vid Pust» (jour du Pèlerinage).

Veregin

À environ 50 km au nord de la route de Yellowhead , Veregin s'enorgueillit de son **National Doukhobour Heritage Village** ★★ *(3$; mi-mai à mi-sept 10h à 18h, mi-sept à mi-mai lun-ven 10h à 16h; ☎542-4441)*, un complexe de 11 bâtiments qui met en lumière un des groupes ethniques les plus étranges de la province. Les Doukhobour sont venus en Saskatchewan en 1899 et y ont établi, sur une courte période, une communauté renonçant à la viande, à l'alcool et au tabac au profit d'une existence agreste. Ils n'ont pas tardé à se déplacer plus à l'ouest, mais ce musée préserve tout de même leur maison de prière et leur magasin d'outils, de même qu'un four en brique, un bain public, de l'équipement agricole et une forge.

Canora

À seulement 25 km à l'ouest de Veregin, Canora accueille les voyageurs avec une statue slave de 7,6 m, à côté de laquelle un kiosque d'information touristique les oriente, de juin à septembre, vers les attraits de la région. Ce petit village est également celui d'une église patrimoniale bien restaurée, l'**Ukrainian Orthodox Heritage Church** ★ *(juin à mi-sept 8h à 18h; 710 Main St., ☎563-5662)*. Construite en 1928, elle révèle l'architecture de Kiev et possède des vitraux; vous pouvez en obtenir la clé à la porte voisine, au 720 Main Street, en dehors des heures d'ouverture.

Wroxton

Le village de Wroxton se trouve à une certaine distance, plus précisément à 35 km, au nord de la route de Yellow-head, mais il mérite le détour pour les deux églises ukrainiennes qui en gardent les extrémités. Les deux dômes sont visibles de la route principale et sont accessibles par un des nombreux chemins de terre qui mènent au bourg.

Autour de Wadena

Dans la région de Wadena, le lac **Big Quill** et les divers autres marais qui s'étendent de part et d'autre de la route de Yellowhead fournissent de bonnes occasions d'observer les oiseaux. Le groupe environne-mental Ducks Unlimited contribue à la préservation d'une grande partie de ces terres et s'offre à en faire l'interprétation auprès du grand public. Le **Little Quill Lake Heritage Marsh** ★, plus facilement accessible par la route 35, a été constitué en «réserve faunique mondiale» en 1994 et demeure ouvert toute l'année. Bon an, mal an, ce marais accueille en effet plus de 800 000 oiseaux de rivage, migrateurs et locaux, et les visiteurs peuvent y faire des randonnées, parfaire leurs connaissances grâce à des panneaux d'interprétation et même gravir une tour d'observation.

St. Brieux

St. Brieux possède un petit **musée** ★ *(fin mai à fin août tlj 10h à 16h; 300 Barbier Dr., ☎275-2229)* aménagé à l'intérieur d'un ancien presbytère catholique. Il renferme des objets façonnés par les premiers colons venus du Québec, de la France et de la Hongrie, et les visites sont aussi bien offertes en anglais qu'en français.

Meunster

En continuant vers l'ouest, non loin de la route de Yellowhead, vous verrez la petite ville de Meunster, notable pour sa belle cathédrale à double clocher et le monastère qui la jouxte. La **St. Peter's Cathedral** ★★ *(entrée libre; mars à déc 9h à 21h, hiver 9h au crépuscule; ☎682-5484)*, construite en 1910, arbore des peintures de Berthold Imhoff, un comte allemand qui finit par s'installer à St. Walburg (Saskatchewan) pour y devenir un artiste. Environ 80 personnages grandeur nature, entourés de saints et de scènes religieuses, rehaussent ainsi l'intérieur de la cathédrale. La **St. Peter's Abbey** ★★ *(mars à fin déc 8h au crépuscule; ☎682-1777)* donne pour sa part une idée de ce que peut être la vie monastique, puisqu'une visite autoguidée permet de voir la ferme, les jardins, l'imprimerie et les autres dépendances de l'abbaye. Il est également possible de passer la nuit au monastère moyennant un modeste don.

★

Little Manitou Lake

Depuis des siècles, les voyageurs se rendent au lac Little Manitou pour «prendre les eaux». Ce plan d'eau est si riche en sels minéraux naturels – davantage que la mer Morte et que tout autre océan sur terre – qu'on ne peut s'empêcher d'y flotter, et ses sels sont réputés pour avoir des propriétés régénératrices. C'est d'ailleurs ainsi qu'une étrange petite agence de tourisme s'est développée autour du lac, lui-même curieusement niché parmi des collines stériles.

Borden

Borden, le lieu où Diefenbaker a passé son enfance (sa maison a depuis été transportée au centre de Regina), constitue une halte intéressante dans la mesure où l'on peut, à toute époque de l'année, y visiter un silo-élévateur exploité par **United Grain Growers (UGG)** ★ *(8h à 17h; ☎997-2010)*, l'union des producteurs de grain de la région. Vous êtes cependant prié de téléphoner au préalable pour prévenir de votre arrivée.

The Battlefords

Battleford, l'ancienne capitale des Territoires du Nord-Ouest, bénéficiait autrefois d'une certaine importance, mais se voit aujourd'hui éclipsée par sa ville jumelle, North Battleford, de l'autre côté de la rivière Saskatchewan. Ici comme ailleurs, la politique ferroviaire a déterminé le sort des deux villes, et le **lieu historique national Fort-Battleford** *(4$; mi-mai à mi-oct 9h à 17h; ☎937-2621)* en rappelle les origines autour d'un poste de la «police montée», recréé à partir de quatre bâtiments d'époque entièrement reconstitués. La caserne présente des vitrines historiques complé-mentaires, expliquées par des guides costumés en policiers d'époque.

On visite souvent **North Battleford** pour son **Western Development Museum's Heritage Farm and Village** ★ *(5$; mai à mi-sept tlj 8h30 à 18h30, le reste de l'année mar-dim13h à 17h; ☎445-8033)*, un musée essentiellement agricole qui abrite une profusion de matériel d'époque.

La ville est en outre célèbre en tant que lieu de résidence de l'artiste autochtone le plus connu et le plus aimé des Prairies, Allan Sapp, dont les œuvres sont exposées à l'**Allan Sapp Gallery** ★ *(entrée libre; mai à sept tlj 13h à 17h, oct à mai mer-dim 13h à 17h; ☎445-1760)*. Les peintures de Sapp, qui immortalisent des souvenirs de la vie autochtone datant d'un demi-siècle, et qui apparaissent également dans les musées importants du Canada, sont ici montrées et vendues; la galerie, située au rez-de-chaussée d'une bibliothèque Carnegie entièrement restaurée, compte par ailleurs des centaines d'œuvres du maître à penser de Sapp, Allan Gonor.

Centre-ouest de la Saskatchewan

Poundmaker Trail

La route 40, aussi connue sous le nom de Poundmaker Trail, est l'ancien bastion de la nation crie de Poundmaker. **Cut Knife** se targue de posséder le plus grand tomahawk du Canada, soit une sculpture suspendue en bois et en fibre de verre dont la poignée en sapin fait plus de 16 m de longueur et supporte une lame de six tonnes. Le parc aménagé tout autour abrite un petit musée comme on en trouve partout, et la tombe du légendaire **chef Poundmaker** *(www.wbm.ca/wilderness/poundmake)* se trouve également en ville, sur la réserve amérin-dienne; elle fut érigée en hommage à cet homme qui a préféré la paix à la guerre, au point de se rendre aux forces de l'ordre avec les siens plutôt que de continuer à faire couler le sang.

Hafford

Tout juste au nord-est de Saskatoon, près du village de Hafford, le **Redberry Project Highway 40** ★ *(☎549-2400)* est responsable d'un des meilleurs programmes de protection des oiseaux aquatiques de la province, à l'intérieur d'une réserve ornithologique aménagée sur le lac Redberry. S'intéressant particuliè-rement aux pélicans, l'organisation a pour devise : *«Nous avons des amis dans les lieux humides»*. Plus de 1 000 pélicans blancs d'Amérique nichent d'ailleurs sur la New Tern Island du lac, la Saskatchewan ne comptant au total que 13 autres colonies du genre. Des excursions en bateau d'une durée approximative d'une heure et demie sont également proposées *(15$)*.

Prince Albert

Prince Albert, la plus vieille ville de la province, est un lieu de passage dans plus d'un sens. Il s'agit entre autres de la plus grande ville des environs du **parc national Prince- Albert** ★★★ (voir p 537), du siège d'une énorme usine qui convertit le bois des forêts nordiques en pâtes et papier, et de la terre natale de trois premiers ministres canadiens. Bien que la ville ait fait ses débuts, en 1776, à titre de simple comptoir de traite sous l'impulsion de l'explorateur du Nord-Ouest Peter Pond, elle n'a officiellement été fondée, telle que nous la connaissons aujourd'hui, que près d'un siècle plus tard par le pasteur James Nisbet, qui créa sur les lieux une mission vouée à l'évangélisation des Cris de la région.

Le **Diefenbaker House Museum** *(entrée libre; mi-mai à début août lun-sam 10h à 18h, dim 10h à 21h; 246 19th St. W.., ☎953-4863)* est probablement le plus célèbre attrait de la ville. La maison ren-ferme beaucoup de meubles et d'effets personnels ayant appartenu à l'ancien premier ministre canadien, et l'on y explique ses liens avec la ville.

Le **Prince Albert Historical Museum** *(1$; mi-mai à début août lun-sam 10h à 18h, dim 10h à 21h; angle River St. et Central Ave., ☎764-2992)* met pour sa part l'accent sur l'histoire locale, à commencer par les Autochtones et les traiteurs de pelleteries, actifs dans la région à partir du milieu du XIXe siècle. Vous trouverez en outre à l'étage un salon de thé avec un balcon donnant sur la rivière North Saskatchewan.

Plusieurs autres musées de Prince Albert méritent également une visite, notamment l'**Evolution of Education Museum** *(entrée libre; mi-mai à début sept 10h à 20h; ☎953-4385)*, installé dans une ancienne école à salle de classe unique, et le **Rotary Museum of Police and Corrections** *(entrée libre; mi-mai à sept 10h à 20h; ☎922-3313)*, aménagé dans un ancien poste de garde de la «police montée» du Nord-Ouest; vous y trouverez un fascinant étalage d'armes façonnées par des prisonniers cher-chant à s'échapper des prisons provinciales.

Lake La Ronge Provincial Park ★★★et **Holy Trinity Anglican Church Historic Site** ★★★ (voir p 538).

Autour de Duck Lake

Au sud-ouest de Prince Albert, **Duck Lake** est une des deux scènes sur lesquelles se joua le volet sans doute le plus connu de toute l'histoire de la Saskatchewan, soit la bataille qui opposa Louis Riel et sa bande de Métis à la «police montée» du Nord-Ouest. Le **Duck Lake Regional Interpretive Centre** ★★ *(4$; mi-mai à début sept 10h à 17h30; 5 Anderson Ave., ☎467-2057)* décrit les événements tels qu'ils se sont déroulés et expose des artéfacts de la campagne menée par la résistance métisse; vous pourrez par ailleurs monter au sommet d'une tour d'observation offrant une vue sur le champ de bataille. Une série de peintures murales extérieures accueille les visiteurs.

À environ 25 km à l'ouest de Duck Lake, se trouve le **Fort Carlton Provincial Historic Park** ★★ *(2,50$; mi-mai à début sept 10h à 18h; ☎467-4512)* Fort Carlton date de 1810 et s'inscrit dans la lignée des postes de traite de la Compagnie de la Baie d'Hudson en Saskatchewan. Un important traité territorial a également été signé ici. Aujourd'hui, le site regroupe une estacade et des bâtiments reconstruits, et les guides vous expliqueront que le fort servait de poste à la «police montée» jusqu'à la bataille de Duck Lake. Tout juste à l'extérieur du fort, un campement de Cris des plaines, composé de trois tipis aménagés comme au XIXe siècle, vous donnera une idée des rapports que les Amérindiens pouvaient entretenir avec les Anglais; parmi les objets qui s'y trouvent, mentionnons des vêtements, des peaux, des pipes, des armes et des accessoires d'apparat.

Situé à 8 km à l'est de Duck lake, le **St. Laurent Shrine** ★ *(mai à fin août; ☎467-2212)* est l'occasion d'une agréable excursion secondaire dans le secteur. Construit en 1874 pour servir de mission aux pères oblats sur les berges mêmes de la rivière South Saskatchewan, et relativement semblable à celui de Notre-Dame de Lourdes en France, ce sanctuaire accueille les fidèles pour la messe du dimanche à 16h pendant les mois de juillet et d'août. Des pèlerinages annuels y ont également lieu au cours de ces mois, et ce, depuis 1893, date à laquelle la jambe d'un certain frère Guillet a guéri miraculeusement après qu'il eut prié ici.

Batoche

Le **lieu historique national Batoche ★★★** *(4$; mi-mai à mi-oct 9h à 17h; ☎423-6227)* marque le lieu où l'histoire de Riel prit fin en mars 1885. Cet endroit, une paisible vallée cultivée où les Métis s'étaient établis après avoir cédé leurs terres, devint la capitale de la résistance dès lors que Riel défia les Anglais. Aujourd'hui, un sentier, un musée et des guides vous font découvrir les restes du village de Batoche, y compris l'église Saint-Antoine de Padoue et son presbytère, entièrement reconstitués. Il y a également des tranchées et des abris de tirailleurs utilisés par les troupes de la «police montée» pendant le siège de Batoche, qui dura quatre jours.

Parcs

Sud de la Saskatchewan

Le **Buffalo Pound Provincial Park ★** *(☎694-3659)*, situé à 23 km au nord-est de Moose Jaw, offre une variété de choix récréatifs, y compris, parmi les plus populaires, l'occasion d'observer des bisons en train de paître. Un certain nombre de sentiers pédestres serpentent à travers les ondulations de la vallée de la rivière Fort Qu'Appelle, dont un qui relate l'histoire de la Charles Nicolle Homestead, une habitation en pierre construite en 1930; un autre parcourt un marécage, et un autre encore franchit la jonction de deux rivières, un secteur riche d'une faune qui réunit notamment des «tortues peintes», des cerfs communs et des grands hérons bleus. La rivière constitue en outre une destination populaire auprès des baigneurs et des plaisanciers.

Le **Cannington Manor Provincial Historic Park ★** *(entrée libre; mai à sept 10h à 18h; ☎577-2131)* raconte une expérience de courte durée à l'instigation du capitaine anglais Edward Pierce. Ce dernier tenta en effet de créer ici une colonie utopique fondée sur l'agriculture; et il y parvint pendant quelque temps, faisant alterner les travaux des champs avec la chasse au renard, les parties de cricket, les courses de chevaux et le thé en après-midi. L'expérien-ce n'a pas duré, mais le manoir recèle des antiquités d'époque ainsi que des outils de ferme jadis utilisés sur les lieux. Six autres bâtiments, dont certains sont d'origine et d'autres reconstruits, complètent les installations.

La **Last Mountain Lake National Wildlife Area ★★** *(entrée libre; mai à fin oct; ☎836-2022)*, qui occupe l'extrémité nord du lac du même nom, est tenu pour la plus ancienne réserve ornithologique de tout le continent nord-américain. Plus de 250 espèces ailées se posent ici au cours de leur migration annuelle vers le sud, y compris la remarquable grue blanche d'Amérique.

Le spectacle atteint son paroxysme au printemps (mi-mai) et à l'automne (septembre); les visiteurs peuvent procéder à une visite autoguidée en voiture, ou gravir une tour d'observation et parcourir deux sentiers pédestres aménagés sur les lieux. Pour accéder facilement à la réserve, empruntez la route 2, prenez vers l'est à Simpson et suivez les indications jusqu'au lac *(lakeshore)*.

Le **parc national des Prairies ★★** *(toute l'année; entre Val Marie et Killdeer, au sud de l'autoroute 18, ☎298-2257)* fut le premier créé en Amérique du Nord pour protéger une zone significative de la prairie mixte à l'état vierge. Parmi la variété des habitats représentés ici, retenons les plaines herbeuses, les buttes, les badlands et la vallée de la rivière Frenchman; des vues spectaculaires s'offrent au regard du haut de certaines buttes, et la faune du parc accueille le rare renard véloce, l'antilope d'Amérique et l'aigle royal. Plus intéressant encore, vous trouverez ici une «agglomération» tout à fait unique en son genre regroupant plusieurs **colonies de chiens de prairie ★★** à queue noire qui poursuivent leur existence dans un environnement parfaitement naturel.

Des randonnées guidées sont organisées au bureau du parc, à Val Marie, et ce, tous les dimanches d'été. Le camping sauvage est en outre autorisé dans le parc, mais vous devez obtenir un droit de passage auprès de certains propriétaires terriens pour accéder à certaines zones.

Saskatoon

Le **Pike Lake Park ★** *(☎933-6966)*, un petit parc récréatif situé à quelque 30 km au sud-ouest de Saska-toon, fait le bonheur des vacanciers d'un jour cherchant à s'éloigner de la plus grande ville de la Saskatchewan. Vous y trouverez des pelouses ombragées par des trembles, des frênes et des bouleaux, une belle plage et de la nature à profusion. Les activités nautiques sont assurées par une piscine, un toboggan nautique et des canots de location; des sentiers pédestres, des courts de tennis, un golf et un minigolf complètent les installations.

Route de Yellowhead

Le **Cumberland House Provincial Historic Park ★★★** *(☎888-2077)*, situé sur une île de la rivière North Saskatchewan, près de la frontière manitobaine, revêt une importance historique indéniable, puisqu'il marque l'emplacement du premier comptoir de pelleteries de la Compagnie de la Baie d'Hudson dans l'Ouest canadien, sans compter qu'il a plus tard été converti en port pour accueillir les bateaux à vapeur circulant sur la rivière. Il n'en reste aujourd'hui qu'un entrepôt de munitions des années 1890 et une section de navire à aubes, mais il s'agit toujours d'un endroit fascinant.

Le **Duck Mountain Provincial Park ★★** *(☎542-5500)* s'étend à 25 km à l'est de Kamsack, directement sur la frontière manitobaine. Ouvert toute l'année, ce parc entoure complètement le populaire lac Madge, tandis que le mont Duck s'élève 240 m au-dessus des terres environnantes, recouvertes de trembles. Des installations récréatives complètes vous y attendent, y compris un terrain de camping, un golf, un minigolf, des attirails de pêche et une plage. Vous pourrez même loger sur place dans un chalet prévu à cet effet.

Le **The Battlefords Provincial Park ★** *(☎386-2212)* est considéré comme un des grands paradis récréatifs de la province. Son emplacement, sur la rive nord-est du lac Jackfish, permet de s'adonner facilement aux plaisirs de la pêche et de la voile. Vous trouverez sur place tout l'équipement nécessaire à la pratique de ces sports nautiques, de même qu'un terrain de golf, un minigolf, un magasin général et un complexe d'héberge-ment mixte ouvert à longueur d'année.

Le **Greenwater Lake Provincial Park ★** *(☎278-2972)* se trouve sur la route 38 au nord de Kelvington dans la Porcupine Forest de l'est de la province. Une marina y loue des embarcations et des attirails de pêche en été, mais vous pourrez tout aussi bien y pratiquer le tennis, le golf ou l'équitation. En hiver, le parc se transforme en centre de ski de randonnée. De belles cabanes en rondins sont en outre offertes en location sur place.

Centre-ouest de la Saskatchewan

Le **parc national Prince-Albert ★★★** *(☎663-4522)*, d'une superficie de 400 000 ha, est un des plus beaux parcs de la Saskatchewan. En y pénétrant par l'entrée sud sur la route 263, vous traverserez une prairie et des champs, une tremblaie canadienne et enfin des forêts.

Le panoramique **Anglin Lake ★★**, au sud-ouest du parc national Prince-Albert, possède au moins une caractéristique distinctive : il nourrit la plus importante colonie de huards nicheurs du continent.

Le **Waskesiu Lake** s'impose comme le plus grand et le plus prisé des plans d'eau du parc, et il offre la plupart des services habituels, des plages ainsi qu'une foule d'activités. Hors des sentiers battus, le parc est réputé pour ses nombreuses voies canotables et ses beaux sentiers de randonnée, qui permettent d'ad-mirer de plus près la faune ailée et la flore de la région. Entre autres, les fervents d'ornithologie viennent y observer la deuxième colonie de pélicans blancs d'Amérique en importance au Canada, qui niche sur le lac Lavallee; mais des loups, des élans et des bisons hantent également les lieux. Par ailleurs, les randonneurs s'aventurent volontiers sur la Boundary Bog Trail, qui s'enfonce dans la zone marécageuse du parc, là où poussent des plantes carnivores et des massifs de mélèzes nains, vieux de plus d'un siècle, ou encore sur la Treebeard Trail, qui se love autour des bosquets de hauts et odorants sapins baumiers et d'épinettes blanches.

Le parc a toutefois surtout été rendu célèbre par Archibald Bellaney, un vieux sage anglais qui est venu ici en 1931, a pris le nom de Grey Owl (Hibou Gris) et a vécu sur un lac isolé. La **Grey Owl's Cabin ★**, la cabane en rondins d'une seule pièce plantée sur la berge du lac Ajawaan où a vécu l'ermite pendant sept ans, n'est accessible qu'en bateau, en canot ou, pendant l'été, par un sentier pédestre de 20 km. Le personnel du parc y organise des excursions.

Le **Lake La Ronge Provincial Park ★★★** *(☎425-4234 ou 800-772-4064)* se trouve immédiatement au nord du Prince Albert National Park, sur la route 2, et présente des paysages semblables à perte de vue; car, bien qu'il soit moins connu que son homologue, il n'en s'agit pas moins du plus grand parc provincial de la Saskatchewan. Vous y trouverez plus de 100 lacs, dont l'immense lac La Ronge, parsemé de plus de 1 000 îles à ce qu'on dit. Des falaises, des peintures rupestres et des plages de sable agrémentent également la visite.

De plus, ce parc renferme un des sites historiques les plus en vue de la province, le **Holy Trinity Anglican Church Historic Site ★★★**, où se dresse le plus vieux bâtiment encore debout de la Saskatchewan, une énorme structure qu'on ne s'attend guère à retrouver en un lieu aussi éloigné de tout. Construite avec du bois de la région vers la fin des années 1850, puis rehaussée de vitraux importés d'Angleterre, cette église faisait partie de la mission historique de Stanley.

Le **Narrow Hills Provincial Park ★★** *(☎426-2622)* se trouve immédiatement à l'est du Prince Albert National Park, quoique aucune route directe n'y conduise; on ne l'atteint donc que par un dédale de chemins. Cela dit, il est célèbre pour son chapelet d'eskers, ces longues et étroites collines de dépôts glaciaires qui lui donnent d'ailleurs son nom, de même que pour ses 25 plans d'eau et plus, où s'ébattent nombre d'espèces de poissons pour pêche sportive. L'un des eskers est couronné d'une tour d'incendie, et les bureaux du poste de guet abritent un petit musée.

Hébergement

Regina

Turgeon International Hostel
18$
ℂ, *tv*, ⊗
2310 McIntyre
☎791-8165 ou 800-467-8357
≠721-2667
Cette chaleureuse auberge de jeunesse, qui présente un excellent rapport qualité/prix pour ceux qui aiment échanger avec d'autres voyageurs, propose un hébergement de type dortoir, une chambre familiale pouvant accueillir cinq personnes et une salle destinée aux groupes. La maison a jadis appartenu à William Turgeon, un Acadien du Nouveau-Brunswick, qui est venu à Regina et y a exploité avec succès un cabinet juridique pendant de nombreuses d'années; elle a plus tard été achetée par l'association Hostelling International et déplacée sur une remorque.

Son emplacement actuel est superbe – le Musée royal de la Saskatchewan est entre autres visible à l'extrémité de la rue –, et la chambre familiale constitue une aubaine sans pareille. Il y a en outre une énorme cuisine commune, une invitante bibliothèque de livres de voyage et une salle de télévision bien aérée, sans oublier le très sympathique gérant des lieux. Enfin, vous êtes ici à distance de marche de tous les principaux attraits et restaurants de la ville. Les bureaux de l'auberge sont cependant fermés pendant la journée, et l'établissement ferme complètement ses portes tout le mois de janvier.

Crescent House
50$ pdj
180 Angus Cr.
☎352-5995
cheryl.mogg @dlcwest.com
Un *bed and breakfast* situé sur une rue en forme de croissant à seulement quelques minutes de marche de la plupart des grands attraits de Regina. Une cheminée, trois terriers amicaux et une arrière-cour ombragée par des frênes et des ormes de

15 m ajoutent au charme des lieux.

Country Inns & Suites
76$, suites 91$ pdj
🐕, *S*
3321 Eastgate Bay
☎800-456-4000 ou 789-9117
⇄789-3010
Cette chaîne d'hôtels tâche d'offrir une atmosphère intime. Les chambres arborent des lits en laiton et des couettes rappelant des édredons; la plupart disposent d'un bar d'honneur; tous les hôtes reçoivent gratuitement des journaux et peuvent en outre se servir sans frais du téléphone pour leurs appels locaux. Les suites sont quant à elles dotées d'un salon, d'un sofa-lit et d'un four à micro-ondes. Petit déjeuner à la française. L'hôtel est situé juste à la sortie de l'autoroute 1, à l'extrémité est de la ville.

Sands Hotel and Resort
85$
⊛, 🐕
1818 Victoria Ave.
☎800-667-6500 ou 569-1666
⇄352-6339
D'importants travaux de rénovation ont fait de cet établissement à proximité de tout l'un des plus attrayants lieux de séjour à Regina. S'y ajoutent des suites avec baignoires à remous et toutes les commodités d'un hôtel de catégorie supérieure.

Travelodge
89$
≈, ℜ, ⊛
4177 Albert St. S.
☎800-578-7878 ou 586-3443
⇄586-9311
À la différence de nombreux autres hôtels de cette chaîne, le Travelodge de Regina possède un charme unique. Un décor à la californienne imprègne en effet toute la structure, du hall d'entrée aux douces teintes pastel et du lustre rutilant à l'aire de la piscine, aves ses plantes et ses faux rochers. Les chambres procurent, quant à elle, un confort exceptionnel, et le restaurant hollywoodien ne manquera pas de gagner la faveur des enfants et des futures vedettes.

Delta Regina Hotel
119$
ℜ, ⊛, *tv*, ≈, *S*, ℝ, ⌂, 🐕, ♿
1919 Saskatchewan Dr.
☎800-209-3555 ou 525-5255
⇄781-7188
Le Delta Regina Hotel propose de luxueuses chambres aux abords immédiats du centreville. Elles affichent par ailleurs un décor à la fois discret et élégant, et la plupart d'entre elles offrent de belles vues sur la ville. Le service cordial et professionnel, les installations complètes, l'aire attrayante réservée à la piscine et l'élégance générale des lieux s'allient pour garantir un séjour des plus agréables aux vacanciers comme aux gens d'affaires.

Hotel Saskatchewan-Radisson Plaza
134-144
⊘, ℜ
2125 Victoria Ave.
☎800-333-3333 ou 522-7691
⇄522-8988 L'emplacement fabuleux de cet hôtel, qui donne directement sur le joli Victoria Park et permet d'admirer la silhouette de la ville, ne vous donne qu'un faible aperçu des splendeurs qui en font le joyau par excellence des établissements hôteliers de Regina. Construit en 1927 par le Canadien Pacifique, il révèle des accents décoratifs peu communs, dont un lustre provenant du palais impérial de Saint Petersburg, sans compter toutes les retouches qu'on y a apportées lors d'une réfection réalisée au coût de 28 millions de dollars au début des années quatre-vingt-dix.

Vous y trouverez en outre le salon de barbier d'origine, un centre de conditionnement physique, des salons de massage thérapeutiques et une élégante salle à manger. Pour vous donner une idée de sa classe, disons simplement que la reine Élizabeth II et Richard Chamberlain logent ici chaque fois qu'ils se trouvent en ville, dans la suite royale à 995$ par nui-tée, où un dispositif spécial chauffe les serviettes pendant que les occupants se prélassent dans la baignoire (sans parler des fenêtres à l'épreuve des balles). En deux mots : près de 300 m^2 de luxe et d'histoire!

Regina Inn Hotel and Convention Centre
139$
⊛, ℜ, ⊘
1975 Broad St.
☎525-6767 ou 800-667-8162
⇄525-3630
Un autre hôtel de luxe à proximité de tout, dont les installations comprennent un dîner-théâtre, des suites équipées de baignoires à remous, un centre de conditionnement physique et des raccords électriques en hiver. Vous y aurez le choix entre quatre restaurants et salons, tantôt chics, tantôt décontractés.

Sud de la Saskatchewan

Swift Current

Heritage Inn Bed and Breakfast
50$ pdj
autoroute 4, sortie Wakee Road, P.O. Box 1301
☎773-6305
⇌773-0135
Les archéologues et les amateurs de chevaux apprécient ce petit *bed and breakfast* pour ses belles bêtes et son Swift Current Petroglyph Complex. Deux chambres y sont pourvues de grands lits, tandis qu'une troisième, plus familiale, renferme un lit simple et deux lits superposés.

Fort Qu'Appelle

Country Squire Inn
75$
ℜ
Highway 10
☎332-5603
Sans doute le meilleur motel à prix abordable de la vallée de la rivière Fort Qu'Appelle. Ses grandes chambres propres, son personnel souriant et son bon restaurant (voir p 543) contribuent tous à rendre votre séjour plus agréable. De courts sentiers pédestres partant de l'arrière de l'établissement serpentent jusqu'au sommet des collines environnantes. Il y a un salon et un bar, mais on vend aussi de la bière sur place.

Moose Jaw

Temple Gardens Mineral Spa Hotel and Resort
89$
⊛, ≈, ℜ, ⊙
24 Fairford St. E.
☎800-718-7727 ou 694-5055
Ce complexe hôtelier, curieusement situé sur une rue secondaire communiquant avec la paisible artère principale de Moose Jaw, s'offre à choyer le voyageur empoussiéré des Prairies. Son grand atrium a d'ailleurs tôt fait de vous mettre au parfum. Les chambres régulières sont elles-mêmes assez spacieuses et dotées de grands canapés, mais les 25 suites complètes remportent incontestablement la palme : très grands lits, peignoirs de coton, secrétaires, énormes salles de bain de plain-pied et baignoires à remous pour deux personnes (à l'eau minérale, s'il vous plaît!) y suscitent en effet une expérience des plus romantiques. Tous les hôtes ont en outre librement accès au grand bassin d'eau minérale du quatrième étage de l'établissement, d'une superficie de près de 2 000 m^2. Un petit centre de conditionnement physique équipé d'appareils de musculation et de tapis roulants, un café adjacent à la piscine et un restaurant intégré complètent les installations.

Saskatoon

Patricia Hostel
12$ membre
17$ non-membre
bc, ℝ
345 Second Ave. N.
☎242-8861
⇌664-1119
Pour le prix d'une nuitée dans une auberge de jeunesse, vous obtiendrez ici un hébergement très rudimentaire dans un hôtel qui a franchement vu de meilleurs jours. Les avantages en sont les très bas prix et la proximité du centre-ville. Il n'y a cependant pas de cuisine ni d'installations particulières, hormis un bar local situé sous les dortoirs. Les chambres se révèlent on ne peut plus simples, équipées de deux lits superposés, et elles se partagent des salles de bain. Quelques chambres simples sont toutefois offertes en location et s'avèrent un peu plus accueillantes, tout en vous permettant de bénéficier d'un téléviseur et d'une salle de bain privée *(30$/pers., 34$ pour deux personnes).*

Ramblin' Rose Bed and Breakfast
45$ pdj
bp/bc, 🐕, ⊛, *tv*
P.O Box 46, R.R. 3
☎668-4582 ou 229-1033
Située dans la partie sud de Saskatoon, près du populaire Pike Lake Provincial Park, cette maison de cèdre propose deux suites avec salles de bain privées, et deux autres avec salle de bain commune. Les services complémentaires sont nombreux et comprennent entre autres un bassin à remous, une bibliothèque, une vidéothèque, un téléviseur et un magnétoscope. Les hôtes sont invités à parcourir

plusieurs sentiers aménagés sur la propriété. Les chambres sont confortables, mais tentez d'en retenir une au rez-de-chaussée plutôt que dans le demi-sous-sol.

Brighton House Bed and Breakfast
45$ pdj
⊛, bp/bc
1308 Fifth Ave. N.
☎664-3278
⇄664-6822
brighton.house@ eudoramail.com
Le Brighton House Bed and Breakfast s'est installé dans une adorable maison à revêtement de clins blancs découpée de rose et de bleu, entourée d'un jardin bien entretenu et située en retrait du centre-ville. Toutes les chambres sont délicieusement tendues de papiers peints à motifs floraux et garnies d'antiquités, et la suite «lune de miel» vous réserve une salle de bain privée de même qu'une terrasse ensoleillée. Vos hôtes, Barb et Lynne, veilleront à ce que vous vous sentiez ici chez vous. Il y a même, à l'étage supérieur, une suite familiale où les enfants auront suffisamment de place pour jouer, et le bassin à remous extérieur est mis à votre disposition, tout comme le jeu de croquet d'ailleurs.

Imperial 400
59$
⊛, ℜ, ℂ, 🐕
610 Idylwyld Dr. N.
☎800-781-2268 ou 244-2901
⇄244-6063
Ce motel de 176 chambres possède un com-plexe de toboggans nautiques intérieurs, un bassin à remous et un petit cinéma maison, ce qui en fait une bonne affaire pour des familles, d'autant plus que certaines chambres sont pourvues d'une cuisinette.

Sheraton Cavalier
119$- 129$
♿, ⊘, ⌂
621 Spadina Cr. E.
☎800-325-3535 ou 652-6770
⇄244-1739
Magnifiquement situé en bordure de la rivière, le Sheraton Cavalier est un hôtel somptueux au style contemporain recherché. Ses chambres bénéficient de tout le confort et de toutes les commodités modernes, et le service à la fois courtois et efficace vous assure d'un agréable séjour. Les installations de l'hôtel comprennent deux toboggans nautiques intérieurs, une salle de bal, un fumoir à l'intention des amateurs de cigares et un service de location de vélos tout-terrain.

Radisson Hotel Saskatoon
84$ -119$
⊛, ⌂, ⊘, ♿
405 20th St. E.
☎665-3322 ou 800-333-3333
⇄665-5531
Cet hôtel de luxe élégant répond aux besoins de tout un chacun avec ses trois étages d'affaires, ses six salles de réunion, ses toboggans nautiques, son sauna, son bassin à remous et son gymnase. Il est par ailleurs directement planté au bord de la rivière South Saskatchewan, ce qui signifie qu'il donne accès à une foule d'activités de plein air. Vous trouverez même ici 14 suites de luxe avec téléphone à rallonge et bar intégré.

Delta Bessborough
109$
bp, tv, ≡, ℜ, ≈, ⌂, ⊛, ⊘
601 Spadina Crescent E.
☎244-5521
⇄653-2458
Le Delta Bessborough, qui compte parmi les plus grandes institutions de Saskatoon, est un ancien hôtel du Canadien National établi dans un simili-château à la française rehaussé de nombreux pignons et tourelles. Même si le hall et le restaurant entièrement rénovés ne rendent pas tout à fait justice à ce grandiose bâtiment d'une autre époque, les chambres s'avèrent confortables (quoiqu'un peu sombres) et ont su conserver certains accents luxueux, entre autres les appliques originales des salles de bain et les profondes baignoires en céramique. Cela dit, on les a dotées de diverses commodités modernes telles que cafetières, service de boîte vocale et sèche-cheveux. Les élégantes salles de bal et le vaste terrain de l'établissement en bordure de la rivière en font un des lieux les plus prisés lorsqu'il s'agit de célébrer un événement d'une quelconque importance.

Route de Yellowhead

Manitou Beach

Manitou Springs Resort
79$
≈, ⊘
MacLachlan Ave.
☎800-667-7672 ou 946-2233
⇄946-2554
Ce complexe hôtelier, connu de longue date dans l'Ouest canadien, est surtout réputé pour ses trois piscines d'eau minérale chauffées, alimentées à même le lac Little Manitou. Parmi les autres installations et services offerts, mentionnons les massages thérapeutiques et la réflexologie, sans oublier le centre de conditionnement physique.

Centre-ouest de la Saskatchewan

North Battleford

Battlefords Inn
54$
ℜ, bar
11212 Railway Ave. E.
☎800-691-6076 ou 445-1515
⇌445-1541
Connue pour ses chambres spacieuses, cette auberge vous offre des lits de grand ou très grand format, l'accès gratuit au téléphone pour vos appels locaux et le café gratuit aux chambres.

Prince Albert

South Hill Inn
65$
ℜ, tv
3245 Second Ave. W.
☎800-363-4466 ou 922-1333
⇌763-6408
Les principaux atouts de cette auberge commodément située sont ses grandes chambres confortables, ses téléviseurs doublés de magnétoscopes (films en location sur place) et son café gratuit. Il y a également un restaurant avec permis d'alcool sur les lieux.

Restaurants

Regina

Magellan's Global Coffee House
$
1800 College Ave.
☎789-0009
magellan@magellanscafe. com
Le Magellan's Global Coffeehouse, un café installé dans une maison en pierres des champs entièrement remodelée en bordure du Wascana Centre, réunit tous les amateurs de java un tant soit peu branchés.

Bushwakker
$-$$
fermé dim
2206 Dewdney Ave.
☎359-7276
Un pub où l'on s'amuse ferme, à la limite d'un secteur industriel. Les gens du coin ne se font d'ailleurs pas prier pour conduire jusqu'ici afin de déguster la toute dernière cuvée de la Harvest Ale ou quelque autre mixture accompagnée d'un hamburger gastronomique ou d'un autre de ces plats qu'on sert volontiers dans les bars. Agréablement conçu et on ne peut plus chaleureux, cet établissement vend aussi, outre les marques courantes, de petites et très grandes bouteilles de la bière brassée sur place.

Heliotrope
$-$$
2204 McIntyre St.
☎569-3373
Le seul restaurant végétarien de la Saskatchewan, et très probablement l'un des meilleurs du Canada tout entier. L'aménagement intérieur de cette maison de brique en fait un lieu intime, d'autant plus qu'une cheminée vous y réchauffe en hiver, mais il y a aussi une grande terrasse extérieure offrant une vue sur le centre de Regina. Les plats sont tous élaborés de main experte, des déjeuners de *falafel* et de hamburgers végétariens aux dîners de ragoût marocain, de currys thaïlandais et de *gado-gado*. Quant aux desserts, ils se veulent tout aussi renversants, du gâteau au fromage et aux fruits de saison au *gelato* maison, qui ne contient que de l'eau et des fruits frais. Étourdissant!

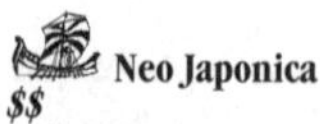

Neo Japonica
$$
2167 Hamilton St.
☎359-7669
Le plus chouette de tous les restaurants de Regina, le Neo Japonica sert une exquise cuisine japonaise dans une petite maison sans prétention mais tout de même pourvue d'un décor invitant. L'art de la présentation des plats n'y a d'égal que leur insurpassable préparation. En commandant l'«assiette spéciale», vous pourrez goûter au poulet *teriyaki*, aux *tempuras* de légumes et de crevettes, aux *nigri sushis* ainsi qu'au thé japonais pour moins de 10$! Le thé vert maison et la glace au gingembre couronneront enfin votre repas à la perfection.

Orleans
$$
1907 11th Ave.
☎525-3636
Grâce à ce restaurant cajun situé sur une rue très passante du centre-ville, vous découvrirez tous les plats qui font de la véritable Nouvelle-Orléans une destination si alléchante. *Jambalaya, gombo* et *étoufées* figurent tous au menu.

Il est malheureux de constater que les recettes originales aient quelque peu été altérées pour mieux répondre aux goûts nord-américains. Quoi qu'il en soit, la sauce dijonnaise maison (qui ne figure pas au menu) et les formations de jazz qui s'y produisent le mercredi soir valent le détour.

Brown Sugar
$$
fermé dim
1941 Scarth St.
☎***359-7355***
Un petit restaurant des Caraïbes au beau milieu des Prairies? Et pourquoi pas! Découpé de bleu et décoré de gravures des Caraïbes, il vous propose d'authentiques *rotis* (chaussons feuilletés garnis de viande), du poulet *jerk* et des plats comme la «tranche de poisson» (servie sur une brioche) et du poisson à l'*ackee* et au sel, qu'on ne trouve nulle part ailleurs dans l'Ouest canadien. Vous y découvrirez en outre un grand choix de boissons gazeuses importées des Caraïbes et de cocktails maison aromatisés, entre autres au gingembre, à l'oseille et à la banane. Et ne songez pas à mettre fin à votre repas avant d'avoir goûté la renversante crème glacée tropicale!

Cathedral Village Free House
$$-$$$
2062 Albert St.
Des mets contemporains et nourrissants des quatre coins du globe : un concept qui ne fonctionne pas toujours, mais qui fait tout de même parfois très bien l'affaire. Le déjeuner peut se composer de hamburgers de viande de bison, de salades, de légumes sautés, de pizzas sur feu de bois et d'autres plats semblables, tandis que le dîner comprend plutôt des pâtes et d'autres spécialités italiennes. Ce restaurant gagne aussi des points pour les huit bières pression qu'il sert. En dépit de son nom quelque peu empâté, il attire une clientèle jeune et branchée, ce qui explique sans doute le fait que le service soit aussi erratique. À tout le moins, il se trouve à proximité de tout et le décor, avec ses couleurs audacieuses, est invitant.

Sud de la Saskatchewan

Fort Qu'Appelle

The Country Squire
$$
route 10
☎***332-5603***
⇄***332-6708***
Rattaché à l'auberge du même nom, ce restaurant sert de généreuses et savoureuses portions dans une atmosphère conviviale. Les gens du coin y font souvent un saut pour déguster du saumon grillé, des hamburgers (choix de viandes d'élan, de bison, de bœuf et d'autruche!), une bonne salade ou du poisson-frites.

Caronport

The Pilgrim
$-$$
route transcanadienne ☎***756-3335***
Un autre restaurant installé dans une ancienne station-service, celui-là dans la petite ville de Caronport, tout juste à l'ouest de Moose Jaw. Il sert une nourriture familiale, sans oublier son buffet de soupes et salades (60 choix au total), qui, avec sa généreuse cuisine des Prairies, lui confère une solide réputation.

Saskatoon

Michel's Montreal Smoked Meats
$
fermé dim
101-129 Second Ave. N.
☎***384-6664***
Établi comme par hasard juste à côté du chocolatier belge de Saskatoon, ce Canadien français entreprenant s'efforce de reproduire la qualité des *smoked meats* de Montréal, à quelque 3 000 km de distance, et y réussit passablement bien. Sa viande fumée et poivrée, couchée entre deux tranches de pain de seigle et arrosée de généreux jets de moutarde, n'a sans doute pas tout le mordant de sa contrepartie québécoise, mais elle n'en demeure pas moins succulente. Entre autres merveilles, vous trouverez également ici des cornichons marinés maison, une salade de chou toute simple (donc savoureuse et croquante) ainsi qu'un cola aux cerises noires et une bière d'épinette importés du Québec.

Wanuskewin Cafe
$
R.R. 4
☎***931-6767***
Situé à l'intérieur du parc autochtone patrimonial du même nom immédiatement au nord de Saskatoon, ce petit café présente un bon assortiment de mets autochtones. Les portions ne sont pas très généreuses, mais les plats sont savoureux, variant d'un nourrissant ragoût de bison accompagné de *bannock* (pain) au bison servi sur un lit de riz sauvage. Comme dessert, des pâtisseries à base d'amélanchier (une baie locale au goût quelque peu âpre) arrosées de boissons amérindiennes non alcoolisées mises en bouteille par une firme appartenant à des intérêts autochtones.

Broadway Cafe
$
814 Broadway Ave.
☎652-8244
Ce restaurant se trouve en plein cœur du quartier le plus branché de Saskatoon, ce qui risque de vous induire en erreur puisqu'il ne s'agit que d'un simple *diner* servant des hamburgers, des œufs et d'autres plats courants à une foule d'habitués des environs. Le service est rapide et enjoué, mais quelque peu déroutant dans cette province où tout est si décontracté, et nous vous recommandons fermement de rester à l'écart des plats un tant soit peu audacieux qui figurent au menu. Notez par ailleurs que la maison n'accepte pas les cartes de crédit. Dans l'ensemble, toutefois, attendez-vous à une expérience locale authentique.

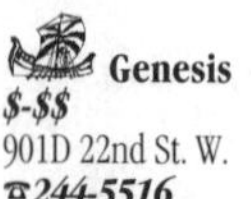 **Genesis**
$-$$
901D 22nd St. W.
☎244-5516
Largement acclamé comme le meilleur resto-santé de Saskatoon, cet établissement propose une carte plutôt axée sur les mets chinois et la cuisine macrobiotique. *Dim sum* tous les midis.

Saskatoon Station Place
$$-$$$
221 S. Idylwyld Dr.
☎244-7777
Le Saskatoon Station Place attire les amateurs de décors ferroviaires, de douillettes «voitures-restaurants» rehaussées d'acajou y entourant un semblant de gare. Bien que la Belle Époque soit ici à l'honneur, le service et le menu se veulent plutôt familiaux, avec des mets de base tels que hamburgers, steaks et pâtes. On s'en accommode toutefois très bien pour un dîner à l'extérieur, d'autant qu'on peut alors y prendre l'apéro au salon.

Centre-ouest de la Saskatchewan

The Battlefords

DaVinci's Ristorante Italiano
$$
1001 route 16, North Battleford
☎446-4700
Leonardo lui-même serait sans doute étonné que le menu ne soit pas exclusivement italien dans ce restaurant dont le nom suggère pourtant le contraire. Le fait est, cependant, que la cuisine traditionnelle de la Louisiane y occupe une place de choix auprès de certains plats d'Europe continentale.

Prince Albert

Amy's on Second
$$-$$$
2990 Second Ave.
☎763-1515
Des ingrédients frais et une approche santé, voilà qui change agréablement les habitants de cette ville (et les visiteurs de passage) des sempiternels comptoirs de restauration rapide. Les salades y sont préparées sur commande et s'accompagnent de potages maison. Vous y trouverez aussi des biftecks, du poulet et des plats de pâtes.

Sorties

Regina

Le festival des **Buffalo Days** dure une semaine chaque été. Il débute habituellement à la toute fin de juillet et se poursuit pendant les premiers jours d'août. Un pique-nique dominical dans le beau Wascana Centre marque le début des festivités; se succèdent ensuite une série de spectacles, et le tout se termine par un feu d'artifice.

Saskatoon

Le **SaskTel Saskatchewan Jazz Festival** *(☎652-1421)* fait vibrer le jazz de haut niveau, le gospel et les rythmes du monde aux abords de la rivière pendant 11 jours consécutifs en juin.

Le **Great Northern River Roar** est soit une abomination, soit une grande fête, selon la perception que vous avez des bateaux à moteur filant à toute allure sur la rivière. D'un côté comme de l'autre, vous ne pouvez toutefois ignorer ces courses lorsqu'elles arrivent à Saskatoon en juillet.

Achats

Regina

Les commerces sont surtout regroupés dans le centre-ville, le **Scarth Street Mall** servant habituellement de point de départ. Tous les grands magasins vous attendent d'ailleurs à courte distance de là.

Sud de la Saskatchewan

Chocolatier Bernard Callebaut
$
125 Second Ave. N.
☎652-0909 ou 800-661-8367
⇄652-6606
Située en plein cœur de Saskatoon, cette succursale d'une petite chaîne canadienne dont la maison mère se trouve à Calgary sert de somptueux chocolats à la crème ainsi que des tablettes de chocolat pur ne contenant que des ingrédients entièrement naturels. Et il ne faut surtout pas oublier les barres de crème glacée trempées dans le chocolat (à la main, s'il vous plaît!), un incomparable délice offert à seulement quelques dollars l'unité.

Saskatoon

Sans doute le secteur le plus populaire est-il celui du **Bayside Mall** *(255 2nd Ave. N.)*, au centre-ville. La **Midtown Plaza** (First Ave. S. entre 22nd St.E. et 20th St. E.), constitue cependant une autre bonne option.

Les rodéos

Les rodéos revêtent un caractère on ne peut plus sérieux en Alberta. Dans certains établissements scolaires, l'enseignement des techniques utilisées par les cow-boys fait même partie du programme d'activités sportives au même titre que le football américain et le hockey sur glace. On dénombre essentiellement six événements officiels dans un rodéo. Au cours des épreuves de monte à cru (sans selle ni bride) *(bareback riding)*, de ***monte d'un cheval sauvage*** (avec selle) *(saddle bronc riding)* et de **monte d'un taureau** *(bull riding)*, le cow-boy doit se maintenir au moins huit secondes sur le dos d'un animal parfaitement obstiné, ne serait-ce que pour se qualifier, après quoi il est jugé en fonction de son style, de son rythme et de sa maîtrise. Pour les deux premières de ces épreuves, l'animal à monter est un cheval et, dans les trois cas, on place une sangle autour de l'arrière-train de la bête pour la faire ruer. La dernière épreuve est sans contredit la plus enlevante, mettant en vedette des taureaux pesant autour de 815 kg. Au cours de l'épreuve dite du ***calf roping***, le cow-boy, monté sur son cheval, doit attraper un jeune taureau au lasso, puis courir vers l'animal et lier trois de ses pattes. Il s'agit d'une épreuve contre la montre, le temps enregistré incluant les six secondes finales, au cours desquelles la bête doit demeurer entravée. Ce sont généralement des cow-boys de forte stature qui participent à l'épreuve de la **mise à bas du taurillon** *(steer wrestling)*, qui consiste à sauter de cheval sur un taurillon pour l'attraper par les cornes et le faire tournoyer de manière à le renverser au sol. Une fois de plus, le meilleur temps détermine le gagnant. Quant à la **course de tonneaux** *(barrel racing)*, il s'agit de la seule épreuve réservée aux cow-girls; les cavalières doivent contourner le plus rapidement possible trois tonn-eaux suivant un par-cours en trèfle, le renversement d'un tonneau entraînant une pénalité de cinq secondes. D'autres activités secondaires contribuent, avec le clown du rodéo, à divertir la foule entre les épreuves. L'une des plus amusantes, le ***mutton busting***, qu'on pourrait librement traduire par «la bringue aux moutons», voit de jeunes vachers attachés à un mouton se faire projeter de part et d'autre de l'enclos.

Alberta

L'Alberta commence sur le versant oriental des Rocheuses et s'étend vers l'est le long de la grande prairie centrale canadienne jusqu'à la province voisine, la Saskatchewan.

Cette province devenue prospère grâce à ses gisements pétrolifères s'enorgueillit de deux villes d'importance, Edmonton la capitale provinciale et Calgary, la florissante métropole. Edmonton, que d'aucun connaisse surtout pour son gigantesque centre commercial, n'en compte pas moins un centre-ville attrayant et d'installations culturelles de qualité, qui font l'envie de bien des villes canadiennes. Calgary, au centre-ville de béton et d'acier, est réputée pour son fameux Stampede.

La chaîne de montagnes des Rocheuses orientée du nord au sud est située à cheval sur les provinces de l'Alberta et de la Colombie-Britannique, et recouvre le territoire du Yukon. Couvrant plus de 22 000 km², cette vaste région, reconnue dans le monde entier pour ses beautés naturelles hors du commun, accueille des millions de visiteurs chaque année.

Le sud de l'Alberta recèle certains des plus beaux sites et paysages de toute la province, du parc national Lacs-Waterton en passant par les villes minières de Crowsnest Pass jusqu'au rendez-vous amérindien historique de Head-Smashed-In, sans oublier l'immensité des prairies.

Les vastes étendues que vous traverserez en parcourant l'Alberta méridionale d'ouest en est contrastent durement avec les hauts sommets enneigés des montagnes Rocheuses culminant derrière vous.

Rangs de blé et d'autres graminées soigneusement alignés, balles de foin d'une rondeur étudiée, collines légèrement ondulantes soumises à des conditions pour ainsi dire désertiques et silos-à grain épars sont à peu près toutes les distractions auxquelles vous aurez droit dans cette partie de la province.

Enfin, ce chapitre vous entraîne au centre de l'Alberta, vaste territoire qui fut jadis peuplé de dinosaures, des ossements ayant été mis au jour. C'est également dans cette région que se trouve les fabuleux paysages de cheminées des fées.

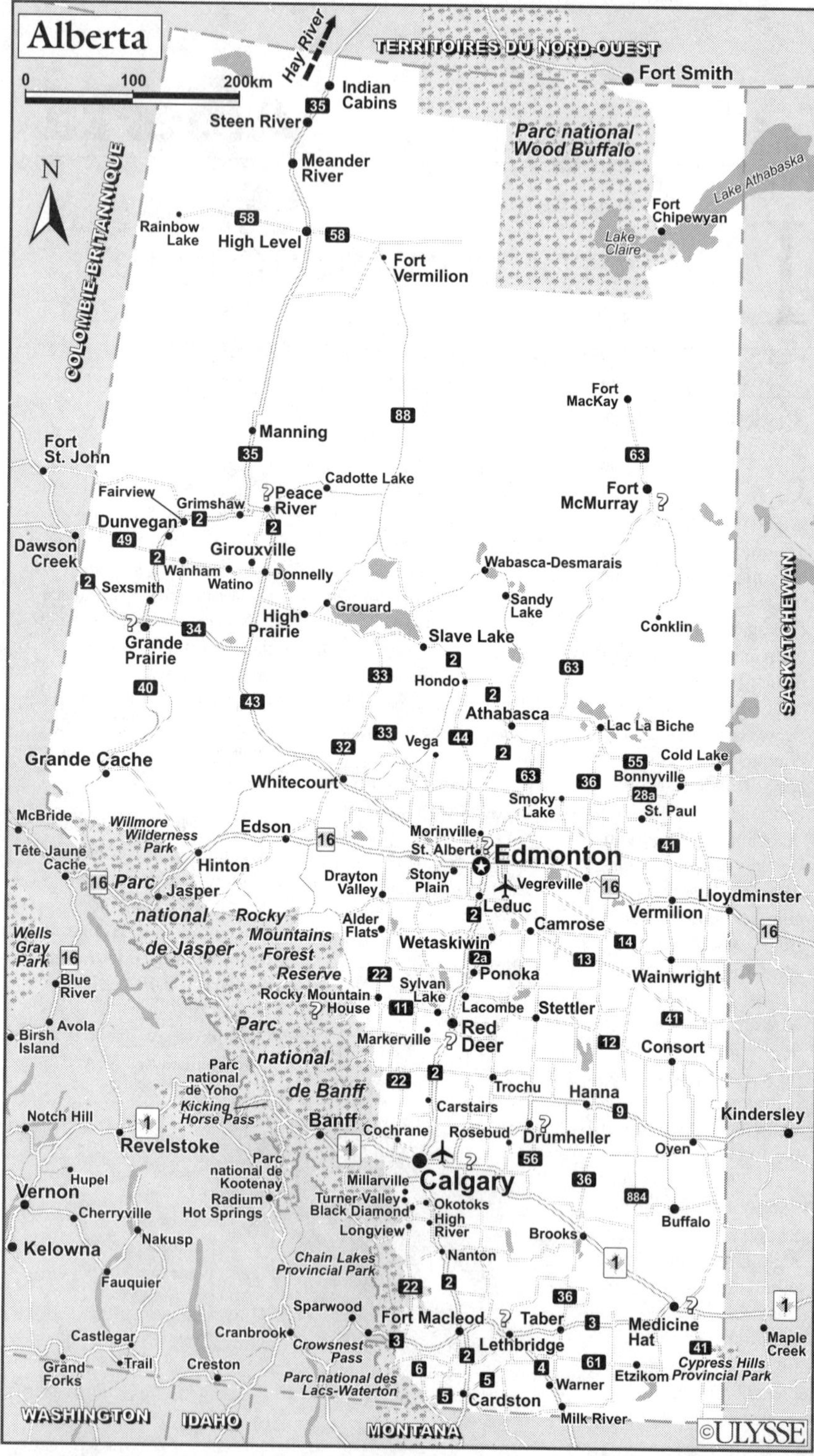

Alberta
0
100
200km
TERRITOIRES DU NORD-OUEST
Hay River
Fort Smith
Indian Cabins
Steen River
Meander River
Parc national Wood Buffalo
Lake Athabaska
Fort Chipewyan
Lake Claire
COLOMBIE-BRITANNIQUE
N
Rainbow Lake
High Level
Fort Vermilion
Fort MacKay
Manning
Fort St. John
Cadotte Lake
Fort McMurray
Fairview
Grimshaw
Peace River
Dunvegan
Dawson Creek
Girouxville
Wanham
Watino
Donnelly
Wabasca-Desmarais
Sexsmith
Sandy Lake
SASKATCHEWAN
Grouard
High Prairie
Conklin
Grande Prairie
Slave Lake
Hondo
Athabasca
Lac La Biche
Grande Cache
Vega
Cold Lake
Whitecourt
Bonnyville
Smoky Lake
St. Paul
McBride
Willmore Wilderness Park
Edson
Morinville
St. Albert
Edmonton
Tête Jaune Cache
Hinton
Drayton Valley
Stony Plain
Vegreville
Parc national de Jasper
Jasper
Leduc
Lloydminster
Vermilion
Rocky Mountains Forest Reserve
Alder Flats
Camrose
Wells Gray Park
Wetaskiwin
Ponoka
Wainwright
Blue River
Sylvan Lake
Rocky Mountain House
Lacombe
Stettler
Avola
Birsh Island
Parc national de Banff
Markerville
Red Deer
Consort
Parc national de Yoho
Kicking Horse Pass
Trochu
Hanna
Carstairs
Kindersley
Notch Hill
Banff
Cochrane
Rosebud
Drumheller
Revelstoke
Oyen
Parc national de Kootenay
Calgary
Hupel
Vernon
Radium Hot Springs
Millarville
Turner Valley
Black Diamond
Okotoks
Cherryville
High River
Longview
Buffalo
Nakusp
Brooks
Kelowna
Nanton
Chain Lakes Provincial Park
Fauquier
Sparwood
Fort Macleod
Taber
Medicine Hat
Castlegar
Cranbrook
Lethbridge
Maple Creek
Crowsnest Pass
Cypress Hills Provincial Park
Grand Forks
Trail
Creston
Parc national des Lacs-Waterton
Etzikom
Warner
Cardston
WASHINGTON
IDAHO
MONTANA
Milk River
©ULYSSE

Calgary et le sud de l'Alberta

Calgary, florissante métropole de béton et d'acier campée entre les Rocheuses, à l'ouest, et les ranchs des plaines, à l'est, a toutes les caractéristiques d'une ville de l'Ouest.

Jeune et prospère, elle s'est épanouie avec la fièvre répétée de l'or noir des années quarante, cinquante et soixante-dix, bien que son surnom de Cowtown (ville des vaches) témoigne d'un passé tout autre.

Car avant le pétrole, il y avait les cow-boys et les grands propriétaires terriens; à l'origine, c'est d'ailleurs grâce à une poignée de riches familles d'éleveurs que Calgary s'est développée.

Au moment de quitter Calgary, vous aurez du mal à résister à l'attrait des Rocheuses, visibles au loin, et à plutôt prendre la direction du sud. Néanmoins, le sud de l'Alberta recèle certains des plus beaux sites et paysages de toute la province , du parc national Lacs-Waterton aux villes minières de Crowsnest Pass et au rendez-vous amérindien historique de Head-Smashed-In, sans oublier les badlands et la vallée de la rivière Red Deer.

Pour s'y retrouver sans mal

En voiture

La plupart des rues de Calgary sont numérotées, et la ville se découpe en quatre quartiers, soit NE (nord-est), NW (nord-ouest), SE (sud-est) et SW (sud-ouest). Il vous semblera sans doute que les urbanistes ont fait preuve de bien peu d'imagination en adoptant un tel découpage, mais accordez-leur qu'il a au moins l'avantage de faciliter l'orientation. Les avenues suivent un axe est-ouest, et les rues, un axe nord-sud. **Centre Street** sépare l'est et l'ouest de la ville, tandis que la rivière Bow en départage le nord du sud.

L'autoroute transcanadienne traverse également la ville, où elle prend le nom de 16th Avenue N. Plusieurs artères importantes ont toutefois un nom plus évocateur, et non seulement elles ne sont pas identifiées par un numéro, mais encore ont-elles l'appellation de *trail* (piste) qui rappelle leur vocation première. Il s'agit de **Macleod Trail**, qui s'éloigne du centre-ville en direction du sud et qui finit par atteindre le fort Macleod, d'où son nom; de **Deerfoot Trail**, qui traverse la ville du nord au sud et fait partie de la route 2; et de **Crowchild Trail**, qui prend la direction du nord-ouest et se confond avec **Bow Trail** avant de devenir la route 1A.

Le «village de motels» de Calgary se trouve sur 16th Avenue NW, entre 18th Street NW et 22nd Street NW.

Location de voitures

National Car Rental

Aéroport
☎(403) 221-1692
Nord-est de Calgary
2335 78th Ave. NE
☎(403) 250-1396
Sud-est de Calgary
114 5th Ave. SE
☎(403) 263-6386

Budget

Aéroport
☎(403) 226-1550
Centre-ville
140 6th Ave. SE
☎(403) 226-0000 ou 800-267-0505

Avis

Aéroport
☎(403) 221-1700
Centre-ville
211 6th Ave. SO
☎(403) 269-6166 ou 800-TRY-AVIS

Thrifty

Aéroport
☎(403) 221-1961
Centre-ville
123 5th Ave. SE
☎(403) 262-4400 ou 800-367-2277

Discount

Aéroport
☎(403) 299-1222
Centre-ville
240 9th Ave. SO
☎(403) 299-1224

Hertz

Aéroport
☎(403) 221-1679
Centre-ville
Bay Store, 227 6th Ave. SO
☎(403) 221-1300

Dollar

Aéroport
☎(403) 221-1888

En avion

Le **Calgary International Airport** se trouve au nord-est du centre-ville de Calgary; il s'agit du quatrième aéroport en importance au Canada, et vous y trouverez une foule de services : restaurants, centre d'information, lignes téléphoniques directes vers les hôtels, comptoirs de location de voitures des grandes firmes, bureau de change et agence d'excursions.

Air Canada, Canadian International, American Airlines, Delta Airlines, K.L.M., Northwest Airlines et United Airlines proposent toutes des vols réguliers vers cet aéroport. Les compagnies aériennes régionales (Air BC et Canadian Regional) desservent aussi l'aéroport international de Calgary.

Une navette transporte les passagers de l'aéroport de Calgary vers les principaux hôtels du centre-ville : l'***Airporter*** *(6h30 à 11h30 aux demi-heures; 8,50$ ou 15$ aller-retour ☎403-531-3907)*. Un taxi vous coûtera autour de 25$ pour le même trajet.

En train

La société ferroviaire VIA ne dessert pas Calgary. Le train passe plutôt par Edmonton, les deux villes étant reliées par un service d'autocar.

Le **Canrail Pass** de VIA représente une option intéressante pour quiconque désire effectuer de nombreux déplacements à l'intérieur du Canada. Grâce à ce laissez-passer, vous pourrez voyager sans restriction sur les trains de VIA 12 jours différents à l'intérieur d'une période de 30 jours. À seulement 616$ pour un adulte et 545$ pour un étudiant ou un aîné entre juin et septembre, ou 390$ pour un adulte et 355$ pour un étudiant ou un aîné le reste de l'année, il s'agit d'une très bonne affaire.

Le seul et unique service ferroviaire offert au départ de Calgary relève de **Rocky Mountaineer Railtours**.

Le train ne roule que le jour, de sorte que vous ne manquerez rien des paysages spectaculaires.. Les départs se font à la gare du Canadien Pacifique de Calgary, sous l'hôtel Palliser *(133 9th Ave. SW)*. Différents forfaits dont les prix et la durée varient sont offerts.

Pour de plus amples renseignements ou pour réserver, composez le ☎***800-665-7245*** ou le ***(604) 606-7245***, ⇌***(604) 606-7250*** ***www.rockymountaineer.com***

En autocar

Les autocars **Greyhound** couvrent la plus grande partie du territoire albertain. Vous pouvez vous procurer vos billets directement à l'endroit d'où vous voulez partir; aucune réservation n'est possible, mais vous obtiendrez une réduction si vous achetez votre billet sept jours à l'avance. Le service est régulier et relativement peu coûteux; à titre d'exemple, un aller simple Calgary-Edmonton coûte 40,13$.

Brewster Transportation and Tours offre un service en voiture-coach de Calgary à Banff au départ de l'aéroport international de Calgary. Pour de plus amples renseignements, composez le ☎***(403) 762-6700*** ☎***800-661-1152*** ***www.brewster.ca***

Calgary

Gare d'autocars Greyhound de Calgary
877 Greyhound Way SW, en retrait de 16th St.
☎***(403) 265-9111 ou 800-661-8747***
Services : restaurant, consigne automatique, panneau d'information touristique.

Le sud de l'Alberta

Lethbridge
411 5th Street S
☎***(403) 327-1551***
Services : restaurant, consigne automatique.

Medecine Hat
557 Second St. SE
☎***(403) 527-4418***

Transport en commun

Le transport en commun de Calgary se compose d'un vaste réseau de lignes d'autobus et d'un système de transport léger sur rail connu sous le nom de **C-Train**. Il y a trois circuits de C-Train : l'*Anderson*, qui suit Macleod Trail vers le sud jusqu'à Anderson Road; le *Whitehorn*, qui circule vers le nord-est au-delà des limites de la ville; et le *Brentwood*, qui suit 7th Avenue puis file vers le nord-ouest.

Les C-Train sont gratuits au centre-ville. Vous pouvez correspondre d'un autobus à un C-Train; les tickets se vendent 1,60$ pour un simple trajet et 5,50$ pour un laissez-passer d'une journée. Pour plus de renseignements sur le réseau de lignes d'autobus, adressez-vous à la **Calgary Transit** *(☎262-1000)*; pour vous rendre d'un point à un autre, dites simplement où vous êtes et où vous désirez aller, et l'on se fera un plaisir de vous expliquer le trajet.

À pied

Un réseau de passerelles couvertes et reliées entre elles permet d'atteindre plusieurs sites touristiques, hôtels et commerces du centre-ville de Calgary. Ce réseau, connu sous le nom de «**+15**», a été construit à 15 m au-dessus du sol. Les galeries marchandes de 7th Avenue SW sont toutes reliées au réseau, de même que la tour de Calgary, le musée Glenbow et l'hôtel Palliser.

Renseignements pratiques

L'indicatif régional de toute la province de l'Alberta est le 403.

Pour obtenir des renseignements sur à peu près tout, de l'état des routes aux horaires de cinéma et aux parcs provinciaux, songez à utiliser les «Pages Jaunes Parlantes». À Calgary, composez le ☎521-5222. Une variété de messages enregistrés vous seront alors accessibles en composant l'un ou l'autre des codes numériques qui figurent au début de l'annuaire des *Pages Jaunes*, dont un exemplaire se trouve généralement dans chaque cabine téléphonique.

Information touristique

Calgary

Calgary Tower Centre Tourist Information
mi-mai à mi-sept tlj 8h30 à 17h, mi-sept à mi-mai lun-ven 8h30 à 17h, sam-dim 9h30 à 17h
angle Centre St. et 9th Ave. SW
☎***263-8510 ou 800-661-1678***

Le sud de l'Alberta

Travel Alberta South
Lethbridge Tourist Information Centre
2805 Scenic Dr.
☎***320-1222 ou 800-661-1222***

Medicine Hat
8 Gehring Rd. SE
☎***527-6422***

Alberta

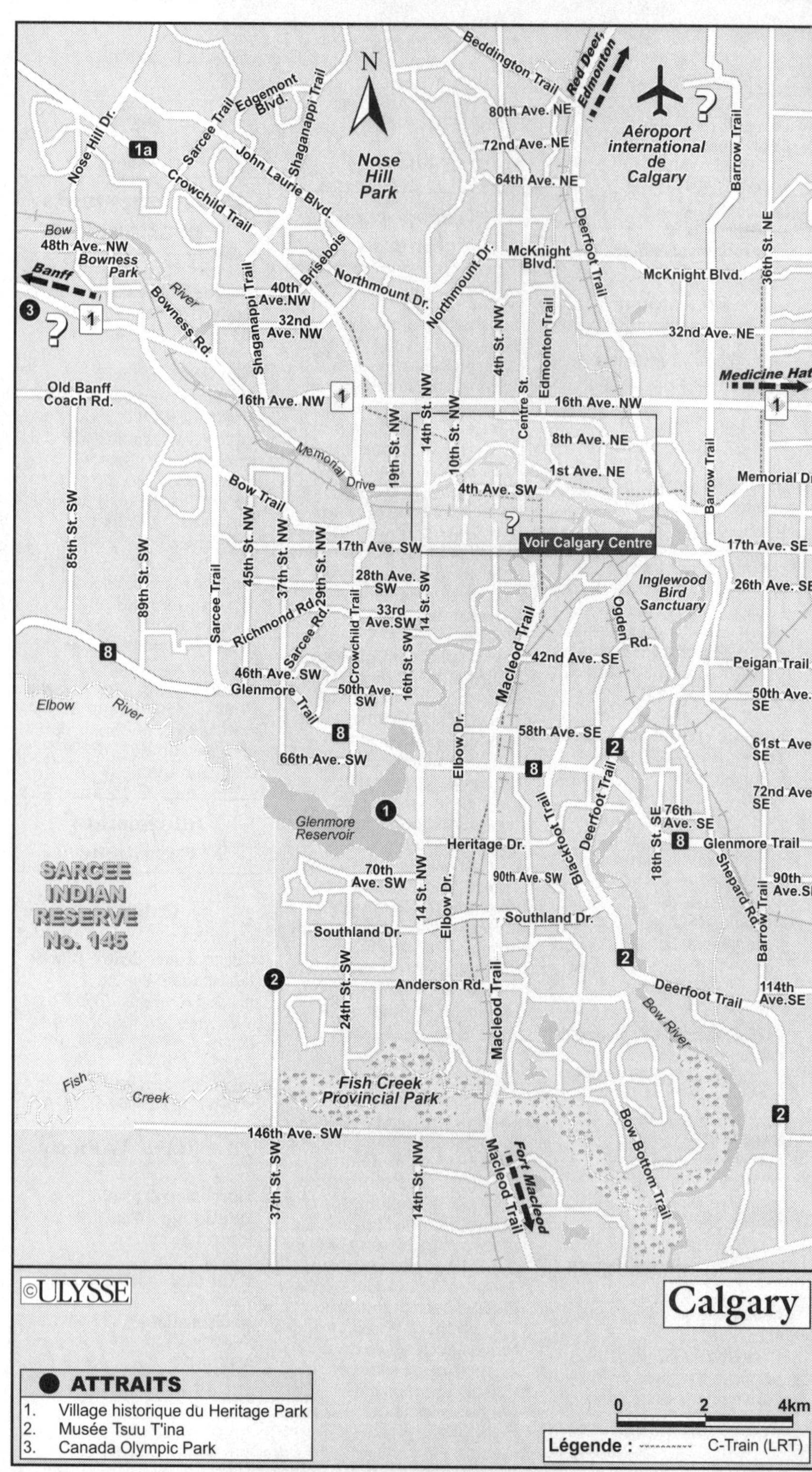

N
Nose Hill Park
Aéroport international de Calgary
Red Deer, Edmonton
Banff
Medicine Hat
Fort Macleod
Beddington Trail
80th Ave. NE
72nd Ave. NE
64th Ave. NE
Barrow Trail
36th St. NE
Deerfoot Trail
McKnight Blvd.
32nd Ave. NE
Edmonton Trail
Centre St.
4th St. NW
Northmount Dr.
Nose Hill Dr.
Sarcee Trail
Edgemont Blvd.
Shaganappi Trail
John Laurie Blvd.
Crowchild Trail
Brisebois
Bow River
48th Ave. NW
Bowness Park
40th Ave.NW
32nd Ave. NW
Bowness Rd.
Old Banff Coach Rd.
16th Ave. NW
14th St. NW
10th St. NW
19th St. NW
8th Ave. NE
1st Ave. NE
4th Ave. SW
Memorial Drive
Memorial Dr.
Bow Trail
85th St. SW
89th St. SW
45th St. NW
37th St. NW
29th St. NW
17th Ave. SW
17th Ave. SE
Voir Calgary Centre
28th Ave. SW
33rd Ave.SW
14 St. SW
Richmond Rd.
Sarcee Rd.
Inglewood Bird Sanctuary
26th Ave. SE
Ogden Rd.
Macleod Trail
42nd Ave. SE
Peigan Trail
46th Ave. SW
Glenmore Trail
50th Ave. SW
16th St.SW
Elbow River
50th Ave. SE
58th Ave. SE
61st Ave. SE
66th Ave. SW
Elbow Dr.
Blackfoot Trail
72nd Ave. SE
76th Ave. SE
18th St. SE
Glenmore Reservoir
Heritage Dr.
Shepard Rd.
SARCEE INDIAN RESERVE No. 145
70th Ave. SW
90th Ave. SW
90th Ave.SE
Southland Dr.
Anderson Rd.
24th St. SW
114th Ave.SE
Fish Creek
Fish Creek Provincial Park
146th Ave. SW
37th St. SW
Bow Bottom Trail
©ULYSSE
Calgary
ATTRAITS
1. Village historique du Heritage Park
2. Musée Tsuu T'ina
3. Canada Olympic Park
0 2 4km
Légende : C-Train (LRT)

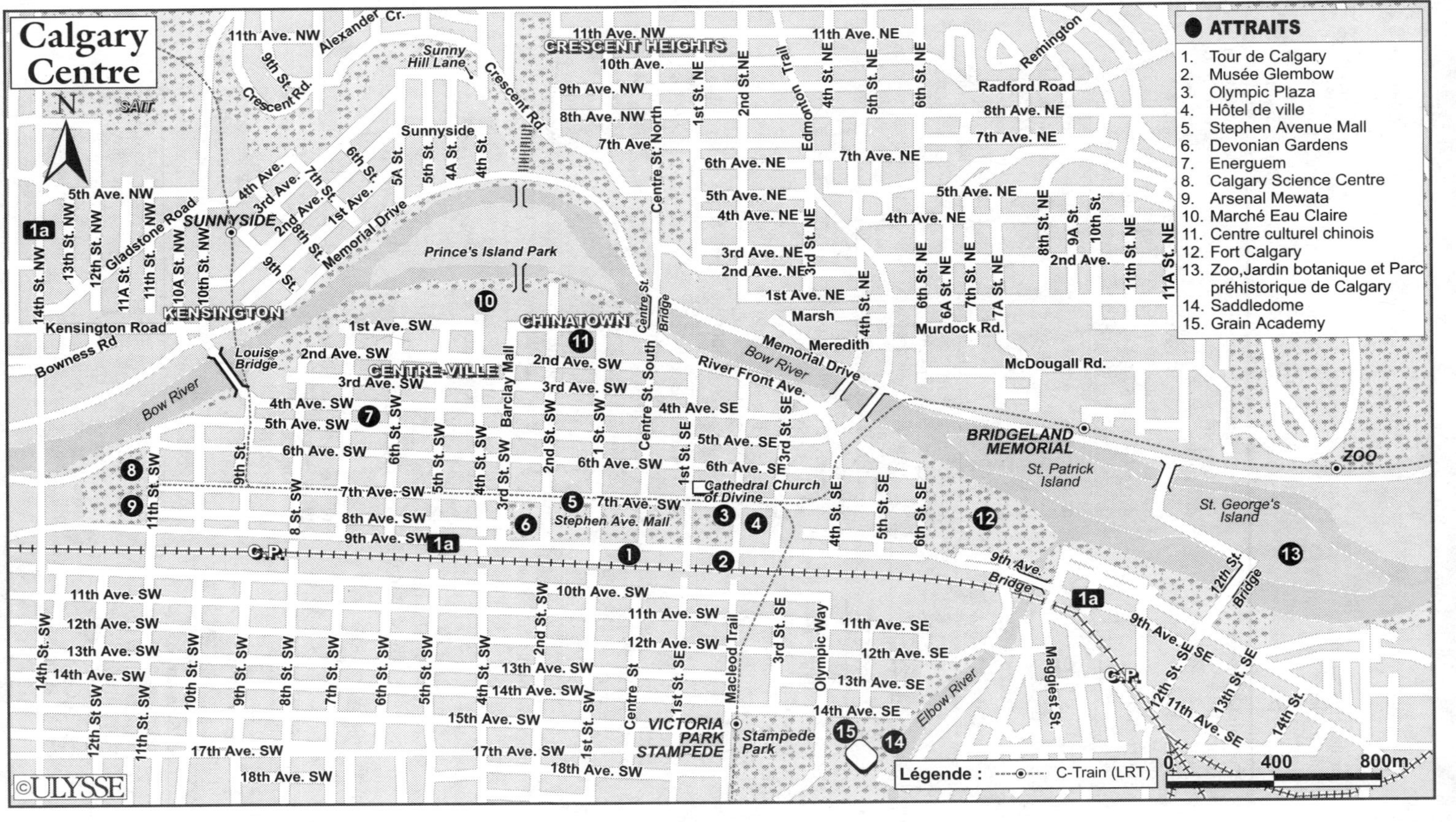
Calgary Centre
ATTRAITS
1. Tour de Calgary
2. Musée Glembow
3. Olympic Plaza
4. Hôtel de ville
5. Stephen Avenue Mall
6. Devonian Gardens
7. Energuem
8. Calgary Science Centre
9. Arsenal Mewata
10. Marché Eau Claire
11. Centre culturel chinois
12. Fort Calgary
13. Zoo,Jardin botanique et Parc préhistorique de Calgary
14. Saddledome
15. Grain Academy
Légende : C-Train (LRT)
0 400 800m
CRESCENT HEIGHTS
SUNNYSIDE
KENSINGTON
CHINATOWN
CENTRE-VILLE
BRIDGELAND MEMORIAL
VICTORIA PARK STAMPEDE
Prince's Island Park
Bow River
Elbow River
St. Patrick Island
St. George's Island
Stampede Park
ZOO
SAIT
Stephen Ave. Mall
Cathedral Church of Divine
Louise Bridge
Centre St. Bridge
9th Ave. Bridge
12th St. Bridge
C.P.
©ULYSSE

Drumheller Tourist Information
60 1st Ave. W.
☎*823-1331*

Big Country Tourist Association
170 Centre St., bureau 28
Drumheller
☎*823-5885*
⇄*823-7942*

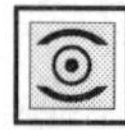

Attraits touristiques

Calgary

Nous vous suggérons de commencer votre visite de la ville à la **tour de Calgary** ★★ *(6,15$; en été tlj 7h30 à 23h, en hiver 8h à 22h; angle 9th Ave. et Centre St. SW, ☎266-7171)*, une tour de 55 étages et de 762 marches qui fait 190 m de hauteur. Le point de repère le plus célèbre de la ville n'en offre pas qu'une vue à couper le souffle, englobant tout à la fois les tours de saut à ski du Canada Olympic Park, le Saddledome et les Rocheuses; il renferme de plus le centre d'information touristique municipal et un restaurant tournant. Les photographes noteront que le verre teinté des fenêtres de la plateforme d'observation donne de belles images.

De l'autre côté de la rue, à l'angle de 1st Street SE, se dresse l'époustouflant **musée Glenbow** ★★★ *(8$; en été tlj 9h à 17h, sauf jeu-ven 9h à 21h; 130 9th Ave. SE, ☎268-4100)*. Trois étages de collections permanentes et d'expositions temporaires témoignent dans ce musée de l'histoire passionnante de l'Ouest canadien. On y présente, entre autres, des objets d'art autochtone et contemporain, de même qu'un aperçu des différentes étapes de la colonisation de l'Ouest traitant des Autochtones, de l'arrivée des premiers colons, de la traite des fourrures, de la «police montée» du Nord-Ouest, des ranchs, du pétrole et de l'agriculture.

Des photographies, des costumes et des objets de la vie quotidienne rappellent les difficultés et les formidables obstacles que durent affronter les premiers habitants de la région. Il y a en outre une exposition détaillée sur les peuples indigènes du Canada tout entier. Jetez également un coup d'œil sur le tipi grandeur nature et les minéraux scintillants, autant d'aspects de l'histoire complexe de cette province. Une partie de la collection permanente relate par ailleurs l'histoire des guerriers à travers les âges. On y trouve une intéressante boutique et un café. Des visites gratuites des galeries d'art de la ville sont aussi organisées par le musée une ou deux fois par semaine.

Spécialement aménagée pour les cérémonies de remise des médailles lors des Jeux olympiques d'hiver de 1988, l'**Olympic Plaza** ★★★ *(205 8th Ave. SE)* constitue un bel exemple des capacités réalisatrices de Calgary. Cette charmante place comporte un grand bassin peu profond qui se transforme en patinoire en hiver; entourée de piliers et de colonnes, elle a presque l'allure d'un temple grec. Dans le parc adjacent, on présente désormais des concerts et des événements spéciaux, sans oublier les amuseurs de rue qui s'y produisent toute l'année et les employés de bureau qui l'envahissent à l'heure du déjeuner. Chacun des piliers du Legacy Wall honore la mémoire d'un médaillé des Jeux, et les pavés portent les noms des personnes qui ont contribué au financement des Jeux en achetant un pavé au coût de 19,88$!

En face de l'Olympic Plaza se trouve l'**hôtel de ville** *(2nd St. SE)*, un des rares exemples encore debout des édifices d'architecture civile monumentale érigés à l'époque faste des Prairies. Construit en 1911, il abrite toujours des bureaux.

Le **Stephen Avenue Mall** *(8th Ave., entre 1st St. SE et 6th St. SW)*, en partie un rendez-vous piétonnier animé et en partie un espace désert peu invitant, incarne merveilleusement bien non seulement le potentiel de Calgary, mais aussi tous les contrastes qui caractérisent cette métropole vouée à l'élevage. Vous y trouverez des fontaines, des bancs, des voies pavées, des restaurants et des boutiques, mais encore une large part de devantures placardées et de comptoirs de souvenirs et de t-shirts bon marché.

Les magnifiques bâtiments de grès qui bordent l'avenue et les commerces qu'ils abritent témoignent certes d'une époque plus glorieuse; on y trouve toujours un cordonnier à l'ancienne et plusieurs magasins de vêtements et d'accessoires «western». Parmi ces bâtiments, retenons l'hôtel Alberta, un lieu très fréquenté aux jours de la Prohibition. D'autres logent des cafés et des galeries d'art à la mode fréquentés par les avocats, les médecins et le tout Calgary, tout comme au début du XXe siècle.

Des galeries marchandes reliées entre elles bordent la voie publique à l'ouest de 1st Street SW, parmi lesquelles on retrouve le Scotia Centre, le TD Square, le Bankers Hall, l'Eaton Centre et le Holt Renfrew. Même si cette forme d'urbanisme commercial ne fait pas le bonheur de tous, le TD Square recèle une attraction unique en son genre : le plus grand jardin intérieur de l'Alberta, les **Devonian Gardens ★★** *(entrée libre, dons appréciés; tlj 9h à 21h; 317 7th Ave. SW, entre Second St. et Third St. SW, niveau 4, TD Square, ☎268-3888)*.

Pour souffler un peu entre deux boutiques, rendez-vous à l'étage, où 1 ha de verdure et de fleurs vous attend. Baladez-vous le long des sentiers, et profitez des expositions d'art et des spectacles qu'on présente régulièrement ici, loin du béton et de l'acier.

À l'**Energeum ★** *(entrée libre; en été dim-ven 10h30 à 16h30, en hiver lun-ven 10h30 à 16h30; Energy Resources Building, 640 5th Ave. SW, ☎297-4293)*, vous apprendrez tout ce qu'il y a à savoir sur la principale ressource de l'Alberta, soit l'énergie. Qu'il s'agisse de pétrole, de gaz naturel, de sables bitumineux, de charbon ou d'hydroélectricité, de pipelines, de puits de pétrole ou de centrales énergétiques, vous trouverez ici tous les renseignements voulus sous forme d'expositions interactives et de jeux d'ordinateur. De l'autre côté de la rue se dresse le **McDougall Centre**, un édifice gouvernemental de style néoclassique classé monument historique en 1982.

La structure de béton d'allure particulière qui se trouve sur 11th Street SW est le **Calgary Science Centre ★★★** *(9$; tlj 10h à 16h; 701 11th St. SW, ☎221-3700)*, un musée fascinant qui saura faire le bonheur des enfants. Des éléments d'exposition à interaction tactile et des appareils multimédias y traitent de sujets aussi intéressants que variés.

Le musée comprend en outre un planétarium, un observatoire, un hall des sciences et deux salles de spectacle où l'on présente des mystères et des séances d'effets spéciaux. Une salle coiffée d'un dôme et pouvant accueillir 220 spectateurs s'est récemment ajoutée aux installations; dotée d'une acoutisque exceptionnelle, elle n'en convient que mieux pour explorer les merveilles du monde scientifique.

Vers le sud, sur 11th Street SW, apparaît l'**arsenal Mewata**, un endroit historique qui sert aujourd'hui de siège au King's Own Calgary Regiment et aux Calgary Highlanders. Si vous désirez obtenir plus de renseignements sur l'histoire militaire internationale de Calgary, visitez le musée des Régiments (voir p 10).

Le long de la rivière Bow

Kensington est un quartier branché pour le moins difficile à cerner. Pour bien saisir l'atmosphère «alternative» dont s'imprègnent ses cafés, librairies et boutiques, parcourez Kensington Road entre 10th Street NW et 14th Street NW.

Le **marché Eau Claire ★★** *(sam-mer 10h à 18h, jeu-ven 10h à 21h, dim 10h à 17h; en bordure de la rivière Bow et du Prince's Island Park, ☎264-6450)* fait partie de diverses mesures prises par la municipalité pour garder les gens dans le centre-ville après les heures de travail. Ce grand bâtiment aux allures d'entrepôt abrite des commerces d'alimentation spécialisés proposant fruits et légumes frais, poissons, viandes, *bagels* et autres produits de boulangerie, mais aussi des boutiques d'œuvres d'art et d'artisanat local et importé, des magasins de vêtements, une excellente librairie, des comptoirs de restauration rapide et de bons restaurants, un cinéma et une salle **Imax** *(☎974-4600)* de 300 places.

Tout près apparaît le **Centre culturel chinois ★** *(2$; tlj 9h à 21h; 197 First St. SW, ☎262-5071)*, le plus important du genre au Canada. On a fait venir des artisans de Chine pour concevoir le bâtiment, dont le dôme central s'inspire du Temple du Ciel de Pékin. Quant à la mosaïque complexe, elle figure un étincelant dragon d'or. Le centre abrite par ailleurs une boutique de souvenirs, un musée, une galerie d'art et un restaurant.

Le petit **quartier chinois** de Calgary s'étend autour de Centre Street. Bien qu'il ne compte qu'environ 2 000 résidants, les noms de rues écrits en chinois et les stands proposant à qui mieux mieux durions, ginseng, litchis et mandarines contribuent à créer une atmosphère pour le moins exotique. Les marchés et les restaurants de ce quartier sont tenus par les descendants d'immigrants chinois venus dans l'Ouest pour travailler à la construction des chemins de fer dans les années 1880.

Le **fort Calgary** ★★★ *(5$; mai à mi-oct, tlj 9h à 17h; 750 9th Ave. SE, ☎290-1875)* fut érigé dans le cadre de la ruée vers l'Ouest (March West), soit l'intervention de la «police montée» du Nord-Ouest afin de mettre un terme aux activités des trafiquants de whisky. Le détachement *F* arriva au confluent des rivières Bow et Elbow en 1875, et choisit d'y établir son campement, soit parce qu'il s'agissait du seul endroit à pouvoir fournir de l'eau propre ou simplement parce que ce point se trouvait à mi-chemin entre le fort Macleod et le fort Saskatchewan.

Aucun vestige du fort Calgary ne subsiste, les structures et les tracés formés par les fondations d'origine qu'on peut aujourd'hui apercevoir sur le site faisant partie d'un projet de fouilles essentiellement entrepris par des volontaires. De fait, le fort ne sera jamais entièrement reconstitué, car un tel ouvrage compromettrait les efforts actuels des archéologues. Un excellent centre d'interprétation aménagé sur les lieux offre d'intéressants éléments d'exposition à interaction tactile (les panneaux précisent «prière de toucher»), des démonstrations portant sur le travail du bois et une chance unique d'essayer le célèbre uniforme écarlate de la «police montée». Des guides amicaux en costume d'époque proposent des visites.

Zoo, Jardin botanique et Parc préhistorique de Calgary ★★ *(en été 9,50$, en hiver 8$; mai à sept tlj 9h à 18h, sept à mai tlj 9h à 16h; St. George's Island, 1300 Zoo Rd. NE, ☎232-9300 ou 232-9372).* Second zoo en importance au Canada, il a ouvert ses portes en 1920 et est réputé pour ses reconstitutions réalistes d'habitats naturels, à l'intérieur desquels vivent désormais 300 espèces d'animaux et 10 000 spécimens d'arbres et de plantes.

L'exposition est divisée en continents et permet aussi bien de contempler des oiseaux tropicaux que des tigres de Sibérie, des léopards des neiges ou des ours polaires, sans oublier les animaux originaires de la région même. Quant au Parc préhistorique, il fait revivre le monde des dinosaures grâce à 27 répliques grandeur nature campées parmi des plantes et des formations rocheuses de la préhistoire albertaine.

Au-delà de ces deux attraits riverains s'étend un secteur du nom d'**Inglewood**. Des magasins intéressants, et plus particulièrement des boutiques d'antiquités, y bordent 9th Avenue SE tout juste au-delà de la rivière Elbow.

Sud-est et sud-ouest de Calgary

Ce parcours explore le sud immédiat du centre-ville de Calgary, soit un secteur que nous définissons, pour les besoins du présent guide, comme délimité par les voies ferrées du Canadien Pacifique entre 9th Avenue et 10th Avenue.

Le **Saddledome**, qui mérite d'ailleurs fort bien son nom («dôme en forme de selle»), possède le plus grand toit suspendu par câbles au monde, et il s'impose comme un gigantesque témoignage aux racines «cow-boys» de la ville. Il semble que le choix de son nom ait suscité une certaine controverse, quoiqu'on ait du mal à s'imaginer quel autre nom on aurait bien pu lui donner!

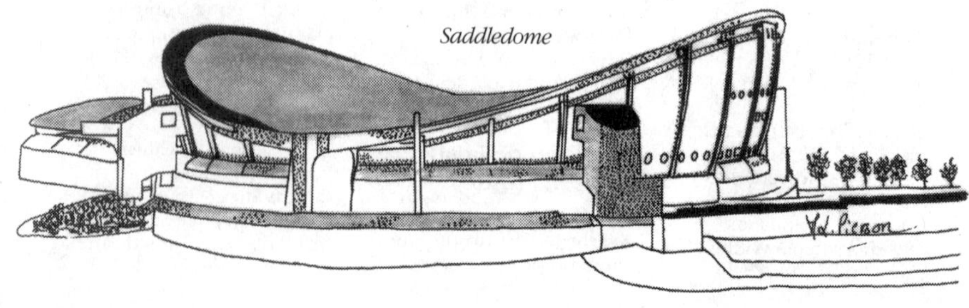
Saddledome

Il sert de siège à l'équipe locale de la Ligue nationale de hockey, les Flames de Calgary, mais on y organise également des concerts, des congrès et divers événements sportifs. Par ailleurs, c'est ici que se sont déroulées les épreuves de patinage artistique et de hockey sur glace des Jeux olympiques d'hiver de 1988. Des visites sont offertes *(☎777-1375)*.

Le site du parc est aussi celui de la **Grain Academy** ★ *(entrée libre; toute l'année lun-ven 10h à 16h, avr à sept lun-sam midi à 16h; au niveau «+15» du Round-Up Centre, ☎263-4594)*, qui retrace l'histoire de la culture des céréales et présente un élévateur de grains de même qu'une voie ferrée vouée au transport des céréales, d'ailleurs toujours en exploitation. Enfin, des courses de pur-sang et des courses sous harnais sont présentées sur les lieux tout au long de l'année, et s'y trouve aussi un casino.

Après avoir visité les installations du Stampede, longez 17th Avenue vers l'ouest, à pied ou en prenant l'autobus n°5 ou n°7 à First Street. Une fois à l'angle de 17th Avenue SW et de 4th Street SW, que vous choisissiez de continuer tout droit vers l'ouest ou de bifurquer vers le nord, les cafés, les boutiques et les galeries qui borderont votre route ne manqueront pas de vous captiver.

Le **village historique du Heritage Park** ★★ *(11$; mai à sept tlj, sept et oct fins de semaine et fêtes seulement; 1900 Heritage Dr. SW, ☎259-1900)* occupe un parc de 26 ha en bordure du Glenbow Reservoir. Remontez le temps à travers les rues d'une authentique petite ville de 1910 aux maisons historiques garnies de meubles d'époque, sans oublier les trottoirs de bois, le forgeron, le tipi, la vieille école, le bureau de poste, la divine confiserie et la boulangerie Gilbert and Jay, réputée pour son pain au levain. Les employés du site, en costume d'époque, jouent du piano dans les maisons et recréent les débats des suffragettes faisant valoir les droits des femmes à l'hôtel Wainwright.

D'autres secteurs du parc font renaître une colonie des années 1880, un poste de traite des fourrures, un ranch, une ferme ainsi que l'avènement du chemin de fer. Il ne s'agit pas seulement d'un lieu magique pour les enfants grâce à ses balades à bord d'une locomotive à vapeur et de son navire à aubes sur le bassin, mais encore d'un endroit reposant où il fait bon s'évader de la ville et faire un bon pique-nique.

Le **musée Tsuu T'ina** ★ *(dons appréciés; lun-ven 8h à 16h; 3700 Anderson Rd. SW, ☎238-2677)* célèbre l'histoire des Tsuu T'ina, une tribu de Sarsis (Sarcee). Tsuu T'ina signifie «grand nombre de personnes», et c'est ainsi que cette tribu amérindienne se désigne elle-même. Pratiquement décimés à plusieurs reprises au cours du XIXe siècle par des maladies apportées par les Européens, les Tsuu T'ina furent déplacés de réserve en réserve pendant de nombreuses années, mais ils ne se laissèrent pas abattre pour autant et finirent par se voir attribuer leur propre réserve aux limites de Calgary en 1881. Ils s'accrochèrent à leurs terres, résistant aux pressions répétées exercées sur eux pour les inciter à les vendre. Certains des objets exposés ont été légués par des familles calgariennes qui avaient coutume de faire du commerce avec cette tribu, dont la réserve s'étend immédiatement à l'ouest du musée. D'autres objets, y compris un tipi et deux coiffures d'apparat des années trente, proviennent du musée provincial d'Edmonton.

Nord-est et nord-ouest de Calgary

Au nord de la rivière Bow, les plus grands attraits du nord-ouest sont le Canada Olympic Park, le Nose Hill Park et le Bowness Park, tandis que le nord-est n'a guère autre chose à offrir que l'aéroport.

Le **Canada Olympic Park** ★★★ *(musée 7$, visites guidées 10$; en été tlj 9h à 20h; en hiver tlj 9h à 18h; 16th Ave. NW, ☎247-5452)*, communément appelé le «COP», a été construit pour les Jeux olympiques d'hiver de 1988 aux limites occidentales de Calgary. C'est ici qu'ont eu lieu les compétitions de saut à ski, de bobsleigh, de luge et de descente en ski de style libre, de même que les épreuves pour handicapés, et il s'agit d'installations de niveau mondial aussi bien pour l'entraînement que pour la compétition. On assure l'achalandage des pistes de ski tout l'hiver en produisant de la neige artificielle, sans compter que le parc propose des visites toute l'année et fournit l'occasion d'essayer la luge en été ou le bobsleigh en hiver *(13$ pour une descente, 22$ pour* *deux)* et d'assister aux sauts à ski estivaux.

Les visiteurs du COP peuvent choisir parmi sept visites guidées différentes, de la simple brochure de promenade autoguidée au Grand Olympic Tour *(10$)*, qui comprend une visite guidée en autocar, une ascension en remonte-pente, la visite du Temple de la renommée olympique et celle de la tour. N'hésitez à prendre le car qui vous emmène jusqu'à la plateforme d'observation de la tour de saut à ski de 90 m, visible de tous les points de la ville.

La **Naturbahn Teahouse** *(☎247-5465)* occupe l'ancienne loge de départ des compétitions de luge; des délices sucrés et un somptueux brunch du dimanche y feront votre bonheur, à condition toutefois que vous ayez pris le soin de réserver à l'avance.

Le Temple de la renommée olympique ou **Olympic Hall of Fame** *(3,75$; mi-mai à sept tlj 8h à 21h)* s'impose comme le plus grand musée consacré aux Jeux olympiques en Amérique du Nord. On y présente toute l'histoire des Jeux au moyen d'expositions, de projections vidéo, de costumes et d'objets divers, sans oublier un simulateur de bobsleigh et de saut à ski. Vous trouverez un bureau d'information touristique et une boutique de souvenirs à l'entrée.

Le sud de l'Alberta

Les vastes étendues que vous traverserez en parcourant l'Alberta méridionale d'ouest en est contrastent durement avec les hauts sommets enneigés des montagnes Rocheuses culminant derrière vous. Rangs de blé et d'autres graminées soigneusement alignés, balles de foin d'une rondeur étudiée, collines légèrement ondulantes soumises à des conditions pour ainsi dire désertiques et silos à grains épars sont à peu près toutes les distractions auxquelles vous aurez droit dans cette partie de la province.

Okotoks

Okotoks est la plus grande ville entre Calgary et Lethbridge. Vous y trouverez en outre un nombre impressionnant de boutiques d'artisanat et d'antiquités. La **Ginger Tea Room and Gift Shop** *(43 Riverside Dr., ☎938-2907)* occupe une grande demeure victorienne où l'on sert le High Tea en semaine, sans compter les deux étages d'objets de collection et d'artisanat que vous pourrez acheter ou simplement regarder (voir «Restaurants», p 568). Le bureau de tourisme *(53 Railway St. N., ☎938-3204)* offre par ailleurs un plan de promenade qui couvre plusieurs des bâtiments historiques datant de l'époque où la ville servait de halte sur la Macleod Trail entre Fort Calgary et Fort Macleod.

Longview

Le **Bar U Ranch National Historic Site** ★★★ *(6$; mi-mai à mi-oct tlj 10h à 18h, mi-oct à mi-mai téléphonez pour connaître les heures d'ouverture; ☎395-2212 ou 800-568-4996)* a été inauguré à l'été de 1995 et célèbre la contribution de l'élevage sur ranch au développement du Canada. Il s'agit d'un des quatre ranchs qui couvraient jadis la presque totalité du territoire albertain et, jusqu'à tout récemment, il était toujours en activité. Le site est en période transitoire, Parcs Canada et Patrimoine Canada prenant actuellement le contrôle de son administration, de concert avec l'association des amis du Bar U Ranch. Les visiteurs peuvent cependant errer à travers la propriété et se familiariser avec les activités du ranch, bien que celles-ci ne soient que simulées. «Bar U» fait référence au symbole dont est marqué le bétail de ce ranch. Le magnifique centre d'accueil des visiteurs présente une exposition documentaire sur les races de bovins, sur le rassemblement des bêtes, sur le marquage et sur l'usage du fouet d'écuyer *(quirt)*. Une projection vidéo de 15 min sur le Mighty Bar U révèle toute la poésie du mode de vie des cow-boys et explique comment les pâturages et le chinook, ce vent unique à l'Alberta, ont toujours été les pierres angulaires de l'exploitation des ranchs. Le centre d'accueil abrite en outre une boutique de souvenirs et un restaurant où vous pourrez déguster un authentique hamburger à la viande de bison.

Le **Chain Lakes Provincial Park** ★ est le seul véritable attrait de ce tronçon routier. Il se trouve entre les Rocheuses et les monts Porcupine dans une zone de transition ponctuée de lacs alimentés par des sources. S'y trouvent un terrain de camping, une rampe de mise à l'eau et une plage à l'extrémité

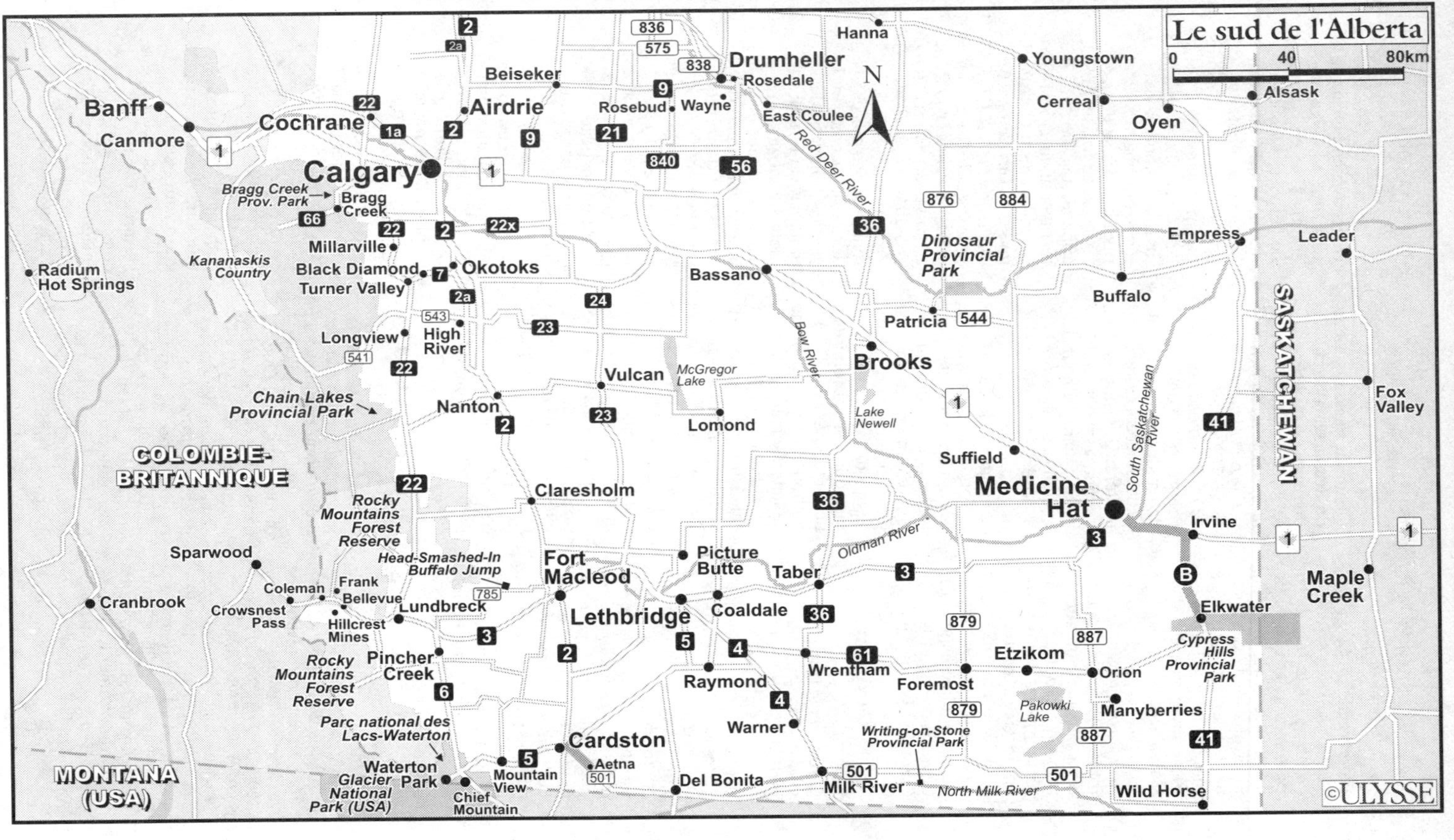

Le sud de l'Alberta
0
40
80km
N
Banff
Canmore
Cochrane
Calgary
Airdrie
Beiseker
Drumheller
Rosedale
Wayne
Rosebud
East Coulee
Hanna
Youngstown
Cerreal
Oyen
Alsask
Bragg Creek Prov. Park
Bragg Creek
Kananaskis Country
Millarville
Black Diamond
Turner Valley
Okotoks
Radium Hot Springs
Longview
High River
Chain Lakes Provincial Park
Nanton
Vulcan
McGregor Lake
Lomond
Bassano
Red Deer River
Bow River
Dinosaur Provincial Park
Patricia
Brooks
Lake Newell
Suffield
Medicine Hat
South Saskatchewan River
Empress
Leader
Buffalo
Fox Valley
SASKATCHEWAN
COLOMBIE-BRITANNIQUE
Rocky Mountains Forest Reserve
Claresholm
Head-Smashed-In Buffalo Jump
Fort Macleod
Sparwood
Cranbrook
Coleman
Frank
Bellevue
Crowsnest Pass
Hillcrest Mines
Lundbreck
Pincher Creek
Lethbridge
Picture Butte
Coaldale
Taber
Oldman River
Irvine
Elkwater
Cypress Hills Provincial Park
Maple Creek
Raymond
Wrentham
Foremost
Etzikom
Orion
Manyberries
Pakowki Lake
Warner
Writing-on-Stone Provincial Park
Parc national des Lacs-Waterton
Waterton Park
Glacier National Park (USA)
Chief Mountain
Mountain View
Cardston
Aetna
Del Bonita
Milk River
North Milk River
Wild Horse
MONTANA (USA)
©ULYSSE

méridionale du bassin. Plus au sud, les splendides pâturages d'un blond clair, parsemés ici et là de lacs au bleu sombre, ondulent jusqu'aux lointaines Rocheuses. La vue sur les montagnes à l'horizon est tout simplement surréaliste.

Après avoir rejoint la route 3, filez vers l'ouest pour découvrir un autre tronçon de route panoramique. Vous vous enfoncerez plus avant dans les contreforts en passant par une succession de villes minières jusqu'à Crowsnest Pass et la Colombie-Britannique.

Cardston

Cardston est une petite ville d'allure prospère nichée dans les contreforts ondulants, là où les pâturages commencent à céder le pas aux champs de blé et de colza d'un jaune radieux. La ville a été fondée par des pionniers mormons, après qu'ils eurent fui les persécutions religieuses pratiquées en Utah, aux États-Unis. Leur périple marqua d'ailleurs la fin des grandes migrations en chariot couvert du XIXe siècle. Cardston ne semble peut-être pas avoir grand-chose à offrir aux touristes, mais elle possède pourtant l'un des monuments les plus impressionnants et l'un des musées les plus uniques de l'Alberta. Le monument en question est le **Mormon Temple** *(entrée libre; tlj 9h à 21h; 348 3rd St. W., ☎653-1696)*, qu'on dirait vraiment égaré au beau milieu de la plaine. Il a fallu 10 ans pour bâtir cet édifice pour le moins majestueux, et il s'agit du premier temple de cette Église construit hors des États-Unis.

Quant au musée, il s'agit du **Remington-Alberta Carriage Centre** ★★★ *(6,50$; mi-mai à début sept tlj 9h à 20h, sept à mai tlj 9h à 17h; 623 Main St., ☎653-5139)*, inauguré en 1993. «Un musée de voitures à attelage?», demanderez-vous. Le sujet peut en effet sembler limité, mais le musée n'en mérite pas moins une visite. Quarante-neuf des quelque 260 voitures exposées ont été léguées par monsieur Don Remington, de Cardston, à la condition expresse que le gouvernement de l'Alberta construise un centre d'interprétation pour les mettre en valeur. Les voitures magnifiquement remises à neuf et le personnel enthousiaste et dévoué de ce lieu fascinant en font un attrait de premier ordre. Faites une visite guidée de la galerie d'exposition de 1 675 m^2, où des décors et des scènes de rue animées donnent vie à la collection, l'une des plus belles au monde en ce qui a trait aux voitures à attelage de prestige. Un film intéressant, *Wheels of Change*, raconte l'histoire de cette méga-industrie d'autrefois qui s'est pratiquement éteinte dès 1922.

Fort Macleod

La ville de Fort Macleod gravite autour du fort du même nom, originellement construit par la «police montée» du Nord-Ouest dans le but de mettre fin au trafic du whisky. Des troupes furent dépêchées pour lancer une attaque contre le fort Whoop-Up en 1874, mais se perdirent en chemin, si bien que, lorsqu'elles arrivèrent sur les lieux, les trafiquants avaient pris la fuite. Les forces de l'ordre poursuivirent leur route vers l'ouest jusqu'à un endroit situé en bordure de la rivière Oldman et décidèrent d'y établir un poste permanent. La colonie des premiers jours occupait une île à 2 km à l'est de la ville actuelle, mais des inondations répétées obligèrent la population à se déplacer en 1882. Le fort tel qu'il apparaît aujourd'hui a été reconstruit en 1956-1957 pour devenir un musée. Le **musée du Fort** ★ *(4,50$; mai à juin tlj 9h à 17h, juil à sept 9h à 20h30, sept à mi-oct tlj 9h à 17h, mi-oct au 23 déc et mars à mai lun-ven 10h à 16h; 219 25th St., angle 3rd Ave., ☎553-4703)* renferme des pièces d'exposition retraçant la vie des pionniers, des dioramas du fort, des pierres tombales du cimetière et une intéressante section présentant des objets et des photographies des tribus kainah (Blood) et pégane (Peigan) qui vivaient dans les plaines. Une patrouille à cheval décrit un manège musical quatre fois par jour en juillet et en août.

Le centre-ville est tout à fait représentatif d'une période importante de l'histoire de Fort Macleod. La plupart des bâtiments ont en effet été érigés entre 1897 et 1914, sauf la cabane Kanouse, qui se trouve à l'intérieur de l'enceinte du fort et qui date d'une époque beaucoup plus reculée. Des brochures pour un tour de ville sont disponibles au bureau de tourisme. La visite porte entre autres sur des édifices aussi notoires que l'**Empress Theatre**, qui a conservé ses plafonds anciens à caissons décorés, sa scène et ses loges d'acteurs (encore ornées de graffitis datant d'aussi loin que 1913). On y présente encore des films, et ce, malgré la présence d'un fantôme qui n'apprécie pas toujours la façon dont l'établissement est géré! Le **Silver Grill**, un vieux saloon situé de l'autre côté de la rue, possède toujours son bar d'origine et son miroir criblé de balles. L'**hôtel Queen**, bâti de grès, loue toujours des chambres.

L'arrivée du cheval dans la région, au milieu du XVIIIe siècle, a marqué la fin d'une technique de chasse au bison traditionnelle chez les Amérindiens des Plaines. Pendant 5 700 ans, ces Autochtones avaient été tributaires du **«saut de bison de Head-Smashed-In»** ★★★ *(6,50 $; mai à sept tlj 9h à 19h, sept à mai tlj 9h à 17h; 15 km au nord-ouest de Fort Macleod, sur la route 785, ☎553-2731)*, que ce soit pour la viande qu'ils consommaient (fraîche ou séchée pour le pemmican), pour les peaux servant à la fabrication de leurs tipis, de leurs vêtements et de leurs mocassins, ou pour les os et les cornes utilisés comme outils ou décorations. Head-Smashed-In constituait un endroit de premier choix pour faire sauter les bisons du haut de la falaise, d'autant plus qu'un vaste pâturage s'étendait immédiatement à l'ouest de ce point. Les Amérindiens aménageaient des couloirs flanqués de cairns rocheux qui conduisaient à la falaise. Quelque 500 personnes participaient à la chasse annuelle, au cours de laquelle des hommes vêtus de peaux de jeunes bisons et de loups attiraient le troupeau vers le précipice. Une fois parvenus au bord du gouffre, les bisons de tête se voyaient poussés dans le vide par le troupeau en débandade. Les Amérindiens ne refoulaient pas vraiment eux-mêmes le troupeau jusqu'au gouffre; ils se contentaient de semer la panique parmi les bêtes pour les lancer dans une course folle. L'endroit n'a guère changé depuis des milliers d'années, si ce n'est que la distance entre le haut de la falaise et le fond du gouffre s'est peu à peu considérablement réduite, les ossements des bisons y ayant trouvé la mort atteignant une hauteur de 10 m par endroits!

Aujourd'hui, ce «saut de bison» compte parmi les mieux conservés de l'Amérique du Nord et fait partie des sites du patrimoine mondial de l'Unesco. Nombreux sont ceux et celles qui croient que le nom de l'endroit provient des crânes fracassés qu'on y trouve, mais il tire en fait son origine d'une légende pégane voulant qu'un jeune brave se soit rendu au pied de la falaise pour voir les bisons s'écraser; or, la chasse fut exceptionnellement bonne ce jour-là, et le jeune guerrier fut enseveli sous les bêtes. Lorsque son peuple vint dépecer les carcasses après la chasse, il découvrit le corps du brave parmi les dépouilles, sa tête complètement écrasée, d'où le nom du «saut de bison» en question.

En approchant du saut, la falaise vous apparaîtra comme une petite corniche au milieu d'une vaste plaine. Les signes de civilisation se font rares; de fait, le centre d'interprétation se fond tellement bien dans le paysage qu'on a peine à le distinguer. Vous vous attendrez presque à voir surgir un troupeau de bisons derrière l'élévation et n'aurez aucun mal à vous représenter l'aspect que pouvait revêtir la plaine avant l'arrivée de l'homme blanc. L'endroit s'entoure véritablement d'une aura de mystère.

Le centre d'interprétation, construit à même la falaise, comporte cinq niveaux, et la visite se fait du haut vers le bas. Suivez d'abord la piste qui longe la falaise jusqu'au saut lui-même, et imprégnez-vous de la vue spectaculaire sur la plaine et le saut de Calderwood, sur votre gauche. Vous verrez des marmottes en train de se faire dorer au soleil sur les rochers, en contrebas, et de contempler la scène. Puis, à l'intérieur du centre, vous en apprendrez davantage sur *Napi*, le créateur mythique du peuple selon les Pieds-Noirs (Blackfoot). Le centre vous entraîne dans l'univers de *Napi*, du peuple et de ses coutumes, du bison, de la chasse, de l'interaction des cultures et de la colonisation européenne. Un excellent film intitulé *In Search of the Buffalo* (À la recherche du bison) est présenté aux demi-heures. La visite se termine par une exposition archéologique sur les fouilles effectuées sur le site. De retour à l'extérieur, vous pourrez suivre un sentier jusqu'au lieu où les Amérindiens dépeçaient les bisons. La célébration annuelle des Buffalo Days (l'époque des bisons) a lieu ici même en juillet. Le centre renferme enfin une excellente boutique de souvenirs et une petite cafétéria où vous pourrez déguster des hamburgers à la viande de bison.

Lethbridge

Lethbridge, que ses habitants appellent affectueusement «Downtown L.A.», est la troisième ville en importance de l'Alberta et une agréable oasis urbaine au cœur des Prairies. Chargée d'histoire, elle s'enorgueillit d'un vaste réseau de parcs, de jolies rues bordées d'arbres, d'attraits intéressants et d'une communauté culturelle diversifiée. Vous pourrez tout aussi bien y croiser des exploitants de ranchs que des gens d'affaires et des huttériens. Somme toute, un bref séjour à Lethbridge s'impose.

L'**Indian Battle Park** ★★, situé dans la vallée de la rivière Oldman, en plein cœur de la ville, est l'endroit par excellence pour revivre l'histoire de Lethbridge. Le 25 octobre 1870, les Cris (Cree), repoussés en territoire pied-noir par les colons européens, attaquèrent une bande de Kainah pieds-noirs qui campait sur les berges de la rivière Oldman. Au cours du combat qui s'ensuivit, les Kainah (Blood) furent aidés par un groupe de Péganes pieds-noirs se trouvant non loin de là et, au bout du compte, 300 Cris et 50 Pieds-Noirs (Blackfoot) avaient trouvé la mort.

Un an plus tôt, des négociants américains en provenance de Fort Benton (Montana) étaient venus s'installer dans le sud de l'Alberta afin d'y commercialiser une mixture particulièrement létale qu'ils présentaient comme du whisky aux Autochtones; ce mélange mortel pouvait contenir, outre du whisky, de l'alcool éthylique, du piment fort, du tabac à chiquer, du gingembre jamaïquain et de la mélasse. Il était contraire à la loi de vendre de l'alcool aux Autochtones aux États-Unis, et c'est pourquoi ces négociants avaient pris la route du Canada, où aucune loi semblable n'existait. Ils s'établirent à Fort Hamilton, au confluent des rivières St. Mary et Oldman, faisant de ce lieu le centre des activités américaines dans le sud de l'Alberta et de la Saskatchewan. Un incendie détruisit le fort, mais on en construisit un second qu'on baptisa **Fort Whoop-Up** ★★, si bien que le whisky et les armes à feu continuèrent à s'échanger contre des peaux de bisons. Fort Whoop-Up fut le premier et le plus notoire des 44 comptoirs commerciaux voués au trafic du whisky. L'intrusion des Américains sur le territoire canadien, le commerce illégal aux effets abrutissants sur la population autochtone et la nouvelle du massacre des monts Cypress amenèrent le gouvernement canadien à créer la «police montée» du Nord-Ouest. Conduites par l'éclaireur Jerry Potts, les forces policières, sous les ordres du colonel Macleod, arrivèrent à Fort Whoop-Up en octobre 1874. La nouvelle de leur arrivée les avait toutefois précédées, si bien que l'endroit était désert lorsqu'elles y parvinrent enfin. Un cairn marque l'emplacement du fort original, le fort actuel n'étant qu'une reconstruction du premier. Vous y trouverez un intéressant **centre d'interprétation** *(2,50$; oct à avr, mar-ven 10h à 16h et dim 13h à 16h; mai à sept lun-sam 10h à 18h, dim midi à 18h; Indian Battle Park, ☎329-0444)*, où vous pourrez vous familiariser avec l'époque pour le moins tumultueuse du libre commerce du whisky. Vous pourrez en outre y déguster du *bannock* frais, soit un pain amérindien rond et plat fait d'orge et d'avoine, cuit sur une plaque en fonte. Des guides en costume d'époque proposent des visites.

Des sentiers serpentent à travers cinq jardins japonais traditionnels au **Nikka Yuko Japanese Garden** ★★ *(4$; mi-mai à fin juin tlj 9h à 17h, juil et août tlj 9h à 21h, sept tlj 9h à 17h; angle 7th Ave. S. et Mayor Magrath Dr., ☎328-3511)*. Il ne s'agit pas là de jardins fleuris et luxuriants, mais plutôt de simples arrangements d'arbustes, de sable et de pierres dans la plus pure tradition des jardins japonais – l'endroit rêvé pour une méditation paisible. Créé par le célèbre concepteur japonais qu'est le docteur Tadashi Kudo, de l'université de la préfecture d'Osaka, le Nikka Yuko vit le jour en 1967 comme projet de centenaire et de symbole d'amitié nippo-canadien (Nikka Yuko signifie d'ailleurs «amitié»). La cloche du jardin incarne cette amitié et, lorsqu'on la fait sonner, on prétend que d'heureux événements surviennent simultanément dans les deux pays. La **Southern Alberta Art Gallery** *(entrée libre; mar-sam 10h à 17h, dim 13h à 17h; 601 3rd Ave. S., ☎327-8770, ⇄328-3913)* bénéficie d'une réputation internationale grâce à sa quinzaine d'expositions présentées chaque année dans trois espaces aux architectures différentes. D'autres événements y prennent place régulièrement : musique, théâtre, cinéma et conférences. Téléphonez et jetez-y un coup d'œil.

À travers les prairies jusqu'à Medicine Hat

Les prairies ondulent sans fin aussi loin que se porte le regard sur ce tronçon routier, tous ces champs dorés étant déserts, à l'exception d'un occasionnel hameau ou d'une maison de ferme abandonnée. La Canadian Pacific Railway Co. a fait passer l'une de ses lignes ferroviaires à travers cette région et a construit un silo à grains avoisinant une petite ville à environ tous les 16 km. Aussi les cultivateurs ne se trouvaient-ils jamais à plus d'une journée de route d'un silo. Si vous empruntez cette route, vous atteindrez ce qui fut jadis le village de Nemiskam, à quelque 16 km de Foremost. Seize kilomètres plus loin, vous verrez **Etzikom**, qui compte moins de 100 habitants de nos jours; de plus, à la suite de l'abolition de la Loi sur le transport du grain de l'Ouest, sans parler de l'attrait qu'exerce la grande ville, les jours d'Etzikom sont sans doute comptés. Pour mieux saisir ce que la vie pouvait être ici à l'époque, rendez-vous au **musée d'Etzikom** ★ *(dons appréciés; mai à sept lun-sam 10h à 17h, dim midi à 18h; Etzikom, ☎666-3737 ou 666-3915)*. Il existe des musées locaux comme celui-ci un peu partout en Alberta, mais c'est sans doute là un des meilleurs qui soit, et vous ne regretterez pas d'avoir quitté la route pour y faire une halte. Le musée occupe l'école d'Etzikom et abrite une merveilleuse reconstitution de la rue principale d'une petite ville typique d'autrefois, avec son barbier, son magasin général et son hôtel. À l'extérieur se dresse le **Windpower Interpretive Centre**, qui présente une collection de moulins à vent, dont un qui provient de Martha's Vineyard, au Massachusetts (É.-U.).

Medicine Hat

Rudyard Kipling a un jour appelé Medicine Hat «la ville au sous-sol d'enfer», faisant ainsi référence au fait que la ville repose sur une des plus grandes nappes de gaz naturel de l'Ouest canadien. C'est d'ailleurs grâce à cette ressource naturelle que la ville a prospéré, et le gaz continue d'alimenter une industrie pétrochimique locale prospère. Des dépôts argileux voisins ont également marqué les destinées de la ville, puisqu'elle exploitait jadis une importante industrie de poterie. Comme nombre d'autres localités albertaines, Medicine Hat possède de nombreux parcs. Quant à son nom, la légende veut qu'une grande bataille opposant les Cris (Cree) et les Pieds-Noirs (Blackfoot) se soit déroulée ici; au cours du combat, le sorcier cri aurait déserté son peuple et, pendant qu'il traversait la rivière pour prendre la fuite, il aurait perdu sa coiffure de plumes au fil du courant. Voyant là un mauvais présage, les Cris renoncèrent au combat et furent massacrés par les Pieds-Noirs. Le site même de la bataille fut nommé Saamis, ce qui signifie «la coiffure du sorcier», «sorcier» se traduisant en anglais par *medicine man* et «coiffure» par *hat*. Lorsque la «police montée» arriva plus tard dans la région, le nom amérindien fut traduit puis abrégé pour devenir Medicine Hat.

Le **tipi de Saamis** est le plus haut du monde. Il fut construit pour les Jeux olympiques d'hiver de Calgary, puis acheté par un homme d'affaires de Medicine Hat. Le tipi symbolise le mode de vie des Amérindiens, qui gravite autour de la spiritualité, du cycle de la vie, de la famille et du sacro-saint foyer.

Vous aurez sans doute déjà eu l'occasion de voir les brochures touristiques sur le **Great Wall of China**; il ne s'agit pas ici d'une réplique de la célèbre muraille de Chine, mais plutôt, au sens littéral, d'une muraille de faïences (*china* en anglais) créée par les usines de poterie de Medicine Hat entre 1912 et 1988. Bien qu'un grand nombre des objets exposés soient des pièces de collection inestimables, le clou du **Centre d'interprétation de l'industrie de l'argile** ★★ *(3$; été 9h à 17h30; hiver 8h à 16h30; ☎529-1070)* demeure la visite de l'ancienne usine Medalta avec ses fours à poterie. Medalta a déjà fourni la vaisselle de faïence à tous les hôtels de la chaîne du Canadien Pacifique. Les vêtements et les effets personnels des ouvriers se trouvent encore dans l'usine, qui ferma ses portes de façon inattendue en 1989. Medalta Potteries, Medicine Hat Potteries, Alberta Potteries et Hycroft China ont toutes contribué à faire de Medicine Hat un centre de poterie important et réputé. Des visites guidées vous font voir l'usine et vous expliquent le travail complexe à forte main-d'œuvre que nécessitait la confection de chaque pièce. La visite prend fin avec l'exploration d'un des six grands fours ronds qui se dressent à l'extérieur.

Des dépliants permettant de faire une promenade historique vous attendent au bureau d'information, pour le cas où vous vous intéresseriez à l'architecture du début du XXe siècle du centre de Medicine Hat.

Parcs

Le sud de l'Alberta

Le **parc national Lacs-Waterton** ★★★ *(8$ par jour par véhicule; camping - notez que les réservations ne sont pas acceptées : 10-23; pour de plus amples renseignements, composez le ☎859-5133 ou écrivez à Parc national Lacs-Waterton, Waterton Park, Alberta, T0K 2M0)* se trouve à cheval sur la frontière américano-canadienne et forme le premier «parc international pour la Paix» de la planète (la moitié américaine se trouve dans le Montana et porte le nom de Glacier National Park). Waterton recèle certains des plus beaux paysages de la province, et le détour en vaut largement la chandelle. Caractérisée par un chapelet de profonds lacs glaciaires et de montagnes aux sommets irréguliers, cette région où les cimes rencontrent les prairies offre de merveilleuses possibilités de randonnée pédestre, de ski de randonnée, de camping et d'observation de la faune. La configuration géologique de cette région se compose de roches sédimentaires vieilles de 1,5 milliard d'années qui proviennent des montagnes Rocheuses et qui ont été déposées ici, sur l'argile vieille de 60 millions d'années des prairies, au cours de la dernière période glaciaire. Il n'existe en fait aucune zone de transition entre ces deux pôles naturels, riches d'une faune et d'une flore abondantes et variées, et les espèces animales et végétales des prairies cohabitent ici avec celles des régions alpines et subalpines (quelque 800 espèces végétales et 250 espèces ailées). Vous devez toutefois vous rappeler, et l'on vous le répétera à l'entrée du parc, que les animaux sauvages doivent être considérés comme tels. Aussi doux et apprivoisés qu'ils puissent sembler, ils demeurent imprévisibles et possiblement dangereux, et vous êtes le seul responsable de votre propre sécurité.

Vous pouvez accéder à l'une des entrées du parc par la route 6 ou la route 5. En venant de la route 6, vous verrez un **enclos de bisons** peu après la grille du parc. Un petit troupeau vit en effet ici, et vous pouvez faire le tour de l'enclos en voiture pour mieux les observer. Ces bêtes sont vraiment magnifiques, surtout lorsque leur silhouette se détache sur la toile de fond montagneuse du parc. Vous devez acquitter le droit d'entrée à la grille; le centre d'information se trouve un peu plus loin à l'intérieur du parc, et son personnel vous renseignera sur le camping, sur l'observation de la vie sauvage et sur les diverses activités de plein air que vous pouvez pratiquer ici, y compris la randonnée pédestre, le ski de randonnée, le golf, l'équitation, la navigation de plaisance et la baignade.

Le célèbre **hôtel Prince of Wales** a été construit en 1926-1927 pour Louis Hill, alors à la tête du Great Northern Railway, pour loger les touristes américains que la société ferroviaire transportait par autocar entre le Montana et Jasper (la majorité des visiteurs du parc sont encore aujourd'hui des Américains). Bien que l'hôtel ait été vendu deux fois, ses propriétaires et ses gestionnaires se trouvent toujours aux États-Unis; la vue qu'offre le hall d'entrée sur le haut lac Waterton demeure également la même; l'hôtel dispose toujours de 90 chambres et n'ouvre toujours ses portes que pour la saison estivale. Dans le cadre des projets d'agrandissement et de rénovation dont il fait l'objet, on projette toutefois de le maintenir ouvert toute l'année. Cela changerait sûrement beaucoup de choses, non seulement pour le Prince of Wales, mais aussi pour l'ensemble du parc national Lacs-Waterton, et le spectre d'une version plus méridionale de Banff suscite des réactions partagées. Cet hôtel de style chalet suisse a été classé monument historique national en 1994 par le gouvernement canadien, et vous devriez le visiter même si vous ne pouvez vous permettre d'y loger. Le Waterton Townsite (village de Waterton) possède des restaurants, des bars, des boutiques, des épiceries, des laveries, un bureau de poste et des hôtels. Il y a aussi une marina d'où partent des excursions sur le lac. L'hiver venu, tout devient beaucoup plus calme, le seul hôtel qui reste ouvert étant le Kilmorey Lodge (voir p 567); le ski de randonnée est par contre fabuleux.

À l'approche du **Writing-on-Stone Provincial Park ★★** *(entrée libre; bureau du parc, ☎647-2364)*, situé à environ 10 km de la frontière américaine, vous remarquerez la vallée sculptée par les eaux de la rivière Milk et, au loin, les monts Sweetgrass de l'État du Montana. La rivière Milk coule au fond d'une large vallée verdoyante, entourée d'étranges formations rocheuses et d'abruptes falaises de grès. Les cheminées des fées, formées par des strates de grès riches en fer qui protègent les couches inférieures du sol, ressemblent à de mystérieux champignons. Les Autochtones, attirés en ces lieux tenus pour sacrés il y a déjà environ 3 000 ans, croyaient que ces formations, tout comme les falaises qui les entourent, abritaient les puissants esprits-maîtres de tout ce qui existe en ce bas monde. Le Writing-on-Stone Provincial Park protège plus de merveilles rocheuses – pétroglyphes (dessins gravés dans le roc) et pictogrammes (peintures sur roc) – que tout autre site des plaines nord-américaines.

Il s'avère toutefois difficile de mettre une date précise sur ces œuvres d'art, les seuls points de repère étant le style de l'exécution et les thèmes représentés; la présence de chevaux et de fusils, par exemple, révèle des œuvres des XVIIIe et XIXe siècles, alors que d'autres dessins remontent à la fin de la préhistoire.

La majorité des sites pétroglyphiques et pétrographiques se trouvent à l'intérieur de la zone principale du parc, constitué en réserve archéologique. On n'y accède que par les visites d'interprétation programmées, de sorte qu'il est de la plus haute importance d'appeler au préalable le bureau du **naturaliste du parc** *(☎647-2364)* pour s'informer des heures de départ. On offre ces visites guidées tous les jours de la mi-mai au début de septembre, et les billets, quoique gratuits, demeurent limités. Vous pouvez vous les procurer au bureau du naturaliste une heure avant le début de la visite. Vous trouverez par ailleurs à ce même bureau des listes d'espèces sauvages et diverses données d'intérêt.

Le parc abrite un excellent terrain de camping, et les visiteurs peuvent ici s'adonner à une foule d'activités de plein air, y compris la randonnée pédestre et le canot. Il s'agit d'ailleurs d'un endroit pratique pour entamer ou terminer une excursion en canot sur la rivière Milk.

Activités de plein air

Canot et rafting

Au cours des chauds mois d'été, il fait bon explorer la rivière Milk en canot tout en essayant de repérer les antilopes d'Amérique, les cerfs-mulets, les cerfs de Virginie, les coyotes, les blaireaux, les castors et les lapins de garenne, sans compter les nombreuses espèces ailées. Parcourant le sud aride de l'Alberta, cette rivière est la seule du Canada à rejoindre le golfe du Mexique. Vous pourrez louer des canots à Lethbridge.

Milk River Raft Tours *(P.O. Box 396, Milk River, ☎647-3586)* organise des descentes de rivière dans les environs du Writing-on-Stone Provincial Park. Les excursions durent de deux à six heures, coûtent entre 20$ et 40$, et peuvent comprendre un déjeuner et des randonnées à travers les coulées.

Hébergement

Calgary

Bon nombre d'hôtels et de motels de Calgary pratiquent deux tarifs : un durant la période du Stampede et un autre le reste de l'année. La différence entre les deux peut parfois être marquée.

La **Bed and Breakfast Association of Calgary** (☎543-3900, ⇄543-3901) peut vous aider à vous loger dans un des quelque 40 *bed and breakfasts* de la ville.

Le centre-ville de Calgary

Calgary International Hostel
16$ membre
20$ non-membre
520 7th Ave. SE
T2G 0J6
☎269-8239
⇄283-6503
La Calgary International Hostel peut loger jusqu'à 114 personnes dans ses chambres de type dortoir. Deux chambres familiales sont aussi disponibles en hiver. Vous aurez accès à la salle de lavage et aux cuisines, de même qu'à une salle de jeu et à un casse-croûte. Cette auberge bénéficie d'un emplacement avantageux, à deux rues à l'est de l'hôtel de ville et de l'Olympic Plaza. Réservations recommandées.

Inglewood Bed & Breakfast
70-95 pdj
1006 8th Ave. SE T2G 0M4
☎/⇄262-6570
L'une des nombreuses options proposée par la Bed & Breakfast Association of Calgary est l'Inglewood Bed & Breakfast. Non loin du centre-ville, cette charmante maison victorienne se trouve à proximité du réseau de sentiers longeant la rivière Bow. Le petit déjeuner est préparé par le chef Valinda.

Prince Royal Inn
120-155
ℜ, ⌂, ⊙, *tv*, ℂ
618 5th Ave. SW, T2P 0M7
☎263-0520 ou
800-661-1592
⇄298-4888
Les prix réduits sur la location d'une suite pendant une semaine et le tarif pour les entreprises et les groupes du Prince Royal Inn, qui ne loue que des suites, font probablement de cet établissement le moins cher de tous ceux qui se trouvent directement dans le centre-ville. Qui plus est, les cuisines complètement équipées permettent de réaliser des économies supplémentaires.

Calgary Marriott Hotel
149-179
ℜ, ≈, ≡, ⊛, ⌂, ⊙, 🐕, ♿, *tv*
110 9th Ave. SE, T2G 5A6
☎266-7331 ou
800-228-9290
⇄262-8442
En face du Palliser (voir ci-dessous) se dresse le Calgary Marriott Hotel, un établissement pour gens d'affaires qui s'impose comme le plus grand de tous les hôtels du centre-ville. Ses chambres spacieuses sont colorées de tons chauds et confortablement meublées.

The Palliser
289-368
ℜ, ≡, ⊛, ⌂, ⊙, ♿, 🐕, *tv*
133 9th Ave. SW, T2P 2M3
☎262-1234 ou 800-441-1414
⇄260-1260
The Palliser propose un hébergement des plus distingués selon la tradition du Canadien Pacifique. Cet hôtel a été construit en 1914, et son vaste hall, qui a été rénové en 1997, a conservé son escalier de marbre original, ses portes en laiton massif et son superbe lustre à l'ancienne. Les chambres se révèlent un peu exiguës, mais elles n'en possèdent pas moins de hauts plafonds et leur décoration classique est magnifique.

Sud-est et sud-ouest de Calgary

Université de Calgary
20$/pers. dans les dortoirs
32$/chambre
50$/suite
3330 24th Ave. NW
☎220-3203
Une autre option peu coûteuse, quoique valable en été seulement, consiste à loger dans les résidences d'étudiants de l'université de Calgary.

Nord-est et nord-ouest de Calgary

Red Carpet Motor Hotel
49-89
≡, ℝ, 🐕, *tv*
4635 16th Ave. NW, T3B 0M7
☎286-5111
⇄247-9239
Le Red Carpet Motor Hotel présente un des meilleurs rapports qualité/prix du Motel Village. Certaines suites disposent d'un petit réfrigérateur.

Highlander Hotel
59-149
ℜ, ≡, ≈, 🐕, *tv*
1818 16th Ave., T2M 0L8
☎289-1961 ou
800-661-9564
⇄289-3901
Le décor écossais du Highlander Hotel vous changera des motels conventionnels. À proximité des services et d'un centre commercial, cet établissement met également à votre disposition un service de navette pour l'aéroport.

Pointe Inn
80$
ℜ, 🐕, ≡, *tv*
1808 19th St. NE,
T2E 4Y3
☎***291-4681 ou 800-661-8164***
⇄***291-4576***
Les voyageurs qui ne font que passer ou qui doivent prendre un vol tôt le matin ou tard le soir devraient profiter du caractère pratique et des prix raisonnables du Pointe Inn. Vous pourrez notamment faire votre lessive sur place.

Le «village de motels» de Calgary est pour le moins unique; vous y trouverez des centres de location de voitures, d'innombrables motels et hôtels, des comptoirs de restauration rapide, des restaurants de type familial et la station Banff Trail du C-Train. La majorité des lieux d'hébergement se ressemblent, mais les plus chers sont généralement aussi plus neufs, sans compter qu'ils possèdent des installations plus complètes. Retenez enfin que la plupart des établissements augmentent considérablement leurs tarifs durant la semaine du Stampede.

Econo Lodge
89$
ℜ, ≡, ≈, ℂ, 🐕, *tv*
2231 Banff Trail NW, T2M 4L2
☎***289-1921***
⇄***282-2149***
L'Econo Lodge est tout indiqué pour les familles. Les enfants apprécieront particulièrement la piscine extérieure et le terrain de jeu, mais la laverie et les grandes chambres avec cuisinette sont aussi très pratiques. Le restaurant familial Louisiana sert des mets cajuns et créoles peu coûteux *($)*.

Le sud de l'Alberta

Waterton Townsite

Le rythme ralentit considérablement par ici au cours de la saison hivernale, si bien que nombre d'hôtels et de motels ferment leurs portes, alors que plusieurs autres réduisent leurs prix ou offrent des forfaits saisonniers.

Northland Lodge
50$
mi-mai à mi-oct
bc/ bp, ℝ
Evergreen Ave.
parc national Lacs-Waterton,
T0K 2M0
☎***859-2353***
Le Northland Lodge est une ancienne résidence familiale réaménagée de manière à compter neuf chambres intimes. Quelques chambres ont un balcon sur lequel est installé un barbecue.

Kilmorey Lodge
86$
♿, ℜ
117 Evergreen Ave., P.O. Box 100, parc national Lacs-Waterton, T0K 2M0 ☎***859-2334***
⇄***859-2342***
Le Kilmorey Lodge est l'un des rares établissements de Waterton ouverts toute l'année. On ne peut mieux situées, au-dessus de la baie d'Émeraude, beaucoup de ses chambres offrent une vue splendide. Antiquités et édredons contribuent à donner au lieu un air de chez-soi à l'ancienne. Le Kilmorey peut en outre se vanter de posséder l'un des meilleurs restaurants de Waterton, The Lamp Post Dining Room.

Prince of Wales Hotel
190$ chambre économique
347$ suite
mi-mai à fin sept
ℜ
parc national Lacs-Waterton,
T0K 2M0
☎***859-2231 ou 602-207-6000***
pour réservations :
☎***236-3400***
⇄***859-2630***
Le vénérable Prince of Wales Hotel s'impose sans contredit comme le plus chicétablissement hôtelier de Waterton, ainsi qu'en témoignent les chasseurs vêtus de kilts et le thé d'honneur servi dans la Valerie's Tea Room, sans compter la vue imbattable. Le hall et les chambres sont tous garnis de lambris d'origine. Ces dernières se révèlent toutefois petites et ordinaires, plutôt rustiques et pourvues de salles de bain minuscules. Celles des autres étages possèdent par contre un balcon. Essayez d'obtenir une chambre donnant sur le lac; car après tout, c'est pour lui qu'on loge ici plutôt qu'ailleurs. Enfin, il faut noter que les choses risquent de changer pour le pire si l'on en croit les rumeurs voulant que le Prince of Wales s'apprête à procéder à des travaux d'agrandissement.

Lethbridge

Heritage House B&B
50$ pdj
bc
1115 8th Ave. S., T1J 1P7
☎***328-3824***
⇄***328-9011***
Bâti en 1937, le Heritage House B&B, de style Art déco, se dresse sur une des jolies rues résidentielles bordées d'arbres de Lethbridge à quelques minutes de marche du centre-ville. Les chambres bénéficient toutes d'un décor individuel s'accordant avec

le style de la maison, et vous pouvez vous attendre à un petit déjeuner copieux.

Days Inn
64-67 pdj
≡, ≈, ⊛, ℂ, ⊙, ♞, ♿, *tv*
100 Third Ave. S., T1J 4L2
☎327-6000 ou 800-661-8085
⇄320-2070
Le Days Inn constitue votre meilleur choix au chapitre des motels du centre-ville. Les chambres ne se distinguent guère de celles des autres établissements de cet ordre, mais elles se révèlent tout de même modernes et propres. Laverie sur place. De plus, on peut profiter de la nouvelle piscine.

Lethbridge Lodge Hotel
119-139
≡, ≈, ℜ, ⊛, *tv*, ♞, *bar*
320 Scenic Dr., T1J 4B4
☎328-1123
⇄328-0002
Le meilleur établissement hôtelier de Lethbridge est sans conteste le Lethbridge Lodge Hotel, qui domine la vallée. Ses chambres confortables bénéficient d'un décor chaleureux aux teintes agréables qui les rendent presque luxueuses, compte tenu des prix tout à fait raisonnables auxquels on les loue. Elles sont toutes disposées autour d'une cour tropicale intérieure où de petits ponts relient la piscine, le salon-bar et le restaurant Anton.

Medicine Hat

Sunny Holme B&B
65$ pdj
271 First St. SE., T1A 0A3
☎526-5846
Le Sunny Holme B&B est une grandiose demeure georgienne arborant un intérieur victorien. Ses trois chambres présentent un décor *Arts and Crafts*, et chacune d'elles dispose de sa propre salle de bain. Un vaste terrain planté d'arbres feuillus entoure la maison. Les crêpes au levain ne sont qu'un des délices qui vous attendent au petit déjeuner. Assurez-vous de téléphoner à l'avance pour réserver.

Best Western Inn
97-99
≡, ≈, △, ⊛, ℂ, ℜ, ⊙, ♞, *tv*
1051 Ross Glen Dr., T1B 3T8
☎529-2222 ou 800-528-1234
⇄529-1538
Vous pouvez loger sur la rue des motels au Best Western Inn, dont les installations et les chambres plus modernes compensent l'environnement moins attrayant. Vous aurez accès à une piscine intérieure et à une laverie, en plus de pouvoir profiter (peut-être!) du seul casino en ville.

Restaurants

Calgary

Schwartzie's Bagel Noshery
$
8th Ave. SW
Si vous n'avez pas l'impression de pouvoir tenir jusqu'au dîner, attrapez en passant un *bagel* de la Schwartzie's Bagel Noshery. Que vous songiez au plus traditionnel ou au plus original des *bagels* qui soit, vous le trouverez sans doute ici. Outre le comptoir de commandes à emporter, vous pouvez également manger à l'intérieur dans une salle invitante et confortable.

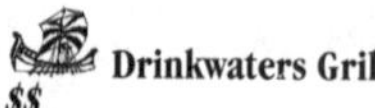
Drinkwaters Grill
$$
237 8th Ave. SE
☎264-9494
Le Drinkwaters Grill est le dernier-né des restaurants de grillades à de Calgary, et ses prétentions à la cuisine «contemporaine» sont parfaitement justifiées. Ses énormes colonnes bleu ciel, ses tableaux modernes, ses chaises classiques en bois foncé et ses banquettes rembourrées ne manquent pas d'attrait. Au menu, vous trouverez de tout, des pizzas à croûte mince à la salade d'épinards et de fraises, sans oublier le bar chilien et, naturellement, un assortiment très respectable d'aloyaux, de filets et d'autres coupes fines, tous servis avec des accompagnements originaux. Carte spéciale pour les oiseaux de nuit et Happy Hour de 15h30 à 19h du lundi au vendredi.

Silver Dragon
$$
106 Third Ave. SE
☎264-5326
Le Silver Dragon compte parmi les meilleurs restaurants du quartier chinois. Son personnel se révèle particulièrement amical, sans parler de ses boulettes de pâte (*dumplings*) tout à fait savoureuses.

Caesar's Steakhouse
$$$$
512 4th Ave. SW
☎264-1222
10816 Macleod Trail S.
☎278-3930
Le Caesar's Steakhouse figure parmi les rendez-vous les plus populaires de Calgary lorsqu'il s'agit de mordre à pleines dents dans un bon steak juteux, quoiqu'on y mange aussi des fruits de mer. Des colonnes romaines et un éclairage feutré composent un décor raffiné.

Hy's
$$$$
316 4th Ave. SW
☎263-2222
Le Hy's, qui a pignon sur rue depuis 1955, est l'autre rendez-vous par excellence des amateurs de bifteck. Les plats principaux y sont à peine moins chers qu'au Caesar's, et l'atmosphère se veut un peu plus détendue dans son décor lambrissé. Il est recommandé de réserver.

Rimrock Room
$$$$
133 9th Ave. SW
☎262-1234
La Rimrock Room, de l'hôtel The Palliser, vous promet un brunch fantastique tous les dimanches et, bien entendu, de généreuses portions de bœuf albertain de toute première qualité. Le décor classique du Palliser et les fins mets élaborés ici contribuent à faire de cet établissement l'un des endroits les plus raffinés de Calgary pour un dîner spécial.

Le long de la rivière Bow

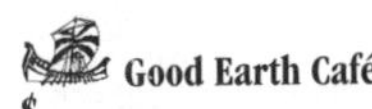 **Good Earth Café**
$
marché Eau Claire
200 Barclay Parade SW
☎237-8684
Le Good Earth Café est un merveilleux bistro où l'on vous sert des plats composés d'ingrédients on ne peut plus frais. Un endroit de choix pour un bon déjeuner, mais aussi pour vous approvisionner en vue d'un pique-nique.

Deane House Restaurant
$$
ouvert toute l'année
mer-dim 11h à 14h
806 9th Ave. SE
immédiatement après le pont en venant du fort Calgary
☎269-7747
L'historique Deane House Restaurant est un agréable pavillon de thé aménagé à l'intérieur de la résidence de l'ancien officier de la Gendarmerie royale du Canada qu'était Richard Burton Deane. Soupes et salades occupent une place dominante sur le menu.

Stromboli Inn
$$
1147 Kensington Cr. NW
☎283-1166
Le Stromboli Inn offre un service et une ambiance sans prétention où les honneurs reviennent à la cuisine italienne classique. Les gens du coin le recommandent pour sa pizza, bien que le menu comprenne également des gnocchis maison, des raviolis bien dodus et un délicieux veau gorgonzola.

Buchanan's
$$-$$$
738 3rd Ave. SW
☎261-4646
Le Buchanan's fait l'unanimité, non seulement pour ses côtelettes et ses biftecks novateurs, au fromage bleu, mais également pour son excellente carte des vins (choix de vins fins au verre) et son impressionnante sélection de scotchs pur malt. Un grand favori des gens d'affaires de Calgary à l'heure du déjeuner.

Sud-est et sud-ouest de Calgary

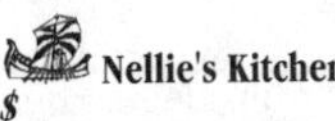 **Nellie's Kitchen**
$
17th Ave. SW
entre 6th St. et 7th St. SW
On prépare tout sur place chez Nellie's Kitchen, un charmant petit rendez-vous décontracté où il fait bon déjeuner tout en prenant le pouls de Calgary.

Kremlin
$$
2004 4th St. SW
☎228-6068
Le minuscule Kremlin sert des «mets d'amour» à la russe auxquels vous ne manquerez pas de succomber. Le nourrissant bortsch accompagné de pain aux fines herbes est un repas en soi, à moins que vous n'optiez pour les pirojkis du jour ou un filet on ne peut plus tendre au romarin, au vin rouge et au miel. Et, au dessert, qui pourrait résister à ces pirojkis remplis de baies d'amélanchier et garnis d'une sauce à la crème et au brandy parfumé à l'orange? Décor éclectique, confortable et tout indiqué pour un dîner en tête-à-tête.

Entre Nous
$$-$$$
2206 4th St. SW
☎228-5525
L'Entre Nous peut être fier de son atmosphère de bistro intime et chaleureux, idéale pour savourer de bon petits plats français. Un soin particulier est accordé aux détails, qu'il s'agisse des ingrédients attentivement sélectionnés un à un ou de la table d'hôte, de quoi faire de votre repas une expérience mémorable Réservation recommandée.

Cannery Row
$$$
317 10th Ave. SW
☎269-8889
Le Cannery Row sert les meilleurs fruits de mer de cette ville enclavée. Un buffet d'huîtres et une atmosphère détendue visent à vous faire sentir comme si vous étiez au bord de la mer, et ça fonctionne! Flétan, saumon et espadon y sont apprêtés de différentes façons.

McQueen's Upstairs
$$$
☎269-4722
Installé à l'étage du Cannery Row, le McQueen's Upstairs présente un menu comparable au Cannery Row tout en se voulant un peu plus huppé.

Inn on Lake Bonavista
$$$$
747 Lake Bonavista Dr. SE
☎271-6711
L'Inn on Lake Bonavista compte parmi les meilleures salles à manger de Calgary. Filet mignon et chateaubriand figurent entre autres au menu. On y a une magnifique vue sur le lac Bonavista.

Nord-est et nord-ouest de Calgary

 **Blue House Café**
$$
3843 19th St. NW
☎284-9111
Le Blue House Café ne paie pas de mine, mais les créations argentines du chef, particulièrement les poissons et les fruits de mer, le rachètent largement. Un autre de ses atouts tient à la guitare, flamenco ou autre, qu'on peut y entendre certains soirs. Atmosphère plutôt décontractée, quoiqu'un peu plus guindée en soirée.

Mamma's Ristorante
$$$
320 16th St. NW
☎276-9744
Le Mamma's Ristorante sert de la cuisine italienne aux Calgariens depuis plus de 20 ans. L'ambiance et le menu sont tout aussi raffinés l'un que l'autre, ce dernier comportant des plats de pâtes, de veau et de fruits de mer.

Le sud de l'Alberta

Waterton

Lamp Post Dining Room
$$$
Kilmorey Lodge
☎859-2334
La Lamp Post Dining Room propose ce que d'aucuns qualifient de meilleur dîner à Waterton. Le charme traditionnel, les recettes primées et les prix raisonnables de cet établissement font tous honneur à sa réputation.

Garden Court Dining Room
$$$$
parc national Lacs-Waterton
☎859-2231
L'atmosphère de la Garden Court Dining Room, la salle à manger de l'hôtel Prince of Wales (voir p 567), demeure toutefois imbattable. Ce chic restaurant propose un menu complet ainsi que des plats du jour souvent composés de fruits de mer ou de pâtes. Les réservations ne sont pas acceptées. Également au Prince of Wales, et tout aussi élégants, sans parler du panorama incomparable, se trouvent le **Windsor Lounge** et la **Valerie's Tea Room**, où l'on sert aussi bien des petits déjeuners que le thé l'après-midi.

Lethbridge

 **Penny Coffee House**
$
331 5th St. S.
☎320-5282
Le Penny Coffee House, voisin du libraire B. Macabee's, est l'endroit idéal pour apprécier un bon bouquin, et ne vous en faites pas si vous n'en avez pas un avec vous, car les murs sont tapissés de lectures intéressantes. On sert ici des potages savoureux et nourrissants, ainsi que du bœuf aux haricots rouges, des sandwichs alléchants, un fromage divin et des *scones* aux tomates, sans oublier les boissons gazeuses et l'excellent café.

Penny Coffee House
9th St. S.,
entre 5th Ave. et 6th Ave. S.
Le Penny Coffee House a une succursale dans la bibliothèque municipale. L'expansion ne s'est pas arrêtée là, puisque, si vous désirez acheter du café ou du thé en gros, le propriétaire du Penny a récemment ouvert **Cupper's** *($; 309A 5th St. S., ☎/≠380-4555)*, un petit café où sont torréfiés sur place les grains de café avant d'être moulus. Tous les cafés du monde sont ici représentés.

O'Sho Japanese Restaurant
$
1219 Third Ave. S.
☎327-8382
Pour vous changer du bœuf albertain, pourquoi ne pas essayer l'O'Sho Japanese Restaurant, où vous pourrez déguster des mets japonais traditionnels autour de tables basses tout aussi traditionnelles à l'intérieur de salles individuelles séparées par des cloisons.

Anton's
$$$$
Lethbridge Lodge
☎328-1123
Le Lethbridge Lodge abrite Anton's, le meilleur restaurant en ville. Les plats de pâtes sont particulièrement appréciés, tout comme l'environnement d'ailleurs puisque le restaurant est aménagé dans la cour tropicale intérieure de l'hôtel. Il est recommandé de réserver. Le **Garden Café** *($$)* constitue une alternative plus économique dans l'enceinte du Lethbridge Lodge, et le cadre en est tout aussi enchanteur. Ouvert de 6h30 à 23h30, il vous servira un déjeuner copieux ou des desserts tout bonnement divins.

Medicine Hat

City Bakery
$
5th Ave. SW.
entre Third St. et 4th St. S.W.
☎527-2800
La City Bakery prépare de délicieux pains frais ainsi que des *bagels* à la new-yorkaise.

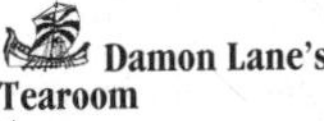 **Damon Lane's Tearoom**
$
lun fermé 10h à 16h
730 3rd St. SE.
☎529-2224
À la Damon Lane's Tearoom, vous pourrez prendre un déjeuner composé de simples potages, salades et sandwichs, tous faits maison, à moins que vous n'y fassiez qu'une halte pour une tasse de thé et quelques achats. Vous y trouverez en effet de l'artisanat, de la poterie, des objets décoratifs pour la maison et une petite collection d'antiquités.

Rustler's
$
901 8th St. SW.
☎526-8004
Le Rustler's est un autre de ces établissements qui vous font revivre l'époque de l'Ouest sauvage, ne serait-ce que par sa table de jeu tachée de sang et protégée par une plaque de verre pour immortaliser l'impression qu'elle ne manque pas de laisser sur les imaginations! Au menu, des biftecks, du poulet, des côtes levées, des pâtes et plusieurs plats mexicains. Les petits déjeuners se veulent particulièrement copieux et attirent une clientèle nombreuse.

Sorties

Calgary

Avenue est une publication mensuelle qui répertorie tous les événements courants de Calgary, y compris les spectacles, les concerts, les pièces de théâtre et les films à l'affiche. Elle est gratuite, et vous la trouverez un peu partout à travers la ville. ***The Calgary Mirror*** et ***ffwd*** sont, pour leur part, des hebdomadaires d'information et de divertissement également gratuits.

Bars et discothèques

Les choses ont changé depuis les beaux jours d'**Electric Avenue** *(11th Ave. SW)*. Le cœur du centre-ville reprend vie, de même que 12th Avenue et 17th Avenue. Le **Senor Frog's** et le **Crazy Horse** sont surtout populaires auprès des jeunes professionnels (musique de danse au premier, et rock classique au second). **The Republic** *(219 17th Ave. SW)* et **The Warehouse** *(733 10th Ave. SW)* constituent pour leur part des options plus «alternatives». De jour comme de nuit, la terrasse du populaire **Ship & Anchor Pub** *(534 17th Ave. SW, ☎245-3333)* est pleine à craquer. N'importe quel prétexte semble bon pour la clientèle dans la vingtaine qui s'y retrouve pour déguster l'une des nombreuses bières pression. Menu frais et léger disponible.

L'engouement pour les cocktails a frappé Calgary, et les meilleurs endroits pour se délasser devant un martini sont l'**Auburn Saloon** *(200 8th Ave. SW, ☎290-1012)*, l'**Embassy** *(516C 9th Ave., ☎213-3970)*, le **Quincy's** *(609 7th Ave. SW, ☎264-1000)*, qui vend également des cigares, et le **Diva** *(1154 Kensington Cr., ☎270-3739)* de Kensington.

Le **Boystown** *(213 10th Ave. SW)* réunit une foule gay, tandis que **The 318** et le **Victoria's Restaurant** *(angle 17th Ave. et Second St. SW)*, tous deux logés à la même enseigne, accueillent un public de tout horizon. Le **Rook's** est un bar détendu qui propose de succulentes ailes de poulet à 25¢ et que fréquente surtout une clientèle de lesbiennes.

Kaos Jazz Bar
718 17th Ave. SW
Le Kaos Jazz Bar est un bar de jazz populaire où se produisent différentes formations. Du jeudi au samedi, il se transforme en «café d'humour» au menu intéressant.

Si vous brûlez de danser le *two-step*, la chance est avec vous car Calgary possède deux excellents bars country. Au **Ranchman's** *(9615 Macleod Trail SW)*, la piste de danse en forme de fer à cheval donne lieu à des cours de *two-step* le mardi et à des cours de danse en ligne le mercredi; les autres soirs, attendez-vous à retrouver l'endroit bondé. Quant au **Rockin' Horse Saloon** *(7400 Macleod Trail SE)*, il s'impose comme le rendez-vous par excellence des vrais cow-boys et cow-girls. Pour danser le *two-step* au centre-ville, rendez-vous au **Cowboy's** *(826 5th St. SW, ☎265-0699)*.

Théâtre et cinéma

L'**Alberta Theatre Projects** *(☎294-7475)* est une excellente troupe théâtrale qui présente de très bonnes pièces contemporaines.

Si vous êtes en mal de grande culture, renseignez-vous sur les programmations respectives du **Calgary Opera** *(☎262-7286)*, du **Calgary Philharmonic Orchestra** *(☎571-0270)* et de l'**Alberta Ballet** *(☎245-2274)*.

Calgary possède en outre un cinéma **Imax** situé au marché Eau-Claire *(☎974-4700)*.

Uptown Screen *(612 8th Ave. SW, ☎265-0120)* propose, pour sa part, des films étrangers dans un vieux cinéma remis à neuf du centre-ville. Vous pourrez aussi voir les grandes primeurs à l'affiche dans les différents cinémas de la ville. Consultez les quotidiens pour connaître la programmation et les heures des représentations, ou appelez les «Pages Jaunes Parlantes» *(☎521-5222)*.

Fêtes et festivals

Le **Calgary Exhibition and Stampede** n'est pas qualifié pour rien de «plus grand spectacle sur terre». Il a fait son apparition en 1912, à une époque où nombreux étaient ceux qui croyaient que l'industrie du blé finirait par surclasser l'élevage, et devait être une occasion unique de rendre un dernier hommage aux talents des cow-boys traditionnels.

Il va sans dire que l'élevage a continué à prospérer, et ce spectacle annuel n'a cessé de remporter un vif succès depuis. Chaque fois que revient juillet, quelque 100 000 personnes convergent vers le Stampede Park pour assister à cet événement grandiose. Le tout débute par un défilé, qui part à l'angle de 6th Avenue SE et de 2nd Street SE à 9h, mais soyez-y tôt (dès 7h) si vous voulez avoir une chance de voir quoi que ce soit. La principale attraction demeure incontestablement le rodéo où cow-boys et cow-girls font valoir leurs aptitudes.

Les épreuves préliminaires se déroulent tous les après-midi à 13h30, et la grande finale a lieu au cours de la dernière fin de semaine. Les sièges réservés en vue de cet événement disparaissent très vite, et vous feriez bien de vous en procurer à l'avance si vous tenez à être de la fête. Il y a aussi des courses de chariots couverts; les éliminatoires du Rangeland Derby se tiennent chaque soir à 20h, et la finale a lieu la dernière fin de semaine.

L'**Olympic Plaza** du centre-ville devient le **Rope Square** pour la durée du festival, et l'on y sert chaque matin des petits déjeuners par l'ouverture arrière de chariots bâchés; les festivités se poursuivent ensuite toute la journée sur la place. De retour au Stampede Park, vous pourrez entre autres visiter un village amérindien et une foire agricole. Le soir venu, des spectacles mettant en vedette certaines des plus grandes étoiles de la musique country vous enchanteront. Un droit d'entrée de 8$ est exigé, donnant libre accès à tous les spectacles sauf ceux qu'on présente au Saddledome, pour lesquels vous devez vous procurer des billets à l'avance. Pour vous renseigner sur les meilleures places disponibles pour le rodéo, adressez-vous au **Calgary Exhibition and Stampede** *(P.O. Box 1060, Station M, Calgary, Alberta, T2P 2L8, ☎261-0101 ou 800-661-1260).*

Le **Festival international de jazz de Calgary** *(☎233-2628)* se tient la dernière semaine de juin. Le **Festival international des arts autochtones** *(☎233-0022)* et l'**Afrikadey** *(☎283-7119)* se déroulent tous deux la troisième semaine d'août et mettent tous deux en lumière des divertissements et des réalisations artistiques de diverses cultures à l'échelle de la planète. Enfin, le **Festival d'hiver de Calgary** *(☎543-5480)* a lieu à la fin de janvier ou au début de février.

Les **Calgary Stampeders** de la Ligue canadienne de football disputent leurs matchs locaux au **McMahon Stadium** *(1817 Crowchild Trail NW, ☎289-0205 ou 800-667-FANS)* de juillet à novembre. Quant aux **Calgary Flames** de la Ligue nationale de hockey, ils jouent à l'**Olympic Saddledome** *(angle 17th Ave. et Second St. SE, ☎261-0475 ou 777-2177)* d'octobre à avril.

Fort MacLeod

Chaque année, à la mi-juillet, l'**Annual Pow-wow** a cours au «saut de bison» de Head-Smashed-In. On érige un énorme tipi sur les lieux, à l'intérieur duquel les visiteurs peuvent assister à des danses amérindiennes traditionnelles et déguster des mets autochtones. Pour de plus amples renseignements, composez le **☎553-2731**.

Achats

L'**Eaton Centre**, le **TD Square**, le **Scotia Centre** et le magasin à rayons **The Bay** se trouvent tous sur 8th Avenue SW, de même qu'un assortiment de boutiques chics et huppées, parmi lesquelles on retrouve **Holt Renfrew** et les boutiques du **Penny Lane Hall**.

Non seulement aurez-vous du plaisir à arpenter **Kensington Avenue** et les rues avoisinantes, mais ce quartier recèle en outre une foule de magasins spécialisés plus intéressants les uns que les autres qui méritent bien un coup d'œil. L'un d'entre eux, le **Heartland Country Store** *(940 Second Ave. NW)*, vend de magnifiques poteries. Divers commerces, des cafés et des galeries d'art sont regroupés le long de 17th Avenue SW, qui se pare d'une auréole résolument à la page. Puis, sur 9th Avenue SE, à l'est de la belle rivière Elbow, dans Inglewood, les maisons embourgeoisées renferment désormais des boutiques et des cafés.

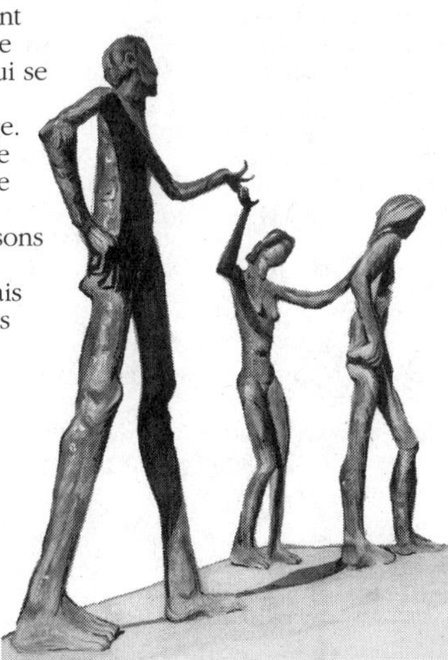

Art public (Calgary)

L'**Alberta Boot Co**. *(614 10th Ave. SW)* est l'endroit tout indiqué pour vous chausser en prévision du Stampede, avec ses bottes de tout style et de toute taille, histoire de cadrer dans le décor.

La **Mountain Equipment Co-op** *(830 10th Ave. SW)* est une coopérative a priori ouverte à ses seuls membres, mais il ne vous en coûtera que 5$ pour devenir membre, et vous ne le regretterez pas! Articles de camping et de plein air de qualité supérieure, et vêtements et accessoires sont en effet proposés ici à des prix très raisonnables.

Arnold Churgin Shoes *(221 8th Ave. SW, ☎262-3366; Chinook Centre, angle Macleod Trail et Glenmore Trail, ☎258-1818)* vend des chaussures pour dames de haute qualité à des prix raisonnables et offre un excellent service. Un rendez-vous incontournable pour toutes celles qui accusent un certain penchant pour les chaussures!

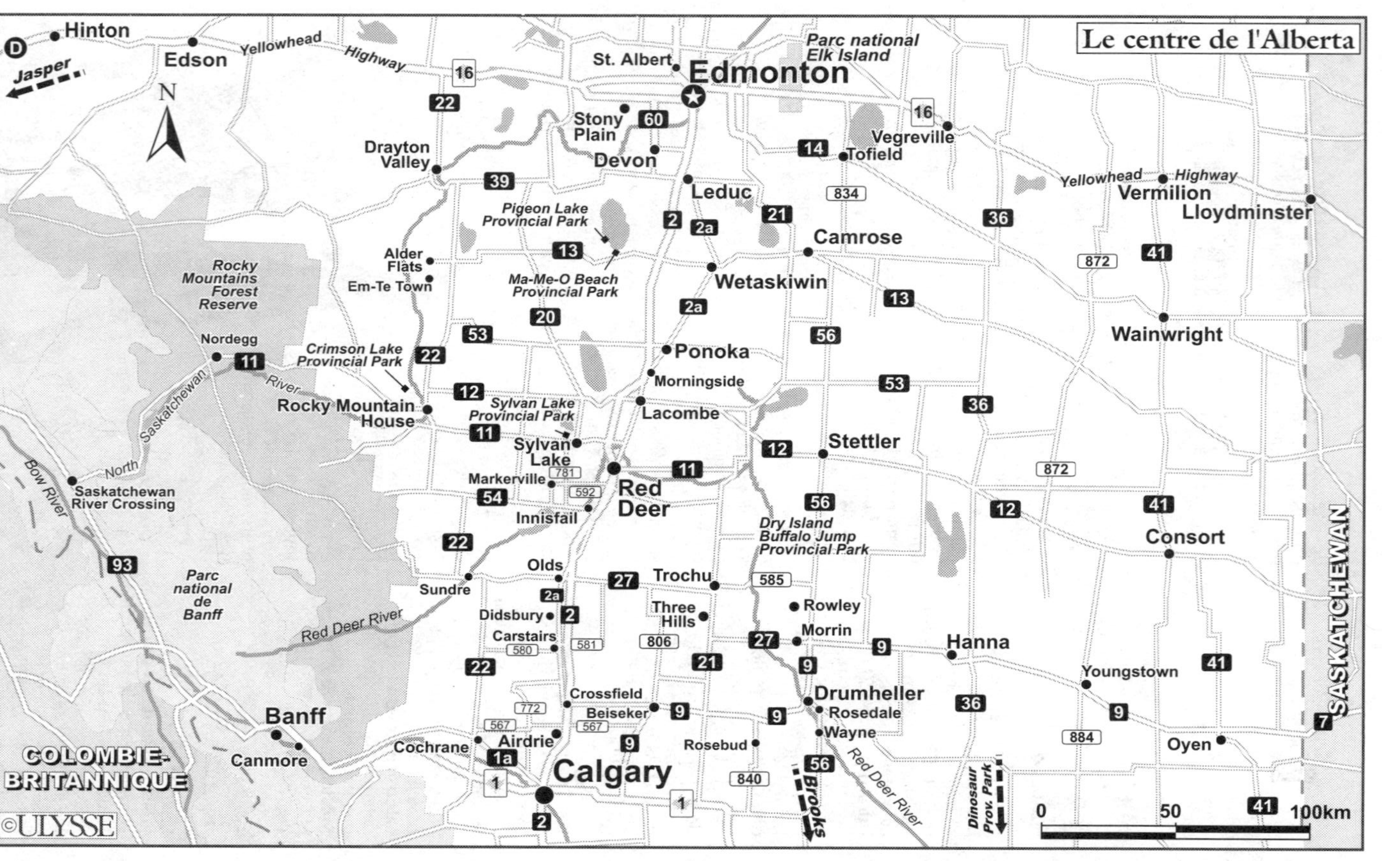
Le centre de l'Alberta
Hinton
Edson
Jasper
Yellowhead Highway
N
St. Albert
Edmonton
Parc national Elk Island
Stony Plain
Devon
Drayton Valley
Vegreville
Tofield
Leduc
Vermilion
Lloydminster
Pigeon Lake Provincial Park
Ma-Me-O Beach Provincial Park
Alder Flats
Em-Te Town
Camrose
Wetaskiwin
Rocky Mountains Forest Reserve
Nordegg
Crimson Lake Provincial Park
Ponoka
Morningside
Wainwright
Rocky Mountain House
Sylvan Lake Provincial Park
Sylvan Lake
Lacombe
Stettler
North Saskatchewan River
Bow River
Saskatchewan River Crossing
Markerville
Red Deer
Innisfail
Dry Island Buffalo Jump Provincial Park
Consort
Parc national de Banff
Olds
Sundre
Trochu
Didsbury
Three Hills
Rowley
Morrin
Hanna
Carstairs
Red Deer River
Youngstown
Crossfield
Beiseker
Drumheller
Rosedale
Wayne
Banff
Canmore
Cochrane
Airdrie
Rosebud
Oyen
Calgary
Brooks
Dinosaur Prov. Park
COLOMBIE-BRITANNIQUE
SASKATCHEWAN
©ULYSSE
0 50 100km

Le centre de l'Alberta et Edmonton

Le centre de l'Alberta couvre un vaste pan de la province qui englobe la vallée de la rivière Red Deer, les contreforts et la réserve forestière des montagnes Rocheuses de même que les terres centrales, soit une région qui recèle une quantité inestimable de ressources naturelles.

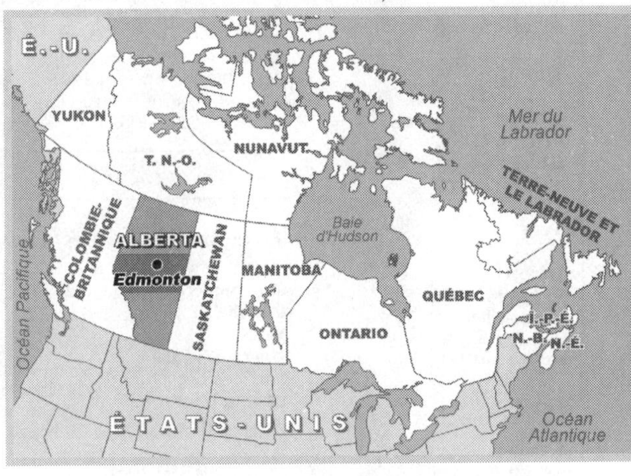

La sylviculture, l'agriculture et les exploitations pétrolières en commandent l'économie, sans toutefois oublier le tourisme, considérablement stimulé par la découverte occasionnelle d'un ou deux os de dinosaure.

Pour s'y retrouver sans mal

Les visiteurs qui désirent se rendre à Edmonton au départ de Calgary disposent de plusieurs options. L'une d'entre elles, quoique plutôt indirecte, consiste à passer par les spectaculaires montagnes Rocheuses en suivant la route 93, ce qui ne les empêche pas de ne l'emprunter qu'à l'aller et de prendre un chemin plus direct au retour.

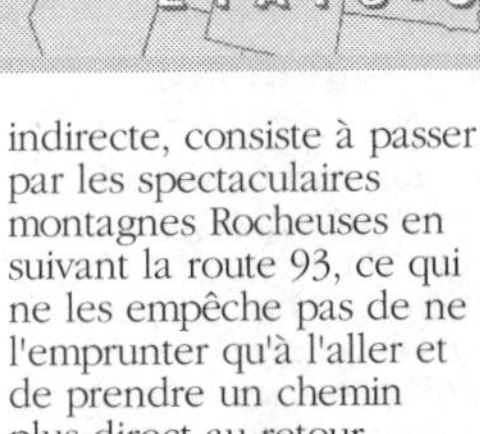

En voiture

Edmonton

Les rues d'Edmonton sont numérotées; les avenues suivent un axe est-ouest, et les rues sont orientées nord-sud. Parmi les principales artères de la ville, retenons **Calgary Trail**, qui conduit au nord de la ville (en direction nord, elle prend aussi le nom de 103rd Street, tandis qu'en direction sud il s'agit de 104th Street); **Whitemud Drive** est une artère est-ouest du sud de la ville qui permet d'accéder au West Edmonton Mall, au Fort Edmonton Park et au Valley Zoo; **Jasper Avenue** est une autre artère est-ouest, mais qui traverse le centre-ville, là où devrait normalement se trouver 101st Avenue; la route 16 ou **Yellowhead Highway** sillonne pour sa part le nord du centre-ville et donne accès au circuit du nord de l'Alberta.

Une série d'hôtels bordent Calgary Trail au sud du centre-ville et Stony Plain Road à l'ouest.

Location de voitures

Budget

Aéroport
☎(780) 448-2000
Centre-ville
10016 106th St.
☎(780) 448-2001

Hertz

Aéroport
☎(780) 890-4565
Centre-ville
☎(780) 423-3431

Tilden

Aéroport
☎(780) 890-7232
Centre-ville
☎(780) 422-6097

Avis

Aéroport
☎(780) 890-7596
Centre-ville
Sheraton Hotel, 10 235 101st St.
☎(780) 448-3892

Thrifty

Aéroport
☎(780) 890-4555
Centre-ville
10-036 102nd St.
☎(780) 428-8555

En avion

L'**Edmonton International Airport** se trouve au sud du centre-ville d'Edmonton, et ses installations et services sont très complets. Il possède des restaurants, un centre d'information, des lignes téléphoniques directes vers les hôtels, des comptoirs de location de voitures des grandes firmes, un bureau de change et une agence d'excursions.

Air Canada, Canadian International, American Airlines, Delta Airlines, Lufthansa, Northwest Airlines et United Airlines proposent toutes des vols réguliers vers cet aéroport. Les compagnies aériennes régionales (Air BC et Canadian Regional) utilisent l'aéroport municipal, situé au nord de la ville.

La **Sky Shuttle** *(11$ -18$; ☎780-465-8515 ou 800-268-7134)* est une navette qui dessert aussi bien les hôtels du centre-ville que l'aéroport municipal. Elle passe toutes les 20 min les fins de semaine, et aux demi-heures en semaine. Un taxi pour le centre-ville coûte environ 40$.

En autocar

Le centre de l'Alberta

Gare routière Greyhound de Drumheller
308 Center St.
☎(403) 823-7566
Services : restaurant, bureau d'information touristique.

Edmonton

Les autocars **Greyhound** couvrent la plus grande partie du territoire albertain. Vous pouvez vous procurer vos billets directement à l'endroit d'où vous voulez partir; aucune réservation n'est possible, mais vous obtiendrez un rabais si vous achetez votre billet sept jours à l'avance. Le service est régulier et relativement peu coûteux; à titre d'exemple, un aller simple Calgary-Edmonton coûte 40,13$. Pour de plus amples renseignements, composez le *☎(403) 265-9111 ou 800-661-8747*, *www.greyhound.ca*

Gare d'autocars Greyhound d'Edmonton
10324 103rd St.
☎(780) 413-8747 ou 420-2440
Services : restaurant, consigne automatique.

Edmonton South Greyhound Depot
5723 104th St.
☎(780) 433-1919

En train

Le train de passagers transcontinental de **VIA Rail** s'arrête à Edmonton trois fois par semaine avant de poursuivre sa route vers Jasper et Vancouver, à l'ouest, ou Saskatoon et d'autres villes plus à l'est, dans l'autre direction. Notez toutefois que VIA Rail ne dessert pas Calgary. Vous pouvez vous procurer vos billets auprès de votre agent de voyages ou directement auprès de VIA Rail en composant le *☎800-561-8630* depuis l'Ouest canadien ou le *800-561-3949* depuis les États-Unis. Vous pouvez en outre réserver vos places à bord de trains de VIA Rail à l'aide du réseau Internet *(www.viarail.ca)*. En France, **Express Conseil** *(☎01.44.77.87.94, ≠01.42.60.05.45)* peut également réserver vos billets. Les étudiants et les aînés ont droit à des prix réduits. La gare VIA se situe au 12360 121st Street, à environ 15 min du centre-ville.

Transport en commun

Le transport en commun d'Edmonton se compose d'un réseau de lignes d'autobus et d'un système de transport léger sur rail (*LRT*). Le *LRT* circule d'est en ouest le long de Jasper Avenue, vers le sud, jusqu'à l'université, et vers le nord, jusqu'à 139th Street. Il n'y a au total que 10 stations et, dans le centre-ville, le train circule sous terre. Le *LRT* est gratuit entre les stations Churchill et Grandin en semaine entre 9h et 15h et le samedi entre 9h et 18h. Le prix du ticket est de 1,60$ et celui du laissez-passer d'une journée est de 4,75$. Pour de plus amples renseignements sur les trajets et les horaires, composez le ☎***(780) 496-1611***.

À pied

Le centre-ville d'Edmonton possède son propre réseau de passerelles, connu sous le nom de **Pedway**. Les passerelles en question se trouvent aussi bien au niveau de la rue qu'au-dessus ou en dessous; sa conception pourra vous sembler quelque peu complexe au départ, mais les indications sont très claires, et vous n'aurez aucun mal à vous y retrouver une fois que vous vous serez procuré un plan au centre d'information.

Renseignements pratiques

L'indicatif régional du centre de l'Alberta est le 403.

Pour obtenir des renseignements sur à peu près tout, depuis l'état des routes en passant par les horaires de cinéma jusqu'aux parcs provinciaux, songez à utiliser les «Pages Jaunes Parlantes» *(☎493-9000)*. Une variété de messages enregistrés vous seront alors accessibles en faisant l'un ou l'autre des codes numériques qui figurent au début de l'annuaire des *Pages Jaunes*, dont un exemplaire se trouve généralement dans chaque cabine téléphonique.

Renseignements touristiques

Le centre de l'Alberta

Drumheller Tourist Information
angle Riverside Dr. et 1st St. W.
☎***823-1331***

Big Country Tourist Association
170 Centre St., P.O. Box 2308
Drumheller, T0J 0Y0
☎***823-5885***
≠***823-7942***

Red Deer Tourist Information
25 Riverview Park
☎***346-0180***

Rocky Mountain House
en été seulement
Le bureau d'information touristique se trouve dans une caravane au nord de la ville sur la route 11.
☎***845-2414***

Chambre de commerce
toute l'année
à l'intérieur de l'hôtel de ville
☎***845-5450***

Edmonton

Edmonton Tourism Civic Center
1 Sir Winston Churchill Sq., Gateway Park,
au sud du centre-ville, sur Calgary Trail
☎***496-8423 ou 800-463-4667***

Attraits touristiques

Le centre de l'Alberta

À l'emplacement actuel de la vallée de la rivière Red Deer se trouvait jadis la portion côtière d'une vaste mer intérieure; son climat s'apparentait sans doute à celui des Everglades de la Floride et constituait un habitat tout indiqué pour les dinosaures. Après l'extinction de ces derniers, la glace recouvrit le territoire et, au moment de se retirer, il y a 10 000 ans, elle creusa de profondes tranchées dans la prairie. Cette érosion de même que d'autres subséquentes ont mis au jour des ossements de dinosaures et ont donné forme à un fabuleux paysage de cheminées des fées et de coulées.

Brooks

La petite ville de Brooks constitue en outre un excellent tremplin vers le **Dinosaur Provincial Park** ★★★ (voir p 586), site du patrimoine mondial de l'Unesco depuis 1979. Le paysa-ge de ce parc se compose principalement de badlands, que les explorateurs français appelaient «mauvaises terres», du fait qu'on n'y trouvait ni nourriture ni castors.

Cette région pour le moins mystérieuse recèle des gisements fossilifères d'intérêt mondial, puisqu'on y a trouvé plus de 300 squelettes de

Alberta

dinosaures. L'eau de fonte des glaciers a d'ailleurs sculpté les badlands à même l'assise rocheuse friable, révélant du même coup des collines chargées d'ossements de dinosaures. L'érosion se poursuit aujourd'hui sous l'effet du vent et de la pluie, ce qui donne un aperçu de la façon dont ce paysage de cheminées des fées, de mesas et de gorges a pu prendre forme.

Vous trouverez dans le parc une route circulaire et deux sentiers pédestres autoguidés, mais la meilleure façon de le voir consiste à faire une visite guidée à l'intérieur de la réserve naturelle, d'accès restreint. Cela demande toutefois une certaine préparation.

Assurez-vous d'abord d'obtenir par téléphone les heures des visites guidées, à moins que vous ne préfériez vous présenter très tôt sur les lieux pour vous assurer d'une place.

Vous pourrez par ailleurs visiter la **station expérimentale du musée Tyrell** ★ *(4,50$; mi-mai à début sept tlj 9h à 21h, sept à mai lun-ven 8h15 à 16h30; ☎378-4342)* (voir p 587) pour vous initier aux fouilles archéologiques portant sur les ossements de dinosaures avant de vous lancer à l'aventure.

★★★ Drumheller

Les principaux attraits de Drumheller se trouvent le long de la Dinosaur Trail et de l'East Coulee Drive; il s'agit, entre autres, du musée royal de paléontologie Tyrell, du traversier *Blériot*, du pont suspendu Rosedale, des cheminées des fées (*hoodoos*), d'East Coulee, de la mine de charbon Atlas et du Last Chance Saloon. L'érosion dans la vallée de la rivière Red Deer a mis au jour des ossements de dino-saures et a donné forme au fabuleux paysage de cheminées des fées et de coulées qu'on peut aujourd'hui admirer à Drumheller. Outre les ossements, les premiers colons découvrirent ici du charbon, mais ce sont l'agriculture et les industries pétrolière et gazière qui soutiennent aujourd'hui l'économie locale.

La **Dinosaur Trail** ★★★ parcourt les deux rives de la rivière Red Deer. Votre premier arrêt sur la route 838 ou North Dinosaur Trail se fera au **Homestead Antique Museum** *(3$; mi-mai à mi-oct tlj 9h à 17h; juil et août jusqu'à 20h; ☎823-2600)*, qui possède une collection de 4 000 objets datant de l'époque des premiers colons, mais qui ne constitue pas pour autant le clou du circuit.

Votre deuxième arrêt sera le **Royal Tyrell Museum of Paleontology** ★★★ *(6,50$; mi-mai à sept tlj 9h à 21h, oct à mi-mai mar-dim 10h à 17h; 6 km à l'ouest de Drumheller sur la route 838, ☎823-7707 ou 888-440-4240, www.tyrellmuseum.com)*, ce gigantesque musée qui renferme plus de 80 000 spécimens, y compris 50 squelettes complets de dinosaures. Vous y trouverez des éléments d'exposition à interaction tactile, des ordinateurs, de la fibre optique et des projections audiovisuelles. Le Royal Tyrell est également un important centre de recherche, et les visi-teurs peuvent observer le travail des scienti-fiques s'affairant à net-toyer des os et à pré-parer divers spécimens destinés à être exposés.

Il y a largement de quoi émerveiller les plus jeunes dans ce musée, quoique la somme de renseignements à digérer soit un peu trop considérable. Des expositions spéciales se renouvellent constamment. Vous pourrez enfin participer à la fouille du jour, soit la **Day Dig** *(85$; incluant un repas, le transport jusqu'au musée et l'admission; 10 ans et plus; juil et août tlj, mi-mai à fin juin sam-dim)*, ce qui vous donnera l'occasion de visiter une fosse à dinosaures et de déterrer vous-même des fossiles; ou encore à l'observation des fouilles, soit la **Dig Watch** *(12$; tlj 10h, midi, 14h; départ au musée)*, une visite guidée de 90 min d'un véritable site d'excavation où l'on procédera sous vos yeux à des fouilles. Téléphonez à l'avance pour connaître les heures des fouilles accessibles au public.

Votre troisième arrêt se fera à la plus petite église du monde, la **Little Church**, qui peut accueillir «10 000 personnes, mais seulement 6 à la fois». Ce lieu de culte de 2,13 m sur 2,13 m a ouvert ses portes en 1958 et semble avoir eu une plus grande popularité auprès des vandales qu'auprès des fidèles, si bien qu'on a dû le reconstruire en 1990.

À Drumheller, engagez-vous sur l'**East Coulee Drive** ★★★, aussi dénommée **Hoodoo Trail**, qui longe la rivière Red Deer en direction du sud-est. La ville de **Rosedale** s'étendait à l'origine de l'autre côté de la rivière, à côté de la mine Star. Le pont suspendu qui enjambe la Red Deer ne semble pas très solide, mais on le dit sûr pour ceux et celles qui désireraient l'emprunter. Faites un détour pour traverser les 11 ponts qui permettent d'accéder à **Wayne**.

Ces ponts seront sans doute le clou de votre périple, car le principal attrait de la ville, l'hôtel Rosedeer et son **Last Chance Saloon** (saloon de la dernière chance), laisse quelque peu à désirer. Le troisième étage est fermé car, selon plusieurs, l'esprit d'un meurtrier du début du XIXe siècle y rôde toujours. On loue ici des chambres, mais contentez-vous d'une bière et d'un soupçon de nostalgie. Vous pouvez aussi y déguster un bon steak cuit sur le grill! À mi-chemin entre Rosedale et East Coulee, vous apercevrez certaines des **cheminées des fées** ★★★ les plus spectaculaires du centre de l'Alberta; ces étranges formations aux allures de champignons sont créées par l'érosion du calcaire friable qui se trouve dans le sous-sol. **East Coulee**, la ville qui a failli disparaître, comptait à une certaine époque 3 000 habitants, mais seulement 200 personnes y vivent aujourd'hui.

L'**East Coulee School Museum** *(2,15$; été tlj 9h à 18h, hiver fermé sam-dim; ☎822-3970)* occupe une ancienne école datant de 1930. À l'intérieur, vous trou-verez une salle d'expo-sition et un salon de thé. Bien que la mine de charbon Atlas ait mis fin à ses activités en 1955, l'**Atlas Coal Mine Museum** *(3$; mai à oct tlj 9h à 18h; ☎822-2220)* maintient l'endroit en vie à ce jour.

Le dernier culbuteur en existence au Canada (un dispositif permet-tant de charger les chariots de charbon) se trouve parmi les bâtiments de la mine, que vous pouvez explorer à votre guise ou en participant à une visite guidée. L'excentrique propriétaire du Wildhorse Saloon, établi devant la mine, a joué un rôle de premier plan dans le sauvetage du School Museum et de l'Atlas Coal Mine. Ne buvez rien qui n'ait été embouteillé sur place.

Rocky Mountain House

Bien qu'elle porte un nom évocateur, Rocky Mountain House ne désigne pas une pittoresque cabane en rondins située en plein bois, mais plutôt une petite ville servant de tremplin vers les majestueuses montagnes Rocheuses.

La ville, que les gens d'ici appellent tout simplement *Rocky*, ne compte que 6 000 habitants et constitue une zone de transition entre la tremblaie canadienne et les montagnes. Son cadre exceptionnel est certes l'un des grands atouts de cette localité, qui n'en offre pas moins toute une gamme de services : des hôtels, des stations-service et des restaurants.

Tout juste aux limites de Rocky apparaît toutefois le centre d'intérêt qui lui vaut son nom, le Rocky Mountain House National Historic Site, près duquel on peut s'adonner à une foule d'activités de plein air comme la descente de rivière en canot de voyageur, le golf, la pêche, la randonnée pédestre et le ski de randonnée à l'intérieur du Crimson Lake Provincial Park.

Le **Rocky Mountain House National Historic Park** ★★ *(2,25$; mai à sept tlj 10h à 18h, téléphonez pour connaître les heures d'ouverture en hiver; 4,8 km au sud-ouest de Rocky sur la route 11A, ☎845-2412)* s'impose comme le seul et unique parc historique national de l'Alberta, et il renferme pas moins de quatre sites historiques connus. Ce parc s'avère particulièrement intéres-sant en ce qu'il illustre, peut-être mieux que n'importe quel autre poste de traite, le lien incontournable qui existe entre la traite des fourrures et la découverte ainsi que l'exploration du Canada.

Le centre d'accueil des visiteurs présente une exposition des plus intéressantes sur l'époque de la traite des fourrures à Rocky Mountain House, tout en jetant un regard sur l'habillement des Amérindiens des Prairies et sur la façon dont il s'est modifié après l'arrivée des traiteurs de pelleteries; s'y ajoutent des objets divers ainsi que des témoignages des premiers explorateurs.

Vous pourrez aussi y visionner de nombreux documentaires réalisés par l'Office national du film. Deux sentiers d'interprétation ponctués de postes d'écoute (en anglais et en français) sillonnent le site en bordure de la rivière aux flots rapides qu'est la North Saskatchewan. Arrêtez-vous près de l'enclos de bisons et des différents sites de démonstration, comme celui où l'on prépare le thé et cet autre où est exposée une barge de York, autrefois utilisée par les traiteurs de la Compagnie de la Baie d'Hudson (ceux de la Compagnie du Nord-Ouest préféraient le canot d'écorce, et ce, bien qu'il fût moins rapide). Il ne reste de l'ancien fort que deux cheminées.

Alder Flats

À l'extrémité ouest de la route 13 s'étend la petite ville d'Alder Flats, qui ne présente en elle-même que peu d'intérêt pour les visiteurs. Quelques kilomètres plus au sud cependant, une autre localité regorge d'attraits; il s'agit d'un endroit ironiquement appelé **Em-Te Town** (déformation de *empty*, qui signifie «vide»). Vous y trouverez un saloon, une prison, un atelier de harnais, une école, une église et un bazar, le tout dans un cadre agréable au bout d'un chemin de gravier.

Ce village a été construit de toutes pièces en 1978 et permet de se familiariser agréablement avec la vie d'antan dans l'Ouest, de faire des balades sur les pistes et de savourer les repas maison apprêtés à l'hôtel Lost Woman (l'hôtel de la femme perdue). D'aucuns qualifient toutefois la mise en scène de surfaite. Outre les attractions, s'y trouvent des emplacements de camping et des cabanons à louer, de même qu'un restaurant.

La route qui mène à Rocky Mountain House longe le périmètre de la Rocky Mountain Forest Reserve. À l'approche du village, des vues renversantes sur les Rocheuses se succèdent à l'horizon. La route 11 ou **David Thompson Highway** ★★★ se détache de Rocky Mountain House vers l'ouest et se faufile jusque dans l'Aspen Parkland (tremblaie canadienne) et le parc national de Banff.

Le village de **Nordegg** repose à mi-chemin de ce trajet. Outre un **musée** intéressant (le musée de Nordegg), la petite localité offre d'excellentes occasions de pêche, permet d'accéder à la Forestry Trunk Road (chemin forestier) et à son camping, et possède une auberge de jeunesse, la Shunda Creek Hostel (voir p 589). À l'ouest de Nordegg, vous ne trouverez pas de services, mis à part ceux du David Thompson Resort.

Red Deer

Red Deer est une autre de ces villes albertaines dont le vaste réseau de parcs constitue le principal attrait. Le **Waskasoo Park System** couvre une partie de la ville elle-même et de la vallée de la rivière Red Deer et est sillonné de sentiers pédestres et de pistes cyclables. Son centre d'information se trouve à l'**Heritage Ranch** *(25 Riverview Park, au bout de Cronquist Dr., ☎346-0180)*, à l'extrémité ouest de la ville; empruntez la sortie de 32nd Street sur la route 2, tournez à gauche sur 60th Street puis à gauche sur Cronquist Drive. Le ranch Heritage dispose par ailleurs d'un centre é-questre et d'abris pour les pique-niqueurs, et donne accès aux sentiers du réseau.

Le **fort Normandeau** *(entrée libre; fin mai à fin juin tlj 10h à 18h, juil à début sept tlj midi à 20h; ☎347-7550)* se trouve à l'ouest de la route 2 sur 32nd St. Le fort tel qu'il se présente aujourd'hui est en fait une réplique de la structure originale. Un poste d'arrêt situé en bordure de la rivière fut fortifié et entouré de palissades par les carabiniers de Mont-Royal, sous le commandement du lieutenant J.E. Bédard Normandeau, en prévision d'une attaque des Cris au cours de la révolte de Louis Riel en 1885.

Wetaskiwin

La ville de Wetaskiwin possède un des plus beaux musées de la province. À l'instar du musée de voitures à attelage Remington de Cardston, le Reynolds-Alberta Museum prouve une fois de plus que l'Alberta ne se limite pas à Calgary, à Edmonton et aux Rocheuses. Bien qu'il n'y ait pas grand-chose à voir à Wetaskiwin, outre le musée Reynolds et le panthéon de l'aviation, cette agréa-ble ville possède tout de même une rue principale intéressante ainsi que des hôtels et des restaurants tout à fait respectables.

Le **Reynolds-Alberta Museum** ★★★ *(6,50$; juin à début sept 9h à 19h, sept à juin mar-dim 9h à 17h; à l'ouest de Wetaskiwin sur la route 13, ☎361-1351 ou 800-661-4726)* célèbre «l'esprit de la machine» et s'avère on ne peut plus fascinant. Des programmes interactifs à l'intention des enfants donnent vie à tout ce qui s'y trouve. Une irréprochable collection d'automobiles, de camions, de bicyclettes, de tracteurs et de machines aratoires entièrement remis à neuf se laissent également contempler.

Parmi les voitures anciennes, il faut

mentionner la présence d'une des quelque 470 *Duesenberg Phaeton Royales* de modèle J à avoir été construites. Cette voiture absolument unique avait coûté 20 000$ à son propriétaire au moment de son achat en 1929! Les visiteurs du musée y apprendront par ailleurs le fonctionnement d'un élévateur de grains et pourront observer les travaux de l'atelier de réfection à travers une grande baie vitrée. On propose deux fois par jour des visites de l'entrepôt, où plus de 800 pièces attendent d'être restaurées *(1$; téléphonez au préalable pour connaître les heures de visite, et enregistrez-vous à l'accueil)*; des visites guidées d'une heure sont également organisées sur réservation.

Edmonton

Edmonton semble avoir du mal à dépoussiérer son image de marque, et ce n'est pourtant pas faute d'essayer. Le fait est que les gens persistent à n'y voir qu'une ville champignon pourvue d'un gigantesque centre commercial. Bien sûr, nul ne peut nier qu'il s'agisse d'une ville champignon, tributaire des abondantes ressources naturelles qui l'entourent, mais ce puits d'argent frais s'est largement amendé en se pourvoyant d'un centre-ville attrayant, d'un réseau de parcs et de certaines des meilleures installations culturelles du Canada tout entier, ainsi qu'en témoignent ses théâtres et ses nombreux festivals (voir p 593). Quoi qu'il en soit, le plus grand attrait de cette ville semble toujours être son éléphantesque centre commercial! À vous d'en juger.

Centre-ville et rive nord de la North Saskatchewan

Commencez votre visite d'Edmonton au **centre d'information touristique** *(lun-ven 8h à 17h)*, situé à l'intérieur de l'hôtel de ville *(City Hall, 1 Sir Winston Churchill Sq.)*; ses heures d'ouverture ne sont pas très pratiques, mais son personnel ne s'en montre pas moins très amical et serviable. Tandis que vous y êtes, procurez-vous un exemplaire du *Ride Guide* pour mieux vous familiariser avec le système de transport en commun.

L'impressionnant hôtel de ville constitue la pièce maîtresse de l'**Edmonton Civic Centre**, un complexe occupant six quadrilatères qui réunit, entre autres, la Centennial Library, l'Edmonton Art Gallery, le Sir Winston Churchill Square, le palais de justice (Law Courts Building), le centre des congrès et le théâtre Citadel. Le nouvel hôtel de ville, qui se distingue par sa pyramide de verre de huit étages, a ouvert ses portes en 1992 à l'emplacement même de son prédécesseur.

Bien que la pièce maîtresse du Civic Centre soit sans doute l'hôtel de ville, il faut reconnaître que, par les temps qui courent, il se fait voler la vedette par le tout nouveau **Francis Winspear Centre for Music ★★** *(4 Sir Winston Churchill Sq.)*. D'ailleurs, grâce à ce nouveau venu dont la construction a été rendue possible par un don de six millions de dollars émanant d'un homme d'affaires local, Francis Winspear, peut-être le cœur fatigué de la cité se remettra-t-il à battre? Cette salle de concerts compte 1 900 places et arbore une façade en calcaire de Tyndall et en brique afin de s'harmoniser avec l'hôtel de ville d'une part et la Stan Milner Library d'autre part. L'orchestre symphonique d'Edmonton y a désormais élu domicile.

À l'est du Sir Winston Churchill Square apparaît l'**Edmonton Art Gallery ★★** *(3$, entrée libre jeu après-midi; lun-mer 10h30 à 17h, jeu-ven 10h30 à 20h, sam-dim 11h à 17h; ☎422-6223)*. L'entrée est libre lorsque le musée parvient à trouver des commanditaires. Les œuvres d'artistes locaux, canadiens et internationaux exposées dans ce bâtiment terne s'en trouvent malheureusement quelque peu dévalorisées, mais un nouveau curateur et des projets d'expositions enlevantes promettent de donner un second souffle à la galerie. Mérite tout de même un coup d'œil.

L'**Edmonton Police Museum ★** *(entrée libre; lun-sam 9h à 15h; 9620 103A Ave., ☎421-2274)* vous changera des musées conventionnels en ce qu'il présente l'histoire du maintien de l'ordre en Alberta. À l'étage du quartier général de la police, son exposition vous permettra d'admirer de plus près des uniformes, des menottes, des cellules carcérales et l'ancienne mascotte des forces de l'ordre.

La partie de 97th Street comprise entre 105th Avenue et 108th Avenue est le berceau du premier quartier chinois

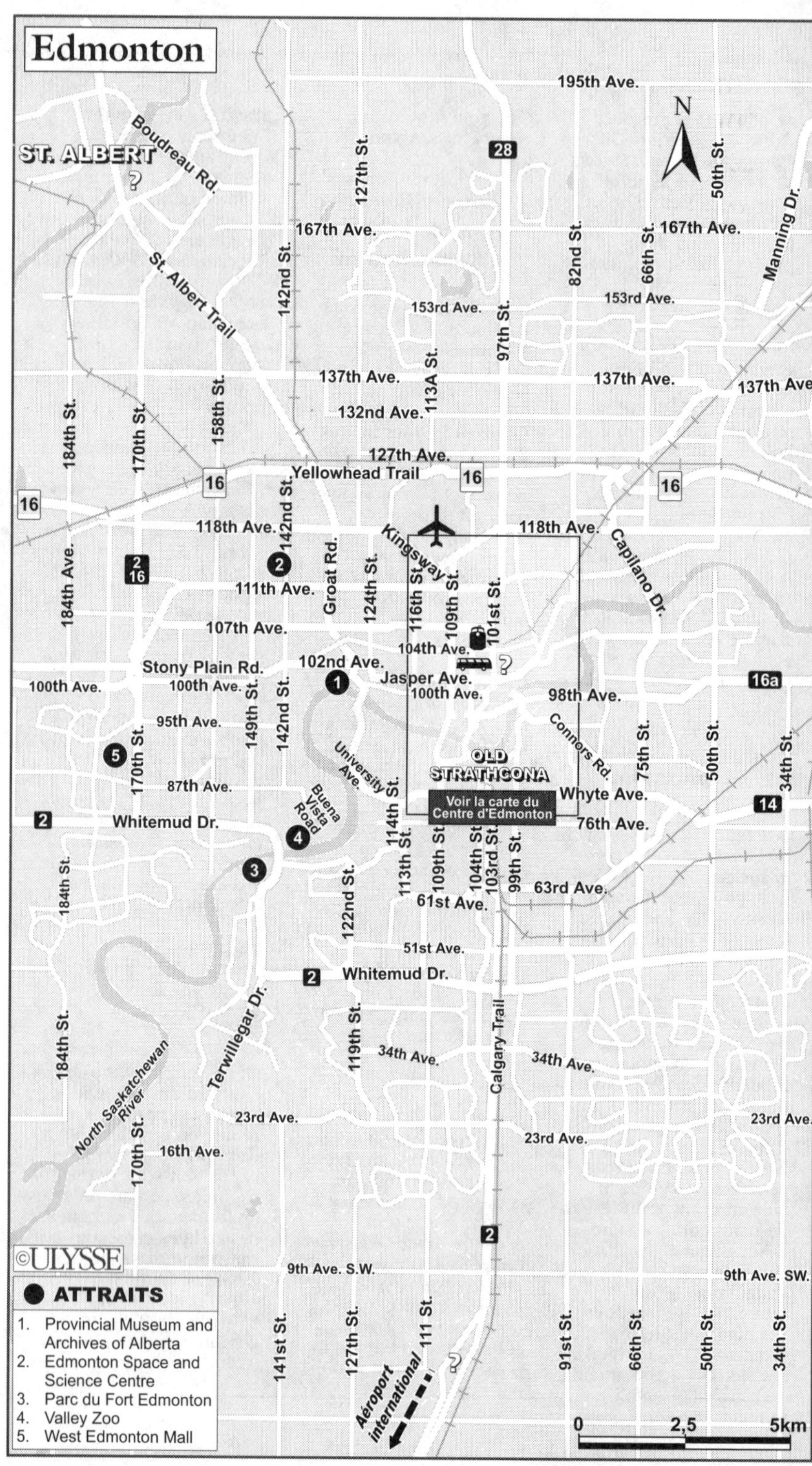
Edmonton
ST. ALBERT
Boudreau Rd.
St. Albert Trail
195th Ave.
167th Ave.
153rd Ave.
137th Ave.
132nd Ave.
127th Ave.
Yellowhead Trail
118th Ave.
111th Ave.
107th Ave.
104th Ave.
102nd Ave.
Stony Plain Rd.
100th Ave.
Jasper Ave.
98th Ave.
95th Ave.
87th Ave.
Whyte Ave.
Whitemud Dr.
76th Ave.
63rd Ave.
61st Ave.
51st Ave.
34th Ave.
23rd Ave.
16th Ave.
9th Ave. S.W.
9th Ave. SW.
184th St.
170th St.
158th St.
149th St.
142nd St.
141st St.
127th St.
124th St.
122nd St.
119th St.
116th St.
114th St.
113th St.
113A St.
111 St.
109th St.
104th St.
103rd St.
101st St.
99th St.
97th St.
91st St.
82nd St.
75th St.
66th St.
50th St.
34th St.
Manning Dr.
Capilano Dr.
Kingsway
Groat Rd.
University Ave.
Buena Vista Road
Connors Rd.
Terwillegar Dr.
Calgary Trail
North Saskatchewan River
OLD STRATHCONA
Voir la carte du Centre d'Edmonton
Aéroport international
©ULYSSE
ATTRAITS
1. Provincial Museum and Archives of Alberta
2. Edmonton Space and Science Centre
3. Parc du Fort Edmonton
4. Valley Zoo
5. West Edmonton Mall
0
2,5
5km
N

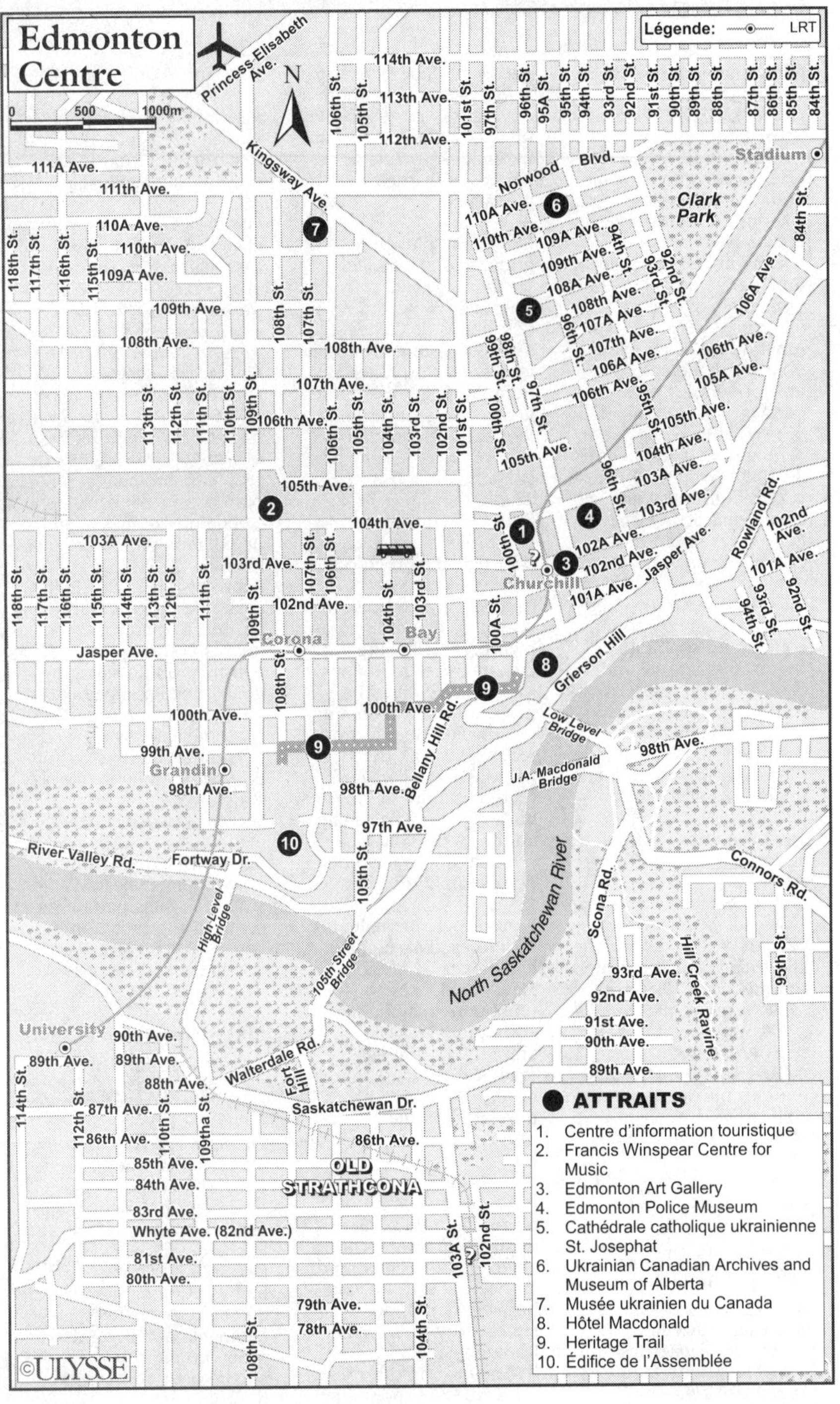

Edmonton Centre
Légende: LRT
ATTRAITS
1. Centre d'information touristique
2. Francis Winspear Centre for Music
3. Edmonton Art Gallery
4. Edmonton Police Museum
5. Cathédrale catholique ukrainienne St. Josephat
6. Ukrainian Canadian Archives and Museum of Alberta
7. Musée ukrainien du Canada
8. Hôtel Macdonald
9. Heritage Trail
10. Édifice de l'Assemblée
Stadium
Clark Park
Churchill
Corona
Bay
Grandin
University
Jasper Ave.
Kingsway Ave.
Princess Elisabeth Ave.
Norwood Blvd.
Grierson Hill
Low Level Bridge
J.A. Macdonald Bridge
Bellamy Hill Rd.
River Valley Rd.
Fortway Dr.
High Level Bridge
105th Street Bridge
North Saskatchewan River
Walterdale Rd.
Fort Hill
Saskatchewan Dr.
Scona Rd.
Connors Rd.
Hill Creek Ravine
Rowland Rd.
OLD STRATHCONA
Whyte Ave. (82nd Ave.)
©ULYSSE

d'Edmonton, truffé de boutiques et de restaurants, tandis qu'entre 95th Street et 116th Street s'étend sur 107th Avenue un secteur connu sous le nom d'«Avenue des Nations», dont les commerces et les restaurants représentent une variété de cultures originaires d'Asie, d'Europe et des Amériques. Des pousse-pousse à l'orientale transportent les passants pendant la belle saison.

À l'angle de 97th Street et de 108th Avenue se dresse la **cathédrale catholique ukrainienne St. Josephat** ★. D'entre les nombreuses églises ukrainiennes d'Edmonton, celle-ci est la plus richement ornée, et un arrêt s'impose pour contempler son admirable décor ainsi que ses œuvres d'art. Une rue plus à l'est, 96th Street figure dans le *Ripley's Believe It or Not* comme la rue comptant le plus d'églises (16 au total) sur une aussi courte distance. On l'appelle aussi d'ailleurs Church Street (la rue de l'Église).

Empruntez 96th Street vers l'est, puis 110th Avenue vers le nord jusqu'à l'**Ukrainian Canadian Archives and Museum of Alberta** ★ *(dons appréciés; mar-ven 10h à 17h, sam midi à 17h; 9543 110th Ave.,* ☎*424-7580)*, qui renferme une des plus importantes collections d'archives ukrainiennes au Canada. On y fait la chronique des pionniers ukrainiens et de leur mode de vie au tournant du XIXe siècle à travers des objets variés et des photographies. Une dizaine de rues plus à l'ouest, vous trouverez le **Musée ukrainien du Canada** ★ *(entrée libre; juin à août lun-ven 9h à 16h, en hiver sur rendez-vous seulement; 10611 110th Ave.,* ☎*483-5932)*, de moindre envergure, qui expose une collection de costumes ukrainiens, d'œufs de Pâques et d'articles ménagers.

Fidèle à la plus pure tradition du Canadien Pacifique, l'**hôtel Macdonald** ★★, qui revêt des allures de château, s'impose comme l'endroit le plus chic où loger à Edmonton. Réalisé par les architectes montréalais Rosset et MacFarlane, et achevé en 1915 sous les auspices de la Grand Trunk Railway Company, il fut pendant de nombreuses années le pôle d'attraction et le rendez-vous par excellence d'Edmonton. Le boulet de démolition passa bien près de le faire disparaître au moment de sa fermeture en 1983, mais, au bout du compte, des travaux de réfection réalisés au coût de 28 millions de dollars lui rendirent toute sa gloire. Si vous n'y logez pas, faites-y au moins un saut, ne serait-ce que pour profiter de ses sanitaires.

Votre prochaine halte est l'édifice de l'Assemblée législative. De l'hôtel Macdonald, cela vous fera une bonne marche, mais vous aurez plaisir à emprunter la **Heritage Trail** ★★★, entièrement bordée d'arbres. Ce tronçon de route historique qu'empruntaient les traiteurs de pelleteries entre la vieille ville et l'ancien fort Edmonton représente une bonne demi-heure de marche, essentiellement le long de la rivière. Un trottoir de briques rouges, des lampadaires à l'ancienne et les panneaux d'identification des rues vous aideront à rester sur la bonne voie. La vue sur la rivière, le long de Macdonald Drive, est particulièrement remarquable, surtout au coucher du soleil.

Le dôme en voûte de 16 étages de l'**édifice de l'Assemblée** ★★ *(mi-mai à début sept lun-ven 9h à 17h, sam-dim 9h à 17h; sept à mai lun-ven 9h à 16h30, sam-dim midi à 17h nov à fév fermé sam; visite guidée; les visites guidées se font aux heures le matin, et aux demi-heures le soir; angle 107th St. et 97th Ave.,* ☎*427-7362)*, de style édouardien, est un point de repère dans le ciel d'Edmonton. Du grès de Calgary, du marbre du Québec, de la Pennsylvanie et de l'Italie, ainsi que du bois d'acajou du Belize, ont tous été utilisés pour la construction du siège du gouvernement albertain en 1912. À cette époque, l'Assemblée législative se trouvait tout à côté du fort Edmonton. Aujourd'hui, la structure est entourée de jardins et de fontaines. Ne manquez surtout pas de visiter les serres gouvernementales du côté sud. Les visites partent du centre d'interprétation, où l'on vous renseigne sur la tradition parlementaire de l'Alberta et du Canada.

Old Strathcona et rive sud de la North Saskatchewan

Dirigez-vous vers **Old Strathcona** ★★★. Jadis une ville indépendante d'Edmonton, Strathcona a été fondée au moment où le chemin de fer de la Calgary and Edmonton Railway Company s'acheva en ces lieux en 1891. Des bâtiments de brique de cette époque subsistent encore dans ce quartier historique, le mieux préservé de la région métropolitaine d'Edmonton. Tandis que la partie de la ville qui s'étend au nord de la rivière North Saskatchewan se veut à la fois propre, pimpante et fraîche, imprégnée du cachet inachevé d'une ville frontière, ce sentiment de vieille ville devient beaucoup plus manifeste au sud de la rivière, à Old Strathcona, où flotte une atmosphère historique, artistique et cosmopolite. Vous trouverez des plans de promenade autoguidée à l'**Old Strathcona Foundation** *(lun-ven 8h30 à 16h30; 10324 Whyte Ave., Suite 401, ☎433-5866)*.

Autres attraits

Les quatre serres en forme de pyramide du **Muttart Conservatory ★★★** *(4,50$; lun-ven 9h à 18h, sam-dim 11h à 18h; 9626 96A St., près de l'intersection avec 98th Ave., ☎496-8755)* sont d'autres points de repère importants dans le ciel d'Edmonton. Sous trois de ces structures de verre poussent des fleurs respectivement caractéristiques des climats aride, tempéré et tropical. Quant à la quatrième pyramide, on y présente chaque mois une nouvelle exposition florale à couper le souffle. Vous pouvez atteindre les serres en prenant l'autobus n° 51 Sud sur 100th Street.

À environ 6 km vers l'ouest à vol d'oiseau, au nord de la rivière, se trouve le **Provincial Museum and Archives of Alberta ★★** *(6,50$;tlj 9h à 17h; 12845 102nd Ave., ☎453-9100; www.pma.edmonton.ab. ca)*. On y retrace l'histoire humaine et naturelle de l'Alberta, du crétacé à la période glaciaire et aux pictogrammes des premiers peuples indigènes de la province. L'exposition autochtone fait état du croisement des cultures amérindiennes et des premiers explorateurs et colons de la région. La galerie réservée aux sciences naturelles reproduit quatre habitats albertains, tandis que la Bug Room pullule d'insectes exotiques vivants. Des expositions temporaires viennent s'ajouter à la collection permanente. La présentation est quelque peu vieillotte, mais le contenu n'en offre pas moins une vue d'ensemble intéressante sur ce monde de contrastes qu'est l'Alberta. Prenez l'autobus n° 1 sur Jasper Avenue ou l'autobus n° 116 sur 102nd Avenue.

La **Government House ★** *(dim 13h à 17h; visites guidées aux demiheures, ☎427-2281)*, l'ancienne résidence du lieutenant-gouverneur de l'Alberta, jouxte le Provincial Museum. Ce manoir de grès de trois étages possède encore sa bibliothèque d'origine et ses lambris de chêne, et renferme des salles de conférences nouvellement rénovées. Pour vous y rendre, prenez l'autobus n° 1 sur Jasper Avenue, ou l'autobus n° 116 sur 102nd Avenue.

Toujours au nord de la rivière, vous trouverez l'**Edmonton Space and Science Centre ★** *(adulte 7$, enfant 3 à 12 ans 5$, 13 à 17 ans 6$, aîné 6$, famille 26$; mi-juin à sept, tlj 10h à 18h; sept à mi-juin, mar-dim 10h à 18h; 11211 142nd St., ☎451-3344)*. Toutes sortes d'objets plus fascinants les uns que les autres ne manqueront pas d'intéresser jeunes et moins jeunes. Vous pourrez en outre prendre part à une mission spatiale simulée au Challenger Centre, ou encore faire de la musique sur un piano géant. Le Margeret Ziedler Star Theatre présente quant à lui des spectacles multimédias, et un cinéma Imax se trouve également sur les lieux.

Dans la vallée de la rivière North Saskatchewan, en marge de Whitemud Drive et Fox Drive, s'étend le **parc du Fort Edmonton ★★★** *(7$; mai et juin lun-ven 10h à 16h, sam-dim 10h à 18h; juil et août tlj 10h à 18h; balades en carriole à l'époque des fêtes de Noël; ☎496-8787)*, le plus vaste parc historique du Canada et le site d'une authentique réplique du fort Edmonton tel qu'il apparaissait en 1846. Quatre villages historiques font revivre différentes périodes autour du fort : l'époque de la traite des fourrures au fort lui-même, l'époque de la colonisation sur la rue de 1885, l'époque du développement de la municipalité sur la rue de 1905 et l'époque de l'expansion métropolitaine sur la rue de 1920. Les bâtiments d'époque, les costumes d'époque, les voitures d'époque et les commerces d'époque, y compris un bazar, un magasin général, un saloon et une boulangerie, vous feront tous faire des bonds dans le temps. Le Reed's Bazaar et la Tea Room servent du thé anglais convenable et des *scones* de 12h30 à 17h. Des activités thématiques sont organisées pour les enfants tous les samedis après-midi. L'entrée est libre après 16h30, mais soyez-y à l'heure pour attraper le dernier train qui se rend au fort. Sachez toutefois que vous ne disposerez pas de beaucoup de temps si vous retenez cette option; il vous appartient donc de déterminer quelle importance vous accordez à cette visite.

De l'autre côté de la rivière apparaît le **Valley Zoo ★** *(5,25$, moins cher en hiver; mai et juin tlj 9h30 à 18h; juil et août jusqu'à 20h; sept à mi-oct lun-ven midi à 16h, sam-dim 10h à 18h; nov à avr tlj 9h30 à 16h; au bout de Buena Vista Rd., angle 134th St., ☎496-6911)*, un endroit de choix pour les enfants. Il aurait, au départ, été conçu autour du thème d'un conte pour enfants, mais il a pris de l'ampleur et inclut désormais un veldt africain et des quartiers d'hiver qui lui permettent de rester ouvert toute l'année. Outre des espèces plus caractéristiques de la région, on retrouve parmi ses hôtes des tigres de Sibérie et des gibbons à mains blanches. Les enfant adorent par ailleurs le manège de poneys et les balades plus exotiques à dos de chameau.

Le dernier mais non le moindre des attraits d'Edmonton, dont elle est d'ailleurs très fière, est bien entendu le **West Edmonton Mall ★★★** *(87th Ave., entre 170th St. et 178th St.)*. L'idée que des gens puissent venir à Edmonton pour son seul centre commercial, et qu'ils n'en ressortent plus, vous fait sans doute sourire, et vous vous jurez peut-être même de ne pas y mettre les pieds, histoire de ne pas jouer le jeu de toute la publicité qui l'entoure. Mais ces seules considérations devraient suffire pour vous inciter à y faire un tour, ne serait-ce que pour pouvoir dire que vous y étiez! Vous verrez de véritables submersibles au Deep-Sea Adventure, des spectacles de dauphins, des grottes sous-marines et des récifs en barrière; le plus grand parc d'attractions intérieur qui soit; une patinoire dont les dimensions sont conformes aux exigences de la Ligue nationale de hockey et où les Oilers d'Edmonton viennent s'entraîner; un golf de 18 trous; un parc nautique complet avec piscine à vagues, toboggans, rapides, benji et bassins à remous; un casino; une salle de bingo; la plus grande salle de billard en Amérique du Nord; de très bons restaurants sur Bourbon Street; une réplique pleine taille, sculptée et peinte à la main de la *Santa Maria*, le vaisseau amiral de Christophe Colomb; des copies des joyaux de la couronne britannique; une pagode en ivoire massif; des sculptures de bronze et de fabuleuses fontaines, dont une inspirée de la grande fontaine du château de Versailles; et enfin l'hôtel Fantasyland, un lieu d'hébergement qui fait entièrement honneur à son nom. Il ne faudrait bien sûr pas oublier les 800 commerces et services qui complètent l'ensemble; après tout, il s'agit d'un centre commercial! Comprenez-vous un peu mieux maintenant comment on peut ne plus vouloir en sortir? Encore une fois, bien qu'il ne s'agisse que d'un centre commercial, le West Edmonton Mall doit être vu, et il mérite très bien ses trois étoiles.

Si vous n'avez pas les moyens d'y loger dans un igloo ou dans un carrosse tiré par des chevaux, donnez-vous au moins la peine de visiter les chambres à thème du **Fantasyland Hotel & Resort** *(visite gratuite; tlj 14h; réservez à l'avance au ☎444-3000)*.

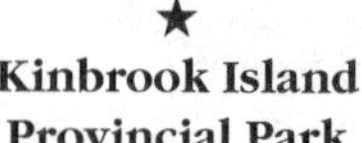

Parcs

★ Kinbrook Island Provincial Park

Les rives du lac Newell, le plus grand plan d'eau artificiel de la province, accueillent plus de 250 espèces d'oiseaux; des colonies de cormorans à aigrette et de pélicans blancs d'Amérique occupent plusieurs des îles protégées du lac. Le meilleur endroit pour observer la faune des lieux est sans doute la rive est du lac, où l'on trouve quelque 170 emplacements de camping. Des sentiers pédestres parcourent également le marais de Kinbrook. Pour de plus amples renseignements ou pour réserver, composez le ☎362-2962.

★★★ Dinosaur Provincial Park

Le Dinosaur Provincial Park donne aux paléontologues amateurs l'occasion de fouler le territoire des dinosaures. Classée site historique par l'Unesco en 1979, cette réserve naturelle recèle une mine de renseignements sur ces formidables créatures qui ont jadis vécu sur notre planète. Aujourd'hui, le parc abrite environ 35 espèces animales différentes.

Le petit musée de la **station expérimentale du musée Tyrell** *(4,50$; mi-mai à début sept tlj 9h à 21h, sept à mi-mai lun-ven 8h15 à 16h30; ☎378-4342 ou 378-4344)*, la route qui fait le tour des lieux et deux sentiers autoguidés, la **Cottonwood Flats Trail** et la **Badlands Trail**, vous donneront un bon aperçu du parc. Vous verrez deux squelettes de dinosaures à l'endroit même où ils ont été découverts. La meilleure façon de visiter le parc consiste toutefois à participer à l'une des excursions organisées dans la réserve même, qui compte pour la plus grande partie du parc et dont l'accès est restreint.

Le **Badlands Bus Tour**, d'une durée de 1 heure 30 min, vous entraîne au cœur de la réserve et permet d'admirer des paysages inoubliables, des squelettes et des animaux sauvages; quant à la **Centrosaurus Bone Bed Hike** et à la **Fossil Safari Hike**, il s'agit de deux randonnées guidées permettant d'examiner de près d'authentiques sites de fouilles. Les billets pour ces différentes activités se vendent à la station expérimentale à partir de 8h30 la journée même, et les places sont limitées (arrivez particulièrement tôt en juillet et en août). Pour vous assurer d'une place, nous vous suggérons fortement d'appeler au préalable pour vous informer des heures exactes de départ des excursions.

Ce parc possède en outre des terrains de camping et un centre de services (Dinosaur Service Centre) pourvu d'une laverie, de douches, d'aires de pique-nique et d'un comptoir d'alimentation. La cabane de John Ware, un important cow-boy noir, se trouve près du terrain de camping.

★★
Parc national Elk Island

Le somptueux **parc national Elk Island** *(4$; toute l'année; administration du parc et gardien lun-ven 8h à 16h, ☎780-992-2950; camping ☎780-938-3161)* s'attache à préserver une partie de la région des monts Beaver en son état premier, soit avant l'arrivée des colons, à l'époque où les Sarsis (Sarcee) et les Cris (Cree) des Plaines chassaient et trappaient sur ces terres.

Devenu un parc national en 1930, Elk Island est aujourd'hui une réserve naturelle de 195 km^2 pour 44 espèces de mammifères, y compris l'orignal, l'élan, le cerf, le lynx, le castor et le coyote. Il s'agit d'un des meilleurs endroits de la province pour observer les animaux sauvages. D'importants couloirs de migration aviaire passent au-dessus du parc, et vous apercevrez sans doute des cygnes trompettes en automne.

Le bureau du parc qui se trouve à la barrière sud, tout juste au nord de la route 16, est à même de vous renseigner quant aux deux terrains de camping, à l'observation des animaux et aux 12 sentiers qui sillonnent le parc, offrant d'excellentes occasions de randonnée pédestre et de ski de randonnée. Vous pourrez également pêcher et faire de la navigation de plaisance sur le lac Astotin, ou même jouer au golf sur le parcours à neuf trous du parc.

Activités de plein air

Canot et rafting

Alpenglow Mountain Adventures *(R.R.1, Rocky Mountain House, ☎780-844-4715)* propose des descentes de rivière et des excursions en kayak ou en canot sur la rivière North Saskatchewan entre Nordegg et Rocky Mountain House. Une excursion d'une journée complète coûte de 39$ à 64$, tandis qu'une excursion de deux ou trois jours peut varier entre 149$ et 249$. Cette entreprise organise aussi des excursions sur la rivière Athabasca en été et des forfaits d'escalade de glace en hiver.

Voyageur Adventure Tours *(P.O. 278, Rocky Mountain House, ☎780-845-7878 ou 932-7750)* organise pour sa part des excursions d'une ou plusieurs journées à bord de canots de voyageur. Les forfaits coûtent entre 55$ et 200$.

Randonnée pédestre et ski de fond

Le **parc national Elk Island** vous donne l'occasion d'observer une incroyable variété d'animaux sauvages. La **Shoreline Trail** (3 km aller seulement) et la **Lakeview Trail** (3,3 km aller-retour) sillonnent les environs du lac Astotin, où l'on aperçoit des castors à l'occasion. La **Wood Bison Trail** (18,5 km aller-retour) décrit une boucle autour du lac Flying Shot, dans la partie du parc qui s'étend au sud de la route 16, là où vivent les bisons des bois. Ces trois sentiers sont en outre entretenus pour le ski de randonnée pendant la saison hivernale.

Hébergement

Le centre de l'Alberta

Vous trouverez des emplacements de camping au **Kinbrook Island Provincial Park** *(☎362-2962)* de même qu'au **Dinosaur Provincial Park** *(☎378-3700)*, ce dernier offrant des installations plus complètes, entre autres des douches et une laverie automatique.

Brooks

Douglas Country Inn
77$ pdj
≡, ℜ
P.O. Box 463, T1R 1B5
☎362-2873
⇄362-2100
À 6,5 km au nord de la ville, sur la route 873, se dresse le Douglas Country Inn. On a su créer une atmosphère campagnarde détendue dans chacune des sept chambres merveilleusement décorées, de même que dans le reste de l'auberge. Le seul téléviseur de la maison trône dans une petite pièce rarement fréquentée. Sirotez confortablement le sherry que vous offre la maison au petit salon. La chambre des grands jours *(99$)* renferme une divine baignoire japonaise d'où l'on a une vue remarquable.

Drumheller

Alexandra International Hostel
membre 15$
non-membre 20$
30 Railway Ave. N., T0J 0Y0
☎823-6337
⇄823-5327
Un hôtel réaménagé du centre-ville abrite désormais l'Alexandra International Hostel. Cette auberge de jeunesse a ouvert ses portes en 1991 à la suite de travaux de rénovation, et elle est exploitée de façon indépendante en collaboration avec Hostelling International. La plupart des chambres de type dortoir renferment huit lits, bien que certaines en aient moins, et il y a même des chambres individuelles. Vous trouverez une cuisine et une laverie sur place, de même que toutes sortes de brochures instructives et un service de location de vélos de montagne.

Heartwood Manor
79-150 pdj
⊛, ≡, *tv*
320 N. Railway Ave. W., T0J 0Y4
☎823-6495 ou 888-823-6495
⇄823-4935
De loin le plus coquet établissement de la ville, le Heartwood Manor est un *bed and breakfast* aménagé dans une maison historique rénovée où le choix des couleurs, pour le moins frappant, crée une atmosphère à la fois intime et luxueuse. Un spacieux cottage et une suite de deux chambres sont également mis à votre disposition. Le petit déjeuner de crêpes s'accompa-gne de sirops de fruits maison. On parle l'an-glais et le français.

Rocky Mountain House

Voyageur Motel
58$
≡, ℂ, ℝ, *tv*
route 11 Sud
P.O. Box 1376, T0M 1T0
☎845-3381 ou 888-845-3569
⇄845-6166
Le Voyageur Motel constitue un choix pratique en raison de ses chambres spacieuses et propres, équipées d'un réfrigérateur. Des cuisinettes sont également disponibles moyennant un supplément. Chaque chambre possède son propre magnétoscope.

Walking Eagle Motor Inn
75$
≡, ℜ, *tv, bar,* ℝ
route 11
P.O. Box 1317, T0M 1T0
☎845-2804
⇄845-3685
L'intérieur en rondins du Walking Eagle Motor Inn abrite 63 grandes chambres propres, décorées dans l'esprit qui anime cet établissement typique de l'Ouest canadien. L'hôtel a fière allure depuis qu'on l'a complètement rénové et repeint. En plus, un motel entièrement neuf de 35 chambres *(80$)* a été construit juste à côté. On trouve un four à micro-ondes et un réfrigérateur dans chacune des chambres, par ailleurs un peu trop stériles et sans âme dans leurs matériaux immaculés.

Nordegg

Shunda Creek Hostel
membre 14$
non-membre 19$
⊛
à l'ouest de Nordegg
3 km au nord de la route 11
sur la Shunda Creek Recreation Area Road
☎/⇄***721-2140***
Adossée aux fabuleuses montagnes Rocheuses, au cœur du pays de David Thompson, à portée d'innombrables possibilités d'activités de plein air, brille la Shunda Creek Hostel. Ce «chalet» de deux étages dispose d'une cuisine, d'installations de lavage, d'une salle commune rehaussée d'un foyer et de 10 chambres pouvant accueillir 48 personnes au total. Il y a même un bassin à remous à l'extérieur. Vous pourrez pratiquer la randonnée pédestre, le vélo de montagne, la pêche, le canot, le ski de randonnée et l'escalade de glace dans les environs.

David Thompson Resort
70$
bp, ≡, ≈
☎***721-2103***
Le David Thompson Resort est plus un motel et un parc de caravanes qu'un complexe hôtelier à proprement parler, mais il n'en s'agit pas moins du seul lieu d'hébergement entre Nordegg et la route 93 ou Icefield Parkway, et le paysage reste imbattable. Location de bicyclettes et visites de la région en hélicoptère.

Red Deer

Nombre de congrès se tiennent à Red Deer, de sorte que les chambres de plusieurs hôtels sont souvent moins chères les fins de semaine.

McIntosh Tea House Bed and Breakfast
65$ pdj
4631 50th St., T4N 1X1
☎***346-1622***
Pendant votre séjour à Red Deer, vous pouvez loger au McIntosh Tea House Bed and Breakfast, aménagé dans l'ancienne résidence de l'arrière-petit-fils du créateur de la fameuse pomme McIntosh. Chacune des trois chambres qui se trouvent à l'étage de cette demeure victorienne en brique rouge est garnie d'antiquités. Profitez-en pour faire une partie de «dames aux pommes» dans le salon privé. On sert le thé en soirée et un petit déjeuner complet le matin.

Wetaskiwin

Rose Country Inn
55$
≡, ℜ, ℝ, *bar, tv*
4820 56th St., T9A 2G5
☎***(780) 352-3600***
⇄***352-2127***
Non loin du Reynolds-Alberta Museum (voir p 580), le Rose Country Inn représente une des meilleures affaires en ville. Chacune de ses chambres rénovées est équipée d'un réfrigérateur et d'un four à micro-ondes.

Edmonton

Le centre-ville

Edmonton International Hostel
membre 15$
non-membre 20$
≡
10422 91st St., T5H 1S6
☎***988-6836***
⇄***988-8698***
L'Edmonton International Hostel se trouve près de la gare d'autocars dans un quartier douteux; soyez donc vigilant. Installations courantes pour ce type d'établissement : laverie, cuisine commune et salle commune avec foyer, auxquelles s'ajoutent un petit dépanneur et un comptoir de location de bicyclettes.

L'Edmonton House Suite Hotel
140-195
ℜ, ℂ, ≈, ⌂, ⊙, *tv*
10205 100th Ave., T5J 4B5
☎***420-4000 ou 800-661-6562***
⇄***420-4008***
L'Edmonton House Suite Hotel est en fait une résidence hôtelière dont les suites sont équipées d'une cuisinette et disposent d'un balcon. Il s'agit d'ailleurs d'un des meilleurs établissements de ce type en ville. Il est recommandé de réserver.

Hotel Macdonald
249-295
≡, ℜ, ≈, ⊛, ⌂, ⊙, *tv*, ♿, *bar*
10065 100th St., T5J 0N6
☎***424-5181 ou 800-441-1414***
⇄***424-8017***
www.cphotel.com
L'Hotel Macdonald, fidèle à la tradition des grands châteaux, est tout simplement ahurissant. La classe qu'exsudent les chambres et les salles à manger en fait un endroit parfaitement exquis. Divers forfaits de fin de semaine sont proposés, y compris des forfaits golf et des forfaits romantiques. Téléphonez pour plus de détails.

À l'ouest du centre-ville

West Harvest Inn
72-79
≡, ℜ, ⊛, *tv, bar*
17803 Stony Plain Rd., T5S 1B4
☎***484-8000 ou 800-661-6993***
⇄***486-6060***
Le West Harvest Inn est le second des établissements économiques à très faible

distance du West Edmonton Mall. L'endroit est assez paisible et accueille bon nombre de gens d'affaires.

Best Western Westwood Inn
79$
≡, ≈, ℜ, ⌂, ⊘, *tv*
18035 Stony Plain Rd., T5S 1B2
☎483-7770, 800-557-4767 ou 800-528-1234
⇄486-1769
Le Best Western Westwood Inn se trouve lui aussi à proximité du West Edmonton Mall. Les chambres y sont un peu plus chères qu'au West Harvest Inn, mais aussi beaucoup plus grandes et confortables, sans compter qu'elles présentent un décor plus attrayant.

Edmonton West Travelodge
79-89
≈, ≡, ⊛, ♞, *tv*
18320 Stony Plain Rd., T5S 1A7
☎483-6031 ou 800-578-7878
⇄484-2358
L'Edmonton West Travelodge se présente comme un des deux hôtels relativement économiques à s'être établis tout près du West Edmonton Mall. Les chambres ont été refaites depuis peu, et il y a une grande piscine intérieure.

Fantasyland Hotel & Resort
165$
≡, ℜ, ⊛, *tv, bar*
17700 87th Ave., T5T 4V4
☎444-3000 ou 800-661-6454
⇄444-3294
www.fantasylandhotel.com
Les voyageurs venus à Edmonton pour magasiner voudront sans nul doute loger aussi près que possible du West Edmonton Mall, ce qui fait du Fantasyland Hotel & Resort le choix rêvé. Naturellement, il se peut aussi que vous choisissiez de loger ici pour le simple plaisir de passer la nuit sous des cieux africains ou arabes!

Old Strathcona et rive sud de la North Saskatchewan

Southbend Motel
44$
ℂ, ♞, *tv*
5130 Calgary Trail Northbound T6H 2H4
☎434-1418
⇄435-1525
Pour un prix très raisonnable, vous pourrez descendre au Southbend Motel, dont les chambres ne sont plus toutes fraîches certes, mais où, sans avoir à débourser un sou de plus, vous pourrez profiter de toutes les installations du Best Western Cedar Park Inn voisin. Parmi celles-ci, retenons la piscine et le sauna.

Best Western Cedar Park Inn
104-149
≡, ℜ, ≈, ⌂, ⊘, ♞, *tv*, ⊛
5116 Calgary Trail Northbound
☎434-7411 ou 800-661-9461
⇄437-4836
Le Best Western Cedar Park Inn est un grand hôtel de 190 chambres toutes plus spacieuses les unes que les autres. Certaines d'entre elles sont thématqiues *(150$)*, ce qui, en fait, signifie qu'elles possèdent une baignoire à remous à deux places, un lit très grand format, une salle de séjour et un décor plus recherché. Des spéciaux de fin de semaine sont disponibles, et une limousine peut gratuitement vous emmener à l'un ou l'autre des aéroports ou au West Edmonton Mall.

Restaurants

Le centre de l'Alberta

Brooks

Peggy Sue's Diner
$
603 Second St. W.
Le Peggy Sue's Diner est un petit restaurant exploité par une famille. Dégustez sur place ou emportez un sandwich à la viande fumée, un hamburger, des frites bien à point ou une délicieuse *mud pie* (littéralement «tarte à la boue»), cette pâte friable garnie d'une crème chocolat et couronnée de chantilly.

Drumheller

Yavis Family Restaurant
$$
Valley Plaza
249 3rd Ave. W.
☎823-8317
Le Yavis Family Restaurant existe depuis des années. L'intérieur en est plutôt commun, tout comme le menu, quoique les plats proposés soient très bons et que les petits déjeuners soient carrément exceptionnels.

Sizzling House
$$
160 Centre St.
☎823-8098
La Sizzling House est également recomman-dée par les gens du coin. On y sert une savoureuse cuisine thaïlandaise, et l'endroit est tout indiqué à l'heure du déjeuner. Service rapide et amical.

Cochrane

Home Quarter Restaurant & Pie Shoppe
$$
216 First St. W.
☎ *932-2111*
L'amical Home Quarter Restaurant & Pie Shoppe est le berceau du toujours populaire Rancher's Special, ce petit déjeuner d'œufs au bacon et à la saucisse. Des tartes maison peuvent également être savourées sur place ou emportées. Au déjeuner et au dîner, le menu se compose entre autres d'un délicieux poulet au parmesan.

Red Deer

City Roast Coffee
$
4940 50th St.
☎ *347-0893*
Le City Roast Coffee se distingue par ses potages et ses sandwichs nourrissants au déjeuner, sans oublier son bon café. Les murs sont couverts d'affiches annonçant des expositions et divers événements locaux.

Wetaskiwin

The MacEachern Tea House & Restaurant
$-$$
lun-sam jusqu'à 16h30
juil et août tlj 10h à 16h
4719 50th Ave.
☎ *352-8308*
The MacEachern Tea House & Restaurant sert des cafés de spécialité et plus de 20 thés différents. Le menu se compose de chaudrées et potages maison tout à fait nourrissants, mais aussi de sandwichs et de salades.

Edmonton

Centre-ville

Cheesecake Café Bakery Restaurant
$
17011 100th Ave.
☎ *486-0440*
10390 51st Ave.
☎ *437-5011*
Le Cheesecake Café Bakery Restaurant propose une quantité incroyable de gâteaux au fromage. Que dire de plus?

Vi's by the River
$$
9712 111th St.
☎ *482-6402*
Le Vi's est établi dans une maison entièrement réaménagée qui surplombe la vallée de la rivière North Saskatchewan. Ses plats inventifs et savoureux sont servis dans plusieurs petites salles à manger, de même que, au cours de la saison estivale, sur une terrasse d'où vous jouirez d'une vue spectaculaire et de couchers de soleil incomparables. Le service peut devenir lent lorsqu'il y a foule, mais la tarte au chocolat et aux pacanes qui vous attend au dessert vaut bien un peu de patience.

La Bourbon Street du **West Edmonton Mall** voit se succéder une série de restaurants de catégorie moyenne. Le **Café Orleans** *($$)* se spécialise dans les mets créoles et cajuns; le **Sherlock Holmes** *($$)* propose des repas typiques des pubs anglais; le **Albert's Family Restaurant** *($)* sert des sandwichs à la viande fumée de Montréal, et le **Modern Art Café** *($-$$; ☎444-2233)* est un nouveau bistro international cuisinant des pizzas, des pâtes et des biftecks dont tous les éléments du décor peuvent être achetés (tableaux, meubles, etc.).

Bistro Praha
$$$
10168 100A St.
☎ *424-4218*
Le premier bistro à l'européenne d'Edmonton, le Bistro Praha, s'est acquis une grande popularité, qui se reflète dans ses prix. La soupe au chou, le *wiener schnitzel*, le filet mignon, les tourtes et les strudels, tous des favoris, sont présentés dans un décor raffiné et confortable.

La Bohème
$$$
6427 112th Ave.
☎ *474-5693*
La Bohème se trouve à l'intérieur de l'édifice Gibbard, magnifiquement restauré. Une délicieuse variété d'entrées et de plats principaux à la fois classiques et originaux, inspirés de la cuisine française, vous y attend dans un cadre on ne peut plus romantique au coin du feu. Il y a même un *bed and breakfast* à l'étage.

Claude's on the River
$$$$
9797 Jasper Ave.
☎ *429-2900*
Le Claude's on the River compte parmi les meilleurs établissements d'Edmonton. La vue exceptionnelle sur la vallée, le menu raffiné (carré d'agneau australien servi dans une croûte provençale et autres fins mets français) et la carte des vins plutôt complète y sont tous pour quelque chose.

Hy's Steakloft
$$$$
10013 101A Ave.
☎ *424-4444*
Comme son pendant de Calgary, le Hy's Steakloft

propose de juteux steaks albertains cuits à la perfection. Des plats de pâtes et de poulet s'ajoutent au menu. Une magnifique verrière trône sur le décor huppé de ce restaurant.

Old Strathcona et rive sud de la North Saskatchewan

Café La Gare
$
10308A 81st Ave.
☎439-2969
Parmi les nombreux cafés d'Old Strathcona, le Café La Gare semble surclasser tous les autres. Ses chaises et ses tables en devanture rappellent celles des cafés parisiens. On ne sert ici que des *bagels* et des *scones*. L'endroit baigne dans une mystérieuse atmosphère intellectuelle.

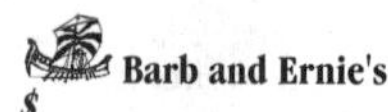
Barb and Ernie's
$
9906 72nd Ave.
☎433-3242
Barb and Ernie's est un petit restaurant exceptionnellement populaire qui sert de bons repas à bon prix dans une ambiance amicale et sans prétention. Parce qu'il est particulièrement achalandé à l'heure du petit déjeuner, attendez-vous à devoir patienter un peu avant qu'on ne vous assigne une table, mais vous pouvez décider de venir plus tard étant donné que le petit déjeuner est servi jusqu'à 16h.

Block 1912
$
10361 Whyte Ave.
☎433-6575
Le Block 1912 est un café à l'européenne qui a gagné un prix pour ses efforts en vue d'embellir le quartier d'Old Strathcona. Avec son agencement de tables, de chaises et de canapés, son intérieur fait songer à une salle de séjour comme on en trouve dans nombre de foyers. La lasagne compte parmi les meilleurs choix offerts au menu, d'ailleurs simple. La douce musique et l'atmosphère décontractée des lieux se prêtent fort bien à une discussion entre amis ou à un agréable dîner en tête-à-tête.

Turtle Creek
$$
8404 109th St.
☎433-4202
Le Turtle Creek est un favori d'Edmonton pour plusieurs raisons, dont les moindres ne sont certes pas ses vins californiens ni son ambiance détendue. Les plats qu'on y sert reflètent très bien les plus récentes tendances des cuisines californienne et fusion, quoique de façon assez prévisible. Le brunch de fin de semaine constitue une bonne affaire, et le stationnement intérieur est gratuit.

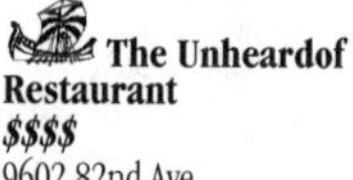
The Unheardof Restaurant
$$$$
9602 82nd Ave.
☎432-0480
The Unheardof Restaurant : le nom de cet établissement («un restaurant comme on n'en a jamais entendu parler») lui sied et ne lui sied pas. En effet, on ne peut plus dire de ce restaurant qu'il est vraiment unique en son genre, mais il continue néanmoins à faire figure d'exception à Edmonton. Récemment agrandi, il propose un menu à la carte ainsi qu'une table d'hôte. Le menu change aux deux semaines, mais on y retrouve habituellement des plats de gibier frais en automne et de poulet ou de bœuf le reste de l'année, de même que de délicieux repas végétariens. La nourriture, est-il besoin de le dire, est exquise et raffinée. Réservation obligatoire.

Sorties

Edmonton

Le ***Vue Weekly*** est un hebdomadaire gratuit d'information et de divertissement qui présente tous les événements courants de la ville.

Bars et discothèques

Le **Barry T's** *(104th St.)* est un bar sportif qui attire une jeune clientèle avec son mélange de musiques country et populaire. Le **Club Malibu** *(10310 85th Ave.)* est fréquenté par de jeunes professionnels. Le **Thunderdome** est un autre établissement très couru qui présente de grandes vedettes du rock-and-roll. Il se passe toujours quelque chose au **Sidetrack Café** *(10333 112th St.)*, un resto-bar proposant un mélange de comédie et de concerts de rock ou de jazz.

Le **Sherlock Holmes** *(10012 101A Ave.)* propose un choix impressionnant de bières pression anglaises et irlandaises; son atmosphère décontractée semble attirer une foule mixte. Le **Yardbird Suite** *(10203 86th Ave.)* est le siège de la section locale de la Jazz Society et il présente des concerts tous les soirs de la semaine; un faible droit d'entrée est exigé. Quant au **Blues on Whyte** *(10329 82nd Ave.)*, il présente des spectacles sur scène.

Rebar
10551 Whyte Ave.
☎433-3600
Le Rebar est un bar au décor recherché qui accueille souvent des artistes du mouvement techno. On peut ainsi y voir défiler de nombreux DJ chaque semaine ainsi que des groupes de musique alternative.

The Roost
10345 104th St.
☎426-3150
The Roost se distingue comme un des rares bars gays d'Edmonton.

Cook County Saloon
8010 103rd St.
Bien connu comme le plus important bar country de la ville, le Cook County Saloon donne des cours amateurs de danse en ligne et dispose d'un taureau mécanique pour tous les cow-boys de salon en quête de huit secondes d'adrénaline.

Théâtre et salles de spectacle

Le tout nouveau mega-complexe cinématographique **Silver City** *(West Edmonton Mall; ☎444-1242)* a ouvert ses portes en mai 1999. Les 12 salles modernes et confortables proposent les toutes dernières incontournables productions hollywoodiennes. On y trouve également un écran Imax.

Le **Citadel Theatre** se présente comme un immense complexe de cinq salles. Toutes sortes de spectacles y sont présentés, depuis les pièces de théâtre pour enfants en passant par les œuvres expérimentales jusqu'aux grandes productions. Pour de plus amples renseignements, adressez-vous au guichet en composant le ***☎426-4811*** ou ***425-1820***.

The Northern Light Theatre *(☎471-1586)* présente des pièces innovatrices et intéressantes.

Pour ne pas laisser dépérir votre culture classique, informez-vous des programmations de l'**Edmonton Opera** *(☎429-1000)*, de l'**Edmonton Symphony Orchestra** *(à l'intérieur du Francis Winspear Centre for Music; billetterie ☎428-1414)* et de l'**Alberta Ballet** *(☎428-6839)*.

Fêtes et festivals

Edmonton est réputée pour être une ville de festivals, et les **Edmonton's Klondike Days** constituent sans doute l'événement le plus important de tous. À l'époque de la ruée vers l'or du Klondike, au Yukon, on incita nombre de prospecteurs à emprunter «la route canadienne d'un bout à l'autre» au départ d'Edmonton. Cette route devait se révéler quasi impraticable, et aucun de ceux qui s'y engagèrent n'atteignit le Yukon avant la fin de la grande ruée. Ce lien pour le moins ténu avec la ruée vers l'or n'en donne pas moins l'occasion aux habitants d'Edmonton de célébrer pendant 10 jours en juillet. C'est ainsi que, à partir du troisième jeudi de juillet, des festivités, des défilés, des courses de baignoires, des courses de radeaux précaires et un casino mettent la ville en effervescence. Chaque matin, des petits déjeuners de crêpes sont servis à travers la ville. Pour de plus amples renseignements, composez le ***☎423-2822***.

Parmi les autres festivals d'Edmonton, retenons le **Jazz City International Festival** *(☎432-7166)*, qui se tient pendant la dernière semaine de juin. À la fin de ce même mois et au début juillet, **The Works : A Visual Arts Celebration** *(☎426-2122)* donne lieu à des expositions d'art dans les rues de la ville. L'**Edmonton Heritage Festival** *(☎488-3378)* présente des chants et des danses du monde entier au cours de la première semaine d'août. L'**Edmonton Folk Music Festival** *(☎429-1899)*, un événement folklorique, se tient durant la deuxième semaine d'août; il est recommandé de se procurer ses billets à l'avance. Le **Fringe Theatre Festival** *(☎448-9000)* compte, quant à lui, parmi les plus importants festivals de théâtre «alternatif» de toute l'Amérique du Nord; il a lieu à Old Strathcona à partir du deuxième vendredi d'août et dure 10 jours. Enfin, le **Dreamspeakers Festival** *(☎451-5033)*, qui se tient à la fin de mai, rend hommage aux arts et à la culture autochtones.

Achats

Edmonton

Outre l'incontournable **West Edmonton Mall** *(angle 87th Ave. et 170th St.)* (voir p 586) et ses 800 commerces et services, vous trouverez des centres commerciaux plus conventionnels un peu partout au nord, au sud et à l'ouest du centre-ville.

Dans le centre-ville même, l'**Eaton Centre** et **The Bay** font honneur à leur vocation de grands magasins à rayons.

Old Strathcona sera pour vous l'occasion d'une expérience beaucoup plus intéressante côté magasinage, grâce aux originales boutiques spécialisées, aux librairies et aux magasins de vêtements pour femmes qui bordent Whyte Avenue (82nd Avenue), parmi lesquels on retrouve **Avenue Clothing Co.** et **Etzio**, de même que **104th St**. Le **Strathcona Square** *(8150 105th St.)* occupe un ancien bureau de poste entièrement réaménagé et regroupe un heureux éventail de cafés et de boutiques dans une joyeuse atmosphère de marché.

The Treasure Barrel *(8216 104th St.)* ressemble, pour sa part, à une foire d'artisanat permanente, avec des objets pour tous les goûts et de tous les prix.

High Street at 124th Street *(délimité par 124th St., 125th St., 102nd Ave. et 109th Ave.)* se présente comme une arcade extérieure où se succèdent galeries d'art, cafés et commerces divers au sein d'un joli quartier résidentiel.

Les Rocheuses

Le terme «Rocheuses» désigne, au Canada, une chaîne de hautes montagnes du Pacifique, avec des sommets variant entre 3 000 m et 4 000 m, qui est formée d'anciennes roches cristallines et métamorphiques soulevées, basculées, puis modulées par les glaciers.

Cette chaîne de montagnes orientée du nord au sud est située à cheval sur les provinces de l'Alberta et de la Colombie-Britannique, et recouvre le territoire du Yukon. Couvrant plus de 22 000 km², cette vaste région, reconnue dans le monde entier pour ses beautés naturelles hors du commun, accueille des millions de visiteurs chaque année. Des paysages de hautes montagnes d'une rare beauté, des rivières déchaînées sur lesquelles les amateurs de descente de rapides s'en donneront à cœur joie, des lacs étales dont la couleur des eaux varie du vert émeraude au bleu turquoise, une faune diversifiée et omniprésente dans les parcs, des stations de ski renommées et un parc hôtelier d'une grande qualité concourent à rendre votre séjour inoubliable.

Pour s'y retrouver sans mal

L'accès se fait habituellement par avion à Calgary (voir p 550), Edmonton (voir p 576) ou Vancouver (voir p 642), puis en voiture jusqu'à l'entrée des différents parcs nationaux ou provinciaux.

En voiture

La situation très enclavée des Rocheuses fait de la voiture le meilleur moyen pour se déplacer. L'état du réseau routier de cette région montagneuse est généralement bon, compte tenu des vents, de la neige et de la glace qui ont tôt fait d'en endommager l'infrastructure. La conduite sur les petites routes sinueuses de montagne nécessite cependant plus d'attention et de prudence, surtout en hiver. Ne négligez pas de faire régulièrement quelques arrêts pour vous reposer et contempler les paysages grandioses.

Pour obtenir de l'information sur l'état des routes, vous pouvez téléphoner au centre d'**Environnement Canada** *(☎403-762-2088)* de Banff ou au bureau de **Banff Warden's** *(☎403-762-1450)*; pour Jasper, au service de météo *(☎403-852-3185)* ou à l'**Alberta Motor Association** *(juin à août; ☎800-222-4357)*, qui peut aussi vous venir en aide en cas de panne ou d'accident. Pour le parc national de Yoho, contactez l'office de tourisme *(☎250-343-5324 en été ou 343-6432 en hiver)* et, pour le parc national de Kootenay, les bureaux d'administration du parc *(☎250-347-9615)*.

Ces renseignements sont également donnés aux postes de péage, à l'entrée des parcs nationaux et dans tous les bureaux locaux de Parcs Canada.

En autocar

Parc national de Banff

La **gare d'autocars** *(☎403-762-6767 ou 800-661-8747)* est située à l'entrée de la ville sur Mount Norquay Road, à la jonction avec Gopher Road, et est utilisée par la compagnie Greyhound *(☎800-661-8747)* et la compagnie Brewster Transportation and Tours *(☎403-762-6700)*. Cette dernière assure le transport local et organise des excursions vers le champ de glace Columbia et vers Jasper. La gare ferroviaire **Rocky Mountainer** est située juste à côté de la gare routière sur Railway Drive. On peut se rendre au centre-ville en taxi.

Renseignements pratiques

L'indicatif régional de l'Alberta est le 403. L'indicatif régional de la Colombie-Britannique est le 604.

L'accès aux parcs canadiens des Rocheuses est soumis à des droits d'entrée assez modiques que vous devrez acquitter au poste de péage situé à l'entrée de chaque parc *(5$ par jour, 35$ par année)*.

Jusqu'à très récemment, le droit de péage n'était exigible que pour les véhicules qui pénétraient sur le site, mais désormais chaque visiteur doit payer des droits d'entrée individuels. Ce système permet à Parcs Canada d'exiger une participation financière des personnes qui viennent à pied, en train ou en autobus afin d'amortir le coût des services et des installations mis en place pour le public.

Parcs Canada exige également des droits individuels pour la pratique de certaines activités (excursions de plus d'une journée, alpinisme, activités d'interprétation...) ou l'utilisation de certaines installations, comme les piscines thermales.

Pour obtenir un exemplaire de la liste complète des droits exigibles actuellement, vous pouvez vous adresser aux postes de péage ou aux centres d'information des parcs (voir à côté) ou en composant le ☎800-651-7959.

Information touristique

Parc national de Banff et Promenade des glaciers

Banff Visitor Centre
224 Banff Ave.
P.O. Box 900
Banff, Alberta
T0L 0C0
☎(403) 762-8421 ou 762-0270
⇄(403) 762-8163

Lake Louise Visitor Information Centre
☎(403) 522-3833

Banff National Park
224 Banff Ave.
P.O. Box 900
Banff, Alberta
T0L 0C0
☎(403) 762-1550
⇄(403) 762-1551

Parc national de Jasper

Jasper Tourism and Chamber of Commerce
P.O. Box 98
632 Connaught Dr.
Jasper, Alberta
T0E 1E0
☎(403) 852-3858
⇄(403) 852-4932

Ski Jasper
☎800-473-8135

Parcs Canada
P.O. Box 10
500 Connaught Dr.
Jasper, Alberta
T0E 1E0
☎(403) 852-6220
⇄(403) 852-5601

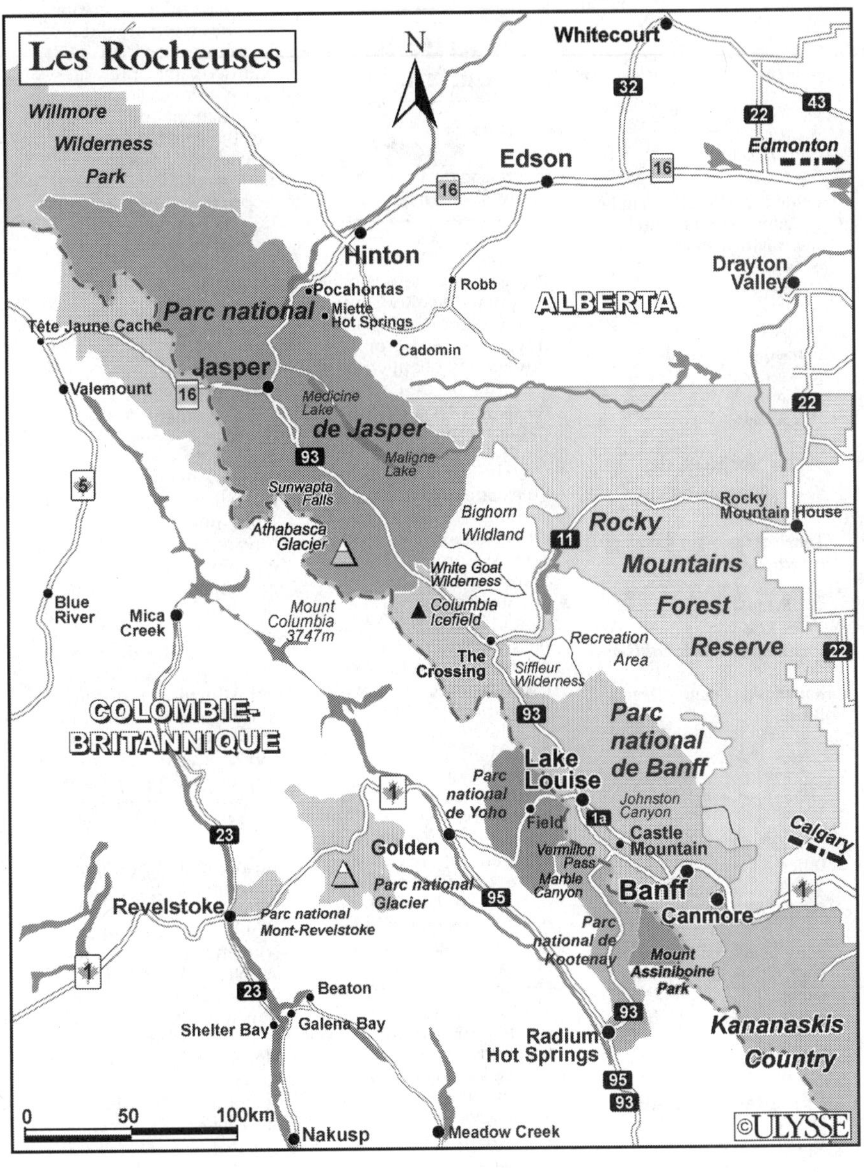

Les Rocheuses
N
Whitecourt
32
22
43
Edmonton
Willmore
Wilderness
Park
Edson
16
16
Hinton
Drayton
Valley
Robb
Pocahontas
Miette
Hot Springs
ALBERTA
Parc national
Tête Jaune Cache
Cadomin
Jasper
Valemount
16
Medicine
Lake
de Jasper
22
93
Maligne
Lake
5
Sunwapta
Falls
Bighorn
Wildland
Rocky
Mountain House
Athabasca
Glacier
11
Rocky
Mountains
Forest
Reserve
White Goat
Wilderness
Blue
River
Mica
Creek
Mount
Columbia
3747m
Columbia
Icefield
Recreation
Area
The
Crossing
Siffleur
Wilderness
22
COLOMBIE-
BRITANNIQUE
93
Parc
national
de Banff
Lake
Louise
Parc
national
de Yoho
1
Johnston
Canyon
Field
1a
Castle
Mountain
Calgary
23
Golden
Vermilion
Pass
Marble
Canyon
Banff
Parc national
Glacier
95
1
Revelstoke
Parc national
Mont-Revelstoke
Canmore
Parc
national de
Kootenay
Mount
Assiniboine
Park
1
23
Beaton
Shelter Bay
Galena Bay
93
Kananaskis
Country
Radium
Hot Springs
95
93
0
50
100km
Nakusp
Meadow Creek
©ULYSSE

Parcs nationaux de Kootenay et de Yoho

Kootenay National Park
P.O. Box 220
Radium Hot Springs, B.C.
V0A 1M0
☎(250) 347-9615

Golden and District Chamber of Commerce and Travel Information Centre
centre-ville de Golden
☎(250) 344-7125

Centre d'information touristique de Field
tlj 9h à 18h
à l'entrée de la ville
☎(250) 343-6324

Région de Kananaskis

Tourism Canmore Kananaskis
801 8th St., Canmore
T1W 2B3
☎678-1295
⇄678-1296
www.canmorekananaskis.com

Kananaskis Country Head Office
Suite 100, 3115 12th St. NE.
Calgary, Alberta
T2E 7J2
☎(403) 297-3362

Bow Valley Provincial Park Office
près du village de Seeby
☎(403) 673-3663

Peter Lougheed Provincial Park Visitor Information Centre
à 3,6 km de Kananaskis Trail (autoroute 40)
☎(403) 591-6344

Barrier Lake Information Centre
☎(403) 673-3985

Elbow Valley Information Centre
☎(403) 949-4261

Attraits touristiques

Banff

L'histoire du **Canadien Pacifique** et celle des parcs nationaux des Rocheuses sont étroitement liées. En novembre 1883, trois ouvriers du chantier de construction du chemin de fer de la vallée de la Bow partirent en direction de Banff dans le but de chercher de l'or. Tandis qu'ils atteignaient la montagne Sulphur, les deux frères William et Tom McCardell, ainsi que Frank McCabe, découvrirent des sources d'eau chaude sulfureuse. Ils prirent alors une concession afin de les exploiter, mais s'avérèrent incapables de faire face aux différentes contestations de droits de propriété qui s'en suivirent. L'attention du gouvernement fédéral fut attirée par ces querelles, et un agent fut envoyé sur place afin de contrôler la concession. La renommée des sources était déjà telle auprès des employés du chemin de fer que l'histoire parvint jusqu'au vice-président du Canadien Pacifique, qui les visita en 1885 et déclara que ces sources valaient bien un million de dollars. S'apercevant dès lors de l'énorme potentiel économique de ces sources thermales de la montagne Sulphur, que l'on appelait déjà **Cave and Basin**, le gouvernement fédéral acheta les droits de la concession aux trois ouvriers et confirma ses droits de propriété sur l'emplacement en créant une réserve naturelle dès la même année. En 1887, soit deux ans après, la réserve devint le premier parc national du Canada, qui fut appelé parc des Rocheuses, puis parc national de Banff. À cette époque, nul n'était besoin de créer un parc pour préserver une faune alors très abondante, et la mentalité des pouvoirs publics n'était pas encore à se préoccuper de la préservation des sites naturels. Par contre, il était primordial pour le gouvernement de trouver des sites économiquement exploitables qui permettraient de renflouer quelque peu les caisses de l'État, mises à mal par les travaux de construction du chemin de fer. Pour accompagner l'exploitation de Cave and Basin, déjà très en vogue auprès des riches touristes fervents de cures thermales, des infrastructures touristiques et de luxueux hôtels furent construits. Ainsi prenait forme la ville de Banff, qui est aujourd'hui devenue un haut lieu du tourisme mondial.

Au premier abord, Banff ressemble à une petite ville composée d'hôtels, de motels, de magasins de souvenirs et de restaurants accolés le long de Banff Avenue. Mais la ville offre plus à découvrir.

Un peu plus loin sur Banff Avenue, vous pourrez visiter le **Natural History Museum ★** *(3$; sept et mai 10h à 20h, juil et août 10h à 22h, oct à avr 10h à 18h; 112 Banff Ave., ☎403-762-4747)*. Ce musée retrace l'histoire des Rocheuses et expose différentes pierres, des fossiles et des empreintes

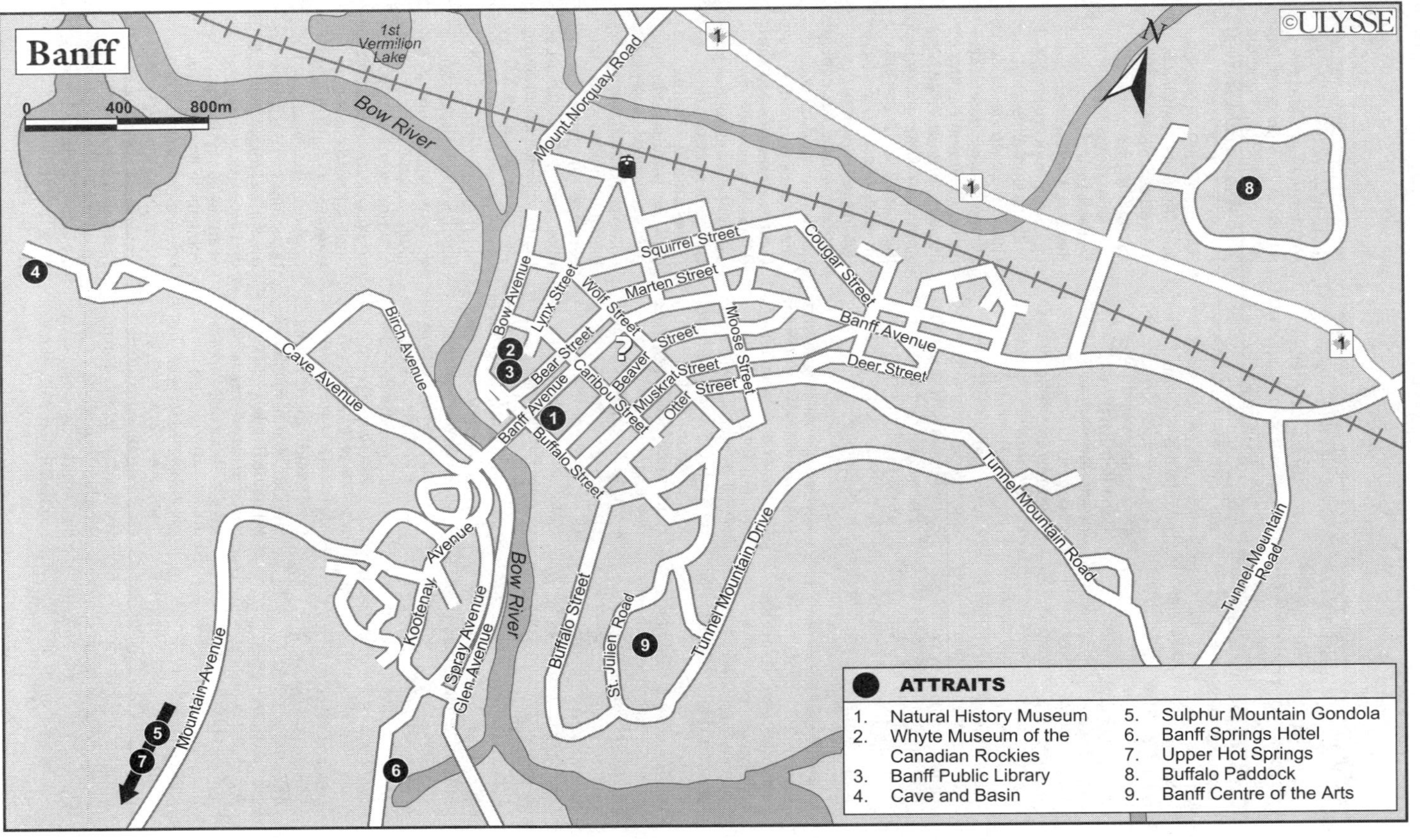
Banff
©ULYSSE
0
400
800m
N
1st Vermilion Lake
Bow River
Mount Norquay Road
Squirrel Street
Marten Street
Cougar Street
Lynx Street
Wolf Street
Bow Avenue
Bear Street
Caribou Street
Beaver Street
Muskrat Street
Otter Street
Moose Street
Banff Avenue
Deer Street
Buffalo Street
Birch Avenue
Cave Avenue
Kootenay Avenue
Spray Avenue
Glen Avenue
Mountain Avenue
St. Julien Road
Tunnel Mountain Drive
Tunnel Mountain Road
1
2
3
4
5
6
7
8
9
ATTRAITS
1. Natural History Museum
2. Whyte Museum of the Canadian Rockies
3. Banff Public Library
4. Cave and Basin
5. Sulphur Mountain Gondola
6. Banff Springs Hotel
7. Upper Hot Springs
8. Buffalo Paddock
9. Banff Centre of the Arts

de dinosaures, ainsi que les espèces végétales que vous pourrez contempler pendant vos randonnées.

Le **Whyte Museum of the Canadian Rockies** ★★★ *(4$; mi-mai à mi-oct tlj 10h à 18h, mi-oct à mi-mai mar-dim 13h à 17h, jeu jusqu'à 21h; 111 Bear St., ☎403-762-2291)* relate l'histoire des Rocheuses canadiennes. Vous y trouverez le résultat des fouilles archéologiques menées sur les anciens campements amérindiens Kootenay et Stoney. Vous pourrez ainsi contempler quelques-uns de leurs vêtements, de leurs outils et de leurs bijoux. Vous apprendrez également à connaître l'histoire de fameux explorateurs, comme Bill Peyto, certaines figures locales devenues célébres ou encore l'histoire du chemin de fer et de la ville de Banff. Objets personnels et vêtements appartenant aux figures locales y sont exposés. Le musée renferme également une salle d'exposition de peintures, ainsi qu'une salle d'archives si vous désirez en savoir plus sur la région. Juste à côté du Whyte Museum se trouve la **Banff Public Library** *(lun, mer, ven et sam 11h à 18h; mar et jeu 11h à 21h; dim 13h à 17h; angle Bear St. et Buffalo St., ☎403-762-2661).*

Cave and Basin ★★★ *(2,25$; juin à août 9h à 18h, sept à mai 9h30 à 17h; au bout de Cave Ave., ☎403-762-1566)* est aujourd'hui un site historique national. Ces sources sont à l'origine du vaste réseau des parcs nationaux du Canada, comme nous l'avons expliqué plus haut. Mais depuis 1992, et bien que les bassins aient été rénovés en 1984 à un prix exorbitant, la piscine est fermée pour des raisons de sécurité. En effet, la teneur sulfureuse des eaux altère rapidement le béton, et le dallage de la piscine est par endroits fortement endommagé. On peut néanmoins toujours visiter la grotte dans laquelle les trois employés du Canadien Pacifique descendirent pour découvrir la source, et aussi respirer cette odeur caractéristique d'hydrogène sulfuré causée par les bactéries qui oxydent les sulfates dans l'eau avant que celle-ci ne jaillisse de terre. Le bassin original est toujours là, mais on ne peut plus s'y baigner.

Si vous souhaitez goûter à la sensation que procurent les eaux de la montagne Sulphur (et c'est un véritable ravissement que de s'y prélasser après une longue journée de randonnée pédestre), vous devrez monter tout en haut de Mountain Avenue, au pied de la montagne. Là se trouvent les installations thermales d'**Upper Hot Springs** ★★★ *(tlj 10h à 22h, appelez pour vous en assurer; 7$ pour l'accès à la piscine; 32$ pour les thermes et les bassins à remous; location de maillots de bain et de serviettes; en haut de Mountain Ave., ☎403-762-1515).*

Le téléphérique du mont Sulphur, soit le **Sulphur Mountain Gondola** *(14$; ouvert jusqu'au coucher du soleil; en haut de Mountain Ave., à l'extrémité du stationnement d'Upper Hot Springs, ☎403-762-2523),* vous permet, si vous ne vous sentez pas la force d'y aller à pied, de monter au sommet de cette montagne. Le panorama de la ville de Banff, du mont Rundle, de la vallée de la Bow et des monts Aylmer et Cascade est superbe. La station de départ du téléphérique est à 1 583 m, et celle d'arrivée est à 2 281 m d'altitude. Munissez-vous de vêtements chauds car, au sommet, la température est fraîche.

Le **Banff Springs Hotel** ★★★ mérite également une visite. William Cornelius Van Horne, vice-président de la compagnie de chemin de fer du Canadien Pacifique, décida, après sa visite des sources de Cave and Basin, de faire construire un somptueux hôtel destiné à recevoir les touristes qui ne tarderaient pas à affluer pour profiter des sources thermales. C'est ainsi que les travaux débutèrent dès 1887. L'hôtel fut construit rapidement et ouvrit ses portes en juin 1888. Le coût des travaux s'élevait déjà à 250 000$; aussi la compagnie du Canadien Pacifique entreprit-elle une véritable campagne de promotion afin d'attirer de riches visiteurs du monde entier. Au début du XXe siècle, la renommée de Banff était telle que le Banff Springs Hotel était devenu l'un des hôtels les plus fréquentés en Amérique du Nord. De nouveaux travaux furent donc entrepris afin de l'agrandir et, en 1903, une nouvelle aile fut créée. Les deux bâtiments, construits dans le prolongement l'un de l'autre, étaient néanmoins séparés par une simple passerelle de bois en prévision d'un éventuel incendie. Une année plus tard, une tour s'éleva à l'extrémité de chaque aile. Bien que cet immense hôtel ait hébergé en 1911 quelque 22 000 clients, l'infrastructure s'avérait encore trop étroite pour la demande sans cesse croissante. Les travaux reprirent donc pour ériger, cette fois, une tour centrale. C'est finalement en 1928 que l'infrastructure du bâtiment fut achevée telle que l'on peut aujourd'hui la contempler. Une visite des salles communes vous permettra d'admirer le style Tudor de l'aménagement intérieur, ainsi que les tapisseries, les tableaux et le mobilier qui s'y trouvent encore. Par ailleurs, si vous désirez séjourner au Banff Springs Hotel (voir p 615), peut-être aurez-vous la chance de rencontrer la nuit le fantôme de Sam McAuley, le garçon d'étage qui aide les clients qui ont oublié leurs clés à les retrouver, ou encore celui de la mariée malchanceuse qui s'est tuée le jour de son mariage en tombant des escaliers et qui, dit-on, est revenue une fois hanter les couloirs de l'hôtel.

Le centre culturel qu'est le **Banff Centre of the Arts** *(entre St. Julien Rd. et Tunnel Mountain Dr., ☎403-762-6281 ou 762-6300)* fut créé en 1933. Plus communément appelé Banff Centre depuis 1978, ce centre culturel de renom, qui attire chaque année de nombreux artistes, organise au mois d'août le **Banff Festival of the Arts**, durant lequel de nombreuses représentations de danse, d'opéra, de jazz et de théatre sont proposées. Des cours sont également donnés aux étudiants en art qui décident de se parfaire dans des disciplines telles que la danse classique ou le ballet jazz, le théâtre, la musique, la photographie et la poterie. Chaque année, le centre organise également un festival international des films de montagne. À l'intérieur de ce complexe se trouve un centre sportif.

Aux environs de Banff

L'enclos de bisons ou **Buffalo Paddock** ★★ *(entrée libre; mai à oct; pour vous y rendre, prenez la direction du lac Minnewanka, puis la Transcanadienne vers Lake Louise; 1 km plus loin, vous trouverez, sur votre droite, l'entrée de l'enclos de bisons)* vous donnera l'occasion, si vous avez un peu de chance, de voir ces imposantes créatures de très près. Il est important de rester dans votre voiture même si vous désirez prendre des photos, car ces animaux peuvent avoir des réactions imprévisibles et pourraient vous charger à la moindre saute d'humeur. À l'origine, cet enclos avait été construit par quelques riches propriétaires de Banff qui voulaient en faire un zoo. L'exploitation d'un zoo n'étant pas dans l'esprit d'un parc national, les bisons des plaines furent envoyés par train et remis en liberté dans le parc national Wood Buffalo, situé dans le nord de l'Alberta et dans le sud-ouest des Territoires du Nord-Ouest, pour être remplacés par des bisons des bois qui avaient migré dans les environs et qu'il importait de préserver des maladies qui les décimaient.

Avec ses 22 km de long et ses 2 km de large, le **lac Minnewanka** ★★ est aujourd'hui le plus grand lac du parc national de Banff, mais cette étendue d'eau n'est pas entièrement naturelle. Son nom autochtone signifie «le lac de l'esprit des eaux». Il est aussi l'un des rares lacs du parc où les embarcations à moteur sont autorisées. Jadis, l'endroit abritait les campements amérindiens des Stoneys. Les plongeurs, qui affectionnent beaucoup ce lac en raison des difficultés accrues d'effectuer des plongées en eaux alpines, peuvent en voir quelques vestiges. En plus de faire un tour guidé en bateau avec **Cruise and Tour Devil's Gap** *(26$; Lake Minnewanka Boat Tours, P.O. Box 2189, Dept B, Banff, ☎403-762-3473, ≠762-2800)*, vous pourrez pêcher si vous avez obtenu un permis en règle délivré par les bureaux de Parcs Canada. En hiver, on peut y patiner. Un sentier de randonnée de 16 km mène au bout du lac. Une fois arrivé à l'**Aylmer Lookout Viewpoint**, vous devriez pouvoir observer des chèvres de montagne qui viennent souvent à cet endroit.

★★ Bow Valley Parkway

Pour vous rendre de Banff à Lake Louise, prenez la Bow Valley Parkway 1A, qui est une route plus pittoresque que la Transcanadienne. Il y a environ 140 millions d'années, sous la pression des couches terrestres, des montagnes émergèrent d'une mer ancienne. La rivière Bow, qui coulait des montagnes, prit alors naissance et joncha de sédiments la plaine qui s'étendait à l'est. Quarante millions d'années plus tard, des contreforts s'élevèrent de la plaine et menacèrent d'empêcher la rivière de suivre son cours, mais, à mesure que les rochers lui barraient la route, la rivière parvint à se frayer un chemin en emportant avec elle des débris de roche. Ainsi, sous l'effet répété de l'érosion, une vallée aux versants escarpés, dite en *V*, se forma. Au début de l'époque glaciaire, il y a environ un million d'années, la rivière Bow céda son lit à une glace mouvante. Le glacier transforma le profil escarpé de la vallée en une vallée glaciaire en forme de *U*. En reculant, le dernier glacier déchargea les débris qu'il charriait, et ses eaux de fonte formèrent une immense rivière dévalant la vallée en torrent. Aujourd'hui, l'eau de fonte des glaciers n'alimente plus la rivière Bow, qui coule désormais péniblement à travers les débris jadis déposés par les glaciers. Serpentant le long des montagnes, la Bow Valley Parkway réserve quelques beaux panoramas de la rivière Bow. La consigne de rouler lentement est impérative, car les animaux s'approchent fréquemment de la route à l'aurore ou au crépuscule. Une vingtaine de kilomètres après Banff, à droite, se trouve le **Johnston Canyon** ★★★. Un arrêt s'impose pour visiter cette jolie gorge. Un petit chemin de terre a été aménagé pour remonter le long du Canyon, où vous pourrez constater l'effet dévastateur que peut avoir un torrent d'eau, aussi modeste soit-il, sur la roche, de quelque nature qu'elle soit.

En amont de la Bow Valley Parkway se trouve, un peu plus loin sur la gauche, l'ancienne ville désaffectée de **Silver City**. En 1883, on découvrit, dans les environs, de l'argent, du cuivre et du plomb. Les prospecteurs arrivèrent deux ans plus tard, mais les poches de minerai s'épuisèrent rapidement. La population repartie, la ville fut laissée à l'abandon. En pleine heure de gloire, cette petite ville comptait néanmoins quelque 175 bâtiments et plusieurs hôtels. Vous n'en retrouverez que quelques vestiges.

★★★ Lake Louise

Joyau des Rocheuses canadiennes, Lake Louise est sans aucun doute renommée dans le monde entier pour la beauté de son petit lac étale à la couleur vert émeraude. Peu de sites naturels au Canada peuvent s'enorgueillir d'un tel succès, cette petite localité accueillant, bon an mal an, quelque six millions de visiteurs.

Aujourd'hui, vous pourrez vous rendre jusqu'au lac en voiture, mais trouver à se garer dans les environs relève de l'exploit. Le long des rives du lac, vous verrez tout un réseau de petits sentiers qui vous permettront de vous promener tranquillement ou de gravir la montagne pour jouir d'une vue magnifique sur le glacier Victoria, le lac et la vallée glaciaire. Parvenir jusqu'au petit **Lake Agnes** vous demandera quelques efforts, mais la **vue** ★★★ superbe sur les monts **Victoria** (3 464 m), **Whyte** (2 983 m), **Fairview** (2 111 m), **Babel** (3 111 m) et **Fay** (3 235 m) en vaut largement la peine.

Si vous ne désirez pas fournir l'effort physique d'une telle ascension, vous pourrez toujours monter à bord de la **Lake Louise Gondola**, un téléphérique en service de 9h à 21h, qui vous déposera au bout de 10 min à 2 089 m d'altitude.

Le **Chateau Lake Louise** ★★, bien qu'il n'ait plus rien à voir avec la construction initiale de 1909, constitue à lui seul toute une attraction touristique. Ce vaste hôtel de la chaîne du Canadien Pacifique peut abriter aujourd'hui plus de 700 visiteurs. Vous trouverez à l'intérieur du bâtiment, outre les restaurants de l'hôtel, une petite galerie marchande remplie de boutiques de souvenirs en tout genre.

★★★ Moraine Lake

En vous rendant au lac Louise, vous trouverez un embranchement qui mène, à gauche, vers le lac Moraine. La petite route sinueuse serpente le long de la montagne sur une dizaine de kilomètres avant d'atteindre le lac Moraine, désormais immortalisé par le billet de 20$ canadiens, qui le représente. Bien que plus petit que le lac Louise, le lac Moraine n'en est pas moins spectaculaire. Inaccessible durant tout l'hiver, ce petit lac n'est souvent dégelé qu'au mois de juin. La température souvent fraîche, même durant l'été, ne devrait pas vous surprendre. Apportez un petit lainage, ainsi qu'un coupe-vent, si vous voulez vous promener le long de ses rives. La vallée du lac Moraine, creusée jadis par le glacier **Wenkchemna**, qui subsiste encore tout au fond, fut appelée la «vallée des 10 pics». Ces 10 sommets furent dans un premier temps baptisés respectivement d'un nom assiniboine correspondant aux chiffres de 1 à 10. Depuis, plusieurs de ces sommets ont été rebaptisés, et seul le nom de Wenkchemna est resté. Vous trouverez au bord du lac, dans le Moraine Lodge, un restaurant et un petit café où vous pourrez vous réchauffer (voir p 623).

Canmore

Petite localité tranquille d'environ 10 000 habitants, Canmore connut son heure d'activités intenses en 1988 lors des Jeux olympiques d'hiver. C'est en effet dans cette ville qu'eurent lieu les compétitions de ski de fond, du combiné nordique et du biathlon, ainsi que des démonstrations de ski nordique pour personnes handicapées. Depuis, les installations du **Canmore Nordic Centre** *(tlj; du centre-ville, remontez Main St., puis tournez à gauche par 8th Ave., et à droite pour passer au-dessus de la rivière Bow. Montez Rundle Dr., sur votre gauche, et prenez encore à gauche Sister Dr.. À droite, empruntez Spray Lakes Rd. et continuez tout droit. Plus haut, vous trouverez sur votre droite le stationnement du centre nordique de Canmore, ☎403-678-2400)*, construites à l'occasion des Jeux olympiques, ont accueilli d'autres épreuves internationales telles que la Coupe du monde de ski en 1995. En été, les pistes de ski de fond se transforment en sentiers pédestres ou en pistes de vélo de montagne. Les animaux domestiques y sont admis du 11 avril au 30 octobre, à condition d'être tenus en laisse. Les ours sont fréquents dans cette région en été, aussi faut-il redoubler de prudence.

Merveilleusement bien située à l'entrée du parc national de Banff et aux portes de la région de Kananaskis, Canmore accueille beaucoup de visiteurs chaque année, mais il est souvent plus facile d'y trouver à se loger qu'à Banff. Il n'en reste pas moins qu'il est préférable de réserver sa chambre longtemps à l'avance.

Les principaux points d'intérêt de cette petite ville, outre le Canmore Nordic Centre, sont la localisation de cette bourgade et les nombreuses activités sportives qu'elle offre. Outre le ski, les courses de traîneaux à chiens, l'escalade de glace, l'«héli-ski», la motoneige et la pêche blanche en hiver, vous pourrez vous adonner, la saison chaude revenue, au vol à voile, au deltaplane, à la randonnée pédestre, au vélo de montagne, à l'alpinisme, au canot... Vous trouverez une foule d'adresses dans la section réservée aux activités de plein air.

Le **Canmore Recreation Centre** *(tlj 6h à 22h; 1900 8th Ave., ☎403-678-5597, ≠678-6661)* organise de nombreux camps d'été pour les jeunes. Les locaux abritent une piscine municipale, un centre sportif et un centre de conditionnement physique.

Promenade des glaciers

La Promenade des glaciers emprunte, depuis Lake Louise, la Highway 93 sur 230 km, remonte jusqu'à la ligne de partage des eaux, recouverte de champs de glace, puis prend fin à Jasper. Cette large route, bien revêtue, est une des plus fréquentées des parcs des Rocheuses en été, et la vitesse y est limitée à 90 km/h. Les paysages que ce circuit vous fera découvrir sont véritablement grandioses.

Le belvédère du **Hector Lake ★★**, que vous trouverez sur votre gauche à 17 km de Lake Louise, vous réserve un très beau point de vue sur le lac et sur le mont Hector. Le lac est alimenté par les eaux des glaciers Balfour et celles provenant des Waputik Icefields.

Un kilomètre avant d'arriver à **Mosquito Creek**, vous pourrez apercevoir, depuis la route, le glacier Crowfoot («patte de corbeau»). Quelques photographies montrent à quel point le glacier a reculé ces dernières années. Un peu plus loin, vous pourrez vous arrêter pour admirer la magnifique vue sur le lac Bow, puis rendez-vous au petit chalet **Num-Ti-Jah** (nom amérindien qui signifie «martre»), jadis construit en 1922 par un montagnard du nom de Simpson, guide à ses heures. À cette époque, aucune route n'avait encore été tracée jusque-là, et tout le matériel nécessaire à la construction de ce chalet dut être transporté à dos de cheval. Aujourd'hui, le descendant de Jimmy Simpson a ouvert le site à la clientèle du petit hôtel qu'il y a aménagé. Comme tous les autocars s'arrêtent à cet endroit, l'administration du Num-Ti-Jah Lodge (voir p 618) a décidé, pour protéger sa clientèle, d'interdire l'accès de l'intérieur du chalet à toute personne qui n'y a pas de réservation pour la nuit. Il est donc préférable de découvrir ce chalet uniquement de l'extérieur, sous peine de vous faire recevoir de façon assez directe.

Au point le plus élevé de la Promenade des glaciers, correspondant à la ligne de partage des eaux des rivières Bow et Mistayac, se situe le **Bow Summit ★★** (2 609 m). À cet endroit, le type de végétation change drastiquement pour ne faire place qu'à un paysage de type subalpin. Une aire de repos, aménagée au bord de la route, surplombe le **Peyto Lake** (prononcez *Pi-Toh*). Une randonnée vous fera découvrir une végétation alpine et, si les conditions atmosphériques sont favorables, vous pourrez contempler ce charmant petit lac.

Une fois arrivé à l'intersection des routes 93 et 11, appelée **The Crossing**, vous trouverez quelques magasins de souvenirs, un hôtel et de quoi vous restaurer. Assurez-vous que votre réservoir d'essence est suffisamment rempli, car vous ne trouverez plus d'autres stations-service jusqu'à Jasper. La région était jadis occupée par les Kootenay. Armés de fusils par les commerçants blancs du sud-est des Rocheuses, les Peigan refoulèrent les Kootenay sur le versant ouest. Craignant que ces derniers soient, à leur tour, armés par les Blancs, les Peigan empêchèrent les Blancs de traverser le col afin de maintenir un isolement total de leurs ennemis.

La grotte **Castleguard** est située à 117 km de Jasper. Un réseau de galeries souterraines de 20 km s'étend sous le champ de glace Columbia. C'est la caverne la plus longue du Canada, mais, en raison des inondations fréquentes et des dangers inhérents à la spéléologie, il est nécessaire d'obtenir l'autorisation des agents de Parcs Canada, à Banff, pour y pénétrer.

Le sentier de la **crête Parker ★★**, situé 3 km plus loin, constitue un merveilleux lieu d'excursion. D'une longueur de 2,5 km, il mène à la crête, d'où vous pourrez, avec un peu de chance, apercevoir quelques chèvres de montagne. Vous y aurez également une superbe vue sur le glacier Saskatchewan. En passant de la zone subalpine à la zone alpine, vous pourrez constater le changement de la flore et de la température. Des vêtements chauds et une paire de gants ne seront pas superflus.

Au **col Sunwapta**, vous pourrez contempler un paysage grandiose qui constitue la délimitation entre les parcs nationaux de Banff et de Jasper. Après le sommet Bow, il s'agit du col de la Promenade des glaciers le plus élevé, à 2 035 m d'altitude.

Le **glacier Athabasca ★★★** et le **Columbia Icefield** constituent les points de mire de la Promenade des glaciers. Au glacier Athabasca, des panneaux d'interprétation informent les visiteurs de l'impressionnant recul du glacier au fil des ans. Les personnes qui désirent s'aventurer sur la langue de glace devront se méfier des crevasses, qui peuvent atteindre 40 m de profondeur. On en dénombre environ 30 000 sur le glacier Athabasca, dont certaines sont dissimulées sous une mince couche de neige ou de glace. Il est plus prudent de ne pas s'y aventurer, à moins d'avoir déjà une expérience suffisante de l'escalade des glaciers et de posséder l'équipement nécessaire. Il est plutôt recommandé de prendre un ticket de **Snowcoach Tour** *(30$; tlj mai à mi-oct; en vente aux bureaux de Brewster, près du centre d'information touristique de Banff, ☎403-852-3332)*, qui vous amènera dans des bus spécialement équipés pour rouler sur le glacier.

Le belvédère du **glacier Stutfield ★★** offre une vue sur un des six grands glaciers alimentés par le champ de glace Columbia, qui descend sur 1 km dans la vallée.

Dix-sept kilomètres plus loin, en direction de Jasper, vous parviendrez à un endroit appelé **Mineral Lick**, où les chèvres de montagne viennent souvent lécher le sol riche en minéraux.

Haute de 25 m, la **chute Athabasca ★★** se trouve 7 km plus loin. Un sentier vous la fera découvrir en une heure environ. On pourrait quelque peu regretter l'infrastructure en béton qui dénature le paysage, mais il est vrai

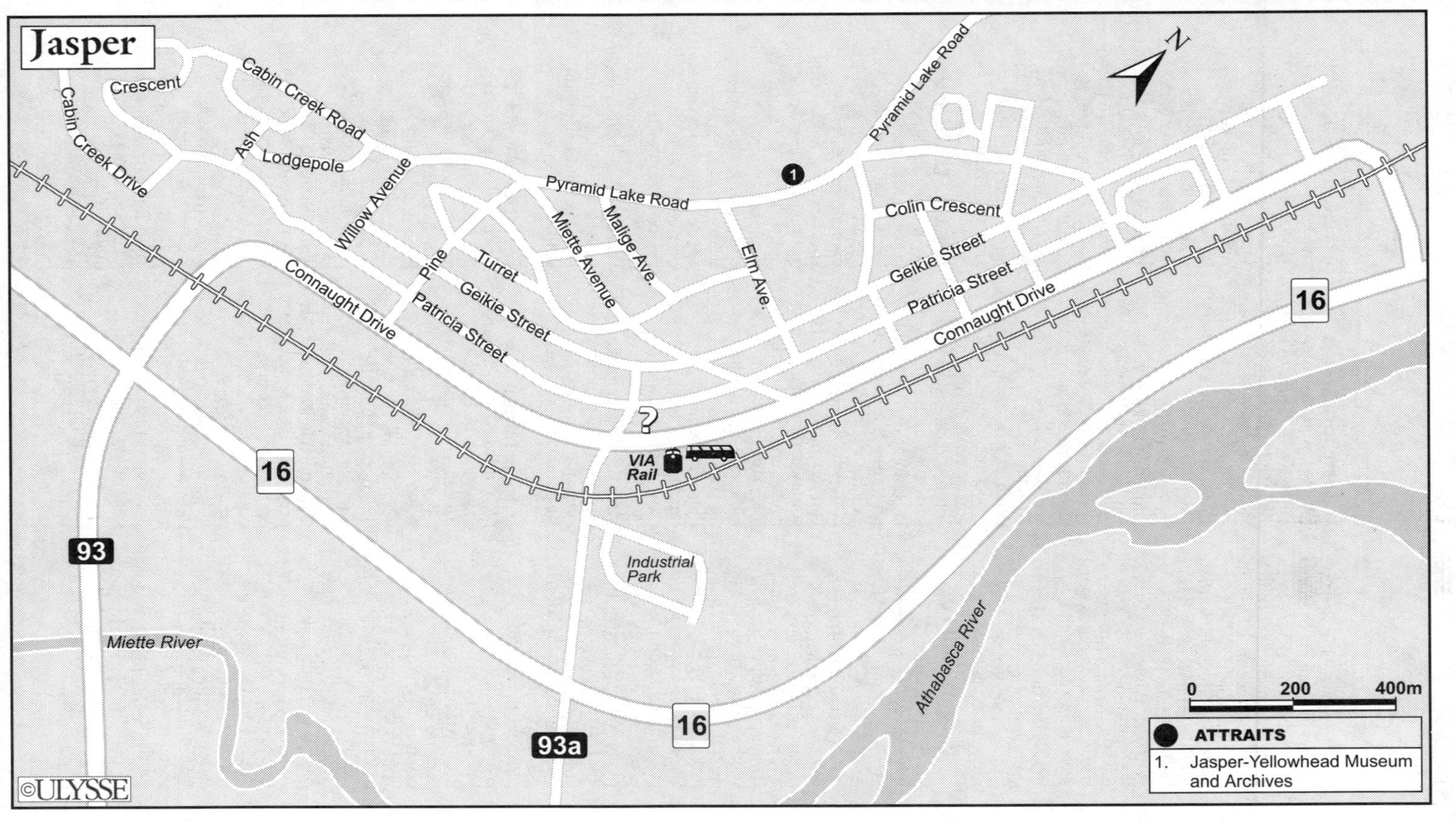

Jasper
Crescent
Cabin Creek Road
Cabin Creek Drive
Ash
Lodgepole
Willow Avenue
Pyramid Lake Road
Pyramid Lake Road
N
Colin Crescent
Geikie Street
Patricia Street
Connaught Drive
Elm Ave.
Maligе Ave.
Miette Avenue
Turret
Pine
Geikie Street
Patricia Street
Connaught Drive
VIA Rail
Industrial Park
16
16
16
93
93a
Miette River
Athabasca River
0
200
400m
ATTRAITS
1. Jasper-Yellowhead Museum and Archives
©ULYSSE

que les nombreux touristes qui circulent à cet endroit auraient tôt fait de saccager la végétation très fragile. De plus, quelques-uns d'entre eux, fort indisciplinés, se sont déjà approchés trop près du bord du canyon, et des accidents se sont produits. Il est donc formellement interdit de franchir les barrières, car certains ont payé de leur vie cette imprudence.

Parc national de Jasper

★★ Jasper et les environs

La ville de **Jasper** tire son origine d'un ancien poste de traite des fourrures fondé en 1811 par William Henry pour le compte de la Compagnie du Nord-Ouest. Jasper n'est qu'une petite localité d'environ 4 000 habitants, mais elle doit son développement touristique à sa situation géographique et à la gare ferroviaire qui y fut construite dès 1911. Lorsque la route de la Promenade des glaciers fut ouverte en 1940, le nombre des visiteurs à vouloir découvrir les environs majestueux de la petite ville ne cessa d'augmenter. Il n'en reste pas moins, bien que l'engouement des touristes pour cette région soit réel, que Jasper est une petite ville beaucoup plus tranquille que Banff et, surtout, moins commerciale. Mais tourisme oblige, les prix des chambres d'hôtel restent, comme partout dans les Rocheuses, horriblement élevés.

Le **Jasper-Yellowhead Museum** ★ *(entrée libre; mi-mai à début sept tlj 10h à 21h, début sept à mi-oct tlj 10h à 17h, mi-oct à mi-mai jeu-dim 10h à 17h; 400 Pyramid Lake Rd., en face de l'Aquatic Centre, ☎780-852-3013)* relate l'histoire des premiers habitants amérindiens, des guides de haute montagne et d'autres personnalités légendaires de la contrée.

Le **Mount Edith Cavell** ★★★ culmine à 3 363 m d'altitude. Pour vous y rendre, prenez la sortie sud de Jasper et suivez les indications vers la station de ski Marmot. En tournant à droite puis à gauche, vous arriverez sur la petite route qui mène à l'un des plus prestigieux sommets de la région. La route serpente dans la forêt sur une vingtaine de kilomètres, puis aboutit à un stationnement. Plusieurs sentiers de randonnée ont été balisés pour permettre aux visiteurs de mieux observer cette imposante et majestueuse montagne ainsi que son glacier suspendu, l'**Angel Glacier**.

Le **Jasper Tramway** ★★ *(16$; mi-avr à fin oct; prenez la sortie sud de Jasper, et suivez les indications vers le mont Whistler, ☎780-852-3093)* est un téléphérique qui vous déposera au bout de quelques minutes à 2 277 m d'altitude sur la face nord du **Mount Whistler**. Au point d'arrivée se trouvent un restaurant et une boutique de souvenirs, ainsi qu'un petit sentier qui permet de gravir les derniers mètres pour arriver au sommet, à 2 470 m d'altitude. La vue y est splendide.

La route qui mène au lac Maligne s'étend sur 46 km en suivant la vallée de la rivière du même nom. La vitesse y est limitée à 60 km/h en raison des virages serrés et des nombreux animaux qui la traversent. Avant d'atteindre le lac, la route conduit au **Jasper Park Lodge**, un des plus beaux centres de villégiature du Canada, administré par le Canadien Pacifique. Juste à côté de ce centre, on peut aller pique-niquer, faire du bateau ou aller se baigner aux deux petits lacs **Annette** et **Edith**.

Le **Maligne Canyon** ★★★ se trouve tout au début de la route Maligne. Des sentiers de randonnée ont été aménagés en vue de contempler ce spectaculaire défilé étroit qui regorge de cascades, de fossiles et de marmites de géants sculptées dans la roche par les tourbillons d'eau. Plusieurs ponts enjambent le canyon. Au premier pont, vous pourrez admirer des chutes; au deuxième, l'action du gel sur la roche; et au troisième, le point le plus profond (51 m) du défilé.

Le **Maligne Lake** ★★ est un des plus beaux lacs des Rocheuses. Plusieurs activités nautiques telles que la promenade en bateau, la pêche et le canot y sont possibles. Un petit sentier borde en partie le lac. Vous trouverez, au chalet construit au bord du lac, des magasins de souvenirs, un café-restaurant et les comptoirs d'une entreprise qui organise des promenades en bateau jusqu'à **Spirit Island**, une petite île d'où l'on peut jouir d'une magnifique vue sur les sommets environnants.

La route qui mène à Edmonton, vers le nord, traverse toute la vallée de l'Athabasca. Un grand troupeau d'élans vient paître dans cette partie de la vallée, et l'on peut souvent en observer plusieurs spécimens entre le croisement avec la route Maligne et l'ancienne ville de Pocahontas, près de Miette Hot Springs.

En remontant la route vers Hinton, on peut se rendre aux sources les plus chaudes des parcs des Rocheuses. Il s'agit des **Miette Hot Springs**. L'eau sulfureuse jaillit à une température de 57°C et doit être abaissée à 39°C pour les bains. Un sentier asphalté, qui suit le ruisseau Sulphur et se prolonge après la station d'épuration des eaux, mène à l'ancienne piscine, construite en rondins en 1938, avant d'aboutir à l'une des trois sources chaudes sur le bord du ruisseau. Plusieurs sentiers de randonnée pédestre ont été aménagés dans les environs pour ceux et celles qui désirent s'aventurer dans l'arrière-pays et admirer de somptueux paysages. À l'entrée de la route qui mène aux Miette Hot Springs se trouvent les vestiges de la ville de **Pocahontas**, qui fut abandonnée en 1921.

Parcs nationaux de Kootenay et de Yoho

★★

Parc national de Kootenay

Le parc national de Kootenay, moins visité que ses voisins de Banff et de Jasper, révèle toute sa beauté dans ses paysages grandioses. Moins touristique, il n'en demeure pas moins intéressant à visiter. Il renferme deux grandes vallées, celle de la rivière Vermillion, au climat humide, et celle de la rivière Kootenay, au climat plus sec. Le contraste est saisissant.

L'accès au parc, depuis Banff, se fait en empruntant la Transcanadienne jusqu'à Castle Mountain Junction. La route 93, sur la gauche, traverse dans toute sa longueur le parc national de Kootenay.

Le **Vermillion Pass**, à l'entrée du parc national de Kootenay, marque la ligne de partage des eaux. À partir de cet endroit, les cours d'eau du parc national de Banff coulent vers l'est, tandis que ceux du parc national de Kootenay coulent vers le Pacifique.

Quelques kilomètres plus loin, se trouvent le **Marble Canyon** ★★ et un centre d'information touristique où les visiteurs peuvent visionner un petit film sur l'histoire du parc. Le Marble Canyon est très étroit, mais on peut y contempler une belle chute située en bout de course du sentier. Plusieurs ponts enjambent le défilé, et les conséquences de l'érosion des eaux torrentueuses laissent pantois. Environ 500 m à droite après le canyon, un chemin mène aux fameux **Paint Pots** ★★ ou «dépôts de peinture». Ces gisements d'ocre sont formés par les sources souterraines qui font remonter des oxydes de fer à la surface.

L'un des meilleurs endroits du parc pour observer les élans et les orignaux se trouve dans le secteur salin d'**Animal Lick** (pré salé), car la boue et l'eau qui s'y trouvent sont riches en minéraux. Il faut s'y rendre tôt le matin ou à la brunante pour pouvoir mieux les observer. Vous trouverez tout le long de la route quelques belvédères aménagés pour admirer le paysage. Le **Kootenay Valley Viewpoint** ★★, à la sortie du parc, offre une très belle vue.

Radium Hot Springs

Située à l'entrée du parc, cette petite ville, qui n'offre d'autre attrait que sa source thermale, surprend par sa banalité. Vous pourrez néanmoins vous plonger dans la piscine de **Radium Hot Pools** ★★*(5$; à l'entrée du parc national de Kootenay, ☎250-347-9485)*, dont les eaux chaudes sont reconnues, paraît-il, pour être thérapeutiques. Le fondement médical de ces valeurs curatives n'a jamais été démontré, mais, que l'on y croit ou non, l'effet relaxant d'une immersion dans des eaux à 45°C non sulfureuses est, lui, bien réel.

★★

Parc national de Yoho

Comme tous les parcs des Rocheuses, des droits d'entrée *(5$ par jour, 35$ par année)* sont exigés pour les personnes qui désirent séjourner dans le parc. Les autres qui, en revanche, ne font que transiter ne seront pas assujetties au paiement de cette redevance.

Un peu plus loin, un autre sentier mène aux **Hoodoos**

(cheminées des fées), des formations naturelles de roche qui ont été façonnées par l'érosion. Le sentier qui part du terrain de camping Hoodoo Creek grimpe fort, mais n'a que de 3,2 km de long. La vue sur ces cheminées des fées est excellente.

La promenade vers l'**Emerald Lake** ★★ est devenue un classique du parc national de Yoho. Un petit sentier de 5,2 km seulement en fait le tour. De là, vous pourrez rejoindre la **chute Hamilton**. Des aires de pique-nique ont été aménagées près du lac Emerald. Un petit comptoir de location de canots donne l'occasion de se promener sur le lac. Une petite boutique de souvenirs est située juste à côté de la rampe de mise à l'eau.

Le centre d'information touristique du parc national de Yoho se trouve à **Field**, à 33 km à l'est de l'entrée du parc. En été, diverses activités d'interprétation sont organisées pour mieux faire connaître la vallée de la Yoho. Dans cette vallée, en effet, 400 km de sentiers de randonnée ont été aménagés pour permettre l'accès à l'arrière-pays. Vous pourrez vous procurer des plans de randonnée pédestre, ainsi que d'autres consacrés au vélo de montagne, au **centre d'information touristique de Field** *(juil et août tlj 8h30 à 19h, le reste de l'année 9h à 16h; à l'entrée de la ville, ☎250-343-6783)*. Des cartes topographiques du parc national de Yoho y sont en vente au prix de 13$. Si vous devez rester plus d'une journée dans le parc, vous devrez obligatoirement vous enregistrer auprès des bureaux de Parcs Canada, situés au même endroit. Un certain nombre de montagnes peuvent être escaladées, mais un permis spécial est requis pour entreprendre l'ascension du mont Stephen en raison des gisements de fossiles par lesquels les alpinistes doivent passer.

Région de Kananaskis

Lorsque, de 1857 à 1860, le capitaine John Paliser conduisit une expédition scientifique britannique dans cette région, l'abondance des lacs et des cours d'eau l'amena à lui donner le nom de Kananaskis, qui signifie «rassemblement des eaux». Située à 90 km de Calgary, la région s'étend sur plus de 4 000 km^2, englobant les parcs provinciaux de **Bow Valley**, **Bragg Creek** et **Peter Lougheed**. En raison de la beauté des paysages, des immenses possibilités offertes aux amateurs de plein air et de la proximité de Calgary, la région de Kananaskis est rapidement devenue l'un des centres les plus fréquentés par la population albertaine, puis par les visiteurs venus de toutes parts.

La région offre des attraits quelle que soit la saison. En été, elle se transforme en un véritable paradis pour les amateurs de plein air, qui peuvent s'adonner à des activités telles que le tennis, l'équitation, le vélo de montagne, le canot-kayak, la descente de rivière, le golf, la pêche ou la randonnée pédestre. Avec ses 250 km de routes revêtues et ses 460 km de sentiers balisés, la région dispose, plus que toute autre en Alberta, d'un choix considérable d'excursions. En hiver, tous ces sentiers deviennent des pistes réservées au ski de fond ou à la motoneige. Les visiteurs peuvent également jeter leur dévolu sur les stations de ski alpin de Fortress Mountain ou de Nakiska, patiner sur les nombreux lacs, s'initier à la conduite d'un traîneau à chiens ou se lancer sur les rampes de luge. Selon l'activité désirée, les visiteurs de Kananaskis peuvent se procurer différents plans auprès du **Barrier Lake Information Centre** *(en été tlj 8h30 à 18h, ven jusqu'à 19h; en automne lun-jeu 9h à 16h, ven-dim 9h à 18h; en hiver tlj 9h à 16h; près de Barrier Lake, sur la route 40, ☎403-673-3985)*.

La **station de ski Nakiska** *(près de Kananaskis Village, ☎403-591-7777)* fut spécialement construite à l'occasion des Jeux olympiques de 1998, en même temps que le complexe hôtelier du village de Kananaskis. Cette station compte une excellente infrastructure moderne et des pistes de grande qualité.

Le **Kananaskis Village** est en fait composé en grande partie de trois hôtels luxueux, disposés autour d'une place centrale. Il fut érigé pour les Albertains et les nombreux visiteurs comme principal centre de villégiature de la région. Sa construction a été rendue possible grâce au concours des fonds de l'Alberta Heritage Savings Trust et à des capitaux privés. Le village fut officiellement inauguré le 20 décembre 1987. Vous trouverez, à l'intérieur du village, un bureau de poste situé à côté du centre d'information touristique

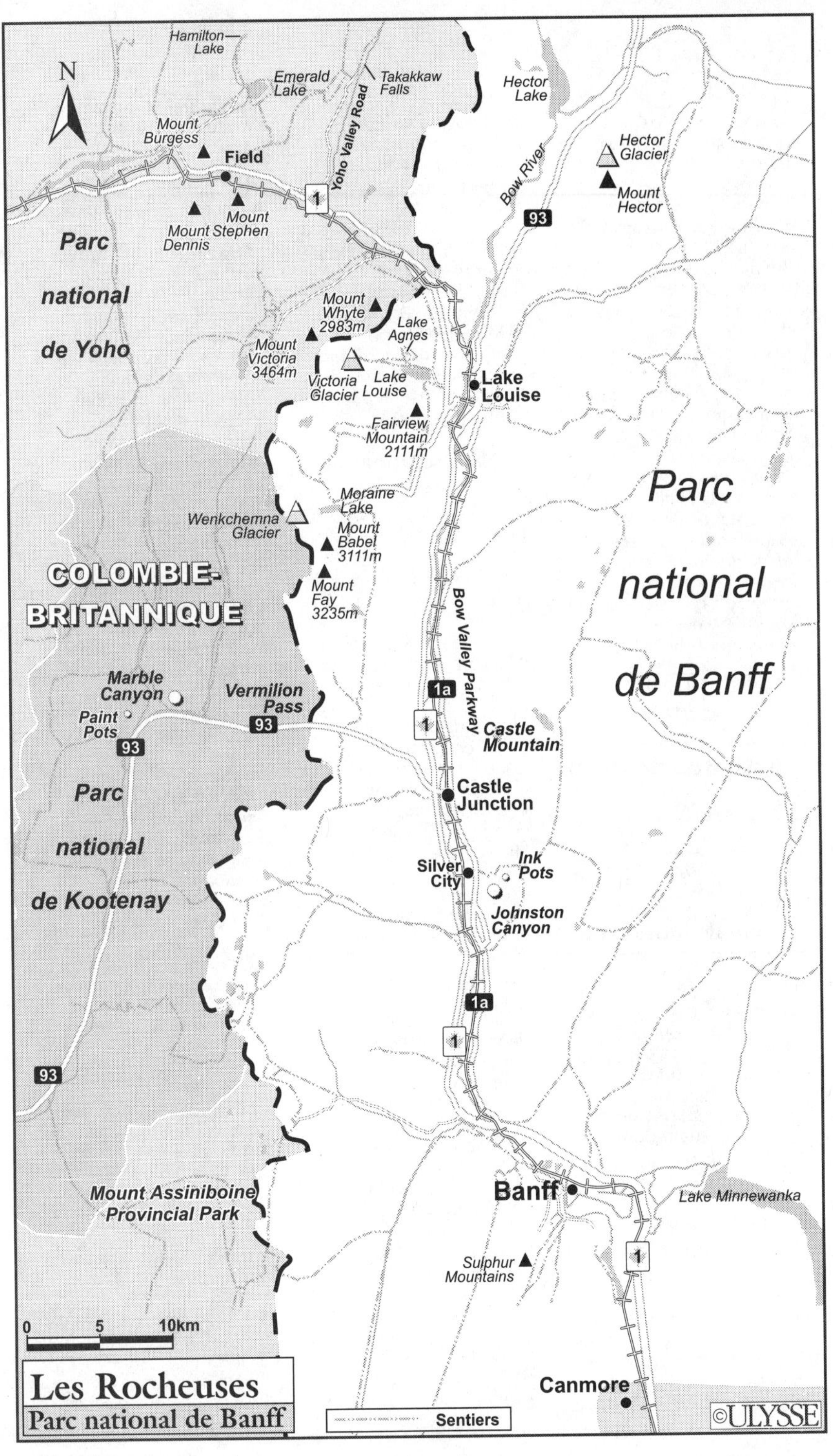

Les Rocheuses

Parc national de Banff

(en été tlj 9h à 21h, en hiver lun-ven 9h à 17h) ainsi qu'un sauna et un bain thermal *(2$; tlj 9h à 20h30)* accessibles à tous. À l'intérieur de l'hôtel Kananaskis, une galerie marchande a été aménagée. On peut y trouver des magasins de souvenirs et de vêtements, des cafés et des restaurants.

Le centre d'information touristique du **Peter Lougheed Provincial Park** *(près des deux lacs Kananaskis)* a conçu pour ses visiteurs une présentation interactive donnant de nombreux renseignements sur la faune, la flore, la géographie, la géologie et les phénomènes climatiques de la contrée.

Activités de plein air

Vélo de montagne

Certains sentiers peuvent être parcourus en vélo de montagne. N'oubliez qu'il peut s'y trouver des randonneurs ou des ours, que vous pourriez rencontrer à la sortie d'un tournant. Aussi, nous vous conseillons de ralentir dans les descentes.

Parc national de Banff

Vous trouverez plusieurs points de location de vélos, car plusieurs hôtels de Banff assurent ce service. Voici néanmoins deux entreprises : **Bactrax** *(à compter de 5$ l'heure, 16$ la journée; tlj 8h à 20h; Ptarmigan Inn, 339 Banff Ave., AB, ☎403-762-8177)*; **Cycling the Rockies** *(50$; ☎403-678-6770)*, qui organise des excursions en vélo de montagne dans les environs de Banff (le forfait comprend la location du vélo et du casque, le transport jusqu'au point de départ, les services d'un guide et les rafraîchissements en cours de route).

Parc national de Jasper

Plusieurs sentiers pour la de randonnée cycliste sillonnent les environs de Jasper.

La **boucle des lacs Mina et Riley**, un sentier de 9 km, part du stationnement qui fait face au centre aquatique de Jasper. La pente est plutôt raide jusqu'au croisement avec la route coupe-feu du lac Cabin. Traversez la route et continuez jusqu'au lac Mina. Trois kilomètres et demi plus loin, vous trouverez l'embranchement qui mène au lac Riley. Pour revenir à Jasper, reprenez le chemin du lac Pyramid.

Le départ de la **boucle du lac Saturday Night** se fait au stationnement de Cabin Creek West. Ce chemin de 24,6 km s'élève doucement dès le début et offre une vue sur les vallées Miette et Athabasca. Après le lac Caledonia, le sentier continue en pente légère et serpente dans la forêt. Il mène aux lacs High et devient alors plus à pic. La route se prolonge ensuite vers le lac Saturday Night puis vers le lac Cabin. À partir de là, prenez la route coupe-feu jusqu'à l'embranchement vers le lac Pyramid, et tournez à droite pour revenir à Jasper.

Le point de départ du **sentier de la rivière Athabasca** se situe au stationnement d'Old Fort Point, près du Jasper Park Lodge. Au-delà du terrain de golf du Jasper Park Lodge, ce sentier de 25 km comporte sur ses 10 premiers kilomètres de belles montées, assez raides, surtout lorsque vous approchez du canyon Maligne. Les bicyclettes sont interdites entre le premier et le cinquième pont du sentier du canyon. Vous devez donc passer par la route Maligne pour cette portion. Après le cinquième pont, tournez à gauche et suivez le sentier n° 7, qui longe la rivière Athabasca. Vous pouvez, au choix, décider de revenir par la route 16 ou de rebrousser chemin.

Le départ du **sentier de la «vallée des cinq lacs»** et du sentier du lac Wabasso s'effectue, comme pour le sentier de la rivière Athabasca, au stationnement d'Old Fort Point. Les sentiers n°s 1, 1A et 9 partent de cet endroit. La route (11,2 km) n'est guère compliquée jusqu'au premier lac de la «vallée des cinq lacs», malgré quelques passages un peu rocailleux. Au premier lac, vous arriverez à un embranchement de deux routes. Prenez à gauche car ce chemin vous offre une plus belle vue sur les lacs. Les deux routes se rejoignent à la jonction vers le lac Wabasso, près d'un étang. Rendez-vous sur la route 93. Mais si vous désirez aller au lac Wabasso, prenez le sentier n° 9 (19,3 km), à gauche de l'étang. Le retour à Jasper se fait par la Promenade des glaciers.

Vous devez utiliser une voiture pour vous rendre au stationnement du lac Celestine, qui marque l'entrée du sentier (48 km). En suivant un chemin de gravier sur 22 km, vous arriverez à la **chute Snake Indian**; environ 1 km après cette chute, la route devient un petit sentier qui mène au lac Rock.

Région de Kananaskis

En été, le **Canmore Nordic Center** cède ses pistes de ski de fond au vélo de montagne. La **Banff Trail** est une boucle de 40 km qui va jusqu'au terrain de golf de Banff Springs avant de revenir à Canmore.

La **Georgetown Trail** est relativement peu dénivelée et rejoint la rivière Bow près du site de l'ancienne ville minière de Georgetown.

Location de vélos de montagne

Freewheel Cycle *(618 Patricia St., Jasper, AB, ☎780-852-3898)* loue de bons vélos de montagne et fait aussi les réparations.

On-Line Sport & Tackle *(18$ par jour; 600 Patricia St., Jasper, AB, ☎780-852-3630)* propose vélos, casques et cartes des sentiers praticables à bicyclette.

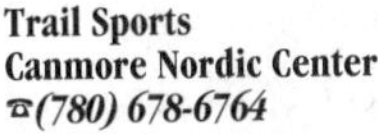
Trail Sports
Canmore Nordic Center
☎(780) 678-6764

Rafting

Parc national de Banff

Dans les environs de Banff, les descentes se font essentiellement du côté de la **Kicking Horse River** ou du **Lower Canyon**. Quelques petits conseils : portez des chaussures de sport fermées que vous ne craindrez pas de mouiller et un maillot de bain, apportez une serviette et habillez-vous très chaudement (laine polaire et coupe-vent). N'oubliez pas de vous munir aussi de vêtements pour vous changer à la fin de la journée.

La **Glacier Raft Company** *(85$ une demi-journée, 79$ une journée; Banff, AB, ☎403-762-4347, et Golden, B.C., ☎250-344-6521)* organise des descentes de la Kicking Horse River. Elle propose un forfait appelé **Kicking Horse Challenge**, qui nous donne l'occasion d'éprouver des sensations un peu plus fortes et qui coûte 99$ (taxes comprises).

Wet'n'Wild Adventure *(74$; Golden, B.C., ☎250-344-6546 ou 800-668-9119, ⇄344-7650)* propose des départs de Golden, de Lake Louise et de Banff. Une demi-journée sur la Kicking Horse River vous coûtera environ 60$, mais il existe également des forfaits intéressants de plusieurs jours, de 150$ à 200$ (plus taxes) par personne. Un minimum de participants est néanmoins requis.

The Rocky Mountain Rafting *(à compter de 49$; P.O. Box 1767, Golden, B.C., V0A 1H0, ☎250-344-6979 ou 800-808-RAFT)* se trouve à l'intérieur de l'hôtel Best Western. Elle organise des descentes de la Kicking Horse River.

Parc national de Jasper

Maligne Rafting Adventures *(à compter de 59$; 626 Connaught Dr., P.O. Box 280, Jasper, AB, T0E 1E0, ☎780-852-3370, ⇄852-3390)* organise entre autres une intéressante excursions de trois jours sur la rivière Kakwa pour 450$ durant les mois de mai et de juin. On exige cependant une expérience préalable, car il s'agit d'une descente de catégorie IV comportant un niveau de difficulté assez élevé.

Pour les amateurs débutants ou pour les enfants qui désirent néanmoins essayer le canot pneumatique sur de faibles rapides, deux adresses sont à conseiller : **Jasper Raft Tours** *(39$, enfant 20$; P.O. Box 398, Jasper, AB, T0E 1E0, ☎780-852-3613, ⇄852-3923)*; **Mount Robson Adventure Holidays** *(à compter de 40$, enfant 15$; P.O. Box 687, Valemount,*

B.C., Mount Robson Provincial Park, V0E 2Z0, ☎250-566-4386, ⇄566-4351), qui possède également un comptoir à Jasper *(604 Connaught Dr.).*

Ski alpin

Parc national de Banff

Banff Mount Norquay *(39$; Norquay Rd, P.O. Box 219, Ste. 7000, Banff, AB, T0L 0C0, ☎403-762-4421)* est une des premières stations de ski aménagées en Amérique du Nord. Elle est situé à 10 min de route du centre-ville de Banff. Pour connaître l'état des pistes, composez le ***☎(403) 762-4421***. École de ski et location d'équipement sur place.

Sunshine Village *(47$; 18 km à l'ouest de Banff, P.O. Box 1510, Banff, AB, T0L 0C0, ☎403-760-6500 ou 800-661-1676)* est une belle station de ski située à 2 700 m d'altitude sur la ligne de partage des eaux entre les provinces de l'Alberta et de la Colombie-Britannique. Vous pouvez louer sur place de l'équipement de ski. Vu son altitude, cette station de ski offre l'avantage d'être située au-dessus des forêts et bénéficie, de ce fait, d'un excellent ensoleillement. Pour connaître l'état des pistes, composez le ***☎(403) 760-7669***.

La station de ski de **Lake Louise** *(51$; P.O. Box 5, Lake Louise, AB, T0L 1E0, ☎403-522-3555)* est la plus vaste station de ski du Canada, couvrant quatre versants de montagne et offrant plus de 50 pistes différentes aux skieurs. Vous pouvez louer sur place de l'équipement de ski alpin et de ski de fond. Pour connaître l'état des pistes, composez le ***☎403-244-6665***.

Parc national de Jasper

La station de ski **Marmot Basin** *(42$; prenez la route 93 vers Banff, puis tournez à droite par la route 93A, P.O. Box 1300, Jasper, AB, T0E 1E0, ☎403-852-3816, ou ☎488-5909 pour connaître l'état d'enneigement des pistes)* est située à environ 20 min de route du centre-ville de Jasper. Vous trouverez sur place une boutique de location d'équipement de ski.

Parcs nationaux de Kootenay et de Yoho

Le **Kimberley Ski Resort** *(38$; P.O. Box 40, Kimberley, B.C., V1A 2Y5, ☎250-427-4881 ou 800-667-0871)* constitue le seul véritable attrait de l'étonnant petit village bavarois de Kimberley. Les pistes sont assez belles, idéales pour faire du ski en famille.

La station de ski de **Whitetooth** *(32$; P.O. Box 1925, Golden, B.C., V0A 1H0, ☎250-344-6114)* est plutôt limitée, mais elle ne cesse chaque année de s'agrandir. Elle propose quelques bonnes pistes bien entretenues.

Région de Kananaskis

La station de ski **Nakiska** *(40$; P.O. Box 1988, Kananaskis Village, AB, T0L 2H0, ☎403-591-7777, ou pour l'état des pistes ☎229-3288)* fut le site des Jeux olympiques de 1988 pour les épreuves de descente, de combiné et de slalom, hommes et femmes. Construite spécialement pour l'occasion des Jeux olympiques d'hiver, en même temps que le village de Kananaskis, cette station offre une excellente infrastrusture moderne et des pistes de grande qualité. Vous trouverez sur place une boutique de location d'équipement de ski alpin et de ski de fond.

Fortress Mountain *(55$; prenez la route 40, passez Kananaskis Village, et tournez à droite à Fortress Junction; Suite 505, 1550 8th St. SW., Calgary, AB, T2R 1K1, ☎403-256-8473 ou 244-6665, pour connaître l'état des pistes ☎403-245-4909)* est une station de ski moins achalandée que Nakiska; pourtant, elle possède un domaine skiable très intéressant, situé sur la ligne de partage des eaux, aux limites du Peter Lougheed Provincial Park.

Ski de fond

Les pistes de ski de fond sont innombrables dans les parcs des Rocheuses, aussi les centres d'information touristique des différents parcs offrent-ils des cartes des principaux sentiers ceinturant les villes de Banff et de Jasper ainsi que le village de Lake Louise. Adressez-vous à ces centres pour plus de renseignements. Un centre de ski de fond unique, cependant, mérite un peu plus d'attention en raison du magnifique réseau de sentiers qu'il entretient durant la saison hivernale.

Il s'agit du **Canmore Nordic Centre** *(1988 Olympic Way, Ste. 100, Canmore, AB, T1W 2T6, ☎403-678-2400, ⇌678-5696)*, qui fut, pendant les Jeux olympiques d'hiver de 1988, le site des épreuves de ski de fond.

Alpinisme

Parc national de Banff

Yamnuska *(200, 58-103 Bow Valley Trail, Canmore, ☎403-678-4164, ⇌678-4450, www.yamnuska.com)* est à la fois le nom de cette école de grimpe et celui de la première montagne que l'on aperçoit en partant de Calgary. L'école propose toute une gamme de cours d'escalade, de randonnées sur glacier, de survie en montagne et de tout ce qui peut avoir rapport à la montagne en général, à pied, à ski ou en planche à neige. Cette école est la plus reconnue au pays et son professionnalisme est indiscutable.

Le **Club Alpin du Canada** *(Indian Flats Road, 4,5 km à l'est de Canmore, ☎678-3200, ⇌678-3224)* conviendra également aux amants de la montagne grâce à tous les types d'expéditions suggérés, de la première grande traversée à la simple sortie d'escalade en après-midi. Les possibilités sont nombreuses et s'adressent à tous les budgets. L'une des plus intéressantes consiste à partir plus d'une journée et à passer la nuit dans une des nombreuses huttes de l'association.

Parc national de Jasper

Peter Amann, de la **Mountain Guiding and School** *(à compter de 150$ pour 2 jours; P.O. Box 1495, Jasper, AB, T0E 1E0, ☎/⇌403-852-3237, pamann@incentre.net)*, offre des cours d'escalade pour les débutants et les initiés à des prix qui varient selon le forfait choisi.

Hébergement

Parc national de Banff

Banff

Banff est un village touristique qui voit sa population doubler en été. Inutile de faire un exposé fastidieux sur la loi de l'offre et de la demande pour vous faire comprendre que le prix d'une chambre double lui aussi. Pour cette raison, les prix entre parenthèses expriment cette variation.

Une liste de tous les logements chez l'habitant *(bed and breakfasts)* vous sera fournie au centre d'information touristique du 224 Banff Avenue. Vous pouvez l'obtenir en écrivant à l'adresse suivante :

Banff-Lake Louise Tourism Bureau
P.O. Box 900
Banff, Alberta
T0L 0C0
☎(403) 762-8421 ou 762-0270
⇌(403) 762-8163
www.banfflakelouise.com

Il est impossible de réserver à l'avance votre emplacement sur un terrain de camping, la politique du parc étant celle du «premier arrivé, premier servi», à moins que vous ne formiez un groupe d'une certaine importance. En tel cas, vous devrez vous adresser aux bureaux de Parcs Canada situés à Banff (voir p 9).

Les prix des emplacements de camping varient en général de 13$ à 16$ selon le site et la qualité de son aménagement. Nous vous conseillons d'arriver tôt sur place pour choisir votre emplacement, car, en haute saison, les campings de Banff sont littéralement pris d'assaut par les cohortes de touristes. Il est interdit d'installer votre tente en dehors des endroits prévus à cet effet. Le camping sauvage est strictement interdit pour des raisons de sécurité ainsi que pour préserver l'environnement du parc.

Two Jack
13$- 16$
toilettes, ☎
prenez la route du lac Minnewanka puis la direction du lac Two Jack
☎(403) 762-1759
Les deux campings du lac Two Jack se trouvent de chaque côté de la route qui longe le lac Two Jack. Au camping aménagé en bordure de l'eau, vous aurez la possibilité de prendre une douche. L'autre, en pleine forêt, offre un confort plus rudimentaire. Il est plus facile de trouver un emplacement dans ces campings qu'à Banff.

Tunnel Mountain 1 et 2
16$- 19$
toilettes, douches, ☎
Tunnel Mountain Rd, près de l'auberge de jeunesse de Banff
Les campingsTunnel Mountain 1 et 2 comptent environ 840 emplacements

pour les véhicules récréatifs et pour les tentes.

Auberge de jeunesse internationale de Banff
20$ membre
29$ non-membre
Tunnel Mountain Rd, P.O. Box 1358, AB, T0L 0C0
☎***(403) 762-4122***
de Calgary ☎***237-8282***
L'auberge de jeunesse internationale de Banff demeure la solution la moins chère, mais elle est souvent complète, aussi est-il important de réserver longtemps à l'avance, sinon d'arriver très tôt sur place. Cette auberge de jeunesse, très sympathique, est à quelque 20 min de marche seulement du centre-ville. L'accueil y est chaleureux, et le personnel à la réception se fera un plaisir de vous aider à organiser une descente de rivière en canot pneumatique ou toute autre activité de plein air.

Inns of Banff, Swiss Village et Rundle Manor
80-215
tv
600 Banff Ave., P.O. Box 1077, AB, T0L 0C0
☎***(403) 762-4581 ou 800-661-1272***
⇄***762-2434***
Ces trois hôtels n'en font qu'un, et la centrale de réservation est la même. Selon le budget dont vous disposez, vous aurez le choix entre trois bâtiments distincts : l'Inns of Banff, le plus luxueux, compte 180 chambres très spacieuses, chacune donnant sur une petite terrasse; les chalets du Swiss Village ont un peu plus de caractère et ont l'avantage de mieux se fondre dans le paysage, mais les chambres, au prix de 160$ (en haute saison), sont moins confortables; enfin, le Rundle Manor est le plus rustique des trois et sans charme particulier. Les appartements du Rundle comportent une cuisinette, un salon et une ou deux chambres séparées. Il s'agit d'un endroit tout à fait honnête pour qui voyage en famille. Il est à noter que les clients et invités du Rundle Manor et du Swiss Village ont accès aux aménagements de l'Inns of Banff.

Bow View Motor Lodge
90$- 150$
♿, ⊛, *tv*, ≈, ℜ
228 Bow Ave., P.O. Box 339, AB, T0L 0C0
☎***(403) 762-2261 ou 800-661-1565***
⇄***762-8093***
Le Bow View Motor Lodge est un hôtel qui a l'immense avantage d'être situé en bordure de la rivière Bow et loin de l'artère bruyante qu'est Banff Avenue. Retiré du centre-ville, bien qu'il s'en trouve à 5 min de marche, ce charmant hôtel met à votre disposition des chambres confortables dotées, pour celles qui donnent sur la rivière, d'un balcon. Le restaurant, joli et paisible, vous accueillera au petit déjeuner.

Pension Tannenhof
95$- 165$ pdj
121 Cave Ave., P.O. Box 1914, AB, T0L 0C0
☎***(403) 762-4636***
⇄***760-2484***
La Pension Tannenhof dispose de huit chambres et de deux suites aménagées dans une belle grande demeure. Toutes les chambres ont la télévision par câble et une salle de bain privée. Chacune des deux suites comprend une salle de bain avec baignoire à remous et douche, un foyer et un canapé-lit pouvant accueillir deux personnes additionnelles. Le petit déjeuner servi est de style allemand et comporte quatre choix de plats.

Rundle Stone Lodge
95-190
♿, *tv*, ≈, ⊛
537 Banff Ave., P.O. Box 489, AB, T0L 0C0
☎***(403) 762-2201 ou 800-661-8630***
⇄***762-4501***
Le Rundle Stone Lodge occupe un beau bâtiment de l'avenue principale de Banff. Dans la partie de l'immeuble située le long de cette avenue, les chambres sont belles et spacieuses, et disposent d'un balcon. Quelques-unes renferment également une baignoire à remous. L'hôtel met à la disposition de ses clients un stationnement couvert, chauffé en hiver. Au rez-de-chaussée, des chambres ont été aménagées pour les personnes en fauteuil roulant.

Traveller's Inn
95-195
♿, *tv*, ⌂, ⊛, ℜ
401 Banff Ave., P.O. Box 1017, AB, T0L 0C0
☎***(403) 762-4401 ou 800-661-0227***
⇄***762-5905***
La plupart des chambres de cet hôtel ont un petit balcon d'où l'on peut admirer la belle vue sur les montagnes. Toutes les chambres, décorées simplement, sont grandes et chaleureuses. L'hôtel abrite un petit restaurant où vous pourrez prendre votre petit déjeuner, ainsi qu'un stationnement souterrain chauffé, ce qui est un atout en hiver. Durant la saison de ski, vous pourrez également y trouver des casiers pour ranger vos skis et vos chaussures, ainsi qu'un

petit magasin de location et de réparation de matériel de sports d'hiver.

High Country Inn
125$
⌂, *tv*, ≈, ⊛, *S*
419 Banff Ave., P.O. Box 700, AB, T0L 0C0
☎(403) 762-2236 ou 800-661-1244
⇄762-5084
Le High Country Inn, situé sur l'avenue principale de Banff, renferme de grandes chambres confortables et spacieuses avec balcon. D'importants travaux de rénovation ont eu lieu en 1998 et ont rendu l'endroit beaucoup plus chaleureux qu'auparavant.

Banff Rocky Mountain Resort
150-230
ℂ, *tv*, ⊛, ≈, ⊘,
à l'entrée de la ville, sur Banff Ave., P.O. Box 100, AB, T0L 0C0
☎(403) 762-5531 ou 800-661-9563
⇄403-762-5166
Le Banff Rocky Mountain Resort est un endroit idéal si vous devez séjourner en famille dans le parc national de Banff. Les ravissants petits chalets sont chaleureux et fort bien équipés. Au rez-de-chaussée, vous trouverez une salle de bain avec douche, une cuisine bien équipée donnant sur un salon et une salle à manger avec foyer et, à l'étage, deux chambres et une salle de bain. Ces chalets disposent également d'une petite terrasse privée. Près du bâtiment principal, un espace a été aménagé pour vos pique-niques et barbecues, et quelques chaises longues y ont été disposées pour que vous puissiez vous étendre au soleil.

Banff Springs Hotel
240-520
⊘, *tv*, ℜ, ⊛, ⌂, ♿, 🐕, ≈, *bar*
Spray Ave., P.O. Box 960, AB, T0L 0C0
☎(403) 762-2211 ou 800-441-1414
⇄762-4447
Le Banff Springs Hotel est le plus grand hôtel de Banff. Surplombant la ville, cet hôtel cinq étoiles de la chaîne du Canadien Pacifique propose 770 chambres de luxe dans un cadre rappelant les anciens châteaux seigneuriaux d'Écosse. Cet hôtel fut conçu par l'architecte Price, à qui l'on doit aussi la gare Windsor de Montréal, et le Château Frontenac de Québec. En plus de son architecture typique des hôtels du Canadien Pacifique datant du début du XXe siècle, de son mobilier de style ancien et de la superbe vue qui s'étend sous les fenêtres, l'hôtel met à la disposition de sa clientèle salle de bowling, courts de tennis, piscine, sauna, bassin à remous et salle de massage. Vous pourrez également vous promener et magasiner dans plus de 50 boutiques installées dans cet hôtel. Les amateurs de golf seront enchantés de trouver à leur porte un superbe terrain de 27 trous dessiné par l'architecte paysagiste Stanley Thompson.

De Banff à Lake Louise

Johnston Canyon Resort
98-245
ℂ, *tv*, 🐕
de Banff, empruntez la Transcanadienne, et prenez la sortie Bow Valley par la route 1A, soit Bow Valley Parkway, P.O. Box 875, AB, T0L 0C0
☎(403) 762-2971
⇄726-0868
Le Johnston Canyon Resort constitue un ensemble de petits chalets construits en rondins au beau milieu de la forêt. Le calme y est absolu et propice aux retraites. Certains chalets sont d'un confort rudimentaire, mais d'autres sont entièrement équipés et disposent d'une cuisine, d'une salle de séjour et d'un foyer. Le plus grand chalet peut confortablement accueillir quatre personnes. Une petite épicerie, où vous trouverez quelques produits de subsistance, fait partie de ce complexe touristique.

Près de Silver City

Castle Mountain Hostel
20$ membre
24$ non-membre
à 27 km de Banff sur la route 1A, au croisement vers Castle Junction, en face du Castle Mountain Village pour réserver, appelez la centrale de réservation de Banff
☎(403) 762-4122
⇄762-3441
L'auberge de jeunesse Castle Mountain Hostel occupe un petit bâtiment qui compte deux dortoirs et une salle commune aménagée autour d'une grande cheminée. L'ambiance y est très agréable, et le gérant, qui est québécois, se fera un plaisir de vous donner quelques conseils pour vos randonnées dans les environs.

Lake Louise

The Canadian Alpine Centre
21-31 par personne
ℂ, ℜ, ⌂, *bc*, ♿
Village Rd., P.O. Box 115, AB, T0L 1E0
☎(403) 522-2200
⇄522-2253
L'auberge de jeunesse The Canadian Alpine Centre propose des chambres de deux, quatre ou six lits. Cette auberge de jeunesse

est assez chère, mais elle est beaucoup plus confortable que les autres. Vous aurez aussi accès à une laverie, à une grande cuisine, à une bibliothèque et à un petit café appelé **Bill Peyto's Cafe**. L'auberge a de plus été aménagée pour accueillir les personnes en fauteuil roulant. Un petit conseil : réservez longtemps à l'avance.

Lake Louise Inn
143-264
tv, ≈, ℜ
210 Village Rd., P.O. Box 209, AB, T0L 1E0
☎(403) 522-3791 ou 800-661-9237
≠522-2018
Le Lake Louise Inn est situé dans le village de Lake Louise. L'hôtel propose des chambres chaleureuses et très confortables.

Deer Lodge
160-210
ℜ, ⊛
près du lac, sur la droite, avant d'arriver au Chateau Lake Louise, P.O. Box 100, AB, T0L 0C0
☎(403) 522-3747 ou 800-661-1367
≠522-3883
Le Deer Lodge est un très bel hôtel confortable. Les chambres sont spacieuses et meublées avec goût. L'ambiance y est très agréable.

Moraine Lake Lodge
320-395
♿, ℜ
P.O. Box 70, AB, T0L 1E0
☎(403) 522-3733
≠522-3719
☎(604) 985-7456
≠985-7479
Le Moraine Lake Lodge est situé sur le bord du lac Moraine. Il est à noter que les chambres n'ont ni téléphone ni téléviseur. L'endroit est magnifique, mais bondé de touristes en tout temps, ce qui nuit quelque peu à la tranquillité.

Chateau Lake Louise
329-490
tv, ≈, ♿, ℜ, ⌂
prenez la direction du lac Louise, AB, T0L 1E0 ***☎(403) 522-3511 ou 800-441-1414***
≠522-3834
Le Chateau Lake Louise est sans doute un des hôtels les plus connus de la région. Construit à l'origine en 1890, le château brûla complètement en 1892, puis fut reconstruit l'année suivante. Un nouvel incendie le dévasta en partie en 1924. Depuis lors, des travaux n'ont cessé d'être entrepris pour l'agrandir et l'embellir. Aujourd'hui, ce vaste hôtel, qui appartient à la chaîne du Canadien Pacifique, propose 511 chambres pouvant accueillir plus de 1 300 personnes et compte près de 725 membres du personnel affectés à votre bien-être. Les pieds dans l'eau turquoise du lac Louise en face du glacier Victoria, l'hôtel baigne dans un cadre tout simplement divin.

Post Hotel
350-520
tv, ≈, ℜ
P.O. Box 69, AB, T0L 1E0
☎(403) 522-3989 ou 800-661-1586
≠522-3966
Le Post Hotel est un magnifique hôtel de l'association «Relais et Châteaux». Très élégant, il est aménagé avec goût et avec soin, depuis les chambres jusqu'à ses abords. Le restaurant (voir p 623) est exquis et le personnel, sympathique. Si vous en avez les moyens, ou si vous voulez pour une fois vous faire plaisir, c'est la meilleure adresse de Lake Louise.

Canmore

The Creek House
195$ ou 2 100$
2 800$/semaine pour 4 personnes
701 Mallard Alley
☎(403) 678-2463 ou 888-678-6100
≠678-8721
www.creekhouse.com
L'un des plus beaux endroits pour passer la nuit à Canmore, voire même dans toutes les Rocheuses, se nomme The Creek House. Gail et Greg ont acheté et complètement rénové cette vieille maison sur le bord de la rivière Bow, d'où l'on entrevoit la Cascade Mountain culminant à 3 000 m. La décoration des chambres est absolument inégalable. Un artiste a exécuté de magnifiques peintures murales, notamment dans la cage d'escalier. À la fin de l'été 1999, Greg mettait la touche finale au bassin à remous sur le toit!

Ambleside Lodge
65-105
bc/bp, non-fumeurs
123A Rundle Dr., AB, T1W 2L6
☎(403) 678-3976
≠678-3916
L'Ambleside Lodge vous accueille dans une belle et grande demeure de style chalet savoyard à quelques minutes seulement du centre-ville. La salle commune, grande et très chaleureuse, est agrémentée d'une belle cheminée. Certaines chambres ont leur propre salle de bain privée.

Lady Macdonald Country Inn
80-175
♿, *tv*, ⊛
Bow Valley Trail, P.O. Box 2128, AB, T0L 0M0
☎(403) 678-3665 ou 800-567-3919
⇄678-9714
Le Lady Macdonald Country Inn est une magnifique petite auberge aménagée dans une fort jolie maison. Onze chambres élégamment décorées sont mises à votre disposition. Certaines pièces ont été particulièrement aménagées pour recevoir les personnes en fauteuil roulant; d'autres ont été réparties sur deux étages pour accueillir les familles de quatre personnes. À noter, la superbe chambre appelée «chambre des trois sœurs», qui offre, en plus d'une vue magnifique sur les montagnes Rundle Range et Three Sisters, un foyer et une baignoire à remous.

Restwell Trailer Park
81$
de l'autre côté de la Highway 1A et de la ligne de chemin de fer, près de Policeman Creek
☎(403) 678-5111
Le Restwell Trailer Park propose 247 emplacements pour les véhicules récréatifs et les tentes. Électricité, toilettes, salle de douches et points d'eau y sont disponibles.

Georgetown Inn
89-169 pdj
⊛, ℜ, ♿, *tv*
1101 Bow Valley Trail, AB, T1W 1N4
☎(403) 678-3439
⇄678-6909
Le Georgetown Inn s'est résolument donné un petit air britannique vieillot. Les chambres sont confortables, et certaines sont dotées d'une baignoire à remous. Le petit déjeuner, que vous pourrez prendre dans la salle à manger Three Sisters, est compris dans le prix de votre chambre. La cheminée, les vieux livres et les reproductions accrochées aux murs confèrent une ambiance chaleureuse à l'endroit.

Rocky Mountain Ski Lodge
100-220
ℂ, *tv*
1711 Mountain Ave., P.O. Box 8070, AB, T1W 2T8
☎(403) 678-5445 ou 800-665-6111
⇄678-6484
Le Rocky Mountain Ski Lodge donne sur un petit jardin agréable. Les chambres sont propres et spacieuses. Les appartements, loués à compter de 130$, comprennent un salon avec cheminée, et la cuisine est équipée de facon assez complète.

Promenade des glaciers

De Lake Louise à la Promenade des glaciers

Camping Rampart Creek
10$
3$ additionnels pour faire un feu de bois
à quelques kilomètres de l'intersection des routes 11 et 93
Il n'y a pas de garde à l'entrée du terrain. Il faudra donc vous enregistrer vous-même et laisser dans une enveloppe le montant de votre nuitée.

Campings de Wilcox Creek et de Columbia Icefield
10$
3$ additionnels pour faire un feu de bois
à quelques kilomètres du champ de glace Columbia
Ces deux terrains de camping sont simplement aménagés. Vous aurez à vous enregistrer vous-même.

Camping du lac Waterfowl
13$
3$ additionnels pour faire un feu de bois
à la hauteur du lac Mistaya, juste après le point de vue du mont Chephren
Comme partout dans les parcs, le premier arrivé est le premier servi. Pas de réservation possible, sauf si vous constituez un groupe. Si tel est le cas, appelez les bureaux de Parcs Canada à Banff.

Auberge de jeunesse Beauty Creek
sept à mai
15$ membre
19$ non-membre
à 87 km de Jasper et 17 km au nord du centre d'interprétation du champ de glace Columbia
☎(403) 852-3215
Se trouvant à une journée de vélo de Jasper, l'endroit est intéressant pour les cyclistes. Le confort est rudimentaire, mais l'ambiance, agréable. De plus, vous pouvez toujours faire une petite randonnée vers la belle chute Stanley, située non loin de là.

Auberge de jeunesse Rampart Creek
fermé oct à déc
15$ membre
19$ non-membre
près du camping du même nom sur la route 93
☎(403) 762-4122
centrale de réservation de Banff ***☎(403) 237-8282***
L'auberge de jeunesse Rampart Creek s'avère un peu rustique, mais magnifiquement bien située pour qui s'adonne à la randonnée pédestre ou pour les cyclistes qui parcourent la Promenade des glaciers.

Auberge de jeunesse Hilda Creek
fermé oct à déc
15$ membre
19$ non-membre
un peu avant l'entrée du parc national de Jasper
☎(403) 762-4122
centrale de réservation de Banff ***☎(403) 237-8282***
Il s'agit là d'un véritable refuge en montagne, sans eau courante ni électricité. L'endroit est vivement conseillé aux randonneurs, car ils seront tout près des plus belles randonnées, aux environs du glacier Athabasca. Renseignez-vous sur place; le personnel se fera un plaisir de vous indiquer les plus beaux endroits à voir. L'accueil est très sympathique et le paysage, à couper le souffle.

Auberge de jeunesse de la chute Athabasca
15$ membre
19$ non-membre
ℂ
32 km au sud de Jasper
☎(403) 852-3215
Bien que sans eau courante, cette auberge assez rustique est dotée d'électricité et d'une cuisine. Elle est située à côté de la chute Athabasca. Les cyclistes et les randonneurs affectionneront particulièrement cet endroit, notamment pour son emplacement.

Auberge de jeunesse Mosquito Creek
15$ membre
19$ non-membre
⌂
sur la route 93, quelques kilomètres après le lac Hector
pour réserver, appelez l'auberge de jeunesse de Banff
☎(403) 237-8282 ou 762-4122
L'auberge de jeunesse Mosquito Creek est une auberge au confort très rudimentaire, sans eau courante ni électricité. Il y a, par contre, un sauna qui fonctionne au feu de bois. Les dortoirs sont mixtes.

The Crossing
95$
ℜ, ⌂, tv, ⊛, cafétéria, pub
au croisement des routes 93 et 11, à 80 km de Lake Louise, BAG 333, Lake Louise, AB, T0L 1E0
☎(403) 761-7000
⇌761-7006
The Crossing peut constituer un bon point de chute sur le circuit de la Promenade des glaciers.

Num-Ti-Jah Lodge
125-180
ℜ
au bord du lac Bow, à environ 35 km de Lake Louise
☎(403) 522-2167
⇌522-2425
Le Num-Ti-Jah Lodge est un chalet qui fut construit par Jimmy Simpson, un très célèbre guide de montagne et trappeur de la région. Les deux filles de Jimmy Simpson font également partie de l'histoire des Rocheuses. En effet, Peg et Mary devinrent des patineuses artistiques mondialement connues en leur temps et firent de nombreuses tournées à travers le Canada et les États-Unis. L'appellation de Num-Ti-Jah tire son origine d'un nom amérindien stoney qui signifie «martre». L'endroit est très touristique car le lac Bow est un des plus beaux de la région.

Parc national de Jasper

Jasper

Athabasca Hotel
85-135
bc/bp, bar, tv, ℜ
P.O Box 1420, AB, T0E 1H0
☎(780) 852-3386 ou 800-563-9859
⇌852-4955
L'Athabasca Hotel est situé en plein centre-ville de Jasper, pratiquement en face de la gare ferroviaire de VIA Rail et de la gare routière de Brewsters et de Greyhound. Décorées dans un vieux style anglais, les chambres ne sont pas très grandes, mais très mignonnes. Les moins chères d'entre elles avoisinent une salle de bain centrale, mais les autres disposent de leur propre salle d'eau. Sans être d'un luxe tapageur, cet hôtel est très correct, et les chambres sont bien agréables. L'adresse la moins dispendieuse à Jasper, aussi faut-il réserver à l'avance. Il est à noter que l'hôtel ne possède pas d'ascenseur.

Marmot Lodge
85-170
♿, ✗, tv, ≈, ℜ, ℂ, ⊛
Connaught Dr., à la sortie de Jasper vers Edmonton; P.O. Box 1200, AB, T0E 1E0
☎(780) 852-4471 ou 800-661-6521
⇌852-3280
Le Marmot Lodge propose, à un prix raisonnable pour Jasper, de très belles chambres décorées de couleurs chatoyantes; d'anciennes photographies ont été accrochées aux murs, ce qui change des éternels paysages que vous retrouvez ordinairement ailleurs. Une terrasse avec tables a été aménagée devant la

piscine, où il fait bon prendre un bain de soleil. La décoration, le personnel sympathique et le paysage contribuent tous à faire de cet hôtel un endroit très agréable. Le meilleur rapport qualité/prix que vous trouverez dans la ville.

Jasper Inn
96-400
tv, ℂ, ℜ, ≈, ⊛, ℝ
98 Geikie St., P.O. Box 879, AB, T0E 1E0
☎(780) 852-4461 ou 800-661-1933
⇄852-5916
Le Jasper Inn dispose de belles chambres spacieuses et confortables dont certaines sont équipées d'une cuisinette.

Tekkara Lodge
139$
ℂ, ℑ
1 km au sud de Jasper
☎(780) 852-3058
⇄852-4636
Le Tekkara Lodge n'est ouvert qu'en été et est situé tout des berges où se rencontrent les rivières Miette et Athabasca. L'ameublement est luxueux et bien espacé, avec en prime un foyer et une cuisinette. Ouvrez votre fenêtre et laissez-vous bercer par les torrents qui descendent des glaciers devant votre porte.

Jasper Park Lodge
169-419
♞, ♿, ≈, ℜ, ℝ, *tv*, ⊘, ⊛, ⌂
P.O. Box 40, AB, T0E 1E0
☎(780) 852-3301 ou 800-441-1414
⇄852-5107
Le Jasper Park Lodge constitue sans conteste le plus beau complexe hôtelier de toute la région de Jasper. Appartenant maintenant à la chaîne hôtelière du Canadien Pacifique, le Jasper Park Lodge dispose de très belles chambres spacieuses et très confortables. Il a été construit en 1921 par la compagnie ferroviaire Grand Trunk pour concurrencer le Banff Springs Hotel. Le personnel, très professionnel, est empressé et sympathique. Toute une foule d'activités, organisées pour votre plaisir, vous attendent, telles que l'équitation et la descente de rivière en canot pneumatique. On y trouve un des plus beaux terrains de golf du Canada, plusieurs courts de tennis, une grande piscine, un centre d'activités sportives et un service de location de canots, de planches à voile et de bicyclettes en été, ou d'équipement de ski en hiver. Plusieurs pistes de randonnée pédestre sillonnent le site, dont un sentier très agréable de 3,8 km qui longe le lac Beauvert. Que vous réserviez une chambre dans le bâtiment principal ou que vous préfériez un petit chalet, confort et tranquillité seront au rendez-vous. Le Jasper Park Lodge organise chaque année plusieurs rencontres à thème, auxquelles la clientèle de l'hôtel est invitée à participer : par exemple, des fins de semaine «montagnes et relaxation», avec des cours de yoga et d'aérobic, et des séances de sauna et de gymnastique aquatique; ou une fin de semaine réservée à la dégustation du beaujolais nouveau; ou encore des activités dans le cadre du Nouvel An. Demandez la brochure pour plus de renseignements.

Environs de Jasper

Camping de Whistler
15-22
début mai à début oct
2,5 km au sud de Jasper; prenez la route 93, puis tournez par la route qui mène au téléphérique de la montagne Whistler, et enfin prenez la première à gauche pour le camping
Le camping de Whistler, avec ses 781 emplacements, est aménagé pour recevoir véhicules récréatifs et tentes. Eau, douches et électricité sont disponibles. Vous pourrez également trouver du bois sur place pour faire un feu. La durée maximale du séjour dans le camping est de 15 jours. Pour réserver, téléphonez au bureau de Parcs Canada à Jasper.

Auberge de jeunesse du mont Edith Cavell
15$ membre
19$ non-membre
26 km au sud de Jasper; prenez la route 93A et montez pendant 13 km la route sinueuse qui mène au mont Edith Cavell
☎(403) 852-3215
L'auberge de jeunesse du mont Edith Cavell constitue un véritable refuge de haute montagne, sans eau ni électricité, adossé à l'une des plus belles montagnes de la région, le mont Edith Cavell. Munissez-vous de vêtements chauds et d'un bon sac de couchage, car vous êtes en haute montagne et les températures sont imprévisibles. Si vous aimez la tranquillité et les belles promenades, vous êtes ici au paradis.

Auberge de jeunesse de Maligne Canyon
15$ membre
19$ non-membre
lun-dim fin avr à oct, jeu-mar oct à fin avr
11 km à l'est de Jasper, sur la route de Maligne Lake
☎(780) 852-3215
L'auberge de jeunesse de Maligne Canyon se présente également comme l'endroit idéal pour qui aime la randonnée pédestre et les activités de plein air. Tout près de l'auberge, en effet, débute la Skyline Trail, qui mène les marcheurs expérimentés vers des paysages alpins. La randonnée dure deux ou trois jours, mais la superbe vue sur la vallée de Jasper récompense bien tous les efforts. Également situé à proximité de l'auberge, le canyon de la rivière Maligne offre quelques belles photographies de rapides et de chutes d'eau. N'hésitez pas à vous entretenir avec le gérant de l'auberge; il est un expert de la faune et fait des recherches pour le parc national de Jasper.

Auberge de jeunesse internationale de Jasper
15$ membre
20$ non-membre
7 km à l'ouest de Jasper, par la route de Skytram
☎(403) 852-3215
L'auberge de jeunesse internationale de Jasper est un établissement assez confortable. À quelques minutes de marche des télécabines qui vous emmènent au sommet de la montagne Whistler, d'où vous aurez une vue superbe sur la vallée de l'Athabasca. Réservez longtemps à l'avance.

Pine Bungalow Cabins
75-100
♿, ℂ
Highway 16, près du golf de Jasper, P.O. Box 7, AB, T0E 1E0
☎(403) 852-3491
⇌852-3432
Les Pine Bungalow Cabins sont conformes à la catégorie des motels. Les chalets sont entièrement équipés; certains ont même un foyer, mais l'ameublement très modeste est de bien mauvais goût. Il n'en reste pas moins que c'est une des adresses les moins chères à Jasper.

Alpine Village
100-200 par chalet
ℜ, *tv*, ℂ, ℝ, ⊛
2 km au sud de Jasper, près de l'embranchement vers le mont Whistler, P.O. Box 610, AB, T0E 1E0
☎(403) 852-3285
L'Alpine Village constitue un très bel ensemble de petits chalets en bois très confortables. Situé en face de la rivière Athabasca, l'endroit est calme et paisible. Choisissez, autant que possible, l'un des chalets donnant directement sur la rivière; ce sont les plus agréables. Réservez longtemps à l'avance en écrivant ou en téléphonant dès janvier si vous prévoyez venir durant l'été.

Pyramid Lake Resort
89-189
tv, ♿, ℜ
été seulement
au bord du lac Pyramid, à 7 km de Jasper; prenez Pyramid Lake Rd à Jasper et suivez les indications pour le lac Patricia et le lac Pyramid, P.O. Box 388, AB, T0E 1E0
☎(403) 852-4900 ou 852-3536
⇌852-7007
Le Pyramid Lake Resort propose des chambres simples mais confortables donnant directement sur le lac Pyramid, où vous pouvez vous adonner à vos activités nautiques préférées. Location de bateaux à moteur, de canots et de skis nautiques.

Miette Hot Springs

Pocahontas Bungalows
75-110 par chalet
🐕, ℂ
route 16, près de la chute Punchbowl, P.O. Box 820, Jasper, AB, T0E 1E0
☎(403) 866-3732 ou 800-843-3372
⇌866-3777
Les Pocahontas Bungalows constituent un petit ensemble de chalets situé à l'entrée du parc national de Jasper sur la route menant à Miette Hot Springs. Les chalets les moins chers ne sont pas équipés de cuisinette.

Hinton et les environs

Overlander Mountain Lodge
100-150
ℜ
2 km à gauche, après la sortie du parc national de Jasper en direction de Hinton; P.O. Box 6118, Hinton, AB, T7V 1X2
☎(403) 866-2330
⇌866-2332
L'Overlander Mountain Lodge est un hôtel constitué de plusieurs chalets très charmants. L'établissement est d'autant plus agréable qu'il se trouve dans une région moins fréquentée que les abords de Jasper, et le paysage environnant est des plus exquis. Une bonne adresse, parce que l'hébergement de Hinton est presque exclusivement de type motel. Les réservations doivent être faites longtemps à l'avance, car les visiteurs n'ayant pas trouvé à se loger à Jasper poursuivent souvent leur route vers Hinton.

Parcs nationaux de Kootenay et de Yoho

De Castle Junction à Radium Hot Springs

Kootenay Park Lodge
74-92 par chalet
𝕶, ℜ, ℝ
mi-mai à fin sept
Highway 93 direction sud, à 42 km de Castle Junction, P.O. Box 1390, Banff, AB, T0L 0C0
☎(403) 762-9196
☎(403) 283-7482 à Calgary
Le Kootenay Park Lodge dispose de 10 petits chalets de bois rond accrochés aux pentes abruptes des montagnes du parc national de Kootenay. Vous trouverez sur place un petit magasin proposant des sandwichs et des produits de consommation courante. Le restaurant (voir p 624) n'est ouvert que de 8h à 10h, de midi à 14h et de 18h à 20h30.

Radium Hot Springs

Il est surprenant de constater que l'hébergement de Radium Hot Springs est essentiellement composé de chambres de motel de qualité très quelconque. Vous trouverez, tout le long de l'artère principale de la ville, de surprenantes devantures de motels rivalisant de laideur. La région étant largement fréquentée par les visiteurs, voici néanmoins quelques adresses.

Misty River Lodge
55-75
𝕶, ≡, *tv*, ℂ
5036 Highway 93, P.O. Box 363, B.C., V0A 1M0
☎(250) 347-9912
⇄347-9397
www.mistyriver.ca
Le Misty River Lodge est le seul motel qui puisse faire exception à ce qui vient d'être dit plus haut. En effet, ses chambres offrent un bon confort, même pour ce type d'établissement. Les salles de bain sont spacieuses et très propres. Sans conteste le meilleur motel en ville.

The Chalet
95$
♿, ⊘, ⌂, *tv*, ⊛
P.O. Box 456, B.C., V0A 1M0
☎(250) 347-9305
⇄ 347-9306
The Chalet propose plusieurs chambres avec balcon, modestement meublées mais de tout confort. Surplombant la petite ville de Radium Hot Springs, cette grande maison de style chalet savoyard offre une vue intéressante sur la vallée en contrebas.

Fairmont Hot Springs

Fairmont Hot Springs Resort
139$
♿, ≈, ℜ, *tv*, ℝ
Highway 93-95, près de la station de ski de Fairmont, P.O. Box 10, Fairmont Hot Springs, B.C., V0B 1L0
☎(250) 345-6311
⇄345-6616
www.fairmontresort.com
Le Fairmont Hot Springs Resort se présente comme un magnifique complexe hôtelier merveilleusement aménagé qui propose des forfaits santé. Les clients de l'hôtel peuvent en plus profiter de courts de tennis et d'un superbe terrain de golf. Il est enfin à noter que l'établissement possède également un vaste terrain de camping attenant.

Golden

McLaren Lodge
70$ pdj
au-dessus de la Highway 95, à la sortie de Golden vers le parc national de Yoho, P.O. Box 2586, B.C., V0A 1H0
☎(250) 344-6133
⇄344-7650
Le McLaren Lodge est une adresse intéressante à Golden pour les amateurs de plein air. En effet, des excursions en canot pneumatique sont organisées par les propriétaires de ce petit hôtel. Les chambres, plutôt petites, ont un petit air vieillot qui n'est pas désagréable. Le meilleur rapport qualité/prix à Golden.

Prestige Inn
110$
𝕶, ♿, ℂ, ⊛, *tv*, ≈, ℜ, ⊘
1049 Trans Canada Highway, P.O. Box 9, B.C., V0A 1H0
☎(250) 344-7990
⇄344-7902
Le Prestige Inn constitue le meilleur hôtel de Golden. Les chambres sont assez spacieuses et les salles de bain sont tout équipées.

Région de Kananaskis

Mount Kidd RV Park
19-30
𝕶, ♿, *toilettes, douches, laverie*, ⌂, ≈
route 40, quelques kilomètres plus au sud que Kananaskis Village
☎(403) 591-7700
Le Mount Kidd RV Park surprend toujours à première vue, tant le site a été bien aménagé. Installé au bord d'une rivière en pleine forêt, il est indiscutablement le plus agréable terrain de camping de la région. Les clients peuvent en outre

profiter des courts de tennis ou partir sur les sentiers de randonnée qui foisonnent dans le coin. Comme il s'agit du plus bel endroit où camper, n'oubliez pas de réserver à l'avance, surtout si vous formez un groupe.

Kananaskis Village

Auberge de jeunesse Ribbon Creek
membre 15$
non-membre 19$
le long de la route menant à la place centrale de Kananaskis Village, T0L 2H0
☎(403) 762-4122
L'auberge de jeunesse Ribbon Creek est une agréable petite auberge toujours bondée de visiteurs. Ne vous y prenez pas à la dernière minute pour réserver, sous peine de vous faire répondre qu'il n'y a déjà plus de place. Il fait bon le soir de se retrouver dans la salle commune, autour d'un bon feu de cheminée, pour se remettre des efforts physiques fournis dans la journée.

The Lodge at Kananaskis & Kananaskis Hotel
285$
tv, ℜ, ≈, △, ⊛, ⊙
sur la place centrale de Kananaskis Village, T0L 2H0
☎(403) 591-7711 ou 800-441-1414
≈591-7770
The Lodge at Kananaskis et l'hôtel Kananaskis font partie de la chaîne hôtelière du Canadien Pacifique. Le Lodge dispose de 250 chambres de grand confort, spacieuses et chaleureuses. Une très bonne adresse; mais, en toute saison, les réservations doivent être faites à l'avance. L'hôtel, quant à lui, propose 70 chambres tout confort. Le personnel sympathique rend cet hôtel très agréable.

Restaurants

Parc national de Banff

Banff

Le restaurant de l'hôtel Cariboo Lodge, **The Keg**, vous servira des petits déjeuners et des mets de style buffet.

Joe BTFSPLK'S
$
221 Banff Ave., en face du centre d'information touristique
☎(403) 762-5529
Le Joe BTFSPLK'S (prononcez Bi-tif'-spliks) est un petit restaurant décoré à la façon des années cinquante où vous pourrez déguster de bons hamburgers. Vous y apprendrez peut-être que Joe BTFSPLK était un étrange personnage de bandes dessinées qui se promenait toujours avec un nuage sur la tête et qui causait des désastres partout où il allait. Le seul moyen d'éviter aujourd'hui des désagréments (par exemple, dépenser trop d'argent) serait, paraît-il, de se rendre à ce petit restaurant, très fréquenté par la jeunesse locale, pour y manger hamburgers, frites, salades et croquettes de poulet, et y boire des laits fouettés. Le restaurant sert également des petits déjeuners à moins de 6$.

Ticino
$$
dîner seulement
415 Banff Ave.
☎(403) 762-7670
Le Tifino fait une assez bonne cuisine italienne ainsi que des fondues savoyardes. Le décor de la salle est assez quelconque et la musique a tendance à être trop forte.

Sukiyaki House
$$
tlj
à l'étage du 211 Banff Ave.
☎(403) 762-7683
On propose ici une excellente cuisine japonaise à prix abordable. Les sushis sont parfaits et le personnel se révèle très courtois. Le décor de la salle laisse cependant un peu froid, tant il est impersonnel.

Grizzly House
$$
tlj 11h30 à minuit
207 Banff Ave.
☎(403) 762-4055
Ce restaurant a pour spécialité de gros et tendres steaks bien juteux. L'ambiance très «western» fait un peu sourire, mais on se concentre vite sur le contenu de son assiette.

Korean Restaurant
$$
tlj 11h30 à 22h
à l'étage de la Cascade Plaza, 317 Banff Ave., ***☎(403) 762-8862***
Pour qui n'a encore jamais essayé la cuisine coréenne, voici une bonne occasion de découvrir des mets très fins et délicieusement apprêtés. Le personnel se fera un plaisir de vous conseiller dans votre choix.

Caboose
$$$
tlj dîner seulement
angle Elk St. et Lynx St.
☎(403) 762-3622 ou 762-2102
Le Caboose est une bonne table de Banff. Les

assiettes de poisson, truite ou saumon, sont excellentes, mais vous avez aussi la possibilité de choisir le homard accompagné d'un steak, à la façon américaine, ou le crabe. Une bonne adresse reconnue des habitués.

Le Beaujolais
$$$$
tlj
212 Buffalo St. ☎*(403) 762-2712*
Le Beaujolais prépare une excellente cuisine française. La salle à manger est très élégante et le personnel, des plus attentionnés. Le saumon de Colombie-Britannique, cuit au Pernod, est un vrai délice. La meilleure table de Banff!

Lake Louise

Moraine Lake Lodge
$$
tlj
au bord du lac Moraine
☎*(403) 522-3733*
Cet établissement abrite un bon restaurant qui vous permettra, tout en dégustant de bons plats, de jouir de la superbe vue sur le lac et les Ten Peaks qui s'étend sous vos yeux.

Post Hotel
$$$
au bord de la rivière Pipestone, près de l'auberge de jeunesse
☎*(403) 522-3989*
Cet hôtel abrite un très bon restaurant de l'association «Relais et Châteaux». Les réservations sont nécessaires car il s'agit d'une des meilleures tables de Lake Louise. Le cadre de l'hôtel est enchanteur (voir p 616).

The Edelweiss Dining Room
$$$$
tlj
Chateau Lake Louise
☎*(403) 522-3511*
Ce restaurant propose une délicieuse cuisine française dans un décor des plus élégants avec vue sur le lac. Les réservations sont préférables.

Canmore

Nutter's
$
tlj
900 Railway Ave.,
☎*(403) 678-3335*
Le Nutter's est l'endroit le plus propice pour trouver de quoi se préparer des sandwichs ou autres casse-croûte avant une randonnées dans l'arrière-pays : vous y trouverez toute une foule d'aliments énergétiques et naturels. Vous pourrez aussi manger sur place à de petites tables disposées près des fenêtres.

Sinclairs
$$
tlj
637 8th St.,
☎*(403) 678-5370*
Le Sinclairs sert, dans un décor chaleureux agrémenté d'un feu de foyer, une bonne cuisine. Les réservations sont préférables en saison, car le restaurant est souvent complet. On y propose en outre une excellente sélection de thés, ce qui n'est pas courant dans les environs.

Chez François
$$
attenant à l'hôtel Best Western, Highway 1A
☎*(403) 678-6111*
Le restaurant Chez François est probablement la meilleure table de Canmore. Le chef québécois vous propose une excellente cuisine française dans son restaurant à l'atmosphère chaleureuse.

Promenade des glaciers

Ce circuit sillonne une région encore peu peuplée; rares sont les endroits où vous pouvez vous restaurer. Il existe néanmoins quelques petits cafés où vous pourrez prendre des repas légers.

Num-Ti-Jah Lodge
$-$$
tlj
au bord du lac Bow, à environ 35 km de Lake Louise
☎*(403) 522-2167*
Le café du Num-Ti-Jah Lodge sert des sandwichs, des muffins et des gâteaux. Vous pourrez vous réchauffer dans ce tout petit café en consommant un thé ou une boisson chaude. L'endroit, très touristique, en fait un lieu bondé.

The Crossing
$-$$
tlj
au croisement des routes 93 et 11, à 80 km de Lake Louise
☎*(403) 761-7000*
Le restaurant abrite une assez grande cafétéria où, semble-t-il, tous les voyageurs s'arrêtent. Il en résulte que les lieux sont très fréquentés et qu'il faut parfois attendre longtemps en file avant de pouvoir commander un petit repas.

Parc national de Jasper

Jasper

Soft Rock Café
$
tlj
Connaught Square Mall, 622 Connaught Dr.
☎**(780) 852-5850**
Ce café propose d'excellents petits déjeuners et des sandwichs. L'après-midi, vous pourrez manger un petit gâteau ou goûter aux glaces tout en écoutant une agréable musique douce.

Jasper Inn Restaurant
$$
tlj
hôtel Jasper Inn, 98 Geikie St.
☎**(780) 852-3232**
Ce restaurant cuisine d'excellents produits de la mer. Une bonne table à Jasper.

Tokyo Tom's Restaurant
$$
tlj
410 Connaught Dr.
☎**(780) 852-3780**
Le Tokyo Tom's sert une bonne cuisine japonaise. Le *sukiyaki* est excellent, mais le décor, un peu morne, n'est pas très bien réussi.

Beauvallon Dining Room
$$$
tlj
Charlton's Chateau Jasper (voir p 37), 96 Geikie St.
☎**(780) 852-5644, poste 179**
Le Beauvallon est un élégant restaurant où l'on peut déguster une excellente cuisine traditionnelle française. Une des meilleures tables à Jasper.

Beauvert Dining Room
$$$
tlj
Jasper Park Lodge, voir p 619, à la sortie nord de Jasper
☎**(780) 852-3301**
La Beauvert Dining Room se présente comme un restaurant chic où bien s'habiller est de bon ton. La cuisine française proposée est excellente. Une des meilleures tables à Jasper.

Environs de Jasper

Pyramid Lake Resort
$
tlj en été seulement
au bord du lac Pyramid, à 5 km de Jasper
prenez Pyramid Lake Rd à Jasper et suivez les indications vers le lac Patricia et le lac Pyramid
☎**(780) 852-4900**
Le restaurant du Pyramid Lake Resort est un établissement où vous pourrez, en toute simplicité, faire un petit repas léger. La cuisine, sans fioriture, est bonne.

Hinton et les environs

Greentree Café
$
tlj 5h30 à 23h
Greentree Motor Lodge
☎**(780) 865-3321**
Ce café prépare de délicieux petits déjeuners copieux à prix imbattables.

Overlander Mountain Lodge
$$$
tlj
hôtel Overlander Mountain Lodge (voir p 620) 2 km après les guérites de péage de la sortie du parc national de Jasper; en vous dirigeant vers Hinton, prenez à gauche en direction de l'hôtel
☎**(780) 866-2330**
L'Overlander Mountain Lodge est un très bel établissement où l'on vous servira une excellente cuisine. Le menu change régulièrement, mais si vous avez la chance, laissez-vous tenter par la *stuffed rainbow trout*, une truite farcie de crabe et de crevettes, et garnie d'une sauce béarnaise.

Parcs nationaux de Kootenay et de Yoho

Kootenay Park Lodge Restaurant
$
mi-mai à fin sept tlj 8h à 10h, midi à 14h et 18h à 20h30
Highway 93 direction sud, à 42 km de Castle Junction
☎**(403) 762-9196**
Ce restaurant propose des repas légers en toute simplicité. Ce restaurant étant un peu retiré au milieu d'un paysage grandiose, vous aurez tout le loisir, après votre repas, de vous promener dans les environs.

Radium Hot Springs et les environs

Fairmont Hot Springs Resort
$$
tlj
Highway 93-95, près de la station de ski Fairmont
☎**(250) 345-6311**
Le restaurant du Fairmont Hot Springs saura contenter les clients les plus exigeants. Sa cuisine santé est excellente et le décor, agréable.

Golden

Prestige Inn
$$
tlj
1049 TransCanada Highway
☎**(250) 344-7661**
Le Prestige Inn apprête la meilleure cuisine de type traditionnelle à Golden.

Région de Kananaskis

Chief Chiniki
$
tlj
Highway 21, Morley
☎(403) 881-3748
Ce restaurant propose des plats nord-américains typiques à prix raisonnable. Le personnel de l'établissement, très aimable, s'empresse à faire le service.

Mount Engadine Lodge
$$
Spray Lakes Rd. *☎(403) 678-2880*
Le Mount Engadine Lodge propose une table d'hôte intéressante. La cuisine, à l'européenne, est très bonne.

Escapade
$$$
Hotel Kananaskis
☎(403) 591-7711
L'Escapade se présente comme le restaurant français de l'Hotel Kananaskis (voir p 622). Joliment décoré avec sa moquette rouge, ses confortables fauteuils et ses baies vitrées, l'endroit se révèle très chaleureux, et l'on se plaît à prendre son temps pour savourer son excellente cuisine.

Sorties

Parc national de Banff

Banff

La vocation essentiellement touristique de la petite ville de Banff a suscité l'ouverture de plusieurs établissements appelés à divertir les visiteurs. Il y en a pour tous les goûts.

Banff Springs Hotel
Spray Ave.
☎(403) 762-6860
Cet hôtel offre des divertissements variés, au gré de vos préférences. Les amateurs de danse peuvent ainsi s'ébattre dans la salle Rob Roy, tandis que ceux et celles qui recherchent une ambiance plus feutrée peuvent passer la soirée au Rundle Lounge, où un pianiste joue des airs classiques.

Out of Bounds Bar & Grill
137 Banff Ave.
☎(403) 762-8434
L'Out of Bounds Bar & Grill est un bar dansant où se produisent parfois des formations musicales.

Rose and Crown
202 Banff Ave.
☎(403) 762-2121
Ce bar fait vibrer le western dans un décor de pub anglais. Vous y trouverez une piste de danse, de fréquentes prestations musicales, un jeu de fléchettes et une table de billard.

Si vous préférez battre du pied dans un décor authentiquement western, enfilez vos jeans, chaussez vos bottes de cow-boy, coiffez votre stetson et dirigez votre monture vers le **Wild Bill's Legendary Saloon** *(à l'étage du 201 Banff Ave., ☎403-762-0333)*. Avec un peu de chance, un cow-boy amical pourrait même s'offrir à vous enseigner le *two-step*.

Lake Louise

À Lake Louise, les soirées se veulent beaucoup plus détendues. Vous y trouverez néanmoins deux établissements fort appréciés par certains oiseaux de nuit.

Charlie Two's Pub
Village Rd.
☎(403) 522-3791
Le charmant petit Charlie Two's Pub se trouve à l'intérieur du Lake Louise Inn Il s'agit d'un endroit agréable pour prendre un verre tout en écoutant de la musique. On y sert en outre des plats simples.

Le **Glacier Saloon** *(Chateau Lake Louise, ☎403-522-3511)* attire en général une foule jeune et dansante.

Parc national de Jasper

Jasper

Vous trouverez à Jasper deux boîtes s'adressant aux amateurs des plus récents succès : **Pete's on Patricia** *(à l'étage du 614 Patricia St., ☎780-852-6262)* et l'**Atha-B Pub** *(Athabasca Hotel, 510 Patricia St., ☎780-852-3386)*, qui possèdent toutes deux un bar, disposent d'une piste de danse et diffusent des airs récents. Le **Tent City** *(au sous-sol du Jasper Park Lodge, ☎780-852-3301)* se veut quant à lui un bon choix pour les amateurs de sport.

Les âmes en quête d'un pub à l'anglaise ont ici deux choix : le **Whistler Inn** *(105 Miette Ave., ☎780-852-3361)*, tout indiqué pour une bonne chope et une partie de fléchettes ou de billard au coin du feu, et le **Champs** *(Sawridge Hotel, 82 Connaught Dr.)*, qui propose lui aussi des jeux de fléchettes et des tables de billard.

Les amateurs de musique country peuvent s'exercer au *two-step* au **Buckles Saloon** *(à l'extrémité ouest de Connaught Dr., ☎780-852-7074)*, dont le décor reste fidèle à l'Ouest sauvage canadien. Bière, hamburgers et sandwichs.

Achats

Parc national de Banff

Banff

L'artère principale de Banff est bordée de comptoirs de souvenirs, de magasins de sport et de boutiques de vêtements de toutes sortes. Les lieux sont entre autres constellés de bijoux, de babioles, d'articles de plein air et de t-shirts.

La **Hudson's Bay Company** *(125 Banff Ave., ☎403-762-5525)* appartient au plus ancien fabricant de vêtements au Canada, établi depuis 1670, et vend d'ailleurs toujours des vêtements, mais aussi des souvenirs, des cosmétiques et bien d'autres choses encore.

The Shirt Company *(200 Banff Ave., ☎403-762-2624)* propose, ainsi que son nom l'indique, des t-shirts de toute taille et pour tous les goûts.

Monod Sports *(129 Banff Ave., ☎403-762-4571)* est l'endroit tout indiqué pour combler tous vos besoins en matériel de plein air. Vous y trouverez un bel assortiment de bottes de randonnée, mille et un accessoires de camping et même des vêtements.

Chez **Orca Canada** *(121 Banff Ave., ☎403-762-2888)*, un joaillier, vous aurez sûrement des idées de cadeaux. Nombre de pièces proposées ici, comme dans d'autres bijouteries de la région, se composent d' «ammolite» soit un minéral fossilisé trouvé dans le sol albertain; quoique parfois assez coûteux, ces objets constituent des souvenirs on ne peut plus représentatifs de la région.

La **Chocolaterie Bernard Callebaut** *(Charles Reid Mall, 127 Banff Ave.)* fait le bonheur de tous les amateurs de chocolat belge. Ses truffes sont excellentes.

Lake Louise

Moraine Lake Trading *(Moraine Lake Lodge, ☎403-522-3733)* est une petite boutique où vous trouverez des œuvres d'art amérindiennes.

Woodruff and Blum Booksellers *(Samson Mall, Lake Louise, ☎403-522-3842, ⇄522-2536)* possède une excellente collection d'ouvrages illustrés et de guides pratiques sur la randonnée pédestre, l'escalade, la pêche et le canotage dans la région. Vous y trouverez par ailleurs des cartes postales, des disques compacts, des affiches et des cartes topographiques.

Parc national de Jasper

Jasper

Maligne Lake Books *(Beauvert Promenade, Jasper Park Lodge, ☎780-852-4779)* vend de magnifiques recueils de photographies, des journaux et des romans.

Exposures Keith Allen Photography *(Building 54, Stan Wright Industrial Park, ☎780-852-5325)* fait des encadrements sur mesure et dispose d'un vaste assortiment de photos de la région datant des années quarante, y compris des photos inédites de Marilyn Monroe prises au cours du tournage de *Rivière sans retour*, filmé à Jasper même.

Outre un service de développement, le **Film Lab** *(Beauvert Promenade, Jasper Park Lodge, ☎780-852-4099)* offre des services de photographie professionnels.

Jasper Camera and Gifts *(412 Connaught Dr.e, ☎780-852-3165)* possède un bon assortiment de livres sur les Rocheuses et des produits Crabtree & Evelyn. Vous y trouverez même des jumelles pour ob-server la faune de plus près lors de vos excursions en montagne. On y développe les films.

The Liquor Hut *(angle Patricia St. et Hazel Ave., ☎780-852-3152)* dispose d'un bon choix de vins et de spiritueux.

Colombie-Britannique

Ce n'est que vers la fin du XVIIIe siècle que les fils de l'explorateur français La Vérendrye aperçurent les Rocheuses, et c'est pendant la dernière décennie du même siècle que George Vancouver explora, pour le compte des Britanniques, la côte du Pacifique, le long de ce qui allait devenir la Colombie-Britannique

Sculptée par de nombreux fjords, très découpée et parée de centaines d'archipels, la côte de la Colombie-Britannique s'étire sur 7 000 km, sans compter le littoral des îles. La plus importante de celles-ci est l'île de Vancouver, de la grandeur des Pays-Bas, sur laquelle est située Victoria, la capitale provinciale.

Bien qu'elle porte le même nom, Vancouver n'est pas située sur cette île, mais en face, sur le continent. Au nord s'étend l'archipel des îles de la Reine-Charlotte. Malgré son territoire très maritime, les trois quarts du territoire de la Colombie-Britannique s'élèvent à plus de 930 m d'altitude, en plus de cette barrière montagneuse se dressant à 3 000 m qu'on aperçoit depuis la côte. De nombreuses chaînes de montagnes se succèdent de l'ouest à l'est, jusqu'à la fameuse cordillère des Rocheuses, dont les sommets peuvent atteindre 4 000 m. Cette chaîne de montagnes est dénudée du côté est, ce qui lui a valu son nom.

Le long de la côte, sur les îles de la Reine-Charlotte ainsi que sur le littoral ouest de l'île de Vancouver, on trouve une forêt tellement luxuriante qu'on l'appelle «forêt humide du Nord» (Northern Rain Forest) pour faire pendant aux forêts tropicales humides. Les sapins de Douglas *(Douglas firs)* et les cèdres rouges *(western red cedars)* s'y retrouvent en abondance, de même que le géant épicéa de Sitka *(Sitka spruce)*. Le sapin de Douglas peut y atteindre 90 m de hauteur et 4,5 m de diamètre. Cette forêt reçoit jusqu'à 4 000 mm de pluie par année, et l'on y retrouve des arbres ayant plus de 1 000 ans. La plupart des vieux sapins de Douglas ont toutefois été abattus au cours du siècle dernier. L'hinterland, plus élevé en altitude et plus sec, fait place aux vastes forêts de pins, d'épinettes et de sapins-cigües *(hemlocks)*.

Les eaux du Pacifique, réchauffées par le courant du Japon, se maintiennent à une température plus élevée que celles de l'Atlantique, refroidies par le courant du Labrador. Une faune et une flore marine particulières s'y trouvent donc.

Colombie-Britannique
0
150
300km
N
Whitehorse
Tungsten
YUKON
Fort Simpson
Atlin
Watson Lake
TERRITOIRES DU NORD-OUEST
Juneau
Cassiar
37
ALASKA (ÉTATS-UNIS)
Mount Edziza Provincial Park
Dease Lake
77
97
Fort Nelson
Iskut
Spatsizi Plateau Wilderness Provincial Park
Meander River
COLOMBIE-BRITANNIQUE
37A
Meziadin Junction
97
Stewart
37
Williston Lake
ALBERTA
Kitwancool
Hudson's Hope
Fort St. John
Kitwanga
New Hazelton
Peace River
Cleardale
Prince Rupert
16
Chetwynd
Terrace
Mackenzie
Dawson Creek
Girouxville
Îles de la Reine-Charlotte
Smithers
McLeod Lake
Donnelly
High Prairie
Grouard
Kitimat
Houston
Fort St. James
Grande Prairie
Burns Lake
16
Slave Lake
Vanderhoof
97
Sinclair Mills
Prince George
Whitecourt
16
Tweedsmuir Provincial Park
Grande Cache
Bella Coola
Wells
McBride
Edson
Quesnel
Hinton
20
97
Tête Jaune Cache
Valemount
Drayton Valley
Tatla Lake
Williams Lake
Jasper
Rocky Mountain House
Port Hardy
Blue River
Sylvan Lake
19
5
23
93
Océan Pacifique
Bralorne
Cache Creek
2
Campbell River
Lillooet
Logan Lake
Kamloops
Golden
1
Powell River
12
1
Revelstoke
Banff
Cochrane
Île de Vancouver
99
Lytton
Salmon Arm
Calgary
Courtenay
Whistler
Merritt
Vernon
23
95
Squamish
6
Tofino
5
97c
Nakusp
Longview
Yale
Kelowna
6
New Denver
Nanaimo
Agassiz
Princeton
Vancouver
Hope
Penticton
Kaslo
1
1
3
Kimberly
Castelgar
Nelson
Bellingham
Crowsnest Pass
Victoria
Osoyoos
3
Trail
3
Grand Forks
93
CANADA
ÉTATS-UNIS
Port Angeles
IDAHO
Everett
Omak
MONTANA
Seattle
Kalispell
©ULYSSE
Aberdeen
Olympia
WASHINGTON

Le sud de la Colombie-Britannique

Frontière méridionale avec les États-Unis, cette région regroupe des territoires à la fois urbanisés et à l'état naturel.

Le développement de la région de Vancouver rappelle les grandes villes américaines, mais dans un décor de montagnes vertes et de mer bleue; on y retrouve la vie sauvage et la vie civilisée. La vallée de l'Okanagan rassemble certains des meilleurs producteurs de vins de la province et d'innombrables ver-gers. Les paysages grandioses de la Colombie-Britannique se bousculent devant nos yeux éblouis par la mer, les neiges éternelles et les couleurs du printemps, qui commence très tôt dans cette région.

Le rendez-vous avec la nature est mémorable; les cours d'eau qui mouillent les plages désertes invitent à la détente et à la rêverie. Les forêts majestueuses veillent à la sérénité des lieux inviolés par l'exploitation forestière. Riche de plusieurs parcs nationaux et provinciaux qui englobent les plus belles régions de la province, le sud de la Colombie-Britannique offre un paysage très varié, depuis les neiges éternelles en passant par des cours d'eau qui foisonnent de poissons jusqu'aux vallées désertiques.

Pour s'y retrouver sans mal

En avion

Plusieurs compagnies aériennes desservent les différentes régions de la province.

AirBC
Kamloops, Kelowna, Penticton, Vernon, Powell River
à Vancouver
☎ ***(604)-643-5600 ou 800-663-3721***

Canadian Regional
Kamloops, Kelowna, Penticton
à Vancouver
☎ ***(604)-279-6611 ou 800-665-1177***

Central Mountain Air
Kamloops, Kelowna réservez par l'entremise d'AirBC
☎ ***800-663-3721***

En voiture

Le sud de la Colombie-Britannique possède un réseau d'autoroutes toutes plus spectaculaires les unes que les autres, dont la Transcanadienne, qui va d'est en ouest à travers montagnes, rivières, canyons et vallées désertiques.

L'autoroute 1, la Transcanadienne, facilitera votre sortie de Vancouver vers l'est, quoiqu'il y ait toujours une circulation assez dense. Cette route conduit à Calgary en longeant, entre autres, le fleuve Fraser et la rivière Thompson ainsi que le lac Shuswap. Autrement, la route 7, qui est le prolongement de Broadway Avenue depuis le centre-ville, suit la rive nord du fleuve Fraser.

Pour ceux et celles qui doivent traverser cette région rapidement, une nouvelle autoroute entre Hope et Kamloops, la Coquihalla Highway, est ouverte à la circulation. Il s'agit de la seule autoroute payante de la province; de plus, elle n'a pas le charme des autres.

Le nord de la province est accessible par l'autoroute Sea To Sky 99; il faut alors traverser le Lions Gate Bridge et suivre les indications vers Whistler et Squamish. Cette route est très spectaculaire.

En train

Autrefois très actives, les gares comptent maintenant très peu de trains à l'horaire. Il existe toujours *Le Canadien*, qui traverse les Rocheuses à flanc de montagne et par de nombreux tunnels. De North Vancouver, un train longe l'anse Howe vers le nord en passant par Squamish et Whistler; ce parcours permet de contempler un beau paysage.

BC Rail
1311 W. First St., North Vancouver
☎***(604) 984-5246 ou 800-663-8238***
Cette société ferroviaire dessert les villes du nord de la province en passant par le centre de villégiature de Whistler.

VIA Rail
1150 Station St., Vancouver
☎***800-561-8630***
VIA Rail dessert les villes suivantes : Port Coquitlam, Matsqui, Chilliwack, Hope, Boston Bar, Ashcroft, Kamloops North et plusieurs autres villes du sud-est de la pro-vince.

En autocar

Greyhound Lines
Pacific Central Station
1150 Station St.
Vancouver
☎***(604) 662-3222 ou 800-661-8747***

Maverick Coach Lines
Pacific Central Station
1150 Station St.
Vancouver
☎***(604) 662-8051***
Surtout utilisée par les skieurs qui désirent passer la journée à Whistler, cette compagnie d'autocars dessert également d'autres villes le long de la route 99.

Whistler Transit System
☎***(604) 932-4020***

En traversier

Pour atteindre la Sunshine Coast, vous devez prendre un traversier d'où que vous soyez sur la côte ou sur l'île de Vancouver.

BC Ferries
1112 Fort St., Victoria, V8V 4V2
☎***(604) 386-3431***
Vancouver
☎***888-223-3779***
Saltery Bay
☎***(604) 487-9333***
Powell River
☎***(604) 485-2943***

Renseignements pratiques

L'indicatif régional des environs de Vancouver est le **604**. Le reste de la province, au nord de Whistler et à l'est de Hope, utilise l'indicatif régional **250**.

Renseignements touristiques

Les différents bureaux d'information touristique du sud de la province sont ici regroupés en région. Toutefois, un grand nombre de villes possèdent également un tel bureau.

Tourism Association of Southwestern B.C.
204-1755 W. Broadway, Vancouver V6J 4S5
☎***(604)739-9011 ou 800-667-3306***

Okanagan-Similkameen Tourism Association
1332 Water St., Kelowna, V1Y 9P4
☎***(250) 860-5999 ou 800-567-2275***

Kootenay Country Tourist Association
610 Railway St., Nelson, V1L 1H4
☎***(250) 352-6033***

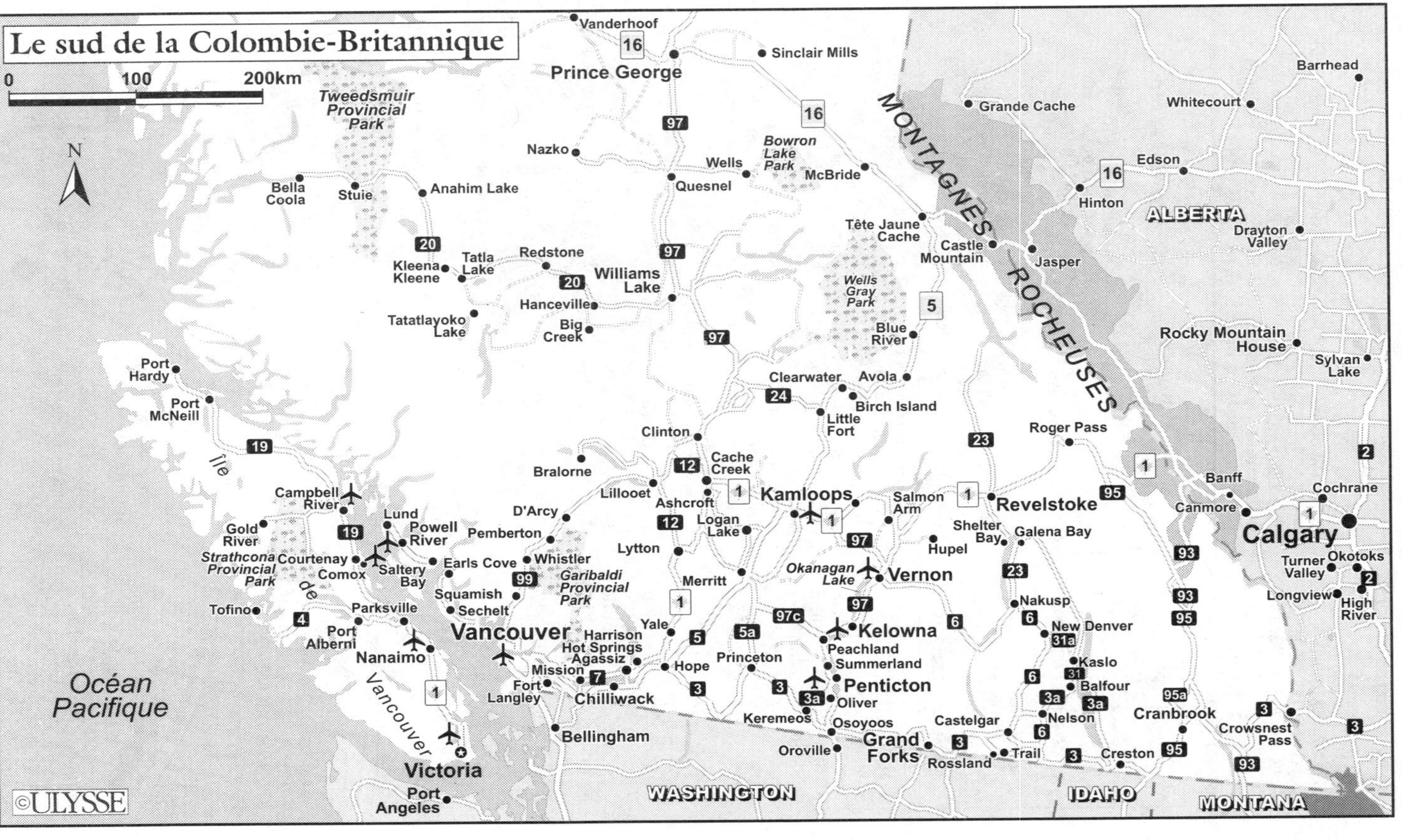
Le sud de la Colombie-Britannique
0
100
200km
N
Tweedsmuir Provincial Park
Vanderhoof
Prince George
Sinclair Mills
Grande Cache
Barrhead
Whitecourt
Edson
Hinton
ALBERTA
Drayton Valley
Nazko
Wells
Bowron Lake Park
McBride
Quesnel
Bella Coola
Stuie
Anahim Lake
MONTAGNES ROCHEUSES
Tête Jaune Cache
Castle Mountain
Jasper
Kleena Kleene
Tatla Lake
Redstone
Williams Lake
Hanceville
Tatatlayoko Lake
Big Creek
Wells Gray Park
Blue River
Rocky Mountain House
Sylvan Lake
Port Hardy
Port McNeill
Clearwater
Avola
Birch Island
Little Fort
Clinton
Roger Pass
Île
de
Vancouver
Cache Creek
Bralorne
Lillooet
Ashcroft
Kamloops
Salmon Arm
Revelstoke
Banff
Cochrane
Canmore
Calgary
Campbell River
Lund
Powell River
D'Arcy
Pemberton
Gold River
Strathcona Provincial Park
Courtenay
Comox
Saltery Bay
Earls Cove
Whistler
Lytton
Logan Lake
Shelter Bay
Galena Bay
Hupel
Turner Valley
Okotoks
Longview
High River
Garibaldi Provincial Park
Squamish
Sechelt
Merritt
Okanagan Lake
Vernon
Nakusp
Tofino
Parksville
Port Alberni
Nanaimo
Vancouver
Harrison Hot Springs
Agassiz
Yale
Hope
Mission
Fort Langley
Chilliwack
Princeton
Kelowna
Peachland
Summerland
Penticton
New Denver
Kaslo
Balfour
Nelson
Oliver
Keremeos
Osoyoos
Oroville
Grand Forks
Castelgar
Rossland
Trail
Creston
Cranbrook
Crowsnest Pass
Océan Pacifique
Victoria
Port Angeles
Bellingham
WASHINGTON
IDAHO
MONTANA
©ULYSSE

High Country Tourism Association
2-1490 Pearson Place, Kamloops
V1S 1J9
☎***(250) 372-7770 ou 800-567-2275***

Attraits touristiques

La Sunshine Coast

Vous accédez à la Sunshine Coast principalement par voie maritime; une tout autre mentalité s'exprime ici par l'inexistence de routes reliant Vancouver à ces villes de villégiature : ce sont les traversiers qui dictent le va-et-vient du quotidien. Les municipalités qui se sont développées le long de cette côte bénéficient de la mer et de ce qu'elle produit. La Sunshine Coast prend forme le long du détroit de Géorgie, entourée au nord par le Desolation Sound, à l'est par la Chaîne côtière, et plus au sud, par le Howe Sound.

Langdale

Vous atteindrez Langdale en 40 min, une petite ville portuaire à la pointe sud de la Sunshine Coast. Les traversiers desservent cette côte à plusieurs reprises dans la journée; il faut toutefois se présenter au quai d'embarque-ment de Horseshoe Bay au moins une heure à l'avance pour certains départs de fin de semaine. **Horseshoe Bay** est à 20 km au nord-ouest de Vancouver. Avec BC Ferries *(information 7h à 22h; Vancouver ☎888-223-3779, Victoria ☎250-386-3431)*, vous économiserez jusqu'à 15% sur l'achat de votre billet si vous prévoyez revenir par l'île de Vancouver au lieu de faire l'aller-retour. Demandez le Sunshine Coast Circlepac.

★
Gibsons

À Gibsons, les visiteurs ne manqueront pas de reconnaître le site de tournage de *Beachcombers*, une série télévisée de la Canadian Broadcasting Corporation (CBC) qui a été tournée ici pendant près de 20 ans et qui a été diffusée dans plus de 40 pays. Sur la route entre Langdale et Gibddond, arrêtez-vous au **Molly's Reach Café**, le bistro où les personnages de la série se retrouvaient souvent dans le film et qui fait la grande attraction de Gibsons. Prenez aussi le temps de déambuler sur **Molly's Lane** ★ à travers les petites boutiques et les restaurants. Plus récemment, Gibsons devenait «Castle Rock» pour un autre roman, ***Needful Things***, de Stephen King.

Une visite s'impose au **Sunshine Coast Maritime Museum** ★ *(au bout de Molly's Lane, ☎604-886-411-4)*; une dame charmante vous y accueillera et vous fera partager sa passion pour la vie marine de la région.

Le développement de la Sunshine Coast s'est effectué sur une mince bande le long de la forêt. La vie sauvage animale et végétale y est riche; les orchidées et les roses sauvages côtoient les chevreuils et les ours noirs; les loutres de rivière et les castors maintiennent leurs activités près des côtes, tandis que les otaries et les phoques prennent le large.

★
Powell River

Powell River, ville importante en bordure de la mer, est l'hôte de merveilleux couchers de soleil sur les îles du détroit de Géorgie et l'île de Vancouver. Les activités de plein air sont à l'honneur dans cette région de la côte. Le climat tempéré de Powell River facilite la pratique de ces activités toute l'année. L'industrie forestière joue un rôle important dans cette région. Mais on vient surtout à Powell River pour en connaître les lacs, la forêt, la vie animale et les points de vue.

★★
Lund

Lund, située au bout de la route 101, ou au début, selon le point de référence, est la porte d'entrée du merveilleux **Desolation Sound Marine Park** ★★ (voir p 640), havre de vie marine facilement accessible en kayak ou en canot. Le port de Lund est magnifique avec son vieil hôtel, ses commerces attenants et la passerelle de bois qui fait le tour de la baie; les bateaux de pêche qui y mouillent dessinent la carte postale que vous aviez imaginée en songeant à un village de pêcheurs. Les sorties en kayak sont accessibles à tous. Expéditions de pêche, croisières d'observation de baleines, sorties de plongée-tuba : le choix ne manque pas.

En longeant le fleuve Fraser

Squamish

Soo Coalition for Sustainable Forests ★ *(30$; durée 4 heures, promenade en forêt lun-ven, réservations obligatoires ☎604-892-9766; visite des installations à Squamish, 14$ pour deux; lun-ven 9h à 17h)* est un organisme qui voit à la préservation de la forêt et des emplois de ce secteur. Il organise des visites en forêt ou dans les cours à bois afin de renseigner la population sur l'exploitation forestière.

Le **Royal Hudson Steam Train** *(45$ aller-retour; juin à sept mer-dim; départ de North Vancouver 10h; 1311 W. First St., North Vancouver, le retour en bateau est possible, le billet coûte alors 78$; ☎604-688-7246 ou 800-663-8238)*, un train historique, fait la navette entre North Vancouver et Squamish. La voie ferrée sillonne la côte, d'où s'offrent aux regards des vues imprenables sur les îles et les sommets blancs de la Chaîne côtière.

Yale

Yale s'est développée en raison de trois événements majeurs au cours de l'histoire : la traite des fourrures, la ruée vers l'or et la construction du chemin de fer. Cette ville marque aussi le début du Fraser Canyon : attachez vos ceintures et ouvrez grand les yeux!

Le **pont Alexandria** enjambe le fleuve Fraser à un endroit très frappant où seuls les piétons ont accès. Ce pont ne fait plus partie du réseau routier. Là promenade sur ce pont offre également des vues splendides sur le fleuve Fraser. Un panneau du côté de la Transcanadienne donne les indications à suivre pour atteindre le site.

Hell's Gate ★ *(10$; ☎604-867-9277)*. Simon Fraser fut le premier Européen à naviguer sur ce fleuve et, à son passage dans cette gorge étroite, il la nomma «la porte de l'enfer»! Même le saumon avait de la difficulté à passer en raison d'importants glissements de terrain qui avaient considérablement rétréci la gorge. La force du courant empêchait les saumons de remonter pour aller frayer; cependant, une passe a été aménagée afin de corriger la situation. Un téléphérique descend 152 m plus bas pour vous emmener au niveau de la rivière.

★ Hope

Hope marque la porte d'entrée du Fraser Ca-yon et est située au confluent de la rivière Coquihalla, du fleuve Fraser et de la rivière Nicolum. La Compagnie de la Baie d'Hudson y établit, en 1848, un poste de traite des fourrures dénommé Fort Hope; et 10 années plus tard, la découverte d'or attira des prospecteurs qui firent de Hope leur point d'approvisionnement en vivres.

Le **Kettle Valley Railway** a laissé des traces importantes dans la région de Hope. Cinq tunnels, les **Othello Tunnels**, ont été creusés à même des parois de granit pour traverser le canyon de Coquihalla. Tout comme sur d'au-tres tronçons de cette voie ferrée, les problèmes d'éboulis et d'avalanches ont eu raison des rails.

★ Harrison Hot Springs

Harrison Hot Springs coule à l'extrémité sud du lac Harrison, là où les Coast Salish venaient profiter des eaux chaudes dites curatives. Des chercheurs d'or en ont fait la découverte en 1858. Une tempête sur le lac Harrison les avait forcés à rejoindre la rive, et c'est en mettant les pieds dans l'eau à l'accostage qu'ils ont fait l'expérience de cette source d'eau chaude minérale. Le site est spectaculaire : le lac s'engouffre dans une série de montagnes qui découpent le paysage.

Un bain public intérieur donne accès à ces eaux minérales : **Harrison Hot Springs Public Pool** ★ *(8,50$; mai à nov tlj 8h à 21h, déc à avr dim-jeu 8h à 21h et ven-sam 8h à 22h; à l'intersection de Hot Springs Rd. et de Lilloet Ave., ☎604-796-2244)*. En plus d'avoir la mainmise sur le bain public, l'hôtel Harrison a acquis les droits pour exploiter la source. Les plages du lac Harrison attirent chaque année, en septembre et en octobre, les amateurs de sculptures de sable; les résultats sont impressionnants. La route qui longe le lac mène au parc provincial Sasquatch.

Mission

Centre d'interprétation de la maison longue de Mission
dons acceptés
3 km à l'est de Mission
☎(604) 820-9725
Ce site archéologique autochtone a été découvert

en 1990. Les Amérindiens le dénomment *Xa:ytem* (prononcé HAY-tum), qui désigne une large roche sur un ancien plateau du fleuve Fraser. Selon les géologues, il s'agit d'un rocher (boulder) qui a été laissé là au passage des glaciers. Les Sto:lo, des Amérindiens qui ont habité la région il y a plus de 4 000 ans, interprètent la présence de cette pierre comme étant la transmutation de trois chefs de bande ayant commis un péché. Des centaines de vestiges ont été trouvés sur les lieux, entre autres des outils et des armes taillés dans la pierre. Ce centre expose des vestiges de pièces archéologiques, et des Sto:lo servent de guides.

Langley

Lieu historique national du Fort-Langley ★ *(5$; tlj 10h à 17h; sortie 66 Nord de la Transcanadienne, direction Fort Langley, à l'intersection de Mavis St. et de Royal St., ☎604-888-4424).* Le fort Langley a été construit en 1827 à 4 km en aval du lieu actuel sur la rive sud du fleuve Fraser. Il a été déménagé en 1839 et, un an plus tard, un feu a tout ravagé. La Compagnie de la Baie d'Hudson utilisait ce fort pour l'entreposage des fourrures en partance pour l'Europe par voie maritime.

En suivant la rivière Thompson jusqu'à Revelstoke

Ashcroft

Ashcroft est située à quelques kilomètres à l'est de l'autoroute 1, d'où partaient, dans les années 1860, les chercheurs d'or en route vers le nord. Vous pouvez prendre la Transcanadienne 1 Est vers Kamloops en passant par Cache Creek afin de suivre le bord du lac Kamloops et d'apercevoir les champs de culture de ginseng. Au lieu de prendre la Transcanadienne, vous pouvez aussi poursuivre sur la route 97C vers Logan Lake et la mine Copper Valley. Tout en remontant la magnifique vallée désertique, vous apercevrez le Sundance Guest Ranch (voir p 643 pour connaître les détails du séjour), qui surplombe la vallée de la rivière Thompson. Depuis les années cinquante, cet établissement propose aux visiteurs des excursions à dos de cheval à travers des milliers d'hectares de champs. Autrefois, les éleveurs de bétail y vivaient comme dans la plupart des ranchs de la région.

Copper Valley ★★ *(mai à sept lun-ven 9h30 et 12h30, sam-dim 9h30, 12h30 et 15h30; durée de la visite 2 heures 30 min; ☎250-523-2443).* Copper Valley est une des plus grandes mines de cuivre à ciel ouvert au monde. Le paysage est lunaire. L'équipement industriel et les moyens de transport du minerai y prennent des dimensions démesurées. Même si vous ne pouvez pas en faire la visite, vous remarquerez ce site de la route.

Kamloops

Kamloops, ville d'étape, est la capitale de l'intérieur de la province, une ville de 68 500 habitants où les industries forestière et touristique sont les principaux moteurs de l'économie locale. L'industrie minière et l'élevage de bétail contribuent également au développement de la ville. C'est un centre très intéressant qui offre la possibilité de belles vacances. La nature y est belle et le climat, très agréable, ce qui encourage à pratiquer des activités de plein air.

À l'ouest de Kamloops se cache dans les champs, sous de grandes toiles noires, la culture du ginseng. D'importantes fermes exploitent cette racine tant convoitée en Asie pour les bienfaits qu'elle est censée procurer. Le ginseng américain, qui est cultivé ici, a été découvert dans l'Est canadien, il y a plusieurs centaines d'années, par des Amérindiens qui l'utilisaient dans la fabrication de leurs potions. La firme **Sunmore** *(925 McGill Place, ☎250-374-3017)* vous explique la culture du ginseng en Amérique du Nord et les différences qui peuvent exister entre la culture asiatique et la culture locale.

Une autre activité qui vous fera prendre conscience de l'importance des cours d'eau en Colombie-Britannique est une promenade à bord du *Wanda-Sue* sur la rivière Thompson, entourée de montagnes dénudées. Les Amérindiens, les trappeurs, les chercheurs d'or, les bûcherons et les ouvriers du chemin de fer utilisaient le transport maritime jusqu'à l'arrivée de la voie ferrée et des routes. Le **Wanda-Sue** ★ part de l'Old Kamloops Yacht Club *(11,50$; avr à sept; la promenade dure 2 heures; 1140 River St., près de 10th Ave., ☎250-374-7447).*

★

Revelstoke

L'histoire de Revelstoke est étroitement liée à la construction du chemin de fer transcontinental. Les Italiens sont venus en grand nombre faire la construction des tunnels, car ils étaient passés maîtres dans cet art. Les 9 000 personnes qui habitent cette ville vivent encore aujourd'hui en grande partie des retombées du transport ferroviaire. Le tourisme et la production d'électricité ont aussi une place importante dans la vie économique de cette belle ville.

Revelstoke est une ville centenaire qui a su conserver son charme et plusieurs bâtiments de styles Queen Anne, victorien, Art déco ou néoclassique qui témoignent de cette époque. Procurez-vous le plan du **Heritage Walking & Driving Tour** ★ au musée de Revelstoke ou au Travel Infocentre *(204 Campbell Ave., ☎250-837-5345)*.

Le **Revelstoke Railway Museum** ★ *(7$; juil et août tlj 9h à 20h, appelez pour vérifier les heures d'ouverture à l'automne et au printemps; 719 Track St., ☎250-837-6060)* retrace l'histoire de la construction du chemin de fer dans les Rocheuses et le développement de Revelstoke. Plusieurs photos d'archives, des vestiges et, surtout, une locomotive des années quarante ainsi qu'une voiture de dirigeant d'entreprises, construite en 1929, agrémentent cet espace.

Revelstoke Dam ★ *(entrée libre; mai 9h à 17h, juin à août 8h à 20h, sept et oct 9h à 17h, fermé nov à avr, quoique les groupes peuvent faire une visite pendant la basse saison; suivez la route 23 Nord, ☎250-837-6211)*. Vous serez renseigné sur la production hydroélectrique et aurez accès à différentes salles ainsi qu'au barrage, une imposante structure de béton.

Revelstoke est une plaque tournante entre les Rocheuses et les monts Kootenay, vers le sud. Si vous décidez de poursuivre votre route vers l'est, en Alberta, restez sur la Transcanadienne pour passer par Golden, Field et Lake Louise. Nous vous proposons de descendre dans les monts Kootenay et d'y découvrir une région moins fréquentée mais tout aussi passionnante. Toutefois, nous vous recommandons d'aller jusqu'à **Rogers Pass** ★★ avant d'entreprendre votre voyage vers le sud. Ce col a été nommé en l'honneur de l'ingénieur qui a découvert, en 1881, le passage qui allait relier l'est à l'ouest. Mais en raison de plusieurs catastrophes, dans lesquelles des centaines de personnes ont perdu la vie lors d'avalanches, le Canadien Pacifique décida de construire un tunnel pour traverser cette région. Le **Rogers Pass Center** ★ *(☎250-814-5233)*, situé à une heure de Revelstoke, dans le parc national Glacier, vous renseigne sur l'épopée du chemin de fer. Un sentier a été aménagé sur les anciennes voies ferrées tout en vous faisant passer devant les ruines d'une gare qui a été détruite lors d'une avalanche.

Le sud de la vallée de l'Okanagan et Silmilkameen

Le sud de la Colombie-Britannique offre aux visiteurs plusieurs trésors de la nature. Cette vallée découpée sur un axe nord-sud et tapissée d'arbres fruitiers et d'une langue d'eau forme une des plus belles régions de la province. La qualité du vin produit dans l'Okanagan a été reconnue à plusieurs reprises; les vergers nourrissent une bonne partie de la province, et ses lacs et montagnes font le bonheur des sportifs. Le climat incite aux activités; l'hiver, doux en ville et enneigé en montagnes, donne la possibilité à tous d'apprécier cette saison. Au printemps, les arbres fruitiers sont en fleurs; en été et en automne, la cueillette est souvent suivie d'une baignade dans un des nombreux lacs.

Princeton

Le **Princeton Museum and Archives** ★ *(juil et août tlj 9h à 18h, sept à juin lun-ven 13h à 17h; conservatrice Margaret Stoneberg, ☎250-295-7588, maison ☎295-3362)* renferme une imposante collection de fossiles qui attirent sur place des chercheurs étasuniens désireux de les étudier. Margaret Stoneberg est une femme passionnée et passionnante qui vous fera découvrir ces pierres rappelant l'histoire de la région. Le musée manque de fonds; les pierres s'accumulent sans vraiment être présentées en ordre, mais il est tout de même étonnant de voir tout ce que ce musée peut abriter.

Les **Maverick Cattle Drives** *(125$; réservations obligatoires; déjeuner, promenade matin et après-midi, travail avec le bétail; ☎250-295-6243 ou 295-3753)* accueillent les visiteurs qui désirent faire l'expérience de la vie sur un ranch. Retrouvez-vous à dos de cheval, bercé par le vent chaud d'été, à travers les champs de blé, avec des vues sur les glaciers voisins : une belle promenade! Vous aurez aussi à participer aux différentes tâches à exécuter sur le ranch. En fin de journée, les cow-boys se rencontrent au saloon.

Osoyoos

Osoyoos repose au fond de la vallée et est bordée par le lac Osoyoos et les coteaux verts garnis de vergers et de vignobles. Cette ville construite à quelques kilomètres de la frontière étasuniene, dans un climat désertique, rappelle davantage les déserts américains, ou même le sud de l'Italie, qu'une ville canadienne. On vient surtout à Osoyoos en été pour profiter du lac exceptionnellement chaud et des sports nautiques.

La route des vins couvre la grande région de l'Okanagan. Au nord d'Osoyoos, le **Domaine Combret** ★ *(32057 131st Rd. 13, Oliver, ☎250-498-8878, ≠498-8879)* a reçu de l'Office International de la Vigne et du Vin, basé en Bourgogne en France, la plus haute distinction internationale pour son chardonnay en 1995. Le riesling a également été couronné au cours de l'année 1995. Pour faire une visite de la maison, il faut toutefois appeler avant de se rendre, les vignerons passant une bonne partie de leur journée dans les vignes en saison.

★ Penticton

Penticton s'élève entre le lac Okanagan au nord et le lac Skaha au sud. Cette ville compte près de 30 000 habitants et bénéficie d'un climat sec et tempéré. Penticton vit avant tout du tourisme. Les Amérindiens l'avaient baptisée *Pen-tak-tin*, c'est-à-dire «lieu où l'on reste toujours». Une plage bordée d'arbres et d'un passage piétonnier longe l'extrémité nord de la ville. Le paysage aride, dessiné par les courbes de la côte sablonneuse, contraste avec les champs de vignes et les vergers. Penticton est une destination d'activités de plein air, de gastronomie et de joie de vivre.

Une tournée dans un verger s'impose, surtout en plein été, pendant la saison de la cueillette des fruits; c'est l'abondance et, surtout, c'est délicieux. De juillet à la fin septembre, les arbres fruitiers débordent de couleurs et d'odeurs, et tapissent la région. La **Dickinson Family Farm** *(sur la route 97 Nord, prenez à gauche Jones Flat Rd., puis à droite Bentley Rd. jusqu'au nº 19208, ☎250-494-0300)* vous invite à découvrir de belles plantations d'arbres fruitiers. Vous pouvez acheter sur place les produits à base de pêches, de poires ou de pommes; essayez leur beurre de pêche et leur jus de pomme fraîchement pressé, un délice! Sortez de Penticton par Lakeshore Drive et suivez la route 97 Nord en direction de Summerland.

Une promenade en montagne sur l'ancien emprise du **Kettle Valley Railway** ★★ donne l'occasion de découvrir d'autres vues sur la vallée de l'Okanagan. Construite au tournant du XIXe siècle, cette voie ferrée reliait Nelson, à l'est, à Hope, à l'ouest, afin de raccorder les terres intérieures, d'où étaient extraites des tonnes de minerai, jusqu'à la côte du Pacifique. Dame Nature a été un obstacle majeur tout au long de la courte existence de ce chemin de fer. Les éboulis, les avalanches et les tempêtes de neige forçaient la fermeture de la voie. Il en a coûté 20 millions de dollars, et jamais le Kettle Valley Railway n'aura fait ses frais.

Sur la rive ouest, à Summerland, une partie de la voie a été remise en service avec le passage d'un train à vapeur. Prenez la route 97 Nord vers Summerland, tournez à gauche par Solly Road et suivez les indications menant à la **West Summerland Station of the Kettle Valley Steam Railway** *(mai à oct; ☎250-494-8422, ≠494-8452)*. Des plans des deux sites sont disponibles au bureau d'information touristique de Penticton, sur Lakeshore Drive.

★ Kelowna

Kelowna, cette capitale de l'hinterland, est une grande ville de 90 000 habitants dont la culture des fruits, la production du vin et l'ajout récent de quelques industries légères assurent la vitalité économique. Kelowna vit également du tourisme, et

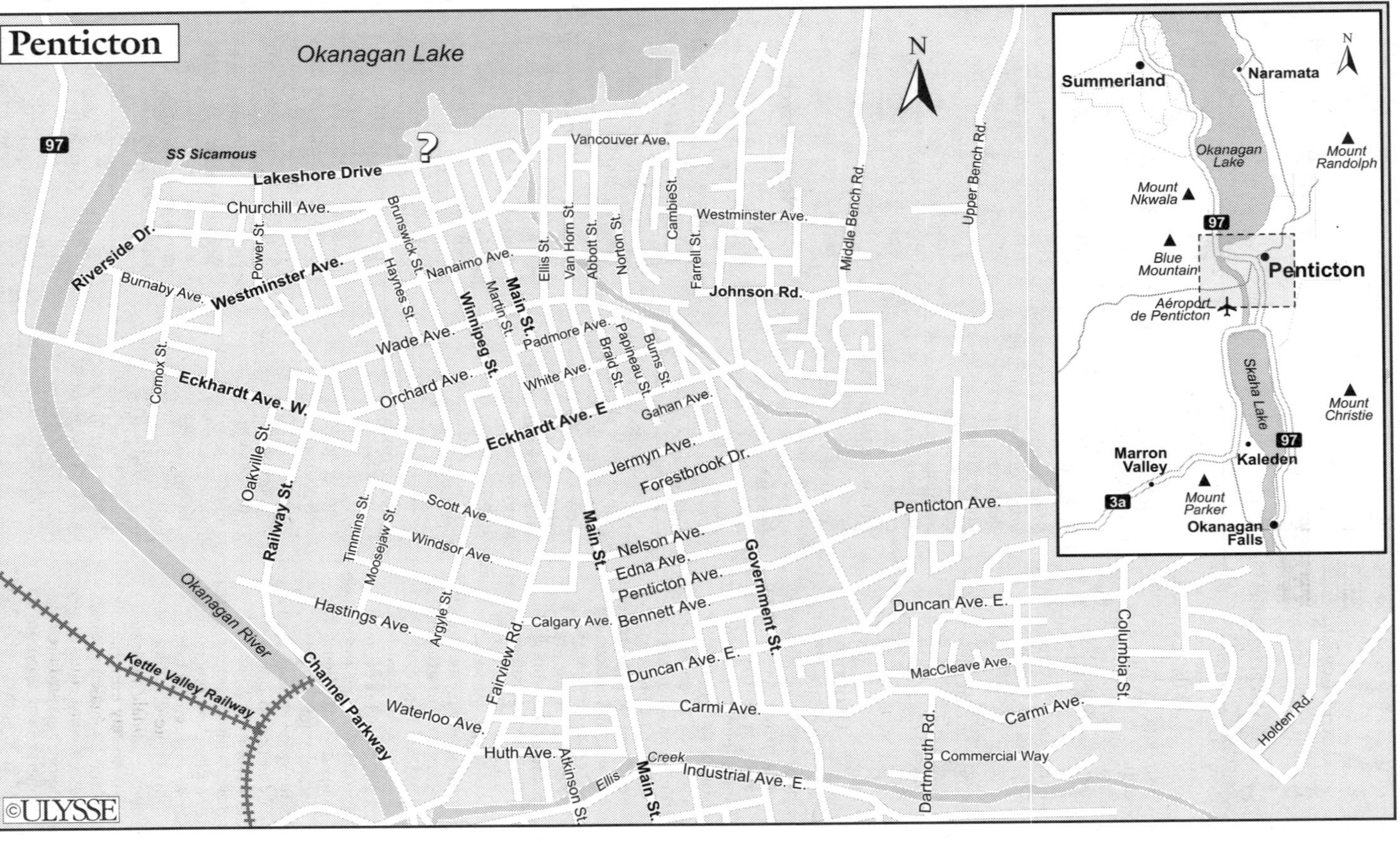

Penticton
Okanagan Lake
97
SS Sicamous
Lakeshore Drive
Churchill Ave.
Riverside Dr.
Power St.
Burnaby Ave.
Westminster Ave.
Brunswick St.
Haynes St.
Nanaimo Ave.
Wade Ave.
Winnipeg St.
Martin St.
Main St.
Ellis St.
Van Horn St.
Abbott St.
Norton St.
Vancouver Ave.
CambieSt.
Westminster Ave.
Farrell St.
Johnson Rd.
Middle Bench Rd.
Upper Bench Rd.
Comox St.
Eckhardt Ave. W.
Orchard Ave.
Padmore Ave.
White Ave.
Braid St.
Papineau St.
Burns St.
Gahan Ave.
Eckhardt Ave. E
Jermyn Ave.
Forestbrook Dr.
Oakville St.
Railway St.
Timmins St.
Moosejaw St.
Scott Ave.
Windsor Ave.
Argyle St.
Hastings Ave.
Fairview Rd.
Calgary Ave.
Nelson Ave.
Edna Ave.
Penticton Ave.
Bennett Ave.
Government St.
Penticton Ave.
Duncan Ave. E.
Duncan Ave. E.
MacCleave Ave.
Columbia St.
Carmi Ave.
Carmi Ave.
Holden Rd.
Waterloo Ave.
Huth Ave.
Atkinson St.
Ellis
Creek
Main St.
Industrial Ave. E.
Dartmouth Rd.
Commercial Way
Okanagan River
Channel Parkway
Kettle Valley Railway
©ULYSSE
N
Summerland
Naramata
Okanagan Lake
Mount Randolph
Mount Nkwala
97
Blue Mountain
Penticton
Aéroport de Penticton
Skaha Lake
Mount Christie
97
Marron Valley
Kaleden
3a
Mount Parker
Okanagan Falls

elle a beaucoup à offrir à ses nombreux visiteurs.

La **mission du père Charles Pandosy** *(mai à début oct tlj; Benwoulin Rd., à l'intersection avec Casorso Rd., ☎250-860-8369)* est un site historique provincial depuis 1983. Elle comprend une église et des bâtiments de ferme.

Située au bord du lac Okanagan, Kelowna possède plusieurs parcs qui longent la rive, entre autres le **Knox Mountain Park**, où surgit un magnifique point de vue d'où vous aurez peut-être la chance d'apercevoir *Ogopogo*.

Il faut compter 20 min pour atteindre le premier pont métallique du **Myra Canyon ★★**. Les marcheurs adoreront cette sortie. En joignant la chambre de commerce de Kelowna *(544 Harvey Ave., ☎250-861-1515)* ou l'association touristique de l'**Okanagan-Similkameen** *(1332 Water St., ☎250-860-5999)*, vous pouvez planifier des sorties de plusieurs jours. Les cyclistes s'en donnent à cœur joie, les plus téméraires mettant une journée complète pour se rendre à Penticton.

La région de l'Okanagan produit la quasi-totalité des vins de la Colombie-Britannique. Depuis quelques années, les vins de la région ont été couronnés internationalement. Trois établissements vinicoles ont pignon sur Lakeshore Road au sud de Kelowna, entre autres Cedar Creek, qui produit surtout du vin blanc, comme la plupart des viticulteurs de la région. La **Cedar Creek Winery** *(5445 Lakeshore Rd., ☎250-764-8866, ⇌764-2603)* est située sur un joli coteau entouré de vignes donnant sur le lac Okanagan. Une visite de la maison vous permettra d'apprécier ses vins et surtout son chardonnay. L'entrée est gratuite, et vous pourrez acheter sur place des bouteilles.

Vernon

Reprenez la route 97 Nord vers Vernon pour aller découvrir cette ville entourée de trois lacs qui a connu des débuts modestes dans les années 1860, lorsque Cornelius O'Keefe choisit ce site pour y installer un ranch. Le nord de cette ville constitue une grande région d'élevage de bétail; allez visiter l'**Historic O'Keefe Ranch** *(tlj mai à oct; 12 km au nord de Vernon sur la route 97, ☎250-542-7868)*, où ont été préservés le manoir, une église de bois et l'équipement du ranch. L'industrie forestière et l'agriculture génèrent des retombées économiques majeures pour la région, contrairement à Kelowna et à Penticton, où le tourisme est plus important.

Kootenay Country

Cette contrée, à l'écart des circuits touristiques habituels, cache des trésors inestimables que peuvent dénicher les voyageurs fervents de montagnes, de lacs, d'histoire et de rencontres fortuites. Ici aussi, on parle de paysages; que voulez-vous, c'est ça la Colombie-Britannique! Il demeure que cette région est méconnue; il devient d'autant plus intéressant de la découvrir puisqu'elle est authentique, ou presque.

Situés dans le sud-est de la province, les monts Kootenay regroupent du nord au sud : les Purcell, les Selkirk et les Monashee, de petites chaînes de moindre importance. Le grand fleuve Columbia traverse cette région, créant sur son passage le très grand lac Arrow. Les ressources naturelles telles que la forêt et les mines ont grandement contribué au développement de la région. Plusieurs villes témoignent des différentes périodes dans l'histoire des monts Kootenay.

New Denver

New Denver a été la porte d'entrée du pays de l'argent, le précieux métal se trouvant en quantité dans la région au tournant du XIXe siècle. L'histoire de cette époque est présentée au **Silvery Slocan Museum** *(juil à sept tlj 10h à 16h; à l'intersection de 6th St. et de Marine Dr., ☎250-358-2201)*.

Lors de la Deuxième Guerre mondiale, le Canada déclare la guerre au Japon; du même coup, les Japonais vivant en Colombie-Britanique sont rassemblés dans des camps d'internement dans différentes villes de la région, entre autres à Sandon et ici à New Denver : **Nikkei Internment Memorial Center** *(4$; mai à oct tlj 9h30 à 17h, hiver sur appel; 306 Josephine St., ☎250-358-7288)*.

Sandon

Au tournant du XIXe siècle, 5 000 personnes habitaient

et travaillaient à Sandon. En 1930, la baisse de la valeur de l'argent et l'épuisement de la mine forcent les gens à quitter le village. Pendant la Deuxième Guerre mondiale, Sandon devient un centre d'internement pour les Japonais qui avaient été évincés de la côte du Pacifique. Peu après la guerre, Sandon redevient une ville fantôme après que plusieurs bâtiments sont détruits par le feu et les inondations. Il est aujourd'hui possible d'admirer de vieilles structures de bâtiments, entre autres la plus vieille centrale hydroélectrique de l'Ouest canadien, qui produit encore de l'électricité.

Kaslo

Kaslo a été construite dans les belles années de l'exploitation des mines d'argent sur les coteaux ouest du lac Kootenay. Une promenade sur le bord de l'eau et à l'hôtel de ville vous donnera un aperçu de la beauté du site. Au début du XIXe siècle, on venait à Kaslo par bateau à aubes. Le *SS Moyie* a assuré pendant près de 60 ans, soit jusqu'en 1957, la navette sur le lac Kootenay pour le Canadien Pacifique. Aujourd'hui, ce navire est un musée.

Le long de la rive vers le sud, **Ainsworth Hot Springs** ★ *(6$; maillot et serviette de bain peuvent être loués sur place; ☎250-229-4212)* est un site de sources naturelles où les baigneurs peuvent passer de bassins très froids à chauds, le tout dans un décor enchanteur. La piscine surplombe le lac Kootenay et, au coucher de soleil, la vallée s'illumine. Une grotte en forme de fer à cheval est parsemée de stalactites, et l'humidité et l'obscurité presque totale qui y règnent nous transportent dans un autre monde. La température augmente vers la source, au fond de la grotte, jusqu'à 40°C.

★★
Nelson

Il faut vite laisser la voiture et découvrir à pied cette ville magnifique. Située à l'extrémité sud du bras ouest du lac Kootenay, Nelson se dresse sur le flanc ouest des monts Selkirk. En 1887, des mineurs choisissent d'y établir leur camp afin de participer à la ruée vers l'argent; les citoyens s'organisent et se mettent à construire des hôtels, des résidences et des installations publiques. Plusieurs bâtiments témoignent de la richesse du passé de cette ville. Aujourd'hui, Nelson maintient son développement économique grâce à la fonction publique, aux industries légères et au tourisme.

Vous pouvez vous procurer deux petits dépliants au Travel Infocentre qui vous guideront à travers plus de 350 bâtiments historiques. L'architecture riche et soignée de cette ville agrémente la marche du visiteur, des bâtiments de style classique, Queen Anne et victorien ayant fièrement pignon sur rue. Les vitraux de la **Nelson Congregational Church** ★ *(intersection de Stanley St. et de Silica St.)*, l'**hôtel de ville** ★ de style Château *(502 Vernon St.)* et, surtout, la **caserne de pompiers** ★ *(919 Ward St.)*, d'inspiration italienne, qui surplombe la ville, de même que l'ensemble des bâtiments de **Baker Street**, démontrent bien la richesse de l'époque de la ruée vers l'argent.

Nelson se démarque des autres villes de l'intérieur de la pro-vince par son architecture de qualité ainsi que par la présence des galeries d'art qui sont souvent intégrées à des restaurants. Vous découvrirez le travail des artistes tout en parcourant des menus parfois assez surprenants. Il s'agit de l'**Artwalk** : chaque année, des artistes exposent leurs travaux dans différents commerces participants. Pour renseignements : **West Kootenay Regional Arts Council** *(☎250-352-2402)*.

Castlegar

Castlegar est une ville qui ne possède pas de centre-ville et qui se dresse au confluent du fleuve Columbia et de la rivière Kootenay. En traversant le pont vers l'aéroport, remarquez le pont suspendu, réalisé par les Doukhobor; tournez à gauche pour aller le voir de plus près. De retour sur la route, grimpez, et tournez à droite au **Doukhobor Museum** ★ *(3$; mai à sept tlj 9h à 17h; ☎250-365-6622)*.

Le peuple doukhobor émigrait au Canada en 1898 pour fuir la Russie, qui le persécutait. Les Doukhobor voulaient vivre selon leurs propres règles et ne pas être soumis à celles de l'État; par exemple, ils ne voulaient pas faire la guerre. Établis dans les Prairies, ils vivaient en communauté et exploitaient la terre pour se réaliser. Ils ont implanté leur mode de vie, une architecture organisée et des industries. Un groupe quitta les Prairies vers la Colombie-Britannique avec, à sa tête, Piotr Verigin, et s'installa dans la région de Castlegar. Depuis la crise économique de 1929 et la mort de son chef Verigin, la communauté, moins nombreuse, laisse aujourd'hui à ses descendants la tâche de vous raconter l'histoire de leurs ancêtres.

★ Rossland

Rossland est une petite ville pittoresque qui a connu son essor dans la deuxième moitié du XIXe siècle et au début du XXe, au moment de la ruée vers l'or, et qui a gardé son cachet. Située dans le cratère d'un ancien volcan, à 1 023 m au-dessus du niveau de la mer, Rossland attire les skieurs et les amants de la montagne.

L'or est extrait des mines de la région depuis bien plus longtemps que l'arrivée de ces skieurs. En 1890, un prospecteur découvre un important gisement d'or; la nouvelle se répand; des centaines d'aventuriers tentent leur chance. Tout commence à s'organiser; c'est la ruée vers l'or. Plusieurs hôtels, bureaux de professionnels et théâtres voient le jour. Rossland vit dans la prospérité. Arrive la crise économique de 1929, qui frappe durement; la même année, un important feu détruit une partie du centre-ville. Rossland est sur son déclin; la fameuse mine Le Roi ferme ses portes. Le **Rossland Historical Museum** et la **mine Le Roi** ★ *(5$ pour le musée, 10$ pour le musée et la visite de la mine; mi-mai à mi-sept tlj 9h à 17h; à l'intersection des routes 3B et 22, à l'est du centre-ville par Columbia Ave., ☎250-362-7722)* retracent l'histoire de la ruée vers l'or à l'aide d'objets anciens et d'une présentation audiovisuelle. De plus, sous le même toit, le **Ski Hall of Fame** célèbre les grands moments des carrières des skieuses Nancy Greene et Kerin Lee-Gartner.

Parcs

La Sunshine Coast

Le **Desolation Sound Marine Park** ★★ *(au nord de Lund et accessible par bateau; terrain de cam-ping, randonnée, kayak, baignade, pêche, plongée, eau potable, toilettes; BC Parks, Tenedos Bay Sechelt Area, ☎604-885-9019)* est fréquenté par les amants de la mer qui viennent observer la vie sauvage baignée par les courants chauds. Le kayak de mer attire de plus en plus de visiteurs dans le parc marin de Desolation Sound, et vous n'avez pas besoin d'être expérimenté pour apprécier une promenade dans ce type d'embarcation.

En longeant le Fleuve Fraser

Le **Garibaldi Provincial Park** ★★ *(information Garibaldi/Sunshine District, Brackendale; 10 km au nord de Squamish, ☎604-898-367-8)* est un très grand parc de 195 000 ha fort fréquenté en été par les marcheurs. La route 99 longe le côté ouest du parc et donne accès aux différents sentiers de randonnée pédestre.

En longeant la rivière Thompson jusqu'à Revelstoke

Les parcs nationaux **Mont-Revelstoke** ★★ et **Glacier** ★★ *(pour obtenir les cartes, des renseignements et les règles à suivre, contactez Parcs Canada à Revelstoke, ☎250-837-7500)* regorgent de sentiers pour explorer les forêts. Les niveaux de difficulté sont variables; des sentiers côtoient des arbres plusieurs fois centenaires ou atteignent des sommets offrant de splendides panoramas.

La vallée de l'Okanagan et Silmilkameen

Le **Manning Provincial Park** ★★ *(information touristique, été tlj 8h30 à 16h30, hiver lun-ven 8h30 à 16h30; ☎250-840-8836)* est situé à la frontière entre le sud-ouest de la province et la grande région de l'Okanagan-Similkameen. À 225 km de Vancouver, ce parc est un lieu privilégié des Vancouverois à la recherche de grands espaces verts.

Le **Cathedral Provincial Park** ★★ *(interdit aux chiens et aux vélos de montagne; pour obtenir des cartes détaillées et de l'information, BC Parks District Manager, P.O. Box 399, Summerland, V0H 1Z0, ☎250-494-6500)* se trouve à 30 km au sud-ouest de Keremeos, dans la partie sud de la province accolée à la frontière américaine. Ce parc abrite une végétation mixte, entre la forêt humide tempérée, d'une part, et la région aride de l'Okanagan, d'autre part. En basse altitude, les sapins de Douglas dominent le paysage, pour laisser place aux épinettes et aux bruyères dans les hauteurs du parc, en plus des chevreuils, des chèvres de montagne et des mouflons qui pourraient s'aventurer près des lacs turquoise.

Mouflon

Activités de plein air

Randonnée pédestre

La Sunshine Coast

L'**Inland Lake** est situé à 12 km au nord de Powell River; ces abords ont été tout spécialement aménagés afin de donner accès à la nature aux personnes en fauteuil roulant. Le tour du lac fait 13 km de circonférence. Des aires de camping ont été créées, et quelques cabanes de bois rond sont réservées aux personnes à mobilité réduite. Les tables de pique-nique et les quais pour la baignade ont été pensés en fonction des besoins des personnes qui se déplacent en fauteuil roulant. Le ministère des Forêts a d'ailleurs reçu la médaille du premier ministre provincial pour la qualité de l'aménagement des lieux.

En longeant le fleuve Fraser

Le **Garibaldi Provincial Park** *(information Garibaldi/Sunshine District, Brackendale; 10 km au nord de Squamish, ☎604-898-367-8)* est un très grand parc qui est sauvage dans sa presque totalité, seule la région de Whistler ayant été urbanisée. La randonnée pédestre est magique, surtout lorsque vous arrivez au lac Garibaldi, dont la couleur turquoise contraste avec le blanc du glacier en arrière-plan. Les sentiers traversent de grands secteurs; vous devez prévoir apporter de la nourriture et des vêtements adéquats pour affronter les changements de température.

Whistler Mountain *(☎604-932-3434 ou 800-WHISTLER)* et **Blackcomb Mountain** *(☎604-932-3141 ou 800-WHISTLER)* proposent une série de sentiers de randonnée pédestre depuis la base des montagnes jusqu'à leur sommet respectif. Du sommet du mont Whistler, vous apercevrez le Black Tusk, à 2 315 m d'altitude. Vous le reconnaîtrez car il s'agit d'un «pain de sucre noir».

En suivant la rivière Thompson jusqu'à Revelstoke

Dans le **parc national Mont-Revelstoke** *(4$; un permis est obligatoire afin d'avoir accès au parc; à l'est du pont sur la Transcanadienne, InfoLine ☎250-837-7500)*, vous devez emprunter une route de 24 km qui mène au sommet, où se trouvent un sentier ainsi que différentes aires de pique-nique.

Le **parc national Glaciers** *(pour obtenir les cartes, des renseignements et les règles à suivre, contactez Parcs Canada à Revelstoke, ☎250-837-7500)* propose plusieurs sentiers pour explorer la nature florissante de la région, les niveaux de difficulté étant variables; des sentiers côtoient des arbres plusieurs fois centenaires ou grimpent au sommet de montagnes offrant des

Kootenay Country

Le **Kokanee Glacier Provincial Park** ★★ *(pour obtenir des cartes, adressez-vous au bureau de la BC Parks Kootenay District Area, ☎250-825-3500)* compte une dizaine de sentiers pédestres totalisant environ quatre heures de marche de difficulté moyenne. Vous pouvez y accéder de plusieurs points. Ce parc surplombe les lacs Kootenay et Slocan.

vues sur les sommets voisins.

La vallée de l'Okanagan et Similkameen

L'entrée du **Cathedral Provincial Park** *(interdit aux chiens et aux vélos de montagne; pour obtenir des cartes détaillées et de l'information, BC Parks District Manager P.O. Box 399, Summerland, BC, V0H 1Z0, ☎250-494-6500)* est située près de Keremeos sur la route 3. Des sentiers pédestres de plus de 15 km sont accessibles, et il faut en moyenne une journée de marche pour les parcourir. Au sommet, les sentiers sont plus courts et sillonnent un terrain valonné où se côtoient une végétation et une vie animale sauvages. Il est possible de monter à bord d'un véhicule tout-terrain pour se rendre au sommet; il faut toutefois réserver son siège en appelant au **Cathedral Lakes Lodge** *(☎888-255-4453)*.

Kootenay Country

Le **Kokanee Glacier Provincial Park** *(pour obtenir des cartes, contactez le bureau de la BC Parks Kootenay District Area; Nelson, ☎250-825-3500)* compte une dizaine de sentiers pédestres totalisant environ quatre heures de marche de difficulté moyenne. Par Ainsworth Hot Springs, le sentier Woodburry Creek, qui va jusqu'au lac Sunset, prend moins de deux heures à parcourir.

Hébergement

La Sunshine Coast

Gibsons

Maritimer Bed & Breakfast
80$ pdj
enfants de 12 ans et plus non-fumeurs
521 South Fletcher Rd.
☎(604) 886-0664
Le Maritimer Bed & Breakfast est situé à Gibsons et surplombe la ville et la marina. Le paysage charmant, l'accueil de Gerry et Noreen Tretick et la chaleur du gîte vous combleront. Le rez-de-chaussée renferme une grande chambre avec des meubles antiques et des œuvres de Noreen, qui est artiste; une très belle courtepointe orne un des murs. Le petit déjeuner servi sur la terrasse, avec vue sur la baie, comprend une omelette aux crevettes; vous êtes au bord de la mer après tout!

Powell River

Coast Town Centre Hotel
95-115
ℝ, tv, S, ⊘
60 Joyce Ave.
☎(604) 485-3000 ou 800-663-1144
≠485-3031
Le Coast Town Centre Hotel se trouve en plein centre-ville à deux pas du grand centre commercial qu'est le Town Centre Mall, au cœur de Powell River. Les chambres sont impeccables et spacieuses. L'hôtel est équipé d'un centre sportif. De plus, des sorties de pêche au saumon sont organisées.

Beach Gardens Resort Hotel
99$
tv, tennis, ≈ intérieure, ⌂, pub, ℜ, marina, ⊘,
7074 Westminster Ave.
☎(604) 485-6267 ou 800-663-7070
≠485-2343
Il s'agit d'un complexe récréatif avec une magnifique salle à manger servant une excellente cuisine West Coast (voir p 645), des chambres confortables, un centre sportif, une marina et une vue superbe sur le détroit de Géorgie; idéal pour ceux et celles qui aiment avoir tout à portée de la main.

Lund

Lund Hotel
69-85
tv, ℜ, marina
au bout de la route 101
☎(604) 483-2400
Cet hôtel centenaire s'ouvrant sur la baie invite à la détente. Les chambres sont de style motel, mais la tranquillité de l'endroit et la vue sur le va-et-vient des embarcations font toute la différence.

En longeant le fleuve Fraser

Harrison Hot Springs

Sasquatch Provincial Park
10$ pour quatre personnes
plage, toilettes, terrain de jeu, rampe de mise à l'eau
Cultus Lake
☎(604) 824-2300
≠796-3107
Vous devez vous choisir un emplacement, et un préposé passera se faire payer. Ce parc provincial se cache dans les montagnes en retrait du lac Harrison, où trois terrains de camping accueillent chaque année les amants de la nature. Selon la légende des Coast

Salish, le Sasquatch est une créature mi-homme mi-bête vivant dans les bois. Il y a encore aujourd'hui des Autochtones de la région qui affirment l'avoir vu près du lac Harrison.

Harrison Heritage House and Kottage
60-130 pdj
non-fumeurs
312 Lillooet Ave.
☎796-9552
Jo-Anne et Dennis Sandve vous accueillent chaleureusement dans leur jolie maison à une rue de la plage et de la piscine publique. Jo-Anne prépare les confitures maison du petit déjeuner.

The Harrison Hot Springs Hotel
114-200
🐕, ♿, ≈, ℜ, ⌂, soirée dansante
306 Esplanade
☎(604) 796-2244 ou 800-663-2266
⇄796-3682
Situé au bord du lac, cet hôtel possède un avantage par rapport à tous ses concurrents : il s'agit du seul hôtel qui peut exploiter la source d'eau sulfureuse.

En suivant la rivière Thompson jusqu'à Revelstoke

Ashcroft

Sundance Guest Ranch
80-185 pc
équitation deux fois par jour les bottes de cow-boy sont obligatoires, location disponible sur place
≈, tennis, tv
Highland Valley Rd., P.O. Box 489
V0K 1A0
☎(250) 453-2422
⇄453-9356
Le Sundance Guest Ranch, administré et tenu par d'anciens clients, vous plonge dans une époque révolue où les cow-boys parcouraient à dos de cheval la contrée inexplorée. Une salle de séjour est à la disposition des visiteurs, qui peuvent d'ailleurs y apporter leur boisson; les enfants ont leur propre salle de séjour.

Kamloops

Best Western Kamloops Towne Lodge
89-138
≈, ⊛, ⊘, ℜ, ⌂, ♿
1250 Rogers Way
☎(250) 828-6660 ou 800-665-6674
⇄828-6698
Situé tout près de la route transcanadienne à l'entrée de la ville, cet hôtel de facture classique est très confortable et offre des points de vue splendides sur Kamloops et la rivière Thompson. Dans le même voisinage, une série de motels offrent également de beaux points de vue, et seuls leurs tarifs varient.

Sun Peaks Resort
90-169
≈, ℜ
à 45 min de Kamloops
3150 Creekside Way, Ste. 50
Sun Peaks, V0E 1Z1
☎800-807-3257
⇄(250) 578-7843
Le Sun Peaks Resort est ouvert toute l'année. Vous y trouverez tout le confort d'un grand hôtel. En hiver, vous pouvez skier avec la championne olympique Nancy Greene, mais de nombreuses autres activités vous tenteront, comme vous baigner dans la piscine extérieure chauffée ou faire des balades en motoneige, ou encore participer à la descente aux flambeaux à Noël. Les familles sont bienvenues, et les jeunes enfants logent et skient gratuitement. En été, en plus du golf et du vélo de montagne, une foule d'activités sont organisées pour vous faire passer un séjour agréable. Des restaurants font partie du complexe.

Revelstoke

Piano Keep Bed & Breakfast
80-100 pdj
non-fumeurs, ≡
815 Mackenzie Ave.
☎/⇄(250) 837-2120
Ce gîte occupe une maison imposante de style édouardien entourée d'un jardin. Au Piano Keep, Vern Enyedy vous accueillera dans un environnement charmant où plusieurs pianos de différentes époques meublent l'espace. Vern est un collectionneur et un passionné de musique; il vous fera une démonstration de son savoir-faire musical.

Best Western Wayside Inn
89-109
≡, tv, ≈, ⊛, ⌂, ♿, 🐕, ℜ
1901 Laforme Blvd.
☎(250) 837-6161 ou 800-528-1234
⇄837-5460
Au nord de la Transcanadienne, les visiteurs sont près de tout, dans un cadre champêtre avec vues sur Revelstoke et le fleuve Columbia.

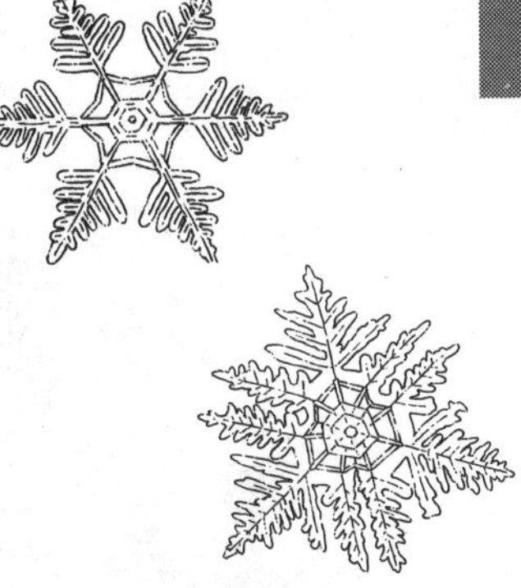

La vallée de l'Okanagan et Silmilkameen

Cathedral Provincial Park

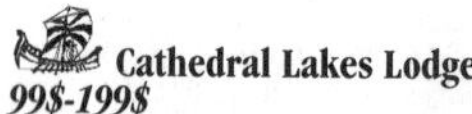

Cathedral Lakes Lodge
99-199
tout compris
juin à mi-oct
une dizaine de chambres en plus de six petits chalets; toilettes, canot et chaloupe, foyer, bar, transport aller-retour de la base à l'auberge, pas d'animaux, non-fumeurs; réservation obligatoire
S4C8 Slocan Park, V0G 2S0
☎(250) 226-7560 ou 888-255-4453
⇄226-7528

L'accès au sommet est réservé au véhicule tout-terrain de l'auberge; vous devez laisser vos véhicules sur Ashnola River Road au camp de l'auberge. À pied, il faudra plus de six heures pour atteindre l'auberge. Il faut absolument réserver pour prendre place dans le tout-terrain. Depuis Keremeos, tournez à gauche après 4,8 km en direction ouest, passez le pont couvert et suivez la route d'Ashnola River sur 20,8 km. En autobus, vous devez avoir fait des arrangements au préalable avec l'auberge pour qu'on aille vous chercher. Tout cela semble compliqué, mais, au sommet, les mouflons, les marmottes, les fleurs et les glaciers à perte de vue ne sauront que vous enchanter.

Penticton

Olde Osprey Inn, Bed & Breakfast
75-100 pdj
bc, non-fumeurs,
Sheep Creek Rd.
☎/⇄(250) 497-7134

Cette magnifique maison de bois rond est l'œuvre de George Muller, qui a su choisir un site à flanc de montagne avec vue imprenable sur le lac Yellow et les environs. Joy Whitley s'occupe, quant à elle, de rendre votre séjour le plus confortable possible. Elle est artiste peintre; on peut d'ailleurs voir ses œuvres; de plus, sa fille s'adonne à la musique. Cette belle petite famille sait vous mettre à l'aise. Parfois, un balbuzard pêcheur *(osprey)* passe juste devant la maison; tout s'arrête à son passage.

Osoyoos

Lake Osoyoos Guest House
105$ pdj
jardin et bord de l'eau, ℂ, pédalo, en espèces seulement
5809 Oleander Dr.
☎(250) 495-3297 ou 800-671-8711
⇄495-5310

Sofia Grasso prépare les petits déjeuners dans une immense cuisine pendant que vous sirotez sur le bord du lac Osoyoos un jus fraîchement pressé. La vallée change de couleurs selon les moments de la journée, et vous pouvez profiter du lac, une embarcation étant mise à votre disposition.

Summerland

Illahie Beach
16-20
170 emplacements de camping, douche gratuite, laverie, téléphone payant, épicerie, plage
au nord de Penticton
route 97
☎(250) 494-0800

Ce camping accueille les vacanciers d'avril à octobre dans un décor de rêve avec plages ainsi que vues sur la vallée de l'Okanagan.

Kootenay Country

Ainsworth Hot Springs

Ainsworth Hot Springs Resort
66-86
♿, ≡, tv, ℜ, ⌂ dans les grottes, ≈ eau chaude naturelle, bain glacial, non-fumeurs
route 31
☎(250) 229-4212
⇄229-5600

Cet hôtel fait partie des installations où se trouvent les grottes. L'accès aux grottes est gratuit pour les clients de l'hôtel, et ils peuvent se procurer des laissez-passer pour invités.

Nelson

Inn The Garden Bed & Breakfast
60-70 pdj
bc/bp, adultes seulement, non-fumeurs, S
408 Victoria St.
☎(250) 352-3226
⇄352-3284

Cette charmante maison victorienne, rénovée par les propriétaires Lynda Stevens et Jerry Van Veen, est située à deux pas de la rue principale. L'accueil chaleureux de ce couple agrémentera votre séjour à Nelson; demandez-lui de vous parler du patrimoine architectural de Nelson : il en est passionné!

Heritage Inn
69-89 pdj
tv, ℜ, pub, ♿
422 Vernon St.
☎(250) 352-5331
⇄352-5214
L'Heritage Inn a vu le jour en 1898, lorsque les frères Hume décidèrent de construire un grand hôtel. Avec les années, plusieurs modifications ont été apportées au bâtiment, au fur et à mesure que de nouveaux propriétaires en prenaient possession. En 1980, une importante rénovation a rafraîchi cette vieille structure. La bibliothèque vaut la peine d'être vue, avec ses boiseries et son foyer, offrant tout ce dont vous avez besoin pour passer un agréable moment. Les chambres et les corridors ont leurs murs recouverts de photos retraçant les grands moments de Nelson.

Rossland

The Ram's Head Inn Bed & Breakfast
65-85 pdj
⊛, ⌂, non-fumeurs
Red Mountain Rd.
au pied des pistes
☎(250) 362-9577
⇄362-5681
Cette maison chaleureuse tenue par Tauna et Greg Butler donne l'impression d'être chez soi. Le foyer, le bois, la décoration simple et les bonnes odeurs de la cuisine agrémentent sans cérémonie cette auberge.

Restaurants

La Sunshine Coast

Powell River

Beach Gardens Resort Hotel
$$-$$$
7074 Westminster Ave.
☎(604) 485-6267 ou 800-663-7070
La salle à manger donne sur le détroit de Malaspina; le menu présente des plats divins de fruits de mer arrosés de vins de l'Okanagan.

En suivant la rivière Thompson jusqu'à Revelstoke

Kamloops

Internet Café
$
462 Victoria
☎(250) 828-7889
L'Internet Café, dont la devise est «le monde est au bout de vos doigts» vous invite à gérer vos messages, à jouer à la loterie ou à trouver des sites Internet tout en dégustant des salades et des hamburgers dans une atmosphère amicale. Le personnel vous aide à vous servir de l'ordinateur si besoin est.

Grass Roots Tea House
$$
mai à sept lun-sam déjeuner 11h30 à 14h30
thé 14h à 16h; dîner 18h30
réservation obligatoire avant 14h pour le dîner
en hiver réservation obligatoire
262 Lorne St.
☎(250) 374-9890
Cet endroit charmant, entouré d'arbres, est situé dans le parc Riverside. On y sert le thé au ginseng. Pour le dîner, il faut réserver, et le menu varie selon les jours de la semaine.

Déjà Vu
$$$
mar-sam 17h à 22h
172 Battle St.
☎(250) 374-3227
Ce restaurant propose une cuisine West Coast et française qui fait place à l'imagination en mélangeant fruits et délices de la mer.

Revelstoke

Frontier Restaurant
$
tlj 5h à minuit
tout près du bureau d'information touristique,
à l'intersection de la Transcanadienne et de la route 23
☎(250) 837-5119
L'endroit tout désigné pour ceux et celles qui désirent manger un petit déjeuner copieux dans un décor «western».

The Black Forest Restaurant
$$-$$$
5 min à l'ouest de Revelstoke sur la Transcanadienne
☎(250) 837-3495
Ce restaurant de style bavarois prépare une nourriture canadienne et européenne où le fromage et le poisson sont à l'honneur. Le site est enchanteur avec vue sur le mont Albert.

La vallée de l'Okanagan et Silmilikaneen

Penticton

Hog's Breath Coffee Co.
$
tlj
202 Main St.
☎***(250) 493-7800***
L'endroit tout désigné pour débuter sa journée en dégustant un bon café et surtout les muffins aux pêches en saison : vous en raffolerez! Si vous êtes à la recherche d'un endroit pour une sortie en plein air, demandez conseil au propriétaire, Mike Barrett : il se fera un plaisir de vous aider.

Salty's Beach House
$-$$
1000 Lakeshore Dr.
☎***(250) 493-5001***
Les amateurs de fruits de mer aimeront cet endroit qui se spécialise dans les délices des eaux salées. Il faut venir ici pour le déjeuner et profiter de la terrasse avec vue sur le lac Okanagan. Le décor donne une am-biance de carnaval.

Theo's Restaurant
$$-$$$
687 Main St.
☎***(250) 492-4019***
Une cuisine grecque de qualité, servie dans une ambiance décontractée, agrémentera vos moments passés dans cet endroit très couru de Penticton.

Granny Bogners Restaurant
$$$
302 Eckhardt Ave. W.
☎***(250) 493-2711***
Cette magnifique maison de style Tudor a été construite en 1912 pour un médecin de Penticton; depuis 1976, Hans et Angela Strobel y servent une fine cuisine selon la tradition française, agrémentée de produits locaux.

Kelowna

Joey Tomato's Kitchen
$-$$
tlj
300-2475 route 97 Nord
à l'intersection avec la route 33
☎***(250) 860-8999***
Située dans un quartier de centres commerciaux et près d'un grand boulevard, la Joey Tomato's Kitchen sait bien arranger les choses afin de les rendre agréables. L'aménagement de sa terrasse avec des plantes, des pare-soleil et une petite voiture italienne vous font vite oublier ce qui se passe sur le trottoir. La salle à manger est tout à fait réussie; on a l'impression d'être dans la cuisine de Joey : des boîtes de conserve et d'huile embellissent ce grand espace. Les pâtes! Ah! Essayez les fettucine au saumon et aux tomates! Un délice!

Kootenay Country

Nelson

El Zocalo Mexican Café
$$
802 Baker St.
☎***(250) 352-7223***
Ce restaurant mexicain a pignon sur rue dans un bâtiment aux allures mexicaines, et l'on y entend de la musique mexicaine jouée par des groupes. La nourriture traditionnelle de qualité est servie dans une ambiance de fiesta.

All Seasons Café
$$-$$$
tlj déjeuner 11h30 à 14h30
dîner 17h à 22h
brunch dim 10h à 15h
fermé le midi en hiver
620 Herridge Lane
derrière Baker St.
☎***(250) 352-0101***
Cet endroit à ne pas manquer se cache sous les arbres qui procurent leur ombre aux convives installés sur la terrasse. Les potages vous surprendront, par exemple celui à la pomme et au brocoli. Le menu varie en fonction des saisons et de ce que la région a à offrir, tout en laissant une place importante aux bons vins de la Colombie-Britannique. L'accueil chaleureux, l'efficacité des employés, le décor soigné et la qualité de la nourriture vous combleront. Des œuvres d'artistes sont accrochées aux murs.

Rossland

Plusieurs cafés sympathiques jalonnent la rue Columbia au centre de Rossland. Quand la population double avec l'ouverture des pentes en décembre, ils se remplissent de gens et dégagent une atmosphère d'après ou d'avant-ski. Le **Sunshine Cafe** *($; 2120 Columbia, ☎(250) 362-7630)* et le **Bean There** *($; 2040 Columbia, ☎(250) 362-5273)* proposent des repas légers et de copieux petits déjeuners.

Olive Oyl's
$$-$$$
2067 Columbia
☎***(250) 362-5322***
Olive Oyl's sert une cuisine qualifiée de contemporaine ou moderne alliant plusieurs tendances culinaires. Pâtes, pizzas et gros brunch aux

saveurs et à la présentation recherchées ponctuent son menu.

Sorties

Bars et discothèques

Whistler

Cinnamon Bear Bar
hôtel Delta
4050 Whistler Way
☎*(604) 932-1982*
Ce bar pour sportifs attire hommes et femmes de tous âges à cause de son ambiance détendue.

The Boot Pub
1 km au nord du village à droite sur Nancy Greene Dr.
☎*(604) 932-3338*
Il s'agit d'un pub à l'intérieur de l'hôtel The Shoestring Lodge, où la musique *rhythm & blues* jouée par un groupe de musiciens est très appréciée par la clientèle.

Tommy Africa's
Gateway Dr., dans le village de Whistler
☎*(604) 932-6090*
Les jeunes fervents de la musique reggae s'y donnent rendez-vous et attendent parfois de longues minutes avant de pouvoir y entrer.

Fêtes et festivals

Janvier

Le **Gibsons Polar Bear Swim** est une vieille tradition qui pousse, chaque année, le premier jour de l'An, des centaines de résidants de Gibsons à se précipiter dans les eaux glacées de Davis Bay.

Mai

Sur la route des vins, vous ne manquerez pas les **Okanagan Wine Festivals** *(☎800-972-5151)*, qui consacrent chaque année quatre jours en mai et quatre jours en octobre au vin et à sa production. Plus de 80 événements sont organisés, entre autres, évidemment, une agréable dégustation.

Juin

Festival d'été
Sechelt, Lions Park
☎*(604) 883-9746*

Juillet

À la mi-juillet, soyez prêt à vous amuser au **Merritt Mountain Music Festival** *(Merritt)*, qui attire plus de 70 000 fans. Le programme comprend, en plus des concerts, des jeux pour les jeunes, des balades en hélicoptère, de la danse, du bingo et plus encore, sans oublier les délicieux petits déjeuners aux crêpes odorantes servis par le Merritt Lions Club.

Août

Voilà 50 ans que tous les étés, au début du mois d'août, le **Peach Festival** *(Penticton)* invite toutes les familles des environs à venir s'amuser et déguster les crêpes au petit déjeuner, les beaux légumes et les fruits dont les pêches, bien sûr, le tout couronné de feux d'artifice.

Octobre

Le **Wine Festival** *(Kelowna, vallée de l'Okanagan, ☎250-861-6654)* et le **BC Wine Label Awards** ont lieu en octobre au **Wine Museum** *(☎250-868-0441)*.

Décembre

Parade de bateaux illuminés pour les fêtes de Noël
port de Gibsons
☎*(604) 886-8500*

Achats

En longeant le fleuve Fraser

Squamish

Le **Vertical Reality Sports Store** *(38154 Second Ave., ☎604-892-8248)* vend et loue des vélos de montagne, propose des tours guidés, vous conseille sur vos projets d'escalade et vous y amène même.

Harrison Hot Springs

Curiosities *(160 Lillooet Ave., ☎604-796-9431)* vous propose des souvenirs de la région, des jouets pour enfants et des t-shirts, ainsi que d'autres vêtements pour vos vacances.

A Question of Balance *(880 Hot Springs Rd., ☎604-796-9622)* est une galerie d'art qui a été créée par des artisans canadiens. Les beaux travaux de tricot, de couture ou de poterie, ou encore de verre soufflé, sont très intéressants.

Harrison Watersports *(6069 Rockwheel Dr., derrière le Rivtow Office, au lac Harrison, ☎604-796-3513 ou 795-6775)* loue des motomarines et orga-nise des balades.

Crafts & Things Market *(☎604-796-2084)*. De mars à novembre, de nombreux marchés ont lieu à Harrison Hot Springs; téléphonez pour en connaître les jours et les heures.

En suivant la rivière Thompson jusqu'à Revelstoke

Kamloops

Farmer's Market : de mai à octobre, de beaux marchés d'alimentation s'installent, les samedis au 200 Block St. Paul Street et les mercredis à l'angle de Third Avenue et de Victoria Street.

La vallée de l'Okanagan et Silmilkameen

Kelowna

Le **Far West Factory Outlet** *(230-2469 route 97, ☎250-860-9010)* propose des grandes marques de vêtements confortables et légers.

Valhalla Pure Outfitters *(453 Bernard Ave., au centre-ville, ☎250-763-9696)* est un manufacturier local spécialisé en vêtements qui est très populaire.

Mosaic Books *(1420 St. Paul St., centre-ville, ☎250-736-4418)* propose un grand nombre de livres ainsi que les cartes et plans nécessaires à vos excursions.

Vancouver et les environs

Vancouver ★★★

est une ville toute neuve qui s'inscrit dans un cadre cyclopéen composé de mer et de montagnes.

Ayant longtemps fait partie de l'une des régions les plus isolées du globe, elle a su, au cours du XXe siècle, tisser des liens étroits avec les peuples du Pacifique et est certes l'une des métropoles multiculturelles de ce monde gravitant autour du plus vaste océan de la Terre. Son histoire est intimement liée à l'exploitation des ressources naturelles de la Colombie-Britannique. La majorité de ses citoyens y ont immigré pour la douceur de vivre dans un décor aussi magnifique, bénéficiant d'un climat exceptionnellement clément dans un pays connu pour ses hivers rudes et ses étés suffocants. Vancouver, là où l'Asie rencontre l'Amérique, une ville à découvrir.

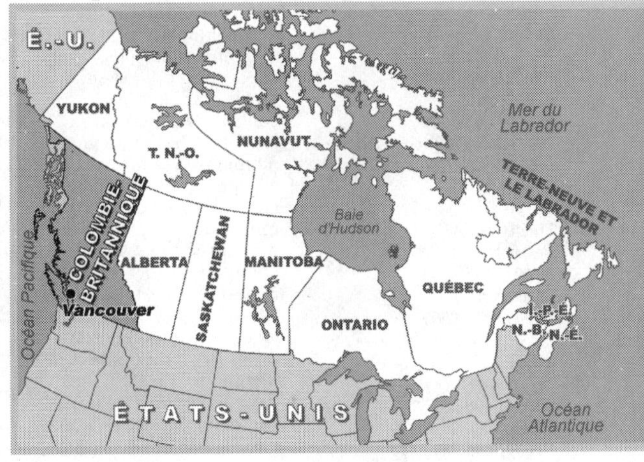

Pour s'y retrouver sans mal

En voiture

Vancouver

Vous pouvez atteindre Vancouver par l'autoroute transcanadienne 1, qui suit un axe est-ouest. Cette autoroute nationale relie le Canada d'un océan à l'autre et traverse toutes les grandes villes canadiennes. D'accès gratuit, elle emprunte un parcours spectaculaire. À partir de l'Alberta, vous passerez à travers les Rocheuses, des régions désertiques et un canyon à couper le souffle. De Calgary, en Alberta, jusqu'à Vancouver, en Colombie-Britannique, il faut compter 975 km.

Il est aisé de se déplacer en voiture dans la ville. Sachez cependant que les gouvernements ont décidé de ne pas construire de voies rapides à travers le centre-ville, ce qui est particulier pour une ville de 1,5 million d'habitants; aussi les heures de pointe peuvent-elles paraître congestionnées. Si vous disposez de plus de temps, il est souvent préférable de vous déplacer à pied, car il s'agit sans doute de la façon la plus agréable de découvrir Vancouver.

Location de voitures

Vous pouvez louer une voiture à l'aéroport ou au centre-ville.

Tilden
1128 W. Georgia
☎***(604) 685-6111, 800-227-7368 ou 800-CAR-RENT***
à l'aéroport
☎***(604) 273-3121***

Budget
450 W. Georgia
☎***(604) 668-7000***
à l'aéroport
☎***(604) 668-7000***
☎***800-268-8900*** (du Canada) ou ***800-527-0700*** (des États-Unis)

Thrifty
1400 Robson St.
☎***(604) 681-4869***
à l'aéroport
☎***(604) 276-0800***

Avis
757 Hornby St.
☎***(604) 606-2877***
à l'aéroport
☎***(604) 606-2847***

Whistler

Par la **route 99 nord**

de Vancouver
120 km
2 heures 15 minutes

de Kamloops
400 km
5 heures 30 min

de Seattle, WA
338 km
5 heures

En avion

Aéroport international de Vancouver

L'aéroport international de Vancouver ☎*(604) 276-6101)* accueille les vols internationaux en provenance d'Europe, des États-Unis et d'Asie, ainsi que divers vols nationaux en provenance d'autres pro-vinces canadiennes. Actuellement, 19 compagnies desservent cet aéroport. Il est situé à environ 15 km du centre-ville. À partir de l'aéroport, il faut compter 30 min en voiture ou en autobus pour se rendre au cœur de la ville. Pour vous rendre au centre-ville en utilisant le transport en commun, prenez l'autobus n° 100 en direction du centre-ville et de l'est de la ville, ou l'autobus n° 404 ou n° 406 à destination de Richmond, de Delta et d'autres destinations au sud de la ville. Il en coûte entre 1,50$ et 3$ selon l'heure et la destination choisies.

Attention : bien que vous ayez déjà payé toutes les taxes nécessaires à l'achat de votre billet d'avion, l'aéroport de Vancouver vous demandera 5$ (par passager) pour des vols à l'intérieur de la province et du Yukon, 10$ (par passager) pour des vols ailleurs en Amérique du Nord et 15$ (par passager) pour des vols internationaux, que vous devrez verser comptant au moment de votre départ.

Outre les services courants des aéroports internationaux (boutiques hors taxes, cafétéria, restaurants, etc.), vous y trouvererez un bureau de change.

En bateau

Deux ports de traversiers desservent la grande région de Vancouver pour les voyageurs en provenance d'autres régions de la province. Horseshoe Bay, au nord-ouest, est le terminal des traversiers en direction de Nanaimo (durée de 90 min), Bowen Island et la Mainland Sunshine Coast. Tsawwassen, au sud, est le terminal des traversiers en direction de Victoria (Swartz Bay) (durée de 95 min), Nanaimo (durée de deux heures) et les îles du golfe du sud. Les deux terminaux sont situés à 30 min du centre-ville. Pour information, contactez **BC Ferries** *(☎250-386-3431).*

En train

Les trains en provenance des États-Unis et de l'Est canadien s'arrêtent à la gare intermodale **Pacific Central Station** *(VIA Rail Canada, 1150 Station St., ☎800-561-8630).* Le train ***Le Canadien*** de VIA Rail se rend à Vancouver trois fois par semaine en provenance de l'Est canadien.

La liaison Edmonton-Vancouver constitue un voyage très spectaculaire à travers les montagnes Rocheuses et le long de rivières et vallées; les gens pressés devraient toutefois s'abstenir puisqu'il faut compter 24 heures pour effectuer ce trajet. Il s'agit d'un voyage touristique et non pas d'une liaison pour les gens d'affaires. Il en coûte moins de 200$ pour l'aller simple; cependant, il vaut mieux s'informer

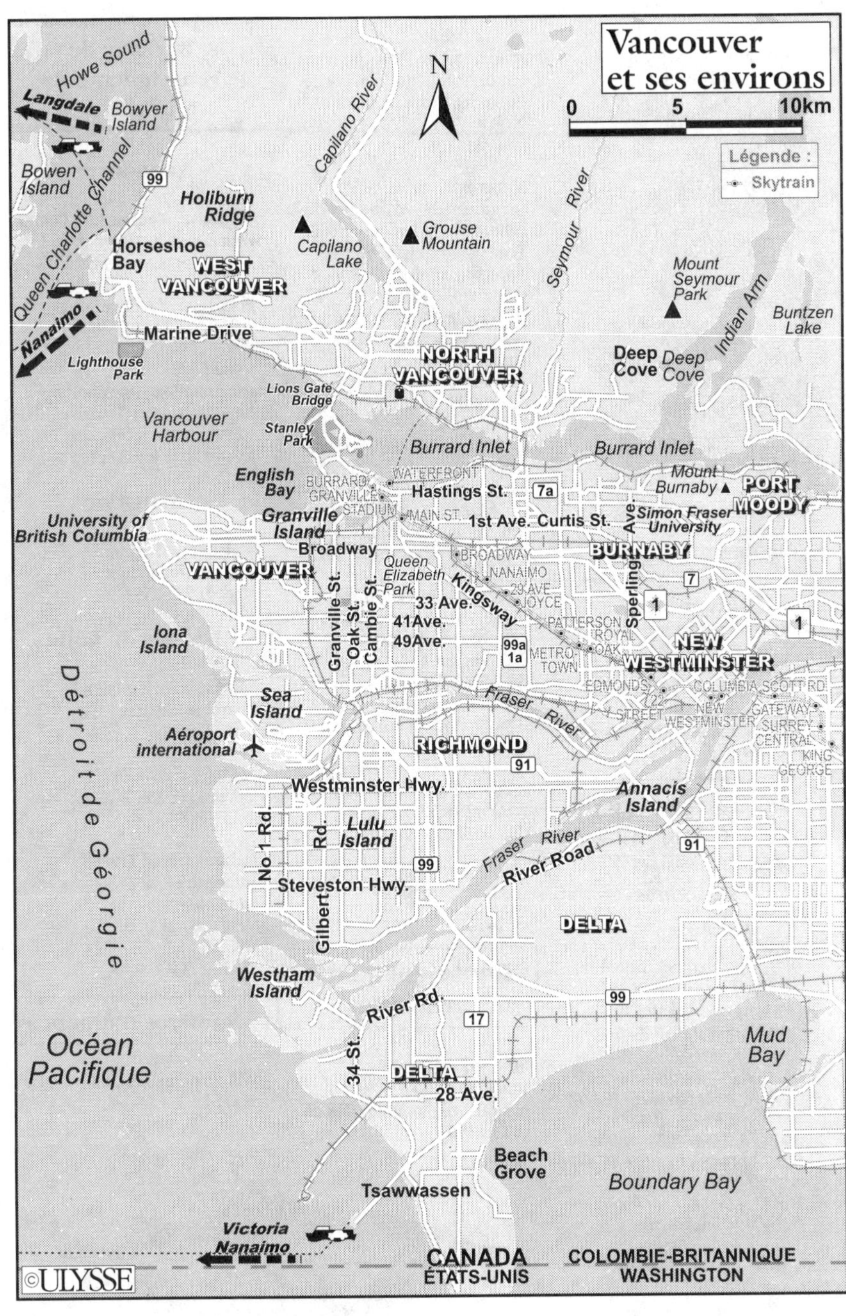
Vancouver et ses environs
N
0
5
10km
Légende :
Skytrain
Howe Sound
Langdale
Bowyer Island
Bowen Island
Queen Charlotte Channel
99
Holiburn Ridge
Capilano River
Capilano Lake
Grouse Mountain
Seymour River
Horseshoe Bay
WEST VANCOUVER
Mount Seymour Park
Indian Arm
Buntzen Lake
Nanaimo
Marine Drive
Lighthouse Park
NORTH VANCOUVER
Deep Cove
Deep Cove
Lions Gate Bridge
Vancouver Harbour
Stanley Park
Burrard Inlet
Burrard Inlet
English Bay
BURRARD
GRANVILLE
WATERFRONT
Hastings St.
7a
Mount Burnaby
PORT MOODY
STADIUM
MAIN ST.
University of British Columbia
Granville Island
1st Ave.
Curtis St.
Sperling Ave.
Simon Fraser University
Broadway
BROADWAY
BURNABY
VANCOUVER
Queen Elizabeth Park
NANAIMO
29 AVE
JOYCE
Kingsway
7
33 Ave.
41Ave.
49Ave.
1
1
Granville St.
Oak St.
Cambie St.
PATTERSON
ROYAL OAK
Iona Island
99a
1a
METROTOWN
NEW WESTMINSTER
EDMONDS
22 STREET
COLUMBIA
SCOTT RD
NEW WESTMINSTER
GATEWAY
SURREY CENTRAL
KING GEORGE
Sea Island
Fraser River
Détroit de Géorgie
Aéroport international
RICHMOND
91
Westminster Hwy.
Annacis Island
No 1 Rd.
Lulu Island
Gilbert Rd.
Fraser River
91
99
River Road
Steveston Hwy.
DELTA
Westham Island
99
River Rd.
17
Mud Bay
Océan Pacifique
34 St.
DELTA
28 Ave.
Beach Grove
Boundary Bay
Tsawwassen
Victoria
Nanaimo
CANADA
ÉTATS-UNIS
COLOMBIE-BRITANNIQUE
WASHINGTON
©ULYSSE

auprès de VIA Rail pour connaître les différents prix selon les saisons.

BC Rail
1311 W. First St.
North Vancouver
☎(604) 984-5246
Cette gare est desservie surtout par les trains du nord de la Côte Ouest, et les horaires varient selon les saisons.

Une société ferroviaire, **Great Canadian Railtour Company Rocky Mountain Railtours** *(725$ par personne, 670$ par personne en occupation double; ☎(604) 606-7200 ou 800-665-7245, ≠(604) 606-7250)*, fait la liaison entre Calgary et Vancouver.

En autocar

Greyhound Lines of Canada
Pacific Central Station 1150 Station St.
☎(604) 662-3222 ou 800-661-8747

Transport en commun

Vancouver

Il est possible d'obtenir un plan des lignes d'autobus de BC Transit en se présentant au bureau de Vancouver Tourist Info Center *(en été tlj 8h à 18h, début sept à fin mai lun-ven 8h30 à 17h et sam 9h à 17h; 200 Burrard St., ☎(604) 683-2000)* ou aux bureaux de **BC Transit** *(13401 108th Ave., 5e étage, Surrey, ☎800-903-4731 ou (604) 540-3450)*, à Surrey.

Vancouver a aussi un métro de surface, appelé le ***Skytrain***, qui la relie vers l'est à Burnaby, New Westminster et Surrey. Ce train est en service de 5h à 1h. Le ***Seabus***, un autobus marin qui ressemble à un catamaran, fait la navette entre le Burrard Inlet et North Vancouver plusieurs fois par jour.

Vous pouvez vous procurer des cartes et des billets pour les bus de **BC Transit**, le *Skytrain* et le *Seabus* aux arrêts où ont été installés des distributeurs automatiques ou dans des épiceries; sinon, composez le ☎(604) 261-5100 ou 521-0400.

Que vous voyagiez dans un autobus de BC Transit ou à bord du *Skytrain* ou du *Seabus*, sachez que les tarifs sont les mêmes. Il en coûte généralement 1,50$ pour utiliser le réseau de transport en commun. Cependant, aux heures de pointe (le matin avant 9h30 et en fin d'après-midi de 15h à 18h30), ce réseau est divisé en trois zones, et il faut alors compter 1,50$ si vous voyagez à l'intérieur d'une zone, 2,25$ à l'intérieur de deux zones ou 3$ à l'intérieur des trois zones.

Renseignements pratiques

Indicatif régional de Vancouver : 604
Indicatif régional des îles du golfe : 250

Bureaux de renseignements touristiques

Vancouver

Vancouver Tourist Info Center
mai à sept lun-dim 8h à 18h, sept à mai lun-ven 8h30 à 17h, sam 9h à 17h
Plaza Level, Waterfront Centre
200 Burrard St., V6C 3L6
☎683-2000
≠682-6839
www.tourism-vancouver.org
Le Vancouver Tourist Info Center peut vous servir en français si vous le désirez.

Whistler

Whistler Activity and Information Center
☎(604) 932-2394

Les îles du golfe

Salt Lake Spring Island Travel Infocentre
toute l'année

121 Lower Ganges Rd.
P.O. Box 111, V8K 2T1
☎537-5252

Galiano Island Travel Infocentre
saisonnier
Sturdies Bay, P.O. Box 73
V0N 1P0
☎539-2233

Numéros d'urgence

Police, pompiers , ambulance
☎911

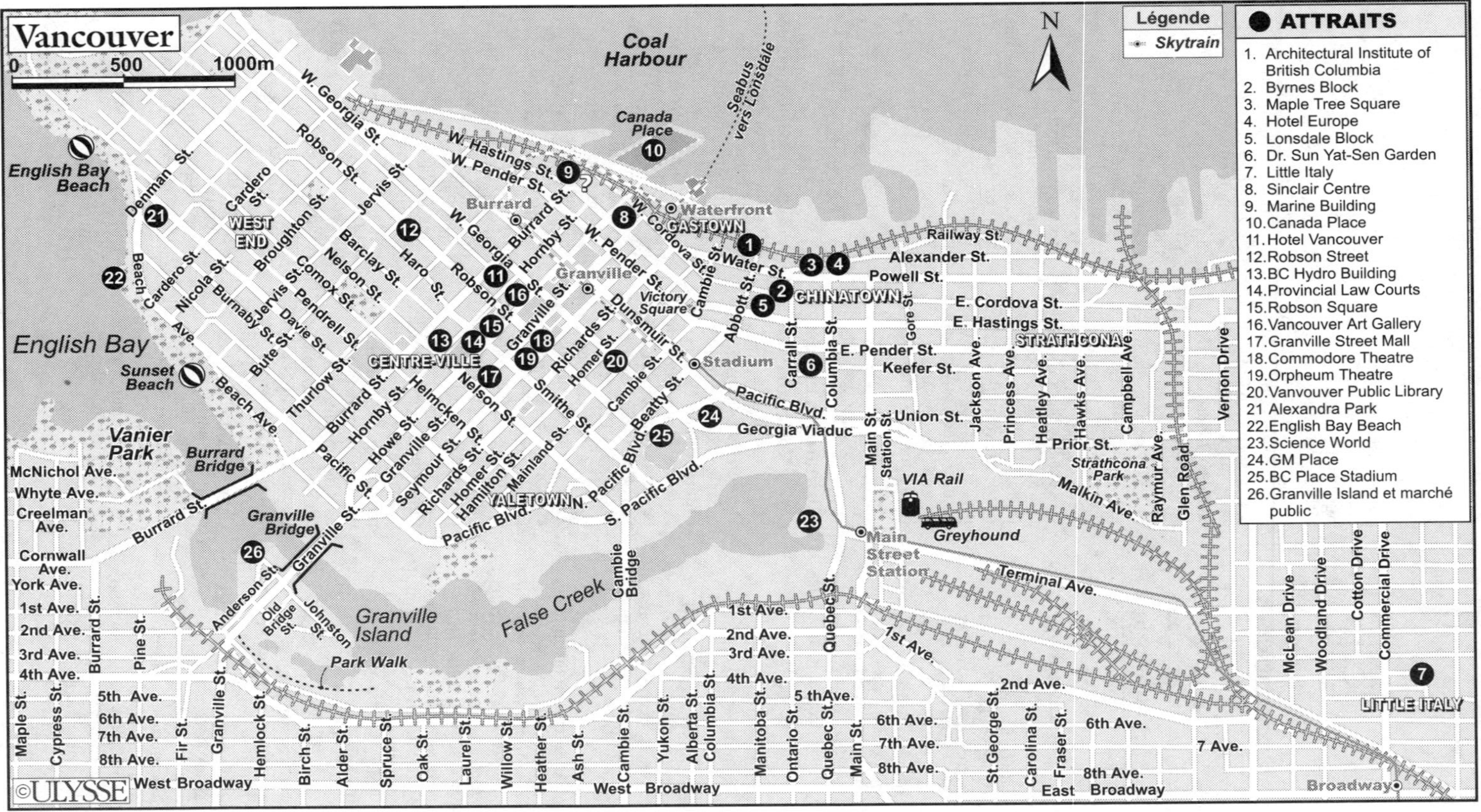

Vancouver
0 500 1000m
Légende
Skytrain
ATTRAITS
1. Architectural Institute of British Columbia
2. Byrnes Block
3. Maple Tree Square
4. Hotel Europe
5. Lonsdale Block
6. Dr. Sun Yat-Sen Garden
7. Little Italy
8. Sinclair Centre
9. Marine Building
10. Canada Place
11. Hotel Vancouver
12. Robson Street
13. BC Hydro Building
14. Provincial Law Courts
15. Robson Square
16. Vancouver Art Gallery
17. Granville Street Mall
18. Commodore Theatre
19. Orpheum Theatre
20. Vanvouver Public Library
21 Alexandra Park
22. English Bay Beach
23. Science World
24. GM Place
25. BC Place Stadium
26. Granville Island et marché public
Coal Harbour
Canada Place
Seabus vers Lonsdale
English Bay Beach
English Bay
Sunset Beach
Vanier Park
Burrard Bridge
Granville Bridge
Granville Island
Park Walk
False Creek
Cambie Bridge
WEST END
CENTRE-VILLE
GASTOWN
CHINATOWN
STRATHCONA
YALETOWN
LITTLE ITALY
Waterfront
Burrard
Granville
Stadium
Main Street Station
Broadway
Victory Square
VIA Rail
Greyhound
Strathcona Park
W. Georgia St.
W. Hastings St.
W. Pender St.
W. Cordova St.
Water St.
Railway St.
Alexander St.
Powell St.
E. Cordova St.
E. Hastings St.
E. Pender St.
Keefer St.
Union St.
Prior St.
Georgia Viaduc
Pacific Blvd.
N. Pacific Blvd.
S. Pacific Blvd.
Terminal Ave.
Malkin Ave.
Robson St.
Denman St.
Cardero St.
Broughton St.
Jervis St.
Haro St.
Barclay St.
Nelson St.
Comox St.
Pendrell St.
Davie St.
Nicola St.
Burnaby St.
Bute St.
Beach Ave.
Thurlow St.
Burrard St.
Hornby St.
Howe St.
Granville St.
Seymour St.
Richards St.
Homer St.
Hamilton St.
Mainland St.
Helmcken St.
Smithe St.
Dunsmuir St.
Cambie St.
Beatty St.
Abbott St.
Carrall St.
Columbia St.
Gore St.
Main St.
Station St.
Jackson Ave.
Princess Ave.
Heatley Ave.
Hawks Ave.
Campbell Ave.
Raymur Ave.
Glen Road
Vernon Drive
McLean Drive
Woodland Drive
Cotton Drive
Commercial Drive
Pacific St.
Anderson St.
Old Bridge St.
Johnston St.
McNichol Ave.
Whyte Ave.
Creelman Ave.
Cornwall Ave.
York Ave.
1st Ave.
2nd Ave.
3rd Ave.
4th Ave.
5th Ave.
6th Ave.
7th Ave.
8th Ave.
5 thAve.
7 Ave.
Maple St.
Cypress St.
Pine St.
Fir St.
Hemlock St.
Birch St.
Alder St.
Spruce St.
Oak St.
Laurel St.
Willow St.
Heather St.
Ash St.
Yukon St.
Alberta St.
Manitoba St.
Ontario St.
Quebec St.
St.George St.
Carolina St.
Fraser St.
West Broadway
East Broadway
©ULYSSE

Attraits touristiques

Vancouver

★

Gastown

Située à deux pas du centre-ville, Gastown correspond à la portion la plus ancienne de Vancouver. Ce quartier, qui peut être facilement parcouru à pied, a vu le jour en 1867, lorsque John Deighton, dit Gassy Jack, y a ouvert un saloon pour les employés d'une scierie voisine. Gastown, nommée en l'honneur de ce premier aubergiste, a été entièrement rasée par le feu en 1886. Loin d'être découragés, ces pionniers ont rapidement reconstruit la ville alors récemment incorporée.

L'**Architectural Institute of British Columbia** ★ *(entrée libre; 440 Cambie St., local 100; été mer-dim, sept à mai fins de semaine seulement; ☎683-8588)*, offre des visites guidées gratuites de Vancouver. L'AIBC peut organiser des visites en français s'il est prévenu à l'avance.

L'intersection de Water Street et de Carrall Street constitue l'un des secteurs les plus animés de Gastown. Le long **Byrnes Block** *(2 Water St.)*, qui en compose l'angle sud-ouest, fut un des premiers édifices construits après le terrible incendie de 1886. Il a été érigé sur l'emplacement du saloon de Gassy Jack, dont on aperçoit la statue dans le minuscule **Maple Tree Square**. Le bâtiment de brique présente une épaisse corniche typique des édifices commerciaux de l'ère victorienne. En face surgit l'ancien **Hotel Europe** *(4 Powell St.)* de forme triangulaire, véritable éperon construit en 1908 pour un hôtelier canadien d'origine italienne.

Le **Lonsdale Block** *(8-28 W. Cordova St.)* de 1889 fait partie des bâtiments les plus remarquables de cette rue, qui s'est refait une beauté avec l'ouverture récente de plusieurs boutiques et surtout de cafés.

★★

Chinatown et l'est de Vancouver

Derrière le portail traditionnel du **Centre culturel chinois** *(50 E. Pender St.)*, on découvre le **jardin du docteur Sun Yat-Sen** ★★ *(5,25$; tlj 10h à 19h30; 578 Carrall St., ☎698-7133)*. Aménagé en 1986 par des artisans chinois de Suzhou, il est un des seuls jardins dessinés dans le style de la période Ming (1368-1644) hors d'Asie.

Cet espace vert de 1,2 ha est enserré par de hauts murs qui en font une oasis de paix au milieu du monde grouillant du Chinatown. À noter que le docteur Sun Yat-Sen (1866-1925) a séjourné à Vancouver en 1911 afin d'y recueillir des fonds pour son parti nouvellement fondé, le Kuo-min-tang ou «Parti du peuple». Sun Yat-Sen est considéré comme le père de la Chine moderne.

Dans le secteur appelé **Little Italy** (Petite Italie) se rencontrent également Portugais, Espagnols, Jamaïquains et Sud-Américains. Au début du XXe siècle, le secteur de Commercial Drive devient la première banlieue de Vancouver. La classe moyenne s'y fait alors construire de petites maisons unifamiliales revêtues de bois. La Première Guerre mondiale annonce l'arrivée dans le quartier d'immigrants chinois et slaves, alors que la fin de la Deuxième Guerre mondiale amène une autre vague d'immigrants, surtout italiens.

★★

Le centre-ville

Le 23 mai 1887, le premier train transcontinental du Canadien Pacifique, parti de Montréal, arrive en gare au terminus de Vancouver. La compagnie ferroviaire, qui s'était fait octroyer de vastes terres correspondant à peu de chose près au territoire de l'actuel centre-ville, entreprend alors de développer son bien. Dire qu'elle a joué un rôle majeur dans le développement du quartier des affaires de Vancouver serait insuffisant. Le Canadien Pacifique a véritablement forgé cette partie de la ville, traçant les rues et érigeant plusieurs de ses principaux monuments.

Le **Sinclair Centre** ★ *(701 W. Hastings St.)* se présente comme un ensemble de bureaux gouvernementaux. Il a été aménagé dans un ancien bureau de poste, et ses annexes sont reliées entre elles par des passages couverts bordés de boutiques.

L'édifice principal de 1909 est considéré comme un des meilleurs exemples du style néo-baroque au Canada.

Sinclair Centre

Le **Marine Building** ★★ *(355 Burrard St.)*, qui ferme la perspective de West Hastings Street, est un bel exemple d'Art déco, style caractérisé par la verticalité des lignes, les retraits en gradins, l'absence de corniches de couronnement et l'emploi d'une ornementation géométrique. L'édifice de 1929 porte bien son nom, à la fois parce qu'il est abondamment décoré de thèmes marins et parce que plusieurs de ses locataires sont des armateurs et des entreprises commerciales maritimes. On remarquera plus particulièrement sur sa façade les panneaux de terre cuite qui dépeignent l'histoire des transports maritimes et la découverte de la côte du Pacifique. Mais c'est à l'intérieur que le visiteur découvrira vraiment l'originalité du Marine Building. On notera entre autres les luminaires de l'entrée en forme de proue de navire et le vitrail représentant un coucher de soleil sur l'océan. De la mezzanine, à laquelle il est possible d'accéder par les ascenceurs, la vue d'ensemble est intéressante.

Empruntez Burrard Street en direction de l'eau et de **Canada Place** ★★ *(999 Canada Place)*, cette construction érigée sur un des quais du port qui fait penser à un immense voilier prêt à appareiller. L'ensemble multifonctionnel a été construit dans le cadre de l'Exposition internationale de 1986 pour abriter le pavillon du Canada. Vous y trouverez le centre des congrès de Vancouver (Convention Centre), la gare maritime où accostent les paquebots, le luxueux hôtel Pan Pacific (voir p 664) ainsi qu'un cinéma Imax. Une promenade sur le «pont» permet d'apprécier le panorama magnifique du Burrard Inlet, du port et des montagnes aux neiges éternelles.

À l'angle de West Georgia Street se dresse l'imposante masse de l'**Hotel Vancouver** ★ *(900 W. Georgia St.)*, véritable «monument» aux sociétés ferroviaires canadiennes qui l'ont fait construire entre 1928 et 1939. Son haut toit de cuivre fut pendant longtemps le principal symbole de Vancouver à l'étranger. Comme chaque grande ville canadienne, Vancouver se devait d'avoir son hôtel de style Château.

Tournez à gauche par Thurlow Street, puis encore à gauche par **Robson Street** ★, l'artère des boutiques à la mode, des restaurants aux décors élaborés et surtout des multiples «cafés-brûleries» de style West Coast. Les passants s'installent sur les terrasses et profitent du beau temps pour admirer la foule bigarrée qui déambule nonchalamment. Les amateurs de bon café en ont fait une passion; une vedette américaine de passage à Vancouver s'est même déjà étonnée de la quantité de cafés sur Robson Street, allant jusqu'à affirmer que les Vancouverois étaient des drogués de café, mais que cela n'avait pas changé leur rythme de vie, connu pour être lent. Au milieu du XXe siècle, Robson Street regroupait une petite communauté allemande ayant rebaptisé la rue «Robsonstrasse», surnom qui est demeuré depuis.

À l'angle de Nelson Street et de Burrard Street, on peut voir l'ancien **BC Hydro Building** ★ *(970 Burrard St.)*, qui abritait autrefois le siège de la compagnie d'hydroélectricité de Colombie-Britannique. Il a été reconverti en 242 appartements en copropriété (1993) et rebaptisé The Electra.

Tournez à gauche par Howe Street pour voir les **Provincial Law Courts** ★ *(800 Smithe St.)*. On doit la conception (1978) de ce palais de justice de la Colombie-Britannique au talentueux architecte vancouverois Arthur Erickson. Sa grande place intérieure, recouverte d'un immense pan incliné en verre et en acier, mérite une visite. Le palais de justice forme un tout unifié avec le **Robson Square** ★★

(au nord de Smithe St.), du même architecte.

Au nord de Robson Square se trouve la **Vancouver Art Gallery** ★ *(10$; mai à oct, lun-mer 10h à 18h, jeu 10h à 21h, ven 10h à 18h, sam 10h à 17h, dim et fêtes midi à 17h; en hiver fermé lun-mar; 750 Hornby St., ☎662-4700)*, aménagée en 1984 dans l'ancien Palais de justice de Colombie-Britannique. Le grand bâtiment Renouveau classique a été construit en 1908 selon les plans de l'architecte britannique Francis Mawson Rattenbury, à qui l'on doit également l'édifice de l'Assemblée législative de Colombie-Britannique et l'hôtel Empress, tous deux situés à Victoria, sur l'île de Vancouver. Rattenbury retournera par la suite dans son pays, pour y être assassiné par l'amant de sa femme... Le musée expose plusieurs toiles d'Emily Carr (1871-1945), peintre canadienne majeure qui a fait des Amérindiens et des paysages de la Côte Ouest ses principaux sujets.

Tournez à droite par West Georgia Street, puis encore à droite dans le **Granville Street Mall** ★ la rue des théâtres, des cinémas, des boîtes de nuit et des grands magasins. Ses larges trottoirs sont animés 24 heures sur 24.

Déambulez dans le Granville Street Mall en direction sud pour atteindre Theatre Row. À noter qu'autrefois l'équivalent anglais du mot «théâtre» désignait autant les salles de cinéma et les salles de concerts que les lieux où étaient jouées de véritables pièces de théâtre. On croise le **Commodore Theatre** *(870 Granville St.)* et surtout l'**Orpheum Theatre** ★ *(649 Cambie St.; visites en réservant au ☎665-3050)*. Derrière son étroite façade d'à peine 8 m de largeur se déploie une salle néo-Renaissance hispanisante de 2 800 places située au bout d'un long couloir.

À l'intersection avec Robson Street se dresse un curieux édifice qui n'est pas sans rappeler le Colisée de Rome. Il s'agit de la **Vancouver Public Library** ★★ *(entrée libre; lun-mar 10h à 21h, mer-sam 10h à 18h, dim oct à avr 13h à 17h, en été dim fermé; visites gratuites en réservant au ☎331-4041; 350 West Georgia St., ☎331-3600)*, la nouvelle bibliothèque municipale de Vancouver construite en 1994 selon les plans de l'architecte Moshe Safdie, bien connu pour son Habitat 67 de Montréal et son Musée des beaux-arts du Canada à Ottawa.

★ West End

Mis à part l'île de Vancouver, plus à l'ouest, le West End c'est le bout de la route, l'extrémité absolue de cette quête d'un monde meilleur que des milliers de citadins de l'est du Canada poursuivent depuis plusieurs générations. Ils ont bien sûr été attirés ici par le climat et la végétation, mais ils ont également fui le tohu-bohu et les contraintes des villes plus anciennes du centre et de l'est du Canada. Aussi ne faut-il pas se surprendre de retrouver dans le West End, malgré la multitude de grandes tours en béton, un rythme de vie décontracté, influencé à la fois par l'immensité du Pacifique et par la sagesse de l'Orient.

Vancouver Public Library

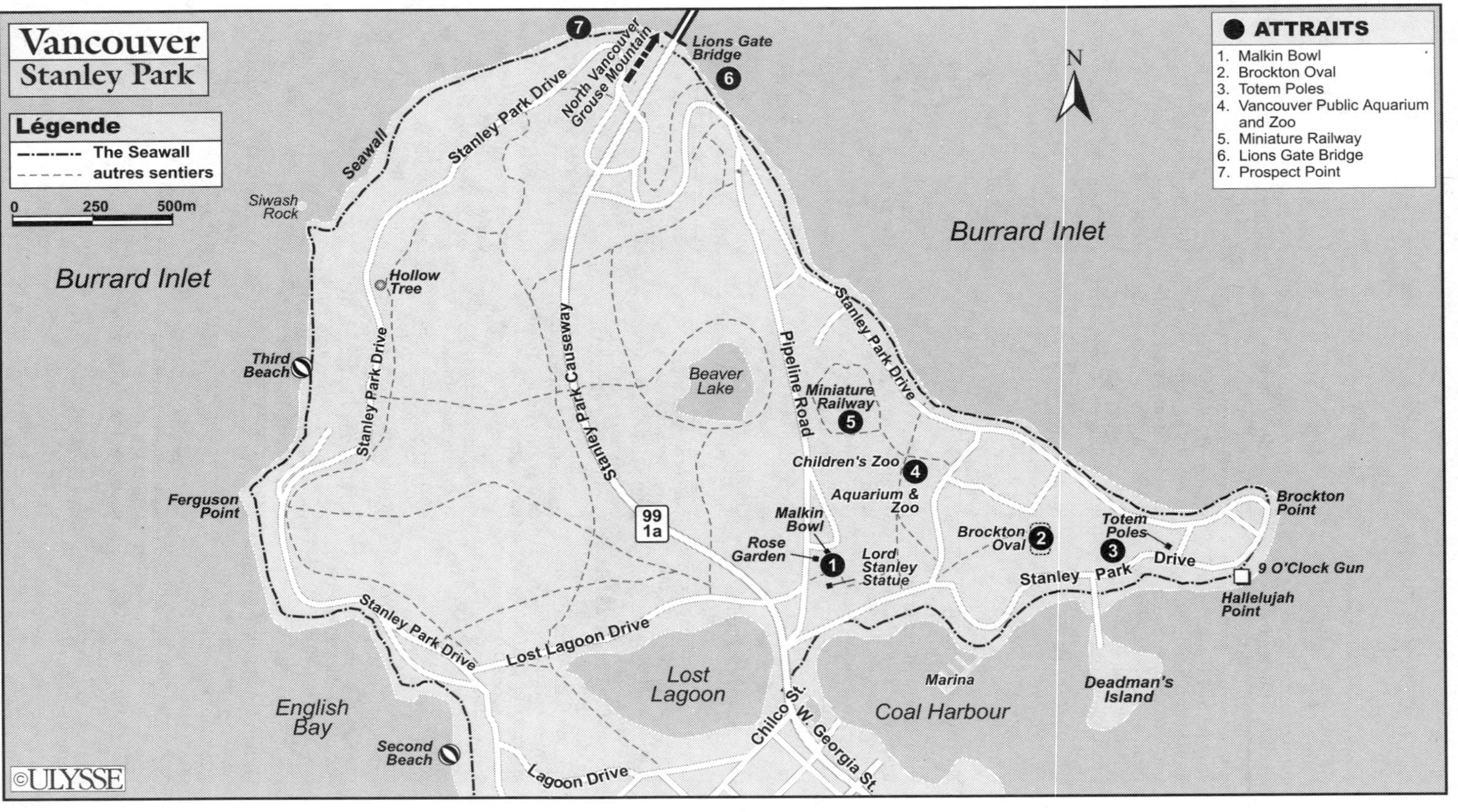
Vancouver
Stanley Park
Légende
The Seawall
autres sentiers
0
250
500m
ATTRAITS
1. Malkin Bowl
2. Brockton Oval
3. Totem Poles
4. Vancouver Public Aquarium and Zoo
5. Miniature Railway
6. Lions Gate Bridge
7. Prospect Point
N
Burrard Inlet
Burrard Inlet
Siwash Rock
Seawall
Stanley Park Drive
North Vancouver
Grouse Mountain
Lions Gate Bridge
Hollow Tree
Third Beach
Stanley Park Drive
Stanley Park Causeway
Beaver Lake
Pipeline Road
Miniature Railway
Stanley Park Drive
Children's Zoo
Aquarium & Zoo
Ferguson Point
99
1a
Malkin Bowl
Rose Garden
Lord Stanley Statue
Brockton Oval
Totem Poles
Brockton Point
Stanley Park Drive
9 O'Clock Gun
Hallelujah Point
Stanley Park Drive
Lost Lagoon Drive
Lost Lagoon
Marina
Deadman's Island
Coal Harbour
English Bay
Chilco St.
W. Georgia St.
Second Beach
Lagoon Drive
©ULYSSE

Empruntez Davie Street en direction ouest, puis tournez à gauche par Bidwell Street pour atteindre l'**Alexandra Park ★**, qui forme une pointe au sud de Burnaby Street. On y trouve un joli kiosque en bois pour les concerts de fanfare en plein air (1914) de même qu'une fontaine en marbre ornée d'une plaque de bronze en l'honneur de Joe Fortes, qui a montré à nager à plusieurs générations d'enfants de Vancouver.

Du parc abondamment planté, on jouit d'une vue splendide sur **English Bay Beach ★★** *(le long de la côte, entre Chilco St. et Bidwell St.)*, une plage de sable fin très fréquentée pendant l'été.

★★★ Stanley Park

Le même personnage qui a donné au hockey la Coupe Stanley a laissé son nom à un parc qu'il a personnellement créé à la fin du XIXe siècle dans un élan de romantisme. Lord Stanley était alors gouverneur général du Canada (1888-1893). Le Stanley Park, c'est 405 ha de jardins fleuris, de forêts denses et de points de vue sur la mer et les montagnes, le tout aménagé sur une presqu'île surélevée s'avançant dans le détroit de Géorgie. On le voit, les nombreux gratte-ciel de Vancouver n'empêchent en rien la ville d'entretenir des liens privilégiés avec une nature sauvage toute proche. Le Stanley Park recèle en outre une faune variée. Si certaines espèces sont en captivité, beaucoup d'autres se promènent librement, allant parfois jusqu'à s'aventurer dans le West End.

Une promenade riveraine longue de 10 km baptisée **The Seawall** entoure le parc, permettant aux piétons de ne rien manquer du paysage saisissant. Une route, la **Stanley Park Scenic Drive**, remplit la même fonction pour les automobilistes. Cependant, la bicyclette demeure le moyen idéal pour découvrir le Stanley Park. Il est possible de louer des vélos aux **Stanley Park Rentals** *(angle W. Georgia St. et Denman St., ☎688-5141)*. En outre, de nombreux sentiers pédestres sillonnent le parc en tous sens, donnant l'occasion d'en découvrir les secrets. Plusieurs aires de repos ont été aménagées le long du parcours.

On découvre alors la masse rutilante des yachts de la marina de Vancouver, derrière laquelle se profilent les gratte-ciel du centre-ville. Cette portion du parc est la plus développée par l'homme. On peut y voir le **Malkin Bowl**, le **Brockton Oval** et surtout les **Totem Poles ★**, ces mâts totémiques qui évoquent l'importante présence amérindienne sur la presqu'île, il y a à peine 150 ans. Sur Brockton Point même a lieu chaque jour à 21h le tir à blanc du **9 O'Clock Gun** (il vaut mieux ne pas être à proximité au moment de la détonation). Autrefois, ce coup de canon indiquait aux pêcheurs le moment d'arrêter la pêche.

Sur la gauche, on accède au **Vancouver Aquarium Marine Science Centre ★★★** *(13$; juil et août tlj 9h30 à 19h, sept à juin tlj 10h à 17h30; ☎659-3474)*, une institution réputée qui offre l'avantage indéniable d'être située à proximité de l'océan. Il présente la faune marine de la Côte Ouest et du Pacifique dans son ensemble, entre autres de merveilleux épaulards, bélugas, dauphins, phoques et poissons exotiques. Au zoo, situé à l'arrière, on peut notamment voir des otaries et des ours polaires. À proximité de l'aquarium se trouve le **Miniature Railway**, un chemin de fer miniature qui fait la joie des enfants.

Revenez à la promenade du Seawall sous le **Lions Gate Bridge ★★**. L'élégant pont suspendu, construit en 1938, franchit le First Narrows pour relier la riche banlieue de West Vancouver au centre de la ville. À l'ouest du pont, on accède au point d'observation de **Prospect Point ★★★**, d'où l'on bénéficie d'une vue d'ensemble sur la structure aux piliers d'acier qui font 135 m de haut.

Autres attraits

Dirigez-vous vers la grosse boule argentée de **Science World ★** *(11,75$ ou 14,75$ avec cinéma; 1455 Quebec St., ☎443-7440)*, à l'extrémité de la False Creek. L'architecte Bruno Freschi a conçu ce bâtiment de 14 étages en tant que centre d'accueil dans le cadre de l'Expo 86. À noter qu'il s'agit du seul pavillon de cette exposition construit pour demeurer en place après l'événement. La sphère symbolisant la Terre a supplanté la tour comme symbole par excellence des expositions universelles et internationales à la suite de l'Expo 67 de Montréal. La sphère de Vancouver renferme un cinéma

Omnimax qui présente des films sur écran géant en forme de coupole. Le reste de l'édifice abrite maintenant un musée qui explore les secrets de la science sous tous ses angles.

Le quai des traversiers de la False Creek est situé à l'arrière de la rotonde. Montez à bord du bateau qui dessert **Granville Island et son marché public ★★**.

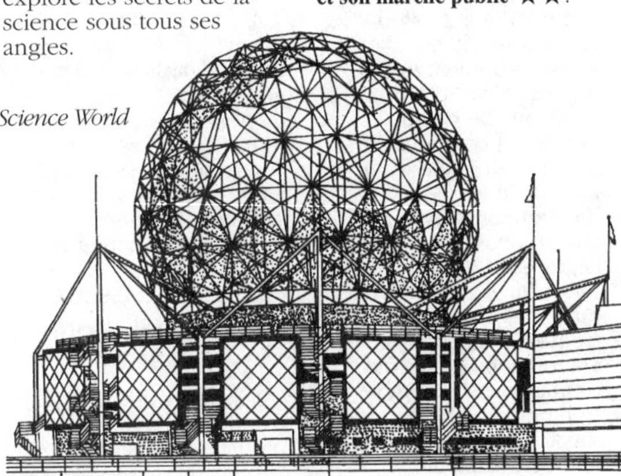

Science World

Le vaste terrain en friche bordant la rive nord de la False Creek était occupé, pendant l'été 1986, par des dizaines de pavillons clinquants autour desquels s'agglutinaient les visiteurs. Derrière une bretelle d'autoroute, on aperçoit **GM Place** *(Pacific Blvd., angle Abbott St., ☎899-7400)*, l'amphithéâtre de 20 000 places terminé en 1995 où sont présentés les matchs à domicile de l'équipe de hockey locale, les Vancouver Canucks, ainsi que ceux de l'équipe de basket-ball, baptisée The Grizzlies. Son grand frère, le **BC Place Stadium** *(777 Pacific Blvd. N., ☎669-2300, 661-7373 ou 661-2122, ≠661-3412)* prend place au sud. Ses 60 000 sièges sont très en demande auprès des amateurs de football canadien qui viennent y applaudir les BC Lions. De grandes foires commerciales ainsi que des concerts rock y sont également présentés.

Vous remarquerez, en passant, les piliers vaguement Art déco du Burrard Street Bridge (1930). Île artificielle créée en 1914, Granville Island était autrefois exploitée à des fins industrielles. Depuis 1977, elle a vu ses entrepôts se transformer en un important centre récréatif et commercial. On y trouve un marché public, des restaurants, des boutiques d'artisanat, un marché aux puces, des théâtres et des ateliers d'artistes.

Tournez à gauche par 33rd Avenue, puis à droite par Oak Street, où se trouve l'entrée des **Van Dusen Botanical Gardens ★★** *(en été 5,50$, en hiver 2,75$; en été tlj 10h à la tombée du jour, téléphonez pour l'horaire exact; avr à sept 10h à 18h; oct à mars 10h à 16h; visites gratuites tlj 13h, 14h et 15h; 5251 Oak St., ☎878-9274)*. Vancouver est tellement choyée par la nature qu'on a été tenté d'y aménager plusieurs beaux jardins dont celui-ci, où l'on trouve des végétaux du monde entier. Au moment de la floraison des rhododendrons (vers la fin du mois de mai), le jardin mériterait certainement une étoile additionnelle. Au fond du jardin, on aperçoit un ensemble d'habitations en copropriété qui s'intègre parfaitement à la verdure, donnant même l'impression d'une gigantesque sculpture ornementale (McCarter, Nairne et associés, architectes, 1976).

En empruntant de nouveau 33rd Avenue vers l'est, on accède à un autre magnifique parc, le **Queen Elizabeth Park ★★** *(angle 33rd Ave. et Cambie St.)*, aménagé autour du **Bloedel Floral Conservatory** *(3,50$; avr à sept lun-ven 9h à 20h, sam-dim 10h à 21h; oct à mars tlj 10h à 17h; au bout du Queen Elisabeth Park, ☎257-8570)*, une sorte de soucoupe renversée en verre à l'intérieur de laquelle on peut voir des plantes et des oiseaux exotiques.

Gardez la droite et, immédiatement après être descendu du tablier du pont, tournez à droite par Chesnut Street, où se trouve le **Vanier Park**, au sein duquel ont été regroupés trois musées. Le **Vancouver Museum ★★** *(8$; juil et août tlj 10h à 17h, sept à juin fermé lun; 1100 Chesnut St., ☎736-4431)* trône en son centre. Son dôme maniériste rappelle les coiffes portées autrefois par les Salish. On y présente des expositions sur l'histoire des différents groupes qui ont peuplé la région. Au même endroit, le **Pacific Space Center ★** *(12,50$; représentations mar-dim 14h30 et 20h, supplémentaires sam-dim 13h et 16h; ☎738-7827)*, qui abrite le H.R. MacMillan Planetarium, relate la formation de l'univers. Il abrite un télescope grâce auquel les visiteurs peuvent admirer les étoiles. Le **Maritime Museum** ★ *(6$; mai à oct tlj 10h à 17h, nov à avr fermé lun; 1905 Ogden Ave., ☎257-8300)* s'ajoute aux institutions du Vanier Park. Vancouver, important port de mer, se devait d'avoir un musée maritime. Le clou de la visite est le ***Saint-Roch***, le premier navire à avoir bouclé l'Amérique du Nord en empruntant le canal de Panamá et le passage du Nord-Ouest.

On pénètre ensuite sur les terrains de l'**University of British Columbia (UBC)** ★. L'université a été créée par le gouvernement provincial en 1908, mais ce n'est qu'en 1925 que le campus ouvrit ses portes sur le très beau site de Point Grey. Un concours d'architecture avait été organisé pour l'aménagement des lieux; cependant, la Première Guerre mondiale a mis un terme aux travaux de construction, et il fallut une manifestation étudiante dénonçant l'inaction du gouvernement dans ce dossier pour voir le parachèvement des bâtiments. En fait, seuls la bibliothèque et l'édifice des sciences ont été réalisés selon les plans d'origine. **Set Foot for UBC** *(mai à août; ☎822-TOUR)* offre des visites gratuites organisées par des étudiants.

Le campus de l'UBC connaît encore de nos jours une expansion constante. Il ne faut donc pas se surprendre qu'il soit quelque peu hétéroclite. Mais il recèle des bijoux, tel le **Musée d'anthropologie** ★★★ *(6$, entrée libre mar 17h à 21h; en été tlj 11h à 17h, hiver fermé lun; 6393 North West Marine Dr., ☎822-3825)*, à ne pas manquer, à la fois pour les collections exposées et pour le bâtiment lui-même, œuvre d'Arthur Erickson. De grandes poutres et colonnes de béton reprennent les formes des maisons traditionnelles des autochtones. À l'intérieur se dressent de hauts mâts totémiques ancestraux, retrouvés à l'intérieur d'anciens villages amérindiens de la côte et des îles de la Colombie-Britannique. On peut aussi y voir d'autres objets recueillis dans différents chantiers de fouilles de la région.

Whistler

Whistler attire de partout à travers le monde des gens qui pratiquent le ski, le golf, la randonnée pédestre, la voile, le parapente, la planche sur neige... Une infrastructure hôtelière imposante honore le petit village au pied des montagnes Blackcomb et Whistler; restaurants, boutiques, complexes sportifs et centre des congrès s'ajoutent à ce centre de villégiature reconnu internationalement. L'endroit est fréquenté hiver comme été, et chaque saison possède son lot d'activités à proposer.

Les boutiques sont bien sûr consacrées en majorité aux touristes mais aussi aux riverains. Cela encourage l'achat des condos en tant que résidences secondaires et favorise l'économie de Whistler. C'est ainsi que se sont installés centres commerciaux et grands magasins d'alimentation. L'art et les galeries d'art se sont considérablement développés. Le nombre de salles d'exposition a augmenté, et le **Whistler Center of Business and the Arts** *(☎604-932-8310)* offre de nombreux programmes intéressants. Les ateliers concernent adultes et plus jeunes, car, aussi bien en musique qu'en arts visuels, la ville tente d'attirer les jeunes.

Les îles du golfe

Les îles sont autant d'endroits différents pour profiter de la nature et de l'isolement du monde, loin des bouchons de circulation. Le temps passe au rythme des arrivées et des départs des traversiers. Un esprit d'échange, de rencontre et de convivialité se dégage de ces oasis de paix, plus particulièrement en fin de journée, alors que les visiteurs se retrouvent au pub et se mêlent aux insulaires. Chaque voyage réserve des surprises, que ce soit la découverte d'une île comme vous en avez toujours rêvé ou le passage d'un phoque sous votre kayak; ces moments resteront à jamais gravés dans votre mémoire.

Situées dans les eaux du détroit de Géorgie, 200 îles émergent entre le littoral est de l'île de Vancouver et le continent. À ces îles, se joignent les îles San Juan, du côté des États-Unis.

★ Salt Spring Island

Salt Spring Island est la plus grande et la plus peuplée des îles du golfe. Les Amérindiens y venaient pendant les mois d'été pêcher des fruits de mer, chasser le gibier à plumes et faire la cueillette de plantes. C'est en 1859 que les premiers Européens s'établissent dans cette île en implantant des fermes et de petits commerces. Aujourd'hui, plusieurs artistes en ont fait leur lieu d'habitation et de travail. Ils ouvrent leur studio au public. L'accès à l'île de Vancouver se fait rapidement; certaines personnes habitent ici en permanence et travaillent à Victoria. La ville de Ganges est le centre d'attraction commercial. Une promenade longe le port où se trouvent des boutiques et deux marinas.

★★
Galiano Island

Avec une population presque 10 fois moindre que celle de Salt Spring, Galiano Island demeure un endroit calme et pittoresque. Cette île a été nommée en l'honneur de Dionisio Galiano, un explorateur espagnol qui a été le premier à naviguer dans les eaux environnantes. D'une trentaine de kilomètres de long sur plus de 2 km de large, l'île présente des axes nord-ouest et sud-est. Ses grèves offrent plusieurs point de vue et des plages de coquillages.

★
Mayne Island

Mayne Island est la voisine australe de Galiano. Cette île calme est habitée surtout par des gens retraités. Il y a moins de touristes; vous y découvrirez un endroit paisible et un terrain assez plat qui fait le grand bonheur des cyclistes. Au milieu du XIXe siècle, au moment de la ruée vers l'or de l'hinterland (1858), les mineurs qui quittaient Victoria pour rejoindre le fleuve Fraser s'arrêtaient ici, d'où le nom de Miners Bay, avant de traverser le détroit de Géorgie. Les premiers Européens à venir s'établir ici exploitèrent le sol pour la culture de la pomme. Vous pouvez encore aujourd'hui contempler ces grands vergers. Quelques bâtiments témoignent de l'arrivée des pionniers. L'**église St. Mary Magdalene** ★ *(Georgina Point Rd.)*, construite en 1897, et toute de bois, vaut le détour. Le dimanche, elle est ouverte pour la messe; profitez-en pour aller voir les vitraux.

L'**Active Pass Lighthouse** ★ *(tlj 13h à 15h; Georgina Point Rd., ☎539-5286)* guide les marins depuis 1885, mais la structure d'origine a été remplacée par une nouvelle tour en 1940. Une structure encore plus récente a été érigée en 1969. Le site est facile d'accès, et des plans et des cartes marines indiquent la situation géographique de l'île.

Plages

La côte de Vancouver se compose en grande partie de plages de sable facilement accessibles. Toutes ces plages bordent English Bay, où il est possible de pratiquer la marche, le vélo, le volley-ball, et, bien sûr, d'accéder à l'eau pour mieux profiter de cet environnement. Le Stanley Park est bordé par **Third Beach** et **Second Beach**, puis, plus à l'est, le long de Beach Avenue, par **First Beach**, où, le premier janvier, des centaines de baigneurs bravent l'eau froide afin de célébrer la nouvelle année.

Un peu plus à l'est, **Sunset Beach** attend la fin du jour pour vous offrir les plus beaux couchers de soleil. À l'extrémité sud d'English Bay se succèdent **Kitsilano Beach**, **Jericho Beach**, **Locarno Beach**, **Spanish Banks Beach** et **Tower Beach**, ainsi que **Wreck Beach**, à l'extrémité ouest du campus de l'université de la Colombie-Britannique.

Kitsilano Beach est très animée par les compétitions de volley-ball de plage et par une jungle de sportifs; un terrain de basket-ball est attenant à la plage. Locarno Beach, Jericho Beach et Spanish Banks Beach représentent davantage des endroits de détente en famille où la marche et la lecture prédominent sur les autres activités.

Activités de plein air

Vancouver peut offrir un choix d'activités sportives très varié grâce à sa situation géographique, à la jonction de la mer et des montagnes, et à la proximité de la nature sauvage. Pour de l'information générale sur toutes les activités de plein air dans la région de Vancouver, il est possible de contacter **Sport B.C.** *(509-1367 Broadway, Vancouver, V6H 4A9, ☎737-3000)* ou l'**Outdoor Recreation Council of B.C.** *(334-1367 Broadway, Vancouver, V6H 4A9, ☎737-3058)*. Les deux organismes vous donneront beaucoup d'idées et de renseignements.

Randonnée pédestre

Le lieu de randonnée par excellence à Vancouver est sans aucun doute le **Stanley Park**. Il offre près de 50 km de sentiers tracés dans la forêt et la verdure longeant des lacs et l'océan, entre autres le remarquable **Seawall**, un sentier de 8 km bordé d'arbres géants.

La randonnée en montagne se pratique sur un des sommets voisins du centre-ville. Le **Cypress Provincial Park**, au nord de la municipalité de West Vancouver, compte plusieurs circuits de randonnée pédestre.

L'ascension de la **Grouse Mountain** ★★★ *(☎984-0661)* est une randonnée sans difficulté particulière, si ce n'est que la pente peut parfois atteindre 25° d'inclinaison. Il faut donc être en bonne forme physique. À partir du stationnement du téléphérique, deux heures environ sont nécessaires pour parcourir les 3 km de sentier. La vue sur la ville depuis le sommet est fantastique. Si vous êtes fatigué pour le retour, vous pouvez prendre le téléphérique pour la modique somme de 5$.

Vélo de montagne

La région compte une multitude de pistes pour les amateurs de vélo de montagne (VTT). Ils n'ont qu'à se rendre à l'une des montagnes au nord de la ville. Une agréable promenade de 8 km longe le Seawall dans le Stanley Park. Location de vélos aux **Spokes Bicycle Rental** *(1798 N. Georgia St., angle Denman St., ☎688-5141)*. À l'extérieur de Vancouver, vous pouvez pratiquer ce sport dans la vallée du fleuve Fraser, près des fermes ou sur les routes secondaires.

Canot et kayak de rivière

Si vous voulez faire de la descente de rivière en canot ou en kayak, les entreprises mentionnées ci-dessous vous équiperont de la tête aux pieds et organiseront vos expéditions. Vous pourriez donner votre premier coup de fil à la **Whitewater Kayaking Association of B.C.** *(1367 Broadway, Vancouver, V6H 4A9, ☎222-1577)*, ou à **Canadian Adventure Tours** *(P.O. Box 929, Whistler, V0N 1B0, ☎938-0727)* (si vous passez par Whistler, c'est une bonne adresse).

Canadian River Expeditions *(301-3524 W. 16th Ave., Vancouver, V6R 3C1, ☎938-6651)* vous permet de planifier une expédition en canot depuis Vancouver.

Sea To Sky Trails *(105C-11831 80th Ave., Delta, V4C 7X6, ☎594-7701)* est une petite agence de tourisme d'aventure située en banlieue sud de Vancouver.

Rafting

Pour ceux et celles qui sont en quête de sensations fortes sur les cours d'eau, sachez que la région de Vancouver vous tend les bras. À moins de deux heures de route de la ville, au cœur des monts Cascades, dans une région semi-aride, il existe un paradis de la descente de rivière : le fleuve **Fraser**, le plus important cours d'eau de la Colombie-Britannique en termes de débit. Certaines sections du fleuve vous «décoifferont» à coup sûr.

La rivière **Thompson** (un affluent du fleuve Fraser) est la plus réputée pour le rafting. Cette belle rivière émeraude traverse un magnifique paysage rocailleux et aride. La descente de la rivière Thompson est considérée comme un parcours de montagnes russes par les experts. Bonne chance!

Ski de fond

À moins d'une demi-heure de Vancouver, trois centres de ski de fond accueillent tous les jours, du matin au soir inclusivement, les mordus de la neige. Au Cypress Provincial Park, sur Hollyburn Ridge, **Cypress Bowl Ski Areas** *(☎926-5612)* offre 25 km de pistes entretenues mécaniquement comportant tous les niveaux de difficultés. Ces pistes sont fréquentées jour et soir par les skieurs de randonnée. Il y a également des pistes à la **Grouse Mountain**

(☎984-0661) et au **Mount Seymour Provincial Park** *(☎986-2261)*.

Ski alpin

Vancouver

Ce qui fait la véritable magie de Vancouver, c'est sa combinaison de la mer et des montagnes. Cela ne fait pas exception pendant la saison froide, alors que la population déserte les plages et les sentiers du bord de mer pour envahir les pistes de ski qui sont littéralement «suspendues» au-dessus de la ville.

Il existe quatre stations de ski à proximité du centre-ville : **Mount Seymour** *(26$; 1700 Mount Seymour Rd., North Vancouver, V7G 1L3; Upper Level Hwy. direction est, sortie Deep Cove; renseignements ☎986-2261, conditions de ski ☎718-7771, ☎/≠986-2267)*, une station familiale aux pistes faciles, située à l'est de North Vancouver au-dessus de Deep Cove; **Grouse Mountain** *(28$, soirée 20$; 6400 Nancy Greene Way, North Vancouver, ☎984-0661, conditions de ski ☎986-6262, école de ski ☎980-9311)*, une petite station accessible par téléphérique qui offre une vue imprenable sur Vancouver, superbe de jour comme de nuit; **Cypress Bowl** *(35$, soirée 23$; à partir de North Vancouver, prenez l'autoroute transcanadienne en direction ouest sur 16 km, puis suivez les indications; renseignements et conditions de ski ☎926-5612)*, la station des skieurs les plus aguerris qui offre encore une magnifique vue sur Howe Sound et sur la ville : le **Hemlock Valley Resort** *(32$, soirée 11$; autoroute transcanadienne en direction est, sortie «Agassizou Harrisson Hot Springs», ☎797-4411, conditions de ski ☎520-6222, ≠797-4440, réservations hébergement ☎797-4441)*, avec son style «village» pourrait vous séduire : ce village alpin est situé à l'extrême est de l'agglomération de Vancouver, au cœur des monts Cascades, la neige y est abondante et la vue sur le mont Baker, aux États-Unis, spectaculaire.

Whistler

Whistler est considérée comme la station de ski numéro 1 en Amérique du Nord avec ses 12 m de neige et ses 1 600 m de dénivellation. Une fois sur le site, vous pourrez choisir entre deux montagnes : la **Whistler Mountain** et la **Blackcomb Mountain** *(réservations hôtels, ☎604-932-4222, de Vancouver ☎604-685-3650, des États-Unis ☎800-634-9622)*. Ski extraordinaire, installations ultramodernes, mais attention à votre budget.

Vous comprendrez pourquoi les prix sont si élevés en voyant les cohortes de touristes japonais et américains monopoliser les hôtels et les pistes bleues. Les deux montagnes de Whistler et de Blackcomb combinées forment le plus grand domaine skiable au Canada.

Ces stations de ski alpin de classe internationale sont privilégiées par des chutes de neige abondantes et possèdent assez d'hôtels pour héberger la population d'une ville. Cette métropole du ski de haut de gamme offre aussi la possibilité de skier sur des pistes non damées dans une poudreuse impeccable et, si la météo est de votre côté, vous ferez des *S* dans un paysage alpin de toute beauté. **Whistler Mountain** *(adulte 51$; à partir de Vancouver, route 99 direction Nord sur 130 km, renseignements ☎604-932-3434 conditions de ski ☎932-4191)* est l'aînée des deux stations. Les experts et les fous de la poudreuse, les sauteurs de falaise afflueront tous à la *Peak Chair*, le télésiège qui conduit au sommet de Whistler Mountain. De là-haut, les skieurs et les planchistes aguerris ont accès à une zone alpine composée de pistes rouges et noires couvertes d'une neige profonde et légère. **Blackcomb Mountain** *(48$; à Whistler, à partir de Vancouver, route 99 direction Nord sur 130 km, 4545 Blackcomb Way, Whistler, V0N 1B4, Canada, renseignements ☎604-932-3141, conditions de ski ☎932-4211)*. Pour les enthousiastes du ski en Amérique du Nord, Blackcomb représente La Mecque du ski «musclé». Un débat vigoureux est entretenu depuis des années par les skieurs à savoir laquelle des deux montagnes (Whistler ou Blackcomb) est la meilleure. Chose certaine, Blackcomb remporte la première place dans la catégorie de la dénivellation verticale avec 1609 m. Quand vous serez à Blackcomb, allez faire un tour sur le glacier. C'est formidable!

Hébergement

Vous n'aurez aucun mal à vous loger à Vancouver, la ville comprenant une foule d'établissements qui peuvent convenir aux goûts et aux budgets de chacun. Tous les lieux d'hébergement sont bien situés, à distance de marche des arrêts de bus, et dans le centre-ville la plupart du temps. Au cas où vous en auriez besoin, sachez que **Discover British Columbia** *(☎800-663-6000)* peut faire des réservations pour vous.

Vancouver

Le centre-ville

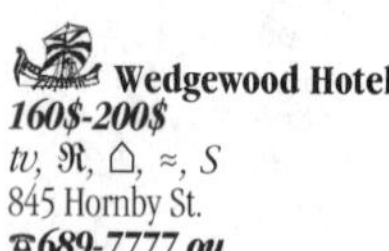

Wedgewood Hotel
160-200
tv, ℜ, ⌂, ≈, *S*
845 Hornby St.
☎689-7777 ou 800-663-0666
⇄668-3074
Le Wedgewood Hotel est un bel hôtel de 93 chambres offrant un service impeccable. Sa décoration soignée et très chaleureuse n'est pas sans rappeler les décors des clubs de chasse à courre anglais. Le Wedgewood offre une ambiance très romantique et est l'hôtel préféré des amoureux.

Pan Pacific Vancouver Hotel
410$
⊙, ≡, ⊛, *tv*, ⌂, ≈, *S*, ℜ, ♿, 🐕
300-999 Canada Place
☎662-8111
du Canada
☎800-663-1515
des États-Unis
☎800-937-1515
⇄685-8690
Le Pan Pacific Vancouver Hotel est un hôtel de grand luxe à l'intérieur de Canada Place, en face de North Vancouver, sur la rive du Burrard Inlet, dont il est témoin des activités maritimes. Son hall, avec sa décoration marbrée, ses plafonds de 20 m de haut et son ouverture panoramique sur la mer, est magnifique. Il compte 506 chambres.

Le West End

Sylvia Hotel
115$
ℂ, *tv*, ℜ, 🐕
1154 Gilford St.
☎681-9321
Se dressant à deux pas d'English Bay, ce vieil hôtel charmant, construit au début des années 1900, offre des vues imprenables et dispose de 118 chambres toutes simples. On y vient volontiers pour l'ambiance, ou ne serait-ce que pour manger ou prendre un verre à la tombée du jour. Pour les plus petits budgets, les chambres qui n'offrent pas vraiment de vue sont proposées à plus bas prix. Si vous désirez jouir d'une vue splendide sur English Bay, il faut que votre chambre soit orientée vers le sud-ouest. Le directeur de cet hôtel à la façade recouverte de lierre est un Français qui se donne complètement à son établissement, et il a bien raison.

West End Guest House Bed & Breakfast
150$ pdj
⊗
1362 Haro St.
☎681-2889
⇄688-8812
Ce magnifique gîte aménagé dans une maison victorienne du début du siècle a pignon sur rue tout près d'un parc et de Robson Street; il est possible que vous ayez à réserver pour un minimum de deux nuitées. Evan Penner sera votre hôte. La West End Guest House a bonne réputation. Non loin, au 1415 Barclay Street, se trouve la Roedde House, de style victorien-édouardien, construite en 1893 et conçue par nul autre que l'architecte Francis Rattenbury, qui a également créé la Vancouver Art Gallery, le parlement de Victoria et l'hôtel Empress.

Landmark Hotel
200$
tv, ⊙, ⊛, ℜ, ⌂, ≈, ♿
1400 Robson St.
☎687-0511
⇄687-2801
Le Landmark Hotel représente toute une expérience avec ses 40 étages et son restaurant-bar rotatif (voir p 668) au sommet de la tour. La vue est fascinante.

False Creek

Pillow Porridge Guest House
85-135 pdj
tv, ℝ, ℂ
2859 Manitoba St.
☎879-8977
⇄897-8966
www.pillow.net
La Pillow Porridge Guest House est établie dans une ancienne résidence de 1910, la décoration et l'ambiance en faisant foi. Ses appartements tout équipés, avec cuisine, sont confortables et agréables.

À quelques pas, plusieurs restaurants de différentes ethnies offrent diversité et expérience. Des suites luxueuses sont également disponibles.

Chez Philippe
175-225 pdj
tv, ℂ, S
adresse sur rendez-vous seulement
☎649-2817
Chez Philippe est situé au cœur de Vancouver, dans le quartier du West End, à deux pas de la False Creek, dans un environnement de villégiature. Il s'agit d'un luxueux appartement au 17e étage d'une tour moderne construite à l'entrée du Seawall.

Pour traverser le bras de mer de la False Creek et vous rendre au grand marché de Granville Island, vous pouvez prendre un petit traversier tout à fait charmant au pied de la tour. Votre hôte Philippe vous accueille en français. Vous avez droit à un copieux petit déjeuner, et vous pouvez même cuisiner si vous le désirez. Vous avez aussi accès à un lave-vaisselle, à un lave-linge et à un sèche-linge, ainsi qu'à une salle de bain complète avec douche séparée et à une terrasse. Exclusivement sur réservation.

Le sud de Vancouver

William House
95-190 pdj
tv
2050 W. 18th Ave.
☎/≠731-2760
whouse@direct.ca
La William House est une belle maison campagnarde entièrement restaurée, située dans le vieux Shaughnessy à quelques minutes du centre-ville. Les suites de luxe et les chambres sont agréables et offrent une atmosphère de confort et de paix. Le grand jardin et la cour permettent de se relaxer à l'abri des bruits de la ville. Cet établissement conviendra aux gens d'affaires. Les prix sont négociables suivant la saison et la durée du séjour.

La péninsule

Plaza 500 Hotel
109$
tv, ⊘, ℜ
500 W. 12th Ave., angle Cambie St.
☎873-1811
≠873-1980
Un bel hôtel avec chambres confortables et vue sur la ville, à 15 min en voiture du centre-ville, juste après le pont Cambie. La rue Broadway, à 2 min, offre un bel éventail de boutiques, de restaurants et de bars. L'hôtel favorise les séjours en groupe et les séminaires.

Whistler

Whistler constitue un village parsemé de restaurants, d'hôtels, d'appartements et de *bed and breakfasts*. Un service de réservations peut vous aider à faire votre choix : **Whistler Resort** *(☎604-932-4222, de Vancouver 604-664-5625, ou d'ailleurs 800-944-7853).*

The Shoestring Lodge
50-65 chambre
21 $ chambre commune
tv, ℜ, navette, pub, S
1 km au nord du village, à droite sur Nancy Greene Dr.
☎(604) 932-3338
≠932-8347
The Shoestring Lodge semble être un des endroits les moins chers de Whistler; cependant vous devez absolument réserver pour obtenir une chambre. La demande est très forte à ce prix. Les chambres renferment un lit, un téléviseur et une petite salle de bain, et tout ce qu'il y a de plus neutre en fait de décor. L'ambiance jeune de cet endroit vous donne l'impression d'être dans un camp de vacances universitaire où les étudiants et étudiantes veulent avoir du plaisir, et c'est le cas. Les soirées au pub sont réputées pour être hautes en couleur (voir p 647).

Holiday Inn
79-159
ℂ, tv, ⌂, ⊘, ℜ, S
Whistler Village Centre
☎800-HOLIDAY ou 800-229-3188 ou (604) 938-0878
www.whistlerhi.com
Le Holiday Inn est situé tout près des montagnes Whistler et Blackcomb. Toutes les chambres ont une cheminée et une cuisinette; de plus, certaines disposent d'un balcon. Tout le confort d'un hôtel bien équipé s'y retrouve, y compris un centre de conditionnement physique très sophistiqué.

Listel Whistler Hotel
99-199
tv, ≈ chauffée, ⊛, ⌂, 🐕, ♿, ℜ
4121 Village Green
☎(604) 932-1133 ou 800-663-5472
≠932-8383
de Vancouver
☎(604) 688-5634
Le Listel Whistler Hotel est situé au cœur du village, à côté de tous les services de restauration et de loisir. L'aménagement sobre des chambres rendra votre séjour confortable.

Canadian Pacific Chateau Whistler Resort
129-529
⊙, ♿, 🐕, *tv*, ≈, ⊛, △, ℜ
4599 Chateau Blvd.
☎*(604) 938-8000 ou 800-606-8244*
⇌*938-2099*
Le Canadian Pacific Chateau Whistler Resort de la chaîne d'hôtels du Canadien Pacifique est une adresse luxueuse. Situé au pied des pentes de Blackcomb Mountain, le château est un petit Whistler Village, car il offre tous les services de restauration, de loisir et de détente.

Les îles du glofe

Galiano Island

Appelez **Galiano Getaways** *(☎539-5551)* pour des réservations dans les *bed and breakfasts* de l'île ou des forfaits aventure.

Dionisio Point et **Montague Harbour** *(☎539-2115)* proposent des emplacements de camping en pleine nature avec de jolies vues sur le littoral.

La Berengerie
65-80 pdj
bc, bp, ℜ
Montague Harbour Rd.
☎*539-5392*
La Berengerie offre une atmosphère de détente dans la forêt, avec Huguette Benger à titre d'hôte depuis 1983. Originaire du sud de la France, madame Benger est venue en vacances dans l'île et, l'endroit lui ayant plu, a décidé de s'y ins-taller. Prenez le temps de discuter avec elle. Huguette Benger vous fera découvrir l'île Galiano avec passion. Une grande salle à manger reçoit les visiteurs au petit déjeuner. Entre les mois de novembre et de mars, les trois chambres de la Berengerie ferment leurs portes.

Salt Spring Island

Summerhill Guest House
95-120 pdj
209 Chu-an Dr.
☎*537-2727*
⇌*537-4301*
La Summerhill Guest House est une maison qui a été entièrement rénovée par ses propriétaires. Des structures intéressantes de paliers et de terrasses laissent pénétrer la lumière et créent de très belles perspectives sur le Sansum Narrows. Le petit déjeuner est tout à fait délicieux et inédit. Vous vous sentirez très bien ici.

Mayne Island

The Root Seller Inn
80$ pdj
bc, non-fumeurs
enfants 6 ans et plus
478 Village Bay Rd.
☎*539-2621*
The Root Seller Inn se cache derrière les fleurs et les arbres affectueusement plantés par la charmante Joan Drummond, qui accueille les visiteurs depuis plusieurs années. C'est tout d'abord à l'hôtel Springwater, en 1960, que tout a commencé, lorsque, fraîchement débarqués dans l'île, elle et son mari caressèrent le projet d'ouvrir un hôtel. Depuis 1983, c'est dans sa maison que Joan reçoit les visiteurs tout en leur faisant connaître l'île.

La grande maison de bois, qui rappelle les résidences du Cape Cod, au Mas sachusetts, peut loger 16 personnes dans trois grandes chambres. Tout près de la baie Mariners, on peut contempler le paysage depuis son grand balcon et apercevoir les traversiers qui empruntent l'Active Pass.

Restaurants

Vancouver

Gastown

Water Street Cafe
$$$
300 Water St.
☎*689-2832*
Le pain qui sort du four accompagne les plats de pâtes et de poisson dans ce restaurant de style contemporain dont l'ambiance est décontractée et amicale.

Le Chinatown et l'est de Vancouver

Waa Zuu Bee Café
$
11h30 à 1h tlj
1622 Commercial Dr.
☎*253-5299*
Le Waa Zuu Bee Café est très bon et pas cher. Sa cuisine évolutive vous étonnera dans un décor «écolo-techno-italo-bizarre». Les plats de pâtes y sont toujours intéressants.

Sun Sui Wah Seafood Restaurant
$$
tlj
3888 Main St,.
angle 3rd Ave.
☎*872-8822*
Authentique cuisine chinoise, avec homard, langouste, crabe, huîtres et, bien sûr, canard laqué.

Cannery Seafood Restaurant
$$$
jusqu'à 22h
2205 Commissioner St.
☎***254-9606***
The Cannery Seafood Restaurant est un des meilleurs spécialistes en fruits de mer de la ville et est situé à l'extrême est de Vancouver dans une ancienne conserverie centenaire rénovée. La vue sur la mer y est fantastique.

Le centre-ville

O-Tooz, The Energy Bar
$
jusque tard
1068 Davie St.
☎***687-0208***
O-Tooz, The Energy Bar est un fast-food bon pour la santé : jus de fruits frais, jus de légumes, sandwichs à basses calories...

Arena Ristorante
$$
11h30 à 14h30
17h à 22h
300 W. Georgia St.
☎***687-5434***
L'Arena Ristorante sert des spécialités italiennes et offre une ambiance joyeuse les vendredis et samedis soirs au rythme d'une musique jazz *live*.

Tsunami Sushi
$$
1025 Robson St.
☎***687-8744***
Un bar à sushis pivotant comme on en retrouve au Japon, duquel vous pouvez choisir à votre goût les spécialités. Très bon rapport qualité/prix; vaste terrasse ensoleillée surplombant la rue Robson.

 **Raku**
$$
838 Thurlow St.,
au nord de Robson St.
☎***685-8817***
La clientèle japonaise jeune et riche s'y rassemble, car elle est sur son terrain. Ambiance de bar bruyant, mais idéal pour débuter une soirée qui s'annonce prometteuse. Les sushis et les grillades sont recommandés.

L'Hermitage
$$$-$$$$
tlj
1025 Robson St.
☎***689-3237***
Le chef propriétaire Hervé Martin, ancien chef du roi Léopold de Belgique, est un artiste en matière de cuisine française. Les vins de Bourgogne en provenance du terroir fami-lial accompagnent les mets les plus fins. Sa cuisine est soignée et originale, sa décoration chic et son service parfait. Hervé vous racontera ses nombreux et glorieux souvenirs, comme ceux du temps où il était chef à la Cour de Belgique. En été, la terrasse, en retrait de la rue Robson, est agréable.

Le Crocodile
$$$-$$$$
909 Burrard St.
entrée par Smithe St.
☎***669-4298***
Cet établissement est le phare de la cuisine française à Vancouver tant par la qualité de sa nourriture que par son service, son décor et sa carte des vins. Les amateurs de grande cuisine française seront comblés par le choix des viandes rouges et les délices de la mer. Il faut absolument que vous goûtiez au tartare de saumon, Pacifique oblige!

West End et Stanley Park

Bread Garden
$
24 heures sur 24
1040 Denman St.
☎***685-2996***
812 Bute St.
☎***688-3213***
2996 Granville St.
☎***736-6465***
Les cafés Bread Garden vendent du pain, des pâtisseries et des plats simples à emporter (vous pouvez également les déguster sur place), comme des quiches, des lasagnes, des sandwichs et des coupes de fruits. Ils proposent aussi une bonne sélection de plats végétariens.
Autres adresses :
1880 W. 1st Ave., Kitsilano
☎***738-6684***
550 Park Royal North, W. Vancouver
☎***925-0181***
4575 Central Blvd.,
Burnaby
☎***435-5177***

True Confections
$
jusqu'à 1h
866 Denman St.
☎***682-1292***
True Confections, un restaurant de desserts, sert d'énormes tranches de gâteaux. Essayez la tourte au chocolat noir belge : excellente!

Liliget
$$
tlj
1724 Davie St.
☎***681-7044***
Le Liliget est un restaurant des Premières Nations. Il propose une authentique cuisine autochtone : saumon grillé sur feu de bois, huîtres fumées, algues grillées, canard sauvage rôti. Une cuisine à explorer.

C
$$$
1600 Howe St.
☎605-8263
C est prononcé «si», qui évoque la mer en anglais. Ce restaurant chinois fait énormément parler de lui, et ce, avec raison. Le chef revient d'Asie du Sud-Est et a ramené avec lui des recettes évolutives, uniques et innovatrices. Si vous venez sur le coup de midi, ne manquez pas le Dim Sum façon C.

Des bouchées de poisson mariné dans le thé et une touche de ca-viar, des vol-au-vent aux chanterelles, des crevettes au curry et à la noix de coco, et la liste continue... C'est tout simplement exquis. Les desserts sont tout aussi extraordinaires. Pour les plus courageux, la crème brûlée au fromage bleu est une expérience inoubliable. Un restaurant à essayer absolument.

The Fish House in Stanley Park
$$$
jusqu'à 22h30
8901 Stanley Park Dr.
☎681-7275
The Fish House in Stanley Park, au cœur du Stanley Park et à deux pas du Seawall, est aménagé dans une maison victorienne. De très bons fruits de mer et poissons sont servis dans un décor cossu et agréable.

Teahouse Restaurant
$$$
jusqu'à 22h
7501 Stanley Park Dr.
☎669-3281
Le Teahouse Restaurant offre une vue imprenable sur English Bay depuis le Stanley Park et sert des plats succulents. Il est préférable de téléphoner avant de s'y rendre pour réserver, mais aussi pour demander le meilleur itinéraire.

Cloud 9 Revolving Restaurant
$$$$
jusqu'à 23h
1400 Robson St.
☎687-0511
Le Cloud 9 Revolving Restaurant propose toute une expérience! Du haut des 40 étages du Landmark Hotel (voir p 664), ce restaurant-bar rotatif offre une vue exceptionnelle. Le tour sur 360° se fait en 1 heure 20 min. Le coucher de soleil est l'occasion idéale pour manger, alors que le ciel s'embrase et que la ville s'illumine. Essayez les côtelettes d'agneau ou le saumon.

Whistler

Città Bistro
$
tlj 11h à 1h
Whistler Village Square
☎(604) 932-4177
Le Città Bistro, situé au cœur du village, présente un menu élaboré allant des salades aux pizzas-pitas. C'est l'endroit tout désigné pour déguster une bière locale. Hiver comme été, vous y rencontrerez des résidants de la vallée et des voyageurs; cet heureux mélange crée une atmosphère des plus agréables.

Pika's
$
déc à avr 7h30 à 15h30
au sommet de la remontée mécanique (Whistler Village Gondola)
☎(604) 932-3434
Les skieurs qui désirent être les premiers à descendre les pentes peuvent prendre le petit déjeuner sur la montagne; un lendemain de tempête, ça vaut la peine de se lever tôt.

Hard Rock Café
$-$$
dim-jeu 11h30 à minuit
ven-sam 11h30 à 1h
dans le village de Whistler, près de Blackcomb Way
☎(604) 938-9922
Ce café-restaurant est fréquenté par une clientèle animée et propose un menu de salades et de hamburgers.

Thai One On
$$
tlj dîner
dans l'hôtel Le Chamois au pied des pentes de Blackcomb Mountain
☎(604) 932-4822
Le Thai One On prépare une nourriture thaïlandaise, dans laquelle le lait de coco et les piments forts se côtoient admirablement bien.

Ristorante Araxi
$$-$$$
Whistler Village
☎(604) 938-3337
Le Ristorante Araxi est le restaurant italien de la côte du Pacifique. Pâtes, pizzas, veau et poulet sont à l'honneur, mais vous y trouverez aussi du saumon. Sa cave à vins est réputée, et le chef ainsi que le pâtissier sont renommés.

Trattoria di Umberto
$$-$$$
près de Blackcomb Way au rez-de-chaussée du Mountainside Lodge
☎(604) 932-5858
Cette trattoria présente un menu de pâtes servies dans une ambiance familiale.

Autres restaurants

Bridges Bistro
$
jusqu'à 23h30
1696 Durenleau St.,
Granville Island
☎687-4400
Le Bridges Bistro dispose sans doute de l'une des plus belles terrasses de Vancouver, en plein milieu du port de plaisance de Granville Island, au bord de l'eau. La nourriture et l'atmosphère sont de style West Coast.

The Naam
$
24 heures sur 24
2724 W. 4th Ave.
☎738-7151
The Naam allie musique en direct et repas végétariens. Ce petit restaurant est très chaleureux tant par son ambiance que par son service. Une clientèle de jeunes gens fréquente cet endroit.

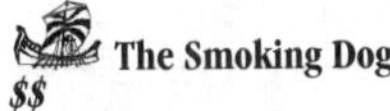 **The Smoking Dog**
$$
1889 W. 1st Ave.
☎732-8811
Ambiance chaleureuse animée par le propriétaire, joli décor et petits prix pour une table d'hôte bien étudiée. Les steaks sont impeccables, les salades copieuses, et le plat du jour est toujours original. Quant aux frites qui accompagnent le tout, elles sont moelleuses et dorées à souhait. Jean-Claude, le patron, est un Marseillais sympathique.

Raku Kushiyaki Restaurant
$$-$$$
4422 West 10th Ave.
☎222-8188
Les jeunes chefs de ce petit restaurant préparent une cuisine locale servie selon les règles esthétiques orientales; ils vous feront découvrir leur art. Prenez un repas pour deux pour apprécier l'esprit de cette nouvelle cuisine, selon lequel le repas doit être partagé entre les convives. Les portions peuvent paraître petites, toutefois on en ressort repu. Les ingrédients sont choisis au rythme des saisons; par exemple, les champignons sauvages sont servis rehaussés d'ail, de poivrons verts, de beurre, de sauce soya et de jus de lime. Ce plat semble bien simple et il l'est; cepen dant, le goût des aliments n'est pas masqué par une sauce quelconque. Les viandes et les poissons sont également apprêtés avec subtilité.

Sorties

Vancouver

ARTS Hotline
☎684-ARTS
ARTS Hotline vous renseignera sur les horaires de tous les spectacles à voir (danse, théâtre, musique, cinéma et littérature).

The Georgia Straight *(☎730-7000)* est un hebdomadaire publié tous les jeudis et distribué gratuitement à travers les différents commerces de Vancouver. Vous trouverez toute l'information nécessaire sur les spectacles et événements culturels à venir. Ce journal est lu religieusement toutes les semaines par les Vancouverois et a bonne réputation auprès de la population.

Pour vous procurer des billets pour les événements culturels ou sportifs, vous pouvez communiquer avec :

Ticketmaster
☎280-4444

Ligne des Arts
☎280-3311

Ligne des Sports
☎280-4400

Bars et discothèques

Vancouver

Gastown

Blarney Stone
216 Carrall St.
☎687-4322
Blarney Stone est le haut lieu de la musique traditionnelle irlandaise. Une ambiance endiablée vous y attend. On danse partout, sur les tables, les chaises... Un endroit à essayer absolument.

The Purple Onion Cabaret
tlj
15 Water St., 2ᵉ étage
☎602-9442
The Purple Onion Cabaret est le haut lieu du jazz dansant, avec disque-jockey ou groupe, à Vancouver. Droit d'entrée : 5$ en semaine et 7$ les fins de semaine. Les mercredis sont dédiés au jazz latin, les vendredis et samedis au jazz *live* près du bar et au «disco-funk» sur la piste de danse. À éviter absolument les fins de semaine si vous n'aimez pas les longues files d'attente.

Le Chinatown et l'est de Vancouver

The Hot Jazz Society
2120 Main St.
☎873-4131
The Hot Jazz Society a été l'un des premiers établissements à Vancouver à proposer du bon jazz. C'est une véritable institution. De grands noms y sont souvent à l'affiche. Téléphonez pour vous informer du programme.

Le centre-ville

Chameleon Urban Lounge
tlj
801 W. Georgia St.
☎669-0806
Excellente petite boîte du centre-ville, malheureusement souvent bondée les fins de semaine, mais calme en semaine. Ne manquez pas les soirées Trip Hop les mercredis, afro-cubaines et latines les jeudis, et Acid-Jazz les samedis. Attention, arrivez tôt pour éviter les files d'attente. Le droit d'entrée est de 5$ les vendredis et samedis.

Yale Hotel
1300 Granville St.
☎681-9253
Sans contredit le temple du blues à Vancouver. De grands noms s'y produisent régulièrement. Très bonne ambiance les fins de semaine. Le montant du droit d'entrée dépend de la réputation du groupe qui y joue.

West End

DV8
595 Davie St.
☎682-4388
Pour les jeunes de 20 à 30 ans. Les soirées commencent vers 21h30.

Bars gays et lesbiens

Celebrities
entrée libre
1022 Davie St.
☎689-3180
Le Celebrities est sans doute le bar gay le plus réputé de Vancouver. Les hétéros le fréquentent aussi pour la qualité du choix musical. Des Drag Queens font souvent des apparitions remarquées, surtout les mercredis, lors de la soirée Female Impersonators. Bondé les fins de semaine.

Charlie's Lounge
455 Abbott St.
☎685-7777
Le Charlie's Lounge est un bar relax fréquenté par une clientèle gay élégante. Situé au rez-de-chaussée d'un hôtel d'époque. Ouvert les lundis et mardis dès 16h et du mercredi au samedi dès 15h. Le dimanche, un brunch est servi de 11h à 14h. Improvisations musicales l'après-midi et danse rétro en soirée.

Théâtres et salles de spectacle

Vancouver

L'**Art's Club Theatre** *(1585 Johnston St., ☎687-1644)* est une solide institution théâtrale de Vancouver. Situé au bord de l'eau sur Granville Island, ce théâtre présente des spectacles contemporains sur des thèmes de société. Les spectateurs se retrouvent au bar du théâtre après les représentations.

Le **Ford Centre for the Performing Arts** *(777 Homer St., ☎280-2222)* est une grande salle de spectacle à gros budget. C'est dans ce théâtre que sont présentées les grandes productions internationales.

Queen Elizabeth Theatre
Hamilton St., angle Georgia St.
☎665-3050
Cette grande salle de spectacle de 2 000 places présente des comédies musicales et des variétés, mais c'est surtout dans cette enceinte que sont montés les spectacles du Vancouver Opera.

Vancouver Opera
845 Cambie St.
☎682-2871
Vancouver fait partie de ces grandes villes du monde qui ne possèdent pas de maison d'opéra comme telle. C'est pour cette raison que tous les spectacles d'opéra sont présentés au Queen Elizabeth Theatre, situé à l'angle de Hamilton Street et de Georgia Street. L'adresse, rue Cambie, est celle de l'administration, où l'on téléphone pour s'informer du programme.

Casinos

Royal Diamond Casino
750 Pacific Blvd. S.
☎685-2340
Si vous vous sentez l'âme d'un James Bond, vous pourrez tenter votre chance. Les casinos de Colombie-Britannique sont la propriété du gouvernement, et tous les bénéfices sont versés à des œuvres de charité. Un très bon système!

Fêtes et festivals

Juin

Festival international de jazz de Vancouver
☎682-0706
Les fans pourront se rassasier au cours de cet

important festival. Les artistes se produisent un peu partout dans la ville et dans ses environs.

Juillet

La **Benson & Hedges Symphony of Fire** *(English Bay, ☎738-4304)* est un festival international de feux d'artifice. Poste d'opération, une barge sur English Bay est le centre de curiosité. Spectacles éblouissants et frissons garantis.

Août

Le **Vancouver Folk Music Festival** *(☎602-9798)* est devenu une tradition à Vancouver. Ce festival, qui se tient pendant la troisième semaine d'août, accueille des musiciens du monde entier depuis l'aube jusqu'au crépuscule sur la plage de Jericho.

Septembre

Molson Indy Vancouver
BC Place Stadium, False Creek
☎684-4639
☎280-INDY (billets)
Au cœur du centre-ville, le long d'un parcours urbain, des bolides de formule Indy (la formule 1 d'Amérique du Nord) s'affrontent devant près de 100 000 spectateurs enthousiastes.

Octobre

Vancouver International Film Festival
☎685-0260
Vancouver, la «Hollywood North», devient l'hôte d'un important festival qui permet aux cinéphiles de visionner jusqu'à 150 films en provenance des quatre coins du monde.

Achats

Vancouver

Atelier Nicole Dahan
1529 W. 6th Ave., au bout du Granville Bridge
☎739-5725
À 5 min de Granville Island. Très belles peintures de l'artiste marseillaise représentant des paysages et la faune de la Colombie-Britannique.

Chocolat Daniel
1105 Robson St.
☎688-9624
L'un des rares bons chocolatiers de Vancouver, sinon le meilleur. Dans la pure tradition belge, son chocolat noir et ses truffes sont uniques. Les prix sont corrects. Sept autres succursales sont réparties dans la ville; leur adresse peut être obtenue en composant le numéro ci-dessus.

Granville Island Market
9h à 18h
Granville Island
Le marché le plus réputé et le plus fréquenté de Vancouver. Bonne bouffe préparée ou non, légumes frais de qualité ou de culture biologique, poissons frais, viandes fraîches, bons pains. Comptoirs de restauration rapide. Belles boutiques de bijoux, de vêtements et d'équipement de sports nautiques et de plein air. Comptez y passer une bonne journée pour flâner, regarder, déguster. Le stationnement est difficile dans la rue; à proximité, il y a deux stationnements couverts et payants.

Kobayashi Shoten
1518 Robson St.
☎683-1019
Kobayashi Shoten est un magasin japonais qui propose non seulement de l'épicerie et des plats à emporter, mais aussi des «cadeaux» ainsi que de la vaisselle et du linge de table.

L'**Inuit Gallery of Vancouver** *(345 Water St., ☎688-7323)* présente de magnifiques œuvres d'art en provenance du Grand Nord canadien et de l'archipel de la Reine-Charlotte.

Robson Market
Robson St., angle Cardero St.
Légumes; poissons frais dont certains déjà nettoyés; étals de salades et de fruits; viandes, saucisses et jambons; boulangeries et pâtisseries; comptoir de spécialités alsaciennes et allemandes; fleurs et plantes; vitamines et produits naturels; clinique de médecine naturelle; coiffeur; petits restaurants à l'étage. Le marché est couvert, mais bien éclairé par un puits de lumière.

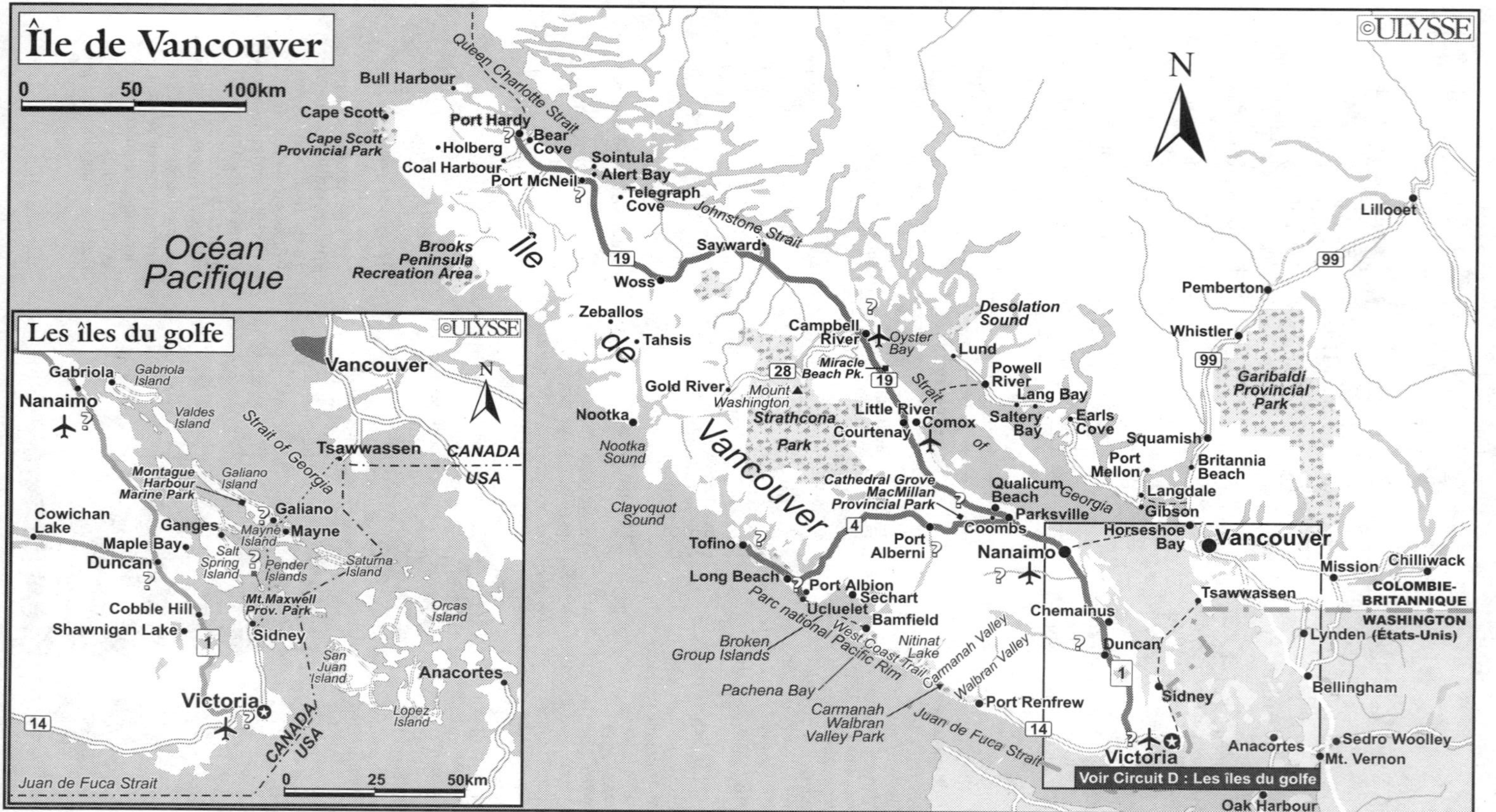

Île de Vancouver
0
50
100km
©ULYSSE
N
Océan Pacifique
Île de Vancouver
Bull Harbour
Cape Scott
Cape Scott Provincial Park
Port Hardy
Bear Cove
Holberg
Coal Harbour
Port McNeil
Sointula
Alert Bay
Telegraph Cove
Queen Charlotte Strait
Johnstone Strait
Brooks Peninsula Recreation Area
Sayward
Woss
19
Zeballos
Tahsis
Gold River
Nootka
Nootka Sound
Clayoquot Sound
Campbell River
Oyster Bay
Miracle Beach Pk.
28
Mount Washington
Strathcona Park
Little River
Courtenay
Comox
Desolation Sound
Lund
Powell River
Lang Bay
Saltery Bay
Earls Cove
Strait of Georgia
Cathedral Grove
MacMillan Provincial Park
Qualicum Beach
Parksville
Coombs
4
Port Alberni
Tofino
Long Beach
Port Albion
Sechart
Ucluelet
Bamfield
Broken Group Islands
Parc national Pacific Rim
West Coast Trail
Nitinat Lake
Pachena Bay
Carmanah Valley
Walbran Valley
Carmanah Walbran Valley Park
Port Renfrew
Juan de Fuca Strait
14
Nanaimo
Chemainus
Duncan
1
Sidney
Victoria
Voir Circuit D : Les îles du golfe
Port Mellon
Langdale
Gibson
Horseshoe Bay
Vancouver
Squamish
Britannia Beach
Whistler
99
Garibaldi Provincial Park
Pemberton
Lillooet
Mission
Chilliwack
COLOMBIE-BRITANNIQUE
WASHINGTON
Tsawwassen
Lynden (États-Unis)
Bellingham
Anacortes
Sedro Woolley
Mt. Vernon
Oak Harbour
Les îles du golfe
©ULYSSE
N
Gabriola
Gabriola Island
Nanaimo
Valdes Island
Vancouver
Tsawwassen
CANADA
USA
Strait of Georgia
Montague Harbour Marine Park
Galiano Island
Galiano
Mayne
Mayne Island
Cowichan Lake
Ganges
Maple Bay
Salt Spring Island
Pender Islands
Saturna Island
Duncan
Mt.Maxwell Prov. Park
Cobble Hill
Shawnigan Lake
Sidney
1
Orcas Island
San Juan Island
Anacortes
Victoria
Lopez Island
14
CANADA
USA
Juan de Fuca Strait
0
25
50km

Victoria et l'île de Vancouver

La grande île de Vancouver s'étend sur plus de 500 km le long de la Côte Ouest, et sa pointe sud fait face aux monts Olympic, dans l'État de Washington, aux États-Unis.

L'île est séparée en deux régions distinctes par une chaîne de montagnes qui divise le nord et le sud. La partie ouest a été fortement découpée par la mer, qui y a créé de grands et profonds fjords. À l'est, la topographie est beaucoup plus linéaire. Les villes et villages se sont surtout développés le long de cette côte et en bordure du détroit de Géorgie. Parmi ceux-ci, s'y trouve notamment la très anglaise et très jolie capitale provinciale, Victoria.

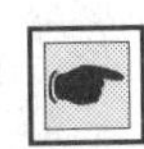

Pour s'y retrouver sans mal

En avion

Le **Victoria International Airport** *(☎250-953-7500)*, situé sur la péninsule de Saanich, au nord de Victoria, est à une demi-heure du centre-ville par la route 17.

Air Canada/Air BC Connector *(☎800-663-3721 ou 250-360-9074)* propose 16 vols par jour entre les aéroports de Vancouver et de Victoria, et 11 vols par jour en hydravion du port de Vancouver au port de Victoria.

Kenmore Air *(☎800-543-9595, ou à Seattle, É.-U., ☎425-486-1257)* utilise des hydravions qui font la navette huit fois par jour entre le port de Seattle, dans l'État de Washington (É.-U)., et le port de Victoria.

En voiture

Location de voitures

Si vous prévoyez louer une voiture, faites-le à Victoria; vous éviterez ainsi de payer le passage de la voiture sur le traversier.

Avis Rent A Car
843 Douglas St.
☎(250) 386-8468

Budget Rent A Car
757 Douglas St.
☎(250) 953-5300

Harbour Scooter Rental (location de scooters)
843 Douglas St.
☎(250) 384-2133

En bateau

Pour voyager d'une île à l'autre, il existe un excellent service de traversiers qui naviguent quotidiennement entre les îles et vers la côte.

La **British Columbia Ferries Corporation** *(1112 Fort St., Victoria, V8V 4V2, ☎250-386-3431, ⇌381-5452)* propose les services suivants : d'une rive ou l'autre de l'île de Vancouver (Swartz Bay ou Nanaimo) au continent (Horseshoe Bay ou Tsawwassen), entre Tsawwassen et les îles du golfe (réservations obligatoires pour les voitures), et entre Quadra Island et Cortes Island. Si vous voyagez en voiture, il serait prudent de réserver en été. Pour connaître les heures de traversées ou pour réserver : de la Colombie-Britanique, ☎888-223-3779, ou d'ailleurs dans le monde, ☎(250) 386-3431.

En autocar

Island Coach Lines
700 Douglas St.
Victoria, V8W 2B3
☎250-388-5248 ou 385-4411
Service de transport par autocar de Nanaimo à Port Alberni, à Ucluelet et à Tofino, sur le littoral ouest de l'île de Vancouver.

En train

E & N (VIA Rail)
450 Pandora Ave.
Victoria, V8W 3L5
☎800-561-8630
Ce train longe le littoral est de l'île et dessert principalement les villes suivantes : Victoria, Duncan, Nanaimo, Qualicum Beach et Courtenay. Il quitte Victoria à 8h15 du lundi au samedi et à midi le dimanche.

Transport en commun

Vous pouvez vous procurer des plans du réseau et des horaires d'autobus au **Travel Infocenter** *(812 Wharf St., ☎250-953-2033).* **BC Transit** *(☎250-382-6161)* assure les transports en commun dans la grande région de Victoria.

Renseignements pratiques

Indicatif régional : 250

Renseignements touristiques

Pour obtenir de l'information détaillée sur l'île de Vancouver avant votre départ, adressez-vous à la **Tourism Association of Vancouver Island** *(302-45 Bastion Sq., Victoria, V8W 1J1, ☎382-3551).*

Pour de l'information touristique sur Victoria et les environs :

Victoria Travel Information Center
tlj 9h à la tombée du jour
812 Wharf St.
V8W 1T3
☎953-2033

Attraits touristiques

Victoria

Le centre-ville de Victoria est exigu, et il peut devenir difficile d'y garer sa voiture. Il existe plusieurs stationnements publics payants; en voici un, très bon marché, situé aux limites du vieux Victoria : sur View Street, entre Douglas Street et Blanshard Street (les fins de semaine et les jours fériés, un emplacement coûte 2$ pour la journée).

L'exploration de Victoria s'effectue à partir de son port de mer, qui est l'entrée naturelle de cette ville et qui fut pendant des dizaines d'années son principal accès. La marine marchande qui transitait par l'océan Pacifique, à l'époque des grands voiliers, mouillait dans ce port afin d'assurer le transport des marchandises en partance pour l'Angleterre. Avec l'arrivée du train sur la côte, la marine marchande n'assurait plus que la liaison avec l'Asie, la traversée du Canada se faisant par train, ce qui réduisait ainsi le temps nécessaire pour atteindre l'est du continent.

Le **Maritime Museum of British Columbia** *(5$; tlj 9h30 à 16h30; 28 Bastion Sq., ☎385-4222)* retrace les grands moments de la navigation, du temps où les grands voiliers se côtoyaient dans le port jusqu'à nos jours.

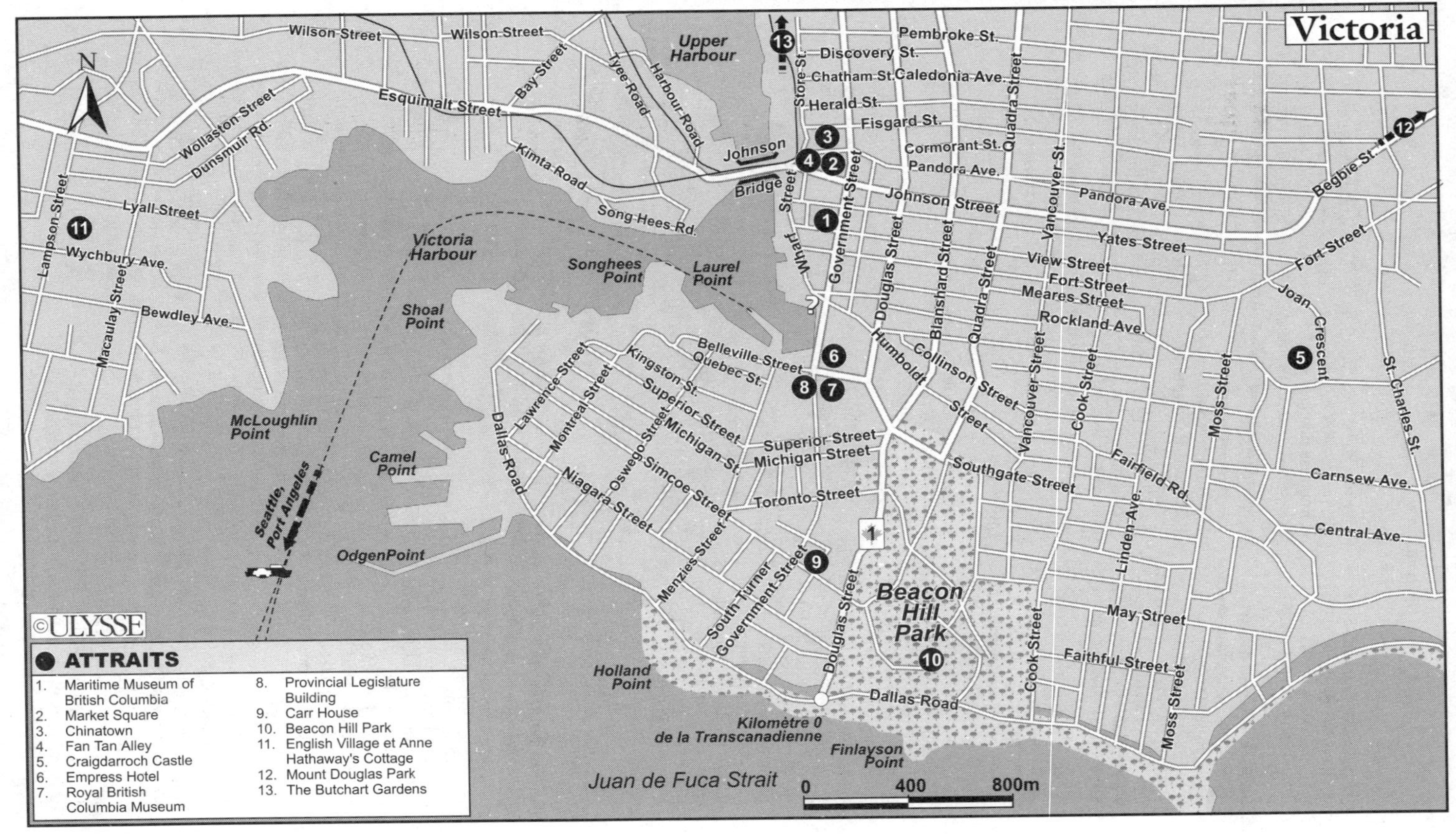
Victoria
ATTRAITS
1. Maritime Museum of British Columbia
2. Market Square
3. Chinatown
4. Fan Tan Alley
5. Craigdarroch Castle
6. Empress Hotel
7. Royal British Columbia Museum
8. Provincial Legislature Building
9. Carr House
10. Beacon Hill Park
11. English Village et Anne Hathaway's Cottage
12. Mount Douglas Park
13. The Butchart Gardens
©ULYSSE
N
0
400
800m
Upper Harbour
Victoria Harbour
Juan de Fuca Strait
Kilomètre 0 de la Transcanadienne
Beacon Hill Park
Songhees Point
Laurel Point
Shoal Point
Camel Point
OdgenPoint
McLoughlin Point
Holland Point
Finlayson Point
Seattle, Port Angeles
Johnson
Bridge
Wilson Street
Esquimalt Street
Wollaston Street
Dunsmuir Rd.
Lampson Street
Lyall Street
Wychbury Ave.
Macaulay Street
Bewdley Ave.
Bay Street
Tyee Road
Harbour Road
Kimta Road
Song Hees Rd.
Store St.
Wharf Street
Government Street
Douglas Street
Blanshard Street
Quadra Street
Vancouver St.
Cook Street
Moss Street
St. Charles St.
Pembroke St.
Discovery St.
Chatham St.
Caledonia Ave.
Herald St.
Fisgard St.
Cormorant St.
Pandora Ave.
Johnson Street
Yates Street
View Street
Fort Street
Meares Street
Rockland Ave.
Begbie St.
Joan Crescent
Humboldt Street
Collinson Street
Belleville Street
Quebec St.
Kingston St.
Superior Street
Michigan St.
Michigan Street
Toronto Street
Southgate Street
Fairfield Rd.
Linden Ave.
Carnsew Ave.
Central Ave.
May Street
Faithful Street
Dallas Road
Lawrence Street
Montreal Street
Oswego Street
Simcoe Street
Niagara Street
Menzies Street
South Turner
Government Street

Descendez Bastion Square, et tournez à droite dans Wharf Street pour finalement remonter Johnson Street du côté nord. Entrez au **Market Square** ★, une place ceinte de commerces qui donnent sur la rue. Cet endroit est animé pendant les festivals de jazz, de blues et de théâtre, et lors du Nouvel An chinois.

Vous reconnaîtrez le **Chinatown** ★ *(à l'ouest de Government St., entre Fisgard St. et Cormorant St. ou Pandora St.)* aux couleurs vives qui se dégagent des commerces et aux trottoirs à motifs géométriques qui forment un caractère chinois signifiant «bonne fortune». Il fut un temps où le Chinatown comptait plus de 150 commerces, trois écoles, cinq temples, deux églises et un hôpital. Une promenade à travers ce quartier vous fera découvrir l'arche Tong Ji Men, sur Fisgard Street, qui représente l'esprit de coopération entre les cultures chinoise et canadienne.

La **Fan Tan Alley** ★ *(axe nord-sud au sud de Fisgard St.)* était l'endroit à Victoria où se procurer de l'opium jusqu'en 1908, année où le gouvernement fédéral en interdit la vente, mettant ainsi fin au commerce légal de ce stupéfiant. Considérée comme la rue la plus étroite de Victoria, la Fan Tan Alley est bordée de commerces et de studios d'artistes.

À l'extrémité est du centre-ville se dresse le **Craigdarroch Castle** ★ *(7,50 $; en été tlj 9h à 19h, en hiver tlj 10h à 16h30; 1050 Joan Cr., ☎592-5323)*, construit en 1890 pour Robert Dunsmuir, qui a fait fortune dans l'exploitation de mines de charbon.

L'**Empress Hotel** ★★ *(derrière le port de Victoria, ☎384-8111)* a été élevé selon les plans de l'architecte Francis Rattenbury pour le Canadien Pacifique en 1905, dans le style château tout comme le Château Frontenac de Québec, mais en plus moderne et moins romantique. Prenez l'entrée principale, traversez le grand hall et laissez-vous transporter dans les années vingt, où de grands voyageurs y logeaient. Surtout, il faut y venir l'après-midi afin de vivre la cérémonie du thé.

Empress Hotel

Le **Royal British Columbia Museum** ★★ *(9,65$; tlj 9h à 17h; 675 Belleville St., ☎800-661-5411 ou 387-3701)* relate l'histoire de la ville et des peuples qui ont habité la province. La reconstitution du navire du capitaine Vancouver et une maison amérindienne Kwagulth représentent les pièces maîtresses de la collection de ce musée. Les expositions temporaires offrent également un programme intéressant.

Les **Provincial Legislature Buildings** (Assemblée législative) ★ *(visites guidées gratuites en français)* ont été dessinés par l'architecte Francis Rattenbury, alors âgé de 25 ans. C'est par voie d'un concours que le projet du jeune architecte a été retenu. Par la suite, plusieurs autres bâtiments publics et privés ont été réalisés par Rattenbury.

La **Carr House** ★ *(5,35$; mi-mai à mi-oct tlj 10h à 17h; 207 Government St., ☎383-5843)*, un bâtiment de bois, a été construite en 1864 pour la famille de Richard Carr.

Après la ruée vers l'or américaine, la famille Carr, qui habitait la Californie, est retournée vivre en Angleterre, puis est revenue en Amérique pour s'établir à Victoria. Monsieur Carr a fait fortune dans l'immobilier et possédait plusieurs propriétés et terrains dans ce quartier résidentiel. Lorsqu'il meurt en 1888, deux ans après madame Carr, Emily n'a que 17 ans. Peu de temps après, elle se rend successivement à San Francisco, Londres et Paris pour étudier l'art.

Elle revient en Colombie-Britannique dans les années 1910, où elle enseigne l'art aux enfants à Vancouver. De retour à Victoria, Emily Carr suit les traces de son père dans l'immobilier; elle multiplie les voyages sur la côte afin d'y peindre, et c'est finalement dans les années trente qu'elle produit ses plus grands tableaux.

Carr House

Peintre unique et femme solitaire, Emily Carr est reconnue aujourd'hui à travers le Canada comme une grande artiste qui a marqué le monde de l'art. Vous devez vous rendre à la Vancouver Art Gallery (voir p 656) pour découvrir son œuvre artistique, car ici on retrace surtout sa vie. À la Carr House, procurez-vous un plan du quartier sur lequel sont indiqués les différents bâtiments ou lieux que la famille Carr a occupés.

Parmi ces lieux, le **Beacon Hill Park ★** *(entre Douglas St. et Cook St., en face du détroit de Juan de Fuca)* faisait le bonheur d'Emily Carr, qui venait passer ses journées à dessiner cette oasis de paix. Ce parc public a été aménagé en 1890; plusieurs sentiers traversent des champs de fleurs sauvages qui contrastent avec les sections aménagées. L'**English Village** et l'**Anne Hathaway's Cottage ★** *(7,50$; été tlj 9h à 20h, hiver 10h à 19h; 429 Lampson St., ☎388-4353)* se trouvent à l'ouest du centre-ville de Victoria.

Empruntez Johnson Street Bridge et, après six feux de circulation, tournez à gauche sur Lampson Street. Le *Munro Bus*, que vous pouvez prendre à l'angle de Douglas Street et de Yates Street, s'arrête à l'entrée du site. Ce bout d'Angleterre est une reconstitution du lieu de naissance de William Shakespeare et de la maison d'Anne Hathaway, l'épouse du grand poète. Une promenade à travers ces bâtiments vous fera voyager dans le temps. Venez-y à l'heure du thé, servi à l'Olde England Inn.

À l'entrée du **Mount Douglas Park ★★**, tournez à gauche sur Cedar Hill Road puis à droite vers le sommet (*lookout*), d'où vous aurez une vue de 360° sur les îles du golfe, le détroit de Géorgie, le détroit de Juan de Fuca et les sommets blancs de la côte canadienne et américaine. Tôt le matin ou en fin de journée, les couleurs de la mer et des montagnes sont plus éclatantes.

The Butchart Gardens ★★ *(haute saison 15,75$, basse saison 6$; été tlj 9h à 22h30, hiver tlj 9h à 17h; route 17 Nord, 800 Benvenuto Ave., ☎652-4422)*. Cet immense jardin botanique de 26 ha est l'œuvre de la famille Butchart, qui, depuis 1904, a su créer un lieu unique où croît une très grande variété de fleurs, d'arbustes et d'arbres. Un plan en français est disponible à l'entrée du jardin. Des feux d'artifice illuminent les ciels d'été de juillet et d'août, et des concerts sont offerts en plein air de juin à septembre, du lundi au samedi, en soirée.

★★★

De Victoria à la West Coast Trail

Suivez les indications pour Sooke par la route 1A (Old Island Hwy.), le prolongement nord de Government Street. À Colwood, suivez la route 14, qui devient Sooke Road vers Port Renfrew. Une trentaine de kilomètres séparent Victoria de Sooke, où vous traverserez la banlieue ouest. Au restaurant 17 Mile House, tournez à gauche sur Gillepsie Road, par laquelle vous entrerez dans l'**East Sooke Park ★**, qui offre des sentiers de randonnée pédestre à travers une végétation sauvage en bordure de la mer. Ce parc est idéal pour une excursion en famille.

De retour sur la route 14, tournez à gauche vers Port Renfrew. La route longe des plages et des baies. Plus vous vous éloignez de Victoria, plus la route devient sinueuse. Le terrain est montagneux et les points de vue sont spectaculaires. Poursuivez vers l'ouest sur la route 14; l'horizon change car les grandes vallées ont été rasées, la coupe de bois demeurant une source importante de revenus pour la pro-vince.

Port Renfrew

Port Renfrew accueille les marcheurs qui se rendent à la **West Coast Trail ★★★**. Cette excursion de 75 km s'adresse avant tout aux marcheurs expérimentés et courageux qui devront faire face à des climats très changeants et à une topographie très variée. Ce sentier fait partie du parc national Pacific Rim et est reconnu comme un des sentiers de randonnée pédestre les plus difficiles en Amérique du Nord.

Le reste de l'île

Duncan

Le **Native Heritage Centre ★★** *(adulte 9,50$, famille 25$, étudiant et aîné 7,50$; mai à oct tlj, en hiver tlj 9h30 à 17h; 200 Cowichan Way, P.O. Box 20038, ☎746-8119, ⇌746-9854)* a été fondé par les Cowichan en 1987. Au cours des années, ce centre du patrimoine amérindien est devenu une importante attraction touristique.

Le centre permet à la nation Cowichan de faire connaître sa culture par des activités d'interprétati-on et des spectacles, ainsi que par des expositions d'artisanat et d'œuvres d'art. La visite est détaillée et très intéressante; un beau film, bien fait, captive le spectateur et s'imprègne de l'esprit de la communauté. Situé près de la route transcanadienne et de la rivière Cowichan, le centre se compose de plusieurs reconstitutions de cons-tructions traditionnelles et comprend un restaurant, un café, une galerie et une boutique de souvenirs, ainsi qu'un centre d'interprétation historique et un atelier de sculpture de totems.

Nanaimo

Nanaimo est une ville importante pour sa liaison avec la côte, d'où les traversiers emmènent des centaines de touristes dans la région. Nanaimo est située à 35 km de Vancouver, séparée par le détroit de Géorgie, et à 1 heure 30 min de Victoria par la route transcanadienne. Les vacanciers en route vers le nord de l'île de Vancouver ou vers Long Beach, à l'ouest, passent par Nanaimo. Cette ville est beaucoup plus qu'une simple ville relais, son front de mer étant aménagé pour les marcheurs. Il est également facile de prendre un traversier pour atteindre **Newcastle Island ★** et **Protection Island ★** afin de profiter des installations de plein air et de la vue sur Nanaimo. Les attraits touristiques sont regroupés dans un tour de ville à pied, le vieux Nanaimo faisant partie de ce secteur.

Le **Harbourside Walkway ★★** est une promenade aménagée le long du front de mer de Nanaimo. Des parcs, des lieux historiques et des commerces bordent cette agréable promenade.

Le **Bastion ★** *(juil et août 9h à 17h)*, construit en 1853 par la Compagnie de la Baie d'Hudson, devait assurer la protection du nouveau poste de traite et des résidants de la région. Les travaux de construction de cette fortification ont été faits sous la supervision de deux Québécois : Jean-Baptiste Fortier et Léon Labine, employés de la Compagnie de la Baie d'Hudson. Le bastion n'a jamais été attaqué et, après le départ de la compagnie en 1862, cette structure militaire fut abandonnée. Par la suite, le bastion a été utilisé comme prison et, depuis les années 1910, il est un lieu de rassemblement et un musée.

Port Alberni

Port Alberni s'est développée, comme plusieurs villes de la province, grâce à l'exploitation de la forêt, la pêche et le commerce. Un grand canal qui relie le port à l'océan Pacifique offre une voie privilégiée pour le transport maritime. Port Alberni est aussi la porte d'entrée du littoral ouest de l'île de Vancouver. Lorsque vous atteignez le sommet des montagnes qui entourent le mont Arrowsmith, à près de 2 000 m d'altitude, vous êtes sur le point d'arriver à Port Alberni.

Le **Harbour Quay** est plaisant pour prendre le café et s'informer de l'horaire des bateaux qui partent pour la journée vers le parc national Pacific Rim. Une fontaine au milieu de la place publique comporte des sculptures de granit représentant le cycle de vie du saumon.

Le ***M.V. Lady Rose*** *(12-40; toute l'année, Bamfield : en été, mar, jeu, ven, sam, 8h, et en hiver, mar, jeu, sam, 8h; Ucluelet et Broken Group Islands : lun, mer, ven, 8h; Harbour Quay, ☎800-663-7192)* est un bateau qui assure la liaison, toute l'année, avec Bamfield, à l'extrémité nord de la West Coast Trail.

Ucluelet

Ucluelet est une ville charmante située à l'extrémité sud de Long Beach; de vieilles maisons de bois bordent la rue principale. À l'époque, le seul moyen de transport pour y parvenir était le bateau. Ville de pêcheurs, elle vit également du tourisme. Plus de 200 espèces d'oiseaux fréquentent les environs d'Ucluelet. Les baleines grises transitent dans ses anses et près de ses plages du mois de mars au mois de mai, ce qui en fait un des attraits principaux de la Côte Ouest.

À l'extrémité sud du village, le **He Tin Kis Park** ★★ on y a aménagé un trottoir de bois à travers une petite forêt humide tempérée qui longe Terrace Beach. Cette courte promenade vous fera apprécier la végétation. **The Amphitrite Point Lighthouse** ★ (phare) se dresse sur la rive depuis 1908; il était appelé, à l'époque, «le cimetière du Pacifique», plusieurs navires s'étant échoués sur les récifs. Les restes d'un grand voilier se trouvent toujours au fond de la mer au large du phare. La Garde côtière canadienne possède un centre de contrôle du transport maritime au large des côtes *(visites guidées en été)*.

★

Tofino

Tofino, située à l'extrémité nord-ouest de Long Beach, est une ville tranquille où les visiteurs discutent plein air et couchers de soleil. Les explorateurs espagnols Galiano et Valdés, qui ont découvert cette côte à l'été 1792, ont choisi le nom de Tofino en l'honneur de Vincente Tofino, leur professeur d'hydrographie.

Cette municipalité regroupe des artistes peintres et des sculpteurs qui s'adonnent à leur art, fortement inspiré par les lignes naturelles que forme le paysage sauvage de la Côte Ouest. La **House of Himwitsa** ★ *(au bout de la rue principale, près du port)* présente des œuvres d'artistes amérindiens.

Campbell River

Campbell River est une destination de premier choix pour les pêcheurs de saumons. Ce sport se pratique toute l'année, et cinq espèces de saumons fréquentent les eaux entourant Campbell River. À votre arrivée à Campbell River, prenez le temps d'aller au **Museum at Campbell River** ★ *(mi-mai à sept lun-sam 10h à 17h, dim midi à 17h, sept à mi-mai mar-dim midi à 17h; 470 Island Highway, en face du parc Sequoia, 5th Ave., ☎287-3103)*, un musée doublement intéressant par son architecture soignée et par son contenu sur l'histoire des Amérindiens et des pionniers. Plusieurs vestiges des premiers jours de Campbell River vous sont ici présentés.

L'artisanat amérindien, représenté par des gravures, des sculptures et des bijoux, occupe également une place importante.

En chemin vers le centre-ville, arrêtez-vous au **Discovery Pier** ★ *(Government Wharf)* pour aller marcher et admirer le détroit de Géorgie et les montagnes de la Chaîne côtière.

★★

Telegraph Cove

Ce petit paradis reculé du littoral est de l'île de Vancouver était autrefois le point d'arrivée d'une ligne télégraphique qui longeait le rivage, d'où son nom de Telegraph Cove. Par la suite, une famille prospère acheta les terrains de la petite baie et y établit un moulin à scie. Le temps s'est arrêté ici depuis; les petites maisons ont été conservées, et des plaques commémoratives expliquent, le long du trottoir de bois, les grandes étapes du développement du village. Aujourd'hui, les vacanciers fréquentent cet endroit pour aller à la pêche, faire de la plongée sous-marine ou aller observer les baleines. Ce long trottoir de bois borde la baie, d'où vous pouvez parfois apercevoir un phoque, une loutre ou même une baleine.

★★

Alert Bay

L'**U'mista Cultural Center** ★ *(5 $; toute l'année lun-ven 9h à 17h, en été sam-dim midi à 17h; ☎974-5403)* présente l'histoire de la cérémonie du *Potlatch* (qui signifie «donner») à travers l'histoire de la nation des Indiens u'mista. Les missionnaires ont tenté d'interdire cette cérémonie; une loi défendait à la communauté de danser, de préparer des objets destinés à être distribués et de faire des discours en public. Par la suite, cette cérémonie se pratiqua en cachette ou par mauvais temps alors que les Blancs ne pouvaient se rendre sur l'île. Une très belle collection de masques et de bijoux orne les murs. Vous devez voir les **Native Burial Grounds** et les **Memorial Totems ★★**, à savoir le cimetière autochtone et le grand mât totémique, afin de vous rendre compte de la richesse artistique des Amérindiens.

Port Hardy

Port Hardy est située à l'extrémité nord-est de l'île de Vancouver. Cette ville de pêcheurs et de travailleurs forestiers côtoie une faune marine et terrestre florissante. Si ce ne sont pas la pêche et les baleines qui vous attirent, la marche en forêt dans le parc de Cape Scott vous comblera. Les visiteurs en route vers Prince Rupert et les îles de la Reine-Charlotte prennent le traversier à Port Hardy *(80$ aller-retour).*

The Copper Maker ★ *(entrée libre; lun-sam 9h à 17h; 114 Copper Way, Fort Rupert, en banlieue de Port Hardy, ☎949-8491)* se présente comme une galerie et un studio d'art amérindien. Des mâts totémiques de plusieurs mètres de haut sont se trouvent sur place, en processus de fabrication ou en attente d'être acheminés vers leurs acheteurs. Prenez le temps d'observer les artistes à l'œuvre, et demandez-leur de vous expliquer la symbolique qui se cache derrière leurs dessins et leurs sculptures.

Parcs et plages

Victoria

Le sommet du **Mount Tolmie ★★★** *(BC Parks, ☎391-2300)* offre des vues panoramiques sensationnelles sur Victoria, le détroit de Haro, l'océan, le magnifique Mont Baker et la chaîne des Cascades, dans l'État de Washington aux États-Unis.

Le **Goldstream Provincial Park ★★** *(à 20 min de Victoria par l'autoroute 1; BC Parks, ☎391-2300)* est véritablement l'un des parcs majeurs de la région de Victoria. Imaginez des sapins de Douglas vieux de 600 ans le long de sentiers de randonnée conduisant vers le Mont Finlayson et un itinéraire passant par des cascades magnifiques. En novembre, les amateurs de nature se rendent dans le parc pour observer les saumons *coho*, *chinook* et *chum* accomplir leur dernier voyage, se reproduire et mourir dans la Goldstream River. Les poissons sont très visibles car l'eau est d'une transparence impeccable. À visiter absolument.

À Victoria, deux plages familiales se prêtent bien à la construction de châteaux de sable et à la baignade dans des baies aux eaux calmes. **Willows Beach ★** *(toilettes publiques, aire de jeux; angle Estevan St. et Beach Dr., Oak Bay)* borde un quartier résidentiel chic à proximité d'une marina et de l'hôtel Oak Bay Beach. **Cadboro Bay Beach ★** *(toilettes publiques, aire de jeux; angle Sinclair Rd. et Beach Dr.)*, un peu plus à l'est, se trouve dans le quartier de l'Université de Victoria. Une clientèle jeune fréquente cette plage située sur une baie s'ouvrant sur Chatham Islands et Discovery Island. La grève du **Beacon Hill Park ★** (voir p 677) a été modifiée par le va-et-vient des marées qui y a créé une plage pierreuse recouverte de bouts de bois.

Le reste de l'île

Parc national Pacific Rim, section Long Beach ★★★ *(centre de renseignements de Long Beach, route 4, ☎726-4212)*. Des kilomètres de plages désertes, bordées de forêts humides tempérées, longent ce parc. L'accès aux plages, aux sentiers de randonnée pédestre et aux différents services est facile et très bien identifié. Le site est enchanteur, reposant, vivifiant et accessible toute l'année. Les amateurs de surf fréquentent ces plages, et **Live to Surf** *(1180 Pacific Rim Hwy., Tofino, ☎725-4464)* fait la location de planches de surf et de combinaisons de plongée.

On peut visiter la région de Tofino par bateau, ce qui permet de découvrir les trésors perdus des îles et des baies avoisinantes. Si vous voulez faire de la marche, allez voir les cavernes aux eaux sulfureuses ou voir des ours en forêt **Sea Trek** *(visite guidée en français; 441 B Campbell St., Tofino, ☎725-4412 ou 800-811-915-5)* vous organisera une excursion.

Le **Strathcona Park** ★★ *(baignade, randonnée pédestre, pêche et 161 emplacements de camping; à 59 km à l'ouest de Campbell River par la route 28, ☎954-4600)* est le plus vieux parc provincial de la Colombie-Britannique. Ces 210 000 ha de forêts et d'eau douce regorgent de trésors de la nature, entre autres de très grands sapins de Douglas dépassant les 90 m de hauteur. Le plus haut sommet de l'île de Vancouver est le Golden Hinde, qui atteint 2 220 m d'altitude.

Le **Cape Scott Provincial Park** ★★ *(67 km au nord-ouest de Port Hardy par Holberg Rd.; réservations à la chambre de commerce de Port Hardy ☎949-7622; pour toute autre information, BC Parks ☎954-4600)* couvre une superficie de 15 0-70 ha de forêts humides tempérées. Scott était un marchand de Bombay (Inde) qui finançait des expéditions commerciales de toutes sortes. Plusieurs navires se sont échoués sur cette côte et, depuis 1960, un phare guide les marins à leur passage. Les deux tiers du front de mer de 64 km de long comportent des plages sablonneuses. À l'intérieur des terres, le terrain accidenté côtoie des arbres géants aux essences variées, comme le cèdre rouge et le pin. Il y tombe jusqu'à 500 mm de pluie par année, et les tempêtes sont fréquentes à cet endroit reculé de l'île de Vancouver. Il est recommandé de choisir les mois d'été pour un séjour.

Orque

Activités de plein air

Plongée sous-marine

Le reste de l'île

Les eaux du littoral est de l'île de Vancouver attirent chaque année des centaines de plongeurs à la recherche d'un spectacle haut en couleur et en vie marine. La région de Nanaimo offre ce genre d'émerveillement avec **Sundown Diving Charters** *(22 Esplanade, Nanaimo, V9R 4Y7, ☎753-1880, ⇄753-6445)*.

Observation de baleines

Victoria

Orca Spirit Adventure *(dans le port de Victoria, ☎383-8411)*. Cette entreprise proposant des excursions en mer possède un élégant navire de 15 m, l'*Orca Spirit*, doté d'un grand confort et muni de vastes plateformes d'observation. On vient vous chercher à la porte de votre hôtel si vous le désirez.

Sea King Adventures *(950 Wharf St., ☎381-4173)* est une autre entreprise qui propose des croisières d'observation de baleines; elle est très professionnelle. Son bateau fait 8 m de long et peut accueillir 12 passagers confortablement. Réservations fortement recommandées.

Le reste de l'île

Chinook Charters *(50$; 450 Campbell St., P.O. Box 501, Tofino, V0R 2Z0, ☎725-3431 ou 800-665-3646)* propose des sorties en mer pour aller observer les baleines grises de plus près. La meilleure période est mars et avril, où les baleines sont en grand nombre.

Robson Bight Charters *(70$; juin à oct 9h30; Sayward, ☎282-3833 ou 800-658-0022)* organise des visites guidées dans le détroit de Johnstone pour aller observer les orques. La population de ces mammifères marins revient chaque année. Un spectacle qui ne vous laissera pas indifférent.

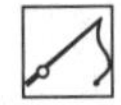

Pêche

Victoria

Victoria Harbour Charter *(50 Wharf St., ☎381-5050)* propose de la pêche au saumon dans un yacht super- équipé de 9 m de long. Sensations garanties.

Le reste de l'île

Discovery Pier *(1$ avec permis de pêche; 24 heures par jour; Government Wharf, Campbell River, ☎286-6199)* est un long quai de plus de 150 m où il est possible, à tout moment de la journée et de la nuit, de se procurer l'équipement de base pour pêcher. Les marcheurs fréquentent cet endroit.

Bailey's Charters *(60$ l'heure; P.O. Box 124, Campbell River, V9W 5A7, ☎286-3474)* organise des sorties guidées en bateau pour aller pêcher le saumon et la truite. Ces sorties sont également une excellente façon de découvrir la beauté du front de mer de la région.

Hébergement

Victoria

Victoria Hostel
16$ membre
20$ non-membre
bc, ℂ
516 Yates St.
☎385-4511
⇄385-3232
La Victoria Hostel se situe dans le vieux Victoria tout près du port. Dans les auberges de jeunesse, les membres ont préséance; il peut devenir difficile d'obtenir un lit surtout en haute saison si vous n'êtes pas membre. Ce bâtiment de pierre et de brique compte 108 lits et quelques chambres privées.

Swans Hotel
119-179
ℝ, *tv,* ℜ
506 Pandora Ave.
☎361-3310 ou 800-668-SWAN
⇄361-3491
Le Swans Hotel est un hôtel au charme indéniable et, sans nul doute, l'une des meilleures adresses à Victoria, surtout si vous voyagez en groupe. Les chambres sont en fait de véritables appartements de grand standing pouvant accueillir plusieurs personnes. On y trouve de «vraies» œuvres d'art sur les murs, des plantes vertes, une télévision avec grand écran et une jolie décoration chaleureuse. L'hôtel, qui date de la fin du XIXe siecle, est situé en plein cœur du vieux quartier de Victoria à deux pas de Chinatown et de l'Inner Harbour. Au rez-de-chaussée de l'établissement se trouvent un pub très sympa qui sert une bière brassée sur place, ainsi qu'un excellent restaurant réputé pour ses huîtres fraîches.

Oak Bay Beach Hotel
114-185
tv, pub, ℜ
1175 Beach Dr.
☎598-4556 ou 800-668-7758
⇄598-6180
L'Oak Bay Beach Hotel accueille les visiteurs à la recherche du charme anglais et des plaisirs de la mer. Situé sur le front de mer dans un quartier résidentiel, cet hôtel de 50 chambres aménagées confortablement offre des vues intéressantes.

La West Coast Trail

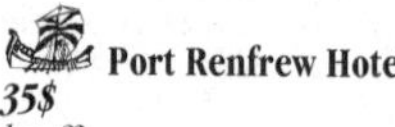

Port Renfrew Hotel
35$
bc, ℜ
au bout de la route 14
Port Renfrew
☎647-5541
Le Port Renfrew Hotel est situé sur le quai du village, d'où partent les randonneurs vers la West Coast Trail. Ses chambres rustiques satisferont à coup sûr les marcheurs à la recherche d'un lit au sec. Une laverie se trouve également sur place. Un pub sert des repas chauds.

Traveller's Inn on Douglas Street
90$ pdj
ℂ, *tv, S*
710 Queens Ave.
☎388-6641 ou 888-753-3774
⇄360-1190
Le Traveller's Inn on Douglas Street dispose de 36 chambres dans un établissement rénové ainsi que de plusieurs autres dans un nouveau bâtiment. Le tout est décoré sobrement, et les services sont peu nombreux; il n'y a pas de téléphone dans les chambres.

Le reste de l'île

Nanaimo

Long Lake Inn
65-95
⊙, *tv, S*
4700 North Island Hwy.
☎758-1144 ou 800-565-1144
⇄758-5832
Relaxez-vous sur les rives du Long Lake, au nord de Nanaimo. Toutes les chambres sont orientées vers l'eau. Vous aurez accès à une plage privée ainsi qu'à un centre de conditionnement physique. Situé à deux pas de la gare maritime de Departure Bay de BC Ferries.

Best Western Northgate
84$
ℜ, ≡, ℂ, ⌂, ⊛
6450 Metral Dr.
☎390-2222
⇄390-2412
Le Best Western Northgate dispose de 76 chambres confortables et décorées simplement. La même formule se répète dans les autres Best Western. Il s'agit d'une valeur sûre.

Ucluelet

Ucluelet Campground
21-31
100 emplacements
toilettes, douches, ♞, ♿
260 Seaplane Base Rd.
☎726-4355
L'Ucluelet Campground est situé à distance de marche d'Ucluel et vous devez réserver votre emplacement.

Canadian Princess Resort
59-155
bc, bp
Peninsula Rd., P.O. Box 939, V0R 3A0
☎726-7771 ou 800-663-7090
⇌726-7121
Le Canadian Princess Resort loge dans un bateau qui a navigué sur les eaux de la côte pendant plus de 40 ans; il est maintenant amarré au quai d'Ucluelet en permanence. Les 26 chambres sont petites et ne disposent pas de toutes les commodités, mais elles offrent une ambiance marine chaleureuse.

Tofino

Tin-Wis Best Western
125$
tv, ℜ, plage
1119 Pacific Rim Hwy.
☎725-4445 ou 800-528-1234
⇌725-4447
Le Tin-Wis Best Western, un grand hôtel, est géré par les Tla-O-Qui-Aht, des Amérindiens, et offre tout le confort de la chaîne Best Western. Les éléments décoratifs en bois et les plantes s'harmonisent avec l'environnement immédiat. Le complexe hôtelier est toutefois trop imposant avec ses 56 chambres.

Chesterman's Beach Bed & Breakfast
160-175 pdj
1345 Chesterman's Beach Rd.
☎/⇌725-3726
Imaginez-vous une maison sur une plage bordée d'une végétation riche et verdoyante sur laquelle se reflètent les couchers de soleil : voilà ce que vous propose cet endroit de rêve. Vos vacances peuvent se résumer à une promenade quotidienne sur la plage, et vous serez comblé. Ce gîte compte trois chambres.

Qualicum Beach

Quatna Manor Bed & Breakfast
70-85 pdj
bp, bc, non-fumeurs
512 Quatna Rd.
☎752-6685
⇌752-8385
Le Quatna Manor Bed & Breakfast est une adresse à retenir. L'accueil chaleureux de Bill et Betty, dans leur maison de style Tudor, agrémente le séjour des visiteurs. Un petit déjeuner copieux est servi dans la salle à manger. Bill est un retraité de l'Armée de l'air; son travail l'a amené à beaucoup voyager, et ses histoires rendent le petit déjeuner tout à fait mémorable.

Campbell River

Edgewater Motel
45-50
ℂ, tv
4073 South Island Hwy.
près d'Oyster Bay
☎923-5421
L'Edgewater Motel est un joli petit établissement en front de mer proposant des chambres correctes en ce qui a trait au rapport qualité/prix. Vous pouvez cuisiner dans votre chambre, ce qui peut être avantageux si votre budget est limité.

Telegraph Cove

Telegraph Cove Resorts
21$ emplacement de camping pour 2 adultes, eau, électricité, égoût
66-149 maisonnette pour 2 à 8 personnes
ℂ, ♞
☎928-3131 ou 800-200-4665
⇌928-3105
Les Telegraph Cove Resorts accueillent les visiteurs de mai à octobre dans leurs installations de villégiature. Le camping offre des services restreints dans un décor plutôt dégarni, mais la vue sur la baie fait la différence. Les maisonnettes sont intégrées à l'ensemble du site pittoresque. L'accueil est chaleureux, et vous aurez l'impression de vous retrouver dans une colonie de vacances.

Port Hardy

Seagate Hotel
90-95
tv, ℜ, pub
8600 Granville St.
☎949-6348
⇌949-6347
Le Seagate Hotel se trouve à deux pas du quai principal. Les chambres qui donnent sur le port sont beaucoup plus attrayantes pour la vue qu'elles offrent. Toutes les chambres comptent une décoration minimale.

Restaurants

Victoria

Garrick's Head Pub
$
Bastion Sq.
View St.
☎384-6835
Le Garrick's Head Pub, situé sur une rue piétonnière, offre une terrasse ensoleillée en après-midi où il fait bon se rassembler afin de savourer une bière locale. L'espace intérieur est restreint; cependant, les clients peuvent suivre leur sport favori sur écran géant.

Snug
$
1175 Beach Dr.
☎598-4556
Le Snug, un pub, se trouve à l'intérieur de l'Oak Bay Beach Hotel. Une clientèle assez âgée fréquente cet endroit calme et bien tenu en bordure de la mer. Les bières locales et des repas légers y sont servies.

Spinnakers Brew Pub & Restaurant
$
tlj 7h à 23h
308 Catherine St.
☎386-2739
Le Spinnakers Brew Pub & Restaurant propose bières et repas dans un décor de détente où de grandes ardoises sur les murs annoncent les spécialités. La terrasse est très bien orientée, et vous vous y sentirez tout à fait à l'aise. Une ambiance de fête et de convivialité se dégage de cet endroit.

Bengal
$$
721 Government St.
☎384-8111
Le Bengal, situé dans le très bel Empress Hotel, sert un buffet de curry. Participant aux réminiscences de l'Empire britannique de la reine Victoria, ce restaurant apprête les spécialités du sous-continent indien selon une formule originale. L'espace ne manque pas ici, et la vaste salle à manger est garnie d'un mobilier oriental de bon goût.

Il Terrazzo Ristorante
$$-$$$
555 Johnson St.
☎361-0028
Il Terrazzo Ristorante, un restaurant italien, propose une cuisine où règnent les pâtes. Les sauces crémeuses, rehaussées d'épices et de noix sucrées, dégagent des arômes très intéressants. Une clientèle de jeunes professionnels et de touristes fréquente cet établissement. Une note discordante : les bouteilles de vin sont gardées sur une mezzanine où s'accumule la chaleur de la pièce, ce qui entrave sa conservation et rend sa température trop élevée.

Empress Hotel Canadian Pacific
$$-$$$
derrière le port de Victoria
721 Government St.
☎384-8111
À l'Empress Hotel Canadian Pacific, les amateurs de thé se donnent rendez-vous dans le grand hall pour prendre le thé et déguster des *scones* (petits pains au lait) agrémentés de confiture. Pour ceux et celles qui ont l'estomac dans les talons, le High Tea propose des sandwichs au concombre et au fromage à la crème. L'histoire veut que, sous le règne de la reine Victoria, la duchesse de Bedford souffrait habituellement de faiblesse en fin d'après-midi; alors, pour combattre sa fatigue, la duchesse commença à prendre le thé avec de petits sandwichs et des gâteaux. La cérémonie du thé en après-midi était née. Les vieux planchers de bois, le mobilier confortable, les théières géantes et le service courtois vous combleront.

La West Coast Trail

17 Mile House
$
5126 Sooke Rd.
Sooke
☎642-5942
La 17 Mile House, située juste avant l'entrée du Sooke Harbour Park, propose des repas légers dans un décor chaleureux. Après une journée de marche sur le front de mer de Sooke, venez vous désaltérer dans cet établissement tout à fait décontracté.

Sooke Harbour House
$$$$
tlj dîner seulement
1528 Whiffen Spit Rd.
Sooke
☎642-3421
La Sooke Harbour House a reçu des critiques élogieuses de partout à travers le monde. La fine cuisine des Philip a séduit des milliers de palais. Ses hôtes sont passés maîtres dans la recherche de l'excellence et dans la façon d'apprêter les produits locaux. La salle à manger, avec vue sur le Sooke Harbour, est aménagée dans une maison de campagne. Aussitôt assis, et peu de temps après avoir consulté le menu, vous serez plongé dans une autre atmosphère. La

préparation des plats est influencée par les cuisines japonaise et française, le tout apprêté à la façon West Coast.

Le reste de l'île

Nanaimo

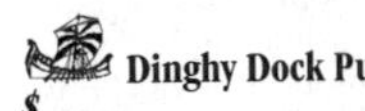

Dinghy Dock Pub
$
dim-jeu 11h à 23h
ven-sam 11h à minuit
8 Pirate's Plank, Protection Island
☎753-2373
Ce pub flottant, amarré au quai de l'île Protection, vous propose de boire une bonne bière locale tout en observant le va-et-vient du port de Nanaimo. Les *Fish & Chips* sont succulents. Vous devez prendre le traversier au Commercial Inlet *(aux heures, 9h10 à 23h10)*.

Javawocky Coffee House
$
8-90 Front St.
Pioneer Waterfront Plaza
V9R 5H7
☎753-1688
Situé en front de mer sur le Seawall, cet établissement sert une grande variété de cafés et des repas légers. Le site permet de contempler le port de Nanaimo et d'observer la foule qui y déambule.

Ucluelet

Matterson Restaurant
$
1682 Peninsula Rd., V0R 3A0
☎726-2200
Ce restaurant, situé sur la rue principale, attire les clients à l'heure du déjeuner et du thé. N'hésitez pas à choisir un plat de saumon car il est très frais.

Long Beach

The Wickaninnish Restaurant
$-$$
11h à 21h30
au bout de Wick Rd.
☎726-7706
Ce restaurant, construit sur un rocher surplombant la plage, offre des vues spectaculaires sur l'océan Pacifique. Le menu affiche des produits de la mer. Les pâtes au saumon fumé seront agréables à votre palais. N'hésitez pas à prendre un verre de vin blanc de la Colombie-Britannique pour agrémenter ce repas.

Tofino

Schooner Restaurant
$$$
331 Campbell St.
☎725-3444
Le Schooner Restaurant est un classique à Tofino. Cette maison sert des produits de la mer et propose une carte des vins de la province. Le décor chaleureux représente une cale et un pont de navire. La lumière tamisée crée une ambiance de détente et de bien-être.

The Pointe Restaurant
$$$
tlj 7h à 22h
Wickaninnish Inn
Osprey Lane at Chesterman Beach
☎725-3100 ou 800-333-4604
Ce restaurant de grande classe est construit à flanc de rocher et offre une vue superbe sur Chesterman Beach. The Pointe Restaurant ainsi que l'On-The-Rocks Bar sont établis dans une salle octogonale vitrée avec une vue époustouflante de 240° sur la mer. Le chef propose une excellente cuisine typiquement West Coast composée d'ingrédients fermiers et biologiques. Excellente adresse.

Campbell River

Seasons Bistro
$
6h30 à 14h et 17h30 à 22h
261 Island Hwy.
☎286-1131
Le Seasons Bistro propose un menu original affichant entre autres des pâtes aux fruits de mer. Ce bistro accueille une clientèle locale et touristique, mais aussi les amateurs de jazz.

Sayward

Cable Café
$
Sayward Junction
☎282-3433
Le Cable Café propose une cuisine simple de qualité à petit prix. Le lieu est amusant car les murs sont faits de câbles enroulés les uns sur les autres.

Port Hardy

Seagate Hotel Restaurant
$
dès 6h30
8600 Granville St.
☎949-6348
Le Seagate Hotel Restaurant présente un menu complet. Vous y mangerez en présence de résidants ou de pêcheurs de retour d'une journée miraculeuse et aurez une vue sur la baie Hardy et le port.

Sorties

Bars et discothèques

Victoria

La **Victoria Jazz Society** *(☎388-4423, ≠388-4407)* vous informera sur la tenue de spectacles de jazz ou de blues dans la ville. De la fin juin à la mi-juillet se tient le festival de jazz de Victoria.

The Sticky Wicket Pub
919 Douglas St.
☎383-7137
The Sticky Wicket Pub est situé dans l'hôtel Strathcona, juste derrière l'hôtel Empress. Ce pub réunit une clientèle de tous âges et propose de la bonne bière. Les belles journées ensoleillées se passent sur le toit, où du volley-ball est organisé.

Uforia
droit d'entrée
1208 Wharf St.
☎381-2331
L'Uforia accueille ceux et celles qui veulent faire la fête. Portant une tenue assez chic, les gens y viennent également pour danser.

Steamer's Public House
570 Yates St.
☎381-4340
Une bonne adresse où boire un verre et danser sur le groove des D.J. Soirées «Velvet Psychedelic Groove» le dimanche et «Kahuna Grande» le jeudi.

Swans Pub
506 Pandora Ave.
☎361-3310
Ce très beau pub sert une bière brassée sur place, la meilleure bière en Amérique du Nord... c'est en tout cas le bruit qui court à Victoria! Bon endroit pour rencontrer d'autres voyageurs. Musique reggae, rock et *bluegrass* du dimanche au jeudi.

Achats

Victoria

La boutique **Rogers' Chocolates** *(913 Government St., ☎384-7021)* mérite une visite pour son très beau décor du début du XXe siècle et ses deux lampes Art nouveau provenant d'Italie. Les Victoria Creams, proposées dans une grande variété de saveurs, sont la spécialité de la maison et sont préparées depuis plus d'un siècle.

Munro's Books
1108 Government St. ***☎382-2464***
Si vous êtes à la recherche d'un livre pour vos après-midi de farniente ou tout simplement d'un lieu agréable à visiter, n'hésitez pas à vous rendre dans le bâtiment historique qui abrite cette librairie. Avec ses vitraux, ses plafonds à caissons de 8 m de hauteur et ses fresques, il s'agit sans nul doute d'une très belle librairie.

Le reste de l'île

Ucluelet

Du Quaii Gallery *(1971 Peninsula Rd., ☎726-7223)* présente les travaux d'artistes autochtones. Une visite du bâtiment en forme de *longhouse*, la maison traditionnelle amérindienne en cèdre, vaut le détour.

Tofino

The House of Himwitsa *(300 Main St., ☎725-2017)* est une galerie d'art qui expose des œuvres sur papier, des sculptures et des bijoux en or et en argent. Informez-vous de la signification des symboles utilisés dans ces œuvres et des légendes qui les accompagnent.

Port Hardy

The Copper Maker *(tlj; 112 Copper Way, Fort Rupert, ☎949-8491)* regroupe les travaux de plusieurs artistes amérindiens. Des masques, de la poterie et des bijoux aux différentes symboliques y sont en vente. Ces objets peuvent paraître chers, mais ils le sont moins que dans les grands centres.

Tout au nord de la Colombie-Britannique se trouvent de hauts sommets entre lesquels avancent et reculent des glaciers.

À l'intérieur des terres, le lac Tagish donne naissance à un fleuve qui semble prendre un malin plaisir à tourner le dos à la mer en s'enfonçant vers le nord avant de bifurquer vers l'ouest et l'Alaska. Grossi de l'eau de dizaines de tributaires, il se jette finalement dans le détroit de Béring après un parcours de près de 3 200 km. Les Amérindiens appellent ce fleuve «la grande rivière», soit *Yukon*, dans leur langue.

Géographie

Yukon, c'est aussi le nom qu'on a plus tard donné à un territoire canadien de plus de 480 000 km^2, deux fois grand comme le Royaume-Uni. Le Yukon ressemble à un triangle rectangle qui a pour côtés ses frontières avec l'Alaska à l'ouest, avec les Territoires du Nord-Ouest à l'est et au nord, et avec la Colombie-Britannique au sud. La pointe la plus septentrionale de ce triangle donne sur la mer de Beaufort, dans l'océan Arctique. De nombreuses chaînes de montagnes caractérisent le territoire yukonais, à commencer par les monts St. Elias au sud-ouest. C'est dans ce massif, qui prolonge la Chaîne côtière, que se trouve le mont Logan. Son sommet atteint 6 050 m d'altitude, ce qui en fait le plus élevé du Canada. À l'est, les monts Mackenzie barrent le paysage. Entre les deux ensembles, le relief s'apaise quelque peu, particulièrement dans le sud du Yukon. Près de 60% du territoire est boisé, la densité de la forêt et la taille des arbres diminuant au fur et à mesure que l'on progresse vers le nord.

Le climat du Yukon ressemble beaucoup à celui des Territoires du Nord-Ouest. Il est marqué par les mêmes extrêmes, imposés par la latitude. Ainsi, à Dawson, une belle journée d'été peut y offrir 20 heures d'ensoleillement et une température atteignant les 35°C. À l'inverse, une nuit d'hiver y dure aussi longtemps et le thermomètre peut y indiquer -50°C. Pendant les trois mois que dure l'été, la température moyenne est de 21°C. La moyenne hivernale varie de -15°C à -27°C, selon que l'on se trouve dans le sud ou au cœur du territoire. À noter que les monts St. Elias coupent complètement le Yukon des courants chauds du Pacifique, mais aussi de ses pluies abondantes. Pareil climat commande une prudence vestimentaire pour éviter aussi bien les engelures que les coups de soleil. Les lunettes de soleil sont une nécessité, particulièrement au printemps, lorsque l'effet des rayons solaires est multiplié par leur réverbération sur la neige.

Occupation humaine

Environ 31 500 personnes vivent au Yukon, principalement dans le sud du territoire. On y remarque une communauté autochtone de près de 7 000 âmes. L'anglais est la langue commune, alors que le français n'est parlé que par 9% de la population, dont 3% se définissent d'abord comme des francophones. Plus de 23 000 Yukonais vivent dans la capitale, Whitehorse. Sur le territoire, il y a encore trois villes organisées (entre 1 500 et 3 000 habitants) : Dawson, Watson Lake et Faro. Une vingtaine de villages et hameaux, parfois plus symboliques que réels, regroupent les autres Yukonais. Le statut politique du Yukon est celui d'un territoire soumis à la tutelle d'Ottawa. Néanmoins, un gouvernement local y règle la plupart des questions domestiques. La Gendarmerie royale du Canada y assure les services de police.

L'histoire moderne du Yukon débute en 1825, alors que John Franklin explore son littoral nord. Vers 1840, la Compagnie de la Baie d'Hudson y implante des comptoirs pour faire le commerce des fourrures. En 1895, le Canada affirme sa souveraineté sur ce territoire et y envoie un détachement de sa police montée, juste à temps pour empêcher les Américains de faire la même chose. En 1896, on découvre l'or du Klondike. C'est la ruée qui entraîne un boom démographique qui durera jusqu'en 1904. La population totale du territoire retombera ensuite à moins de 5 000 personnes, jusqu'à la construction de l'autoroute de l'Alaska en 1942. La circulation terrestre qui se développe depuis a tôt fait de déclasser la navigation fluviale sur le fleuve Yukon. Dawson cesse alors d'être le chef-lieu du territoire, et Whitehorse se développe au fur et à mesure que s'y implantent tous les services. Depuis les années soixante, des villes minières ont été créées ou se sont développées, à telle enseigne que la population yukonaise croît aujourd'hui deux fois plus rapidement que celle du Canada dans son ensemble.

L'économie du Yukon a eu pour premier pôle le commerce des fourrures. On y piège encore, entre autres, le lynx, la martre, le rat musqué et le castor. Il n'y a guère que dans le sud-est du territoire qu'il soit possible d'exploiter profitablement la forêt. Par ailleurs, la courte saison de beau temps n'autorise aucune autre culture que celle de potagers domestiques. Malgré les soubresauts inhérents à toute exploitation minière, c'est encore l'exploitation du sous-sol qui génère le plus d'activités. On en extrait du plomb, du zinc, de l'argent et, bien sûr, de l'or. Enfin, près de 175 000 touristes visitent le Yukon chaque année et laissent sur place, bon an mal an, une centaine de millions de dollars.

Pour s'y retrouver sans mal

En avion

L'**aéroport de Whitehorse** est desservi par des vols en provenance de Juneau et de Fairbanks, en Alaska. En règle générale, c'est cependant en transitant par l'aéroport international de Vancouver que les visiteurs du Sud arrivent à Whitehorse. Les deux grands transporteurs aériens du Canada offrent cette destination en Boeing 737 sur un vol qui dure 2 heures 20 min.

Presque toutes les communautés et les endroits un tant soit peu fréquentés par l'homme au Yukon disposent d'une piste d'atterrissage. En outre, les lacs, les champs de neige et les glaciers permettent l'atterrissage d'aéronefs. Quatre transporteurs aériens régionaux assurent des liaisons régulières entre les principales agglomérations du Yukon, parfois avec celles de l'Alaska voisine.

Air North
P.O. Box 4998
Whitehorse, Y1A 4S2
☎867-668-2228
ou 800-764-0407
La compagnie offre un billet d'une durée limitée valable pour toutes ses destinations pendant un certain temps

Alkan Air
P.O. Box 4008
Whitehorse, Y1A 3S9
☎867-668-2107

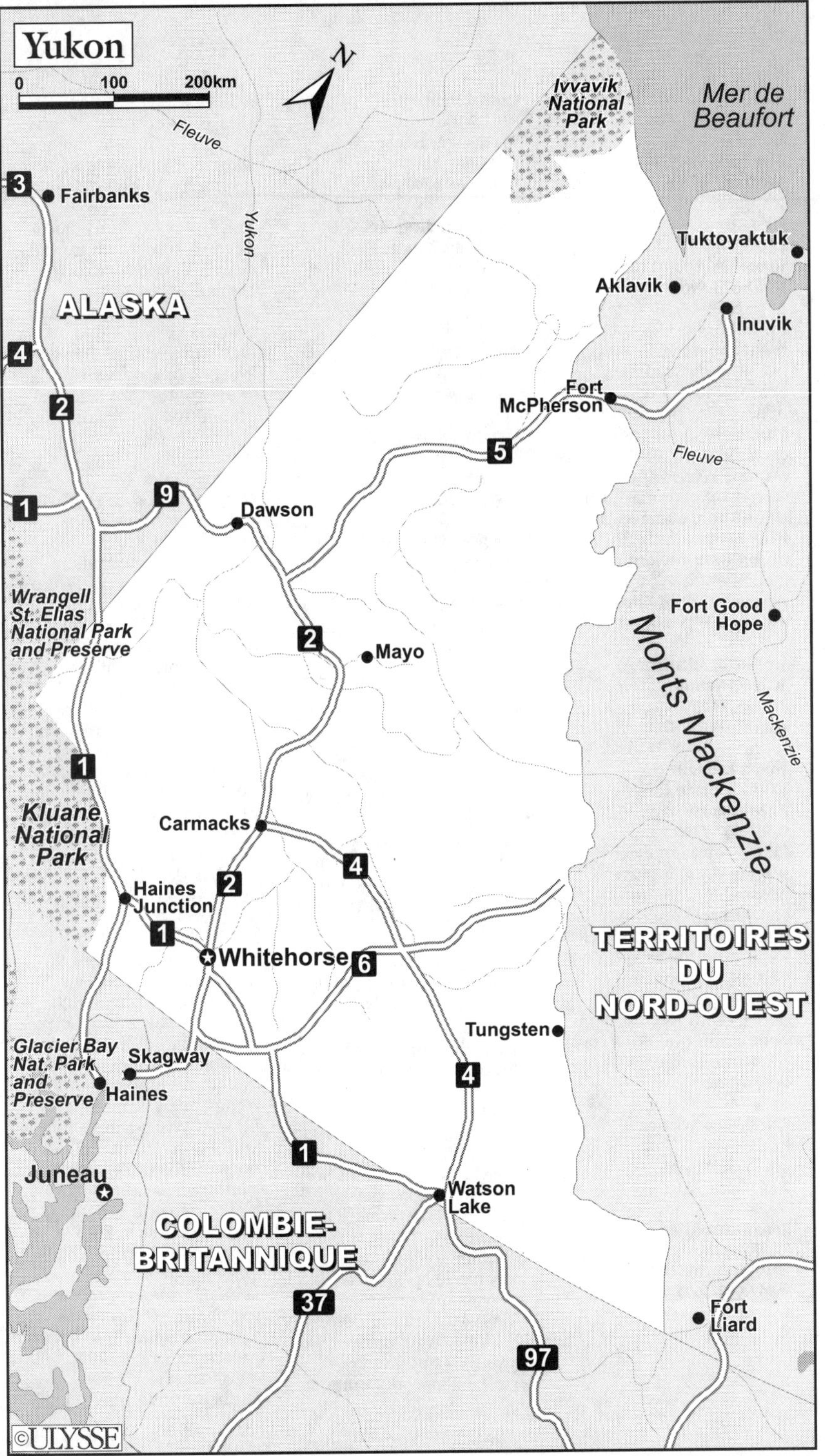

Yukon
0
100
200km
N
Fleuve
Yukon
Ivvavik National Park
Mer de Beaufort
Fairbanks
ALASKA
Tuktoyaktuk
Aklavik
Inuvik
Fort McPherson
Fleuve
Dawson
Wrangell St. Elias National Park and Preserve
Mayo
Fort Good Hope
Monts Mackenzie
Mackenzie
Kluane National Park
Carmacks
Haines Junction
Whitehorse
TERRITOIRES DU NORD-OUEST
Tungsten
Glacier Bay Nat. Park and Preserve
Skagway
Haines
Juneau
Watson Lake
COLOMBIE-BRITANNIQUE
Fort Liard
3
4
2
1
9
5
2
1
4
2
1
6
4
1
37
97
©ULYSSE

NWT Air
Suite 02-13
Air Terminal Building
Whitehorse, Y1A 3E4
☎***800-661-0789***

First Air
P.O. Box 100
Yellowknife, NWT, X1A 2N1
☎***867-873-4461***

En dehors des sentiers battus, il est également possible d'affréter un avion, un hydravion ou un hélicoptère pour atteindre à peu près tous les coins du Yukon ou survoler telle ou telle région. Attention, ce n'est pas donné : un vol pour une excursion de trois heures dans un avion de brousse revient facilement à 125$ par personne, et l'hélicoptère est encore plus coûteux.

Air North, Alkan Air
Action Aviation
P.O. Box 5898
Whitehorse, Y1A 5L6

Almon Landair
200-307 rue Jarvis
Whitehorse, Y1A 2H3
☎***867-667-7790***
Cette compagnie offre un service multilingue et la possibilité de faire du caravaning aérien pendant une semaine ou deux. Il s'agit d'un forfait qui vous permet de faire du camping et de vous déplacer au moyen d'un petit avion que vous louez pour une durée déterminée

Blacksheep Aviation
P.O. Box 4087
Whitehorse, Y1A 3S9
☎***867-668-7761***

Bonanza Aviation
P.O. Box 284
Dawson City, Y0B 1G0
☎***867-993-6904***

Capital Helicopter
P.O. Box 4387
Whitehorse Aerocentre
Whitehorse, Y1A 3T5
☎***867-668-6200***

Frontier Helicopters
P.O. Box 10, Watson Lake
Y0A 1C0
☎***867-536-7766***

Heli-Dynamics
P.O. Box 4280
Whitehorse, Y1A 3T3
☎***867-668-3536***

Klondike Heli-Magic
P.O. Box 2128
Haines Junction, Y0B 1L0
☎***403-634-2224***

Northern Lights Air
P.O. Box 7, Watson Lake
Y0A 1C0
☎***867-536-2231***

En voiture

Il est possible de rejoindre le Yukon, depuis le sud, en empruntant l'autoroute de l'Alaska, qui débute à Dawson Creek, petite ville de Colombie-Britannique située non loin de la frontière albertaine. Cette autoroute est maintenant asphaltée, et il est possible d'y trouver de l'essence, de la nourriture ou un gîte à des intervalles qui varient entre 32 et 80 km. De la côte ouest du Canada, plus particulièrement de Prince Rupert, une seconde route s'enfonce à travers les montagnes. C'est l'autoroute Stewart-Cassiar, qui rejoint l'autoroute de l'Alaska un peu après son entrée au Yukon. Avant de prendre cette route, il importe toutefois de bien planifier son voyage, puisque les points de services ne sont guère nombreux le long de ses 752 km. En revanche, le paysage peut y être spectaculaire, notamment à Stikine River Valley et Dease Lake.

Il est aussi possible de se rendre au Yukon depuis Inuvik, localité des Territoires du Nord-Ouest située à l'embouchure du fleuve Mackenzie, sur l'océan Arctique. L'autoroute Dempster relie en effet cette localité à Dawson. Ne vous fiez pas à l'appellation, puisque l'«autoroute» Dempster est en fait une route non asphaltée et poussiéreuse de 663 km de long. Et il n'y a que deux communautés entre Inuvik et Dawson.

Enfin, des routes relient aussi le territoire du Yukon à l'Alaska, notamment à Anchorage, Fairbanks, Skagway et Haines. Ces deux dernières villes permettent les accès les plus rapides au Yukon. C'est d'ailleurs de Skagway que les chercheurs d'or traversaient les montagnes pour rejoindre Whitehorse puis Dawson.

Les deux principaux axes routiers du Yukon, les autoroutes de l'Alaska et du Klondike, sont asphaltés. Certaines routes principales ne le sont pas, mais sont traitées pour réduire les dégagements de poussière. Enfin, la plus grande partie du réseau routier n'est ni asphaltée ni traitée. Attention, toutes les routes, même principales, ne sont pas ouvertes tout au long de l'année. Il est donc souhaitable de s'informer, avant de se lancer dans un long trajet, auprès du **Yukon Road Report** *(☎867-667-8215)*. Quel que soit le type de véhicule que l'on utilise, rouler sur les routes du Yukon suppose que l'on prenne des précautions et qu'on se plie à une étiquette particulière. Le confort des passagers et leur sécurité en dépendent. Ces usages sont plus amplement décrits dans le chapitre des Territoires du Nord-Ouest (voir p 711).

Beaucoup de visiteurs choisiront de louer un véhicule, soit sur place, soit en Alaska, en Colombie-Britannique ou en Alberta. Ceux qui choisissent de le faire dans le Sud auront sans doute avantage à choisir une agence de location qui leur permet de remettre le véhicule à Whitehorse. À noter que les résidants canadiens ne peuvent pénétrer au Canada au volant d'une voiture louée aux États-Unis. Certaines agences offrent toutefois la possibilité de changer de véhicule à la frontière.

Au Yukon, on peut louer une voiture à Whitehorse, Watson Lake, Dawson et Faro. En outre, il est possible de louer à Whitehorse toutes sortes d'autres véhicules, notamment des fourgonnettes et des véhicules récréatifs. Ces derniers bénéficient d'une faveur particulière auprès de nombreux visiteurs, à qui ils permettent d'affronter en toute autonomie de longs trajets. Pouvoir s'arrêter sur un site de son choix, au moment jugé opportun, et y rester le temps voulu, c'est probablement l'une des meilleures façons de profiter vraiment des grands espaces qu'offre le Yukon. Le gouvernement du territoire et quelques entrepreneurs privés mettent d'ailleurs à la disposition des visiteurs des sites aménagés pour garer un véhicule récréatif ou planter une tente.

En autocar

L'autocar peut également être une solution pour qui veut arriver par les routes du Sud. Des véhicules confortables et climatisés assurent ainsi la liaison entre Whitehorse et Vancouver ou Edmonton.

Greyhound Lines of Canada
2191 Second Ave.
Whitehorse, Y1A 3T8
☎403-667-2223

Gold City Tours
en été
C.P. 960, Dawson, Y0B 1G0
☎867-993-5175

En train

En 1898, une liaison ferroviaire a été établie entre Skagway et White Pass à la frontière des États-Unis. À White Pass, les voyageurs ont la possibilité de prendre ensuite un autocar qui les conduira à Whitehorse. Adressez-vous à **White Pass & Yukon Route Railway** *(P.O. Box 435, Skagway, Alaska, 99840, USA, ☎907-983-2217, ou 800-343-7373, www.whitepassrailroad.com pour plus de renseignements)*. Le train ne franchit que 45 km, mais il le fait au cœur des montagnes, en affrontant un dénivelé de plus de 850 m. Qu'on le prenne pour se rendre à Whitehorse ou faire l'aller-retour, c'est en soi une attraction.

En bateau

Un traversier assure la liaison entre Bellingham, dans l'État de Washington, et Prince Rupert, en Colombie-Britannique, avec les principaux ports d'Alaska. Pour qui veut amener son véhicule, c'est sans doute la façon la plus agréable d'accéder au Yukon tout en jouissant des paysages uniques du littoral. Adressez-vous à **Alaska Marine Highway** *(P.O. Box 25535, Juneau, Alaska, 99802-5535, USA, ☎907-465-3941, ou 800-642-0066 pour plus de renseignements)*.

Les cours d'eau, particulièrement le fleuve Yukon, ont constitué les principaux chemins du Yukon pendant plus d'un siècle. Il fut même une époque où des vapeurs agitaient régulièrement les eaux du fleuve de leur roue à aubes entre Dawson et Yellowknife. Aujourd'hui, le fleuve Yukon transporte encore beaucoup de voyageurs entre les deux villes, qui en canot qui en Zodiak, ou sur des embarcations plus lourdes. Plusieurs autres rivières sur le territoire s'offrent aux amateurs de sports nautiques, et il est relativement aisé d'y louer une embarcation.

Klondike Recreational Rentals
107 Copper Rd.
Whitehorse, Y1A 2Z6
☎867-668-2200
ou 800-665-4755

Kanoe People
P.O. Box 5152
Whitehorse, Y1A 4S3
☎867-668-4899
L'entreprise loue également du matériel de camping et des vélos de montagne, et propose des excursions guidées et des services de transport.

Prospect Yukon Wilderness & Watercraft Trips
P.O. Box 5323
Whitehorse, Y1A 4Z2
☎867-667-4837

RRR Yukon Trail of '98 Goldrush Tours
P.O. Box 5254
Whitehorse, Y1A 4Z1
☎*867-633-4767*

Up North Boat & Canoe Rentals
P.O. Box 5418
86 Wickstorm Rd.
Whitehorse, Y1A 5H4
☎*867-667-7905*

Renseignements pratiques

Indicatif régional : 403, sauf indication contraire.

Renseignements touristiques

Au Yukon, il y a six établissements appelés Visitor Reception Centres, ou VRCs, qui ont pour mission d'informer les touristes de passage. Ils sont ouverts de la mi-mai à la mi-septembre. On peut y trouver toute l'information générale pertinente, des renseignements spécifiques à la région où l'on se trouve et des expositions particulières.

Whitehorse
☎*667-3084*

Dawson
☎*993-5566*

Watson Lake
☎*536-7469*

Beaver Creek
☎*862-7321*

Carcross
☎*821-4431*

Haines Junction
☎*634-2345*

Urgences

Sur un territoire aussi peu peuplé que l'est le Yukon, la disponibilité immédiate de services médicaux ou policiers varie grandement selon l'endroit où l'on se trouve.

Dawson
☎*993-4444 ou 993-5555*

Haines Jonction
☎*634-4444 ou 634-5555*

Watson Lake
☎*536-4444 ou 536-5555*

De partout sur le territoire, il est possible d'appeler sans frais les services de police et de santé de **Whitehorse** *(☎667-3333 ou 667-5555).*

Attraits touristiques

Whitehorse

Petite ville appelée à jouer les rôles de capitale et de centre administratif, Whitehorse est bâtie à l'ouest du fleuve Yukon, juste au pied d'un plateau où l'on a construit l'aéroport et où passe aujourd'hui l'autoroute de l'Alaska. La ville a jeté un pont par-dessus le fleuve, le pont Robert Campbell, et colonise maintenant sa rive est.

C'est parce qu'elle est le terminal naturel en amont du fleuve Yukon que Whitehorse voit le jour. En route pour le Klondike via l'Alaska, les chercheurs d'or pouvaient difficilement franchir sur un canot chargé les rapides de Whitehorse et du Miles Canyon. La prudence dictait de gagner la rive et de faire le portage du matériel. Assez rapidement, un petit train fait la navette d'un côté à l'autre des rapides. Son trajet, en aval, se termine là où l'on bâtira Whitehorse. La ville s'agrandit rapidement lorsqu'un chemin de fer relie directement Whitehorse à la côte de l'Alaska. Les chercheurs d'or y descendent avant de faire transborder leurs marchandises sur une embarcation ou sur des traîneaux selon la saison. Enfin, en 1942, le gouvernement américain décide de construire la route de l'Alaska. Whitehorse est toute désignée pour devenir l'une des principales étapes du chantier au Canada. En 1953, Whitehorse détrône Dawson et devient la capitale territoriale.

Le **Yukon Visitor Reception** *(100 Hanson Street, angle Second Ave., ☎667-3084, ≠667-3546)* offre au visiteur arrivé par la voie des airs toute l'information générale sur l'ensemble du territoire et répond à ses questions sur la capitale. Un diaporama y présente les parcs nationaux et les sites historiques.

Le territoire du Yukon célèbre le premier siècle de sa jeune histoire. L'année 1995 a ainsi marqué le centenaire de l'arrivée de la Gendarmerie royale du Canada, 1997 a été l'année des transports, et 1998 a bien évidemment été dédiée à la commémoration de la Ruée vers l'or.

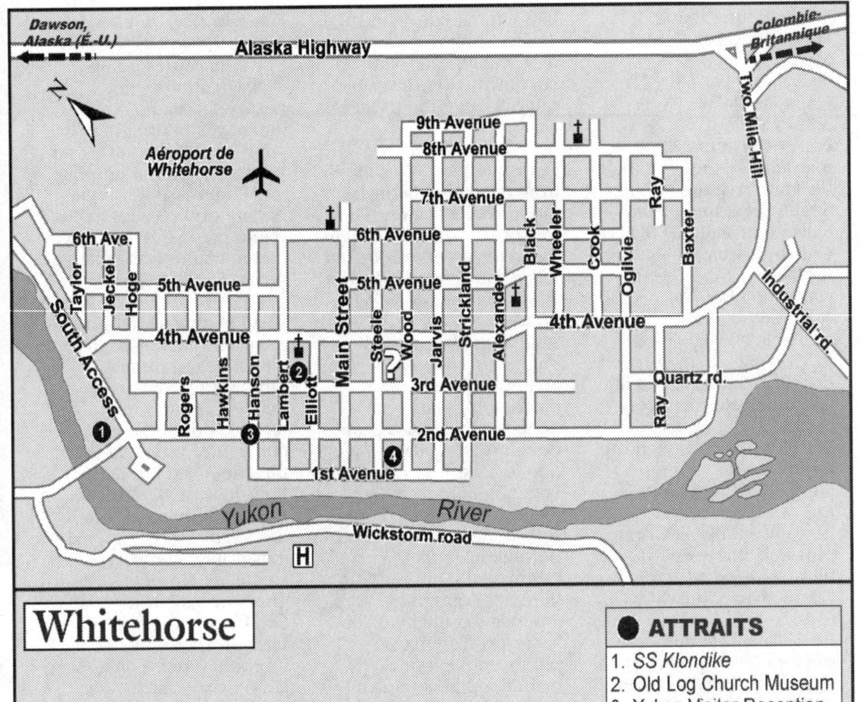

Un comité de coordination, l'**Anniversaries Coordinator, City of Whitehorse** *(2121 Second Ave., Y1A 1C2, ☎668-8665)*, offre donc toute l'information requise sur les événements et les attractions du centenaire.

Tout près du pont qui enjambe le fleuve Yukon, il est possible de visiter le **Lieu historique national S.S. Klondike** *(3$; bureau 205, 300 Main St., Y1A 2B5, ☎667-4511 en été ou 667-3910, ⇄393-6701)*. Le *S.S. Klondike*, un authentique vapeur construit en 1929 pour assurer un service fluvial entre Whitehorse et Dawson, a coulé en 1936, fut reconstruit en 1937 et abrite maintenant un musée.

La meilleure façon de visiter la ville elle-même est sans doute de se joindre à une visite guidée organisée par la **Yukon Historical & Museums Association** *(Whitehorse Heritage Buildings Walking Tours, juin à août; Donnenworth House, 3126 Third Ave., P.O. Box 4357, Y1A 3T5, ☎667-4704)*.

D'avril à septembre, un parc paysager est ouvert aux visiteurs. Les **Yukon Gardens** *(P.O. Box 5059, Y1A 4S3, ☎668-7972)* abritent aussi un golf miniature et une boutique.

Édifice construit en pièce sur pièce, le **MacBride Museum** *(4$; juin à août tlj 10h à 18h, sept à mai jeu-sam midi à 16h; angle First Ave. et Woods St., P.O. Box 4037, Y1A 3S9, ☎667-2709)* ouvre ses portes de la mi-mai à la mi-septembre et sur demande le reste de l'année. Vouée à l'histoire et à la nature du Yukon, sa collection comporte des objets de l'époque de la Ruée vers l'or, du matériel de piégeage, des vestiges autochtones et des photographies. Un peu à l'écart, une collection d'animaux empaillés permet de se faire une idée exacte de ce qu'est la faune du territoire. La visite se poursuit à l'extérieur du bâtiment en rondins : on peut observer les moyens de transport et les machines en usage depuis le peuplement blanc du Yukon. À l'extérieur également se trouvent un ancien bureau télégraphique et une authentique cabane de l'époque, celle de Sam McGee.

L'histoire de la ville est aussi visible dans ses édifices les plus marquants. Ainsi, à l'angle de Third Avenue et Elliot Street, il y a une vieille église en rondins, l'**Old Log Church Museum** *(2,50$; mai à la fête du Travail, fermé l'hiver; 303 Elliott St., ☎668-2555)*. À l'intérieur, une collection d'objets rappelle la vie ancestrale des Autochtones ainsi que les principales activités depuis le début du peuplement européen du territoire. On y raconte aussi l'histoire d'un évêque qui mangea ses bottes, histoire qui devait inspirer plus tard une scène du film *La ruée vers l'or*, de Charlie Chaplin.

Résolument moderne, le siège du gouvernement territorial, l'**Administration Building** *(Second Ave.)*, est tout aussi intéressant. En plus du gouvernement local, l'édifice abrite une collection, propriété du territoire. L'artisanat autochtone y côtoie des œuvres d'artistes canadiens reconnus.

Le monde des arts n'est d'ailleurs pas en reste à Whitehorse. À même la Yukon Place, le **Yukon Arts Centre** est un édifice magnifique qui comporte la plus importante galerie d'art du territoire et un théâtre, auxquels s'ajoute un amphithéâtre extérieur.

Près de l'aéroport, sur l'autoroute de l'Alaska, le **Yukon Transportation Museum** *(Km 1473, Alaska Hwy, P.O. Box 5867, Y1A 5L6, ☎668-4792, ≠633-5547)* se voue à la présentation de l'histoire des transports sur le territoire. On peut y saisir l'importance du traîneau à chiens, y revivre l'âge d'or de l'aviation ou y étudier la construction des routes qui ont ouvert le territoire.

À côté du Yukon Transportation Museum se trouve le **Yukon Beringia Interpretative Centre** *(6$; Km 1473, Alaska Hwy; tlj mi-mai à mi-sept 8h à 20h, dim 13h à 17h le reste de l'année; ☎667-8855 ou 667-8854, ≠667-8023, www.touryukon.com)*. Il s'agit d'un musée archéologique et paléontologique notamment consacré à la dernière ère glaciaire, alors que le Yukon et l'Alaska étaient toujours reliés à l'Asie, à l'intérieur d'un sous-continent appelé la Béringie. Le volet permanent comprend un film, des comptoirs équipés d'ordinateurs et les restes d'animaux préhistoriques : mammouth, bison géant, castor géant (il pesait 170 kg!), ours géant, machairodonte, etc. Le musée s'intéresse également aux premières vagues de migration autochtone du Yukon.

Même si leurs ardeurs ont été réfrénées par un barrage hydroélectrique, les eaux du fleuve Yukon, à la hauteur de Miles City et des rapides de Whitehorse (en amont de Whitehorse), offrent encore un spectacle qui vaut le détour. Le fleuve y emprunte, sur plus de 1 km, une gorge encaissée entre deux falaises de roches basaltiques étrangement sculptées. On peut s'y rendre par la route, survoler l'endroit en hélicoptère par l'entremise de **Trans-North Helicopters** *(Airport Hangar «C», Y1A 3E4, ☎633-4767)* ou opter pour une croisière commentée sur le fleuve à bord du ***MV Schwatka*** *(P.O. Box 4001, Y1A 3S9, ☎668-4716)*. Des belvédères, des points d'observation et une passerelle ont été aménagés pour le bénéfice des visiteurs demeurés sur le rivage. À 2 km du pont de Whitehorse, on peut encore observer les traces d'une première communauté établie sur place, Canyon City.

Chaque année, à la fin du mois de juillet et au mois d'août, les saumons quinnats remontent le fleuve à Whitehorse, au terme d'un parcours commencé en haute mer à plus de 3 000 km de là. Pour leur permettre de franchir le barrage, une espèce d'escalier, appelé «passe migratoire», a été aménagé. On peut y observer les efforts déployés par les grands saumons pour aller se reproduire très exactement là où ils sont nés.

Dawson

Le 16 août 1896, Skookum Jim et Dawson Charlie, deux Autochtones de la nation Tagish, prospectent le petit ruisseau de Rabbit Creek en compagnie d'un ami américain, George Carmack. On a déjà trouvé de l'or dans le fleuve Yukon, et les trois compères n'en sont pas à leurs premières recherches. Mais ce qu'ils trouvent ce jour-là, non loin de la rivière Klondyke, est bien différent. Il y a de l'or. Beaucoup d'or. Les prospecteurs rebaptisent «leur» ruisseau du nom de Bonanza Creek. Ils enregistrent leur droit minier le lendemain, soit le 17 août, jour qui demeure dans la mémoire collective du Yukon le «Jour de la découverte». Au fil des ans, le fond du Klondyke et de ses affluents fera naître des fortunes en libérant plus d'un milliard de dollars actuels en métal jaune. Il fera aussi naître la dernière et peut-être la plus grande des épopées de l'Ouest : la Ruée vers l'or. La fièvre de l'or emportera vers le nord des dizaines de milliers de rêveurs.

Jos Ladue a une tout autre idée pour faire fortune. Il décide de fonder la ville de Dawson là où la rivière Klondyke rejoint le fleuve Yukon, au pied d'une montagne de près de 900 m, le **Midnight Dome**. Les terrains s'envolent à prix d'or. La ville croît rapidement, et sa population dépasse les 30 000 âmes avant même la fin du siècle. Elle est alors la plus importante ville d'Amérique du Nord à l'ouest de Winnipeg et au nord de Seattle. On peut y manger la meilleure cuisine, y boire les meilleurs vins, y trouver les plus beaux objets... à condition d'y mettre le prix. Tout, à Dawson, est alors à prix d'or. On règle d'ailleurs souvent sa note avec une pépite. Dans la capitale nord-américaine du bon temps, le whisky coule à flots, mais l'ordre règne tout de même puisque la Gendarmerie royale du Canada a envoyé un bon détachement dans la ville et que seuls ses policiers ont le droit d'y porter des armes.

Dès 1904, toutefois, les gisements de surface sont épuisés, et les prospecteurs doivent céder la place aux grandes entreprises qui disposent de l'équipement lourd nécessaire à la poursuite des activités minières. Au départ de ces sociétés, dans les années soixante, la ville serait morte si les touristes ne s'étaient pas mis à y affluer.

La Dawson d'aujourd'hui compte environ un millier d'habitants en hiver, beaucoup plus en été. C'est une ville qui vit du souvenir de sa grandeur et du tourisme. La majeure partie de ce qu'on peut désirer y voir n'est accessible que durant la belle saison. On y a laissé les trottoirs de bois, les rues non revêtues et les façades «western». Pour le centenaire du «Jour de la découverte», le gouvernement fédéral a investi ce qu'il fallait pour restaurer les immeubles menacés et conserver les autres.

La première chose à faire en arrivant, c'est de se rendre visite au **Visitors Reception Centre** *(angle Front St. et de King St., ☎993-5566)*. On y a reconstitué un établissement commercial de l'époque. Bonne mise en train, puisqu'à Dawson on mange, on boit, on joue et l'on danse comme en 1898. Le centre peut donner toute l'information nécessaire à un bon séjour, et des visites guidées à pied y sont organisées jusqu'à quatre fois par jour durant l'été.

Il y a différentes façons de découvrir la ville et ses environs. **Gold City Tours** *(sur Front St. en face du bateau Keno, P.O. Box 960, Y0B 1G0, ☎993-5175, ⇄993-5261)* propose une visite guidée sur mesure en autobus. Au menu : la ville elle-même, les rivières, les mines d'or et une ascension du Midnight Dome (la vue y est splendide par temps clair). On peut également envisager un repas-croisière sur le fleuve à bord d'un vapeur en s'adressant à **Pleasure Island Restaurant & Yukon River Cruise** *(P.O. Box 859, Y0B 1G0)*.

Plusieurs édifices retiennent l'attention. Sur Third Avenue, on remarque notamment le **Harrington's Store** *(angle de Princess St.)*, qui présente une collection de photos, le **Palace Grand Theatre**, un immeuble reconstruit d'après un original datant de 1899, qu'il est possible de visiter en compagnie d'un guide, et le **1901 Post Office**, qui fait encore aujourd'hui office de bureau de poste.

La visite guidée du **Fort Herchmer** mérite elle aussi un détour. C'est dans ce fort que la police montée avait installé sa garnison. On peut y voir les prisons, les écuries et les quartiers des officiers et hommes de troupe.

Il serait inconcevable qu'une pareille ville soit dépourvue de musée. Le **Dawson City Museum & Historical Society** *(4$; juin à sept tlj10h à 18h; angle Main St. et 5th Ave., P.O. Box 303, Y0B 1G0, ☎993-5291, ⇄993-5839, dcmuseum@yknet.yk.ca)* expose des pièces relatives à la Ruée vers l'or et à l'histoire de la ville, de même que des ossements préhistoriques. Une bonne partie de la collection s'intéresse aussi aux Amérindiens de la nation Han. Des visites guidées sont proposées, notamment en français. Le musée abrite aussi une bibliothèque et une boutique.

Dawson, c'est aussi la ville d'un poète : **Robert Service** (1874-1958). Où qu'on aille sur le territoire, il semble bien qu'il y aura toujours quelqu'un pour rappeler son œuvre. À Dawson même, il est possible de visiter sa cabane sur 8th Avenue et d'y entendre des déclamations publiques de ses poèmes. À côté, on a également reconstitué la cabane de **Jack London** (l'originale a été retrouvée à 75 km de là), un Américain rendu célèbre par ses récits sur le Grand Nord. On lui doit notamment le personnage de *Croc-Blanc*.

Évidemment, on ne peut aller à Dawson sans vouloir visiter le Klondyke et ses deux principaux affluents aurifères, les ruisseaux Bonanza et Eldorado. Un circuit routier permet de faire le tour des principaux sites. Au kilomètre 10 du chemin Bonanza Creek, le **Claim 33** *(P.O. Box 933, Y0B 1G0, ☎993-5804)* a été aménagé afin de permettre aux touristes de tenter leur chance. Un peu plus loin, sur la même route, le **Lieu historique national Drague-Numéro-Quatre** *(5$; Place patrimoniale de la Drague-Numéro-Quatre ou Lieu historique national du Complexe-Historique-de-Dawson, C.P. 390, Y1A 2B5, ☎993-5462, ≠993-5683, whitehorse_info@pch.gc.ca)* illustre mieux que tout autre l'exploitation industrielle qui a succédé à la Ruée vers l'or. Il s'agit de la plus grande drague en Amérique du Nord.

Watson Lake

Fondée par un trappeur qui avait décidé de s'établir là en 1898, Watson Lake est la porte d'entrée canadienne du territoire. La ville se trouve tout juste au nord de la frontière de la Colombie-Britannique. Elle a connu son véritable essor en 1942, alors qu'elle servait de camp de base pour la construction de la route de l'Alaska. On y trouve depuis tous les services utiles aux touristes, qu'ils soient en route pour Whitehorse ou qu'ils veuillent tirer parti d'une des nombreuses activités de plein air qu'offre l'arrière-pays.

L'**Alaska Highway Interpretive Centre** *(angle Robert-Campbell St. et Alaska Hwy., ☎536-7469)* est le Visitors Reception Centre de Watson Lake. On y rappelle, dans un volet permanent, le défi d'envergure que constituait la construction de la route.

Une autre commémoration du chantier mérite qu'on s'y arrête. En 1942, le soldat Carl K. Lindley, qui travaille au chantier, s'ennuie de chez lui. Pour conjurer l'absence des siens, il plante un panneau indicateur qui indique la direction de Danville, Illinois, et la distance qui en sépare Watson Lake. Ceux qui le suivront feront de même, jusqu'à ce que l'endroit ressemble à une forêt de panneaux. Aujourd'hui, la **Watson Lake Signposts Forest** en compte plus de 30 000.

De Dawson à Inuvik

Pour ceux et celles qui aiment rouler, louer un véhicule récréatif et traverser tout le territoire est l'aventure toute désignée. On réserve son véhicule à Whitehorse, puis on prend l'autoroute du Klondyke jusqu'à Dawson. C'est ensuite que le vrai voyage commence, par l'**autoroute Dempster**, qui va jusqu'à Inuvik, dans les Territoires du Nord-Ouest. Le parcours est ponctué de panoramas, de centres d'interprétation et de communautés autochtones. Et rien n'interdit de s'arrêter pour jouir du paysage ou s'éloigner de la route le temps d'une randonnée. À noter que si l'on effectue le parcours au mois de mai ou au mois d'octobre, il y a de bonnes chances qu'on surprenne les caribous en pleine migration. D'Inuvik, il est possible de prendre un avion pour l'**île Herschel**, au nord du Yukon. L'île, devenue parc territorial, est depuis très longtemps une étape importante pour les hommes qui ont vécu dans le Grand Nord. On peut encore y observer les traces du peuplement autochtone préhistorique et les quais où s'amarraient les baleiniers américains.

Parcs

Il y a, au Yukon, abondance de forêts, de toundras, de montagnes, de glaciers, de lacs et de rivières. La nature y est à la fois généreuse et intacte. Il n'est donc pas étonnant que bon nombre de ceux et celles qui vivent ou qui s'aventurent sur le territoire y soient attirés par le ski, le canot, le rafting, la raquette, l'escalade, la randonnée, l'équitation, la pêche, la chasse ou le vélo de montagne.
S'aventurer dans la nature commande toutefois une certaine prudence et un grand respect des lieux et de leur propreté. Il importe tout particulièrement d'avoir avec soi suffisamment de vivres et de vêtements. On admet

généralement que les promeneurs puissent posséder une arme à feu pour assurer leur protection. Par ailleurs, la chasse et la pêche sont des activités réglementées; on fera donc bien de s'assurer de la disponibilité des permis convoités avant le départ.

Pour aider l'amateur de plein air à jouir pleinement de toutes les possibilités offertes par le territoire, la **Wilderness Tourism Association of the Yukon** *(P.O. Box 3960, Whitehorse, Y1A 3M6, ☎800-221-3800)* dispose de toute l'information pertinente et à jour sur les différents pourvoyeurs de services.

Le gouvernement fédéral a fait de la partie canadienne des monts St. Elias l'un des plus beaux parcs naturel du pays, le **Parc national de Kluane** *(P.O. Box 5495, Haines Junction, Y0B 1L0, ☎634-7201)*. On y trouve le plus haut sommet du Canada, le mont Logan, et les plus importants glaciers non polaires du monde. Le quartier général du parc est situé à Haines Junction, au même endroit que le Visitors Reception Centre du village. Le parc lui-même est sillonné de sentiers. Il est possible de se joindre à un groupe organisé ou de planifier soi-même son voyage, notamment en se faisant déposer par un hélicoptère (le VRC est l'endroit tout indiqué pour prendre contact avec les pourvoyeurs). Il faut prévoir se munir de jumelles pour observer la faune. Avant de s'aventurer dans le parc, il est obligatoire de s'enregistrer et d'acquitter les droits de séjour, et il est fortement recommandé de mettre son information à jour.

Activités de plein air

Randonnée pédestre

La plus célèbre des randonnées que l'on puisse faire au Yukon débute en Alaska et finit... en Colombie-Britannique. La **Chilkoot Trail**, c'est le chemin qu'ont emprunté la plupart des chercheurs d'or pour traverser les montagnes et gagner les lacs de l'intérieur qui se déversent dans le fleuve Yukon. À l'époque, les chercheurs d'or apportaient avec eux tout ce qu'il leur fallait pour survivre un an, soit 800 kg de matériel qu'ils devaient porter ou faire porter. Leur objectif était d'arriver au lac Bennett à l'automne et d'y hiverner. Au printemps, ils suivaient le lac puis le fleuve jusqu'à Dawson. Beaucoup sont morts soit pour avoir pris du retard, à cause d'un accident ou tout simplement par malchance.

La piste débute à 16 km de Skagway, à Dyea, où les randonneurs doivent s'enregistrer. Il importe de bien s'informer avant le départ auprès de **Canadian Heritage, Parks Canada** *(300 Main St., bureau 205, Whitehorse, Y1A 2B5, ☎667-3910)*. La randonnée dure entre trois et cinq jours, traverse trois anciens villages de tentes et est balisée sur toute sa longueur par des panneaux d'interprétation et des vestiges d'époque. Attention, le climat en montagne peut passer par tous les extrêmes, même en juillet.

Pour une excursion moins ambitieuse, le promeneur peut également opter pour les sentiers qui environnent les agglomérations urbaines du territoire. Enfin, un peu partout sur le territoire, il est aisé de louer un cheval ou un vélo le temps d'une promenade ou pour une randonnée de plusieurs jours.

La **Yukon Conservation Association** *(302 rue Hawkins, P.O. Box 4163, Y1A 3T3, ☎668-5678)* organise des randonnées de groupe durant l'été. C'est une bonne occasion d'en apprendre plus sur la géologie, la flore et la faune locales.

Kayak et rafting

La descente du Yukon en canot entre Whitehorse et Dawson est une belle balade qui dure entre 10 et 14 jours, la plupart du temps sur un long fleuve tranquille. Certains tronçons du parcours sont particulièrement intéressants. À la sortie du lac Laberge, un très long canyon encadre le fleuve sur une cinquantaine de kilomètres. Sur chacune des rives subsistent des vestiges de la Ruée vers l'or. Après le village de Carmacks se trouvent les **Five Finger Rapids**, qu'il est tout à fait possible de franchir en canot. Encore plus bas, un poste de traite, **Fort Selkirk**, attend les canoteurs. Enfin, c'est l'arrivée à Dawson; il serait sage de la faire coïncider avec l'un des nombreux événements qui se tiennent dans cette ville pendant l'été.

D'autres cours d'eau réservent aussi des promesses de tourbillons, d'eaux vives et de descentes aux amateurs de rafting, de kayak, voire de canot de rivière. Il est toutefois recommandé de retenir les services d'une entreprise spécialisée dans ce genre d'expédition, chaque rivière recelant des difficultés particulières.

La **rivière Alsek** (classe IV) coule à travers le parc de Kluane à partir de Haines Junction. Son trajet offre la possibilité de passer juste sous le glacier Lowell. Sur 13 km, la muraille de glace de 30 m de haut accompagne les voyageurs.

On peut aussi descendre la **rivière Tatsenshini** (classes III-IV) à partir de Dalton Post, au sud de Haines Junction. Cette rivière coule vers la Colombie-Britannique, où elle rejoint la rivière Alsek. Elle est réputée pour ses paysages et ses jardins de rochers.

Enfin, tout au nord du territoire, la **rivière Firth** (classe IV) dévale à travers la toundra avant de se jeter dans la mer de Beaufort. Elle coule au cœur du **Parc national Ivvavik**, un parc de conservation où les Inuits peuvent encore vivre selon leur mode de vie ancestral. Pour les amateurs de rafting, la rivière et son environnement sont parmi les plus intéressants.

Golf

Whitehorse

À l'écart de la ville, les mordus de golf seront heureux d'apprendre qu'un parcours à 18 trous les attend du premier mai au 30 septembre de chaque année, soit le **Mountain-View 18-hole Golf Course** *(Off Range Rd., P.O. Box 5883, Y1A 5L6, ☎633-6020)*.

Chasse et pêche

La chasse et la pêche occupent une place à part dans la culture yukonaise. Le mouflon, l'ours, le caribou et l'orignal sont des trophées à part pour le chasseur, tout comme peuvent l'être un saumon de bonne taille ou l'omble arctique pour le pêcheur. Des dizaines de forfaits différents existent pour accommoder les goûts et les bourses de chacun, depuis la pourvoirie de grand luxe jusqu'au terrain de camping en bordure d'une rivière. En règle générale, les plus beaux sites de chasse et de pêche ne sont accessibles que par la voie des airs. La plupart des pourvoyeurs fourniront le transport et de précieux renseignements. Ils pourront aussi conseiller les chasseurs et pêcheurs sur la manière de pratiquer leur sport en toute légalité.

Traîneau à chiens

De décembre à mars, les visiteurs ont une chance unique d'expérimenter une balade en traîneau à chiens. À Whitehorse, ils n'auront aucune difficulté à trouver différents pourvoyeurs qui leur donneront la formation nécessaire pour devenir de véritables *mushers*. Ensuite, c'est le début d'un circuit qui durera généralement de un à sept jours, avec des refuges plus ou moins rustiques tout le long du parcours.

Forfaits aventure

Air North, avec ses Douglas DC3 ou DC4 et ses Piper Navajo, vous conduit partout dans le Yukon et en Alaska. L'équipe est professionnelle, et l'approche, amicale. Composez gratuitement le ***☎800-764-0407*** ou le ***☎668-2228***.

Alkan Air Ltd dessert Dawson, Mayo, Inuvik, Old Crow, Faro, Ross River et Watson Lake. Il est important de réserver à l'avance au ***☎668-6616***.

L'**Otter Wilderness School** *(Whitehorse)* vous apprend à voyager en canot en toute sécurité sur les rivières sauvages, suivant vos possibilités physiques et vos besoins et désirs. Les cours sont offerts aux petits groupes de 8 à 10 personnes.

L'entreprise **Up North Boat and Canoes Rentals** *(mai à sept; Whitehorse, ☎667-7905)* loue des bateaux, des canots, des kayaks et des sacs de voyage étanches, mais organise aussi une multitude de sorties et d'expéditions. Elle s'occupe de tous vos transports par air, mer ou terre, et vous propose des voyages, y compris des sorties de pêche, pour une ou plusieurs personnes et d'une durée d'une journée jusqu'à 19 jours. Certaines sorties demandent de l'expérience. Les prix sont abordables en regard des activités proposées. Il est préférable de téléphoner pour savoir le coût exact de l'expédition que vous désirez entreprendre, le programme étant très vaste.

Tatshenshini Expediting
1062 Alder St., Whitehorse
Y1A 3W8
☎*633-2742*
⇌*633-6184*
www.tatshenshiniyukon.com
Tatshenshini Expediting est une entreprise de randonnées d'aventure des plus respectées au Yukon. Elle organise une expédition de 11 jours en radeau pneumatique sur les eaux légendaires des rivières Tatshenshini et Alsek. Ce voyage est considéré comme «le plus beau du monde» en termes de paysages. Vous traverserez le fabuleux **Parc national de Kluane** et finirez votre périple à **Dry Bay** parmi les icebergs et les glaciers.

Kanoe People Yukon Wilderness Outfitters
P.O. Box 5152
Whitehorse, Y1A 4S3
☎*668-4899*
⇌*668-4891*
Kanoe People Yukon Wilderness Outfitters est une excellente adresse où louer des canots de rivière et de lac, et où organiser soi-même des sorties mémorables. Si vous formez un groupe important, vous pouvez louer le **Voyager Canoe**, un canot de 10 m *(160$ par jour)* pouvant accueillir de 8 à 16 personnes.

Parmi les aventures non guidées qui sont proposées, on retrouve celles des entreprises suivantes :

Wild & Woolly Yukon Survival Course
P.O. Box 92, Teslin
Y0A 1B0
☎*390-2682*
Durant ce cours de survie, vous apprendrez à vous orienter avec une carte topographique et à reconnaître les traces de grizzly, d'élan, de loup, etc. Vous assisterez aussi à une démonstration de tactique de défense dans le cas d'une attaque d'ours, et vous comprendrez ainsi la psychologie de cet animal. Parmi les techniques enseignées, on retrouve la technique traditionnelle (canotage, reconnaissance des plantes comestibles et médicinales, randonnées avec carte topographique et boussole, entretien et affûtage des haches, utilisation du poignard, etc.) ainsi que des techniques ancestrales amérindiennes (obtention de feu par friction de bois, fabrication de cordages et de paniers, utilisation d'outils de pierre, construction d'abris primitifs, etc.). Après avoir terminé cette formation, vous serez en mesure d'arpenter en toute sérénité les espaces sauvages du Yukon.

Arctic Trails
125 Copper Rd.
Whitehorse, Y1A 2Z7
☎*668-2776*
Arctic Trails loue des bateaux en aluminium, des radeaux pneumatiques, des véhicules tout-terrain et des motoneiges.

Hébergement

Whitehorse

Robert Service Campground
☎*668-6678 ou 668-3721*
⇌*667-6334*
Le Robert Service Campground est situé sur les rives du fleuve Yukon, à 3 min de voiture ou à 20 min de marche du centre-ville de Whitehorse. Chacun des 48 emplacements de camping est agréablement boisé et équipé d'une table de pique-nique et d'un gril (le bois est gratuit). Vous y trouverez aussi une petite épicerie et des douches chaudes. C'est une bonne adresse.

Wild Treats Vacation Properties
P.O. Box 9150
29 Wann Rd., Y1A 4A2
☎*633-3322*
dwebster@yknet.yk.ca
Wild Treats Vacation Properties est une entreprise qui se spécialise dans la location d'appartements et de maisons à travers le Yukon. Que vous soyez intéressé par une petite cabane en rondins ou par une vaste demeure, Wild Treats vous aidera à trouver ce dont vous avez besoin.

Airport Chalet
63$
tv, ℜ, S
Mile 916, Alaska Hwy.
juste en face de l'aéroport
☎*668-2166*
L'Airport Chalet est un hôtel avec tous les services pour la famille. Situé tout près des musées, il offre des activités intéressantes et propose des chambres d'hôtel ou de motel

spacieuses. Les prix sont raisonnables, mais il serait bon de téléphoner au préalable pour connaître les tarifs saisonniers. Un emplacement pour véhicule récréatif est disponible avec tous les raccordements. Un restaurant familial (voir p 702), dont la cuisine est fraîche, préparée chaque jour, fait partie de l'établissement.

Birch St. Bed & Breakfast
75-85 pdj
bp/bc, ≈, ⌂
1501 Birch St., Porter Creek
à 5 min en voiture du centre-ville
☎633-5625
⇌633-5660
Le Haeckel Hill Bed & Breakfast est situé dans un endroit calme avec vue sur la vallée du Yukon. La salle de séjour est agréable : vous y dégusterez un copieux petit déjeuner maison devant un bon feu de bois. Cet établissement convient aux gens d'affaires et aux familles, et est ouvert toute l'année.

Four Seasons Bed & Breakfast
85$ bp et pdj
75$ bc et pdj
♿
18 Tagish Rd.
☎667-2161
jeano@polarcom.com
Le Four Seasons Bed & Breakfast, situé à 5 min de marche du centre-ville, dispose de chambres spacieuses tout équipées. La décoration reflète le Nord antique, et l'ambiance est familiale. Service de restauration à la chambre en 15 min. Vidéos, musique et livres sont à votre disposition. D'autre part, des visites guidées et des sorties personnalisées sont organisés selon vos aspirations. Cet établissement convient aux familles et aux gens d'affaires, et est ouvert toute l'année. La carte de crédit Visa est acceptée.

Westmark Klondike Inn
89-129
fermé hiver
tv, ℜ, *S*
2288 Second Ave.
☎668-4747
☎800-544-0970
⇌667-7639
Le Westmark Klondike Inn compte une centaine de chambres entièrement rénovées et très confortables. De plus, vous ne manquerez pas de goûter la bonne cuisine du Sud-Ouest américain dans son **Arizona Charlie's Restaurant**. À la cafétéria, vous trouverez de bons petits plats; vous pourrez prendre aussi un petit verre dans son Sternwheeler Lounge.

High Country Inn
99$
⊛, ≈, ⏲, *tv*, ♿, ℜ, *stationnement*
4051 4th Ave.
☎667-4471
Le High Country Inn est, dit-on, *«la meilleure affaire»* à Whitehorse. Ses 110 chambres offrent une vue sur un magnifique paysage, et un personnel souriant vous accueille. Une navette gratuite (ou une limousine sur demande) vient vous chercher à l'aéroport. Tout le confort est là : piscine, sauna, bassin à remous, salle d'exercices, café gratuit dans les chambres et restaurant (voir p 702) (qui fait les meilleures crêpes du Nord).

Westmark Whitehorse
129$
tv, ℜ, *S*
P.O. Box 4250, Y1A 3T3
☎668-4700
☎800-544-0970
⇌668-2789
Le Westmark Whitehorse est l'un des hôtels les plus luxueux de la ville avec ses 181 chambres et le plus important centre de congrès du Yukon. Un restaurant (voir p 702), qui propose de la cuisine gastronomique, est intégré à l'hôtel, de même qu'un bar sympa, le Village Spring Lounge.

Haines Junction

Dalton Trail Lodge
140$ pc
1 600$ la semaine aventure
ℜ
☎867-634-2099
www.daltontrail.com
Le Dalton Trail Lodge est un gîte appartenant à un organisme de tourisme d'aventure situé près du beau lac Dezadeash, au bord du somptueux Parc national de Kluane. Bien qu'il se trouve en pleine nature, il offre tout le luxe possible, avec de belles chambres tout équipées, un très bon restaurant suisse et une bibliothèque qui vous permet de vous relaxer en lisant au coin du feu tout en dégustant un cocktail maison. Dans la journée, vous pouvez faire du cheval ou des sorties dans le parc en compagnie des guides. Des excursions de plusieurs jours sont proposées avec nuitées dans de bons refuges. Pour les pêcheurs, c'est le paradis. Dans le lac, il y a des truites dont certaines atteignent 20 kg; un peu plus loin, des saumons *king*, *coho* ou *sockeye* vous attendent et, si vous voulez vous envoler par hélicoptère, les organisateurs vous proposent une pêche miraculeuse garantie.

Alaska Hwy. (Km 1717)

Cottonwood Park Campground
18$
Km 1717, Alaska Hwy.
à 6 km du Sheep Mountain Visitor's Centre
☎634-2739
Le Cottonwood Park Campground se trouve dans le Parc national de Kluane et attire les visiteurs qui aiment les sports de tous genres, depuis les cyclistes, les marcheurs, les pêcheurs, les chasseurs d'images de chèvres de montagne et d'autres animaux en liberté (à ce propos, n'oubliez pas vos jumelles) jusqu'aux grands voyageurs en véhicule récréatif. Tous les services et attractions, y compris un minigolf, sont inclus dans le prix. Un restaurant familial propose des plats maison, et une boutique de souvenirs offre plein d'idées cadeaux.

Beaver Creek

Westmark Inn Beaver Creek
89-129
tv, ℜ, S
Mile 1202, Alaska Hwy.
☎800-544-0970 ou 862-7501
⇄862-7902
westmark@westmarkhotels.com
Le Westmark Inn Beaver Creek est un relais routier traditionnel qui a une importance de taille dans ces régions nordiques. Au temps des pionniers, les relais routiers fournissaient repas et réconfort. Le Westmark Inn Beaver Creek a su conserver cet esprit dans l'atmosphère de son établissement. Il compte 174 chambres très confortables.

Atlin Lake

The Hitching Post
85-100
Km 38, Atlin Rd.
Radio : Mobile 2M5177
White Mountain Channel
⇄660-4429
adresse postale : R.R. 1,
Site 20 Comp. 182, Whitehorse
Y1A 4Z6
Si vous aimez l'aventure et les paysages sauvages, vous trouverez tout cela au Hitching Post, sur les rives du lac Atlin. De jolies petites cabanes de bois vous y attendent, mais aussi des emplacements de camping. Des bateaux et des canots sont disponibles pour les amateurs de pêche. Des promenades à cheval sont aussi organisées. Les réservations sont fortement recommandées.

Dawson

Dawson Peaks Resort
35-80 par nuitée suivant les services
8-14 par nuitée pour les véhicules récréatifs suivant les besoins
fermé l'hiver jusqu'en avril
ℜ
Km 1282, Alaska Hwy.
à 14 km de Teslin
☎867-390-2310
⇄867-390-2244
dpeaks@hotmail.com
Le Dawson Peaks Resort bénéficie d'un très bel environnement près de Teslin Lake et de Morlay Bay. Vous pouvez y séjourner à la journée ou à la semaine et bénéficierez des services les mieux adaptés à un séjour dans le Nord. Téléphonez pour connaître les tarifs et les services si vous voulez y aller en véhicule récréatif ou avec votre tente. Le restaurant (voir p ?) vous accueille avec une bonne bouffe. Des dizaines d'excursions, dont la durée varie de deux heures à sept jours, sont organisées : réservez à l'avance. Si vous voulez y réfléchir plus longuement, demandez qu'on vous envoie gracieusement la brochure.

Westmark Inn Dawson
99-169
tv, ℜ, *S*
P.O. Box 420
☎800-544-0970
ou 403-993-554
⇄403-993-5623
westmark@westmarkhotels.com
Situé au cœur de Dawson, le Westmark Inn Dawson a été entièrement rénové. Ses 131 chambres sont très confortables et bien équipées. Vous pourrez aussi vous restaurer et prendre un verre dans son Keno Lounge ou encore déguster les meilleurs steaks de Dawson dans son Klondike Barbecue (terrasse en été).

Watson Lake

Cedar Lodge Motel
70$
ℂ, tv, S
Mile 633 Alaska Hwy.
P.O. Box 844
☎536-7406
Le Cedar Lodge Motel est le seul motel construit en bois de cèdre à Watson Lake. L'établissement a été récemment rénové et agrandi. Les chambres sont agréables, et certaines sont équipées d'une cuisinette. Une navette entre l'aéroport ou la base d'hydravion et le motel est mise à votre disposition.

Big Horn Hotel
87$ et plus, suivant la grandeur et la saison
tv, S
centre-ville
☎536-2020
Le Big Horn Hotel est un hôtel familial aux belles chambres bien décorées dont les propriétaires se

mettent en quatre pour vous offrir le meilleur séjour à prix très raisonnable. Le café y est offert gracieusement.

Restaurants

Whitehorse

High Country Inn
$-$$
4051 4th Ave.
☎667-4471
Le restaurant du High Country Inn fait les meilleures crêpes du Nord.

Antonio's Vineyard
$$
202 Strickland St.
☎668-6266
L'Antonio's Vineyard propose une cuisine grecque et italienne de très bonne qualité. Les employés sont très sympathiques, et le choix des plats est intéressant.

Airport Chalet
$$
Mile 916, Alaska Hwy.
juste en face de l'aéroport
☎668-2166
À l'Airport Chalet, le restaurant sert, dans une ambiance familiale, une cuisine fraîche et variée.

Night Club Frantic Follies
tlj 20h30
Westmark Whitehorse Hotel
☎668-2042
Night Club Frantic Follies est une revue «vaudeville» installée dans le Westmark Whitehorse Hotel, avec dîner, musique, magie et danseuses de French cancan.

Haines Junction

The Raven
$$-$$$
mai à oct
181 Haines Rd.
☎634-2500 ou 634-2500
The Raven propose des plats fins pour les gourmets. Il a obtenu la «Silver Star» du «Where to Eat in Canada».

Dawson

Dawson Peaks Resort
$-$$
km 1282, Alaska Hwy.
à 14 km de Teslin
☎867-390-2310
⇌867-390-2244
dpeaks@hotmail.com
Le restaurant du Dawson Peaks Resort sert de la bonne cuisine.

Sorties

Whitehorse

De grands événements balisent le passage des mois à Whitehorse. C'est à la mi-février que la ville s'agite le plus, alors que prend place le **Yukon Sourdough Rendez-vous**. Il s'agit d'un festival d'hiver durant lequel se tiennent de nombreuses compétitions et festivités.

À la même époque, on peut assister à un festival de musique, à un festival de montgolfières et au départ de la plus importante course de traîneaux à chiens du monde, soit l'**Annual Yukon Quest** *(mi-fév; Yukon Quest International Association, ☎668-4711)*. Les meilleurs équipages s'y disputent une bourse d'environ 140 000$ tout au long d'un trajet qui les mènera jusqu'à Fairbanks, en Alaska.

En juin, les conteurs ont leur festival, et il y a une soirée spéciale pour célébrer le plus long jour de l'année.

En juillet, en plus des activités entourant la fête du Canada, on remarque une descente du fleuve Yukon, une journée en costumes d'époque, des tournois de golf, une compétition hippique ainsi qu'un authentique rodéo.

Le mois d'août ramène chaque année le «Jour de la découverte», que l'on commémore partout sur le territoire, notamment par une grande course nautique entre Whitehorse et Dawson.

Enfin, pour ceux et celles qui auront encore de l'énergie en fin de soirée, des revues musicales se tiennent aux hôtels Capitol avec **The Canteen Show** *(103 Main St., ☎667-4682)*, et Westmark Whitehorse avec sa **Frantic Follies Vaudeville Revue** *(angle Second Ave. et Wood St., ☎668-2042)*.

Dawson

Plusieurs festivités marquent aussi la vie de Dawson. En 1998, l'**Annual Dawson City Music Festival** *(☎993-5584)* a fêté son 20ᵉ anniversaire sous un ciel ensoleillé presque 24 heures. Des artistes du Canada et des États-Unis s'y rendent pour organiser ateliers et concerts, tout cela autour de danses, repas et autres plaisantes activités.

En août se déroulent les **Discovery Days**. De l'or fut découvert dans la région le 16 août 1896. Chaque année, la ville commémore cet événement unique. Toute la population participe au défilé, aux danses, aux tournois et autres festivités.

En soirée, le visiteur peut opter, soit pour une revue au **Palace Grand Revue–Gaslight Follies**, soit pour une soirée au **Diamond Tooth Gertie's Gambling Casino** *(tous les soirs à compter de 19h)*.

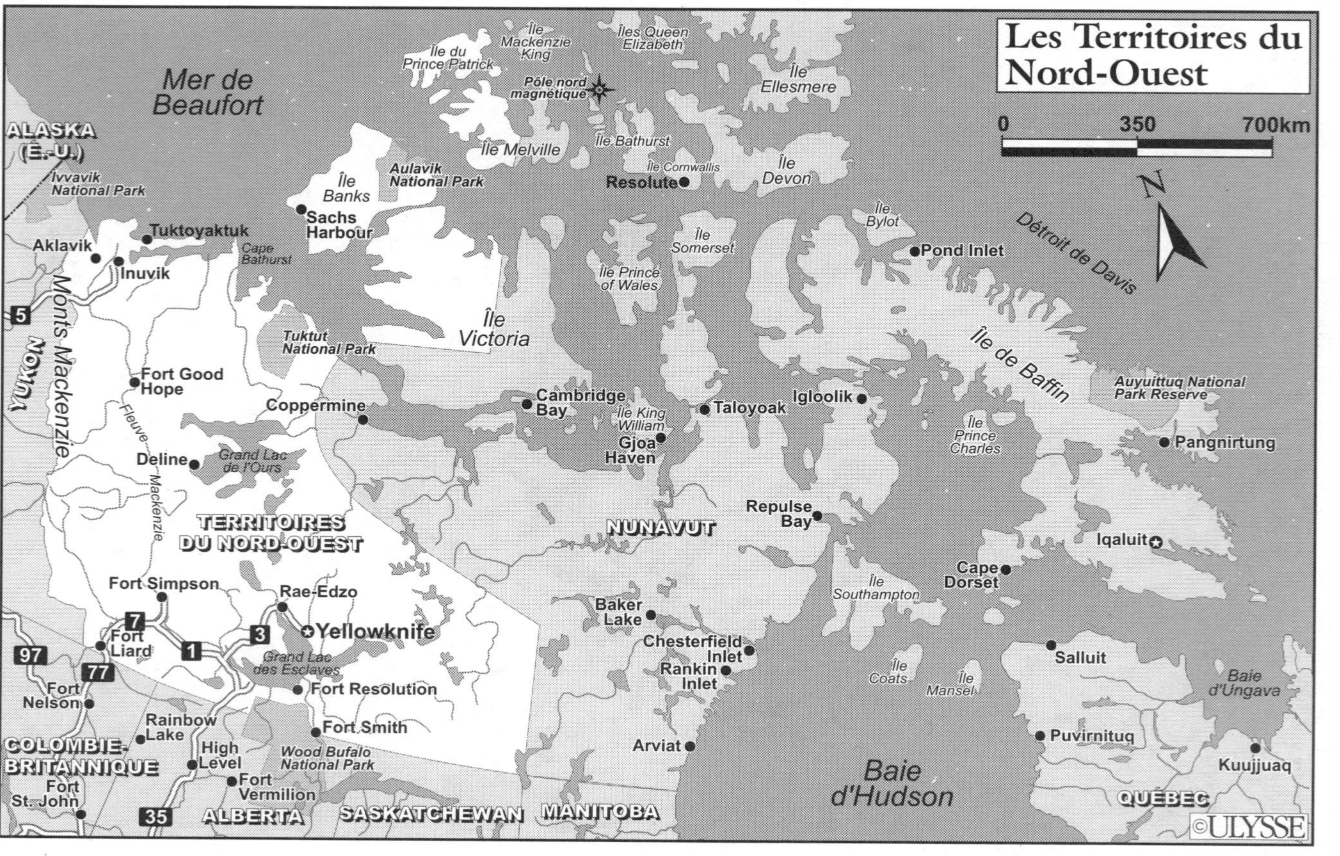

Les Territoires du Nord-Ouest
0
350
700km
N
Mer de Beaufort
ALASKA (É.-U.)
Ivvavik National Park
Île du Prince Patrick
Île Mackenzie King
Îles Queen Elizabeth
Pôle nord magnétique
Île Ellesmere
Île Melville
Île Bathurst
Île Cornwallis
Île Devon
Aulavik National Park
Île Banks
Sachs Harbour
Resolute
Tuktoyaktuk
Aklavik
Inuvik
Cape Bathurst
Île Bylot
Pond Inlet
Détroit de Davis
Île Somerset
Île Prince of Wales
Île Victoria
Monts Mackenzie
5
YUKON
Tuktut National Park
Île de Baffin
Fort Good Hope
Coppermine
Cambridge Bay
Île King William
Taloyoak
Igloolik
Auyuittuq National Park Reserve
Gjoa Haven
Île Prince Charles
Pangnirtung
Fleuve Mackenzie
Deline
Grand Lac de l'Ours
TERRITOIRES DU NORD-OUEST
NUNAVUT
Repulse Bay
Iqaluit
Cape Dorset
Île Southampton
Fort Simpson
Rae-Edzo
7
Fort Liard
3
Yellowknife
1
97
77
Grand Lac des Esclaves
Baker Lake
Chesterfield Inlet
Rankin Inlet
Salluit
Île Coats
Île Mansel
Baie d'Ungava
Fort Nelson
Fort Resolution
Rainbow Lake
Fort Smith
COLOMBIE-BRITANNIQUE
High Level
Wood Bufalo National Park
Arviat
Puvirnituq
Kuujjuaq
Fort Vermilion
Fort St. John
35
ALBERTA
SASKATCHEWAN
MANITOBA
Baie d'Hudson
QUÉBEC
©ULYSSE

Territoires du Nord-Ouest

Bien des images viennent à l'esprit lorsqu'il s'agit d'évoquer le Grand Nord canadien.

Jadis terre de quelques communautés autochtones (Dénés et Inuits essentiellement) subsistant tant bien que mal dans des conditions de vie extrêmement difficiles, les Territoires du Nord-Ouest (T. N.-O.) ont su attirer, au fil des ans, maints aventuriers et missionnaires, puis toute une population blanche, originaire du sud du Canada, venue principalement travailler pour le gouvernement ou dans les riches mines d'or situées à proximité du Grand Lac des Esclaves.

Bien que très vaste, ce territoire, qui correspond à plus de la moitié de la superficie des États-Unis d'Amérique, demeure très dépeuplé avec ses 41 000 habitants, dont 18 000 résident à Yellowknife, la capitale.

Les conditions de vie ont bien changé depuis les 40 dernières années pour les Autochtones, qui représentent environ 50% de la population. Le modernisme a fait son entrée jusque dans les communautés les plus reculées du territoire, reléguant tipis, igloos et traîneaux à chiens au folklore, bien que la culture des ancêtres soit toujours profondément ancrée dans le cœur des Autochtones : en témoignent leurs fêtes, leur artisanat et même leur mode de gouvernement.

Mais les T. N.-O. sont aussi terre d'aventure, d'extrême, de démesure et de défi. Ils regorgent de mille et un attraits pour quiconque se passionne, en plus des traditions ancestrales de leurs habitants, des contrées encore sauvages et des activités de plein air. N'y rencontre-t-on pas 2 des 10 plus grands lacs du monde (le Grands Lac de l'Ours et le Grand Lac des Esclaves), sur lesquels sont tracées de larges routes lorsque l'hiver gèle leurs eaux; les majestueuses chutes Virginia (dont la hauteur correspond au double de celles du Niagara); et l'impressionnant fleuve Mackenzie, long de 1 800 km, dont les eaux se déversent dans la mer de Beaufort, à quelques kilomètres au nord d'Inuvik.

Enfin, les T. N.-O. sont aussi le lieu de prédilection de la préservation de la faune et de la flore. À cette fin, quatre parcs nationaux ont été créés : le parc national Aulavik au nord-ouest, le parc national Tuktut Nogait, au nord-est, le parc de la rivière Nahanni, au sud-ouest, et enfin, en bordure de la frontière albertaine, le parc national Wood Buffalo, qui abrite le plus important troupeau de bisons en liberté au monde.

Ainsi, les nombreux attraits riches et diversifiés de ce gigantesque territoire, et l'accueil chaleureux de ses habitants, seront autant de facteurs qui rendront votre expérience dans les Territoires du Nord-Ouest véritablement inoubliable.

Géographie

Situés à l'extrémité nord du continent américain, entre le 60e et le 80e parallèle, les Territoires du Nord-Ouest, communément appelés T. N.-O., couvrent 1 299 000 km². Les T. N.-O. sont, au nord, délimités par l'océan Arctique, à l'est par le tout nouveau territoire du Nunavut, au sud par les provinces de la Saskatchewan, de l'Alberta et de la Colombie-Britannique, et à l'ouest par le Yukon. Ils sont composés d'un vaste plateau continental.

À l'est, les deux tiers du Bouclier canadien sont constitués de paysages aux reliefs accidentés et rocailleux abritant une myriade de lacs, tandis que la frontière ouest, qui borde le Yukon, est formée d'une chaîne de montagnes déchiquetées dont les sommets s'élèvent à environ 2 000 m d'altitude. Le plus haut sommet, qui n'a encore à ce jour été baptisé d'aucun nom, s'élève à 2 773 m. La conséquence des périodes de glaciation successives s'est fait particulièrement ressentir sur la nature des sols, qui restent la plupart du temps dénudés ou extrêmement pauvres en raison du permafrost. Seules les terres les plus au sud offrent quelque potentiel pour l'agriculture.

Le vaste bassin hydrographique des T. N.-O. est composé d'une multitude de lacs d'origine glaciaire impossibles à dénombrer. Au ponant figurent 2 des 10 plus grands lacs du monde. Il s'agit du Grand Lac de l'Ours et du Grand Lac des Esclaves. Ce dernier tire son nom d'Autochtones, les Slavey, sur les rives duquel ils vivaient. Cette immense étendue d'eau fut donc baptisée «Great Slavey Lake» avant d'être déformée en «Great Slave Lake». Nulle trace d'esclavage n'est donc à chercher dans cette appellation. Leurs eaux, ainsi que celles de la plupart des autres lacs situés à l'ouest, s'écoulent vers le nord dans le grand fleuve Mackenzie, long de 1 800 km, qui se jette dans la mer de Beaufort, située dans l'océan Arctique. Au centre, deux principaux cours d'eau, les rivières Coppermine et Back, se déversent également dans l'océan Arctique. À l'est, la rivière Thelon se jette dans la baie d'Hudson.

Faune et flore

La limite au-delà de laquelle les arbres ne peuvent plus pousser s'étend en diagonale depuis l'embouchure du fleuve Mackenzie, au nord-ouest, jusqu'à la baie d'Hudson, à la frontière manitobaine. La végétation au sud de cette délimitation reste cependant relativement pauvre en raison des sols rocailleux ou du massif montagneux à l'ouest des T. N.-O. Ainsi ces terres ne sont-elles boisées qu'en partie. Cette végétation se compose essentiellement de sapins, de bouleaux et de mélèzes. Au nord de la limite de croissance des arbres s'étend la toundra arctique, constituée uniquement de petits arbustes rabougris, de lichens et de mousses.

Dans les régions forestières, vous pourrez aisément rencontrer quelques animaux typiques du Grand Nord canadien tels que le caribou, l'orignal, l'ours noir ou parfois le grizzli, le loup, le lynx, le castor, la martre, le rat musqué et le glouton. Dans le parc national Wood Buffalo, à la frontière albertaine, vit en liberté le plus important troupeau de bisons au monde. Ce parc est également le dernier lieu de nidification des grues blanches d'Amérique. Comme autre faune ailée, on peut retrouver, par exemple, des lagopèdes des rochers, des sternes arctiques, des gerfauts et des grands corbeaux d'Amérique.

Ours polaire

Vous pourrez, si l'occasion de faire une excursion sur l'océan Arctique se présente à vous, observer avec un peu de chance des baleines, ces imposants mammifères marins, des phoques, des morses et quelques rares narvals. Jadis, les baleines étaient nombreuses à venir se reproduire dans les eaux froides et riches en plancton de l'Arctique, mais une chasse trop intensive en a considérablement réduit le nombre, et ce sont désormais le plus souvent des bélugas (petites baleines blanches) que l'on peut observer. La pêche est une activité très prisée dans les T. N.-O. Les lacs regorgent de truites, de corégones (poissons à chair blanche et non huileuse), de brochets, d'ombles de l'Arctique et d'ombles de rivière. Que vous les dégustiez à la façon autochtone, soit séchés ou frits dans de la graisse, ou encore apprêtés selon des recettes plus occidentales, vous apprécierez la chair fine et onctueuse de ces délicieux poissons.

Un peu d'histoire

L'Arctique est la dernière vaste région du monde que les humains ont habitée. Il y a environ 5 000 ans, des peuplades du nord-est de la Sibérie traversèrent vers la fin de la dernière glaciation le détroit de Béring pour arriver à ce que nous appelons aujourd'hui l'Alaska. La traversée se fit probablement en hiver sur la glace qui crée un pont dangereux et instable entre l'Asie et l'Amérique. Après plusieurs générations, ces peuplades d'origine sibérienne, appelées les Paléoesquimaux, s'étaient établis dans tout l'Arctique nord-américain, du Groenland, au nord, jusqu'au Labrador, au sud. Ils y développèrent un mode de vie particulier, qui leur permit de survivre aux froids intenses de cette contrée. Ce n'est que 3 000 ans après les Paléoesquimaux qu'arrivèrent les Inuits, peuple qui réside aujourd'hui au Nunavut (voir chapitre «Nunavut»).

Il paraît fort probable qu'entre le début du millénaire et les années 1350 des navigateurs européens partis du Groenland et d'Islande aient atteint les terres arctiques de l'actuel Canada. Sir Henry Sinclair, explorateur d'origine écossaise, aurait quant à lui foulé le sol de l'île de Baffin en 1398. Cependant, c'est au navigateur anglais Sir Martin Frobisher qu'est officiellement reconnu le titre de premier explorateur de la région. Il aborda dans l'île de Baffin, qui fait partie aujourd'hui du Nunavut, en 1577 et revendiqua son acquisition pour la couronne d'Angleterre. Les explorateurs Henry Hudson, John Davis et William Baffin, parmi tant d'autres, sillonnèrent les eaux de l'océan Arctique et de la baie d'Hudson à la recherche d'un passage navigable au nord, entre l'Europe et l'Orient. Deux explorateurs français, Médard Chouart dit Des Groseillers et son beau-frère, Pierre-Esprit Radisson, qui avaient arpenté les régions du lac Supérieur et de la baie James, s'aperçurent que c'était au nord du lac Supérieur que l'on trouvait les meilleures fourrures.

Conscients de l'expansion du commerce des fourrures par voie terrestre en direction du nord-ouest, ces deux hommes tentèrent d'établir une base commerciale à la baie d'Hudson, cette mer intérieure du Nord découverte par Henry Hudson, l'infortuné explorateur abandonné sur place à une mort tragique par son équipage mutiné. Ainsi serait-il possible, par la création de cette base commerciale, de pénétrer par bateau au cœur de ces régions nordiques plus riches en fourrures de qualité. N'ayant pu obtenir l'appui de la France, Radisson et Des Groseillers se rendirent en Angleterre, où ils trouvèrent une oreille favorable à la cour du roi Charles II. Ainsi, au printemps 1670, fut rédigée la charte de la Compagnie de la Baie d'Hudson, signée par le roi le 2 mai de la même année. Ces deux Français obtinrent le monopole du commerce et la possibilité de coloniser toutes les terres arrosées par les rivières dont les eaux se déversent dans la baie d'Hudson. Il s'agissait d'un vaste domaine qui prit le nom de terre de Rupert. Elle englobait le nord du Québec et de l'Ontario, le Manitoba, une partie de la Saskatchewan et de l'Alberta, ainsi qu'une partie des T. N.-O. La Compagnie de la Baie d'Hudson sera l'une des entreprises coloniales de l'Angleterre qui aura le mieux réussi au Canada, en jouant un rôle majeur dans le commerce. Pour les Européens, le défi que pose l'Amérique du Nord est clair : il s'agit d'y cerner l'inconnu, d'exploiter ses ressources, de développer le commerce et de coloniser un pays à l'état sauvage. Commerçants et explorateurs vont concourir à relever brillamment ce défi en augmentant de façon fulgurante les connaissances géographiques de cet immense territoire. L'explorateur canadien Henry Kelsey, employé de la Compagnie de la Baie d'Hudson, fut le premier Européen à pénétrer les Territoi- res du Nord-Ouest sans passer par la mer, à partir de la baie d'Hudson, au début du XVIIIe siècle. Une autre compagnie, rivale de la Compagnie de la Baie d'Hudson, la Compagnie du Nord-Ouest, fut également à l'origine de l'exploration des T. N.-O. En effet, un explorateur américain du nom de Peter Pond, un employé de la Compagnie du Nord-Ouest, fit le premier relevé cartographique de la région du Grand Lac des Esclaves. Alexander Mackenzie, également un employé de la même compagnie, descendit quant à lui, en 1789, l'immense fleuve qui porte aujourd'hui son nom jusqu'à l'océan Arctique. Quelques années auparavant, en 1770, Samuel Hearne avait quitté le comptoir de la baie d'Hudson pour explorer les terres des Chipewyans par la rivière Coppermine et avait rejoint le Grand Lac des Esclaves.

La quête d'un passage maritime au nord reliant l'Orient à l'Occident se poursuivit durant le XIXe siècle. Bien des explorateurs le cherchèrent en vain, mais concoururent à mieux faire connaître les îles de l'Arctique.

Sous l'instigation du premier ministre John Alexander Macdonald, les T. N.-O. furent acquis par le gouvernement fédéral canadien et entrèrent dans la Confédération le 15 juillet 1870. Les frontières de cette région telles qu'elles se présentaient jusqu'en 1999, lorsque le Nunavut fut créé, n'ont été cependant définies qu'en 1912. Il fallut six mois de négociations entre le gouvernement canadien et la Compagnie de la Baie d'Hudson pour parvenir à une entente de rachat. La Compagnie de la Baie d'Hudson espérait obtenir pour la terre de Rupert un prix substantiel car, en 1867, les États-Unis d'Amérique avaient payé une somme de 7,2 millions de dollars à la Russie pour l'Alaska sans en connaître les ressources éventuelles. L'issue de l'entente fut néanmoins avantageuse pour le gouvernement canadien, qui ne paya qu'un million et demi de dollars pour cette vaste région et rétrocéda à la Compagnie un vingtième des terres arables. La terre de Rupert, nouvellement acquise, fut alors séparée et forma la province du Manitoba, le district de Keewatin en 1876, les districts de Franklin et de Mackenzie en 1895 et le territoire du Yukon en 1898. Une partie des terres restantes furent intégrées aux provinces de l'Alberta et de la Saskatchewan.

Les T. N.-O. reconnaissent huit langues officielles, soit le français et l'anglais, qui sont les deux langues officielles du Canada, et six langues autochtones : le chipewyan, le cri, le dogrib, le gwich'in, l'inuktitut et l'esclave.

Autochtones

Huit communautés autochtones se partagent l'immense territoire des T. N.-O. Les Inuvialuit, au nombre de 1 600 environ, parlent un dialecte de l'inuktitut, appelé l'inuvialuktun, et sont concentrés géographiquement dans le delta du fleuve Mackenzie, dans la région d'Inuvik. Dans la même région, du côté d'Aklavik, se retrouvent 1 150 Gwich'in, qui parlent une langue dénée. Cinq mille Métis se regroupent dans la partie ouest des T. N.-O. D'ascendance crie (ou dénée) et canadienne-française, ces Amérindiens jouèrent, en raison de leur bilinguisme, un rôle important dans le commerce des fourrures.

Ils sont aujourd'hui politiquement représentés par la Nation métisse des Territoires du Nord- Ouest. Les Dénés du nord-est et du sud du Grand Lac des Esclaves parlent quant à eux le chipewyan. Leur nombre est cependant assez limité puisqu'ils ne sont guère que 2 150. Les Dénés du Deh Cho sont établis dans le sud-ouest des T. N.-O., dans la région de Fort Simpson. Ils représentent une population de 2 000 habitants environ, qui parlent l'esclave du sud. Les Dénés du Sahtu, de langue esclave, sont au nombre de 1 025 personnes et se répartissent à l'ouest du Grand Lac de l'Ours, à Fort Good Hope, Norman Wells et Fort Norman. Trois mille Dogrib se concentrent au nord du Grand Lac des Esclaves, dans la région de Rae-Edzo et de Rae Lakes. Enfin, les Inuits, une population d'environ 4 000, occupent la partie est des T. N.-O. Ils parlent l'inuktitut et l'inuvialuktun.

Vie politique

Les T. N.-O. n'ont pas le statut de province au sein de la Confédération canadienne. Ils sont, avec le Yukon et le Nunavut, un des trois territoires qui composent le Grand Nord canadien. Même s'ils sont dotés d'un Parlement, l'influence du gouvernement fédéral se fait largement sentir. Le chef du gouvernement des T. N.-O. préside un cabinet exécutif composé de sept membres et l'Assemblée législative. Un commissaire, sous les instructions du ministre des Affaires indiennes et du Développement nordique, ou du gouverneur général du Canada, représente les intérêts du gouvernement fédéral. L'Assemblée législative est composée de 14 députés élus pour un mandat de quatre ans. Le système politique ne repose pas sur le jeu de partis politiques, mais sur un principe de décisions prises par concensus. Les T. N.-O. sont représentés, au Parlement canadien d'Ottawa, par un sénateur désigné par le gouverneur général du Canada et, à la Chambre des communes, par deux députés élus pour cinq ans.

Vie économique

L'économie de cette région, qui fut jadis basée exclusivement sur le piégeage et le commerce des peaux, trouva au début du XXe siècle son second souffle lorsqu'on découvrit un important gisement pétrolifère à Norman Wells en 1920. Durant la Seconde Guerre mondiale, les Étatsuniens aidèrent financièrement les Canadiens à augmenter l'exploitation de ce gisement et à acheminer le précieux liquide vers des raffineries. On découvrit en 1930 des mines de pechblende et d'argent sur la rive est du Grand Lac des Esclaves, ce qui permit au Canada de devenir un des plus grands producteurs au monde de radium et d'uranium, principaux composants de la pechblende. Quelques années plus tard, l'immense richesse du sous-sol de ce territoire fut à nouveau démontrée lorsqu'on découvrit d'importants gisements aurifères sur les rives nord et sud du Grand Lac des Esclaves, dans la région de Yellowknife. On y trouva également du zinc. Les années soixante-dix virent la découverte d'importants gisements de pétrole et de gaz naturel près de Tuktoyaktuk, à l'embouchure du fleuve Mackenzie. Très récemment, enfin, la découverte de ce qui pourrait être un des plus grands gisements de diamants au monde a fait sensation et a relancé la fougue des prospecteurs. Le sous-sol des T. N.-O. pourrait bien encore réserver d'éton-nantes surprises. Mis à part les ressources minières, l'essentiel de l'économie ténoise (les habitants des T. N.-O. portent le «gentilé» de Ténois) repose sur les exploitations forestières, le tourisme et l'artisanat local.

Pour s'y retrouver sans mal

Les T. N.-O. sont à l'heure des Montagnes (GMT-7).

Le territoire est divisé en cinq régions touristiques :

- DehCho (Fort Simpson, Nahanni National Park);
- Inuvik (nord-ouest des territoires);
- North Slave (Yellowknife);
- South Slave (Hay River);
- Sahtu (Norman Wells et le Middle West);

L'accès aux T. N.-O. peut se faire par voie terrestre, mais les incroyables distances qui séparent sa capitale des autres provinces font de l'avion le moyen de transport le plus fréquemment utilisé par les Ténois pour se rendre d'une communauté à l'autre.

En avion

Il n'existe pas d'aéroport international dans les T. N.-O., aussi devrez-vous, la plupart du temps, passer par Edmonton, en Alberta, pour rejoindre la capitale Yellowknife.

Les compagnies Air Canada, par l'intermédiaire de NWT Air et Canadian Regional, une division d'Air Canada, proposent toutes deux des vols réguliers vers Yellowknife. Pour les autres communautés de plus petite taille, des compagnies comme First Air, Air Inuit et Skyward Aviation permettent de se rendre dans toutes les communautés du Nord. Les prix peuvent cependant en effrayer plus d'un. C'est pourquoi nous vous conseillons, si vous désirez vous rendre dans plusieurs communautés isolées du Nord, de bien en discuter avec les compagnies aériennes, car il existe des formules plus avantageuses de billet avec un nombre limité d'escales dans certaines communautés. Le prix d'un tel billet demeure néanmoins assez élevé. Certaines régions des T.N.-O. ne sont pas desservies par ligne régulière, comme la région de la rivière Nahanni. Dans ce cas, il vous faudra trouver un avion-taxi pour vous y emmener. Vous trouverez plusieurs compagnies de ces petits avions-taxis dans les principales villes des T. N.-O.; il vous suffira de consulter les pages jaunes du bottin et de comparer leurs prix.

Adlair Aviation Ltd.
P.O. Box 2946, Yellowknife
X1A 2R3
☎ ***(867) 873-5161***
⇌ ***873-8475***

Aero Arctic Helicopters Ltd.
P.O. Box 1496, Yellowknife
X1A 2P1
☎ ***(867) 873-5230***
⇌ ***920-4488***

Air Tindi Ltd.
P.O. Box 1693, Yellowknife
X1A 2P3
☎ ***(867) 669-8200***
⇌ ***669-8210***

Buffalo Airways
1000 Buffalo Drive, Hay River X0E 0R0
☎ ***(867) 874-3333***
⇌ ***874-3572***

Keewatin Air Ltd.
P.O. Box 38, Rankin Inlet, X0C 0G0
☎ ***(867) 645-2992***
⇌ ***645-2330***

First Air
Box 100, Yellowknife, X1A 2N1
☎ ***(867) 873-4461***
ou 800-661-0808
⇌ ***873-5209***

Skyward Aviation
P.O. Box 562, Rankin Inlet,
X0C 0G0
☎ ***(867) 645-3200***
⇌ ***645-3208***

En voiture

Les principales routes des T. N.-O. ne sont en général asphaltées que sur une très petite portion, à proximité seulement des principales agglomérations. Pour le reste, il s'agit de piste de terre et de gravier qui sont néanmoins dans de bonnes conditions. Au sud, la Mackenzie Highway porte le n° 1. Elle permet de pénétrer dans les T. N.-O. à partir de la province de l'Alberta. La Liard Highway (n° 7) relie la Colombie-Britannique aux T. N.-O. avant de rejoindre la route 1. La Mackenzie Highway croise également la route 3 qui conduit à Yellowknife, la route 2 qui mène à Hay River, la route 6 vers Fort Resolution et la route 5 vers Fort Smith. Au nord, la Dempster Highway (n° 8) relie la ville de Dawson (Yukon) et Inuvik, située à l'embouchure du fleuve Mackenzie. Deux autres routes permettent de rejoindre les T. N.-O. à partir du Yukon, soit la Canol Road (n° 9) et la Nahanni Range Road (n° 10), mais toutes deux se terminent à la frontière ténoise dans les montagnes Mackenzie.

Les routes 1, 3, et 8 traversent toutes trois d'importantes rivières. Durant l'été, un service de traversier est gratuitement mis à la disposition des automobilistes, tandis qu'en hiver l'épaisseur de la glace qui recouvre ces rivières permet en toute sécurité de faire passer les routes sur des ponts de glace naturels. Cependant, lors des périodes de gel et de dégel, ni les traversiers ni les ponts de glace ne sont en mesure de faire passer les véhicules d'une rive à l'autre. Ces périodes s'étalent en général sur environ quatre semaines. Il importe donc, si vous prévoyez vous rendre dans les T. N.-O. au début ou à la fin de l'hiver, de composer les numéros suivants pour savoir si la traversée est possible :

Pour le réseau routier du Sud :
☎ ***800-661-0750***

Pour les services de traversier du Sud :
☎ ***800-661-0751***

Pour les services de traversier et le réseau routier du Nord : ☎*800-661-0752*

Quelques conseils pour prendre la route

Bien que le réseau routier soit maintenu en assez bonne condition, il importe de prendre quelques précautions lorsqu'on prévoit effectuer de grands trajets en voiture.

Les distances entre les différentes communautés peuvent être très importantes, aussi est-il impératif de vous assurer du niveau d'essence avant de partir, car vous ne trouverez pas de station-service sur votre chemin. Nuages de poussière, cailloux projetés contre le véhicule, portions de route embourbées ou encombrées de pierre sont autant d'embûches potentielles pour un conducteur qui sillonne les routes du Nord. Pour minimiser les accidents, il importe de :

- S'assurer que le véhicule est en bonne condition;
- Prendre une ou deux roues de secours (les crevaisons sont fréquentes), une trousse de secours, une pelle à neige en hiver, une corde de remorquage, une hache et des allumettes;
- Rouler phares allumés;
- Munir les phares de la voiture de protecteurs contre les petits cailloux projetés par les véhicules que vous rencontrerez;
- Réduire la vitesse lorsqu'on croise un véhicule, en raison du nuage de poussière et des jets de pierre que cela produit;
- Rouler fenêtres et ventilateur fermés pour réduire la densité de poussière à l'intérieur du véhicule;
- Emporter de la nourriture et de l'eau au cas où vous auriez à attendre des secours;
- Apporter en été un produit insectifuge contre les moustiques et, en hiver, des vêtements chauds de rechange, un sac de couchage pour chaque passager et des chandelles. En effet, une bougie allumée permet de réchauffer l'intérieur d'un véhicule de plusieurs degrés tout en permettant d'économiser l'essence.

En autocar

La compagnie d'autocars Greyhound assure une liaison entre Edmonton (Alberta) et Yellowknife, avec une correspondance à Enterprise. Bien que la durée du trajet soit longue, ce moyen de transport reste le plus abordable pour les petits budgets. Pour plus de renseignements, contactez la compagnie **Greyhound** *(☎867-873-4892).*

Renseignements pratiques

L'indicatif régional est le *867*.

Vous pouvez obtenir de l'information concernant les différents parcs nationaux en communiquant avec le bureau des **Parcs nationaux du Canada** *(Canadian Parks Service, P.O. Box 1166, Yellowknife, X1A 2N8)* ou le **ministère du Développement économique et du Tourisme** *(NWT Arctic Tourism, Yellowknife, X1A 2N5, ☎873-7200 ou 800-661-0788, ⇄873-4059).*

Information touristique

NWT Artic Tourism, en partenariat avec le Ministère des Ressources naturelles, Faune et Flore, et du Développement économique, fournit de l'information touristique sur les Territoires du Nord-Ouest. Il publie un rapport annuel, l'*Explorers' Guide*.

NWT Artic Tourism
P.O. Box 610,
Yellowknife, X1A 2N5
☎873-5007 ou 800-661-0788
⇄873-4059
www.nwttraud.nt.ca

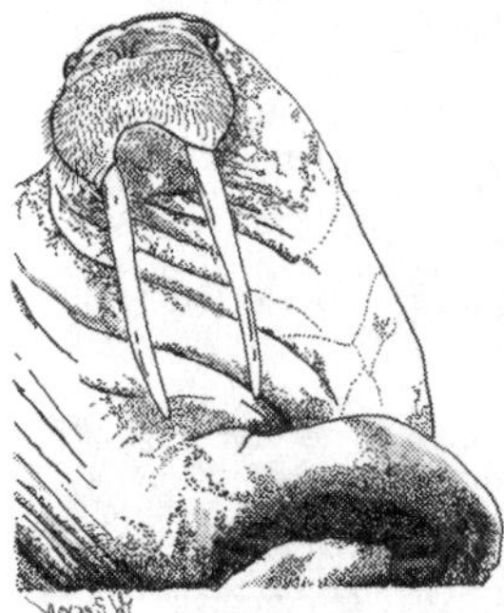

Attraits touristiques

Du Grand Lac des Esclaves au parc national de la Nahanni

★

Yellowknife

Capitale des T. N.-O. depuis 1967, Yellowknife est située dans la région administrative de Fort Smith. Sise au bord de la baie de Yellowknife, à l'embouchure de la rivière portant le même nom, cette ville de 18 000 habitants a été érigée sur la rive nord du Grand Lac des Esclaves.

À l'origine, Yellowknife n'était qu'un petit poste de traite établi en 1789 par l'explorateur Samuel Hearne, un employé de la Compagnie de la Baie d'Hudson. Celui-ci baptisa cette ville non pas en raison des mines d'or qui ne seront découvertes que bien plus tard, mais à cause d'une tribu amérindienne établie sur les rives du lac, et qui fabriquait des couteaux à lame de cuivre. Il ne reste rien de cette tribu décimée des suites d'épidémies apportées par les Blancs et d'une guerre fratricide contre les Dogrib, qui voulaient chasser sur leurs terres.

En 1896, des mineurs se dirigeant vers le Klondike, au Yukon, découvrirent de l'or dans la région. L'extraction en était cependant très difficile, aussi ces affleurements aurifères ne furent-ils pas exploités. Il fallut attendre la découverte d'un important gisement de pechblende en 1930, dans la région du Grand Lac de l'Ours, pour voir l'arrivée de nouveaux prospecteurs. Avec l'essor de l'aviation, de nombreux chercheurs d'or sillonnèrent la région de Yellowknife, et plusieurs concessions furent enregistrées entre 1934 et 1936. Ainsi renaquit Yellowknife de ses cendres, pour former, au bord de la baie, un petit bourg que l'on appelle aujourd'hui «la vieille ville». Peu de prospecteurs firent cependant fortune, et les filons allaient s'épuiser lorsqu'on découvrit un nouveau gisement, plus important cette fois, à la fin de la Seconde Guerre mondiale. Bien que l'extraction en soit très coûteuse, cette mine est encore exploitée à ce jour. Les espoirs furent si grands que la petite ville vit arriver une nouvelle vague de mineurs. Bien vite, la bourgade établie sur la baie de Yellowknife dut étendre ses limites, et une nouvelle ville moderne fut construite de l'autre côté de la colline, un peu plus à l'intérieur des terres.

Désignée capitale territoriale en 1967, la ville attira une importante population de fonctionnaires venue du sud. Aujourd'hui encore, le gouvernement territorial demeure le principal employeur avec les mines d'or. Au début des années quatre-vingt-dix, une grève très sévère des mineurs, qui souhaitaient obtenir des conditions de travail meilleures et plus sécuritaires, frappa la région. La direction des mines, ne voulant pas céder aux pressions ouvrières, eut recours à des briseurs de grève (appelés *scabs* en anglais). La situation s'envenima très rapidement entre grévistes et non-grévistes, et la direction dut placer des gardes de sécurité à l'entrée des mines afin de protéger les briseurs de grève et les installations. De fréquentes altercations éclatèrent cependant, tant sur les lieux de travail que dans les bars de la ville. Cette violente situation parvint à son paroxysme lorsqu'au matin du 18 septembre 1992 une bombe éclata dans une galerie de la mine tuant neuf mineurs. Après une longue enquête, menée dans un climat houleux et de suspicion, l'auteur de cet attentat fut finalement arrêté et jugé. Le conflit ne parvint à un règlement que 18 mois plus tard.

Au premier abord, Yellowknife ressemble à une petite ville composée de quelques gratte-ciel et de petites maisons de bois émergeant d'une immensité de roches, de lacs et d'arbres tortueux. Le meilleur endroit où débuter votre visite de Yellowknife et des environs est le **bureau d'information touristique** *(Northern Frontier Visitors Centre, près de Frame Lake, 4807 #4 449th St., ☎873-4262, ≠873-3654)*, où vous trouverez cartes et documents dont vous aurez besoin.

La **vieille ville**, située sur une presqu'île au bord de la baie de Yellowknife, fait face à l'île de Latham. Elle est accessible par l'avenue Franklin *(50th Ave.)*, la rue principale qui traverse la ville dans toute sa

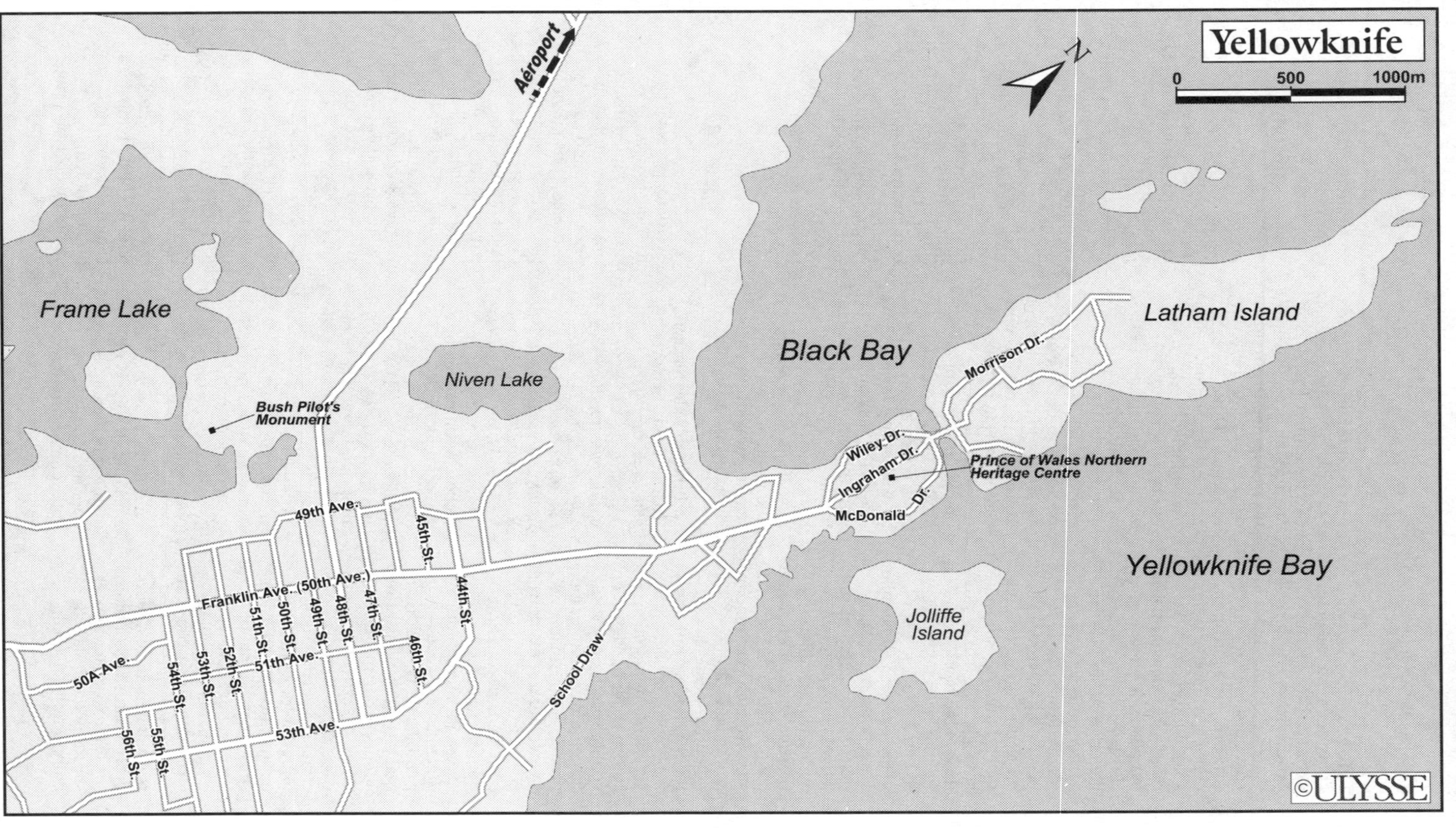

Yellowknife
0
500
1000m
N
Aéroport
Frame Lake
Niven Lake
Bush Pilot's Monument
Black Bay
Latham Island
Morrison Dr.
Wiley Dr.
Ingraham Dr.
McDonald Dr.
Prince of Wales Northern Heritage Centre
Yellowknife Bay
Jolliffe Island
School Draw
49th Ave.
Franklin Ave. (50th Ave.)
51th Ave.
53th Ave.
50A Ave.
44th St.
45th St.
46th St.
47th St.
48th St.
49th St.
50th St.
51th St.
52th St.
53th St.
54th St.
55th St.
56th St.
©ULYSSE

longueur. Il s'agit de l'emplacement initialement choisi par les premiers prospecteurs d'or arrivés dans la région, qui y construisirent de petites maisons sur pilotis pour contrer les mouvements du sol lors des gels et des dégels. Un **monument dédié aux pilotes de brousse ★** (Bush Pilot's Monument) a été érigé sur le plus haut rocher de la ville pour rendre hommage à ces pilotes qui ouvrirent la route du Nord. De là-haut s'étend une vue sur toute la vieille ville, sur le puits de la mine d'or Nerco-Con (la tour blanche munie d'un toit rouge) et sur les gratte-ciel de Yellowknife. Vous pourrez constater que le bloc de granit sur lequel la nouvelle ville a été construite affleure à presque tous les endroits, conférant à cette cité une atmosphère désertique très particulière. Au nord-ouest s'étend la petite île de Jolliffe, aujourd'hui une zone résidentielle accessible uniquement par bateau durant l'été, ou en voiture lorsqu'en hiver la glace qui recouvre la baie permet aux résidants de s'y aventurer. Près de cette île, au beau milieu de la baie, vous découvrirez quelques petites «maisons-bateaux» qui flottent sur les eaux paisibles de la baie. Bien que ces habitations offrent à leurs occupants un mode de vie assez rustique, elles poussèrent à une époque comme des champignons en raison des prix exorbitants qui prévalent sur le marché immobilier à Yellowknife. Sans eau courante, et alimentées en électricité au moyen d'une génératrice, elles permettaient ainsi à leurs propriétaires d'économiser sur le prix des terrains et sur les taxes de la ville. Empruntez McDonald Drive pour faire le tour de la vieille ville. Au nord-est, l'île de Latham est aujourd'hui accessible par un petit pont construit dans le prolongement de McDonald Drive. Cette zone est également résidentielle. De là, vous pourrez contempler le va-et-vient constant des petits hydravions qui amerrissent dans la baie, souvenir de ces fameux pilotes de brousse qui assuraient le ravitaillement des camps de prospection établis dans la région. De retour sur la presqu'île, près du monument dédié aux pilotes de brousse, vous pourrez vous arrêter au **Wildcat Café** (voir p 724), une petite maison sympathique construite en rondins. Ce modeste restaurant est presque devenu au fil du temps une institution où se retrouvent souvent en été les habitants de la ville.

Le **Prince of Wales Northern Heritage Centre ★★** *(entrée libre, dons suggérés; juin à août, tlj 10h30 à 17h30; sept à mai, mar-ven 10h30 à 17h, sam-dim 12h à 17h, fermé lun; aux abords du lac Frame, on y accède par 50th St., près de l'Ingraham Trail, ☎873-7551, ≠873-0205)* est un important centre de recherche ethnologique dans la région. Une exposition fort bien détaillée retrace la colonisation des T. N.-O. ainsi que la vie des Dénés et des Inuits. De très belles sculptures et d'autres pièces d'artisanat autochtone y sont exposées. Vous pouvez également demander à consulter les archives de photographies prises des premiers colons venus s'installer dans les environs ainsi que des livres et des manuscrits datant de cette époque. Une salle est entièrement consacrée à l'histoire de l'aviation dans le Nord.

Dettah

Ce petit village, situé de l'autre côté de la baie de Yellowknife, est accessible en été par l'Ingraham Trail. L'emplacement était à l'origine un camp de pêche saisonnier pour les Dénés. Aujourd'hui, il accueille une centaine d'Autochtones qui, à longueur d'année, y habitent de petites maisons de bois. Ils profitent ainsi de la proximité des installations et des services de la ville tout en continuant de vivre de la pêche et de la chasse, conformément au mode de vie traditionnel de leurs ancêtres. En hiver, vous pouvez également y accéder par la route de glace.

Rae-Edzo

Ces deux petits villages flanqués de part et d'autre du lac Marian, dans le prolongement du bras nord du Grand Lac des Esclaves, constituent la plus grande communauté dénée des T. N.-O. Rae-Edzo est accessible par la route 3 et se trouve à une centaine de kilomètres au nord-ouest de Yellowknife. Ces deux villages sont reliés par une petite route d'environ 10 km qui fait le tour du lac Marian.

En 1852, l'explorateur John Rae établit un poste de la Compagnie de la Baie d'Hudson qui fut baptisé Fort Rae. En 1904, le poste de traite fut déplacé de quelques kilomètres, pour occuper le site actuel de Rae. Au fil du temps, les Dénés des environs quittèrent leurs campements isolés pour venir s'établir à Rae-Edzo et envoyer leurs enfants à l'école communale. Aujourd'hui encore, les Dénés de cette communauté vivent selon la tradition de leurs ancêtres, à savoir de chasse et de pêche. Les femmes continuent d'y broder des pièces de tissu et des peaux. Vous pourrez trouver cet artisanat local dans les quelques magasins de Rae-Edzo. Le parvis de l'église de Rae attire l'attention en ce qu'il est aménagé de mâts rappelant la «charpente» des tipis.

Lac La Martre

Il s'agit d'une communauté dogrib située à environ 250 km au nord-ouest de Yellowknife, sur les rives d'un lac portant le même nom. L'endroit n'est accessible en été que par avion, mais, en hiver, il est possible d'emprunter la route de glace qui remonte vers Rae Lakes. L'emplacement fut choisi en 1793 par la Compagnie du Nord-Ouest, rivale de la Compagnie de la Baie d'Hudson, pour servir de poste de traite. Il s'agit aujourd'hui d'une communauté pittoresque qui vit dans de petites maisons de bois. Comme tous les Autochtones des petites communautés ténoises, ses habitants vivent de piégeage, de chasse et de pêche, mais, depuis quelques années, l'endroit attire de plus en plus de touristes qui viennent pêcher dans les eaux poissonneuses du lac La Martre et y admirer le paysage et les chutes d'eau.

Rae Lakes

Rae Lakes est la plus au nord des communautés de ce circuit. Ce village dogrib, très isolé, a su sauvegarder parfaitement son mode de vie traditionnel. Seul un petit motel, qui fait également office de magasin et de restaurant, permet aux étrangers d'y résider le temps d'une excursion ou d'une fin de semaine de pêche. Cette communauté n'est accessible que par avion durant l'été, encore que certains Autochtones de Rae-Edzo y viennent en canot. Durant la saison hivernale, la route de glace qui prolonge la route 3 s'arrête à l'entrée de ce petit village.

Fort Smith

Surnommée la «cité-jardin du Nord», Fort Smith est localisée sur le 60e parallèle à la frontière albertaine, à 269 km au sud-est de Hay River par la route 5. Capitale des Territoires du Nord-Ouest jusqu'en 1967, cette ville de plus de 2 500 habitants est restée un centre administratif important de la région et le lieu de résidence de l'Arctic College, un institut d'enseignement qui accueille les étudiants venus de toutes les régions des T. N.-O.

La rivière Slave était à l'origine une voie canotable essentielle pour les explorateurs et les trappeurs du Nord. Cependant, des rapides extrêmement dangereux, et impraticables en canot, obligeaient les pagayeurs à s'arrêter et à porter leur embarcation ainsi que son contenu sur environ 25 km, avant de pouvoir redescendre la rivière vers le Grand Lac des Esclaves. Cette halte forcée fut à l'origine de l'établissement d'un comptoir de la Compagnie de la Baie d'Hudson en 1872, soit Fort Fitzgerald, situé en amont des rapides. Deux années plus tard, un autre fort fut construit en aval de ces rapides et prit le nom de Fort Smith. Aujourd'hui, ces rapides abritent un lieu de nidification de pélicans blancs.

Bien que les touristes viennent en général à Fort Smith pour se rendre au **parc national Wood Buffalo ★** (voir p 719), où se trouve le plus important troupeau de bisons en liberté au monde, et dernier lieu de nidification des grues blanches d'Amérique, en voie d'extinction, la ville offre d'autres attraits aux voyageurs. Pour commencer votre visite de la ville, faites un arrêt au **bureau d'information touristique** *(Tourism Information Bureau; juin à sept tlj 10h à 22h; Portage Rd.)*, où vous pourrez obtenir des cartes du parc national Wood Buffalo et des renseignements sur les randonnées et les programmes d'interprétation de la faune et de la flore organisés en juillet et en août dans le parc.

Le **Northern Life Museum and National Exhibition Centre** *(entrée libre; juin à sept tlj 13h à 17h; oct à mai mar-ven 13h à 17h, dim midi à 17h, heures réduites en hiver; 110 King St., ☎872-2859, ⇄872-5808)* expose des objets anciens façonnés à l'époque du commerce des fourrures que les missionnaires ont rassemblés. Le musée retrace l'histoire et le mode de vie des Amérindiens de la région, et présente également des sculptures inuit, des attelages et des traîneaux à chiens, ainsi qu'une exposition sur les bisons.

En longeant la rivière, vous parviendrez sur Marine Drive à un lieu d'observation aménagé sur la rivière Slave. Par une lunette d'approche, vous pourrez contempler de plus près les pélicans blancs qui s'ébattent dans les eaux tumultueuses de la rivière.

Le **monument aux rapides de la Slave River** a été érigé à la mémoire des explorateurs téméraires du XIXe siècle qui descendirent les eaux de la rivière Slave pour ouvrir la route de l'Arctique.

Fort Fitzgerald, premier comptoir érigé par la Compagnie de la Baie d'Hudson en amont des rapides, se trouve à 25 km de Fort Smith. Le vieux fort, jadis si débordant d'activité, est aujourd'hui abandonné, et seuls subsistent encore les vestiges d'une mission désaffectée et de quelques maisons.

Lutselk'e (Snowdrift)

En 1925, la Compagnie de la Baie d'Hudson établit sur le bras ouest du Grand Lac des Esclaves un comptoir de traite des fourrures. Bien vite, les Chipewyan des environs se regroupèrent autour de ce dernier, pour former une petite localité qui n'est accessible en été que par avion. En langue amérindienne, Chipewyan signifie «peaux en pointe», par allusion aux queues des bêtes que ces Autochtones conservaient à leur habillement. La région attire les pêcheurs, car cette portion du Grand Lac des Esclaves, appelée la baie de Christie, contient du poisson en abondance. Il s'agit en effet d'un des meilleurs endroits dans le Nord pour pêcher la truite. Les falaises escarpées qui descendent dans les eaux claires et profondes de la baie concourent à conférer au paysage un caractère d'une grande beauté sauvage.

Fort Resolution

Fort Resolution est une petite communauté de Chipewyan située à environ 155 km à l'est de Hay River sur la route 6. Établie sur la rive sud du Grand Lac des Esclaves, près de l'embouchure de la rivière Slave, c'est une des plus anciennes communautés des T. N.-O. Le comptoir fut à l'origine érigé à l'embouchure de la rivière, en 1786, par la Compagnie du Nord-Ouest, avant d'être relocalisé en 1821 à l'endroit qu'occupe actuellement le petit village de Fort Resolution. Les Chipewyan et les Métis qui y demeurent vivent toujours selon le mode de vie traditionnel de leurs ancêtres en chassant et en trappant les animaux du delta de la rivière Slave.

Pine Point

En 1951, la compagnie minière Pine Point Mines entreprit d'extraire du minerai de plomb et de zinc d'une mine à ciel ouvert située à cet endroit. Une petite ville fut alors construite pour abriter une population de 2 000 personnes. Lorsqu'en 1965 une ligne de chemin de fer parvint jusqu'à la ville de Pine Point, la compagnie minière put se permettre d'augmenter l'extraction de plomb et de zinc, attirant par la même occasion de nouveaux mineurs et leur famille. La petite ville gagna en importance et se pourvut d'un hôpital et d'une école. Malheureusement, la chute mondiale des prix du zinc et du plomb força la compagnie Pine Point Mines à cesser son exploitation et à fermer la mine. Une des clauses de la concession minière qui lui avait jadis été accordée obligeait néanmoins la direction de la mine, une fois toute activité terminée, à restaurer la région dans son état initial. En conséquence, la ville, qui n'avait d'autre activité que l'extraction minière, fut abandonnée, et ses bâtiments furent démontés, pour être reconstruits dans d'autres localités des T. N.-O. Il ne reste plus aujourd'hui de Pine Point que des monceaux de détritus de la mine et quelques vestiges d'une ville fantôme.

Hay River

Hay River est la plus grande localité de la région administrative de Big River. Sise sur la rive sud du Grand Lac des Esclaves, elle est accessible par la route 2 ou, en avion, par des vols réguliers à partir de Yellowknife ou d'Edmonton.

Des fouilles archéologiques récentes ont mis au jour des vestiges qui indiquent que le site actuel de la ville fut, il y a des milliers d'années, occupé par des Autochtones nomades : les Slavey (appartenant à la famille des Dénés). La communauté apparut officiellement sur les cartes en 1854, mais ce n'est qu'en 1868 que la Compagnie de la Baie d'Hudson établit un comptoir sur la rive est de l'embouchure de la rivière Hay. Quelques années plus tard, une petite mission s'installa afin d'évangéliser les Autochtones de la région. La communauté s'étendit peu à peu et se pourvut d'une école et d'un petit port. À partir de 1939, la route du Nord passant par Hay River supplanta celle qui longeait la rivière Slave et qui traversait Fort Smith, apportant à la petite localité de Hay River un surcroît d'activités commerciales. L'ouverture de la mine de Pine Point et la construction d'une ligne de chemin de fer accélérèrent le développement de la localité. Aujourd'hui, cette ville abrite quelque 3 200 personnes et constitue un nœud vital pour le transport fluvial. De son port partent régulièrement des barges qui approvisionnent les autres communautés des T. N.-O. La ville offre désormais un visage moderne avec quelques gratte-ciel. Vous trouverez au **bureau d'information touristique** *(Tourist Information Centre; juil et août tlj 9h à 21h; Capital Crescent, près du bureau de poste, au bord de la rivière,* ☎*874-3180)* des livres et des cartes de la région.

Le **West Channel Village** a été construit sur la côte ouest de l'île Vale à l'embouchure de la rivière Hay. Ce petit village doit son origine à l'ouverture du Grand Lac des Esclaves à la pêche commerciale. Bien vite, les pêcheries devinrent le principal employeur de la ville, et c'est aujourd'hui le siège commercial de la pêche sur le Grand Lac des Esclaves, d'où l'on approvisionne l'Amérique du Nord en corégone, ce poisson renommé pour sa chair blanche et non huileuse. Au bout de West Channel Road, vous arriverez à une plage, lieu très prisé, durant les fins de semaine, des habitants de la ville.

Du haut du **Mackenzie Place Apartment Building**, une tour de 17 étages construite en plein centre-ville, vous pourrez bénéficier d'une jolie vue sur la ville, la forêt boréale des alentours et le Grand Lac des Esclaves.

La **réserve amérindienne de Hay River** est située sur la rive opposée du cours d'eau. La communauté amérindienne dénée s'est installée dans les années 1800 sur l'ancien site qu'occupait la ville. Vous pourrez y voir les anciens bâtiments du comptoir de la Compagnie de la Baie d'Hudson et la première église construite du temps des missionnaires.

Enterprise

Cette toute petite localité située à une trentaine de kilomètres au sud de Hay River ne tire son importance qu'en raison du fait qu'elle est localisée à la jonction des routes 1 et 2. Aussi y a-t-on aménagé un poste d'essence où vous devrez faire le plein avant de continuer votre voyage vers le nord et vous restaurer. La station Esso abrite également un petit centre d'information touristique.

Fort Providence

Cette petite communauté de Slavey se trouve sur la route de Yellowknife, juste après le traversier qui permet en été de franchir le fleuve Mackenzie. Pour vous y rendre à partir d'Enterprise, prenez la Mackenzie Highway (nº 1) sur 85 km, puis tournez à droite à l'embranchement avec la route 3. Après avoir suivi cette route sur 24 km, vous parviendrez au traversier (qui n'est pas en service au moment du gel et de la débacle).

Près de Fort Providence se trouve le **Mackenzie Bison Sanctuary** ★ (voir p 719), une réserve de bisons qui vaut la peine d'être vue.

Fort Simpson

Située sur la Mackenzie Highway, au confluent du fleuve Mackenzie et de la rivière Liard, cette petite ville de 1 000 habitants, originairement dénommée «Fort of the Forks», a été construite en 1804. Elle fut rebaptisée en 1821 en l'honneur de George Simpson, le premier gouverneur des compagnies du Nord-Ouest et de la Baie d'Hudson fusionnées. Elle constitua bien vite un important poste de traite des fourrures et, en raison de sa localisation sur deux des cours d'eau principaux de l'ouest des T. N.-O, un endroit stratégique pour le transport fluvial des peaux et du ravitaillement. Durant les années soixante, Fort Simpson devint un campement de base pour des travaux de prospection de pétrole le long de la vallée du fleuve Mackenzie. Il ne reste aujourd'hui plus rien de cette activité commerciale, et la petite localité est devenue avant tout l'endroit idéal pour explorer les environs et bien souvent la porte d'entrée du parc national de la Nahanni.

La région ouest de l'Arctique

Cette section a pour but de vous faire découvrir la partie ténoise d'une des routes les plus pittoresques du Grand Nord canadien. En effet, remonter la Dempster Highway, qui part du Yukon et se rend jusqu'au delta du fleuve Mackenzie, est un véritable enchantement pour les yeux. Serpentant à travers les montagnes puis la toundra désertique, cette route vous fait traverser le cercle arctique pour vous mener jusqu'à Inuvik, la principale localité de la région ouest de l'Arctique.

Fort McPherson

Première localité rencontrée, à environ 75 km de la frontière du Yukon, Fort McPherson est perchée sur les rives de la rivière Peel, entre les montagnes et la plaine côtière s'avançant dans l'océan Arctique. Les Gwich'in qui peuplaient cette bourgade ont, durant de nombreuses années, exercé du négoce tant avec les tribus situées sur la côte de la Colombie-Britannique qu'avec les Inuits de l'océan Arctique. Lorsqu'Alexander Mackenzie les rencontra en 1789, cette tribu gwich'in possédait déjà des lances et des pointes de harpon en fer, ainsi que des produits originaires de l'Alaska. Dans les années 1900, Fort McPherson devint un important poste pour la «police montée» du Nord-Ouest. Un monument à la mémoire de quatre membres de cette police s'étant rendus à Dawson en 1910, et qui périrent sur le chemin du retour, a été érigé en leur hommage aux abords de la rivière Peel.

Chaque été, aux environs de la communauté, a lieu un petit festival de musique qui attire néanmoins un nombre important de spectateurs.

Pour obtenir de l'information sur les excursions en bateau sur le fleuve Mackenzie, ainsi que sur les expéditions de pêche, vous pouvez vous adresser au petit comptoir d'information touristique de l'endroit.

Inuvik

À 200 km au nord du cercle arctique, tout au bout de la Dempster Highway, se trouve une surprenante petite ville de 3 000 habitants environ. Les plans de cette petite bourgade moderne furent entièrement dessinés en 1954, pour remplacer les installations de la petite ville d'Aklavik, située sur le bras ouest du delta du fleuve Mackenzie, qui, pensait-on, s'enfonçait inéxorablement dans les eaux du delta. Les plans d'Inuvik avaient la particularité de faire de cette localité la première agglomération au nord du cercle arctique dotée de toutes les installations sanitaires d'une ville moderne. Ce ne fut pas chose aisée en raison du permafrost.

Aussi y trouve-t-on de petites maisons construites sur pilotis et de surprenants conduits de métal aériens transportant l'eau potable ou les eaux usées du tout-à-l'égout, et qui serpentent à travers toute la ville pour relier entre elles les maisons résidentielles, les commerces et les bâtiments publics. Durant les années soixante- dix, la ville connut une forte croissance économique en raison des prospections de pétrole et de gaz effectuées dans le delta du fleuve Mackenzie. Aujourd'hui, la fièvre du pétrole s'est quelque peu calmée, mais Inuvik demeure le carrefour de la région de l'Arctique, où sa population coule des jours paisibles.

En raison de la modestie de cette localité, votre visite sera vite faite. Vous pouvez néanmoins la débuter par une halte au **bureau d'information touristique** *(tlj en été 9h à 20h; Mackenzie Rd., en face de l'hôtel Mackenzie)*, où vous pourrez trouver des renseignements sur les excursions dans le delta du fleuve Mackenzie.

Le bâtiment le plus connu d'Inuvik est sans conteste l'**église Notre-Dame-de-la-Victoire** *(Mackenzie Rd., près du bureau d'information touristique)*, en forme d'igloo. Il vous faudra vous adresser au presbytère pour pouvoir la visiter. Mona Trasher, une artiste inuite reconnue dans les T. N.-O., y a peint des scènes religieuses remarquables.

En face du bureau d'information touristique se trouve le **Centre de recherche scientifique d'Inuvik** *(lun-ven 9h à 17h; Mackenzie Rd.)*, où vous pourrez trouver des renseignements sur toutes les recherches scientifiques effectuées dans la région de l'Arctique.

Pour avoir une belle vue sur le delta du fleuve Mackenzie, rendez-vous au sommet de la **tour d'observation du Chuk Park**

(Mackenzie Rd.), au sud de la ville, en direction de l'aéroport. Au sud de la ville, vous trouverez aussi un étonnant terrain de golf à 18 trous, le **Lunar Links**, qui ne possède évidemment pas à une telle latitude de *green*. Adressez-vous au bureau d'information touristique pour obtenir le plan du parcours.

Tuktoyaktuk

Terre des Inuits karngmalit, Tuktoyaktuk (souvent abrégée en «Tuk») est située dans une carrière de sable sur les côtes de la mer de Beaufort. Les traditions inuvialuit y sont encore très présentes. L'une des principales particularités du paysage de la péninsule de «Tuk» consiste en ces petites collines de glace qui peuvent parfois atteindre 45 m de hauteur et que l'on appelle là-bas *pingos*. Ces promontoires de forme conique, qui grandissent parfois de 1,5 m par an, se forment généralement aux endroits où le permafrost atteint plusieurs centaines de mètres d'épaisseur. On dénombre pas moins de 1 400 *pingos* sur la péninsule de «Tuk», dont la plus élevée, dénommée **Ibyuk**, est visible depuis Tuktoyaktuk. Vous pourrez visiter là-bas une habitation faite en mottes de terre et d'herbe, version inuvialuit des igloos. Mais les attractions touristiques les plus recherchées restent le survol à basse altitude de la péninsule, qui vous permet d'obtenir les plus belles vues sur le delta du fleuve Mackenzie, et les excursions en bateau pour observer les belugas et les baleines qui nagent tranquillement au large. Contactez **NWT Arctic Tourism** *(P.O. Box 610, Yellowknife NWT, X1A 2N5, ☎867-873-5007 ou 800-661-0788, ⇄873-4059)* pour obtenir les tarifs des excursions.

Sachs Harbour

La localité de Sachs Harbour est située sur l'île Banks. Il s'agit de la communauté la plus au nord de la présente section. Pendant très longtemps, cette région est restée inhabitée, et c'est la quête de la route navigable du Nord-Ouest qui y amena une expédition en 1918. Cette communauté est aujourd'hui la porte d'entrée du **parc national Aulavik** ★ (voir p 721).

Parcs

Les T. N.-O. sont un véritable paradis pour les amoureux de la nature, de l'air pur et des grands espaces encore vierges. De nombreux parcs à l'état sauvage y ont été créés afin de sauvegarder de nombreuses espèces tant animales que végétales. Ceux et celles qui savent apprécier la beauté d'une nature torturée par les conditions extrêmes d'un rude climat pourront trouver ici de formidables occasions de s'évader.

Parmi les sites les plus spectaculaires de ces territoires viennent en tête de liste quatre parcs nationaux dont la beauté est véritablement à couper le souffle des plus endurcis : Nahanni National Park sur la frontière du Yukon, Wood Buffalo National Park qui enjambe les T. N.-O. et l'Alberta, Aulavik National Park sur Banks Island et Tuktut Nogait National Park sur la pointe nord-est de la terre ferme. En plus de ces quatre principaux parcs nationaux, les T. N.-O. comptent plusieurs réserves fauniques qui abritent de nombreuses espèces protégées.

Du Grand Lac des Esclaves au parc national de la Nahanni

Le **Mackenzie Bison Sanctuary** ★, situé sur la rive ouest du Grand Lac des Esclaves, est bordé sur une cinquantaine de kilomètres par la route 3, en direction de Yellowknife. À l'origine, le parc national Wood Buffalo devait abriter le dernier troupeau de bisons des bois du nord du Canada, mais des bisons des plaines y furent également acheminés et se mêlèrent à ceux des bois. Ce mélange de races allait faire disparaître le bison des bois à l'état pur, lorsqu'il fut décidé en 1963 d'envoyer 18 animaux de cette espèce en voie d'extinction dans une réserve de 10 000 km^2, sur le bord du Grand Lac des Esclaves. Depuis, ce petit troupeau de la réserve faunique Mackenzie s'est considérablement multiplié et compte aujourd'hui plus de 2 000 têtes.

Le **parc national Wood Buffalo** ★ est accessible depuis les communautés de Fort Chipewyan (Alberta) et de Fort Smith (Territoires du Nord-Ouest). Fort Chipewyan est desservi par avion deux fois par semaine au départ de Fort McMurray; en été, des bateaux à moteur empruntent en outre les rivières Athabasca et Embarras; une route d'hiver demeure ouverte entre décembre et mars depuis Fort McMurray jusqu'à Fort Chipewyan, mais nous ne saurions vous la recommander; enfin, pour les plus aventureux, il est possible d'accéder au parc en canot par les rivières Peace et Athabasca.

Ce parc abrite le plus important troupeau de bisons en liberté au monde, sans compter qu'il est aussi le dernier lieu de nidification des grues blanches d'Amérique. Ces deux facteurs ont contribué à faire de Wood Buffalo un site du Patrimoine mondial. Le parc a été créé à l'origine pour protéger le dernier troupeau de bisons des bois du nord du Canada. Mais lorsque des bisons des plaines y furent acheminés entre 1925 et 1928, du fait que les prairies du Buffalo National Park de Wainwright (Alberta) souffraient de surpâturage, bisons des plaines et bisons des bois se mélangèrent, faisant ainsi disparaître le bison des bois à l'état pur. C'est du moins ce que l'on croyait à l'époque, puisqu'un autre troupeau fut découvert à l'intérieur du parc national Elk Island (voir p 527), une partie de ce troupeau devant par la suite être expédié au Mackenzie Bison Sanctuary des Territoires du Nord-Ouest. Cela dit, il n'y a plus vraiment de purs bisons des bois dans le parc national Wood Buffalo.

Ceux et celles qui veulent bien s'en donner la peine profiteront des possibilités de randonnée pédestre (la majorité des sentiers se trouvent aux environs de Fort Smith), de canot (excellentes) et de camping, mis à part le fait qu'ils auront l'occasion de faire l'expérience de la vie sauvage dans le nord du Canada à l'intérieur du plus grand parc national du pays. Un minimum de préparation s'impose toutefois pour tirer pleinement parti de votre expédition, et vous devez savoir qu'un permis (Park Use Permit) est exigé de ceux et celles qui désirent passer une ou plusieurs nuits dans le parc. Enfin, n'oubliez pas de vous munir d'une bonne quantité d'insectifuge. Pour de plus amples renseignements, adressez-vous directement au parc *(P.O. Box 750, Fort Smith, X0E 0P0, ☎872-7900 ou 872-3727, ⇌872-3910 Fort Chipewy, ☎697-3662, ⇌697-3560, wbnp_Info@pch.gc.ca).*

Le **parc national de la Nahanni** ★★★ *(Sac postal 300, Fort Simpson, X0E 0N0, ☎695-2713, ⇌695-2446, Nahanni_Info@pch.gc.ca)* est probablement le plus beau parc des T. N.-O. L'absence d'accès routier en fait cependant un lieu rarement visité, aussi faudra-t-il vous rendre dans la petite ville de Fort Simpson pour recourir au service d'un avion-taxi qui vous déposera au cœur de ce parc majestueux, ou encore vous embarquer sur un bateau. Déclaré Patrimoine mondial par l'Unesco, le parc national de la Nahanni offre aux amoureux du plein air et des expéditions des paysages renversants. Les canoteurs expérimentés pourront descendre le spectaculaire bassin hydrographique sud de la plus belle rivière sauvage du Canada. D'autres pourront s'adonner à la randonnée pédestre le long de profondes vallées, s'essayer au rafting sur des eaux tumultueuses ou bien admirer les **chutes Virginia** ★★, deux fois plus hautes que celles du Niagara, ainsi que de magnifiques lacs étales. Le parc était jadis appelé par les Autochtones «rivières de mythe et montagnes de mystère». Il est vrai que cette région resta longtemps méconnue. La nature hostile, agrémentée des récits des missionnaires et des trappeurs qui sillonnèrent les premiers cette région, fit naître de nombreuses légendes. En témoignent les noms peu engageants tels que Deadmen Valley (la vallée des hommes morts), Hell's Gate (la porte de l'enfer), Devils Kitchen (la cuisine des diables) ou Death Canyon (le canyon de la mort) qui furent donnés à certaines de ses vallées. Si vous n'avez pas l'âme d'un aventurier mais désirez néanmoins admirer la nature sauvage, il vous sera possible de recourir au service d'un avion-taxi qui fait un survol de cette magnifique contrée.

Le parcours de l'**Ingraham Trail** serpente le long des lacs Properous, Madeline, Pontoon, Prelude, Hidden et Reid sur 40 km à l'est de Yellowknife. L'endroit le mieux aménagé se situe au parc de Prelude Lake. Plusieurs sentiers assez mal balisés y ont été sommairement aménagés avec aires de pique-nique et de camping. Vous pourrez trouver des cartes détaillées de l'Ingraham Trail au bureau de renseignements touristiques de Yellowknife. La nature est en général généreuse, et il n'est pas rare d'y admirer des aigles à tête blanche, des balbuzards, des geais gris, des huards, des ours et, en hiver, des caribous.

La région ouest de l'Arctique

Le **parc national Aulavik** ★ (sur l'île de Banks) *(Poste restante, Sachs Harbour, X0E 0T0, ☎690-3904, ⇄690-4808, Gerry_Kisoun@pch.gc.ca)* est un des meilleurs endroits dans la région de l'Arctique pour observer la faune. Ce parc national offre aux visiteurs la possibilité unique de découvrir une région de l'Arctique laissée à l'état sauvage. Les canoteurs pourront pagayer sur les eaux paisibles de la rivière Thomsen, le cours d'eau canotable situé le plus au nord du Canada. L'abondance de renards arctiques, d'ours polaires, de loups et de bœufs musqués fit de l'île de Banks un endroit de prédilection pour la communauté des Thule, qui chassaient depuis des siècles sur ces terres. Il fallut néanmoins attendre la fin des années vingt pour que quelques familles deviennent sédentaires et s'installent dans la communauté de Sachs Harbour. L'île est toujours considérée comme un des lieux les plus intéressants pour le piégeage en région arctique et un site de prédilection pour les photographes. Au printemps, des guides inuvialuit organisent des excursions en traîneau à chiens pour aller chasser ou photographier des ours polaires et des bœufs musqués. L'été venu, vous pourrez observer des oiseaux migrateurs qui reviennent séjourner dans le parc. Pour information, contactez **NWT Arctic Tourism** *(P.O. Box 610, Yellowknife, NWT, X1A 2N5, ☎873-4059 ou 800-661-0788, ⇄873-4059).*

Activités de plein air

Randonnée pédestre

La randonnée pédestre est évidemment l'une des activités les plus intéressantes à faire dans les parcs des T. N.-O. Le site le plus merveilleux est le parc national de la Nahanni. Mais près de Yellowknife, vous pourrez aussi grandement apprécier les 40 km de l'Ingraham Trail.

Observation de baleines

La richesse du plancton des eaux arctiques en fait l'un des meilleurs endroits au monde pour observer certaines espèces de baleines, notamment le béluga, ou encore le narval près de Pangnirtung. Plusieurs guides naturalistes proposent des excursions en bateau. Vous pouvez notamment vous adresser à l'**Arctic Tour Company** *(P.O. 325, Tuktoyaktuk, X0E 1C0, ☎977-2276, atc@auroranet.nt.ca).*

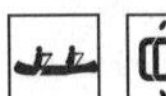

Canot et rafting

Ce ne sont pas les lacs et les rivières qui manquent dans cette région du Canada, aussi aurez-vous l'embarras du choix quant à votre destination. Cependant, l'une des rivières les plus intéressantes est sans conteste la Nahanni. Plusieurs organismes spécialisés dans le tourisme d'aventure proposent des excursions sur la Nahanni. Les prix dépendent du parcours et de la durée de l'expédition. Appelez pour comparer les prix.

Adventure Canada
14 Front Street South, Mississauga Ontario, L5H 2C4
☎905-271-4000 ou
800-363-7566
⇄271-5595
www.adventurecanada.com

Arctic Tour Company
P.O. 325, Tuktoyaktuk, X0E 1C0
⇄977-2276
atc@auroranet.nt.ca

Nahanni River Adventures
P.O. Box 4869, Whitehorse, Yukon Y1A 4N6
☎(867) 668-3180 ou
800-297-6927
⇄668-3056

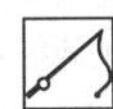

Pêche

Les lacs et rivières des T. N.-O. regorgent de poissons de toutes sortes, notamment le fameux omble de l'Arctique, et l'amateur de pêche peut y tenter sa chance. N'oubliez pas avant de partir de vous renseigner sur les permis de pêche nécessaires.

Arctic Safaris
P.O. Box 1294, Yellowknife, X1A 2N9
☎***873-3212***
⇄***873-9008***

Blachford Lake Lodge
P.O. Box 1568, Yellow-knife
X1A 2P2
☎***873-3303***
⇄***920-4013***

Enodah Wilderness Travel Ltd.
P.O. Box 2382, Yellowknife, X1A 2P8
☎***873-4334***
⇄***873-3825***

Motoneige et traîneau à chiens

Qui n'a pas rêvé de parcourir des contrées enneigées aux commandes d'un traîneau à chiens comme le font encore parfois les Inuits, bien que ces derniers préfèrent aujourd'hui la rapidité des motoneiges. Il est désormais possible de prendre part à l'une ou l'autre de ces expéditions un peu partout dans les T. N.-O.

Anderson River Nature's Best
P.O. Box 240, Tuktoyaktuk, X0E 1C0
☎/⇄ ***977-2415***

Great Slave Sledging Company Ltd.
Moraine Point Lodge, P.O. Box 2882, Yellowknife, X1A 2R2
☎***873-6070 ou 813-8249***
⇄***873-4790***

Hébergement

Du Grand Lac des Esclaves au parc national de la Nahanni

Yellowknife

Blue Raven Bed and Breakfast
80$ occ. double, pdj
île de Latham
37B Otto Drive, X1A 2T9
☎***873-6328***
⇄***920-4013***
Dans la vieille ville, face au Grand Lac des Esclaves, s'élève sur une colline une grande maison de bois peinte en bleu et blanc. Il s'agit du Blue Raven Bed and Breakfast, tenu par Tessa Macintosh. Ce gîte compte trois chambres spacieuses qui offrent une belle vue sur le lac. La demeure possède en outre une pièce agréable où les clients pourront se retrouver autour d'un feu de foyer et dispose d'une large terrasse surplombant le lac. Environnement non-fumeurs.

Igloo Inn
99$
42 chambres
tv, ℜ
Franklin Ave., en direction de l'île de Latham, P.O. Box 596, X1A 2N4
☎***873-8511***
⇄***873-5547***
Difficile de trouver une décoration plus triste que celle des chambres de l'Igloo Inn. Ce motel a l'inconvénient d'être parfois un peu bruyant, mais ses chambres sont propres.

Discovery Inn
120$
41 chambres rénovées
tv, ℜ, ℂ
Franklin Ave., près de l'Arctic Art Gallery, P.O. Box 784, X1A 2N6
☎***873-4151***
⇄***920-7948***
Le Discovery Inn est tout aussi modeste que l'Igloo Inn, mais il a cependant l'avantage d'être situé plus proche du centre-ville. Certaines chambres sont équipées d'une cuisinette.

Yellowknife Inn
135$
131 chambres
tv, ℜ, bar
5010 49th St., P.O. Box 490, au coin de Franklin Ave., X1A 2N4
☎***873-2601 ou 800-661-0580***
⇄***873-2602***
Le Yellowknife Inn est le plus gros hôtel de Yellowknife. Son petit restaurant sympathique, le Lounge Cafe, en fait un endroit très prisé des fonctionnaires qui viennent y déjeuner. En plus d'un accès gratuit à un centre de conditionnement physique, l'hôtel met gracieusement à la disposition des voyageurs une navette qui pourra les emmener à l'aéroport.

Explorer Hotel
142$
128 chambres
tv, ℜ, bar, ≡
près du bureau d'information touristique, 48th St., en direction de l'aéroport, Postal Service 7000, X1A 2R3
☎***873-3531 ou 800-661-0892***
⇄***873-2789***
L'Explorer Hotel est sans conteste le plus agréable hôtel de la ville. Ses chambres bien éclairées sont grandes et spacieuses. Les salles de bain sont entièrement équipées, et les gens d'affaires seront heureux de pouvoir retrouver dans chaque chambre des prises pour modem et fax. En outre,

l'hôtel possède un des meilleurs restaurants de la ville. L'établissement offre gracieusement un service de navette entre l'aéroport et l'hôtel. Au rez-de-chaussée se trouve également une petite boutique de souvenirs.

Rae Lakes

Gameti Motel
175$ pc
8 chambres
tv
General Delivery, X0E 1R0
☎997-3031
⇌997-3099
Le Gameti Motel propose des chambres modestes en ville et dans un pavillon situé sur la rive nord-est du lac. On pourra également vous organiser des excursions de pêche.

Fort Smith

Pinecrest Hotel
75$
15 chambres
tv, ℜ
163 McDougal Rd., P.O. Box 127
X0E 0P0
☎872-2320
Le Pinecrest Hotel n'a pour unique avantage que d'être l'adresse la moins chère que vous pourrez trouver à Fort Smith. Sert du café.

Pelican Rapids Inn
110$
50 chambres
tv, ℜ
centre-ville, 152 McDougall Rd
P.O.Box 52, X0E 0P0
☎872-2789
⇌872-4727
Si vous souhaitez des chambres plus accueillantes, le Pelican Rapids Inn est l'adresse que vous préférerez en ville. Il est souhaitable de faire les réservations à l'avance.

Lutselk'e (Snowdrift)

Snowdrift Co-op Hotel
125$
3 chambres
bc, ℂ, tv
General Delivery, X0E 1A0
☎370-3511
⇌370-3000
Le Snowdrift Co-op Hotel est le seul hôtel de cette toute petite communauté.

Hay River

Migrator Hotel
80$
tv, ℂ
912 Mackenzie Highway, X0E 0R8
☎874-6792
⇌874-6704
Même genre d'établissement que le Caribou Motor Inn (voir ci-dessus), le Migrator Hotel propose des chambres de style motel avec cuisinette.

Caribou Motor Inn
85$
29 chambres
tv, ℂ, ⇌, ⌂
912 Mackenzie Highway, X0E 0R8
☎874-6706
⇌874-6704
Le Caribou Motor Inn est situé juste à côté.

Ptarmigan Inn Hotel
113$
42 chambres
tv, ℜ, ⇌
10 Gagnier St., X0E 1G1
☎874-6591
⇌874-3392
Pour un meilleur hébergement, rendez-vous au Ptarmigan Inn Hotel, situé à côté du bureau d'information touristique. Vous trouverez à proximité une petite boutique de souvenirs, un coiffeur et une banque. Il y a un restaurant (voir p 724).

Fort Providence

Snowshoe Inn
90$
35 chambres
tv, ℂ
au bord de l'eau, P.O. Box 1000
X0E 0L0
⇌699-3511
Pour un meilleur hébergement, le Snowshoe Inn au propose des chambres impersonnelles de style motel.

Fort Simpson

On ne peut pas dire que le parc hôtelier de Fort Simpson est particulièrement développé. Les établissements n'offrent en effet aux voyageurs que des chambres rudimentaires : le **Maroda Motel** *(120$; 15 chambres; tv, ℂ; P.O. Box 67, X0E 0N0; ☎695-2602 ⇌695-2273)* et le **Nahanni Inn** *(139$; 35 chambres; tv, ℂ, ℜ; P.O. Box 248, X0E 0N0, ☎695-2201, ⇌695-3000).*

La région ouest de l'Arctique

Inuvik

Eskimo Inn
115$
74 chambres
tv, ℜ
133 Mackenzie Rd., P.O. Box 1740
X0E 0T0
⇌777-3234
À l'Eskimo Inn, vous trouverez des chambres impersonnelles. L'établissement a cependant l'avantage d'être situé en ville. Sert du café.

Tuktoyaktuk

Pingo Park Lodge
125$
25 chambres
tv
95-TDC, P.O. Box 290, X0E 1C0
☎977-2155
≠977-2416
Le Pingo Parl Lodge ne possède que des chambres de style motel. Vous y trouverez un comptoir de location de voitures.

Restaurants

Du Grand Lac des Esclaves au parc national de la Nahanni

Yellowknife

Wildcat Cafe
$
dans la vieille ville, sur l'île de Latham, 3904 Wiley Rd.
☎873-8850
L'adresse la moins chère et la plus sympathique pour un petit repas simple et frugal est assurément le Wildcat Cafe. Ce petit café, localisé dans une petite maison en rondins, est une des adresses les plus recherchées par les habitants de la ville. Seules quelques tables autour desquelles les clients s'assoient sur des bancs de bois sont disponibles. Aucune réservation n'est acceptée, aussi vous faudra-t-il arriver tôt ou patienter à l'extérieur. Vous pouvez en profiter pour alors monter au monument dédié aux pilotes de brousse et admirer la vue qui s'étend sur la ville, le lac et les petits hydravions qui amerrissent non loin de là. Ce café n'est ouvert que durant l'été.

Sam's Monkey Tree
$
483 Range Lake Rd.
☎920-4914
Pour un restaurant de type familial, vous pouvez vous rendre au Sam's Monkey Tree. La décoration de la salle est un peu surréaliste pour l'endroit, mais la table est simple et tout à fait correcte.

Our Place
$$-$$$
au rez-de-chaussée du centre commercial de Franklin Ave.
☎920-2265
Our Place est un bon restaurant qui offre une surprenante variété de plats. Vous pourrez y déguster aussi bien une nourriture à la française que des mets chinois. L'intérieur est assez laidement décoré dans des tons de rose, mais le service est excellent et la table, bonne.

Explorer Hotel
$$$
4825 49th Ave.
☎873-3531
Les habitants de la ville se retrouvent volontiers au restaurant de l'Explorer Hotel pour y déguster un excellent brunch le dimanche midi. La salle à manger, bordée de baies vitrées, est très agréable. Il s'agitd'une des meilleures tables de la ville. L'omble de l'Arctique est une des spécialités. Le service y est courtois et empressé. Vous pourrez également vous faire servir en français.

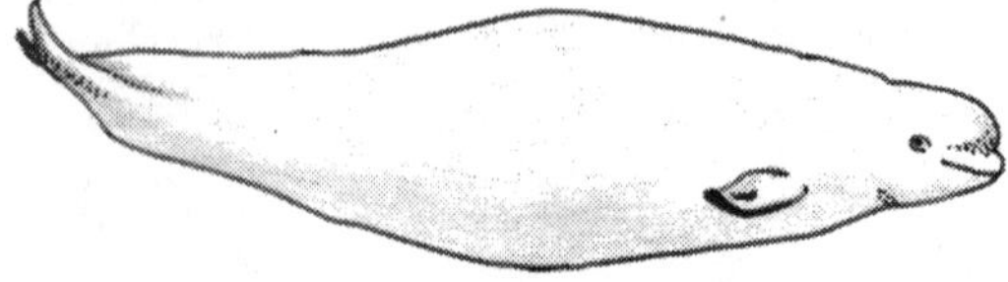

Fort Smith

Pinecrest
$
Pinecrest Hotel
☎872-3161
Le restaurant Pinecrest est la table la plus fréquemment recommandée par les habitants, et vous pourrez déguster de bons gâteaux au **J-Bell Bakery** *(à l'intersection de McDougall Rd. et de Portage Ave.)*.

Hay River

The Keys
au centre-ville, Ptarmigan Inn Hotel
☎874-6781
The Keys est en général la place la plus fréquentée par les habitants de Hay River.

Board Room
près du Migrator Hotel, en direction de Vale Island
☎874-2111
La Board Room vous proposera des mets chinois à bon prix.

La région ouest de l'Arctique

Inuvik

Green Briar Dining Room
$
Mackenzie Hotel, 185 Mackenzie Rd.
☎777-2414
La Green Briar Dining Room propose des plats cuisinés typiques du Grand Nord canadien. Le caribou est, là encore, à l'honneur.

Achats

Du Grand Lac des Esclaves au parc national de la Nahanni

Yellowknife

Arctic Art Gallery
4801 Franklin Ave., angle 48th St.
☎***873-5666***
L'Artic Art Gallery est la plus grande galerie d'art de Yellowknife. Tous les plus grands artistes des T. N.-O. y exposent des œuvres. Vous y trouverez de magnifiques sculptures à tous les prix, des gravures et des toiles, notamment de Mona Trasher, une artiste inuite qui a peint l'intérieur de l'«église-igloo» d'Inuvik. Une autre galerie d'art, plus petite, est située non loin de là à l'est, sur 48th Street. Vous y trouverez quelques très belles sculptures. Au **bureau d'information touristique**, vous pourrez acheter des articles en peaux ou l'une de ces fameuses boîtes en écorce de bouleau.

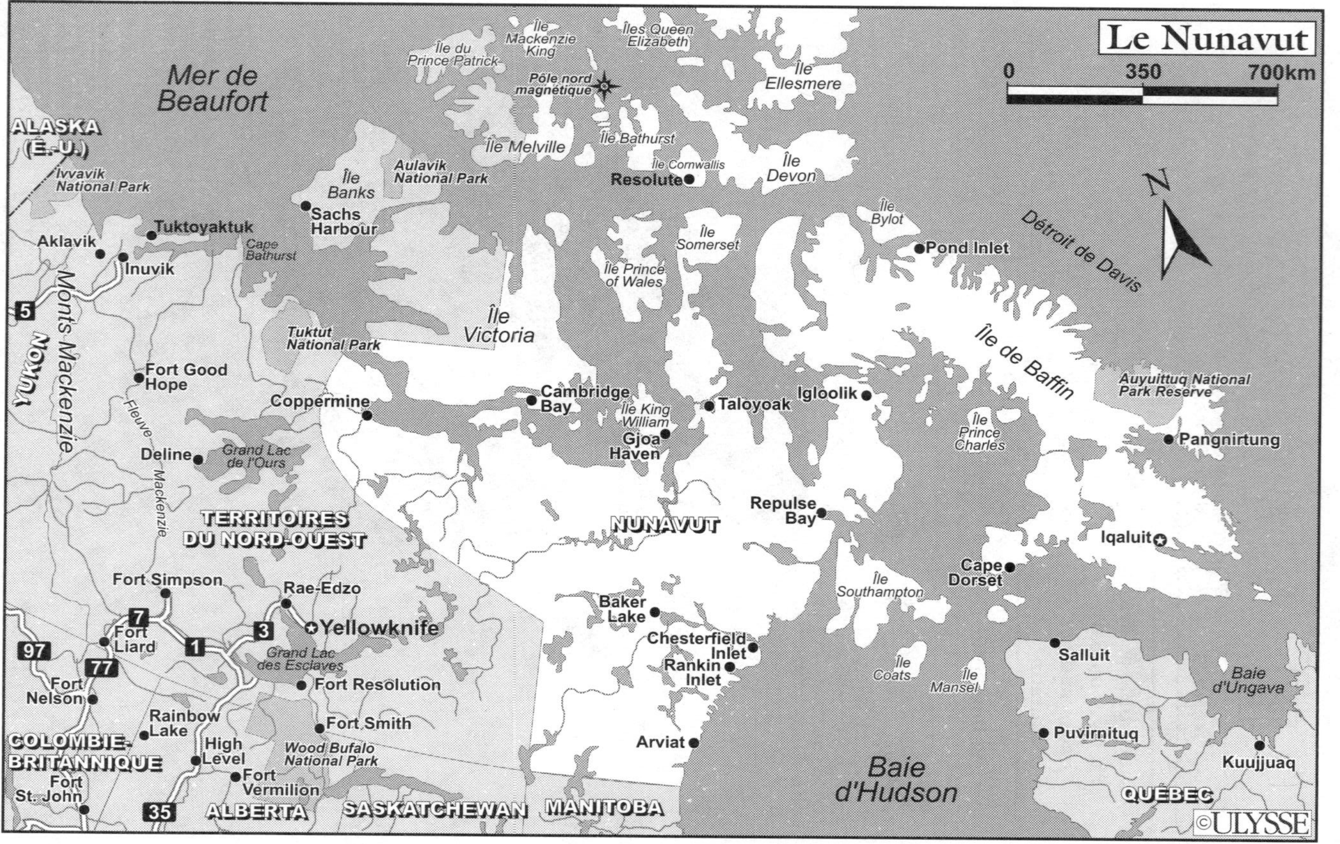
Le Nunavut
0
350
700km
N
Mer de Beaufort
ALASKA (É.-U.)
Ivvavik National Park
Aklavik
Inuvik
Tuktoyaktuk
Cape Bathurst
Île Banks
Sachs Harbour
Aulavik National Park
Île du Prince Patrick
Île Mackenzie King
Pôle nord magnétique
Île Melville
Îles Queen Elizabeth
Île Ellesmere
Île Bathurst
Île Cornwallis
Resolute
Île Devon
Île Bylot
Pond Inlet
Détroit de Davis
Île Somerset
Île Prince of Wales
Île Victoria
Tuktut National Park
Île de Baffin
Auyuittuq National Park Reserve
Pangnirtung
5
YUKON
Monts Mackenzie
Fort Good Hope
Fleuve Mackenzie
Coppermine
Cambridge Bay
Île King William
Gjoa Haven
Taloyoak
Igloolik
Île Prince Charles
Deline
Grand Lac de l'Ours
TERRITOIRES DU NORD-OUEST
NUNAVUT
Repulse Bay
Iqaluit
Cape Dorset
Île Southampton
Fort Simpson
Rae-Edzo
Yellowknife
7
3
1
97
77
Fort Liard
Grand Lac des Esclaves
Fort Resolution
Baker Lake
Chesterfield Inlet
Rankin Inlet
Île Coats
Île Mansel
Salluit
Baie d'Ungava
Fort Nelson
Rainbow Lake
Fort Smith
Arviat
Puvirnituq
Kuujjuaq
COLOMBIE-BRITANNIQUE
High Level
Wood Bufalo National Park
Fort St. John
Fort Vermilion
35
ALBERTA
SASKATCHEWAN
MANITOBA
Baie d'Hudson
QUÉBEC
©ULYSSE

Nunavut

Dès qu'il descend de l'avion et pose le pied sur ce pan de territoire reculé, à la fois spectaculaire et insolite, le visiteur se voit rappeler qu'il y est tout à fait étranger, ne serait-ce que par les cris des enfants excités qui le suivent partout en s'exclamant «*qallunaat*» (KA-blou-na – un Blanc!).

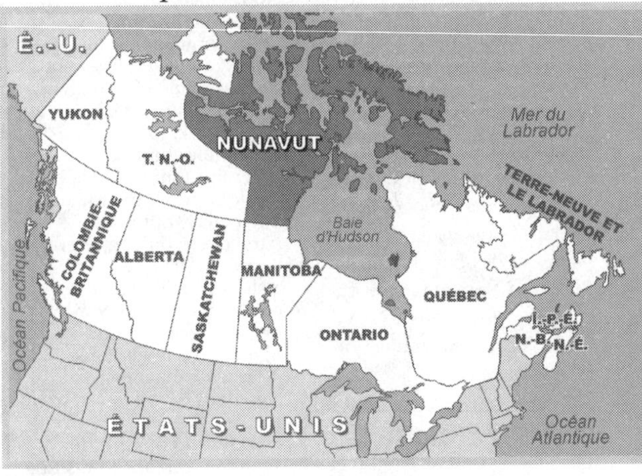

Il prend dès lors conscience, non seulement du fait qu'il se trouve en terre lointaine et «exotique», mais de ce qu'il y est lui-même perçu comme étrange et «exotique».

Royaume des Inuits («le peuple»), de leurs ancêtres et de leurs prédécesseurs depuis plus de 5 000 ans, le Nunavut révèle des paysages variés, depuis les glaciers et les sommets escarpés du nord-est (dont certains atteignent jusqu'à 2 000 m d'altitude) jusqu'aux basses terres marécageuses des *muskeg* et aux longs bas fonds intertidaux du sud-ouest de la région. Cela dit, le panorama se veut partout aussi frappant que le silence assourdissant qui hante ces lieux, offrant un contraste incomparable avec les bruits qu'on a l'habitude d'entendre ailleurs sur la planète.

Les Inuits partagent ce coin de pays avec des espèces sauvages telles que le caribou, l'ours polaire, le bœuf musqué, le phoque, le morse et différentes sortes de baleines, dont ils dépendent d'ailleurs pour leur nourriture et leurs vêtements comme ils l'ont toujours fait depuis des milliers d'années. Néanmoins, malgré la pérennité de leur mode de vie «traditionnel», surgissent partout des signes indiquant que les Inuits vivent tout autant au XXIe siècle que les Canadiens du sud. Motoneiges et antennes paraboliques ont entre autres fait leur apparition au Nunavut, et y côtoient volontiers les attelages de chiens et les *kometik* (traîneau en bois).

Tout compte fait, cette terre de fascination a beaucoup plus à offrir qu'il n'y paraît à première vue. Bien que son éloignement et son faible développement lui conservent une certaine virginité, le Nunavut fait les frais de graves menaces environnementales issues de phénomènes fort distants. À titre d'exemple, on prévoit que le réchauffement global dû à l'effet de serre provoqué par les émissions gazeuses frappera les régions nordiques de façon particulièrement dure, en réduisant l'épaisseur de la calotte polaire et en mettant en danger la survie d'animaux arctiques tels que l'ours blanc. En outre, les polluants organiques persistants (POP), comme les dioxines et les BPC, ont tendance à s'accumuler dans l'organisme des baleines et des ours polaires du Grand Nord canadien et, par voie de conséquence, dans celui des Inuits qui en consomment la chair.

Politique

Le 1er avril 1999, 60% de la portion orientale des Territoires du Nord-Ouest sont officiellement devenus le Nunavut, mot qui signifie «notre terre» en inuktitut. Ce territoire, dont la plus grande partie se compose de centaines d'îles, couvre une superficie de quelque deux millions de kilomètres carrés, soit un cinquième de l'étendue totale du Canada, et 150 000 km^2 en sont couverts de glaciers et de calottes glaciaires. Quant à sa population, elle n'était que de 25 000 âmes environ en date du recensement de 1996, et 85% d'entre elles étaient des Inuits répartis en 28 communautés, d'Arviat, au sud, à Grise Fiord, au nord.

Bien que le Nunavut ait le statut de territoire, au même titre que le Yukon et les Territoires du Nord-Ouest (voir p 705), sa nouvelle structure politique permet aux Inuits de s'autogérer dans la mesure où leur population y est majoritaire, alors que, dans l'ensemble des nouveaux Territoires du Nord-Ouest, ils ne comptent que pour 10% de la population. On estime que l'établissement de la capitale du Nunavut à Iqaluit (sur l'île de Baffin) et la décentralisation des pouvoirs administratifs du territoire répondent mieux à la réalité toute particulière du centre et de l'est de l'Arctique. Yellowknife, la capitale des Territoires du Nord-Ouest, faisait en effet figure d'entité éloignée pour les habitants du Nunavut.

Il convient en outre de souligner que les Inuits ont obtenu une concession territoriale qui leur attribue la propriété de 350 000 km^2 (assortie de droits d'exploitation du sous-sol de 10% de cette étendue), une compensation financière du gouvernement fédéral totalisant 1,1 milliard de dollars (répartie sur une période de 14 ans), une part des redevances liées aux ressources des terres de la Couronne, de même qu'une participation accrue à la gestion des terres et de leurs ressources.

Société et économie

Le gouvernement (tant municipal que territorial et fédéral) constitue le plus important employeur du Nunavut. Il n'en demeure pas moins que les activités dites traditionnelles, comme la chasse, la pêche et la trappe, continuent de jouer un rôle vital quant au bien-être économique, social et culturel des Inuits. Jusqu'aux années cinquante et soixante, soit l'époque à laquelle le gouvernement canadien les a encouragés à former des communautés stables, les Inuits vivaient en nomades sur des campements, et subsistaient essentiellement de la chasse. Or, cette activité requiert aujourd'hui des motoneiges, du carburant et des armes à feu, qui s'avèrent particulièrement onéreux sous ces latitudes.

Au cours des années soixante et soixante-dix, les Inuits de la région tiraient la plus grande part de leurs revenus de la vente de peaux de phoques, sous-produits de leur chasse de subsistance. L'interdiction prononcée, en 1983, par la Communauté européenne contre l'importation des peaux de phoques, conjuguée au vigoureux lobbying des organismes environnementaux, a eu pour effet d'anéantir ce marché et de plonger de nombreuses communautés du Nunavut dans un marasme économique extrême.

L'éloignement de la région, la dureté de son climat et les coûts liés aux transports sont autant d'obstacles majeurs qui ont freiné le développement de son économie. Par voie de conséquence, l'exploitation des ressources pétrolières, gazières et minérales du territoire a longtemps joué un rôle de premier plan dans son économie. De nos jours, le tourisme, et plus particulièrement l'écotourisme, sont de plus en plus perçus comme des sources de revenus durables, sur le plan environnemental aussi bien que culturel, pour les communautés du Nunavut. Les services de guides et la production artisanale s'imposent d'ores et déjà comme les volets les plus lucratifs de cette industrie, et certains Inuits expriment même le sentiment que l'intérêt des touristes pour leur culture présente un avantage supplémentaire, en ce qu'il ravive et stimule la fierté de leur peuple quant à leur héritage.

Même si la création du Nunavut représente une grande victoire pour les Inuits, il reste qu'ils doivent encore relever de nombreux défis, notamment en ce qui a trait au chômage (dont le taux avoisine les 30%), au coût excessif de la vie en terre nordique, à l'isolement complet, au faible niveau d'éducation et de formation, de même qu'au suicide (dont le taux est presque six fois plus élevé que la moyenne nationale). Qui plus est, sa population se veut la plus jeune du Canada, puisque 56% des hommes et des femmes qui la composent ont moins de 25 ans, un fait qui accentue l'urgence de trouver des solutions viables aux problèmes de sa société.

Le nouveau premier ministre du territoire, Paul Okalik, et son gouvernement ont d'ailleurs récemment annoncé des mesures visant à consacrer des ressources conséquentes à la prévention du suicide; et des communautés telles qu'Igloolik se sont dotées de programmes destinés à promouvoir l'estime de soi chez la jeunesse locale en lui enseignant la culture inuite et en l'aidant à trouver des emplois.

Pour s'y retrouver sans mal

En fait, le seul moyen d'atteindre le Nunavut depuis le sud du Canada consiste à emprunter la voie des airs. **First Air** *(☎613-739-0200 ou 800-267-1247, ≠613-688-2637)* relie Montréal à Iqaluit trois fois par semaine, et Ottawa à Iqaluit de façon quotidienne; vous obtiendrez les meilleurs tarifs en réservant sept jours à l'avance. **Canadian Airlines International** *(☎800-665-1177 du Canada, ☎800-426-7000 des É.-U.)* se rend également à Iqaluit au départ d'Ottawa. D'Iqaluit, ces deux mêmes compagnies aériennes proposent des correspondances vers de plus petites communautés de la région. Quant à **Calm Air**, qui est associée à Canadian Airlines, elle offre des vols entre Winnipeg et l'ouest du Nunavut.

Renseignements pratiques

L'indicatif régional du Nunavut est le 867.

Fuseaux horaires

Le Nunavut couvre présentement trois fuseaux horaires différents : Heure de l'Est (HMG -5), Heure du Centre (HMG -6) et Heure des Montagnes (HMG -7).

Climat

Cet immense territoire est le théâtre de nombreuses variations climatiques. À titre d'exemple, Rankin Inlet, dans l'ouest du Nunavut, affiche des températures estivales oscillant entre 10°C et 15°C, tandis qu'à Cape Dorset la température estivale culmine en moyenne à 7,2°C pour plonger à quelques degrés au-dessous de zéro à la nuit tombée; cela dit, il n'est pas trop rare de voir les jours d'été bénéficier d'une élévation suffisante du mercure pour permettre à une jeunesse locale enjouée d'envahir les bars du coin. À Grise Fiord, la température moyenne en juillet est de 3,9°C, quoique bien des jours d'été voient le mercure grimper aux abords de 10°C. Les températures hivernales à Cape Dorset et à Rankin Inlet descendent entre -25°C et -35°C, voire plus bas encore, alors qu'à Grise Fiord elles atteignent volontiers les -40°C.

Retenez que nombre d'activités de l'archipel dépendent de la formation et du bris des glaces. Prenez donc la peine de vous informer au préalable de l'état des glaces auprès des communautés concernées pour savoir s'il est possible ou non de pratiquer l'activité particulière à laquelle vous avez l'intention de vous livrer.

Soleil de minuit

Une des attractions du Nunavut tient à la possibilité d'y jouir de ce qu'il est convenu d'appeler le «soleil de minuit», soit cette période de l'année où il fait clair 24 heures sur 24, et qu'on désigne localement du nom de «saison lumineuse». Sous les plus hautes latitudes, comme à Grise Fiord, le soleil d'été décrit ainsi un cercle dans le ciel plutôt que de se lever et se coucher. On s'étonne alors de voir les gens s'affairer autour de leurs bateaux et les enfants jouer jusqu'à une heure très avancée, l'heure du coucher étant davantage déterminée par la fatigue que par les horloges. Il va sans dire que l'inverse est tout aussi vrai, à savoir que, au cours de la «saison obscure», soit de la fin d'octobre à la mi-février, le soleil disparaît entièrement du ciel, quoique les habitants de la région continuent de pêcher durant cette période à la faveur de la lune. Plus au sud, notamment à Iqaluit et à Cape Dorset, on compte un maximum de 20 heures d'ensoleillement quotidien en juin et en juillet, alors qu'entre octobre et février, les heures de clarté vont en décroissant jusqu'à se limiter à cinq tout au plus lors des journées les plus courtes de décembre.

Renseignements touristiques

Nunavut Tourism
P.O. Box 1450
Iqaluit (NT) X0A 0H0
☎800-491-7910 (du Canada et des É.-U.)
☎979-6551
⇄800-307-8223 ou 979-1261
www.nunatour.net.ca
nunatour@nunanet.com
Nunavut Tourism fournit des conseils de voyage et publie un guide de 70 pages intitulé *Arctic Traveller*.

Www.nunavut.com recèle également une mine d'informations sur le nouveau territoire.

Monnaie et services bancaires

Vous trouverez une succursale de la Banque Royale du Canada à Iqaluit. Le Northern Store (voir p ?) et les coopératives des plus petites communautés honorent généralement les chèques de voyage en devise canadienne. Songez par ailleurs à vous munir d'une certaine somme en liquide, car de nombreux commerces refusent les cartes de crédit.

Lois sur l'alcool

La majorité des communautés du Nunavut, exclusion faite d'Iqaluit, sont dites «sèches», en ce qu'on n'y vend aucun alcool; on décourage même les visiteurs d'y consommer leur propre alcool, de sorte que, si vous devez en prendre, ayez l'obligeance de vous montrer discret. Pour de plus amples renseignements, adressez-vous à la division locale de la Gendarmerie royale canadienne.

Attraits touristiques

Avec ses 507 500 km², la terre de Baffin compte pour plus d'un quart du territoire du Nunavut,. Elle est, après l'Australie, le Groenland, la Nouvelle-Guinée, Bornéo et Madagascar, la sixième île en importance au monde. Traversée par le cercle arctique, cette île est une terre de toundra, de montagnes déchiquetées (on l'appelle parfois «la petite Suisse»), de glaciers et de calottes glaciaires. Il existe bien des raisons pour visiter les îles de Baffin et d'Ellesmere. En effet, peu de régions du monde offrent de telles occasions de découvrir de somptueux paysages totalement sauvages et d'y faire l'expérience d'aventures inoubliables dans les contrées les plus septentrionales du Canada.

Iqaluit

Capitale du Nunavut, Iqaluit est la principale agglomération de la terre de Baffin et abrite les centres administratifs des régions de l'Arctique. Anciennement appelée Frobisher Bay en l'honneur de Sir Martin Frobisher, un marin à la recherche d'un passage navigable au nord-ouest pour rejoindre l'océan Pacifique, et qui accosta dans la région en 1576, la ville changea de nom en 1987 pour celui d'Iqaluit. Au cours des XVIIIe et XIXe siècles, cette petite agglomération servit de camp de base pour les baleiniers, mais c'est seulement à partir de la seconde moitié du XXe siècle que la ville deviendra le siège administratif de la région est de l'Arctique. Aujourd'hui peuplée d'environ 4 220 habitants, principalement d'origine inuit, la ville s'organise afin de relever les défis posés par sa nouvelle vocation de capitale du territoire du Nunavut. Elle est également la porte d'entrée de la région arctique pour tous les visiteurs désireux de s'aventurer dans les petites communautés de la terre de Baffin.

Dans cette ville de taille somme toute assez modeste, la visite peut commencer par une halte au **bureau d'information touristique Unikkaarik** *(en été lun-jeu 10h à 20h, ven 10h à 18h, sam-dim 11h à 16h; en hiver lun-ven 13h à 17h; au sud-est de la ville, le long de la baie, ☎979-4636 ou 979-1261)*. Vous y trouverez toutes les cartes des environs ainsi qu'une liste de pourvoyeurs qui proposent des expéditions de pêche dans les eaux poissonneuses de la baie de Frobisher. Un programme audiovisuel sur les attractions et la vie dans les 14 communautés de la terre de Baffin y est présenté. Une ancienne maison restaurée de la Compagnie de la Baie d'Hudson abrite le **Musée Nunatta Sunagutangit** *(mar-dim juste à côté du bureau d'information touristique, ☎979-5537)*. Vous y trouverez une collection de pièces archéologiques datant des plus anciennes colonies de la région. De l'autre côté de la ville, près de l'aéroport, vous verrez des entrepôts de sculptures inuites provenant de différentes localités de la région de l'Arctique. À moins d'avoir la chance de rencontrer dans une communauté l'artiste en personne, c'est un des meilleurs endroits pour trouver, à meilleur marché que dans le sud du Canada, de magnifiques sculptures en serpentine ou en pierre à savon qui proviennent souvent de la communauté de Cape Dorset, le berceau du nouvel art inuits dans les années cinquante.

À 12 km à l'ouest d'Iqaluit, une petite île que l'on rejoint par bateau, jadis habitée durant un millénaire par des Inuit venus d'Alaska, les Thule, abrite aujourd'hui le **parc historique Qaummaarviit** *(☎979-4636, ≠979-1261, nunatour@nunanet.com, www.nunatour.nt.ca)*. Des fouilles archéologiques permirent de découvrir à cet endroit de nombreux outils et ossements datant de 2 600 ans. Les fouilles aujourd'hui terminées, vous pourrez vous promener le long de petits sentiers entre ses habitations construites à base de touffe d'herbe, l'équivalent pour les Thule des igloos, d'anciens foyers qui occupaient le centre des tentes aujourd'hui disparues ainsi que des tombes.

Pangnirtung

Petite communauté d'environ 1 000 Inuits, Pangnirtung n'a d'intérêt que pour sa localisation, à l'entrée du **parc national Auyuittuq** ★★★ (voir p 732). Situé au bord d'un magnifique fjord, ce petit village est construit autour de la piste d'atterrissage des avions qui apportent le ravitaillement et emmènent quelques randonneurs qui se rendent dans le parc. À l'origine, le campement fut établi comme base pour les baleiniers qui sillonnaient les eaux arctiques de la région. Lors du déclin de la pêche à la baleine, la Compagnie de la Baie d'Hudson décida d'y établir un poste de traite des fourrures. Vous trouverez au **bureau d'information touristique Angmarlik** *(tlj en été 9h à 21h; ☎473-8737)* des cartes des environs ainsi que l'information sur les excursions organisées depuis cette localité. Pour admirer la **vue splendide** ★ qui s'étend jusqu'à l'entrée du parc national Auyuittuq, vous pouvez emprunter un petit sentier de randonnée, long de 7 km, à partir du camping Pisuktinu Tungavit, situé à l'est du village, pour monter jusqu'au sommet du mont Duval (670 m). Le panorama qui s'étendra alors sous vos yeux vous récompensera des durs efforts effectués cours de votre ascension.

Resolute Bay

Bien que très petite, Resolute tire son importance du fait qu'elle demeure le point de départ pour toutes les expéditions dans la région nord de l'Arctique. Vous ne devriez donc y faire qu'une courte escale.

Cape Dorset

Cape Dorset s'impose sans ambages comme la colonie artistique par excellence du Nord.

Nunavut

Depuis les années cinquante, la **West Baffin Eskimo Co-operative** *(lun-ven 9h30 à 11h30 et 13h30 à 16h30; ☎897-8944, ≠897-8049)* a rendu cette communauté mondialement célèbre pour ses gravures et ses sculptures. Des visites en groupe de l'atelier de gravure peuvent être organisées en téléphonant au préalable. Sans doute à cause de sa notoriété à l'échelle internationale, les habitants de Cape Dorset se montrent plus ouverts face aux étrangers que certaines communautés plus isolées. Plusieurs balades dignes de mention peuvent être effectuées au départ de la petite ville.

Pond Inlet

Magnifiquement située sur les berges de l'Eclipse Sound, dans la portion nord de l'île de Baffin, Pond Inlet fait face aux glaciers et aux montagnes escarpées de l'île Bylot. Les peuples nomades qu'étaient les Thule et les Inuits ont commencé à peupler le nord de l'île de Baffin et les îles avoisinantes il y a au moins 1 000 ans. Plus tard, dans la seconde moitié du XIXe siècle, la région attira des baleiniers écossais, mais ce n'est somme toute que dans les années vingt, à l'époque où s'y sont installées la Compagnie de la baie d'Hudson (1921), la Gendarmerie royale du Canada (1923) ainsi que les missions de l'Église catholique romaine et de l'Église anglicane (1929), que les Inuits se sont rassemblés dans cette région. La communauté se trouve à l'intérieur du plus récent parc national du territoire, Sirmilik, flanquée à l'ouest par la baie Arctique, et elle sert de tremplin à de nombreuses excursions des terres environnantes. Le **Nattinak Centre** *(P.O. Box 281, Pond Inlet, Nunavut, X0A 0S0, ☎899-8226, ≠899-8246)* fournit des renseignements aux visiteurs, organise des événements culturels et propose des visites à pied des lieux.

Grise Fiord

À 76°24'N, Grise Fiord s'impose comme la plus nordique de toutes les communautés canadiennes. Située sur la côte sud de l'île Ellesmere, en surplomb sur le Jones Sound, elle s'étend au pied de montagnes hautes de 600 m et à 1 544 km du pôle Nord. Sa création remonte à 1953, date à laquelle le gouvernement canadien choisit de relocaliser trois familles de Port Harrison (aujourd'hui Inukjuak, au Québec) en même temps qu'une autre de Pond Inlet.

Malgré les intentions avouées du gouvernement, selon lesquelles ce déplacement visait à améliorer le sort des personnes concernées, qui connaissaient alors de piètres conditions de chasse là où elles se trouvaient, certains critiques ont avancé qu'on cherchait plutôt à peupler le nord de l'Arctique afin d'y assurer la souveraineté du Canada. Et, même si les habitants des premiers jours n'auraient peut-être pas eux-mêmes choisi Grise Fiord, les quelque 170 personnes qui y vivent maintenant apprécient sa tranquillité et sa proximité du continent.

Parcs

Visiter le **parc national Auyuittuq** ★★★ (voir p 732), sur l'île de Baffin, ou le **parc national Quttinirpaak (Île-d'Ellesmere)** ★★ (voir p 733), c'est affronter la nature à son niveau le plus élémentaire. Aucun autre parc national au Canada, et peu d'endroits au monde, offrent une telle expérience. De telles expéditions requèrent néanmoins une excellente préparation, et les visiteurs qui se risquent à parcourir ces parcs vierges et sévères de l'Arctique ne devront dépendre que d'eux-mêmes, transportant sur leur dos tout ce dont ils auront besoin pour faire face à des changements climatiques parfois très brusques. Mais à quiconque s'y prépare avec soin et demeure dans une excellente forme physique, ces régions réserveront des souvenirs impérissables.

Dans la péninsule de Cumberland de l'île de Baffin, le **parc national Auyuittuq** ★★★ protège la région septentrionale de Davis. L'héritage arctique a façonné le col de Pangnirtung, la calotte glaciaire Penny, qui recouvre une grande partie du parc, les vallées suspendues, les glaciers et les moraines qui composent l'étonnant paysage de ce parc. C'est de cette calotte glaciaire Penny qu'est venue l'idée d'appeler le parc «Auyuittuq», qui signifie «le pays des glaces éternelles». Il importe de rappeler que son accès demeure difficile. Il vous faudra parfois traverser des torrents d'eau glacée, car seuls quelques ponts primitifs, faits de câbles ou de rondins, ont été installés au-dessus des ruisseaux les plus dangereux.

En effet, parcourir ce parc vierge à la beauté rude, avec ses pics dentelés, tels les monts Thor, Asgard et Overlord, qui font la joie des alpinistes chevronnés en quête de conditions extrêmes, n'est pas à la portée de tout le monde, et les visiteurs devront s'y préparer avec soin, car les risques d'hypothermie sont grands et les secours inexistants. Aucune infrastructure n'a été prévue, mis à part quelques cabanes construites en cas d'urgence qui se trouvent à une bonne journée de marche l'une de l'autre. On n'y trouve qu'un simple poste de radio qui, malheureusement, ne fonctionne pas toujours. Les visiteurs devront par conséquent transporter sur leur dos tout le matériel et les vivres dont ils auront besoin pour leur expédition. Il est obligatoire, avant de se rendre dans le parc, de s'enregistrer auprès des **bureaux de Parcs Canada** à Pangnirtung *(☎473-8828, ⇄473-8612)* ou à Broughton Island *(☎927-8834)*. Vous devez alors donner votre itinéraire ainsi que dire le nombre de jours que vous prévoyez rester et signaler votre retour une fois votre expédition terminée. On peut se procurer dans ces bureaux des cartes topographiques du parc au prix de 10$. Le poste de garde d'Overlord constitue l'entrée du parc. Malgré son nom, vous n'y trouverez pas âme qui vive. Il est situé tout au fond du fjord de Pangnirtung. On s'y fait généralement conduire par bateau ou par motoneige, selon la saison. Vous trouverez dans les bureaux du parc la liste des personnes expérimentées et prêtes à vous y conduire. L'excursion en bateau ne dure qu'une heure et demie environ, mais le prix de la course est astronomique. Il convient en général de prévoir débourser un minimum de 300$. Il y a toujours possibilité de marchandage, mais assurez-vous néanmoins de faire affaire avec un des guides homologués, car vous devrez convenir avec lui qu'il reviendra vous chercher au jour fixé. Vous pouvez, si le bateau ne vous sied pas, opter pour vous rendre à pied à l'entrée du parc, située à 32 km du village de Pagnirtung, ce qui malheureusement raccourcira de plusieurs journées votre séjour dans le parc.

Les travaux d'aménagement du parc national Auyuittuq ont été assez restreints. Un sentier balisé par des *inukshuk* mène au col Pangnirtung. Ce sentier guide les excursionnistes vers les meilleures traverses de ruisseaux, contourne les sables mouvants et permet d'éviter les dommages que les randonneurs pourraient causer à la toundra. Alors que la terre paraît nue et désertique en raison du climat implacable de l'Arctique, on peut observer durant la brève saison de l'été, parmi les pierres, de petits coussins de fleurs de tons pastel qui parviennent à supporter toutes les tortures que le froid, le vent et la sécheresse peuvent leur imposer, et qui colorent les moraines d'une fragile beauté. La terre semble ainsi à la fois redoutable et délicate. Pour plus de renseignements, vous pouvez écrire au directeur du **parc national Auyuittuq** *(Réserve du Parc national Auyuittuq, Pangnirtung, X0A 0R0, ☎819-473-8828, ⇄473-8612, nunavut_info@pch.gc.ca)*.

Le **parc historique de Kekerten** est accessible par bateau ou par motoneige à partir de Pangnirtung. Renseignez-vous auprès du centre d'information touristique Angmarlik. Ce parc, situé sur une petite île au sud de Pangnirtung, a constitué pendant près d'un siècle un poste de chasse à la baleine. En partie restauré, l'endroit présente un site d'interprétation qui vous fera découvrir la vie de ces chasseurs et leurs conditions de travail.

Le **parc national Quttinirpaak (Île-d'Ellesmere)** ★★, qui recouvre 37 775 km^2, est véritablement situé sur le toit du monde, à l'extrémité nord de l'île d'Ellesmere. Les conseils de préparation d'une expédition que nous avions donnés pour le Parc national Auyuittuq prévalent également pour le Parc national Quttinirpaak (Île-d'Ellesmere). Cet endroit féerique abrite de spectaculaires glaciers et de magnifiques montagnes tombant à pic dans l'océan Arctique, entre autres un des sommets les plus élevés du Canada, le **mont Barbeau** (2 629 m). C'est habituellement à **Lake Hazen**, situé en plein centre du parc, que se rendent les excursionnistes. L'endroit attire plusieurs espèces d'oiseaux migrateurs durant le court été arctique et une faune essentiellement composée de renards, de lièvres arctiques à fourrure blanche, de bœufs musqués et de loups.

Loup

Avec des précipitations de moins de 10 cm par an, cette région désertique est une des plus arides du globe. L'entrée principale du parc est située au fond du fjord Greely, à **Tanquary Fiord**. Il vous faudra, pour la rejoindre, prendre un petit avion au départ de Resolute. Les prix exorbitants (plus de 2 000$) peuvent malheureusement en décourager plus d'un. Pour plus de renseignements sur ce parc, écrivez à **Parcs Canada** *(Parc national de Quttinirpaak P.O. Box 353, Pangnirtung, XOA ORO, ☎819-473-8828, ≠473-8612, nunavut_info@pch.gc.ca).*

Le **Sirmilik National Park ★★** *(adresse postale temporaire : Sirmilik National Park, P.O. Box 353 , Pangnirtung, Nunavut, XOA ORO, ☎867-473-8828, ≠867-473-8612, nunavut_info@pch.gc.ca)* a officiellement été inauguré en 1999, mais il ne possède pour l'instant aucune infrastructure d'accueil. Il n'y a pas non plus de terrains de camping à proprement parler, mais cela ne devrait nullement empêcher les aventuriers de planter leur tente au bord d'un cours d'eau et de profiter à souhait des paysages spectaculaires et de l'isolement extrême de ces lieux ô combien envoûtants.

Le parc couvre une superficie de 22 000 km² dans l'angle nord-est de l'île de Baffin, et ses frontières englobent les communautés de Pond Inlet et d'Arctic Bay, de même que l'île Bylot, une réserve d'oiseaux migrateurs émaillée glaciers et de sommets escarpés et enneigés. Ainsi le parc Sirmilik, qui signifie «glacier» en inuktitut, porte-t-il bien son nom. Quant à l'île Bylot, elle accueille des oiseaux tels que le guillemot de Brünnich et la mouette tridactyle, tandis que ses côtes et ses eaux sont fréquentées par des ours polaires, des phoques, des morses et des cétacés, parmi lesquels se trouve le narval, cet unicorne des mers. On accède au parc par l'entremise de firmes locales de Pond Inlet et d'Arctic Bay; comptez environ 400$ par personne pour vous rendre de Pond Inlet à l'île Bylot. Et, avant de partir à l'aventure, prenez la peine de vous informer de l'état des glaces sur l'Eclipse Sound (les glaces se rompent en juillet et se reforment en octobre et en novembre, interdisant alors tout déplacement en motoneige ou en bateau). Gardez en outre à l'esprit que les Inuits ont conservé leurs droits de chasse, de pêche et de trappe à l'intérieur du parc, de même que celui d'y extraire des pierres destinées à être sculptées.

Activités de plein air

Randonnée pédestre

Le Nunavut fait figure de paradis pour les amateurs de grands espaces. Au chapitre de la randonnée pédestre, les possibilités sont innombrables et, à tout prendre, omniprésentes, que ce soit en montagne, sur les glaciers ou les calottes glaciaires du nord, ou encore dans les vastes plaines occidentales.

Kayak

Le kayak est aussi populaire, mais ceux qui désirent pratiquer cette activité devront voyager avec tout le matériel nécessaire; en effet, bien que les Inuits aient créé ce genre d'embarcation, la tradition s'en est presque totalement perdue. Cela dit, certaines communautés, dont Pelly Bay (Aqvilikjuaq), connaissent un renouveau à cet égard, en partie dû au tourisme croissant dans la région.

Observation des baleines

Le Nunavut se prête également on ne peut mieux à l'observation des baleines, entre autres le béluga et le narval, mais aussi la baleine boréale. Les excursions en motoneige et en traîneau à chiens constituent par ailleurs des façons enlevantes d'explorer ce coin de pays de même que de se familiariser avec les traditions inuites.

Ornithologie

Quant aux ornithologues, ils seront ravis d'apprendre que la région renferme 10 réserves d'oiseaux, à l'intérieur desquelles ils pourront observer le guillemot de Brünnich, l'oie des neiges, le fulmar boréal et la mouette tridactyle, entre autres espèces.

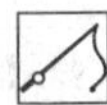

Pêche

Et ceux qui prisent la chair de l'omble chevalier pourront partir à sa quête grâce à de nombreux camps de pêche établis dans la région.

Pour la plupart des activités mentionnées, vous devrez prendre des arrangements préalables auprès des entreprises locales. Nunavut Tourism (voir p 730) vous fournira sur demande une liste des fournisseurs spécialisés.

Hébergement

Iqaluit

Bayshore Inn
100$
21 chambres
P.O. Box 1240, X0A 0H0
☎**979-6733**
⇄**979-4210**
L'hôtel le moins cher de cette ville, où les prix sont exorbitants pour le type de chambres proposé, est le Bayshore Inn.

Frobisher Inn
150$
50 chambres rénovées
tv, ℜ
P.O. Box 610, X0A 0H0
☎**979-2222**
⇄**979-0427**
Beaucoup plus cher, le Frobisher Inn offre à ses clients une navette pour l'aéroport. Vous pouvez également vous servir du fax à la réception. Le restaurant de l'hôtel est une assez bonne table. Sert du café.

Discovery Lodge
160$
52 chambres
tv, ℜ
P.O. Box 387, X0A 0H0
☎**979-4433**
⇄**979-6591**
Enfin, le Discovery Lodge Hotel offre lui aussi un service de navette pour l'aéroport. Laverie sur place.

Pangnirtung

Auyuittuq Lodge
135$
200$ pc
25 chambres
ℜ
X0A 0R0
☎***473-8955***
⇄***473-8611***
Mis à part le terrain de camping gratuit situé à la sortie du village vers le parc national Auyuittuq, il y a un seul endroit où se loger à Pangnirtung, soit l'Auyuittuq Lodge. Les chambres sont très rustiques, et il vous faudra descendre dans le salon si vous désirez regarder la télévision. Néanmoins, après une longue randonnée dans le parc, cette adresse est un réconfort du seul fait de la possibilité d'une douche et d'un repas chaud, aussi médiocre soit-il. Les réservations sont recommandées durant l'été.

Resolute Bay

L'**International Explorers's Home** *(140$ pc; 6 chambres; P.O. Box 200, X0A 0V0, ☎252-3875)* et le **Narwhal Arctic Services** *(195$ pc 48 chambres; tv, navette pour l'aéroport; X0A 0V0, ☎252-3968, ⇄252-3960)* sont les deux seules adresses du village.

Restaurants

Même s'il est vrai qu'Iqaluit offre un certain choix de restaurants, retenez que les possibilités de restauration se font très limitées dans les communautés de moindre importance, sans compter que les prix y sont très élevés. Nombre de localités ne possèdent qu'un seul restaurant, qui se trouve le plus souvent à l'intérieur de l'hôtel local, et les heures d'ouverture en sont parfois restreintes. Vous aurez, cependant, l'occasion de vous procurer du poisson ou du gibier capturé par les pêcheurs et chasseurs de la région (*vauntry food*) en vous informant auprès des personnes appropriées. Selon la saison et l'endroit où vous vous trouvez, vous pourrez ainsi déguster des délices tels l'omble chevalier (frais ou fumé), le turbot, les saucisses de caribou ou le steak de bœuf musqué (sur l'île Ellesmere). Si vous désirez cuisiner vous-même, vous pouvez vous adresser aux comptoirs locaux de la Hunters and Trappers Association (HTA), dont certains proposent des emballages modernes et tout le nécessaire à fumer la viande ou le poisson.

Iqaluit

Navigator Inn
$$
en face du Discovery Lodge
☎979-8833
Tous les hôtels de la ville possèdent un restaurant. Celui du Navigator Inn prépare certains soirs des pizzas. L'omble de l'Arctique et le caribou sont de tous les menus.

Kamotiq Inn
$$
☎979-5937
Le Kamotiq Inn, est la seule place en ville où vous pourrez manger des plats mexicains. Le restaurant propose également un buffet.

Pangnirtung

Auyuittuq Lodge
$$$
☎473-8955
Le seul endroit où vous pourrez vous restaurer dans ce petit village, hormis un petit casse-croûte situé tout près de l'aéroport, se trouve à l'Auyuittuq Lodge. Un menu frugal et à prix fixe vous est imposé. Mais après plusieurs jours passés à manger de la nourriture de camping, on peut apprécier de prendre un repas dans un lieu chauffé.

Achats

Les **Northern Stores**, qui étaient jadis les comptoirs de la Compagnie de la Baie d'Hudson, sont présents dans presque toutes les communautés du Nunavut. Les habitants de la région y achètent à peu près tout ce dont ils peuvent avoir besoin, de l'épicerie aux chaussettes de laine et aux munitions. Vous y trouverez en outre de l'artisanat, des cartes postales et d'autres souvenirs, le choix variant au gré des communautés.

Iqaluit

Tout juste à côté de l'aéroport, vous verrez quelques entrepôts regorgeant de sculptures. Il y a aussi plusieurs galeries en ville. Les plus jolies pièces proviennent de Cape Dorset et de Pangnirtung. Ça vaut la peine de prendre le temps d'explorer la boutique car vous y ferez de magnifiques trouvailles. Bijoux en bois de caribou, pièces murales, articles en argent et gravures traditionnelles ou contemporaines sont également vendus à Iqaluit, où l'Arctic College donne des cours d'art aux jeunes Inuits.

Cape Dorset

La plupart des gravures et sculptures produites par la **West Baffin Eskimo Co-operative** (voir «Attrait», p 730) sont expédiées dans les galeries du sud du pays, mais certaines pièces sont tout de même conservées pour être vendues sur place. Cela dit, vous pourrez trouver des objets d'art de cet ordre en plusieurs autres points de la communauté; de fait, il semble que ces objets sachent eux-mêmes comment vous trouver, dans la mesure où les artisans risquent fort de vous approcher, produits finis en main, alors que vous visitez les lieux, à moins que vous ne les voyiez tout simplement travailler la pierre à l'extérieur de leur maison.

Index

Index

Index

Index

Index

Index

Notes de voyage

Notes de voyage

Notes de voyage

Notes de voyage

Notes de voyage

Notes de voyage

Bon de commande Ulysse

Guides de voyage

☐ Abitibi-Témiscamingue et Grand Nord	22,95 $	135 FF
☐ Acapulco	14,95 $	89 FF
☐ Arizona et Grand Canyon	24,95 $	145 FF
☐ Bahamas	24,95 $	145 FF
☐ Belize	16,95 $	99 FF
☐ Boston	17,95 $	99 FF
☐ Calgary	16,95 $	99 FF
☐ Californie	29,95 $	129 FF
☐ Canada	29,95 $	129 FF
☐ Cancún et la Riviera Maya	19,95 $	99 FF
☐ Cape Cod – Nantucket	16,95 $	99 FF
☐ Carthagène (Colombie)	12,95 $	70 FF
☐ Charlevoix Saguenay Lac-Saint-Jean	22,95 $	135 FF
☐ Chicago	19,95 $	99 FF
☐ Chili	27,95 $	129 FF
☐ Colombie	29,95 $	145 FF
☐ Costa Rica	27,95 $	145 FF
☐ Côte-Nord – Duplessis – Manicouagan	22,95 $	135 FF
☐ Cuba	24,95 $	129 FF
☐ Cuisine régionale au Québec	16,95 $	99 FF
☐ Disney World	19,95 $	135 FF
☐ El Salvador	22,95 $	145 FF
☐ Équateur – Îles Galápagos	24,95 $	145 FF
☐ Floride	29,95 $	129 FF
☐ Gaspésie - Bas-Saint-Laurent - Îles-de-la-Madeleine	22,95 $	99 FF
☐ Gîtes du Passant au Québec	13,95 $	89 FF
☐ Guadeloupe	24,95 $	98 FF
☐ Guatemala	24,95 $	129 FF
☐ Honduras	24,95 $	145 FF
☐ Hôtels et bonnes tables au Québec	17,95 $	89 FF
☐ Jamaïque	24,95 $	129 FF
☐ La Nouvelle-Orléans	17,95 $	99 FF
☐ Las Vegas	17,95 $	89 FF
☐ Lisbonne	18,95 $	79 FF
☐ Louisiane	29,95 $	139 FF
☐ Los Cabos et La Paz	14,95 $	89 FF
☐ Martinique	24,95 $	98 FF
☐ Miami	18,95 $	99 FF
☐ Montréal	19,95 $	117 FF
☐ New York	19,95 $	99 FF
☐ Nicaragua	24,95 $	129 FF
☐ Nouvelle-Angleterre	29,95 $	145 FF
☐ Ontario	27,95 $	129 FF

Guides de voyage

☐ Ottawa	16,95 $	99 FF
☐ Ouest canadien	29,95 $	129 FF
☐ Ouest des États-Unis	29,95 $	129 FF
☐ Panamá	24,95 $	139 FF
☐ Pérou	27,95 $	129 FF
☐ Plages du Maine	12,95 $	70 FF
☐ Portugal	24,95 $	129 FF
☐ Provence – Côte-d'Azur	29,95 $	119 FF
☐ Provinces Atlantiques du Canada	24,95 $	129 FF
☐ Puerto Plata–Sosua	14,95 $	69 FF
☐ Puerto Rico	24,95 $	139 FF
☐ Puerto Vallarta	14,95 $	99 FF
☐ Le Québec	29,95 $	129 FF
☐ République dominicaine	24,95 $	129 FF
☐ Saint-Martin – Saint-Barthélemy	16,95 $	89 FF
☐ San Francisco	17,95 $	99 FF
☐ Seattle	17,95 $	99 FF
☐ Toronto	18,95 $	99 FF
☐ Tunisie	27,95 $	129 FF
☐ Vancouver	17,95 $	89 FF
☐ Venezuela	29,95 $	129 FF
☐ Ville de Québec	17,95 $	99 FF
☐ Washington, D.C.	18,95 $	117 FF

Espaces verts

☐ Cyclotourisme au Québec	22,95 $	99 FF
☐ Cyclotourisme en France	22,95 $	79 FF
☐ Motoneige au Québec	22,95 $	99 FF
☐ Le Québec cyclable	19,95 $	99 FF
☐ Le Québec en patins à roues alignées	19,95 $	99 FF
☐ Ottawa-Hull à Vélo	3,95 $	43 FF
☐ Randonnée pédestre Montréal et environs	19,95 $	117 FF
☐ Randonnée pédestre Nord-est des États-Unis	19,95 $	117 FF
☐ Ski de fond au Québec	22,95 $	110 FF
☐ Randonnée pédestre au Québec	22,95 $	117 FF

Guides de conversation

☐ L'Anglais pour mieux voyager en Amérique	9,95 $	43 FF
☐ L'Espagnol pour mieux voyager en Amérique latine	9,95 $	43 FF
☐ Le Québécois pour mieux voyager	9,95 $	43 FF
☐ French for better travel	9,95 $	43 FF

Journaux de voyage Ulysse

☐ Journal de voyage Ulysse (spirale)bleu – vert – rouge ou jaune	11,95 $	49 FF

☐	Journal de voyage Ulysse (format de poche) bleu – vert – rouge – jaune ou «sextant»	9,95 $	44 FF

Budget • zone

☐	•zone Amérique centrale	14,95 $	69 FF
☐	•zone Ouest canadien	14,95 $	69 FF
☐	•zone le Québec	14,95 $	69 FF
☐	Stagiaires Sans Frontières	14,95 $	89 FF

Titre	Qté	Prix	Total
Nom :		Total partiel	
		Port	4.00$/16FF
Adresse :		Total partiel	
		Au Canada TPS 7%	
		Total	

Tél : .... Fax : ....

Courriel : ....

Paiement : ☐ Chèque ☐ Visa ☐ MasterCard

N° de carte__________ Expiration__________

Signature__________

Guides de voyage Ulysse
4176, rue Saint-Denis, Montréal
(Québec) H2W 2M5
☎ (514) 843-9447,
sans frais : ☎ 1-877-542-7247
fax (514) 843-9448
info@ulysse.ca

En Europe:
Les Guides de voyage Ulysse, SARL
BP 159
75523 Paris Cedex 11
info@ulysse.ca
☎ 01.43.38.89.50
Fax 01.43.38.89.52
Voyage@ulysse.ca

Consultez notre site : www.guidesulysse.com